СЬЮЗЕН КОЛЛИНЗ

СЬЮЗЕН КОЛЛИНЗ

ГОЛОДНЫЕ ИГРЫ
И ВСПЫХНЕТ ПЛАМЯ
СОЙКА-ПЕРЕСМЕШНИЦА

Издательство АСТ
Москва

УДК 821.111-312.9(73)
ББК 84 (7Сое)-44
К60

Suzanne Collins

THE HUNGER GAMES
CATCHING FIRE
MOCKINGJAY

Перевод с английского
А. Шипулина («Голодные игры», «Сойка-пересмешница»),
Ю. Моисеенко («И вспыхнет пламя»),
М. Головкина («Сойка-пересмешница»)

Коллинз, Сьюзен.

К60 Голодные игры. И вспыхнет пламя. Сойка-пересмешница : [перевод с английского] / Сьюзен Коллинз. — Москва: Издательство АСТ, 2019. — 894, [2].

ISBN 978-5-17-078975-7

Эти парень и девушка знакомы с детства и еще могут полюбить друг друга, но им придется стать врагами. По жребию они должны участвовать в страшных Голодных играх, где побеждает только один – таков закон, который не нарушался еще никогда...

Китнисс и Пит выжили – заставили признать победителями их обоих.

Но многие из тех, кому не нравится победа, считают парня и девушку опасными. У этих людей хватает силы и власти, чтобы с легкостью убить и Пита, и Китнисс. Но никому не под силу их разъединить...

УДК 821.111-312.9(73)
ББК 84 (7Сое)-44

ГОЛОДНЫЕ ИГРЫ

УДК 821.111-312.9(73)
ББК 84 (7Сое)-44

ДОРОГОЙ ЧИТАТЕЛЬ!

Многие спрашивают, как мне пришла в голову идея написать «Голодные игры», первый роман моей новой трилогии для юношеской аудитории. Наверное, их удивляет то, что эта книга так мало похожа на мои романы о Грегоре Надземном, предназначенные для младших школьников.

Трудно назвать какую-то одну причину. Наверное, первые семена были посеяны еще в детстве, когда в возрасте восьми лет я увлеклась мифологией и прочитала историю о Тесее. Миф рассказывает о том, как в наказание за прошлые провинности афиняне должны были в определенные годы посылать на Крит семь юношей и семь девушек. Там их бросали в Лабиринт, обрекая на съедение чудовищу Минотавру. Уже тогда, в третьем классе, я осознала безжалостный смысл этого требования: попробуйте тронуть нас, и мы не просто убьем вас, мы будем убивать ваших детей.

Также в детстве я смотрела очень много фильмов о гладиаторах: древние римляне умели превращать казни в массовые развлечения. На каникулах мы часто ездили с отцом, военным специалистом и историком, к местам известных сражений, а в старших классах я много путешествовала с фехтовальным обществом. Но непосредственным толчком послужил сравнительно недавний случай: сидя у телевизора и щелкая пультом, я вдруг перескочила с реалити-шоу на репортаж о реальных военных действиях. Тогда-то и родилась история Китнисс.

Возможно, потому, что книга написана от первого лица, Китнисс очень близка моему сердцу. Надеюсь, она найдет путь и к вашему.

С наилучшими пожеланиями,

Сьюзен Коллинз

Посвящается Джеймсу Проймосу

Часть I

ТРИБУТЫ

1

Я просыпаюсь и чувствую, что рядом на кровати пусто. Пытаюсь нащупать тепло Прим, но под пальцами лишь шершавая обивка матраса. Должно быть, сестренке снились кошмары, и она перебралась к маме. Неудивительно — сегодня День Жатвы.

Приподнимаюсь на локте и вижу их в полумраке спальни: Прим, свернувшись калачиком, тесно прижалась к матери, щека к щеке. Во сне мама выглядит моложе — осунувшейся, но не измотанной. Лицо Прим свежо, как капля росы, и красиво, как цветок примулы, давшей ей имя. Мама тоже когда-то была красавицей. Так мне говорили.

У ног Прим устроился ее верный страж — самый уродливый кот в мире. Нос вдавлен, половина уха оторвана, глаза цвета гнилой тыквы. Прим назвала его Лютик — она почему-то уверена, что шерсть у него золотистая, а не грязно-бурая.

Кот меня ненавидит. По меньшей мере не доверяет. Уже несколько лет прошло, а помнит, наверное, как я хотела утопить его в ведре, когда сестра притащила его котенком в дом. Тощего, блохастого. От глистов чуть не лопался. Только такого нахлебника мне и не хватало! Но Прим так упрашивала, плакала... Пришлось оставить. Может, оно и к лучшему. Есть кому мышей ловить. Кот оказался прирожденным охотником. Бывает, даже с крысами справляется. Паразитов мама ему вывела.

Когда потрошу добычу, я иногда бросаю Лютику внутренности. А он перестал на меня ощетиниваться. Вот и всё. Похоже, наши взаимные симпатии этим и ограничатся.

Я спускаю ноги с кровати и обуваюсь. Мягкая кожа охотничьих ботинок приятно облегает ступни и голени. Надеваю брюки, рубашку, прячу длинную темную косу под шапку и хватаю рюкзак. На столе под перевернутой деревянной миской — чтобы крысы или какие-нибудь голодные коты не добрались — лежит кусочек козьего сыра, обернутый листьями базилика, подарок от Прим ко Дню Жатвы. Я бережно кладу его в карман и выскальзываю на улицу.

Мы живем в Дистрикте-12, в районе, прозванном Шлак. По утрам здесь обычно полно народу. Шахтеры торопятся на смену. Мужчины и женщины с согнутыми спинами, распухшими коленями. Многие уже давно оставили всякие попытки вычистить угольную пыль из-под обломанных ногтей и отмыть грязь, въевшуюся в морщины на изможденных лицах.

Сегодня черные, усыпанные шлаком улицы безлюдны. Окна приземистых серых домишек закрыты ставнями. Жатва начнется в два. Можно и поспать. Если получится.

Наш дом почти на окраине Шлака. Проходишь всего несколько ворот, и ты уже на Луговине — заброшенном пустыре. За Луговиной — высокий сетчатый забор с витками колючей проволоки поверху. Там заканчивается Дистрикт-12. Дальше — леса. Задумывалось, что все двадцать четыре часа в сутки забор будет под напряжением, чтобы отпугивать хищников: диких собак, кугуаров-одиночек, медведей. А то они раньше к самым домам подбирались. Только так уж нам везет, что электричество дают всего на два-три часа по вечерам, поэтому забора можно не опасаться. Все равно всегда останавливаюсь и слушаю — на всякий случай. Не гудит, значит, тока нет. Сейчас тихо. Я ложусь на землю и проползаю под забором — тут сетка уже два года как оборвана. И за кустами тебя не видно. Вообще, таких лазов несколько, но этот ближе всего к дому; зачем ходить дальше?

Оказавшись в лесу, я достаю из дупла старого дерева припрятанные лук и колчан со стрелами. С электричеством или без, забор все-таки отпугивает хищников, в дистрикт они больше не суются. А в лесу им приволье. Тут уж держи ухо востро. Да еще всякая мелочь, больная бешенством, ядовитые змеи. И тропинок почти никаких нет. Зато можно добыть еду, если умеешь. Отец умел. Меня он тоже коечему успел научить, пока не случилась та авария в шахте и его не разорвало на кусочки. Даже хоронить оказалось нечего. Мне тогда было одиннадцать. Прошло пять лет, а я все еще просыпаюсь от собственного крика: «Беги!»

Вообще-то по лесам ходить запрещено, а охотиться тем более. Многих это не остановило бы, будь у них оружие, однако не всякий решится пойти на зверя с одним ножом. Мой лук — один из немногих в округе. Еще несколько я аккуратно упаковала в непромокаемую ткань и спрятала в лесу. Все их сделал отец. Он мог бы неплохо зарабатывать на изготовлении луков, но узнай об этом власти, его бы публично казнили за подстрекательство к мятежу.

На тех, кто все-таки охотится, миротворцы в основном смотрят сквозь пальцы. Тоже ведь свежего мяса хотят. По правде говоря, они — наши главные скупщики. Но снабжать Шлак оружием — такого, конечно, никто не допустит.

По осени некоторые сорвиголовы отваживаются пробираться в леса за яблоками. Далеко не заходят, Луговину из глаз не выпускают. Чуть что — сразу обратно, к родным крышам. «Дистрикт-12. Здесь вы можете подыхать от голода в полной безопасности», — бормочу я и тут же оглядываюсь. Даже здесь, в глуши, боишься, что тебя кто-нибудь услышит.

Когда я была поменьше, я ужасно пугала маму, высказывая все, что думаю о Дистрикте-12 и о людях, которые управляют жизнью всех нас из далекого Капитолия — столицы нашей страны Панем. Постепенно я поняла, что так нельзя: можно навлечь беду. Научилась держать язык за зубами и надевать маску безразличия, чтобы было непонятно, о чем я думаю. В школе стараюсь не высовываться. На рынке иногда поболтаю с кем-нибудь из вежливости, и то в основном о делах в Котле — это наш черный рынок, деньги у меня по большей части оттуда. Дома я, конечно, не такая пай-девочка, тем не менее ни о чем таком стараюсь не распространяться — о Жатве, например, о нехватке продуктов, о Голодных играх. Вдруг Прим станет повторять мои слова — и что тогда с нами будет?

В лесу меня ждет единственный человек, с кем я могу быть сама собой. Гейл. И сейчас, когда я карабкаюсь по холмам к нашему месту — скалистому уступу высоко над долиной, скрытому от чужих глаз густым кустарником, у меня будто груз сваливается с плеч, и шаги становятся быстрее. Я замечаю Гейла издали и невольно начинаю улыбаться. Гейл говорит, что улыбаюсь я только в лесу.

— Привет, Кискисс, — кричит он.

На самом деле мое имя Китнисс, но, когда мы знакомились, я его едва прошептала, и ему послышалось «Кискисс». А потом еще ко мне какая-то глупая рысь привязалась, думала, ей что-нибудь перепадет от моей добычи. Вот все и подхватили это прозвище. Рысь в конце концов пришлось убить — всю дичь распугивала. Даже жалко, с рысью как-то веселее было. Шкуру я продала, и неплохо.

— Гляди, что я подстрелил.

Гейл держит в руках буханку хлеба, из которой торчит стрела. Я смеюсь. Хлеб настоящий, из пекарни, совсем не похож на те плоские липкие буханки, что мы печем из пайкового зерна. Я беру хлеб, вытаскиваю стрелу и с наслаждением нюхаю. Рот сразу наполняется слюной. Такой хлеб бывает только по особым праздникам.

— М-м... еще теплый, — восхищаюсь я. Гейл, наверное, еще на рассвете сбегал в пекарню, чтобы его выторговать. — Сколько отдал?

— Всего одну белку. Старик сегодня что-то больно добрый. Даже удачи пожелал.

— В такой день мы все чувствуем близость друг друга, верно? — говорю я и даже не закатываю при этом глаза. — Прим оставила нам сыра. — Я достаю из кармана сверток.

Гейл радуется еще больше.

— Спасибо ей. Да у нас настоящий пир. — Он вдруг начинает говорить с капитолийским акцентом и пародировать Эффи Бряк — неукротимо бодрую даму, каждый год приезжающую объявить имена к очередной Жатве. — Чуть не забыла! Поздравляю с Голодными играми. — Гейл срывает несколько ягодин с окружающего нас ежевичника. — И пусть удача...

Он подбрасывает ягоду, и когда она, описав высокую дугу, летит в мою сторону, я ловлю ее ртом и, прокусив нежную кожицу, ощущаю терпкую сладость на языке.

— ...всегда будет на вашей стороне! — заканчиваю я с тем же энтузиазмом.

Нам не остается ничего другого как шутить. Иначе можно сойти с ума от страха. К тому же капитолийский выговор такой жеманный — что ни скажи, все смешно выходит.

Я смотрю, как Гейл вытаскивает нож и нарезает хлеб. Гейл вполне мог бы сойти за моего брата. Прямые черные волосы, смуглая кожа, даже глаза как у меня — серые. Однако мы не родственники, во всяком случае не близкие. Большинство семейств, работающих на шахтах, похожи друг на друга. Потому-то моя мама и Прим со своими светлыми волосами и голубыми глазами всегда смотрелись здесь чужаками. Чужаки они и есть. Родители мамы принадлежали к маленькому клану аптекарей, обслуживающему чиновников, миротворцев и пару-тройку клиентов из Шлака, и жили в другом, более престижном районе Дистрикта-12. Доктора мало кому по карману, так что лечимся мы у аптекарей. Мой будущий отец собирал в лесах целебные травы и продавал в аптеку. Там они с мамой и познакомились. Мама, видно, здорово его любила, раз согласилась променять родной дом на Шлак. Я пытаюсь вспомнить что-то из их совместной жизни, а перед глазами лишь бледная женщина с непроницаемым лицом, которая сидит и смотрит, как ее дети превращаются в вяленую рыбу. Я пытаюсь простить ее ради отца. По правде говоря, я не из тех, кто легко прощает.

Гейл кладет на ломтики хлеба мягкий козий сыр и аккуратно покрывает листиком базилика; я тем временем обираю с кустов ягоды. Потом мы устраиваемся в укромном местечке между выступами скал, где нас никто не увидит, зато перед нами, как на ладони, долина, бурлящая летней жизнью, с тьмою всякой съедобной зелени и кореньев, и озеро с рыбой, переливающейся на солнце всеми цветами радуги. День прекрасный: голубое небо, ласковый ветерок. Еда тоже отличная: хлеб, пропитанный мягким сыром, ягоды, брызжущие соком во рту. Куда уж лучше. Одно плохо: не весь день нам с Гейлом бродить по горам, добывая ужин. В два часа нужно быть на площади и ждать, когда объявят имена.

— А мы ведь смогли бы, как думаешь? — тихо говорит Гейл.

— Что? — спрашиваю я.

— Уйти из дистрикта. Сбежать. Жить в лесу. Думаю, мы бы с тобой справились.

Я просто не знаю, что ответить, такой дикой мне кажется эта мысль.

— Если бы не дети, — поспешно добавляет Гейл.

Дети, конечно, не наши. Но все равно что наши. У Гейла два младших брата и сестра. У меня Прим. А еще матери. Как они обойдутся без нас? Кто их всех накормит? Ведь и сейчас, хоть мы с Гейлом и охотимся каждый день, а бывает, поменяешь добычу на топленое сало, на шерсть или шнурки для ботинок и ложишься спать голодным. Аж в животе урчит.

— Никогда не буду заводить детей, — говорю я.

— Я бы завел. Если бы жил не здесь, — отвечает Гейл.

— Если бы да кабы, — раздражаюсь я.

— Ладно, забыли, — огрызается он в ответ.

Разговор какой-то дурацкий получился. Уйти? Как я могу уйти и бросить Прим — единственного человека на земле, про которого я точно знаю, что люблю? И Гейл ведь тоже предан своей семье. Мы никак не можем уйти, так с какой стати затевать об этом разговор? А если бы и ушли... если бы ушли... С чего мы вдруг завели разговор про своих детей? В наших отношениях с Гейлом никогда не было и тени романтики. Когда мы встретились, я была тощей двенадцатилетней девчонкой, а он, хотя всего на два года старше, уже выглядел мужчиной. Мы и друзьями-то не сразу стали. Долго еще спорили из-за каждого трофея, пока не стали помогать друг другу.

К тому же, если Гейл захочет детей, то жену ему найти — раз плюнуть. Красивый, сильный — в шахте может работать, и охотник замечательный. Когда по школе проходит, все девочки шушукаются. Я ревную, но вовсе не из-за того, о чем многие могут подумать. Хорошие напарники на дороге не валяются.

— Чем займемся? — спрашиваю я.

Можно охотиться, можно рыбачить или собирать ягоды.

— Давай к озеру. Удочки поставим, потом в лес. Наберем чего-нибудь вкусного на вечер.

На вечер... После Жатвы — официальный праздник. Многие действительно празднуют — рады, что их детей в этот раз не тронули. Но, по крайней мере, в двух домах ставни и двери будут плотно закрыты, а их обитатели будут думать, как пережить следующие несколько ужасных недель.

Все идет как по маслу. Хищников можно не бояться, у них сейчас полно добычи получше. Утро еще не закончилось, а у нас уже дюжина рыбин, целая сумка зелени и, что самое приятное, полведра земляники. Земляничник я нашла несколько лет назад, а Гейлу пришло в голову натянуть вокруг сетку, чтобы звери не вытоптали.

По пути домой мы заворачиваем в Котел, нелегальный рынок на заброшенном угольном складе. Когда придумали более удобный способ доставлять уголь из шахт прямо к поездам, здесь постепенно расцвела торговля. Хотя сегодня День Жатвы и большинство предприятий к этому времени уже закрыто, на рынке дела идут еще полным ходом. Мы легко обмениваем шесть рыбин на хороший хлеб, и еще две — на соль. Сальная Сэй, костлявая женщина, продающая горячий суп из большущего котла, забирает у нас половину зелени в обмен на пару брусков парафина. Кому-то другому можно было бы и повыгоднее толкнуть, только с Сальной Сэй надо поддерживать хорошие отношения. Кому еще всегда сбудешь дохлую дикую собаку? Специально мы на них не охотимся, но если они сами нападут, и прибьешь случайно пару-тройку, так не выбрасывать же — мясо есть мясо. «Попадут в суп, станут говядиной», — подмигивает Сэй. Оно, конечно, от хорошей собачьей ножки никто в Шлаке носа воротить не будет. Миротворцы — те поразборчивей, а они в Котел тоже частенько заглядывают.

С рынка мы идем к дому мэра продать половину земляники — он очень ее любит и не торгуется. Дверь открывает Мадж — его дочь. Она учится со мной в одном классе. И совсем не зазнается из-за отца. Просто держится особняком, как и я. Ни у меня, ни у нее нет по-настоящему своей компании, поэтому мы часто оказываемся рядом. В столовой, на собраниях, в спортивных играх, когда нужен партнер. Разговариваем редко, и нас это устраивает.

Сегодня по случаю Жатвы на ней дорогущее белое платье вместо серого школьного, а светлые волосы стянуты розовой ленточкой.

— Классное платье, — говорит Гейл.

Мадж бросает на него взгляд, стараясь понять, на самом деле ему нравится или он только подсмеивается. Платье и вправду классное, но в обычный день Мадж никогда бы его не надела. Она сжимает губы, потом улыбается.

— Что ж, если придется ехать в Капитолий, то лучше быть красивой, так ведь?

Теперь очередь Гейла задуматься: в самом деле она так думает или просто играет? Я думаю, второе.

— Ты в Капитолий не поедешь, — холодно отвечает Гейл. Его взгляд останавливается на маленькой круглой броши, украшающей наряд Мадж. Настоящее золото, искусная работа. Целая семья могла бы несколько месяцев покупать на нее хлеб. — Сколько раз тебя впишут? Пять? Меня вписывали шесть раз, когда мне было двенадцать.

— Она не виновата, — говорю я.

— Не виновата. Да. И все равно это так.

Мадж насупилась. Она сует деньги за ягоды мне в руку.

— Удачи, Китнисс.

— Тебе тоже.

Дверь закрылась.

В Шлак мы возвращаемся молча. Мне не нравится, как Гейл уколол Мадж, но вообще-то он прав. Жатва происходит несправедливо, и хуже всего приходится беднякам. По правилам, в Жатве начинают участвовать с двенадцати лет. Первый раз твое имя вносится один раз, в тринадцать лет — уже два раза, и так далее, пока тебе не исполнится восемнадцать, когда твое имя пишут на семи карточках. Это касается всех без исключения граждан Панема во всех двенадцати дистриктах.

А вот тут начинается самое интересное. Допустим, ты бедняк и помираешь от голода. Тогда ты можешь попросить, чтобы тебя включили в Жатву большее число раз, чем полагается, а взамен получаешь тессеры. За тессер целый год дают зерно и масло на одного человека. Сыт, конечно, не будешь, но лучше, чем ничего. Можно взять тессеры и для всех членов семьи. Когда мне было двенадцать, меня вписали четырежды. Один раз по закону, и еще по разу за тессеры для Прим, мамы и меня самой. В следующие годы приходилось делать так же. А поскольку каждый год цена тессера увеличивается на одно вписывание, то теперь, когда мне исполнилось шестнадцать, мое имя будет на двадцати карточках. Гейлу восемнадцать, и он уже семь лет кормит семью из пяти человек. Его впишут сорок два раза! Понятно, что такие, как Мадж, которой никогда не приходилось рисковать из-за тессеров, вызывают у Гейла раздражение. Рядом с нами, обитателями Шлака, у нее просто нет шансов попасть в Игры. Почти нет. Конечно, правила устанавливает Капитолий, а не дистрикты и тем более не родственники

Мадж, и все равно трудно питать симпатии к тем, кому не приходится, как тебе, торговать собственной шкурой ради куска хлеба.

Гейл и сам понимает, что зря злится на Мадж. В другие дни, в лесах, он часто распространялся о том, что тессеры — это еще одно средство укоренить вражду между голодными рабочими Шлака и теми, кому не нужно каждый день думать о пропитании. «Капитолию выгодно, чтобы мы были разобщены», — говорил он не раз и скажет еще. Но не в День Жатвы. Не после тех в общем-то безобидных слов девушки, которая носит золотую брошь и прекрасно обходится без всяких тессеров.

По пути я бросаю взгляд на Гейла и вижу, что за каменным выражением лица все еще скрывается злость. По-моему, все эти припадки гнева совершенно бессмысленны, хотя Гейлу я так никогда не скажу. Дело не в том, что я с ним не согласна. Даже очень согласна. Только что толку кричать посреди леса, как плох Капитолий? Ничего ведь не изменится. Справедливости не станет больше. И сыт от крика не станешь. Наоборот, только дичь распугаешь. И все-таки я не возражаю. Пусть уж лучше выпустит пар в лесу, чем в дистрикте.

Мы с Гейлом делим остатки добычи: каждому достается по две рыбины, паре буханок хлеба, зелень, несколько стаканов земляники, соль, кусок парафина и чуть-чуть денег.

— Увидимся на площади, — говорю я.

— Ты уж принарядись, — хмуро отвечает Гейл.

Дома мама и сестра уже собрались. Мама надела красивое платье, оставшееся у нее с аптечных времен. На Прим — моя блузка с оборками и юбка, в которых я шла на свою первую Жатву.

Меня ждет лохань с горячей водой. Я смываю пот и грязь, налипшую в лесу, и даже мою волосы. Мама приготовила мне одно из своих красивых платьев, голубое, из мягкой тонкой материи.

— Ты правда думаешь, мне стоит его надеть? — удивляюсь я.

Одно время я так злилась на маму, что вообще ничего не хотела от нее принимать. Теперь стараюсь не отказываться. Но этот случай особый. Для мамы всегда очень много значили вещи из ее прошлой жизни.

— Конечно. И давай сделаем тебе прическу.

Мама насухо вытирает мне волосы полотенцем, старательно расчесывает и укладывает. Когда я смотрюсь в наше треснутое зеркало у стены, то едва себя узнаю.

— Ты такая красивая! — тихо выдыхает Прим.

— Будто подменили, — говорю я и обнимаю ее.

Как трудно ей будет пережить следующие часы, свою первую Жатву. Она почти в безопасности, — если тут вообще кто-то в безопасности, — ее имя внесли только один раз, по возрасту; я бы ни за что не позволила ей взять тессеры. Но Прим боится за меня. Боится того, о чем даже думать не хочется.

Я всегда защищаю Прим как только могу, а здесь бессильна. Боль, которую чувствует сестра, передается и мне, и я боюсь, что она это заметит. Край ее блузки выбился наружу.

— Подбери хвост, утенок, — говорю я, изо всех сил стараясь, чтобы голос прозвучал спокойно, и заправляю блузку.

— Кря-кря, — крякает мне Прим и смеется.

— Кря-кря и тебе, — отвечаю я и тоже смеюсь — так, как могу смеяться только рядом с Прим. — Пошли обедать, — говорю я, целуя ее в макушку.

Рыба и зелень уже тушатся в печи на вечер. Землянику и настоящий хлеб тоже прибережем до ужина — пусть он будет особенный. А сейчас мы едим черствый хлеб из зерна, полученного на тессеры, и запиваем молоком от козы Леди — подопечной Прим. Аппетита, впрочем, все равно ни у кого нет.

В час мы направляемся к площади. Присутствовать должны все, разве что кто-то при смерти. Служаки вечером пройдут проверят, и если это не так — посадят в тюрьму.

Плохо, что Жатву проводят именно на площади — единственном приятном месте во всем Дистрикте-12. Площадь окружена магазинчиками, и в базарный день, да еще если погода хорошая, чувствуешь себя здесь как на празднике. Сегодня площадь выглядит зловеще — даром что флагов кругом навешали. И телевизионщики с камерами, рассевшиеся, как стервятники, на крышах, настроения не поднимают.

Люди молча гуськом подходят к чиновнику и записываются — так Капитолий заодно и население подсчитывает. Тех, кому от двенадцати до восемнадцати, расставляют группами по возрасту на огражденных веревками площадках — старших впереди, младших, как Прим, сзади. Родственники, крепко держась за руки, выстраиваются по периметру. Есть еще другие — те, кому сейчас не за кого волноваться или кому уже наплевать, — они ходят по толпе и принимают ставки на детей, чьи имена сегодня выпадут, — какого они будут возраста, из Шлака или из торговых, будут ли они убиваться и плакать. Большинство с подлецами не связываются, но и сурового отпора не дают — они частенько оказываются доносчиками, а кто ни разу не нарушал закон? Меня бы, к примеру, запросто могли расстрелять за охоту, если бы чинуши сами есть не хотели и не прикрывали. Не все могут на это рассчитывать. И вообще, мы с Гейлом решили, что чем с голоду подыхать, лучше уж пулю в лоб — быстрее и мучиться меньше.

Люди прибывают, становится тесно, даже дышать трудно. Площадь хоть и большая, но не настолько, чтобы вместить все восьмитысячное население Дистрикта-12. Опоздавших направляют на соседние улицы, где они смогут наблюдать за событиями на экранах: Жатва транслируется по всей стране в прямом эфире.

Я оказываюсь среди сверстников из Шлака. Мы коротко киваем друг другу и устремляем внимание на временную сцену перед Домом правосудия. На сцене — три стула, кафедра и два больших стеклянных шара — для мальчиков и для девочек. Я не отрываясь смотрю на полоски бумаги в девичьем шаре. На двадцати из них аккуратным почерком выведено: «Китнисс Эвердин».

Два из трех стульев занимают мэр Андерси, высокий лысеющий господин, и приехавшая из Капитолия Эффи Бряк, женщина-сопроводитель, ответственная за наш дистрикт, — с розовыми волосами, в светло-зеленом костюме и с жуткой белозубой улыбкой на лице. Они о чем-то переговариваются, озабоченно поглядывая на пустующий стул.

Как только часы на ратуше пробьют два, мэр выходит к кафедре и начинает свою речь. Ту же, что всегда. Рассказывает историю Панема — страны, возникшей из пепла на том месте, которое когда-то называли Северной Америкой. Перечисляет катастрофы — засухи, ураганы, пожары, моря, вышедшие из берегов и поглотившие так много земли, жестокие войны за жалкие остатки ресурсов. Итогом стал Панем — сияющий Капитолий, окаймленный тринадцатью дистриктами, принесший мир и благоденствие своим гражданам. Потом настали Темные Времена, мятеж дистриктов против Капитолия. Двенадцать были побеждены, тринадцатый — стерт с лица земли. С вероломными дистриктами был заключен договор, снова гарантировавший мир и давший нам Голодные игры в качестве напоминания и предостережения, дабы никогда впредь не наступали Темные Времена.

Правила просты. В наказание за мятеж каждый из двенадцати дистриктов обязан раз в год предоставлять для участия в Играх одну девушку и одного юношу — трибутов. Двадцать четыре трибута со всех дистриктов помещают на огромную открытую арену: там может быть все, что угодно, — от раскаленных песков до ледяных просторов. Там в течение нескольких недель они должны сражаться друг с другом не на жизнь, а на смерть. Последний оставшийся в живых выигрывает.

Забирая детей и вынуждая их убивать друг друга у всех на глазах, Капитолий показывает, насколько велика его власть над нами, как мало у нас шансов выжить, вздумай мы взбунтоваться снова. Какие бы слова ни звучали из Капитолия, слышится в них одно: «Мы забираем у вас ваших детей, мы приносим их в жертву, и вы ничего не можете поделать с этим. Пошевелите только пальцем, и мы уничтожим вас всех. Как в Дистрикте-13».

Капитолию мало нас мучить, ему надо нас унизить, потому Голодные игры объявлены праздником, спортивным соревнованием, в котором дистрикты выступают соперниками. Выжившему трибуту обеспечивают безбедное существование в родном дистрикте, а сам дистрикт усыпают наградами — по большей части в виде продовольствия. Весь год Капитолий демонстрирует свою щедрость — выделяет победившему дистрикту зерно, масло, даже лакомства вроде сахара, в то время как остальные пухнут от голода.

— Это время раскаяния и время радости, — нараспев возглашает мэр.

Потом он вспоминает прошлых победителей из нашего дистрикта. За семьдесят четыре года их было всего двое. Один жив до сих пор. Хеймитч Эбернети, немолодой мужчина с брюшком, который как раз выходит на сцену. Пошатываясь и горланя что-то невразумительное, он грузно падает на третий стул. Успел нализаться. Толпа приветствует его жидкими аплодисментами, а он вовсю старается облапить Эффи Бряк, так что той едва удается вывернуться.

Мэр явно огорчен. Церемонию показывают по телевидению, и все, кому не лень, теперь над нами смеются. Пытаясь вернуть внимание к Жатве, он поспешно представляет Эффи Бряк. Как всегда бодрая и неунывающая, она выходит к кафедре и провозглашает свое фирменное: «Поздравляю с Голодными играми! И пусть удача *всегда* будет на вашей стороне!»

Ее розовые волосы — скорее всего, парик: после встречи с Хеймитчем локоны слегка сдвинулись набок. Покончив с приветствием, Эффи говорит, какая для нее честь присутствовать среди нас, хотя каждый понимает, что она ждет не дождется, когда ее переведут в более престижный дистрикт, где победители как победители, а не пьяницы, лапающие тебя перед всей нацией.

Сквозь толпу я вижу Гейла. Он тоже смотрит на меня и слегка улыбается: в кои веки на Жатве случилось что-то забавное... Тут меня пронзает мысль: в том шаре целых сорок два листочка с именем Гейла; удача не на его стороне. У других расклад куда как лучше. То же самое, наверное, Гейл подумал и обо мне, он мрачнеет и отворачивается. «Листков ведь несколько тысяч!» — шепчу я, как будто он может услышать.

Пора тащить жребий. Как обычно, Эффи взвизгивает: «Сначала дамы!» — и семенит к девичьему шару. Глубоко опускает руку внутрь и вытаскивает листок. Толпа разом замирает. Пролети муха, ее бы услышали. От страха даже живот сводит, а в голове одна мысль крутится, как заведенная: только бы не я, только бы не меня!

Эффи возвращается к кафедре и, расправив листок, ясным голосом произносит имя. Это и вправду не я.

Это — Примроуз Эвердин.

2

Как-то раз в лесу, поджидая добычу на дереве, я задремала и грохнулась вниз с десятифутовой высоты прямо на спину — да так, что, казалось, весь дух из меня вышел. Я несколько секунд ни вдохнуть, ни выдохнуть, ни даже пошевелиться не могла.

И вот теперь я испытываю то же самое: горло перехватило, и я не в силах издать ни звука, а имя сестры все стучит и стучит молотом в голове. Кто-то хватает меня за руку, какой-то мальчик из Шлака. Наверное, я стала падать, и он меня поддержал.

Это ошибка! Этого не может быть! Имя Прим — на одном листке из тысяч! Я даже за нее не волновалась. Разве я не обо всем позаботилась? Разве не я взяла эти чертовы тессеры, чтобы ей не пришлось рисковать? Один листок. Один листок из тысяч. Расклад — лучше не бывает. И все, все насмарку.

Как будто издалека до меня доносится ропот толпы — самая большая несправедливость, когда выпадает кто-то из младших. Потом я вижу Прим: бледная, с плотно сжатыми кулачками, она медленно, на негнущихся ногах бредет к сцене. Проходит мимо меня, и я замечаю, что ее блузка опять торчит сзади как утиный хвостик; и это приводит меня в чувство.

— Прим! — кричу я сдавленным голосом и наконец обретаю способность двигаться. — Прим!

Мне не нужно проталкиваться сквозь толпу, она сама расступается передо мной, образуя живой коридор к сцене. Я догоняю Прим у самых ступеней и отталкиваю назад.

— Есть доброволец! — выпаливаю я. — Я хочу участвовать в Играх.

На сцене легкое замешательство. В Дистрикте-12 добровольцев не бывало уже несколько десятков лет, и все забыли, какова должна быть процедура в таких случаях. По правилам, после того как объявлено имя трибута, другой юноша или другая девушка (смотря по тому, из какого шара был взят листок) может выразить желание занять его место. В некоторых дистриктах, где победа в Играх считается большой честью и многие готовы рискнуть ради нее жизнью, стать добровольцем не так просто. Но поскольку у нас слово «трибут» значит почти то же, что «труп», добровольцы давным-давно перевелись.

— Чудесно! — восхищается Эффи Бряк. — Но... мне кажется, вначале полагается представить победителя Жатвы и... только потом спрашивать, не найдется ли добровольца. И если кто-то изъявит желание, то мы, конечно... — все более неуверенно продолжает она.

— Да какая разница? — вмешивается мэр.

Он смотрит на меня с состраданием и, хотя мы никогда не общались, как будто даже узнает меня — девочку, которая приносит ягоды; о которой ему, возможно, что-то рассказывала дочь; и которой, как старшему ребенку в семье, он сам пять лет назад вручал медаль «За мужество». Медаль за отца, сгинувшего в рудниках. Может быть, мэр вспомнил, как я стояла тогда перед ним, робко прижавшись к матери и сестренке?

— Какая разница? — ворчливо повторяет мэр. — Пусть идет.

Сзади, вцепившись в меня, как клещами, своими тонкими ручонками, исступленно кричит Прим:

— Нет, Китнисс! Нет! Не ходи!

— Прим, пусти! — грубо приказываю я, потому что сама боюсь не выдержать и расплакаться. Когда вечером Жатву будут повторять по телевизору, все увидят мои слезы и решат, что я легкая мишень, слабачка. Нет уж, дудки! Никому не хочу доставлять такого удовольствия. — Пусти!

Кто-то оттаскивает от меня Прим, я оборачиваюсь и вижу, как она брыкается на руках у Гейла.

— Давай, Кискисс, иди, — говорит он напряженным от волнения голосом и уносит Прим к маме.

Я стискиваю зубы и поднимаюсь на сцену.

— Браво! Вот он, дух Игр! — ликует Эффи, довольная, что и в ее дистрикте случилось наконец что-то достойное. — Как тебя зовут?

Я с трудом сглатываю комок в горле и произношу:

— Китнисс Эвердин.

— Держу пари, это твоя сестра. Не дадим ей увести славу у тебя из-под носа, верно? Давайте все вместе поприветствуем нового трибута! — заливается Эффи.

К великой чести жителей Дистрикта-12, ни один из них не зааплодировал. Даже те, кто принимал ставки, кому давно на всех наплевать. Многие, наверное, знают меня по рынку, или знали моего отца, а кто-то встречал Прим и не мог не проникнуться к ней симпатией. Я стою ни жива ни мертва, пока многотысячная толпа застывает в единственно доступном нам акте своеволия — молчании. Молчании, которое лучше всяких слов говорит: мы не согласны, мы не на вашей стороне, это несправедливо.

Дальше происходит невероятное — то, чего я и представить себе не могла, зная, как я совершенно безразлична дистрикту. С той самой минуты, когда я встала на место Прим, что-то изменилось — я обрела ценность. И вот сначала один, потом другой, а потом почти все подносят к губам три средних пальца левой руки и протягивают ее в мою сторону. Этот древний жест существует только в нашем дистрикте и используется очень редко; иногда его можно увидеть на похоронах. Он означает признательность и восхищение, им прощаются с тем, кого любят.

Теперь у меня действительно наворачиваются слезы. К счастью, Хеймитч встает со стула и шатаясь ковыляет через сцену, чтобы меня поздравить.

— Посмотрите на нее. Посмотрите на эту девочку! — орет он, обнимая меня за плечи. От него несет спиртным, и он явно давно не мылся. — Вот это я понимаю! Она... молодчина! — провозглашает он торжественно. — Не то что вы! — Он отпускает меня, подходит к краю сцены и тычет пальцем прямо в камеру. — Вы — трусы!

Кого он имеет в виду? Толпу? Или настолько пьян, что бросает вызов Капитолию? Впрочем, об этом уже никто не узнает: не успевая в очередной раз открыть рот, Хеймитч валится со сцены и теряет сознание.

Хоть он и отвратителен, я ему благодарна. Пока все камеры жадно нацелены на него, у меня есть время перевести дух и взять себя в руки. Я расправляю плечи и смотрю вдаль на холмы, где мы бродили сегодня утром с Гейлом. На мгновение меня охватывает тоска... почему мы не убежали из дистрикта? Не стали жить в лесах? Но я знаю, что поступила правильно. Кто бы тогда встал на место Прим?

Хеймитча поскорее уносят на носилках, и Эффи Бряк снова берет инициативу в свои руки.

— Какой волнующий день! — щебечет она, поправляя парик, опасно накренившийся вправо. — Но праздник еще не окончен! Пришло время узнать имя юноши-трибута! — По-прежнему пытаясь одной рукой выровнять парик, она бодро шагает к шару и вытаскивает первый попавшийся листок. Я даже не успеваю пожелать, чтобы это был не Гейл, как она произносит: — Пит Мелларк!

«О нет! Только не он!» — проносится у меня в голове, я знаю этого парня, хотя ни разу и словом с ним не перемолвилась.

Удача сегодня не на моей стороне.

Я смотрю на него, пока он пробирается к сцене. Невысокий, коренастый, пепельные волосы волнами спадают на лоб. Пит старается держаться, но в его голубых глазах ужас. Тот же ужас, что я так часто видела на охоте в глазах жертвы. Тем не менее Питу удается твердым шагом подняться по ступеням и занять свое место на сцене.

Эффи Бряк спрашивает, нет ли добровольцев. Никто не выходит. У Пита два брата, я видела их в пекарне. Одному, наверное, уже больше восемнадцати, а другой не захочет. Обычное дело. В День Жатвы семейные привязанности не в счет. Поэтому все так потрясены моим поступком.

Мэр длинно и нудно зачитывает «Договор с повинными в мятеже дистриктами», как того требуют правила церемонии, но я не слышу ни слова.

«Почему именно он?» — думаю я. Потом пытаюсь убедить себя, что это не имеет значения. Мы с Питом не друзья, даже не соседи. Мы никогда не разговаривали друг с другом. Нас ничего не связывает... кроме одного случая несколько лет назад. Возможно, сам Пит о нем уже и не помнит. Зато помню я. И знаю, что никогда не забуду.

То было самое тяжелое время для нашей семьи. Тремя месяцами раньше, в январе, суровее которого, по словам старожилов, в наших местах еще не бывало, мой отец погиб в шахте. Поначалу я почти ничего не чувствовала — словно окаменела, а потом пришла боль. Она накатывала внезапно из ниоткуда, заставляя корчиться и рыдать. «Где ты? — кричала я мысленно. — Почему ты ушел?» Ответить было некому.

Дистрикт выделил нам небольшую компенсацию, достаточную, чтобы прожить месяц, пока мама найдет работу. Только она не искала. Целыми днями сидела, как кукла, на стуле или лежала скрючившись на кровати и смотрела куда-то невидящим взглядом. Иногда вставала, вдруг встрепенувшись, будто вспомнив о каком-то деле, но тут же снова впадала в оцепенение и не обращала никакого внимания на мольбы Прим.

Мне было страшно, очень страшно. Теперь я могу представить, в каком мрачном царстве тоски пришлось побывать маме, но тогда я понимала лишь одно: вместе с отцом я потеряла и ее. Прим всего семь лет, мне — одиннадцать, и я стала главой семьи. Что мне оставалось делать? Я покупала на рынке продукты, варила еду, как умела, и старалась прилично одеваться сама и одевать сестру — ведь если бы стало известно, что мама о нас не заботится, мы бы оказались в муниципальном приюте. В нашу школу ходили дети из приюта — понурые, с синяками на лицах, с согбенными от безысходности спинами. Я не могла допустить, чтобы Прим стала такой же. Добрая маленькая Прим, которая плакала, когда плакала я, еще даже не зная причины, расчесывала и заплетала мамины волосы перед школой, и каждый вечер по-прежнему вытирала отцово зеркало для бритья — он терпеть не мог угольную пыль, покрывавшую все в Шлаке. Прим не выдержала бы приюта. А потому я никому словом не обмолвилась о том, как нам трудно.

Наконец деньги закончились, и мы стали умирать от голода. По-другому не скажешь. И продержаться-то нужно было всего лишь до мая, только до восьмого числа, а там мне бы исполнилось двенадцать, я бы взяла тессеры и получила на них драгоценные зерно и масло. Но до мая оставалось еще несколько недель, а к тому времени мы могли умереть.

В Дистрикте-12 голодная смерть не редкость. За примерами далеко ходить не надо: старики, не способные больше работать, дети из семей, где слишком много ртов, рабочие, искалеченные в шахтах. Бродил вчера человек по улицам, а сегодня, смотришь, лежит где-нибудь, привалившись к забору, и не шевелится. Или на Луговине наткнешься. А другой раз только плач из домов слышишь. Приедут миротворцы, заберут тело. Власти не признают, что это из-за голода. Официально причина всегда — грипп, переохлаждение или воспаление легких.

В тот день, когда судьба свела меня с Питом Мелларком, я была в городе. Пыталась продать что-нибудь из старых вещичек Прим на публичном рынке. Раньше я несколько раз бывала с отцом в Котле, но одна ходить туда боялась — место очень уж суровое. Ледяной дождь лил непрерывным потоком. Отцова охотничья куртка промокла насквозь, и холод пробирал до костей. Последние три дня у нас во рту не было ничего, кроме кипяченой воды с несколькими листиками мяты, завалявшимися в буфете. Простояв до самого закрытия рынка, я ничего не продала и дрожала так сильно, что уронила связку с детскими вещами в лужу. Подбирать не стала, побоялась, что сама упаду следом и тогда уже точно не встану. Да и кому нужны эти тряпки?

Домой нельзя. Невыносимо смотреть в потухшие глаза матери, видеть впалые щеки и потрескавшиеся губы сестры. В комнатке полно дыма: с тех пор как закончился уголь, топить приходилось сырыми ветками, которые я подбирала на краю леса. Как я могла вернуться туда с пустыми руками и без всякой надежды?

Не помню, как ноги привели меня на грязную улочку, тянувшуюся позади лавок и магазинов для богачей. Но сами-то заведения на первом этаже, а на втором живут их хозяева. Так что оказалась я у них на задворках. Возле домов пустые грядки, время посадки еще не пришло. Пара коз в сарае. Мокрая собака на цепи, обреченно сгорбившаяся посреди грязной лужи.

Любое воровство в Дистрикте-12 карают смертью, а в ящиках с мусором можно рыться безнаказанно. Вдруг что-нибудь отыщется? Кость из мясной лавки или гнилые овощи от зеленщика. То, чего не станет есть никто, кроме моей семьи. Как назло, мусор недавно вывезли.

Когда я проходила мимо пекарни, от запаха свежего хлеба у меня закружилась голова. Где-то в глубине пылали печи, и через отрытую дверь лил золотой жар. Я стояла, не в силах двинуться с места, прикованная теплом и дивным ароматом, пока дождь не охватил ледяными пальцами всю спину и не пробудил меня от очарования. Я подняла крышку мусорного ящика перед пекарней, и он тоже оказался безукоризненно, безжалостно пуст.

Вдруг я услыхала крик и подняла глаза. Жена пекаря кричала, чтобы я шла своей дорогой, а то она позовет миротворцев, и как ей надоело все это отродье из Шлака, постоянно роющееся в ее мусоре. У меня не было сил ответить на ее брань. Я осторожно опустила крышку, попятилась и тут заметила светловолосого мальчика, выглядывавшего из-за материнской спины. Я его встречала в школе. Он мой ровесник, но как его зовут, я не знала. У городских детей своя компания. Потом женщина, все еще ворча, возвратилась в пекарню, а мальчик, должно быть, наблюдал, как я зашла за свинарник и прислонилась к старой яблоне. Последняя надежда принести домой что-нибудь съестное пропала. Колени у меня подогнулись, и я безвольно соскользнула на землю. Вот и все. Я слишком больна, слишком слаба и слишком устала — о, как же я устала. Пусть приедут миротворцы, пусть заберут нас в приют. А лучше пусть я сдохну прямо здесь под дождем.

До меня донесся шум: опять ругалась жена пекаря, потом раздался удар. Вот разбушевалась. Хлюпая по грязи, ко мне кто-то шел. Это она. Хочет прогнать меня палкой, успела подумать я. Но нет, это был мальчик. В руках он держал две большие буханки хлеба с дочерна подгоревшей коркой — наверное, они упали в огонь.

— Брось их свинье, олух безмозглый! Какой дурак купит горелый хлеб?! — кричала ему вслед мать.

Он стал отрывать от буханок подгоревшие куски и бросать в корыто. Тут в пекарне зазвенел колокольчик, и мать поспешила к покупателю.

Мальчик даже ни разу не взглянул на меня, зато я смотрела на него не отрываясь. Потому что у него был хлеб. А еще из-за алого пятна на скуле. Чем она его так ударила?

Мои родители нас никогда не били. Я и представить себе такого не могла.

Он воровато оглянулся — не смотрит ли кто, снова повернулся к свинарнику, и быстро бросил одну, потом другую буханку в мою сторону. И как ни в чем не бывало пошлепал назад к пекарне.

Я глядела на буханки и не верила своим глазам. Они были совсем хорошие, кроме подгорелых мест. Неужели это мне? Должно быть. Буханки валялись у самых моих ног. Испугавшись, что кто-то мог видеть, как все произошло, я поскорее сунула их под рубашку, запахнула сверху охотничью куртку и быстро пошла прочь. Горячий хлеб обжигал кожу, а я только сильнее прижимала его к себе — в нем была жизнь.

Пока я дошла до дома, буханки подостыли, но внутри были еще теплыми. Я вывалила их на стол, и Прим сразу хотела отломить кусок. Я сказала ей немного подождать, уговорила маму сесть с нами за стол и налила всем горячего чаю. Соскребла с хлеба черноту и нарезала. Это был настоящий, вкусный хлеб с изюмом и орехами. Мы съели целую буханку, ломоть за ломтем.

Оставив одежду сушиться у печки, я забралась в кровать и тут же провалилась в глубокий сон. Только утром мне пришло в голову, что мальчик мог нарочно подпалить буханки. Сбросил в огонь, зная, что накажут, а потом сумел передать мне. Хотя с чего это я взяла? Видно, все-таки случайно. Зачем ему помогать совсем чужой девчонке? Даже просто бросив хлеб, он проявил невероятное великодушие; узнай об этом мать, ему бы здорово досталось. Я не могла его понять.

На завтрак мы с сестрой опять поели хлеба и отправились в школу. За ночь, казалось, пришла весна: воздух чист и свеж, легкие пушистые облака в небе. В вестибюле школы я встретила того мальчика. Щека у него опухла, под глазом проступил синяк. Мальчик разговаривал с друзьями и ничем не показал, что знает меня. Но когда мы с Прим шли домой после занятий, я заметила, как он смотрит на нас с другой стороны школьного двора. На секунду наши глаза встретились; он тут же отвернулся, а я, смутившись, опустила взгляд на землю. А там, надо же — одуванчик, первый одуванчик в этом году. Сердце у меня учащенно забилось. Я вспомнила отца, как мы вместе охотились в горах, и внезапно поняла, что нужно делать, чтобы выжить.

До сих пор не могу отделаться от странной мысли, будто этот спасительный одуванчик оказался там не случайно, а как-то связан с Питом Мелларком и его хлебом, подарившим мне надежду. Потом еще не раз я ощущала на себе взгляд Пита, но он мгновенно отводил его, стоило мне обернуться. У меня такое чувство, будто я осталась ему что-то должна, а я не люблю ходить в должниках. Возможно, мне было бы легче, если бы я хоть поблагодарила его. Я и правда хотела, просто случая не подвернулось. Теперь поздно. Нас бросят на арену, и нам придется сражаться насмерть. Хороша я там буду со своим «спасибо»! Боюсь, слишком уж натянуто оно звучит, когда одновременно пытаешься перерезать благодетелю глотку.

Мэр наконец заканчивает читать нестерпимо скучный договор и жестом велит нам с Питом пожать друг другу руки. Ладони Пита плотные и теплые, как тот хлеб. Он глядит мне прямо в глаза и ободряюще сжимает мою ладонь. А может, это просто нервный спазм?

Играет гимн, и мы стоим повернувшись к толпе.

«Что ж, — думаю я. — В конце концов, нас двадцать четыре. Есть шанс, что кто-то убьет его раньше меня».

Хотя в последнее время ни на что нельзя слишком полагаться.

3

Как только заканчивается гимн, нас берут под охрану. Нет, нам не надевают наручники — ничего такого. Просто пока мы идем к Дому правосудия, рядом неотступно следует группа миротворцев. Возможно, раньше трибуты пытались бежать. При мне такого не случалось.

Меня отводят в комнату и оставляют одну. Никогда не встречала такой роскоши: ноги утопают в мягких коврах, диван и кресла обиты бархатом. Я знаю, что это бархат, у мамы есть платье с воротником из такой ткани. Когда я сажусь на диван, то не могу удержаться, чтобы не погладить его. Мягкий ворс действует успокаивающе. Спокойствие, ох как оно мне понадобится в следующий час — время, отведенное на прощание с близкими. Нельзя позволить себе раскиснуть, нельзя выйти отсюда с опухшими глазами и натертым носом. Плачем делу не поможешь. А на вокзале повсюду будут камеры.

Первыми приходят сестра и мама. Я протягиваю руки к Прим, она забирается ко мне на колени, обхватывает за шею и кладет голову мне на плечо, совсем как маленькая. Мама сидит рядом и обнимает нас обеих. Несколько минут мы не в силах говорить. Потом, опомнившись, я тороплюсь высказать свои наставления о том, что им теперь делать.

Прим не придется брать тессеры. Они справятся без этого, если поведут дело с умом. Можно продавать козье молоко и сыр, а мама будет делать лекарства для людей из Шлака. Гейл обещал приносить травы, которые она не выращивает сама, надо только поточнее объяснять, какие именно, — Гейл ведь не так хорошо в этом разбирается, как я. Дичью он тоже обеспечит — у нас с ним договор с прошлого года. Даже не возьмет платы, но все ж лучше его чемнибудь благодарить — молоком или лекарствами.

Я не предлагаю Прим охотиться. Пару раз я пыталась ее научить, все без толку. В лесу она пугалась, а стоило подстрелить какого-нибудь зверька, так и вовсе пускалась в слезы и просила, чтобы ей дали его вылечить. Зато за козой она здорово ухаживает. Пусть этим и занимается.

Рассказываю, где добывать дрова и уголь для печки, как торговать, чтобы не обманули, прошу Прим не бросать школу. Затем беру маму за руку и твердо смотрю ей в глаза.

— Послушай. Послушай меня внимательно!

Мама кивает, встревоженная моей настойчивостью. Она догадывается, о чем пойдет речь.

— Ты не должна уйти снова, — говорю я.

Мама опускает взгляд.

— Я знаю. Я не уйду. В тот раз я не справилась...

— Теперь ты обязана справиться. Ты не можешь замкнуться в себе и бросить Прим совсем одну. Я уже не смогу вам помочь. Что бы ни случилось, что бы ни показывали на экране, обещай мне, что ты будешь бороться!

Мой голос срывается на крик. В нем — вся злость и все отчаяние, которые я чувствовала, пока мама находилась в плену своего безволия.

Она рассерженно высвобождает руку из моих тесно сжатых пальцев.

— Я была больна. Я смогла бы себя вылечить, будь у меня лекарства, какие есть теперь.

Возможно, мама права. Я уже не раз видела, как она возвращала к жизни людей, раздавленных горем. Наверное, это болезнь, но мы не можем себе позволить так болеть.

— Тогда позаботься, чтобы они у тебя были. И заботься о ней!

— За меня не волнуйся, Китнисс, — говорит Прим, охватывая ладонями мое лицо. — Главное, ты береги себя. Ты быстрая и смелая. Может быть, ты сумеешь победить.

Нет, я не сумею. Прим в душе это понимает. Это состязание мне не по силам. Дети из более богатых дистриктов, где победа в Играх считается огромной честью, тренируются всю жизнь. Парни в три раза крупнее меня, а девушки знают двадцать способов ударить ножом. Да, такие, как я, там, конечно, будут. Для разминки, пока не начнется настоящее веселье.

— Может быть, — соглашаюсь я. Какое у меня право требовать стойкости от мамы, если на саму себя я махнула рукой? Да и не в моем характере сдаваться без боя, даже когда нет надежды на победу. — Вот выиграю, и станем богачами, как Хеймитч.

— Мне все равно, будем мы богачами или нет. Я хочу, чтобы ты вернулась. Ты ведь постараешься? Постарайся, пожалуйста, очень-очень! — умоляет Прим.

— Я очень-очень постараюсь. Клянусь.

И я знаю, что должна сдержать эту клятву. Ради Прим.

В дверях появляется миротворец — время вышло. Мы до боли стискиваем друг друга в объятиях, а я все повторяю: «Я люблю вас. Я люблю вас обеих». В конце концов миротворец выдворяет их за дверь. Я утыкаюсь лицом в бархатную подушку, как будто могу укрыться в ней от всего мира.

Входит кто-то еще. Я поднимаю глаза и с удивлением вижу пекаря, отца Пита Мелларка. Даже не верится, что он пришел ко мне, ведь совсем скоро я, возможно, буду пытаться убить его сына. С другой стороны, мы с ним знакомы, а Прим он вообще хорошо знает. Когда она продает козий сыр в Котле, всегда приберегает для него пару кусков, а пекарь, не скупясь, рассчитывается хлебом. Мы всегда предпочитаем сторговаться с ним, пока его жены-ведьмы нет рядом. Сам он неплохой человек. Я уверена, он ни за что не ударил бы сына за подгоревший хлеб. И все-таки зачем он пришел?

Пекарь смущенно присаживается на край плюшевого кресла. Большой, широкоплечий мужчина с лицом, опаленным от долгих лет работы у печи. Видно, только что попрощался с сыном.

Он достает из кармана куртки белый бумажный кулек и протягивает мне. Внутри печенье. Мы никогда не могли себе позволить таких лакомств.

— Спасибо, — говорю я. Пекарь, не слишком-то разговорчивый и в лучшие времена, сейчас вовсе не в состоянии выдавить ни слова. — Сегодня утром я ела ваш хлеб. Мой друг Гейл отдал вам за него белку.

Пекарь кивает, как будто вспомнил.

— В этот раз вы продешевили.

В ответ он только плечами пожимает — неважно, мол.

Теперь и я не знаю, что сказать. Так мы и сидим молча, пока не приходит миротворец. Тогда пекарь встает и откашливается.

— Я присмотрю за малышкой. Голодать не будет, не сомневайся.

От этих слов на душе становится чуточку легче. Люди знают, что со мной можно иметь дело, зато Прим они по-настоящему любят. Надеюсь, этой любви хватит, чтобы она выжила.

Следующую гостью я тоже не ожидала. Уверенным шагом ко мне приближается Мадж. Она не плачет и не отводит глаз, но в ее голосе слышится странная настойчивость.

— На арену разрешают брать с собой одну вещь из своего дистрикта. Что-то, напоминающее о доме. Ты не могла бы надеть вот это?

Она протягивает мне круглую брошь — ту, что сегодня украшала ее платье. Тогда я не рассмотрела ее как следует, теперь вижу: на ней маленькая летящая птица.

— Твою брошь? — удивляюсь я. Вот уж не думала брать с собой что-то на память.

— Я приколю ее тебе, ладно? — Не дожидаясь ответа, Мадж наклоняется и прикрепляет брошь к моему платью. — Пожалуйста, не снимай ее на арене, Китнисс. Обещаешь?

— Да, — отвечаю я.

Надо ж как меня сегодня одаривают! Печенье, брошь. А еще, уходя, Мадж целует меня в щеку. Может, Мадж в самом деле всегда была моей настоящей подругой?

Наконец приходит Гейл. И пусть мы никогда не испытывали друг к другу романтических чувств, но когда он протягивает руки, я, не раздумывая, бросаюсь к нему в объятия. Мне все так знакомо в нем — его движения, запах леса. Бывало, в тихие минуты на охоте я слышала, как бьется его сердце. Однако впервые я чувствую, как его стройное, мускулистое тело прижимается к моему.

— Я хотел тебе сказать, Китнисс, — говорит он. — Ты запросто получишь нож, но главное — раздобыть лук. С луком у тебя больше всего шансов.

— Там не всегда бывают луки, — отвечаю я.

Мне вспомнилось, как в один год трибутам дали только жуткие булавы с шипами, которыми те забивали друг друга насмерть.

— Тогда сама сделай, — говорит Гейл. — Лучше плохой лук, чем никакого.

Я несколько раз пыталась изготовить лук по образцу отцовых, ничего путного не выходило. Не так это просто, как кажется. Даже отцу случалось портить заготовку.

— Может, там и деревьев не будет, — говорю я.

Как-то раз всех забросили в местность, где были сплошь только валуны и низкий уродливый кустарник. Тот год мне особенно не понравился. Многие погибли от укусов змей или обезумели от жажды.

— Деревья есть почти всегда, — возражает Гейл. — Никому ведь не интересно смотреть, когда половина участников умирает просто от холода.

Это верно. В один из сезонов мы видели, как игроки ночами замерзали насмерть. Их почти нельзя было разглядеть, так они съеживались, и ни одного деревца кругом, чтобы развести костер или хотя бы зажечь факел. В Капитолии посчитали, что такая смерть, без битв и без крови, не слишком захватывающее зрелище, и с тех пор деревья обычно бывали.

— Да, почти всегда есть, — соглашаюсь я.

— Китнисс, это ведь все равно что охота. А ты охотишься лучше всех, кого я знаю.

— Это не просто охота. Они вооружены. И они думают.

— Ты тоже. И у тебя больше опыта. Настоящего опыта. Ты умеешь убивать.

— Не людей!

— Думаешь, есть разница? — мрачно спрашивает Гейл.

Самое ужасное — разницы никакой нет, нужно всего лишь забыть, что они люди.

Миротворцы возвращаются слишком скоро, Гейл просит еще подождать, но они все равно его уводят, и мне становится страшно.

— Не дай им погибнуть от голода! — кричу я, цепляясь за его руку.

— Не дам! Ты же знаешь! Китнисс, помни, что я...

Миротворцы растаскивают нас в стороны, дверь захлопывается, и я никогда не узнаю, что он хотел сказать.

От Дома правосудия до станции рукой подать, особенно на машине. Никогда раньше не ездила на машине. На повозках и то редко. В Шлаке все ходят пешком.

Хорошо, что я не плакала. Вся платформа кишит репортерами, их похожие на насекомых камеры направлены прямо мне в лицо. Впрочем, я привыкла скрывать свои чувства. И сейчас мне это тоже удается. Мой взгляд падает на экран, где в прямом эфире показывают наш отъезд, и я с удовольствием отмечаю, что вид у меня почти скучающий.

Пит Мелларк, напротив, явно плакал и, как ни странно, даже не пытается это скрыть. Мне приходит в голову мысль: уж не тактика ли у него такая? Казаться слабым и напуганным, убедить всех, что его и в расчет не стоит принимать, а потом вдруг развернуться, чтобы чертям тошно стало. Несколько лет назад это сработало. Джоанна Мэйсон, девочка из Дистрикта-7, все строила из себя дурочку и трусиху с глазами на мокром месте, пока из участников почти никого не осталось. Изощреннейшей убийцей оказалась. Здорово придумано — ничего не скажешь. Но у Пита Мелларка этот номер не пройдет. Вон какие плечи широченные. Еще бы. Сын пекаря, голодом не измучен и с хлебными лотками наупражнялся будь здоров — таскал их туда-сюда целыми днями. Тут уж все будут начеку, сколько сопли ни пускай.

Несколько минут мы стоим в дверях вагона под жадными объективами телекамер, потом нам разрешают пройти внутрь, и двери милостиво закрываются. Поезд трогается.

Мы несемся так быстро, что у меня дух захватывает. Я ведь никогда раньше не ездила на поезде. Перемещения между дистриктами запрещены, кроме особо оговоренных случаев. Для нашего дистрикта особый случай — транспортировка угля. Но что такое обычный товарняк по сравнению с капитолийским экспрессом, у которого скорость — двести пятьдесят миль в час? До Капитолия мы доберемся меньше чем за сутки.

Нам рассказывали в школе, что Капитолий построен в горах, когда-то называвшихся Скалистыми. А Дистрикт-12 находится в местности, прежде известной как Аппалачи. Уже тогда, сотни лет назад, тут добывали уголь. Вот почему теперь шахты прорубают так глубоко.

В школе нас большей частью только про уголь и учат. Ну, еще читать и математике немножко. И каждую неделю обязательно лекция по истории Панема. Вечная болтовня о том, сколь многим мы обязаны Капитолию. Зато про восстание никогда толком не расскажут — почему и как все было. А рассказать, думаю, есть что. Впрочем, мне некогда этим интересоваться. Какая бы ни была правда, на хлеб ее не намажешь.

Поезд, предназначенный для трибутов, даже еще роскошнее, чем комната в Доме правосудия. Нам выделяют по отдельному купе, к которому примыкают гардеробная, туалет и душ с горячей и холодной водой. В домах у нас горячей воды нет. Приходится греть.

В выдвижных ящиках — красивая одежда. Эффи говорит, я могу надевать что хочу и делать что хочу — здесь все для меня. Нужно только через час выйти к ужину. Я снимаю мамино голубое платье и принимаю горячий душ. Я никогда раньше не была в душе. Это все равно что стоять под теплым летним дождем, только еще теплее. Затем надеваю темно-зеленую рубашку и штаны.

В последний момент вспоминаю о золотой броши Мадж. Теперь я рассматриваю ее как следует. Кажется, кто-то сделал сначала маленькую золотую птичку, а уж после прикрепил ее к кольцу. Птица касается кольца только самыми кончиками крыльев. Внезапно я узнаю ее — это ведь сойка-пересмешница!

Забавные птицы — сойки-пересмешницы, зато Капитолию они точно бельмо на глазу. Когда восстали дистрикты, для борьбы с ними в Капитолии вывели генетически измененных животных. Их называют перерождениями или просто перeродками. Одним из видов были сойки-говоруны, обладавшие способностью запоминать и воспроизводить человеческую речь. Птиц доставляли в места, где скрывались враги Капитолия, там они слушали разговоры, а потом, повинуясь инстинкту, возвращались в специальные центры, оснащенные звукозаписывающей аппаратурой. Сначала повстанцы недоумевали, как в Капитолии становится известным то, о чем они тайно говорили между собою, ну а когда поняли, такие басни стали сочинять, что в конце концов капитолийцы сами в дураках и остались. Центры позакрывались, а птицы должны были сами постепенно исчезнуть — все говоруны были самцами.

Должны были, однако не исчезли. Вместо этого они спарились с самками пересмешников, и так получился новый вид птиц. Потомство не может четко выговаривать слова, зато прекрасно подражает другим птицам и голосам людей — от детского писка до могучего баса. А главное, сойки-пересмешницы умеют петь как люди. И не какие-нибудь простенькие мелодии, а целые песни от начала до конца со многими куплетами — надо только не полениться вначале спеть самому, и птицам должен понравиться твой голос.

Отец очень любил соек-пересмешниц. В лесу, на охоте, он всегда насвистывал им сложные мелодии или пел песни, и, подождав немного, как бы из вежливости, они всегда пели в ответ. Такой чести удостаивается не каждый. Когда пел мой отец, все птицы замолкали и слушали. Его голос был такой красивый, мощный, светлый — в нем звучала сама жизнь, и хотелось плакать и смеяться одновременно. С тех пор как отец погиб, я забыла о сойках... Сейчас от взгляда на маленькую птичку на душе становится спокойнее. Будто отец все еще со мной и не даст меня в обиду. Я прикалываю брошь к рубашке, и на ее фоне кажется, что птица летит меж покрытых густой зеленью деревьев.

Эффи Бряк приходит, чтобы отвести меня на ужин. Я иду вслед за ней по узкому качающемуся коридору в столовую, отделанную полированными панелями. Посуда не из пластика — изящная и хрупкая. Питер уже ждет нас за столом, рядом с ним — пустой стул.

— Где Хеймитч? — бодро осведомляется Эффи.

— В последний раз, когда я его видел, он собирался пойти вздремнуть, — отвечает Пит.

— Да, сегодня был утомительный день, — говорит Эффи.

Думаю, она рада, что Хеймитча нет. Я ее не виню.

Ужин состоит из нескольких блюд, и подают их не все сразу, а по очереди. Густой морковный суп, салат, бараньи котлеты с картофельным пюре, сыр, фрукты, шоколадный торт. Эффи постоянно напоминает нам, чтобы мы не слишком наедались, потому что дальше будет еще что-то. Я не обращаю на нее внимания — никогда еще не видела столько хорошей еды сразу. К тому же самая лучшая подготовка к Играм, на какую я сейчас способна, это набрать пару фунтов веса.

— По крайней мере у вас приличные манеры, — говорит Эффи, когда мы заканчиваем главное блюдо. — Прошлогодняя пара ела все руками, как дикари. У меня от этого совершенно пропадал аппетит.

Те двое с прошлого года были детьми из Шлака, и они никогда за всю свою жизнь не наедались досыта. Неудивительно, что правила поведения за столом не сильно их заботили. Мы — другое дело. Пит — сын пекаря; нас с Прим учила мама. Что ж, пользоваться вилкой и ножом я умею. Тем не менее замечание задевает меня за живое, и до конца ужина я ем исключительно пальцами.

Потом вытираю руки о скатерть, заставляя Эффи поджать губы еще сильнее.

Наелась я до отвала, теперь главное удержать все это в себе. Пит тоже выглядит довольно бледно. К таким пирам наши желудки не привычны. Но раз уж я выдерживаю мышиное мясо с поросячьими кишками — стряпню Сальной Сэй, а зимой и древесной корой не брезгую, то тут как-нибудь справлюсь.

Мы переходим в другое купе смотреть по телевизору обзор Жатвы в Панеме. В разных дистриктах ее проводят в разное время, чтобы все можно было увидеть в прямом эфире, но это, конечно, только для жителей Капитолия, которым не приходится самим выходить на площадь.

Одну за другой показывают все церемонии, называют имена; иногда выходят добровольцы. Мы внимательно разглядываем наших будущих соперников. Некоторые сразу врезаются в память. Здоровенный парень из Дистрикта-2 чуть из кожи не выпрыгнул, когда спросили добровольцев. Девочка с острым лисьим лицом и прилизанными рыжими волосами из Пятого дистрикта. Хромоногий мальчишка из Десятого. Но более всех запоминается девочка из Дистрикта-11, смуглая, кареглазая, и все же очень похожая на Прим ростом, манерами. Ей тоже двенадцать. Вот только когда она поднимается на сцену и ведущий задает вопрос о добровольцах, слышен лишь вой ветра среди ветхих построек за ее спиной. Нет никого, кто бы встал на ее место.

Последним показывают Дистрикт-12. Вот называют имя Прим, вот выбегаю я и отталкиваю ее назад. В моем крике отчаяние, словно боюсь, что меня не услышат и все равно заберут Прим. Я вижу, как Гейл оттаскивает сестру и я взбираюсь на сцену. Потом — молчание. Тихий прощальный жест. Комментаторы, похоже, в затруднении. Один из них замечает, что Дистрикт-12 всегда был чересчур консервативен, но в местных традициях есть свой шарм. Тут, как по заказу, со сцены падает Хеймитч, и из динамиков раздается дружный хохот. Наше с Питом рукопожатие. Потом играет гимн, и программа заканчивается.

Эффи Бряк недовольна тем, как выглядел ее парик.

— Вашему ментору следовало бы научиться вести себя на официальных церемониях. Особенно когда их показывают по телевизору.

Пит неожиданно смеется.

— Да он пьяный был. Каждый год напивается.

— Каждый день, — уточняю я и тоже не удерживаюсь от улыбки.

Со слов Эффи выходит так, что Хеймитч просто несколько неотесан и все можно исправить, если он будет следовать ее советам.

— Вот как! — шипит она. — Странно, что вы находите это забавным. Ментор, как вам должно быть известно, — единственная ниточка, связывающая игроков с внешним миром. Тот, кто дает советы, находит спонсоров и организует вручение подарков. От Хеймитча может зависеть, выживете вы или умрете!

В этот момент в купе пошатываясь входит Хеймитч.

— Я пропустил ужин? — интересуется он заплетающимся языком, блюет на дорогущий ковер и сам падает сверху.

— Что ж, смейтесь дальше! — заявляет Эффи Бряк и семенит в своих узких туфельках мимо лужи с блевотиной к выходу.

Пару секунд мы с Питом молча наблюдаем, как наш ментор пытается подняться из скользкой мерзкой жижи. Вонь от блевотины и спирта стоит такая, что меня саму чуть не выворачивает. Мы переглядываемся. Да, толку от Хеймитча мало, однако больше нам рассчитывать не на кого, тут Эффи Бряк права. Не сговариваясь, мы берем Хеймитча за руки и помогаем встать на ноги.

— Я споткнулся? — осведомляется он. — Ну и запах!

Он закрывает ладонью нос, вымазывая лицо блевотиной.

— Давайте мы отведем вас в купе, — предлагает Пит. — Вам стоит помыться.

Хеймитч едва переставляет ноги, и мы почти тащим его на себе. Конечно, не может быть и речи, чтобы взвалить эту грязную тушу прямо на расшитое покрывало, мы заталкиваем его в ванну и включаем душ. Он почти не реагирует.

— Спасибо, — говорит мне Пит. — Дальше я сам.

Я невольно чувствую к нему благодарность. Меньше всего мне хочется сейчас раздевать Хеймитча, отмывать блевотину с волосатой груди и укладывать его в постельку. Возможно, Пит старается произвести хорошее впечатление, стать любимчиком. Хотя, судя по состоянию Хеймитча, утром он все равно ничего не вспомнит.

— Ладно, — отвечаю я. — Могу позвать тебе на помощь кого-нибудь из капитолийцев.

Их тут полно в поезде. Готовят, прислуживают, охраняют. Заботиться о нас — их работа.

— Обойдусь.

Я киваю и отправляюсь к себе. Пита можно понять, сама не выношу капитолийцев. Хотя возиться с пьяным Хеймитчем — это как раз то, что они заслуживают. Интересно, отчего Пит такой заботливый? И внезапно понимаю — просто он добрый и был таким всегда. Поэтому и хлеба мне тогда дал.

От этой мысли мне становится не по себе. Добрый Пит Мелларк гораздо опаснее для меня, чем злой. Добрые люди норовят проникнуть тебе в самое сердце. Я не должна этого допустить. Только не там, куда мы едем. С этого момента я решаю держаться от сына пекаря подальше.

Когда я прихожу в купе, поезд останавливается у платформы для заправки. Я быстро открываю окно и вышвыриваю печенье, которое мне дал отец Пита. Не хочу. Ничего не хочу от них.

Как назло, пакет падает на клочок земли, поросший одуванчиками. Поезд уже отправляется; я вижу рассыпавшееся среди цветов печенье всего одно мгновение, но этого достаточно. Достаточно, чтобы вспомнить тот, другой одуванчик на школьном дворе...

Тогда, несколько лет назад, я только-только отвела взгляд от лица Пита Мелларка, как вдруг увидела одуванчик и поняла, что не все потеряно. Я бережно сорвала его и поспешила домой. Схватила ведро, и мы с Прим побежали на Луговину. Она и впрямь была вся усыпана золотистыми цветками. Мы рвали их вместе с листьями и стеблями, пока не набрали целое ведро, хотя для этого нам пришлось исходить Луговину до самого забора. Зато на ужин у нас было вдоволь салата из одуванчиков. А еще хлеб Пита.

Вечером Прим спросила:

— А что мы будем есть после? Сможем найти еще еду?

— Сможем. Много всего, — пообещала я. — Я обязательно что-нибудь придумаю.

У мамы сохранилась книга из аптеки. На ее старых пергаментных страницах тушью были нарисованы растения, и под каждым рисунком аккуратным почерком указано название, место, где его нужно искать, когда оно цветет и от каких болезней помогает. А на свободных страницах папа добавил еще кое-что от себя — о растениях не для аптекарей, но которые можно есть. Одуванчики, лаконос, дикий лук, молодые сосновые побеги. Мы с Прим до поздней ночи просидели над этими записями.

На следующий день в школе не было занятий. Я покрутилась немного на краю Луговины, а потом все-таки решилась и подлезла под забор. В первый раз я оказалась там совсем одна, без отцовой защиты, без оружия. Я помнила, где спрятаны маленький лук и стрелы, которые отец сделал для меня. В тот день я отважилась уйти в лес едва ли больше чем на полсотни шагов. Почти сразу же я облюбовала большой старый дуб и устроилась в его ветвях, надеясь застигнуть врасплох какую-нибудь дичь. Часа через два-три надежды оправдались: я подстрелила кролика. Мне и раньше доводилось стрелять кроликов, но то было с отцом. Теперь я все сделала сама.

К тому времени мы уже много месяцев не ели мяса. Когда мама увидела кролика, она как будто очнулась от наваждения. Поднялась, ободрала тушку и поставила мясо тушиться с зеленью, которую собрала Прим. Потом опять стала отрешенной и легла. Когда еда была готова, мы уговорили ее поесть.

Лес стал нашим спасителем, и с каждым днем я все смелее вступала в его зеленые объятия. Я твердо решила, что мы не будем больше голодать, и решимость победила страх. Я воровала яйца из гнезд, ловила сетями рыбу, иногда удавалось подстрелить белку или кролика. И, конечно, я собирала разные травы, попадавшиеся мне повсюду. С растениями смотри в оба. Съедобных среди них много, но стоит раз ошибиться, и тебе конец. Я всегда по сто раз сверялась с отцовыми рисунками.

Мы выжили.

Поначалу чуть какая опасность — вой вдалеке послышится или ветка неожиданно хрустнет, — я тут же бросалась к забору. Потом привыкла спасаться на деревьях — собакам быстро надоедает ждать внизу, а медведи и рыси живут глубоко в лесу; наверное, запаха гари из дистрикта не любят.

Восьмого мая я отправилась в Дом правосудия и, получив тессеры, привезла домой на детской тачке сестры первую порцию зерна и масла. Теперь я имела право получать их восьмого числа каждого месяца. Тем не менее бросать охоту и собирательство было нельзя. Зерна и на еду-то не хватает, а нужно ведь еще другое покупать — мыло, молоко, нитки. То, без чего мы худо-бедно могли обойтись, я продавала в Котле. В первые разы идти туда одной было страшно, но люди помнили и уважали моего отца, и меня приняли. К тому же дичь есть дичь — неважно, кто ее подстрелил. Еще я стала ходить со своим товаром к домам богатых горожан. Тут тоже свои хитрости. Какие-то я помнила из разговоров с отцом, чему-то научилась сама. Мясник, к примеру, берет только кроликов, с белками к нему не лезь. Пекарь — другое дело, белок любит, хотя купит, только если жены нет рядом. Глава миротворцев — тому диких индеек подавай. Ну а для мэра лучше земляники ничего нет.

Однажды в конце лета я купалась в озере, и мое внимание привлекла высокая трава, торчащая из воды. У нее были белые цветы с тремя лепестками, а листья острые, как наконечники стрел. Я присела в воде и, раскопав пальцами мягкое дно, вытащила горсть корней. Невзрачные голубоватые клубни, но если сварить, не хуже картошки будут. «Китнисс», — произнесла я вслух. Это давнее название стрелолиста дало мне имя. Я словно услышала веселый голос отца: «С голоду ты не умрешь, тебе нужно только найти себя». Несколько часов я выкапывала где палкой, где пальцами ног маленькие клубеньки. Вечером у нас был пир —

рыба с корнями стрелолиста, и мы впервые за долгие месяцы наелись досыта.

Постепенно мама вернулась к жизни. Она начала убираться и готовить; делала соленья на зиму, когда было из чего. Потом к ней стали приходить люди за лекарствами. Платили деньгами или давали что-нибудь в обмен. Однажды я услышала, как мама поет.

Прим не помнила себя от радости, что мама снова в порядке, но я была настороже и все боялась, что это ненадолго. Я ей больше не доверяла. Во мне выросло что-то жесткое и неуступчивое, и оно заставляло меня ненавидеть маму за ее слабость, безволие, за то, что нам пришлось пережить. Прим сумела простить, я — нет. Между нами все стало подругому. Я оградила себя стеной, чтобы никогда больше не нуждаться в маме.

Теперь я умру и ничего уже не исправлю. Я вспомнила, как кричала на нее сегодня в Доме правосудия. Но ведь я сказала, что люблю ее. Может, одно уравновешивает другое?

Я стою и смотрю в окно, мне хотелось бы его открыть, да не знаю, что может случиться на такой скорости. Вдали виднеются огни другого дистрикта. Седьмого? Десятого? Я думаю о людях в тех домах, они уже ложатся спать. Потом представляю себе наш дом с плотно закрытыми ставнями. Что сейчас делают мама и Прим? К ужину мы оставляли тушеную рыбу и землянику. Смогли ли они поесть? Или все так и осталось нетронутым? Наверняка они смотрели повтор Жатвы по нашему старенькому телевизору. Плакали. Держится ли мама? Хотя бы ради Прим. Неужели опять отстранится от всего мира, взвалив его тяжесть на хрупкие плечи Прим?

Прим, конечно же, ляжет спать с мамой. Рядом примостится старый верный Лютик, будет охранять их сон. Эта мысль меня немного утешает. Если Прим заплачет, он подберется поближе и приластится, успокаивая ее. Хорошо, что я его не утопила.

От воспоминаний о доме становится тоскливо. День тянется бесконечно. Неужели только сегодня утром мы с

Гейлом ели ежевику? Кажется, прошла целая жизнь. Очень долгий сон, превратившийся в кошмар. Может, если я лягу спать, то проснусь в своем Дистрикте-12?

В выдвижных ящиках, наверное, полно ночных сорочек, но я просто стягиваю штаны и рубашку и ложусь в кровать. Шелковые простыни ласкают кожу, а легкое пуховое одеяло сразу окутывает теплом.

Если я собираюсь выплакаться, то сейчас самое время. Утром умоюсь. Слезы не приходят. Внутри все перегорело, я чувствую только усталость и хочу домой. Под мерное покачивание поезда я забываюсь.

Меня будит стук в дверь, сквозь оконные занавески уже просачивается серый свет. Я слышу голос Эффи Бряк: «Подъем, подъем! Нас ждет важный-преважный день!» Интересно, что творится в голове у этой женщины? Какие мысли занимают ее днем? Что ей снится по ночам? Трудно себе представить.

Я надеваю вчерашнюю одежду, она еще чистая, только немного измялась, провалявшись ночь на полу. Обвожу пальцем маленькую золотую сойку-пересмешницу и думаю о лесе, об отце, о том, что делали мама и Прим. Справятся ли они без меня? Я не распускала на ночь волосы, так и спала с косой, которую мама старательно заплела мне перед Жатвой. Прическа выглядит не так уж плохо. Пусть пока остается как есть. Все равно уже ненадолго. Скоро мы прибудем в Капитолий, и там моим образом для церемонии открытия Игр займется стилист. Надеюсь, не из тех, кто считает высшим писком моды наготу.

Когда я вхожу в вагон-ресторан, мимо меня, бормоча под нос ругательства, проскальзывает Эффи Бряк с чашкой кофе. Хеймитч давится от смеха. Лицо у него опухшее и красное от вчерашних возлияний. Пит с булочкой в руке сидит рядом. Выглядит он слегка смущенным.

— Давай садись! — машет мне Хеймитч.

Едва я опускаюсь на стул, передо мной возникает большой поднос. Ветчина, яйца, гора жареной картошки. На льду стоит ваза с фруктами. Булочек в корзинке хватило бы нашей семье на целую неделю. В изящном стакане апельсиновый сок. Я так думаю, что апельсиновый. Апельсин я пробовала всего один раз, папа купил его на Новый год как подарок. Чашка кофе. Мама обожает кофе, хотя мы редко могли его купить, а я не понимаю, что в нем хорошего; только горечь во рту. И в довершение — красивая чашка с чем-то коричневым, чего я никогда не пробовала.

— Это горячий шоколад, — объясняет Пит. — Он вкусный.

Я пробую горячую густую жидкость на вкус, и по спине пробегают мурашки. Какими бы аппетитными ни выглядели другие кушанья, я забываю о них, пока не выпиваю все до капли. Потом запихиваю в себя все, что можно, стараясь не налегать на жирное. И без того еды навалом.

Когда мой живот уже чуть не лопается, я откидываюсь назад и молча смотрю на сотрапезников. Пит еще ест, отламывает кусочки булки и окунает их в горячий шоколад. Хеймитч почти ничего не взял со своего подноса, зато регулярно опрокидывает стаканы с красным соком, разбавленным какой-то прозрачной жидкостью из бутылки. Пахнет спиртным. Я не была раньше знакома с Хеймитчем, однако часто встречала его в Котле, видела, как он горстями швырял деньги на прилавок, где продавали самогон. Когда приедем в Капитолий, он лыка вязать не будет.

Меня переполняет ненависть к Хеймитчу. Неудивительно, что ребята из нашего дистрикта не побеждают. Конечно, мы вечно полуголодные и тощие, и тренировки у нас никакой. Однако были же и среди наших трибутов сильные, те, кто мог бороться. И кто тогда виноват, что нет спонсоров, как не ментор? Богачи охотно поддерживают тех, у кого есть шансы, — либо ставки делают, либо самолюбие хотят потешить, — а кому придет в голову вести переговоры с таким отребьем, как Хеймитч?

— Вы, значит, будете давать нам советы? — говорю я Хеймитчу.

— Даю прямо сейчас: останься живой, — отвечает Хеймитч и дико хохочет.

Я бросаю взгляд на Пита, забыв, что решила не иметь с ним никаких дел. С удивлением замечаю в его глазах жесткость.

— Очень смешно, — говорит он без обычного добродушия и внезапно выбивает из руки Хеймитча стакан. Тот разлетается на осколки, и его содержимое течет по проходу, как кровь. — Только не для нас.

Хеймитч на секунду столбенеет, потом ударом в челюсть сшибает Пита со стула и, повернувшись, опять тянется к спиртному. Мой нож успевает раньше: вонзается в стол перед самой бутылкой, едва не отрубая Хеймитчу пальцы. Готовлюсь отвести удар, но Хеймитч вдруг откидывается на спинку стула и смотрит на нас с прищуром.

— Надо же! — говорит он. — Неужели в этот раз мне досталась пара бойцов!

Пит поднимается с пола и, захватив из-под вазы с фруктами пригоршню льда, собирается приложить его к красному пятну на щеке.

— Нет, — останавливает его Хеймитч, — пусть останется синяк. Все будут думать, что ты сцепился с кем-то из конкурентов еще до арены. Не утерпел.

— Это ведь не по правилам.

— Тем лучше. Значит, ты не только подрался, но и сумел сделать так, что тебя не поймали.

Хеймитч поворачивается ко мне.

— А ну-ка покажи еще, как ты ножом орудуешь!

Мое оружие — лук. Хотя с ножами я тоже дело имела. Если зверь крупный, стрелой его не всегда сразу возьмешь; лучше метнуть нож для верности, а уж потом подходить. И вот теперь выпал шанс произвести на Хеймитча впечатление и доказать, что меня нужно принимать всерьез. Выдергиваю нож из стола и, взяв за лезвие, бросаю его в противоположную стену. Вообще-то я только хотела вогнать его покрепче в дерево, однако нож попадает в шов между двумя панелями, и кажется, будто я так и задумывала.

— Станьте вон там, вы оба! — командует Хеймитч, кивая на середину вагона.

Мы послушно становимся, и он ходит вокруг нас кругами, тычет в нас пальцами, словно мы лошади на рынке, щупает мускулы, заглядывает в лица.

— Ну... вроде не безнадежно. Не дохляки. А стилисты поработают, так даже симпатичными будете.

Мы с Питом понимаем. Голодные игры — не конкурс красоты, но замечено не раз: чем смазливее трибут, тем больше спонсоров ему достается.

— Ладно. Предлагаю сделку: вы мне не мешаете пить, а я остаюсь достаточно трезвым, чтобы вам помогать, — говорит Хеймитч. — Только, чур, слушаться меня беспрекословно.

Условия, конечно, не идеальные, но, по сравнению с тем, что было десять минут назад, прорыв огромный.

— Идет, — соглашается Пит.

— Вот и помогите, — говорю я. — Когда мы попадем на арену, как лучше всего действовать у Рога изобилия, если...

— Не все сразу. Через пару минут мы прибываем на станцию, и вас отдадут стилистам. Уверен, вам понравится далеко не все из того, что они будут делать. Что бы это ни было, не возражайте.

— Но...

— Никаких «но». Делайте, как вам говорят.

Хеймитч берет со стола бутылку и уходит. Как только закрывается дверь, становится темно. Внутри вагона еще можно что-то разглядеть, кое-где горит подсветка, а за окнами словно опять наступила ночь. Мы, видимо, въехали в туннель сквозь горы, отделяющие столицу от дистриктов. С востока в Капитолий почти невозможно проникнуть иначе как через туннели. Из-за географического преимущества Капитолия дистрикты и проиграли войну. Воздушным силам Капитолия легче легкого было расстрелять повстанцев, когда те стали карабкаться по горам.

Пит Мелларк и я молча стоим на месте, пока поезд мчится сквозь кромешную тьму. Туннелю, кажется, нет конца, и от мысли, сколько тонн скальной породы отделяет нас сейчас от неба, у меня сжимается сердце. Жутко и противно быть вот так замурованной в камень. На ум приходят шахты и мой отец, оказавшийся запертым внутри них, как в ловушке, без надежды увидеть солнце, навеки погребенный в их мраке.

Наконец поезд сбавляет ход, и вагон заливается светом. Как по команде, мы с Питом несемся к окну скорее увидеть то, что до сих пор видели лишь по телевизору, — всевластный Капитолий, главный город Панема. Телекамеры ничуть не преувеличивали его великолепия. Скорее наоборот. Разве способно что-то передать такое величие и роскошь? Здания, уходящие в небо и сверкающие всеми цветами радуги. Блестящие машины, раскатывающие по широким мощеным улицам. Необычно одетые люди с удивительными прическами и раскрашенными лицами, люди, которым никогда не случалось пропускать обеда. Цвета кажутся ненастоящими — не бывает такого чистого розового, такого яркого зеленого, такого светлого желтого, что глазам больно смотреть. Они такие же, как маленькие кругляши леденцов в кондитерском магазинчике в Дистрикте-12, о которых мы даже мечтать не осмеливались, настолько они дорогие.

Люди узнают поезд, перевозящий трибутов, и возбужденно тычут в нашу сторону. Я отступаю от окна, меня тошнит от того, как они воодушевляются, предвкушая зрелище нашей смерти. Пит, однако, остается на месте и даже машет рукой и улыбается зевакам до тех пор, пока поезд не заезжает на станцию и не скрывает нас от их глаз.

Пит видит, каким взглядом я на него смотрю, и пожимает плечами.

— Кто знает? — говорит он. — Среди них могут быть спонсоры.

Надо же, как я в нем ошибалась! Я вспоминаю все действия Пита с момента, как мы вышли на сцену. Дружеское рукопожатие. Его отец с печеньем и обещанием помогать Прим... может, сам Пит его и прислал? Слезы на станции. Вчерашняя забота о Хеймитче и вызывающее поведение сегодня, когда стало ясно, что играть в хорошего мальчика без толку. А теперь еще эти приветственные жесты из окна, желание сразу же понравиться толпе.

Все стало на свои места, все — часть одного плана. Пит не считает себя обреченным. Он уже изо всех сил сражается за жизнь. А значит, добрый сын пекаря, подаривший мне хлеб, постарается убить меня.

4

Вжи-и-ик! Я стискиваю зубы, когда Вения, женщина с волосами цвета морской волны и золотистыми татуировками над бровями, дергает за клейкую ленту, выдирая волосы на моей ноге.

— Прошу прощения, — пищит она, — но у тебя слишком много волос!

Почему у них всех такие дурацки писклявые голоса? Почему они едва раскрывают рот, когда говорят, а любая фраза звучит вопросом? Гласные какие-то не такие, слова оборванные, на месте «с» присвист... так и хочется передразнить.

Вения скрючивает сострадательную — как ей, наверное, кажется — гримасу.

— Могу тебя обрадовать. Эта — последняя. Готова?

Я вцепляюсь руками в края стола, на котором сижу, и киваю. Рывок, боль, и последняя полоска волосков выдрана с корнем.

Здесь, в Центре преображения, я торчу уже больше трех часов и еще не видела своего стилиста. Очевидно, ему нет смысла встречаться со мной, пока его помощники не сделают самое необходимое. Сначала меня обтерли жесткой губкой, содрав при этом не только грязь, но и слоя три кожи, потом обрезали ногти так, чтобы все они стали одинаковой формы, и, самое главное, удалили волосы. С ног, с рук, с туловища, из подмышек. Даже брови наполовину вырвали. Теперь я как ощипанная курица, которую приготовили для жарки. Ощущение не из приятных. Вся кожа саднит, жжет и, кажется, сейчас прорвется. Однако я выполнила свою часть сделки с Хеймитчем, с моих губ не сорвалось ни слова протеста.

— А ты молодец, — говорит некто по имени Флавий, взбивая оранжевые локоны у себя на голове и накладывая свежий слой фиолетовой помады на губы. — Вот кого мы не любим, так это нытиков. Оботрите-ка ее лосьоном!

Вения и Октавия, полная женщина с телом, окрашенным в бледно-зеленый цвет, принимаются за дело. Лосьон вначале щиплет, потом успокаивает измученную кожу. Меня стаскивают со стола и снимают тонкую накидку, которую мне время от времени позволяли надевать. Я стою совсем голая, пока они втроем суетятся вокруг меня с щипчиками, удаляя случайно уцелевшие волоски. Как ни странно, я нисколько не смущаюсь, эта тройка больше походит не на людей, а на стайку экзотических птиц, клюющих что-то у моих ног.

Наконец они отходят и любуются результатом.

— Прелестно! Теперь ты выглядишь почти человеком! — говорит Флавий, и они смеются.

Я заставляю себя улыбнуться, чтобы не казаться неблагодарной.

— Спасибо, — любезно говорю я. — У нас в Дистрикте-12 редко выпадает повод выглядеть красиво.

Теперь их симпатии целиком на моей стороне.

— Да, конечно, бедняжка! — Октавия сочувственно всплескивает руками.

— Не переживай, — подбадривает Вения. — После того как тобой займется Цинна, ты будешь просто неотразима!

— Можешь не сомневаться! Мы только грязь и лишние волосы убрали, а ты уже ничего, не такая и страшненькая! — вторит ей Флавий. — Пойдем звать Цинну.

Они разом вылетают из комнаты. Я не испытываю к ним неприязни. Хотя они и кретины, но, похоже, честно стараются мне помочь.

Меня окружают холодные белые стены, и я с трудом подавляю желание набросить накидку. Все равно Цинна наверняка сразу же заставит ее снять. Вместо этого я ощупываю свою прическу, единственное, до чего не добрались помощники стилиста. Пальцы скользят по шелковистым косам, старательно заплетенным мамой. Мама. Ее голубое платье и туфли так и остались на полу вагона, и я даже не подумала их забрать, сохранить что-то, напоминающее о ней и о доме. Теперь я об этом жалею.

Дверь отворяется, и входит молодой человек — по-видимому, Цинна. Его внешность настолько обычная, что я поражена. Стилисты, которых показывают по телевизору, все как один крашеные и с карикатурными от множества пластических операций лицами. У Цинны коротко подстриженные каштановые волосы, вполне натуральные. Одет он в простую черную рубашку и брюки. Единственная уступка всеобщей тяге к самораскрашиванию — легкая золотистая подводка вокруг глаз. Несмотря на все мое отвращение к Капитолию и к его омерзительно причудливой моде, я невольно залюбовалась этими зелеными глазами с отражающимися в них золотыми крапинками.

— Привет, Китнисс. Я Цинна, твой стилист, — говорит он спокойным голосом, в котором почти не чувствуется капитолийской манерности.

— Привет, — настороженно отвечаю я.

— Так, посмотрим.

Цинна принимается ходить вокруг меня, не притрагиваясь, но впитывая взглядом каждый дюйм моего обнаженного тела. Мне хочется скрестить руки на груди.

— Кто делал тебе прическу?

— Мама.

— Прекрасно. Классический вариант. Идеально сочетается с твоим профилем. У твоей мамы умные руки.

Цинна ни в чем не соответствует моим представлениям. На его месте я ожидала увидеть какого-нибудь молодящегося фигляра, для которого я всего лишь кусок мяса, ждущий, пока его искусно приготовят.

— Вы тут недавно, правда? Мне кажется, я вас раньше не видела, — говорю я.

Большинство стилистов, работающих с трибутами, хорошо известны. Некоторых я помню с детства.

— Да, это мой первый год на Играх.

— Поэтому вам всучили Дистрикт-12, — констатирую я. Новичкам обычно достается то, что не хотят брать другие.

— Я сам попросил, — говорит Цинна. — Можешь надеть халат, и мы обсудим твой образ.

Одевшись, я иду за Цинной в зал, где стоят два красных дивана с низким столиком посередине. Три голые стены, четвертая — из стекла, сквозь него открывается вид на город. Небо, с утра солнечное, теперь затянуто облаками, но судя по тому, как падает свет, сейчас около полудня. Цинна предлагает мне присесть и сам занимает место напротив. Он надавливает кнопку сбоку столика, тот раскрывается, и снизу выезжает полка с нашим завтраком. Цыплята в сливочном соусе с кусочками апельсинов, уложенные на гарнир из жемчужно-белых зернышек, крохотных зеленых горошин и лука, булочки в форме цветов, а на десерт — пудинг медового цвета.

Здорово было бы приготовить такую еду дома. Курятина, правда, слишком дорогая, но можно взять дикую индейку. Пришлось бы подстрелить двух индеек и одну сменять на апельсин. Козье молоко сойдет вместо сливок, горошек можно вырастить в огороде, а в лесу набрать дикого лука. Вот зерен этих я не знаю, то, что нам дают на тессеры, разваривается в неаппетитную коричневую кашу. За фигурными булочками нужно идти к пекарю, нести двух-трех белок. С пудингом еще сложнее, я даже не представляю, из чего он сделан... Чтобы раздобыть все необходимое, я потратила бы не один день, и все равно получилось бы лишь жалкое подобие обычного капитолийского обеда.

Каково это жить в мире, где еда появляется на столе по нажатию кнопки? Что бы я делала все те часы, что трачу на прочесывание лесов в поисках пропитания? Чем заняты эти люди в Капитолии помимо расцвечивания собственных тел и ожидания очередной партии трибутов, пачками гибнущих ради их развлечения?

Я поднимаю глаза на Цинну, и наши взгляды встречаются.

— Ты, должно быть, нас презираешь, — говорит он.

Неужели это так ясно написано у меня на лице? Или он читает мои мысли? Он, конечно, прав. Меня тошнит от всей этой своры.

— Ладно, не имеет значения, — продолжает Цинна. — Итак, Китнисс, поговорим о твоем костюме для церемонии. Моя коллега Порция работает с твоим земляком Питом. Мы решили, что будет хорошо создать ваши образы в одном стиле, отражающем дух вашего дистрикта.

По традиции костюмы трибутов на церемонии открытия соответствуют основному занятию дистрикта, из которого они прибыли. В Одиннадцатом дистрикте — это сельское хозяйство, в Четвертом — рыбная ловля, в Третьем — фабричное производство. С нашим дистриктом у стилистов беда. Мешковатые и грубые шахтерские комбинезоны не очень-то привлекательны. Кроме касок с фонариками, на наших трибутах обычно вообще мало что надето. В один год так и вовсе голышом выпустили, только кожу чем-то черным обмазали вместо угольной пыли. Получилось ужасно. Как, впрочем, и всегда. Да уж, фаворитами у публики нам не стать. Я готовлюсь к худшему.

— Значит, я буду изображать шахтера? — спрашиваю я, надеясь не показаться бесцеремонной.

— Не совсем. Видишь ли, нам с Порцией кажется, что шахтерская тематика порядком приелась. Этим уже никого не удивишь. А наша задача сделать своих трибутов незабываемыми.

Точно — выставят голой, промелькнуло у меня в голове.

— Так что на сей раз мы решили обратиться к углю, а не к угледобыче.

Ну все, еще и в пыли обваляют.

— А что мы делаем с углем? Сжигаем его! — воодушевленно продолжает Цинна. — Надеюсь, ты не боишься огня, Китнисс?

Мое выражение лица вызывает у него улыбку.

Спустя пару часов я облачена в самый поразительный, а может статься, самый убийственный наряд за всю историю Игр. От щиколоток до шеи меня обтягивает обычное черное трико; на ногах — блестящие кожаные сапоги, зашнурованные до самых колен. Но главное — это легкая развевающаяся накидка из желтых, оранжевых, красных лент и соответствующий ей головной убор. Цинна подожжет их перед нашим выездом на колесницах.

— Огонь, разумеется, ненастоящий. Нам с Порцией удалось раздобыть немного синтетического пламени. Совершенно безопасно, — уверяет Цинна.

Меня это не убеждает. Боюсь, пока мы прибудем в центр города, я успею хорошенько прожариться.

На моем лице минимум косметики, всего несколько легких штрихов. Мне расчесали волосы и снова заплели так, как я обычно их ношу.

— Я хочу, чтобы тебя узнавали на арене, — мечтательно произносит Цинна, — Огненную Китнисс.

«Да он просто сумасшедший, — думаю я обреченно. — А по виду ведь ни за что не скажешь».

Приходит Пит в точно таком же костюме, и, несмотря на то что утром я разгадала его хитроумные планы, мне становится спокойнее. Кому лучше знать об огне, как не сыну пекаря?

Пита сопровождает его стилист Порция с командой помощников. Все пьяны от возбуждения, предвкушая, какой фурор мы сейчас произведем. Все, кроме Цинны. Он лишь устало улыбается в ответ на поздравления.

Быстрый лифт доставляет нас на нижний этаж, представляющий собой гигантские конюшни. Церемония вот-вот начнется. Пары трибутов забираются в колесницы, запряженные четверками лошадей. Наша квадрига угольно-черная. Лошади так хорошо обучены, что сами идут куда нужно. Цинна и Порция указывают нам, как встать в колеснице, поправляют нашу одежду. Потом отходят в сторону и обсуждают что-то друг с другом.

— Что думаешь? — шепчу я Питу. — Об огне?

— Если что, я сорву твою накидку, а ты срывай мою, — говорит он, сжав зубы.

— Идет, — соглашаюсь я. Может, мы и не успеем очень уж сильно обгореть, если поторопимся. И все равно хорошего мало. На арену нас выбросят в любом случае; на ожоги не посмотрят. — Мы, конечно, обещали Хеймитчу подчиняться, однако на такой поворот событий он вряд ли рассчитывал.

— Кстати, а где Хеймитч? — вспоминает Пит. — Разве он не должен защищать нас в подобных ситуациях?

— Без Хеймитча, по-моему, куда безопаснее, — возражаю я. — Он так проспиртовался, что от огня, боюсь, вспыхнет как спичка.

Тут мы смеемся. Видно, умом тронулись от волнения. Да и неудивительно: мало нам Игр, так еще из нас факелы решили сделать!

Начинает играть музыка. Ее отлично слышно даже здесь, а снаружи, наверное, хоть уши затыкай. Массивные двери разъезжаются и открывают вид на улицу; по обеим ее сторонам стоят толпы народа. Вся поездка займет двадцать минут и закончится приветствием и гимном на Круглой площади, после чего нас отправят в Тренировочный центр, который станет нам домом и тюрьмой до начала Игр.

Первыми на колеснице, запряженной белоснежными лошадьми, выезжают трибуты Дистрикта-1. В серебристых туниках, сверкающих драгоценными камнями, они выглядят великолепно. Дистрикт-1 изготовляет для Капитолия предметы роскоши. При виде всегдашних фаворитов толпа взрывается овациями.

Следующий — Дистрикт-2. Через считаные минуты подходит и наша очередь. Под хмурым небом уже сгущаются сумерки. Как только трогаются трибуты Дистрикта-11, к нам подбегает Цинна с зажженным факелом.

— Ну, пора, — говорит он и поджигает наши накидки, мы и ойкнуть не успеваем.

Я вздрагиваю от ужаса, но, как ни странно, чувствую не жар, а только легкую щекотку. Цинна взбирается повыше, подносит пламя к головным уборам и с облегчением переводит дух: «Работает». Затем мягко приподнимает мой подбородок.

— Выше голову! И улыбайтесь. Они вас полюбят!

Цинна спрыгивает с колесницы и вдруг, вспомнив что-то еще, кричит нам; его слова тонут в грохоте музыки. Он кричит опять и размахивает руками.

— Что он хочет? — спрашиваю я Пита.

Я поворачиваюсь к нему и слепну от яркого света его пламенеющей одежды. Должно быть, я полыхаю так же.

— По-моему, он говорит, чтобы мы взялись за руки, — отвечает Пит и сжимает мою ладонь.

Цинна одобрительно кивает головой и поднимает большой палец. Это последнее, что я вижу перед выездом.

При нашем появлении толпа ахает, потом восхищенно ревет и скандирует: «Двенадцатый, Двенадцатый!» Все взгляды обращены в нашу сторону, остальные колесницы забыты. Я вижу нас на огромном экране, и моя первоначальная скованность проходит. Мы выглядим потрясающе: в вечерних сумерках лица сияют отблесками огня, а горящие накидки оставляют за собой шлейф искр. Хорошо, что Цинна не переусердствовал с косметикой. Мы вполне узнаваемы.

«Выше голову. И улыбайтесь. Они вас полюбят», — звучат в голове слова Цинны. Я вздергиваю подбородок, приклеиваю на лицо самую обворожительную улыбку и приветственно машу свободной рукой. Рядом твердо, как скала, стоит Пит, и я рада, что могу за него держаться. Постепенно я совсем смелею и даже посылаю толпе воздушные поцелуи. Капитолийцы сходят с ума от восторга, забрасывают нас цветами и выкрикивают наши имена. Надо же, не поленились найти их в программках!

Оглушительная музыка, крики, овации будоражат кровь, и меня переполняет радостное возбуждение. Спасибо Цинне, он дал мне большое преимущество. Все запомнят Китнисс! Огненную Китнисс!

В первый раз передо мной мелькнул проблеск надежды. Ведь найдется же теперь хоть один спонсор! А если будет хоть небольшая помощь, сколько-нибудь еды да подходящее оружие, то на мне рано ставить крест. Я еще поборюсь!

Кто-то бросает мне алую розу. Я ловлю ее, подношу на мгновение к лицу и в ответ шлю воздушный поцелуй. Сотни рук взмывают вверх, словно его можно поймать.

«Китнисс! Китнисс!» — раздается отовсюду. Все ждут моих поцелуев.

Только когда мы въезжаем на Круглую площадь, я осознаю, насколько крепко сжимаю руку Пита. Должно быть, она совсем занемела. Пытаюсь разомкнуть пальцы, но Пит удерживает их.

— Не надо, пожалуйста, не отпускай, — говорит он. В его голубых глазах сверкают огненные блики. — А то я свалюсь с этой штуковины.

— Хорошо, — отвечаю я.

Мы так и стоим рука в руке. Мне не дает покоя мысль, зачем Цинна связал нас друг с другом. Как-то нечестно выставлять нас напарниками, а потом выбросить на арену смертельными врагами.

Двенадцать колесниц объезжают площадь. Окна соседних домов заполнены самыми влиятельными зрителями Капитолия. Лошади подвозят колесницу к президентскому дворцу. Звучат фанфары, и музыка обрывается.

Президент Сноу, маленький, тщедушный мужчина с белесыми волосами, произносит с балкона официальное приветствие. Пока звучит речь, телевизионщики показывают лица трибутов. Так бывало на всех церемониях. Но я вижу на экране, кому в этот раз отдают предпочтение. Похоже, с наступлением темноты наш блеск все сильнее притягивает взгляды. Во время национального гимна объектив камеры лишь мельком проскальзывает по всем парам, с тем чтобы снова возвратиться к колеснице Дистрикта-12 и неотрывно следить за ней, пока она совершает финальный объезд площади и исчезает в воротах Тренировочного центра.

Едва они закрываются, нас шумной стайкой окружают стилисты, наперебой тараторя поздравления. Другие трибуты бросают на нас недобрые взгляды — мы в самом деле всех затмили, можно не сомневаться. Подходят Цинна и Порция, помогают нам слезть с колесницы, осторожно снимают горящие накидки и головные уборы. Порция тушит их, брызгая чем-то из баллончика.

Я замечаю, что все еще крепко держусь за Пита, и с трудом разжимаю ладонь. Мы оба работаем пальцами, чтобы вернуть им чувствительность.

— Спасибо, что не отпускала меня. Я все время боялся упасть, — говорит Пит.

— Правда? Уверена, никто ничего не заметил.

— Я уверен, рядом с тобой меня вообще не заметили. Огонь тебе явно к лицу. Может, будешь чаще так ходить?

Улыбка Пита кажется такой искренней и немножко смущенной, что я невольно чувствую к нему теплоту.

«Не будь дурой. Он только и думает, как тебя прикончить, — одергиваю я себя. — Завлекает, чтобы ты стала легкой добычей. Чем он любезнее, тем опаснее».

Почему бы ему не подыграть? Я встаю на цыпочки и целую его в щеку. В самый синяк.

5

Одна из высоток Тренировочного центра предназначена для трибутов и тех, кто их готовит. Там мы будем жить, пока не начнутся сами Игры. Каждому дистрикту отведен целый этаж. Заходишь в лифт и нажимаешь кнопку с номером своего дистрикта. Не запутаешься.

Дома я всего дважды ездила на лифте, в Доме правосудия. Первый раз когда получала медаль за смерть отца, и вчера после Жатвы. Но то была вонючая темная кабинка, ползущая, как черепаха. Здесь стены сделаны из стекла, и, несясь стрелой вверх, ты видишь, как люди на первом этаже превращаются в букашек. Здорово. Мне хочется спросить Эффи Бряк, можно ли прокатиться еще, да боюсь, это покажется ребячеством.

Очевидно, обязанности Эффи не ограничиваются нашей доставкой в Капитолий, она будет опекать нас до самой арены. Пожалуй, так даже лучше; хотя бы скажет, куда и когда мы должны идти. Хеймитч будто сквозь землю провалился. С тех пор как пообещал нам свою помощь тогда в поезде, мы его не видели. Небось упился так, что и на ногах стоять не может. Эффи Бряк, напротив, как на крыльях летает. Еще бы, впервые ее трибуты стали фаворитами на церемонии открытия. Она в восторге от того, как мы выглядели и как себя вели. Послушать Эффи, так она знает всех важных шишек в Капитолии и весь день бегала и расхваливала нас, подбивая стать нашими спонсорами.

— Я старалась как могла, — говорит она, сощурив глаза, — хотя этот Хеймитч не счел нужным посвятить меня в ваши планы. Рассказывала, как Китнисс пожертвовала собой ради сестры, как вы оба возвысились над варварством своего дистрикта.

Варварство? Звучит как злая насмешка из уст того, кто ведет нас на бойню. И что значит «возвысились»? Умеем вести себя за столом?

— Мне пришлось воевать с предубеждениями. Вы ведь из угольного дистрикта. Но я им сказала — и очень удачно, заметьте: «Что ж, если как следует надавить на уголь, он превращается в жемчуг!»

Эффи так довольна собой, и нам ничего не остается, как восхититься ее находчивостью, даром что она мелет полную чушь. Уголь никогда не превращается в жемчуг. Жемчужины вырастают в раковинах. Наверное, она имела в виду алмазы. Хотя это тоже неправда. Я слышала, в Дистрикте-1 есть машина, делающая алмазы из графита. У нас графит не добывают. Этим занимался Дистрикт-13, пока его не разрушили.

Интересно, люди, которым она нас рекламировала, тоже так считают? Или им без разницы?

— К сожалению, я не могу подписывать за вас договоры со спонсорами. Тут без Хеймитча не обойтись, — продолжает она с досадой. — Не беспокойтесь! Будет надо, я его под дулом пистолета приведу.

Пусть Эффи Бряк не блещет умом и тактом, зато решимости ей не занимать.

Номер, в котором меня поселили, больше всего нашего дома в Дистрикте-12. Кругом бархат, как в поезде; а еще здесь столько всяких автоматических штуковин натыкано, что я вряд ли успею все их испробовать. В одном только душе около сотни регуляторов и кнопочек: можно задавать температуру и напор воды, выбирать сорта мыла и шампуней, ароматы и масла, включать массажные губки. Едва ступаешь на коврик, тут же включаются сушилки, обдающие тело теплым воздухом. Я касаюсь ящичка, посылающего импульсы к моей голове, и волосы, моментально распутавшись и высохнув, спадают на плечи ровными, блестящими прядями.

Шкаф по команде выдает нужную одежду. Окна могут увеличивать или уменьшать отдельные части панорамы города. Стоит произнести в микрофон название блюда из гигантского списка, и меньше чем через минуту оно появляется перед тобой, дымящееся и аппетитное. Я хожу по комнате и жую бутерброды из пышного хлеба с гусиной печенью, пока не раздается стук в дверь — Эффи зовет к обеду.

Самое время. Я как раз проголодалась.

Когда я вхожу в столовую, Пит, Цинна и Порция стоят на балконе, выходящем на город. Я рада стилистам, особенно когда узнаю, что к нам присоединится Хеймитч. Если за столом верховодят Эффи и Хеймитч, это катастрофа. К тому же еда сейчас не главное, главное — обсудить нашу будущую стратегию, а Цинна и Порция уже показали себя отменными мастерами.

Молодой человек в белой тунике молча подносит фужеры с вином. Я хотела отказаться, но передумала — вдруг больше не придется попробовать? Раньше я пила только мамино вино от кашля. Делаю глоток терпкой, кисловатой жидкости и втайне думаю, что от пары ложек меда она стала бы получше.

Хеймитч появляется, когда подают первое блюдо. Он такой чистый и ухоженный, что кажется, с ним тоже поработал стилист. А еще он трезв как стеклышко. Никогда не видела его таким. Хеймитч выпивает предложенное вино и принимается за еду. Раньше он только пил, впервые вижу, как он ест. Может, он и в самом деле сдержит свое обещание?

Цинна и Порция, похоже, благоприятно влияют на наших кураторов. Во всяком случае, они вежливы друг с другом. И наперебой поздравляют стилистов с успешным стартом. Пока идет светская беседа, я сосредотачиваюсь на еде. Грибной суп, зелень с крохотными помидорчиками, жареное мясо с кровью, нарезанное тонюсенькими лепестками, макароны в зеленом соусе, нежный сыр, подаваемый со сладким черным виноградом. Официанты — молодые люди в белых туниках — безмолвно снуют вокруг стола, наполняя бокалы и меняя блюда.

Когда мой бокал с вином наполовину пустеет, я чувствую легкое головокружение и перехожу на воду. Это состояние мне совсем не нравится, надеюсь, оно скоро пройдет. Как только Хеймитч выдерживает так целыми днями?

Я пытаюсь вникнуть в разговор — он как раз коснулся наших костюмов для интервью, — но тут официантка ставит на стол роскошный торт и ловко поджигает его. На мгновение он ярко вспыхивает, языки пламени плещутся по краям и гаснут.

— Ничего себе! Это спирт? — спрашиваю я, поднимая глаза на девушку. — Сейчас мне как-то не до... О, я тебя знаю!

Не помню, где и когда я ее видела. Но видела точно. Темно-рыжие волосы, яркие черты лица, белая как фарфор кожа. Еще не договорив, я чувствую, как все сжалось у меня внутри от вины и страха. С ней связано что-то нехорошее, только я никак не могу вспомнить что. Лицо девушки искажается от ужаса, отчего мне еще больше становится не по себе. Она отрицательно качает головой и убегает.

Я поворачиваюсь к столу и вижу, что взрослые смотрят на меня, широко раскрыв глаза.

— Не мели чепуху, Китнисс. Откуда ты можешь знать безгласую? — резко говорит Эффи. — Как тебе такое взбрело в голову?

— Что значит «безгласая»? — ошарашенно спрашиваю я.

— Преступница. Ей отрезали язык в наказание, — поясняет Хеймитч. — Скорее всего, за измену. Ты не можешь ее знать.

— А если бы и знала, не должна обращаться к ней иначе как с приказом, — добавляет Эффи. — Разумеется, ты ее не знаешь.

Дело в том, что они ошибаются. Теперь, когда Хеймитч произнес слово «измена», я вспомнила. Признаваться в этом, конечно, нельзя, да я и не собираюсь.

— Да-да, я, наверное, обозналась. Просто... — бормочу я, не зная, как выкрутиться. Видно, от вина туго соображать стала.

Пит щелкает пальцами.

— Делли Картрайт. Вот на кого она похожа! Точная копия.

Делли Картрайт, толстушка с бледным лицом и светлыми волосами, похожа на нашу официантку не больше, чем улитка на бабочку. А еще Делли самая приветливая девочка в школе, она всех встречает улыбкой, даже меня. Как улыбается та темноволосая девушка, я никогда не видела... Я с радостью хватаюсь за спасительную соломинку, брошенную Питом:

— Да, правда. С ней я и спутала. Наверное, из-за волос.

— И глаза похожи, — поддерживает Пит.

Атмосфера за столом разряжается.

— Вот и ладно. Разобрались, — говорит Цинна. — Да, это был спирт, но он весь сгорел. Я специально заказал такой торт в честь вашего огненного дебюта.

Покончив с обедом, мы идем в гостиную смотреть повтор церемонии Открытия. Несколько пар выглядят неплохо, хотя до нас им далеко. Мы сами ахаем, когда видим себя выезжающими из ворот.

— Кто подал идею держаться за руки? — интересуется Хеймитч.

— Цинна, — отвечает Порция.

— Здорово придумано. Есть что-то бунтарское, но в меру.

Бунтарское? Мне это не приходило в голову. Потом я вспоминаю других трибутов, как они стояли каждый сам по себе, не касаясь и не желая замечать друг друга, будто Игры уже начались, и понимаю, что хотел сказать Хеймитч. Наши дружески соединенные руки выделяли нас не меньше чем горящие одежды.

— Завтра утром первая тренировка. Встретимся за завтраком, и я вам скажу, как действовать дальше, — обращается Хеймитч к Питу и ко мне. — Теперь поспите немного, пока взрослые разговаривают.

Мы идем к своим комнатам. Когда подходим к моей двери, Пит прислоняется к косяку, задерживая меня.

— Значит, у Делли Картрайт объявился двойник?

Он ждет объяснений, и я почти готова их дать. Мы оба понимаем, что он меня прикрыл. И вот я снова в должниках. Если я расскажу правду о той девушке, то, возможно, мы станем квиты. Да и чем мне это повредит? Ну выдаст он меня, так что с того? Я всего лишь свидетель. К тому же про Делли Картрайт придумал сам Пит.

Если подумать, мне самой хочется поговорить с кем-то об этой истории. С кем-то, кто сможет меня понять. Больше всего подошел бы Гейл, но увижу ли я его еще? Вряд ли мои откровения дадут Питу какое-то преимущество. Напротив, он решит, что я ему полностью доверяю и считаю своим другом.

Кроме того, мне стало жутко. Девушка с отрезанным языком вернула меня к действительности. Я здесь не для того, чтобы красоваться в шикарной одежде и набивать живот деликатесами, а для того, чтобы умереть кровавой смертью под гиканье зрителей, приветствующих моего убийцу.

Рассказать или нет? Голова все еще затуманена вином. Я таращусь в пустой коридор, как будто надеюсь найти там ответ.

Пит видит мое замешательство.

— Ты не была на крыше?

Я качаю головой.

— Цинна меня водил. Оттуда виден почти весь город. Правда, шумновато из-за ветра.

Наверное, намекает, что там нас никто не подслушает. У меня тоже такое чувство, будто за нами следят.

— Туда можно вот так запросто подняться? — спрашиваю я.

— Конечно. Пойдем.

Я иду за Питом по лестнице, ведущей на крышу. Мы оказываемся в маленькой куполообразной комнатке, откуда есть выход наружу. Когда мы ступаем в вечернюю прохладу, у меня захватывает дух. Капитолий светится огнями, как огромное поле светлячков. В Дистрикте-12 вечера частенько приходится проводить со свечкой, электричество бывает редко. Наверняка, только если по телевизору показывают Игры или какое-нибудь важное правительственное заявление. Но тут не экономят. Ни на чем.

Мы подходим к ограждению у края крыши. Я смотрю вниз на улицу, кишащую людьми. Гудят машины, что-то звякает, иногда доносится чей-нибудь голос. В Дистрикте-12 в это время уже все спят.

— Я спрашивал Цинну, почему нас сюда пускают. Кому-то из трибутов может прийти в голову броситься вниз.

— И что он ответил?

— Что не выйдет. — Пит вытягивает руку за перила, раздается сухой треск, и руку отбрасывает назад. — Здесь какое-то электрическое поле. Оно швыряет тебя обратно на крышу.

— Как о нас заботятся! — говорю я. Хотя Цинна сам приводил сюда Пита, я не уверена, можно ли нам находиться здесь одним так поздно. Никогда не видела трибутов на крыше Тренировочного центра. Из чего вовсе не следует, что тут нет камер. — Думаешь, за нами наблюдают?

— Возможно, — признает Пит. — Давай посмотрим сад.

С другой стороны купола разбиты клумбы с цветами и растут деревья в кадках. С веток свисают сотни музыкальных подвесок. Вот откуда раздавался звон. При таком ветре нас точно не услышат. Пит смотрит на меня вопросительно. Я притворяюсь, что разглядываю цветок.

— Однажды, когда мы охотились в лесу и сидели в засаде, — начинаю я шепотом.

— Ты с отцом? — шепчет Пит.

— Нет, с моим другом Гейлом. Вдруг все птицы разом умолкли. Кроме одной, которая будто предупреждала нас о чем-то. И тут я увидела девушку. Это точно та девушка. С ней был парень. У обоих одежда изодрана в клочья, черные круги под глазами. Они бежали так, словно от этого зависела их жизнь.

На минуту я замолчала, вспомнив, как вид этой странной пары, явно не из нашего дистрикта, заставил нас замереть. Позже я часто спрашивала себя, могли ли мы им помочь. Наверное. Могли спрятать их. Если бы действовали быстро. Да, нас с Гейлом застигли врасплох, но мы ведь охотники и знаем, как выглядит загнанная дичь. Мы с первого взгляда поняли, что эти молодые люди в опасности. Тем не менее мы только смотрели.

— Потом, словно ниоткуда, появился планолет, — продолжаю я. — Только что небо было чистым, и вот он уже над ними. Он летел почти бесшумно, но они его заметили. На девушку сбросили сеть и, подхватив, утащили вверх. Быстро, как на лифте. Парню повезло меньше. Его пронзили копьем, привязанным к тросу, и тоже подняли в планолет. Мы услышали, как кричит девушка. Какое-то имя.

Наверное, того парня. Планолет исчез. Просто растворился в воздухе. И птицы стали петь снова, будто ничего не случилось.

— Они вас видели? — спросил Пит.

— Не знаю. Мы сидели под выступом скалы, — отвечаю я.

Я лукавлю. Как раз после птичьего крика, когда еще не появился планолет, глаза девушки на мгновение встретились с моими, и в них была мольба. Но ни я, ни Гейл даже пальцем не пошевелили, чтобы ей помочь.

— Ты вся дрожишь, — говорит Пит.

Я и правда заледенела. Ветер обдает меня холодом снаружи, а воспоминания — изнутри. Крик девушки и сейчас звучит у меня в ушах. Возможно, то имя было последним словом, какое она произнесла.

Пит снимает пиджак и набрасывает мне на плечи. Я хотела отстраниться, а потом решила: почему бы и нет? Пусть думает, что я все принимаю за чистую монету.

— Они отсюда? — спрашивает Пит, застегивая пиджак у меня под подбородком.

Я киваю. В них точно было что-то капитолийское.

— Как думаешь, куда они направлялись?

— Не знаю, — признаюсь я. Дистрикт-12 и так на отшибе. Дальше — сплошь лес, дикие места, если не считать источающих яд развалин, что остались от Дистрикта-13 после химических атак. Иногда их показывают по телевизору, чтобы мы не забывали. — Не представляю, почему они убежали отсюда.

Хеймитч сказал, что безгласые наказаны за измену. Измену чему? Получается, Капитолию... Тут ведь есть все, что душе угодно. Живи и радуйся. Против чего бунтовать?

— Я бы отсюда тоже убежал, — выпаливает Пит и нервно оглядывается вокруг. Он произнес это так громко, что даже музыкальные подвески не смогли заглушить. — Я бы тут же убежал домой, если бы мне только позволили. Хотя надо признать, кормят здесь отменно, — смеется он.

Снова выкрутился. Теперь тот возглас — обычная реплика испуганного трибута, а вовсе не сомнение в безупречности Капитолия.

— Похолодало. Может, войдем внутрь? — предлагает Пит и, когда мы заходим под теплый, залитый светом купол, непринужденно продолжает разговор: — Твой друг Гейл — это тот самый парень, который забрал от тебя сестру на Жатве?

— Да. Ты его знаешь?

— Не так чтобы... Слышал, как девчонки по нему вздыхали. Я думал, он твой двоюродный брат или вроде того. Вы очень похожи.

— Нет, мы не родственники.

Пит кивает с тем же непроницаемым видом.

— Приходил с тобой попрощаться? — спрашивает он опять.

— Приходил, — отвечаю я и внимательно смотрю ему в лицо. — А еще твой отец приходил. С печеньем.

Пит поднимает брови, будто впервые слышит. Ну врать-то и притворяться он мастер. Видела сегодня.

— Правда? Вообще-то он всегда вас любил, тебя и твою сестру. Наверное, он предпочел бы иметь дочь вместо своры мальчишек.

Мысль о том, что в доме Пита когда-то заходила речь обо мне, за столом, а может, у пекарской печи, совершенно меня огорошила. Во всяком случае, это явно случалось не при матери.

— В детстве он был знаком с твоей мамой.

Вот так раз! Еще одна новость. Похоже на правду.

— А... да. Она выросла в городе, — отвечаю я.

Не могу же я сказать, что мама никогда не упоминала об отце Пита иначе как о пекаре, когда хвалила его хлеб.

Мы подходим к моей двери, и я возвращаю Питу пиджак.

— Пока. Утром увидимся.

— До завтра, — отвечает он и идет дальше по коридору.

Когда я открываю дверь, рыжеволосая девушка подбирает с пола мои ботинки и трико, где я их бросила перед душем. Я хочу извиниться за то, что, возможно, навлекла на нее неприятности, потом вспоминаю, что могу обращаться к ней только с приказом.

— О, прости, — говорю я. — Их следовало отнести Цинне. Прошу прощения, ты не могла бы сделать это за меня?

Избегая моего взгляда, девушка коротко кивает и направляется к двери.

Я старалась, чтобы в моих словах прозвучало сожаление о том, как глупо повела себя во время обеда, но понимаю, что сожалею о гораздо большем. Мне стыдно, что я даже не пыталась помочь ей в лесу, позволив Капитолию искалечить ее и убить парня.

Точно смотрела Игры по телевизору.

Я сбрасываю туфли и забираюсь в кровать прямо в одежде. Дрожь не проходит. Возможно, она меня и не помнит. Нет, зачем себя обманывать. Нельзя забыть того, кто был твоей последней надеждой. Я натягиваю одеяло на голову, надеясь спрятаться от взгляда рыжеволосой немой девушки, взгляда, проникающего сквозь двери и стены.

Будет ли она рада видеть, как я умираю?

6

Всю ночь меня преследуют кошмары. Рыжеволосая девушка, кровавые эпизоды прошлых Голодных игр, отрешенная и чужая мама, худенькая, испуганная Прим, отец... Я вскакиваю с криком: «Спасайся!», когда шахта взрывается миллионом ярких осколков.

В окна пробиваются первые утренние лучи. Под завесой клубящегося тумана Капитолий выглядит жутко. У меня болит голова. Во рту привкус крови, видно, во сне прикусила щеку.

Я сползаю с кровати и тащусь в душ. Наугад тыкаю кнопки на панели и прыгаю под струями воды, то ледяными, то обжигающими. Потом меня облепляет лимонная пена, которую приходится соскребать жесткой щеткой. Ну и ладно, зато взбодрилась.

Обсохнув и обтершись лосьоном, беру одежду, оставленную мне перед шкафом: черные узкие брюки, бордовую тунику с длинными рукавами, кожаные туфли. Заплетаю косу. Первый раз после Жатвы я выгляжу собой. Никаких изысканных причесок и платьев, никаких огненных накидок. Такая как есть. Как будто собралась в лес. Это меня успокаивает.

Хеймитч не уточнил, во сколько именно мы встретимся за завтраком, утром тоже никто не приходил, однако я голодна и потому решаю пойти в столовую без приглашения. Еда, должно быть, уже готова. Надежды меня не обманули. Стол еще не накрыт, но на стойке у стены не меньше двадцати кушаний. Рядом, вытянувшись в струнку, стоит безгласый официант. Он утвердительно кивает на вопрос, можно ли мне самой взять себе еды. Я накладываю на большое блюдо яйца, сосиски, оладьи с апельсиновым вареньем, ломтики красного арбуза. Ем все это, глядя, как над Капитолием встает солнце. Потом беру вторую тарелку — горячую кашу с тушеной говядиной. И наконец наслаждаюсь десертом: беру гору булочек, ломаю их кусочками и ем, обмакивая в горячий шоколад, как Пит в поезде.

Мысли уносятся к маме и Прим. Они, должно быть, уже встали. Мама готовит на завтрак кашу-размазню. Прим нужно до школы подоить козу. Всего два утра назад я была дома. Неужели правда? Да, всего два. А теперь дом осиротел. Что подумали они о моем вчерашнем огненном дебюте на Играх? Появилась ли у них надежда или они совсем упали духом, увидев воочию две дюжины трибутов, из которых в живых суждено остаться одному?

Входят Хеймитч и Пит, желают мне доброго утра и садятся есть. Мне не нравится, что Пит одет так же, как и я. Надо поговорить с Цинной. Не будем же мы, в конце концов, изображать близнецов на самих Играх? Наверняка стилисты это понимают. Я вспоминаю, что Хеймитч приказал нам во всем им подчиняться. Будь на месте Цинны кто-то другой, я бы могла ослушаться. Но после вчерашнего триумфа у меня язык не повернется что-то ему возразить.

Я волнуюсь из-за тренировок. Три дня трибуты готовятся все вместе, на четвертый каждый получает возможность продемонстрировать свои умения перед распорядителями Игр. Предстоящая встреча лицом к лицу с другими трибутами вызывает у меня мандраж. Я взяла из корзинки булочку и верчу в руках, аппетит пропал.

Покончив с очередной порцией тушеного мяса, Хеймитч со вздохом отодвигает тарелку, достает из кармана фляжку и делает большой глоток.

— Итак, приступим к делу, — говорит он, облокотившись на стол, — во-первых, как мне вас готовить? Вместе или порознь? Решайте сейчас.

— А зачем порознь? — спрашиваю я.

— Ну, скажем, у тебя есть секретный прием или оружие, и ты не хочешь, чтобы об этом узнали другие.

Я смотрю на Пита.

— У меня секретного оружия нет, — говорит он. — А твое мне известно, верно? Я съел немало подстреленных тобой белок.

Оказывается, Пит ел моих белок. Мне всегда представлялось, как пекарь тихонько уходит и жарит их для себя одного. Не из жадности, просто городские семьи предпочитают дорогое мясо, купленное у мясника, — говядину, конину, курятину.

— Готовь нас вместе, — говорю я Хеймитчу, и Пит согласно кивает.

— Договорились. Теперь мне нужно получить представление о том, что вы умеете.

— Я — ничего, — отвечает Пит. — Разве что хлеб испечь придется.

— К сожалению, не придется, — говорит Хеймитч. — А ты, Китнисс? Я уже видел, с ножом ты управляться умеешь.

— Не так чтобы очень. Я могу охотиться с луком и стрелами.

— Хорошо?

Я задумываюсь. Мы четыре года питались тем, что я добывала на охоте. Не так плохо. До отца мне, конечно, далеко, да и опыта у него было куда больше. Зато Гейла по части стрельбы я превзошла. Гейл — мастер ставить капканы и силки.

— Довольно хорошо.

— Великолепно, — встревает Пит. — Мой отец покупает у нее белок и удивляется, что стрелы всегда попадают точно в глаз. То же самое и с кроликами для мясника. Китнисс даже оленя убить может.

Такая оценка моих способностей со стороны Пита застает меня врасплох. Не думала, что он обо мне столько знает. И с чего он взялся меня расхваливать?

— Что это ты так разошелся? — спрашиваю я с подозрением.

— А что такого? Хеймитчу, чтобы тебе помочь, надо знать твои реальные возможности. Не стоит себя недооценивать.

Почему-то я злюсь еще больше.

— А ты сам? Я видела тебя на рынке. Как ты таскал стофунтовые мешки с мукой, — обрываю я его. — Что ж ты ему не расскажешь? Или это, по-твоему, ничего?

— Да, на арене наверняка будет полно мешков с мукой, и я забросаю ими противников. Мешки — не оружие. Сама понимаешь, — выпаливает Пит.

— Он умеет бороться, — говорю я Хеймитчу. — На школьных соревнованиях в прошлом году занял второе место, уступив только брату.

— И что толку? Ты часто видела, чтобы один борец задавливал другого насмерть? — с отвращением произносит Пит.

— Зато всегда бывают рукопашные схватки. Если ты раздобудешь нож, у тебя по крайней мере будет шанс. А если кто навалится на меня, я — труп!

От злости мой голос срывается на крик.

— Никто на тебя не навалится. Будешь жить на дереве, питаясь сырыми белками, и отстреливать соперников из лука. Знаешь, когда мама пришла прощаться, она сказала, что в этот раз Дистрикт-12, возможно, победит. Я думал, она хочет меня подбодрить, а оказалось, она имела в виду тебя!

— Конечно, она говорила о тебе! — отмахиваюсь я.

— Нет, она сказала «победительница». Победительница, то есть ты!

Я оторопела. Неужели его мать так сказала? Неужели она оценивает меня выше своего сына? Судя по боли в глазах Пита, он не врет.

Я снова на задворках пекарни. По спине текут ледяные струйки дождя, в животе пусто. И одиннадцатилетняя девочка во мне говорит:

— Только потому, что кое-кто мне помог.

Взгляд Пита падает на булочку у меня в руках, и я понимаю, что он тоже помнит тот день. Он пожимает плечами.

— На арене тебе тоже помогут. От спонсоров отбоя не будет.

— Не больше, чем у тебя.

Пит переводит глаза на Хеймитча.

— Она совсем не понимает, какое впечатление производит на всех.

Он проводит пальцем по столу, не глядя на меня.

Что он хочет сказать? Мне помогут? Когда мы умирали от голода, никто не помог! Никто, кроме Пита. Мне ничего не давали даром. Дела пошли в гору, только когда появилась добыча. Я умею торговать. Или нет? Какое впечатление я произвожу? Слабой и нуждающейся в помощи? Он думает, торговля мне удавалась, потому что люди меня жалели? Неужели так и есть? Возможно, кто-то и был со мной щедрее обычного, но я всегда считала, что это из-за отца, которого многие хорошо знали. Да и дичь всегда была первоклассная... Нет, никто меня не жалел!

Я сердито смотрю на булочку. Пит нарочно хотел меня задеть.

Минуту спустя Хеймитч произносит:

— Так, так, так, Китнисс, гарантировать, что на арене будут луки и стрелы, я не могу, но перед распорядителями Игр покажи все, на что способна. До тех пор о стрельбе забудем. Как у тебя дела с установкой ловушек?

— Ну, простенькие силки поставлю, — бормочу я.

— Это может пригодиться в плане добычи пропитания, — говорит Хеймитч. — Да, Пит, она права, физическая сила на арене не последнее дело. Часто только она и выручает. В Тренировочном центре есть гири, но не показывай другим, сколько ты можешь поднять. Для вас обоих стратегия одна. Походите на групповые тренировки. Постарайтесь выучиться там чему-то новому. Побросайте копья, помашите булавами, научитесь вязать толковые узлы. А то, что умеете лучше всего, приберегите для индивидуальных показов. Все ясно?

Пит и я киваем.

— И последнее. На людях держаться вместе и во всем помогать друг другу! — продолжает Хеймитч. Мы оба начинаем возражать, он ударяет ладонью по столу. — Во всем! Это не обсуждается! Вы согласились делать, что я скажу! Вы будете вместе и будете вести себя как друзья. Теперь убирайтесь. В десять подходите к лифту. Эффи отведет вас на тренировку.

Закусив губу, я отправляюсь в свой номер и погромче хлопаю дверью, чтобы Пит слышал. Сажусь на кровать. Я ненавижу Хеймитча, ненавижу Пита, ненавижу себя за то, что вспомнила тот давний день под дождем.

Что за выдумки! Мы с Питом должны притворяться друзьями! Восхищаться друг другом, какие мы сильные и ловкие, подбадривать. Тем не менее наступит момент, и нам придется бросить валять дурака и стать теми, кто мы есть, — жестокими противниками. Я и сейчас готова к этому, если бы не Хеймитч со своими нелепыми указаниями. Что ж, сама виновата, согласившись тренироваться вместе. Так я ведь не имела в виду, что буду во всем опорой Питу. Между прочим, он тоже явно не горит желанием мне помогать.

В ушах звучат слова Пита: «Она не понимает, какое впечатление производит на людей». Хотел унизить. Ясно же. Глубоко в душе зарождается крохотное сомнение: может, это был комплимент и он хотел сказать, что я могу нравиться. Удивительно, как много он обо мне знает... Впрочем, получается, я тоже не выпускала из виду его, мальчика с хлебом. Мешки, борьба... да мне чуть ли не каждый его шаг известен!

Почти десять. Я чищу зубы и поправляю волосы. Злость заставила меня забыть о страхе перед встречей с другими трибутами, а теперь волнение возвращается. Подходя к лифту, ловлю себя на том, что грызу ногти, и тут же прекращаю.

Помещения для тренировок расположены в том же здании, под первым этажом. На здешнем лифте спускаться меньше минуты. Двери растворяются, и перед нами — громадный зал со множеством всяческого оружия и полосами препятствий. Хотя еще нет десяти, мы прибыли последними. Остальные трибуты стоят тесным кружком, у каждого к одежде приколот квадрат с номером дистрикта. Я быстро осматриваюсь, пока кто-то прикалывает такой же квадрат мне на спину. Только мы с Питом одеты одинаково.

Когда мы присоединяемся ко всем, подходит главный тренер, высокая, атлетического сложения женщина по имени Атала, и знакомит нас с программой тренировок. Зал разбит на секции. В каждой свой инструктор. Мы можем свободно перемещаться от секции к секции, руководствуясь указаниями наших менторов. В одних секциях обучают навыкам выживания, в других — приемам боя. Запрещено выполнять боевые упражнения с другими трибутами. Если нужен партнер, для этого есть специальные помощники.

Пока Атала читает перечень секций, мой взгляд невольно перебегает от одного трибута к другому. Первый раз мы стоим рядом друг с другом, в простой одежде. Я падаю духом. Почти все юноши и добрая половина девушек выше и крупнее меня, хотя многие, очевидно, жили впроголодь: кожа тонкая, кости торчат, глаза впалые. Пожалуй, у меня даже есть фора. Несмотря на худобу, я стройная и сильная. Видно, сказалась семейная предприимчивость: я сама добывала себе пропитание в лесу, и это закалило меня. Думаю, мое здоровье крепче, чем у большинства трибутов.

Другое дело — добровольцы, приехавшие из богатых дистриктов, те, кого всю жизнь готовили к Играм и у кого никогда не было недостатка в еде. Обычно это участники из Дистриктов 1, 2 и 4. Формально тренировать трибутов до их прибытия в Капитолий запрещено, однако на деле это правило нарушается из года в год. У нас в Дистрикте-12 таких трибутов называют профессиональными или профи. Можно ставить десять против одного, что победителем окажется кто-то из них.

При виде таких соперников все надежды, что наше вчерашнее феерическое появление перед публикой дало нам какие-то преимущества, растаяли как дым. Другие трибуты завидовали нам, но не потому, что мы такие молодцы, а лишь потому, что у нас такие потрясающие стилисты. Сегодня профи смотрят на нас с презрением. Они источают высокомерие и животную силу. Самый мелкий из них тяжелее меня фунтов на пятьдесят, а самый крупный — на все сто. Едва Атала заканчивает объяснения, профи прямиком направляются в секции с самым опасным и внушительным оружием, где демонстрируют, как легко и просто умеют с ним обращаться.

«Хорошо, что я быстро бегаю», — думаю я и вздрагиваю, когда кто-то толкает меня локтем. Это Пит, он рядом, как наказывал Хеймитч, и лицо у него озабоченное.

— С чего хочешь начать?

Я смотрю на профи, которые выделываются как могут, явно стараясь всех запугать. Потом на их соперников — тощих и неумелых, впервые берущих в руки нож или топор.

— Может, займемся узлами? — предлагаю я.

— Давай, — соглашается Пит. Мы идем в пустующую секцию; инструктор рад, что у него появились ученики: вязание узлов, похоже, не пользуется особой популярностью при подготовке к Голодным играм. Узнав, что я кое-что понимаю в силках, он показывает нам простую, но эффективную петлю-ловушку, вздергивающую незадачливого противника за ногу вверх. Мы сосредотачиваемся на одном этом искусстве, и за час оба в совершенстве его осваиваем. Затем переходим в секцию маскировки. Пит с нескрываемым удовольствием размазывает по своей бледной коже различные комбинации грязи, глины и раздавленных ягод, составляя сложные рисунки вьющихся стеблей и листьев. Инструктор приходит в восторг.

— Я ведь имел дело с пирогами, — объясняет Пит.

— С пирогами? — удивляюсь я, отвлекаясь от наблюдения за парнем из Дистрикта-2, всаживающим копье в сердце манекена с расстояния в пятнадцать ярдов. — Какими пирогами?

— Глазированными, для праздников.

Теперь до меня дошло, о чем он говорит, — о пирогах на витрине пекарни, разрисованных всякими финтифлюшками и цветами. Для дней рождения и Нового года. Когда мы бывали на площади, Прим всегда тащила меня туда полюбоваться. Хотя у нас никогда не было на них денег, я соглашалась — в Дистрикте-12 так мало красивого.

Я внимательно рассматриваю узор на руке Пита. Затейливо чередующиеся светлые и темные пятна напоминают игру солнечных лучей, пронизывающих листву деревьев в лесу. Но где ее мог видеть Пит? Вряд ли он когда-то выходил за ограждение. Неужели ему хватило косматой старой яблони у них на заднем дворе? Почему-то все это — умение Пита, похвала специалиста по маскировке, воспоминание о недосягаемых пирогах — возбуждает во мне злость.

— Очень мило. Жаль, у тебя не будет возможности заглазировать кого-нибудь до смерти, — язвительно замечаю я.

— Не задавайся. Никто не знает, что там будет на арене. Вдруг — огромный пи...

— Ты не собираешься идти дальше? — обрываю я его.

Следующие три дня мы так и ходим, не торопясь, от секции к секции, учась некоторым полезным вещам: от разведения огня и метания ножей до постройки шалаша. Несмотря на приказ Хеймитча не высовываться, Пит таки отличился в рукопашном бою, а я шутя прошла тест на знание съедобных растений. От стрельбы из лука и тяжелой атлетики мы, однако, держимся подальше, бережем козыри для индивидуальных сессий.

Распорядители Игр появились в первый же день, вскоре после начала тренировки — около двух десятков мужчин и женщин в пурпурных одеяниях. Они сидят на скамьях, устроенных вдоль стен зала, иногда прохаживаются, смотрят, что-то записывают. А чаще всего пируют за огромным столом, куда слуги подносят все новые кушанья, и как будто не обращают ни на кого внимания. Хотя пару раз, повернувшись в их сторону, я натыкалась на чей-нибудь взгляд. Во время наших перерывов на еду распорядители совещаются о чем-то с инструкторами. Когда мы возвращаемся, они сидят вместе.

Завтрак и обед нам подают отдельно на своих этажах, ленч — для всех двадцати четырех сразу в столовой рядом с тренировочным залом. Блюда расставлены на тележках — подходи и бери, что хочешь. Профи обычно собираются шумной компанией за одним столом, подчеркивая свое превосходство — мол, мы друг друга не боимся, а на остальных нам и вовсе наплевать. Большинство других сидят поодиночке, словно овцы, отбившиеся от стада. С нами никто не заговаривает; мы едим вместе и даже пытаемся поддерживать дружескую беседу — Хеймитч на этот счет все уши прожужжал.

Знать бы еще, о чем говорить. О доме — грустно, о настоящем — невыносимо. Однажды Пит вытащил хлеб из корзинки и стал показывать мне разные сорта. Организаторы позаботились, чтобы в корзинах был хлеб из всех дистриктов вдобавок к непревзойденному капитолийскому. Буханки в форме рыбы, зеленые от добавленных в них водорослей, из Дистрикта-4. Маленькие полумесяцы, усыпанные семенами, из Дистрикта-11. Почему-то выглядят они гораздо аппетитнее, чем обычные растрескавшиеся кругляшки у нас дома, хотя и сделаны из такого же теста.

— Вот так вот, — подытоживает Пит, сгребая буханки обратно в корзину.

— Ты много знаешь, — говорю я.

— Только о хлебе, — возражает он. — Ладно, теперь засмейся, будто я сказал что-то смешное.

Мы оба прыскаем от смеха, довольно убедительно, и словно бы не замечаем, как остальные на нас глазеют.

— Отлично, а сейчас я продолжаю мило улыбаться, а ты что-нибудь говори, — продолжает Пит.

Эта так называемая дружба изматывает будь здоров. Тем более что с тех пор как в тот раз я хлопнула дверью, отношения между нами охладели. Но приказ есть приказ.

— Я не рассказывала, как однажды за мной гнался медведь?

— Нет, хотя звучит интригующе.

Я начинаю рассказ, старательно разукрашивая его мимикой и жестами. История эта произошла на самом деле — как-то раз я сдуру решила поспорить с медведем-барибалом, у кого из нас больше прав на дупло с медом. Пит хохочет и к месту задает вопросы. У него это получается гораздо лучше, чем у меня.

На второй день, когда мы пробуем свои силы в метании копья, Пит шепчет мне на ухо:

— Кажется, мы обзавелись еще одной тенью.

Я метаю копье — с небольшого расстояния выходит не так уж плохо — и вижу, что чуть поодаль сзади за нами наблюдает девочка из Дистрикта-11, та самая двенадцатилетняя, которая так напомнила мне Прим. Вблизи она выглядит на десять. Блестящие темные глаза, атласная кожа. Девочка слегка наклонилась вперед на носочках и чуть-чуть отстранила локти от боков, готовая упорхнуть при малейшем звуке. Будто маленькая птичка.

Пока Пит бросает, я наклоняюсь за другим копьем.

— Кажется, ее зовут Рута, — негромко говорит он.

Я закусываю губу. Рута — маленький желтый цветок, растущий на Луговине. Рута, Прим — в каждой из них едва ли семьдесят фунтов, да и то если в мокрой одежде.

— Ну и что ты предлагаешь? — спрашиваю я несколько резче, чем хотела.

— Ничего, — отвечает он. — Просто поддерживаю разговор.

Теперь, когда я знаю, что она рядом, мне трудно ее игнорировать. Девочка молча ходит следом и учится в тех же секциях, что и мы. Она не хуже меня разбирается в растениях, быстро лазает, метко стреляет — раз за разом попадает в мишень из рогатки. Но что такое рогатка против здоровенного парня с мечом?

За завтраком и обедом Хеймитч и Эффи дотошно выспрашивают нас о каждой минуте, проведенной в тренировочном зале: что делали, кто за нами наблюдал, какое впечатление производят другие трибуты. Цинна и Порция с нами не едят, так что наших кураторов ничто не сдерживает. Нет, друг с другом они больше не схватываются, зато с завидным единодушием принялись за нас. Не знаю, как Пит терпит, а я от нескончаемых указаний, что делать и чего не делать на тренировках, уже на стенку лезу.

Когда во второй вечер нам наконец удается от них улизнуть, Пит ворчит:

— Уж лучше бы Хеймитч опять запил.

Пытаюсь засмеяться, но получается только фырканье. Осекаюсь и понимаю, что совсем запуталась, когда мы друзья, а когда нет. На арене я, по крайней мере, буду знать точно.

— Не надо. Зачем притворяться наедине.

— Ладно, Китнисс, — устало отвечает Пит. После этого мы разговариваем только на людях.

На третий день, после ленча, нас начинают вызывать на индивидуальные показы к распорядителям Игр. Дистрикт за дистриктом, вначале юношу, потом девушку. Как обычно, Дистрикт-12 последний. Мы торчим в столовой, не зная, куда еще податься. Те, кто уходят, обратно не возвращаются. Комната постепенно пустеет, и необходимость играть на публику отпадает. Когда вызывают Руту, мы с Питом остаемся одни и сидим молча, пока не приходит его очередь. Он встает.

— Помни, что Хеймитч советовал выложиться по полной, — невольно срывается у меня с губ.

— Спасибо. Так и сделаю. Ни пуха тебе.

Я киваю. Зачем я вообще что-то говорила? Хотя... если мне суждено проиграть, то пусть лучше выиграет Пит. Будет лучше для нашего дистрикта, а значит, для мамы и Прим.

Минут через пятнадцать называют мое имя. Я приглаживаю волосы, расправляю плечи и... войдя в зал, сразу понимаю, что ничего хорошего меня не ждет. Слишком долго они здесь просидели, эти распорядители, слишком много демонстраций посмотрели, а многие и выпили лишка. Больше всего им сейчас хочется пойти домой.

Мне не остается ничего другого как выполнять задуманное. Я направляюсь к секции стрельбы из лука. Вот они, долгожданные! Все эти дни у меня прямо руки чесались до них добраться. Луки из дерева, пластика, металла и еще из каких-то незнакомых мне материалов. Стрелы с безупречно ровным оперением. Я выбираю лук, надеваю тетиву и набрасываю на плечо подходящий колчан со стрелами. Выбор мишеней невелик: обычные круглые и силуэты людей. Я иду в центр зала и выбираю первую цель — манекен для метания ножей. Еще натягивая стрелу, понимаю: что-то не так. Тетива туже, чем та, которой я пользовалась дома, а стрела жестче. Я промахиваюсь на несколько дюймов, и теперь на меня уж точно никто и не взглянет. Вот так показала себя! Я собираю волю в кулак и возвращаюсь к щиту с мишенями. Выпускаю одну стрелу за другой, пока руки не привыкают к новому оружию.

Опять занимаю ту же позицию в центре зала и поражаю манекен в самое сердце. Следующей стрелой перерубаю веревку, на которой подвешен мешок с песком для боксеров. Мешок бухается на пол и с треском лопается. Тут же делаю кувырок, встаю на колено и точным выстрелом сбиваю светильник высоко под потолком. Вниз летит сноп искр.

Вот теперь то, что надо! Я поворачиваюсь к распорядителям, ожидая их реакции. Некоторые одобрительно кивают, но большинство увлечены жареным поросенком, только что поданным на стол.

Меня охватывает ярость. От этого, возможно, зависит моя жизнь, а им и дела нет. Поросенок куда важнее! Сердце колотится в груди, щеки пылают. Не думая, выхватываю стрелу и посылаю ее в сторону стола. Раздаются вскрики, едоки шарахаются в стороны. Стрела пронзает яблоко во рту поросенка и пришпиливает его к стене. Все таращатся на меня, не веря глазам.

— Спасибо за внимание, — говорю я с поклоном и, не дожидаясь разрешения, иду к выходу.

7

По пути к лифту забрасываю лук на плечо, пролетаю мимо изумленных безгласых у дверей лифта и ударяю кулаком по кнопке с номером 12. Двери затворяются, и лифт несет меня вверх. Я успеваю доехать до своего этажа, прежде чем первые слезы скатываются у меня по щекам, и несусь по коридору в комнату, не обращая внимания на окрики из гостиной. Запираю дверь, падаю на кровать и наконец даю волю слезам.

Это конец! Я все испортила! Если у меня и была малюсенькая надежда, то этой стрелой я ее разбила. Что со мной сделают? Арестуют? Казнят? Отрежут язык и заставят прислуживать трибутам? Чем я думала, когда стреляла в распорядителей? Конечно, я не в них стреляла, а в яблоко. Я так разозлилась, что меня игнорируют. Если бы я хотела кого-то убить, то не промахнулась бы!

Хотя какая разница? Все равно я бы не выиграла. Пусть делают со мной, что хотят. По-настоящему меня пугает то, что они могут сделать с мамой и Прим. Как эта дурацкая выходка отразится на моей семье? Отберут их скудные пожитки? Или посадят маму в тюрьму, а Прим отправят в приют? А может, их тоже убьют? Неужели убьют? Почему нет? Кого они жалеют?

Что я наделала? Вместо того чтобы извиниться или, рассмеявшись, превратить все в шутку, я гордо удалилась. Можно сказать, послала всех к черту. Теперь нечего ждать снисхождения.

Эффи и Хеймитч стучат мне в дверь. Я кричу, чтобы они убирались, и через какое-то время они отстают. Через час, может, больше я перестаю плакать, глажу ладонью шелковые простыни и смотрю, как дома и крыши Капитолия, будто леденцы, блестят в лучах заходящего солнца.

Вначале я жду, что за мною явится стража. Время идет, и постепенно я успокаиваюсь. Им ведь по-прежнему нужна девушка-трибут из Дистрикта-12, не так ли? Если распорядители захотят меня наказать, то сделают это публично. Подождут, пока я окажусь на арене, и спустят на меня голодных диких зверей. Лука и стрел у меня, ясное дело, не будет — об этом они позаботятся.

Ну а для начала дадут мне такой низкий балл, что никому в здравом уме и в голову не придет стать моим спонсором. Баллы объявят еще сегодня. Так как тренировки закрыты для зрителей, распорядители сами оценивают шансы каждого трибута, задавая ориентир для заключения пари — занятия, которому здесь с удовольствием предаются от начала до конца Игр. Самый низкий балл — единица, хуже и придумать нельзя; самый высокий и практически недостижимый — двенадцать. Оценка, конечно, еще не гарантия победы, она лишь отдает должное способностям и умениям, проявленным трибутом во время тренировок. Как все сложится на арене, абсолютно непредсказуемо, и нередко те, кто получили высокий балл, гибнут одними из первых. А победителем пару лет назад стал парень, которого оценили на тройку. Но вот в том, что касается спонсорства, баллы действительно могут помочь. Или навредить. Я-то надеялась заслужить своей стрельбой семерку или хотя бы шестерку, а теперь ясно: у меня балл будет худшим из двадцати четырех. А без спонсоров шансы выжить падают почти до нуля.

Когда Эффи стучит в дверь и зовет меня к обеду, я решаю пойти. Чего ради прятаться? Шила в мешке не утаишь. Вечером результаты покажут по телевизору. Я иду в ванную и умываюсь, но лицо все равно красное и опухшее от слез.

За столом собрались все, включая Цинну и Порцию. Уж хотя бы стилистов не было! Меньше всего мне хочется разочаровать их. Все, что они сделали для церемонии Открытия, пошло псу под хвост. Я хлебаю мелкими ложечками рыбный суп, стараясь ни на кого не смотреть. Суп соленый и напоминает мне о слезах.

Взрослые заводят разговор о прогнозе погоды, а я ловлю взгляд Пита. Он вопросительно поднимает брови: что случилось? Я только мотнула головой. Когда подают главное блюдо, Хеймитч обращается к нам:

— Ладно, хватит о пустяках, скажите-ка лучше, как вы сегодня преуспели? С большим треском?

Пит отвечает недолго думая:

— С треском или нет, кажется, без разницы. К тому времени как я туда попал, им уже было не до меня. Пели какую-то застольную песню. Никто и не глянул в мою сторону. Ну, я и бросал туда-сюда всякие тяжелые штуки, пока не отпустили.

От этого признания мне становится чуть-чуть спокойнее. Хоть Пит и не нападал на распорядителей, но по крайней мере его они тоже провоцировали.

— Ну а как твои дела, солнышко? — поворачивается Хеймитч ко мне.

Это его «солнышко» разозлило меня и заставило заговорить:

— А я запустила в распорядителей стрелу.

Все перестают есть.

— Что? — Ужас в голосе Эффи подтверждает мои наихудшие опасения.

— Я выстрелила в них. То есть... не совсем в них. В их сторону. Сначала было примерно как у Пита. Я стреляла и стреляла, а им хоть бы хны... Ну я слетела с катушек да и выбила яблоко из пасти их дурацкого жареного поросенка! — с вызовом заявляю я.

— И что они сказали? — осторожно спрашивает Цинна.

— Ничего. Точнее, не знаю. Я сразу же ушла.

— Тебя не отпустили? — ахает Эффи.

— Я сама себя отпустила.

Тут я вспоминаю, как обещала Прим сделать все, чтобы победить, и на меня словно бы обрушивается тонна угля.

— Что ж, дело сделано, — констатирует Хеймитч, намазывая маслом булочку.

— Думаете, меня арестуют?

— Вряд ли. Трудновато будет найти тебе замену, — говорит он.

— А что с мамой и Прим? Их накажут?

— Не думаю. Какой прок? Если для острастки, чтобы другим неповадно было, то придется раскрыть все, что случилось. Едва ли они захотят. А иначе только морока. Скорее уж они устроят тебе ад на арене.

— Так ведь Игры для того и проводят, чтобы нам жизнь медом не казалась, — встревает Пит.

— Вот именно, — соглашается Хеймитч, и я понимаю, что, как это ни глупо звучит, им двоим удалось меня развеселить.

Хеймитч хватает пальцами свиную отбивную, заставляя Эффи нахмуриться, окунает ее в бокал с вином. Потом раздирает кусок руками и со смехом спрашивает:

— И как они выглядели?

Уголки моего рта невольно приподнимаются:

— Ошарашенными, испуганными. Некоторые смешными. — Перед глазами у меня возникает картина. — Один мужчина сел в чашу с пуншем.

Хеймитч громко гогочет, и мы все тоже смеемся, кроме Эффи, хотя и она, похоже, с трудом подавляет улыбку.

— Так им и надо. Смотреть на вас — их работа, и то, что вы из Дистрикта-12, еще не причина отлынивать от обязанностей. — Она озирается, будто сказала что-то из ряда вон выходящее. — Может, я слишком резка, но таково мое мнение, — добавляет она, не обращаясь ни к кому в отдельности.

— Теперь я получу самый низкий балл, — говорю я.

— Баллы играют роль, только когда они очень высокие. Плохие и посредственные никого не интересуют. Кто знает, может, ты нарочно притворялась, чтобы получить оценку пониже? Бывает ведь такое, — возражает Порция.

— Надеюсь, мою четверку воспримут именно так, — говорит Пит. — Если я хоть столько получу. В самом деле, что может быть скучнее? Вышел парень, покидал железный шар на пару ярдов, раз чуть себе ногу не отшиб... Зрелище так себе.

Я улыбаюсь и чувствую, что умираю от голода. Отрезаю себе кусок свинины, захватываю им комок картофельного пюре и начинаю есть. Все в порядке, моя семья в безопасности. Остальное — ерунда.

После обеда идем в гостиную смотреть объявление результатов. Сначала показывают фотографию трибута, через пару секунд внизу экрана — его балл. Профи, как следовало ожидать, получают от восьми до десяти. Большинство других — около пяти. Маленькую Руту неожиданно оценивают на семерку. Интересно, чем ей так удалось поразить судей? Хотя при ее крохотных размерах что угодно покажется невероятным.

Дистрикт-12, разумеется, последний. Питу достается восьмерка. Стало быть, кто-то на него все-таки смотрел. Мои ногти впиваются в ладони, пока я напряженно смотрю в телевизор, ожидая худшего. И тут на экране вспыхивает — одиннадцать!

Одиннадцать!

Эффи Бряк испускает визг, все хлопают меня по спине и кричат поздравления. Я все еще не могу поверить.

— Тут какая-то ошибка. Как, как это возможно? — спрашиваю я Хеймитча.

— Видно, понравился твой характер. Им ведь нужно устроить зрелище, и горячие головы тут как раз пригодятся.

— Огненная Китнисс! — говорит Цинна, обнимая меня. — Подожди, вот увидишь свое платье для интервью!

— Опять пламя?

— В некотором роде, — лукаво отвечает он.

Мы с Питом поздравляем друг друга — снова неловкость. У нас обоих хорошие результаты, только вот что это значит для другого? При первой возможности я убегаю в свой номер и с головой зарываюсь в подушки. Я выжата как лимон от сегодняшних волнений и слез. Медленно я погружаюсь в сон. Приговор отложен, есть передышка; под закрытыми веками все вспыхивает число «одиннадцать».

Проснувшись на рассвете, я еще некоторое время лежу в постели, глядя, как на ясном небе встает солнце. Сегодня воскресенье. Дома — выходной. Интересно, где сейчас Гейл? В лесу? Обычно по воскресеньям мы делаем запасы на неделю. Встаем рано, охотимся, собираем, потом торгуем в Котле. Как там Гейл без меня? Каждый из нас умеет охотиться в одиночку, но вдвоем сподручнее, особенно когда на крупного зверя идешь. Да и вообще — с напарником и ноша легче, и веселее.

Целых полгода я лазала по лесам одна, пока не столкнулась с Гейлом. Было тоже воскресенье, октябрь, воздух прохладный и пряный от мертвых листьев. Все утро я соревновалась с белками, собирая орехи, а после обеда, когда потеплело, выкапывала на мелководье клубеньки стрелолиста. Из дичи удалось подстрелить только одну белку, она так увлеклась поиском желудей, что прямо в руки мне бежала. Но дичью можно будет заняться и потом, когда на землю ляжет снег, и под ним ничего не найдешь. Забравшись в тот день дальше обычного, я уже спешила домой, с трудом таща мешки, и тут наткнулась на мертвого кролика, подвешенного на тонкой проволоке в нескольких футах от земли. Ярдов через пятнадцать висел другой. Я узнала эти петли-ловушки, такие ставил мой отец. Когда в нее попадает зверь, петля затягивается и поднимает его вверх, чтобы другие животные не добрались. Все лето я безуспешно пыталась делать эти штуки, поэтому теперь остановилась, чтобы рассмотреть поближе. Я только взялась за проволоку чуть повыше кролика, как раздался чей-то голос: «Лучше не трогай!»

Я отскочила на несколько шагов назад, и из-за дерева появился Гейл. Должно быть, он наблюдал за мной. Ему тогда было всего четырнадцать, но со своим ростом больше шести футов он казался мне совсем взрослым. Я и раньше встречала его в Шлаке и в школе. И еще один раз... Он тоже потерял отца при том взрыве в шахте, и в январе, вместе со мной, получал медаль «За мужество» в Доме правосудия. Два его маленьких брата цеплялись за подол матери, по огромному животу которой было ясно: со дня на день семью ждет пополнение.

— Как тебя зовут? — спросил Гейл, подходя ближе и вытаскивая кролика из петли. На поясе у него уже висело три тушки.

— Китнисс, — ответила я едва слышно.

— Ты что, не знаешь, Кискисс, воровство у нас наказывается смертью?

— Китнисс, — поправила я громче. — Я не собиралась воровать. Просто хотела посмотреть, как устроена ловушка. В мои никогда ничего не попадается.

Он нахмурился и спросил с подозрением:

— А белка у тебя откуда?

— Подстрелила.

Я сняла с плеча лук — маленький, детский, отец смастерил его специально для меня. К большому я еще только приноравливалась, когда было время, и надеялась весной добыть первую крупную дичь.

Гейл уставился на лук.

— Можно взглянуть?

— Бери, только помни: воровство карается смертью.

Тут я впервые увидела, как Гейл улыбается. Его лицо сразу преобразилось: из угрожающего оно стало приветливым. С ним даже захотелось подружиться. Тем не менее прошел не один месяц, прежде чем я улыбнулась ему в ответ.

Мы поговорили об охоте. Я сказала Гейлу, что, возможно, достану ему лук, если он даст мне кое-что взамен. Не еду. Я хотела знаний. Хотела научиться ставить такие ловушки, чтобы каждый день пояс был обвешан жирными кроликами. Гейл ответил, что звучит заманчиво, но нужно подумать. Со временем, сначала неохотно и с опаской, мы начали делиться друг с другом умениями, оружием, своими тайными местами, где росли дикие сливы или водились индейки. Гейл научил меня делать силки и ловить рыбу. Я показала ему съедобные растения и в конце концов отдала один из своих драгоценных луков. Пришел день, когда мы без лишних слов поняли, что стали командой. Делили трудности и делились добычей, чтобы ни его, ни моя семья не голодали.

С Гейлом я чувствовала себя в безопасности, чего мне так не хватало после смерти отца. Теперь я не была такой одинокой в многочасовых блужданиях по лесу. И охотиться стало легче. Не нужно постоянно оглядываться назад, когда кто-то прикрывает тебя с тыла. Гейл значил для меня намного больше, чем просто напарник на охоте. Я ему доверяла как никому другому, могла высказать все те мысли, что тщательно скрывала внутри дистрикта. И он отвечал мне тем же. В лесу, рядом с Гейлом, я иногда бывала счастлива.

Я считаю его другом, но «друг» слишком слабо сказано для того, чтобы выразить, чем он стал для меня в последний год. Мое сердце сжимается от тоски. Если бы он был здесь! Нет, конечно, я не хочу этого на самом деле. Не хочу, чтобы он оказался на арене и погиб. Просто... просто я очень скучаю. И мне жутко одиноко. Что чувствует он? Скучает ли? Наверно.

Я вспоминаю число «одиннадцать», вспыхнувшее под моим именем вчера вечером, и точно знаю, как бы это прокомментировал Гейл. «Тебе есть над чем поработать!» —

сказал бы он с улыбкой, и теперь я бы без колебаний улыбнулась ему в ответ.

Насколько мне легко с Гейлом, настолько трудно с Питом. Трудно даже притворяться друзьями. Я постоянно задаюсь вопросом, зачем он что-то сделал или сказал. Хотя как тут можно сравнивать? С Гейлом мы сошлись потому, что так было легче выжить нам обоим. С Питом все иначе: выживание одного значит смерть другого. И никуда от этого не деться.

Эффи стучит в дверь напомнить, что меня снова ждет «важный-преважный день». Завтра у нас берут интервью для телевидения, так что сегодня у всей группы забот полон рот.

Встаю и принимаю душ, стараясь в этот раз быть повнимательнее с кнопками. Пит, Эффи и Хеймитч собрались за столом и о чем-то шушукаются. С чего бы это? Впрочем, голод сильнее любопытства, сперва я нагружаю блюдо завтраком, а потом уж присоединяюсь к остальным.

Из мясного сегодня баранина с черносливом, уложенная на гарнир из зизании, черного риса. Вкусно — пальчики оближешь. Только когда на тарелке остается меньше половины, замечаю, что все почему-то молчат. Я делаю глоток апельсинового сока и вытираю рот.

— В чем дело? Вы ведь должны натаскивать нас для интервью, верно?

— Верно, — соглашается Хеймитч.

— Ну так не стесняйтесь. Я вполне могу есть и слушать одновременно.

— Понимаешь, мы несколько изменили планы... В том, что касается нашего текущего подхода...

— Какого еще подхода? — удивляюсь я, не в силах вспомнить из данных нам за последнее время инструкций ничего, достойного такого наименования. Разве что не выпендриваться перед другими трибутами.

Хеймитч пожимает плечами:

— Пит попросил, чтобы его готовили отдельно.

8

Предатель! Это было первой мыслью, мелькнувшей у меня в голове после известия Хеймитча. Глупее не придумаешь. Нельзя назвать предателем того, кому ты и так никогда не доверял. Да и о каком доверии между трибутами может идти речь? И все же... он тот мальчик, который стерпел побои ради того, чтобы дать мне хлеб, тот, на кого я опиралась в колеснице, кто прикрыл меня в случае с рыжеволосой девушкой, безгласой, и кто так стремился, чтобы Хеймитч узнал о моем умении стрелять... Разве могла я после всего этого в самом деле совершенно не доверять ему?

С другой стороны, я чувствую облегчение. Наконец-то не нужно притворяться друзьями. Если между нами и успела возникнуть какая-то слабая, неуместная привязанность, то теперь с ней покончено. И самое время. Через два дня начинаются Игры, там сантименты ни к чему. Что бы ни повлияло на решение Пита (подозреваю, дело в моем превосходстве на тренировках), я должна быть ему благодарна. Видно, он в конце концов смирился с тем, что чем скорее мы станем вести себя как враги, тем лучше.

— Хорошо, — говорю я. — И какое у нас расписание?

— Эффи четыре часа учит одного из вас, как себя вести, а с другим я в это же время обсуждаю, что он должен говорить, — поясняет Хеймитч. — Ты, Китнисс, начнешь с Эффи.

Как ни трудно вообразить, чему я могу четыре часа учиться у Эффи, у меня нет ни одной свободной минуты. Мы идем в мою комнату, Эффи заставляет меня надеть длинное вечернее платье и туфли на высоком каблуке и учит в этом ходить. Больше всего трудностей из-за туфель. Я никогда не носила обувь на каблуках, и ступни у меня буквально вихляются из стороны в сторону — ощущение не из приятных. Но Эффи ведь ходит так каждый день, значит, смогу и я. С платьем другая проблема: оно путается вокруг ног, а как только я пытаюсь его подобрать, тут же коршуном налетает Эффи и с криком «Не выше лодыжек!» бьет меня по рукам. Когда с ходьбой наконец покончено, оказывается, что и сидеть-то я толком не умею! То и дело норовлю склонить голову вниз и не смотреть собеседнику в глаза. А потом еще жесты, улыбки... Улыбаться нужно почти непрерывно. Эффи по сто раз велит мне повторять всякие банальные фразочки, не стирая с лица улыбки. Ко второму завтраку щеки у меня подергиваются от перенапряжения.

— Что ж, я сделала что могла, — вздыхает Эффи. — Не забывай, Китнисс: зрители должны тебя полюбить.

— Думаете, это возможно?

— Нет, если ты будешь испепелять их взглядом. Прибереги свой гнев для арены, представь, что ты среди друзей.

— Друзей! Да они ставки делают, сколько я проживу! — выпаливаю я.

— Значит — сделай вид! — прикрикивает Эффи, затем берет себя в руки и одаряет меня лучезарной улыбкой. — Вот так. Видишь, я улыбаюсь, несмотря на то, что ты невыносима.

— Очень убедительно, — говорю я. — Пойду есть.

Я сбрасываю туфли и, задрав платье до бедер, шлепаю босиком в столовую.

Пит и Хеймитч выглядят вполне довольными, и у меня появляется надежда, что вторая консультация выйдет удачнее, чем первая. Какая наивность! После ленча Хеймитч ведет меня в гостиную и, усадив на диван, хмурится.

— Что такое? — не выдерживаю я.

— Пытаюсь понять, что с тобой делать. Как мы тебя подадим. Очаровательной? Чопорной и холодной? Яростной? До сих пор ты была звездой: ради сестры добровольно пошла на Игры, потом твой дебют — незабываемый, благодаря Цинне, — самый высокий балл на тренировках. Публика заинтригована, но никто не знает, какая ты есть на самом деле. И от впечатления, которое ты произведешь завтра, напрямую зависит, сколько спонсоров я смогу для тебя заполучить.

Я с детства смотрела интервью с трибутами и понимаю, что Хеймитч прав. Если ты понравился публике — юмором ли, грубой силой или эксцентричностью, — это большой плюс.

— Как будет вести себя Пит? Или это секрет?

— Как приятный, обходительный молодой человек. Он очень мило и естественно умеет посмеяться над самим собой, — говорит Хеймитч. — А ты такая мрачная и озлобленная, что только заговоришь, будто холодом веет.

— Неправда! — возражаю я.

— Да перестань. Не знаю, откуда взялась та жизнерадостная, приветливо машущая ручкой девушка с колесницы, только ни прежде, ни потом я ее не видел.

— А вы мне много дали поводов для радости? — возмущаюсь я.

— Тебе не надо нравиться мне, я не спонсор. Итак, представь, что я публика. Восхити меня.

— Хорошо! — рычу я.

Хеймитч выполняет роль ведущего, а я пытаюсь отвечать ему со всей любезностью, на какую способна. Точнее, не способна. Я слишком злюсь на Хеймитча — тоже мне, холодом веет — и вообще из-за этого дурацкого интервью и проклятых Игр. Как это все несправедливо! Почему я должна выплясывать как дрессированная собачонка на потеху тем, кого ненавижу? С каждой минутой моя злость все сильнее прорывается наружу, и под конец я уже не говорю, а рявкаю.

— Ладно, хватит, — сдается Хеймитч. — Будем искать другой вариант. Ты только выплеснула всю свою враждебность, однако так ничего толком и не сказала. Я задал тебе полсотни вопросов, и все еще не имею ни малейшего представления ни о твоей жизни, ни о твоей семье, ни о том, что ты любишь. О тебе хотят знать, Китнисс!

— Я не хочу, чтобы они знали. У меня уже отобрали будущее! Я не отдам им своего прошлого!

— Тогда ври! Сочини что-нибудь!

— Я не умею красиво врать.

— Придется научиться. И поскорее. Обаяния в тебе не больше, чем в дохлой рыбе.

Как он обо мне! Обидно. Видно, даже Хеймитч понял, что сказал грубость, и уже мягче он добавляет:

— Есть идея! Попробуй сыграть забитую провинциальную девчонку.

— Забитую? — повторяю я.

— Ну да, изобрази, будто не можешь поверить, что тебе, простой девчушке из Дистрикта-12, так повезло. Ты о таком и не мечтала. Повосторгайся костюмом, который сделал Цинна. Скажи, какие тут все милые, как тебя поразил город. В общем, если не хочешь говорить о себе, то, по крайней мере, сыпь комплиментами. Все время уводи разговор от себя. И захлебывайся от восхищения.

Следующие часы проходят в сплошных мучениях. Сразу стало ясно, что бурные восторги у меня не идут. Пробуем выставить меня дерзкой, но с гонором тоже напряженка. Для свирепой я слишком «субтильная». Я не остроумная. Не забавная. Не сексапильная. Не загадочная.

К концу консультации я вообще никакая. Примерно в то время, когда я упражнялась в остроумии, Хеймитч не выдержал и начал пить, а его замечания стали еще более едкими.

— Я сдаюсь, солнышко. Просто отвечай на вопросы и старайся не отравить зрителей своим ядом.

Вечером я обедаю одна в своей комнате. Заказываю гору всяких деликатесов, наедаюсь до тошноты и расшвыриваю тарелки по комнате, вымещая на них злость к Хеймитчу, к Голодным играм, ко всему живому в Капитолии. Когда девушка с рыжими волосами приходит расстелить мне постель, ее глаза расширяются при виде такого погрома.

— Оставь! — ору я на нее. — Оставь все как есть!

Ее я тоже ненавижу за этот понимающий и укоряющий взгляд, который говорит, что я трусиха, чудовище, марионетка в руках Капитолия, тогда и сейчас. Для девушки наконец свершится хоть какая-то справедливость: за смерть парня в лесу я заплачу своей жизнью.

Вместо того чтобы уйти, девушка закрывает дверь и направляется в ванную. Приносит мокрое полотенце, заботливо вытирает мне лицо, стирает кровь с моих рук, порезанных осколками. Почему она это делает? Почему я ей позволяю?

— Я должна была спасти тебя, — говорю я тихо.

Она качает головой. Что она имеет в виду? Что мы были правы, когда просто стояли и смотрели? Или она простила меня?

— Нет, должна.

Она касается пальцами губ и показывает на меня. Наверное, хочет сказать, что я тоже стала бы безгласой. Вполне возможно. Безгласой или мертвой.

Целый час мы убираемся в комнате. Когда весь мусор собран и сброшен в утилизатор, я забираюсь в кровать, а девушка подтыкает мне одеяло, как пятилетней. Потом уходит. Мне хочется, чтобы она осталась, пока я не усну. Чтобы была рядом, когда проснусь. Я хочу ее защиты, того, что сама не сумела ей дать.

Утром вокруг меня кружит группа подготовки. Уроки Эффи и Хеймитча позади. Этот день принадлежит Цинне. Он моя последняя надежда. Возможно, ему удастся сделать меня настолько неотразимой, что никому дела не будет до моих слов.

Группа работает со мной до самого вечера: мою кожу превращают в блестящий атлас, разрисовывают руки, а на все двадцать идеально подготовленных ноготочков наносят узоры в виде языков пламени. Вения делает прическу: заплетает огненно-красные пряди в косу, начиная от левого виска, затем поверх головы и вниз к правому плечу. На лицо наносят слой светлого крема, стирая все мои черты, и рисуют их заново. Огромные темные глаза, яркие полные губы, ресницы, от взмаха которых разлетаются искры света. Наконец, покрывают все тело порошком, и я сияю словно окутанная золотой пыльцой.

Потом входит Цинна, что-то неся в руках — вероятно, мое платье, из-за чехла нельзя разглядеть.

— Закрой глаза, — приказывает он.

Я ощущаю шелковистую ткань, скользящую по обнаженной коже, и тяжесть, опустившуюся на плечи. Платье весит, наверное, не меньше сорока фунтов! Я хватаюсь за руку Октавии и вслепую сую ноги в туфли, с радостью обнаруживая, что каблуки у них дюйма на два ниже, чем у тех, в которых меня заставляла ходить Эффи. Пару минут на мне еще что-то одергивают и поправляют. Потом тишина.

— Можно открыть глаза? — спрашиваю я.

— Да, — отвечает Цинна.

Существо, которое я вижу перед собой в большом зеркале, явилось из другого мира — оттуда, где кожа блестит, глаза вспыхивают огнями, а одежда из драгоценных камней. Платье — это что-то невероятное! — целиком покрыто сверкающими самоцветами: красными, белыми, желтыми и кое-где, на самых краешках огненных узоров, голубыми. При малейшем движении меня словно охватывают языки пламени.

Нет, я не красивая, я не великолепная, я — ослепительная как солнце.

Какое-то время мы просто стоим и любуемся.

— О, Цинна, спасибо, — шепчу я.

— Покружись, — говорит он.

Я вытягиваю руки в стороны и вращаюсь. Все восхищенно ахают.

Цинна отпускает группу и просит меня походить в платье и туфлях. К ним и привыкать не надо, они гораздо удобнее, чем те, что приносила Эффи. Платье нисколько не мешает при ходьбе, и его не приходится подбирать — одной заботой меньше.

— Ну, значит, к интервью ты готова? — спрашивает Цинна.

По выражению его лица я догадываюсь, что он разговаривал с Хеймитчем. И знает, какая я никудышная.

— Хуже некуда. Хеймитч назвал меня дохлой рыбой. Как мы ни пробовали, ничего путного не выходит. Мне не годился ни один образ из тех, что он предлагал.

Цинна на минуту задумывается.

— Почему бы тебе не быть просто самой собой?

— Собой? Тоже не подходит. Хеймитч говорит, я мрачная и враждебная.

— Пожалуй, да... если Хеймитч рядом, — отвечает Цинна с улыбкой. — Я тебя такой не считаю. Группа тебя обожает, ты даже распорядителей Игр покорила. Что до обычных капитолийцев, то они только о тебе и говорят. Все восхищаются твоей силой духа.

Силой духа? Вот уж не ожидала. Не знаю, что именно он подразумевает, наверное, что я борец, что я храбрая, а не озлобленная и недоверчивая. Да, я не улыбаюсь каждому встречному, но есть люди, которые мне дороги и которых я люблю.

Цинна берет мои ледяные руки в свои теплые ладони.

— Когда будешь отвечать на вопросы, представь, что говоришь с другом у себя дома. А? У тебя ведь есть лучший друг? Как его зовут?

— Гейл, — отвечаю я, не задумываясь. — Только это глупо, Цинна. Я никогда не стала бы рассказывать Гейлу ничего подобного. Он и так все обо мне знает.

— А как насчет меня? Ты не могла бы представить меня своим другом? — спрашивает Цинна.

Цинна, безусловно, нравится мне больше всех, кого я встретила после отъезда из родного дистрикта. Он сразу внушил к себе симпатию и до сих пор меня не разочаровал.

— Да, наверное, но...

— Я буду сидеть в первом ряду вместе с другими стилистами. Ты сможешь меня видеть. Когда тебе зададут вопрос, смотри мне в глаза и говори что думаешь.

— Даже если то, что я думаю, ужасно? — спрашиваю я, зная, что так и будет.

— В этом случае особенно. Ну как, договорились?

Я киваю. Это уже что-то. Хотя бы соломинка, за которую можно ухватиться.

Нам пора выходить. Как скоро! Интервью проводят на сцене перед Тренировочным центром. Сейчас выйду из комнаты и всего через несколько минут окажусь перед толпой, перед камерами, перед всем Панемом.

Цинна поворачивает дверную ручку, я его удерживаю.

— Цинна... — От страха я вся трясусь.

— Помни, они уже тебя любят, — мягко говорит он. — Просто будь собой.

У лифта мы встречаемся со всей группой Дистрикта-12. Порция и ее команда славно поработали: Пит в черном, расшитом языками пламени костюме выглядит потрясающе. Хотя в этот раз одежда у нас, к счастью, не одинаковая, мы хорошо смотримся рядом. Хеймитч и Эффи разоделись в пух и прах. Хеймитча я избегаю, но вежливо принимаю комплименты от Эффи. Какой бы надоедливой и бесцеремонной она ни была, все-таки от нее меньше вреда, чем от Хеймитча.

Когда лифт спускается вниз, другие трибуты уже всходят друг за другом на сцену и рассаживаются полукругом. Мое интервью будет последним, точнее, предпоследним, потому что девушки идут первыми. Как бы я хотела быть первой и поскорее отмучиться! Нет, мне сначала предстоит увидеть, как остроумны, забавны, скромны, яростны и очаровательны все остальные. К тому же, пока до меня дойдет очередь, зрители устанут, как распорядители в прошлый раз. А у меня даже стрелы нет, чтобы привлечь их внимание.

У самой сцены к нам сзади подходит Хеймитч и рычит: «Не забывайте, вы все еще пара друзей; ведите себя соответственно».

Вот как! А я-то думала, мы с этим покончили с тех пор, как Пит попросил готовить его отдельно. Видно, подготовка — одно, а игра на публику — совсем другое. Да и вести-то себя никак особенно не нужно: просто иди друг за дружкой и садись на свое место.

Едва я ступаю на сцену, дыхание у меня учащается и кровь начинает стучать в висках. Я рада опуститься на стул:

у меня так дрожат ноги, что я боюсь грохнуться со своих каблуков. Несмотря на вечер, на Круглой площади светлее, чем летним днем. Для особо важных персон амфитеатром установлены кресла; весь первый ряд занимают стилисты. Камеры будут обращаться к ним всякий раз, когда толпа станет восторженно принимать результаты их труда. Большой балкон на здании справа занимают распорядители Игр. Почти все остальные балконы оккупировали телевизионщики. Площадь и примыкающие улицы битком забиты народом. В каждом доме и каждом общественном здании страны работают телевизоры. Не забыт ни один житель Панема, и отключений электричества сегодня не будет.

На сцену выскакивает Цезарь Фликермен, ведущий. Он берет интервью у трибутов уже больше сорока лет, а выглядит таким молодым, что даже жутко. Всегда одинаковое лицо, покрытое белым гримом. Одинаковая прическа, только волосы каждый раз нового цвета. Тот же костюм — темно-синий, усеянный тысячью крохотных лампочек, мерцающих будто звезды в полуночном небе.

В Капитолии хирурги умеют делать людей моложе и стройнее. У нас, в Дистрикте-12, старость в почете, потому что многие умирают молодыми. Увидев пожилого человека, хочется поздравить его с долголетием и узнать секрет выживания. Толстякам даже завидуют — они не живут впроголодь, как большинство из нас. Здесь все по-другому. Морщины стараются скрыть. Круглый живот не признак успеха.

В этом году волосы Цезаря зеленовато-голубые, веки и губы тоже. Зрелище кошмарное, но не настолько, как в прошлый раз, когда он избрал своим цветом темно-красный и, казалось, истекал кровью. Пустив пару шуточек, чтобы разогреть аудиторию, Цезарь приступает к делу.

На середину сцены к нему выходит девушка-трибут из Дистрикта-1; в прозрачном золотистом наряде она выглядит вызывающе. Очевидно, у ментора не было забот с определением подходящего для нее образа: роскошные светлые волосы, изумрудные глаза, высокий рост, изящная фигура делают ее совершенно неотразимой.

Каждое интервью длится всего три минуты. По их истечении звенит звонок, и следующий трибут поднимается с места. Надо отдать должное умению Цезаря показать любого трибута в лучшем свете. Он одобрительно кивает, подбадривает робких, смеется над неуклюжими шутками и своей реакцией привлекает внимание даже к слабым ответам.

Я сижу в грациозной позе, как учила Эффи, пока дистрикты сменяются один за другим. Второй, Третий, Четвертый. Все трибуты, похоже, строго придерживаются избранных образов. Здоровенный парень из Дистрикта-2 — безжалостная машина для убийства. Девушка с лисьим личиком из Дистрикта-5 — хитрая и изворотливая. Я волнуюсь все больше, и даже присутствие Цинны, которого я заметила сразу, как он занял свое место, меня не успокаивает. Восьмой, Девятый, Десятый. Он очень тихий, этот мальчик-калека из Десятого дистрикта. Мои ладони мокрые от пота, и я не могу их вытереть, платье из драгоценных камней не впитывает влагу. Одиннадцатый.

Рута, в легком газовом платье с крылышками, порхает к Цезарю. Толпа затихает при виде этого эфемерного создания. Цезарь очень ласков с ней, поздравляет ее с семеркой, полученной за тренировки, — великолепным результатом для такой крохи. Когда он спрашивает, в чем ее сильная сторона, Рута не задумывается.

— Меня очень трудно поймать, — говорит она робко. — А если меня не смогут поймать, то не смогут и убить. Так что не списывайте меня со счетов раньше времени.

— Я — никогда в жизни! — ободряюще говорит Цезарь.

Цеп, парень из Дистрикта-11, такой же смуглый, как и Рута, однако на этом сходство заканчивается. Он один из здоровяков, около шести с половиной футов ростом, и мускулистый, как бык. Но к компании профи не присоединился, хотя те звали, я видела. Он вообще был всегда один, ни с кем не общался и к тренировкам оставался равнодушен. При этом получил от распорядителей десятку, и думаю, ему нетрудно было произвести на них впечатление. Он никак не реагирует на попытки Цезаря его расшевелить и отвечает только «да» или «нет», а то и вовсе молчит.

С таким сложением, как у него, мне бы слова никто не сказал, будь я хоть трижды угрюмой и озлобленной! Уверена, половина спонсоров уже всерьез подумывают им заняться. Я бы сама на него поставила, если бы было что.

Теперь вызывают Китнисс Эвердин, и я, будто во сне, встаю, бреду в центр сцены и пожимаю руку, приветственно протянутую мне Цезарем. У него хватает такта не вытереть ее тут же о свой костюм.

— Итак, Китнисс, Капитолий, должно быть, немало отличается от Дистрикта-12. Что тебя больше всего здесь поразило? — спрашивает Цезарь.

Что... что он говорит? Слова звучат в ушах, но не имеют для меня никакого смысла. Я отчаянно ищу глазами Цинну, наши взгляды встречаются, и я представляю себе, что вопрос произносят его губы: «Что тебя больше всего здесь поразило?» Поразило, поразило... надо назвать что-нибудь приятное. Что? «Будь честной, — приказываю я себе. — Говори правду».

— Тушеное филе барашка, — выдавливаю я.

Цезарь смеется, и я смутно слышу, что кое-кто в толпе тоже.

— С черносливом? — уточняет Цезарь. Я киваю. — О, я сам уплетаю его за обе щеки. — Он поворачивается боком к зрителям, прикладывает руку к животу и с тревогой спрашивает: — Не заметно? — В ответ раздаются ободряющие возгласы и аплодисменты. В этом весь Цезарь: всегда найдет способ тебя поддержать.

— Да, Китнисс, — говорит он доверительным тоном, — когда я увидел тебя на церемонии Открытия, у меня буквально остановилось сердце. А что ты подумала, увидев свой костюм?

Цинна поднимает бровь: честно!

— Вы имеете в виду, после того как я перестала бояться, что сгорю заживо?

Взрыв хохота, неподдельного, со стороны зрителей.

— Да, именно, — подтверждает Цезарь.

Кому-кому, а Цинне стоило об этом сказать.

— Подумала, что Цинна замечательный, и это — самый потрясающий костюм из всех, какие я видела. Я просто поверить не могла, что он на мне. И не могу поверить, что сейчас на мне это платье. — Я расправляю юбку. — Вы только посмотрите!

Пока зрители ахают и стонут, Цинна едва заметно показывает пальцем: покружись!

Я делаю один оборот, вызывая еще более бурную реакцию публики.

— О, сделай так еще! — восклицает Цезарь.

Я поднимаю руки вверх и быстро вращаюсь снова и снова, чтобы юбка развевалась, и меня охватывали языки пламени. Народ безумствует. Остановившись, я хватаюсь за руку Цезаря.

— Не прекращай! — просит он.

— Придется. У меня все плывет перед глазами! — хихикаю я; наверное, первый раз в жизни я веду себя так легкомысленно, опьянев от страха и кружения.

Цезарь обнимает меня рукой:

— Не бойся, я тебя держу. Не позволю тебе последовать по стопам твоего ментора.

Толпа дружно гикает и улюлюкает, когда камеры выхватывают Хеймитча, прославившегося своим нырком головой вниз со сцены во время Жатвы. Хеймитч добродушно отмахивается от операторов и показывает на меня.

— Все в полном порядке. Со мной она в безопасности, — уверяет Цезарь зрителей. — А что насчет твоего балла за тренировки? Одиннадцать! Не намекнешь, как тебе удалось получить столько? Чем ты отличилась?

Я бросаю взгляд на балкон с распорядителями Игр и прикусываю губу.

— А-а... все, что я могу сказать... думаю, такое случилось впервые.

Все камеры наставлены на распорядителей, которые, давясь от смеха, кивают в знак согласия.

— Ты нас мучаешь! — говорит Цезарь так, будто ему и впрямь больно. — Подробности! Подробности!

Я поворачиваюсь к балкону.

— Мне ведь лучше не рассказывать об этом?

Мужчина, упавший в чашу с пуншем, кричит: «Нет!»

— Спасибо, — говорю я. — Мне жаль, но ничего не поделаешь. Мой рот на замке.

— В таком случае давай вернемся к Жатве, к тому моменту, когда назвали имя твоей сестры, — предлагает Цезарь; его голос стал тише и серьезнее, — и ты объявила себя добровольцем. Ты не могла бы рассказать нам о ней?

Нет. Ни за что. Только не вам. Но... может быть, Цинне. Мне кажется, я даже вижу сострадание на его лице.

— Ее зовут Прим, ей всего двенадцать. И я люблю ее больше всех на свете.

Над Круглой площадью повисла тишина.

— Что она сказала тебе после Жатвы? — спрашивает Цезарь.

Правду. Правду. Я проглатываю комок в горле.

— Она просила меня очень-очень постараться и победить.

Зрители, замерев, ловят каждое мое слово.

— И что ты ответила ей? — мягко направляет меня Цезарь.

Вместо нежности мною овладевает ледяная твердость. Мускулы напряжены, словно готовятся к схватке. Когда я открываю рот, мой голос звучит на октаву ниже:

— Я поклялась, что постараюсь.

— Не сомневаюсь, — говорит Цезарь, сжимая мне плечи. Звенит звонок. — Жаль, но наше время закончилось. Удачи тебе, Китнисс Эвердин, трибут из Дистрикта-12.

После того как я занимаю свое место, аплодисменты еще долго не смолкают. Я снова смотрю на Цинну, ожидая его одобрения. Он потихоньку показывает мне два больших пальца.

Первая половина интервью с Питом пролетает для меня как в тумане, ясно только, что Питу с ходу удалось завоевать зрительские симпатии: из толпы то и дело раздаются крики и смех. На правах сына пекаря он сравнивает трибутов с хлебом из их дистриктов, затем рассказывает забавную историю об опасностях, какие таят в себе капитолийские ванны. «Скажите, я все еще пахну розами?» — спрашивает он Цезаря, и они начинают на пару дурачиться и обнюхивать друг друга, заставляя зрителей покатываться со смеху. Я вполне прихожу в себя, только когда Цезарь задает Питу вопрос, есть ли у него девушка.

Пит колеблется, потом неубедительно качает головой.

— Не может быть, чтобы у такого красивого парня не было возлюбленной! Давай же, скажи, как ее зовут! — не отстает Цезарь.

Пит вздыхает.

— Ну, вообще-то, есть одна девушка... Я люблю ее, сколько себя помню. Только... я уверен, до Жатвы она даже не знала о моем существовании.

Из толпы доносятся возгласы понимания и сочувствия. Безответная любовь — ах, как трогательно!

— У нее есть другой парень? — спрашивает Цинна.

— Не знаю, но многие парни в нее влюблены.

— Значит, все, что тебе нужно, — это победа: победи в Играх и возвращайся домой. Тогда она уж точно тебя не отвергнет, — ободряет Цезарь.

— К сожалению, не получится. Победа... в моем случае не выход.

— Почему нет? — озадаченно спрашивает ведущий.

Пит краснеет как рак и, запинаясь, произносит:

— Потому что... потому что... мы приехали сюда вместе.

Часть II

ИГРЫ

9

Какое-то время камеры еще направлены на опущенные глаза Пита, пока его слова доходят до телевизионщиков. Затем я вижу на экране свое лицо, увеличенное в несколько раз, с приоткрытым от неожиданности и возмущения ртом. *Это я! Он говорит обо мне!* Я сжимаю губы и смотрю в пол, надеясь таким образом скрыть бурлящие во мне чувства.

— Да-а, вот уж не везет так не везет, — говорит Цезарь, и в его голосе звучит искреннее сострадание.

Толпа согласно шумит, несколько человек даже вскрикнули, точно от боли.

— Не везет, — соглашается Пит.

— О, мы все тебя прекрасно понимаем: трудно не потерять голову от такой прекрасной юной леди. Кстати, она знала о твоих чувствах?

Пит качает головой:

— До этого момента нет.

Я на мгновение поднимаю взгляд на экран — мои щеки так пылают, что никто и не подумает усомниться.

— А неплохо бы вытащить ее снова на середину и послушать, что она на это скажет, как думаете? — обращается Цезарь к публике и получает в ответ одобрительный рокот тысяч голосов. — Сожалею, но правила есть правила, наше с Китнисс время уже потрачено. Что ж, удачи тебе, Пит

Мелларк, и, мне кажется, я не ошибусь, если скажу за весь Панем: наши сердца бьются в унисон с твоим.

Рев толпы оглушает. Пит своим признанием в любви ко мне совершенно затмил всех нас, остальных трибутов. Когда крики наконец смолкают, Пит произносит сдавленным голосом: «Спасибо», — и возвращается на свое место. Играет гимн, мы встаем. Голову приходится поднять, чтобы не проявлять непочтительность, и — на каждом экране, куда ни глянь, мы с Питом, отделенные друг от друга парой футов, непреодолимой пропастью в глазах сердобольных зрителей. Бедные-несчастные мы!

Знали бы они правду!

После гимна трибуты выстраиваются перед вестибюлем Тренировочного центра и проходят к лифтам; я стараюсь не попасть в одну кабину с Питом. Из-за множества народа нашей свите — стилистам, менторам, сопроводителям — трудно поспеть следом, так что на время мы предоставлены самим себе. Все молчат. Лифт, в котором еду я, останавливается четыре раза, чтобы высадить трибутов, потом я остаюсь одна, пока через пару мгновений двери не открываются на двенадцатом этаже. Едва Пит успевает выйти из своей кабины, как я с силой толкаю его руками в грудь, и он, потеряв равновесие, падает на уродливый вазон с искусственными цветами. Вазон опрокидывается, разлетаясь на сотни крохотных осколков; сверху приземляется Пит. Из его ладоней течет кровь.

— За что? — ошарашенно спрашивает он.

— Ты не имел права! Не имел права говорить обо мне такое! — кричу я.

Тут подъезжают лифты, и теперь вся компания в сборе — Эффи, Хеймитч, Цинна и Порция.

— Что происходит? — осведомляется Эффи с истерическими нотками в голосе. — Ты упал?

— Да. После того, как она меня толкнула, — отвечает Пит, и Эффи с Цинной помогают ему встать.

— Ты его толкнула? — зло спрашивает Хеймитч.

— Это ведь ты придумал, да? — набрасываюсь я на него. — Выставить меня дурой перед всей страной?

— Это моя идея, — говорит Пит, вытаскивая из ладоней впившиеся осколки и кривясь от боли. — Хеймитч мне только помог.

— Да, Хеймитч хороший помощник. Для тебя!

— Дура! — презрительно бросает Хеймитч. — Думаешь, он тебе навредил? Да этот парень подарил тебе то, чего ты сама в жизни бы не добилась!

— Из-за него все будут считать меня разнеженной девицей!

— Из-за него тебя будут считать обольстительной! И, скажем прямо, на твоем месте я бы тут никакой помощью не брезговал. Ты была привлекательна, как пугало, пока Пит не признался, что грезит о тебе. Теперь ты всеобщая любимица. Все только и твердят о несчастных влюбленных из Дистрикта-12.

— Мы не несчастные влюбленные!

Хеймитч хватает меня за плечи и прижимает к стене:

— Да какая разница? Это все показуха. Главное — не кто ты есть, а кем тебя видят. Ну что можно было сказать после интервью с тобой? В лучшем случае, что ты довольно милая девочка. Хотя, по мне, и это уже чудо. Теперь ты покорительница сердец. Ай-ай-ай, мальчишки дома штабелями падают к твоим ногам! Как думаешь, какой образ завоюет тебе больше спонсоров?

Изо рта Хеймитча так несет вином, что дурно становится. Я сбрасываю с плеч его руки и отступаю в сторону, стараясь привести мысли в порядок.

Приближается Цинна и кладет руку мне на спину:

— Он прав, Китнисс.

Я уже не знаю, что и думать.

— Надо было хотя бы предупредить меня, чтобы я не выглядела такой идиоткой.

— Ты отреагировала замечательно, — возражает Порция. — Знай ты обо всем заранее, вышло бы и вполовину не так убедительно.

— Она просто переживает из-за своего парня, — ворчит Пит, пиная окровавленный черепок.

При мысли о Гейле мои щеки снова начинают гореть.

— У меня нет парня.

— Да мне без разницы, — отвечает Пит. — Но я уверен, у него хватит ума распознать притворство. К тому же *ты* ведь не говорила, что любишь меня. Так что можешь не волноваться.

Постепенно все становится на свои места. Злость утихает, хотя я все еще не могу решить, использовали меня или в самом деле подарили преимущество. Хеймитч прав: я выдержала интервью, но кем я, в сущности, была? Глупой девчонкой в красивом платье. Кружащейся, хихикающей. Только когда речь зашла о Прим, я сумела сказать что-то значимое. То ли дело Цеп, его тихая, убийственная мощь. Рядом с ним я пустышка. Глупая, сверкающая и никчемная. Ну, не совсем никчемная: все-таки одиннадцать баллов за тренировки дают не каждому.

Пит же превратил меня в предмет обожания. И не только своего. Послушать Пита, у меня отбоя нет от поклонников. А если народ поверит, что мы вправду любим друг друга... Как они клюнули на Питово признание! Несчастные влюбленные! Хеймитч правду сказал: слопали и не подавились. Вдруг меня берут сомнения: правильно ли я себя вела?

— Когда он сказал, что влюблен в меня, все, наверное, подумали, что я тоже его люблю? — спрашиваю я.

— Я подумала, — говорит Порция. — Ты так отворачивалась от камер, краснела...

Остальные дружно поддакивают.

— Ты прелесть, солнышко. Спонсоры будут занимать очередь в другом конце квартала, — говорит Хеймитч.

Борясь со стыдом, я заставляю себя заговорить с Питом:

— Прости, что я тебя толкнула.

— Пустяки, — отмахивается он. — Хотя, строго говоря, это против правил.

— Как твои руки?

— Ничего, заживут.

В наступившей тишине мы наконец обращаем внимание на соблазнительные запахи, доносящиеся из столовой.

— Пойдемте обедать, — предлагает Хеймитч.

Мы все идем за ним следом и усаживаемся за стол. Тут оказывается, что у Пита еще идет кровь, и Порция уводит его, чтобы перевязать. Они возвращаются, когда мы заканчиваем суп из розовых лепестков со сливками. Руки Пита обмотаны бинтами, и виновата в этом я. А завтра арена. Пит сделал для меня доброе дело, а я его за это покалечила. Неужели я вечно буду перед ним в долгу?

После обеда мы смотрим в гостиной повтор интервью. Я кажусь себе ветреной и пустой со всем этим верчением и хихиканьем, хотя остальные уверяют, что я обаятельна. Вот Пит действительно обаятелен. А уж своей влюбленностью так и вовсе сразил всех наповал. Снова показывают меня: пунцовую от смущения, прекрасную, благодаря мастерству Цинны, обольстительную стараниями Пита, несчастную из-за козней судьбы и, по общему мнению, совершенно незабываемую.

Когда отыграл гимн и экран погас, в комнате повисает молчание. Завтра на рассвете нас разбудят и станут готовить к арене. По-настоящему Игры начнутся только в десять: в Капитолии встают поздно. Нам с Питом залеживаться нельзя: никто не знает, где в этом году будет находиться арена.

Хеймитч и Эффи с нами не поедут. Отсюда они направятся в Штаб Игр, где будут, надеюсь, не покладая рук трудиться, подписывая контракты со спонсорами и разрабатывая планы доставки нам того, что те жертвуют. Цинна и Порция поедут с нами до самой арены, но слова прощания мы скажем все же здесь.

Эффи берет нас за руки и — со слезами на глазах! — желает нам удачи и благодарит за то, что мы были такими славными трибутами — лучшими из всех, с какими ей доводилось иметь дело. Эффи будет не Эффи, если не скажет какую-нибудь гадость, потому что дальше она заявляет: «Я даже не удивлюсь, если в следующем году меня переведут в приличный дистрикт!»

Потом она целует нас по очереди в щеку и торопливо убегает, то ли растроганная прощанием, то ли окрыленная открывающимися перед ней перспективами.

Хеймитч деловито нас оглядывает.

— Будут какие-нибудь советы? — интересуется Пит.

— Как только ударят в гонг, скорее уносите ноги. Мясорубка перед Рогом изобилия вам не по зубам. Улепетывайте что есть духу, чем дальше от других, тем лучше, и ищите источник воды. Ясно?

— А потом? — спрашиваю я.

— А потом постарайтесь выжить, — отвечает Хеймитч.

Тот же совет он дал нам в поезде, но теперь он трезвый и не смеется. Мы только киваем в ответ.

Когда я ухожу в свою комнату, Пит еще задерживается, чтобы что-то обсудить с Порцией. Я рада. Прощание с Питом откладывается. Не знаю, какие глупости мы скажем друг другу, но это будет завтра. Постель уже разобрана; рыжеволосой девушки нет. Жаль, что я даже не знаю, как ее зовут. Если бы я спросила, она могла бы написать свое имя. Или показать знаками. Хотя, возможно, ее бы за это наказали.

Я принимаю душ, оттираю золотистую краску, смываю косметику и ароматы. От всех изысков остаются только огненные узоры на ногтях. Я решила сохранить их как напоминание зрителям о том, кто я есть. Огненная Китнисс. Возможно, и мне будет легче пережить следующие дни, если я буду об этом помнить.

Надев теплую пушистую ночную рубашку, я забираюсь в кровать и пять секунд спустя понимаю, что заснуть мне не удастся. А заснуть необходимо: усталость на арене — верный путь к гибели.

Без толку. Проходит один час, второй, третий, а сна ни в одном глазу. Я пытаюсь представить себе место, куда нас забросят. Что это будет? Пустыня? Болото? Мерзлая степь?

Хотя бы был какой-нибудь лесок, где можно спрятаться, найти еду и укрыться от непогоды. Деревья бывают часто: зрителям скучно, когда взгляду не за что зацепиться; к тому же на открытом пространстве Игры заканчиваются быстрее. Какой будет климат? Какие ловушки приготовили распорядители, чтобы сделать зрелище более занимательным? А мои соперники...

Чем сильнее я стараюсь уснуть, тем дальше от меня бежит сон. В конце концов я настолько взбудоражена, что не могу оставаться в постели. Я хожу туда-сюда по комнате, в висках стучит, дыхание прерывистое. Комната — как тюремная камера. Если я сейчас же не выйду на воздух, то снова начну швырять вещи. Бегу по коридору к лестнице. Дверь не только не заперта, но даже приоткрыта. Хотя какое это имеет значение? Силовое поле, окружающее крышу, не даст ни убежать, ни умереть. Я хочу не бежать, а только вздохнуть полной грудью. Увидеть небо и луну в последнюю ночь, когда на меня никто не охотится.

Крыша не освещена, но, едва ступив босыми ногами на плитки, я вижу его силуэт, черный на фоне огней, ночи напролет освещающих Капитолий. Внизу, на улицах, празднуют: раздаются музыка и пение, автомобильные гудки — ничего этого я не слышала за толстыми оконными стеклами у себя в комнате. Я могла бы улизнуть незамеченной: за таким шумом он бы ничего не услышал. Ночной воздух так сладок, что я даже думать не хочу о том, чтобы возвратиться в душную клетку комнаты. Да и какая разница, поговорим мы или нет?

Я неслышно переступаю ногами по плиткам, останавливаюсь в двух шагах позади Пита и говорю:

— Тебе следовало бы поспать.

Пит вздрагивает, но не оборачивается. Я вижу, как он слегка качает головой:

— Не хочу пропустить праздник. В конце концов, он в нашу честь.

Я встаю рядом с ним и опираюсь на ограждение. Широкие улицы забиты танцующими людьми. Сощурившись, я пытаюсь разглядеть их получше.

— У них маскарад?

— Кто их знает? Они так одеваются, будто всегда маскарад, — отвечает Пит. — Что, тоже не спится?

— Да, лезут разные мысли в голову.

— О семье.

— Нет, — сознаюсь я немного виновато. — Не могу думать ни о чем, кроме завтрашнего дня. Глупо, конечно.

В уличном свете я вижу его лицо и как неловко он держит перебинтованные руки.

— Мне жаль, что так вышло. С руками.

— Не важно, Китнисс, — отвечает он. — Так или иначе, долго я не продержусь.

— Нельзя так себя настраивать.

— Почему? Это правда. Все, на что я надеюсь, это не опозориться и... — Он колеблется.

— И что?

— Не могу точно выразить. Я... хочу умереть самим собой. Понятно?

Я качаю головой. Кем еще он может умереть?

— Я не хочу, чтобы меня сломали. Превратили в чудовище, которым я никогда не был.

Я закусываю губы, чувствуя себя приниженной. Пока я беспокоюсь о деревьях, Пит задумывается о том, как сохранить себя, чистоту своего «я».

— Ты хочешь сказать, что не станешь убивать? — спрашиваю я.

— Стану. Когда придет время, я буду убивать, как любой другой. Я не смогу уйти без боя. Я только... хочу как-то показать Капитолию, что не принадлежу ему. Что я больше чем пешка в его Играх.

— Ты не больше, — возражаю я. — Как и все остальные. В этом суть Игр.

— Ладно, пусть так. Но внутри них ты — это ты, а я — это я, — не унимается он. — Ты понимаешь?

— Немного. Только... не обижайся, Пит, кому до этого есть дело?

— Мне. Что еще в моей власти? О чем еще я могу позаботиться в такой ситуации?! — сердится Пит.

Я отступаю на шаг.

— О том, что сказал Хеймитч. Чтобы выжить.

Пит улыбается печально и насмешливо:

— Хорошо. Спасибо за совет, солнышко.

Это покровительственное обращение, заимствованное у Хеймитча, словно пощечина.

— Что ж, хочешь провести последние часы жизни за размышлениями, как бы поблагороднее умереть на арене, — это твой выбор. Я собираюсь прожить свою жизнь в Дистрикте-12!

— Меня бы не удивило, если бы тебе это удалось, — отвечает Пит. — Передавай привет моей матери, когда вернешься, хорошо?

— Заметано.

Я разворачиваюсь и ухожу.

Остаток ночи я провожу в полудреме, представляя, как язвительно буду разговаривать завтра утром с Питом Мелларком. Посмотрим, каким благородным он окажется, когда посмотрит в глаза смерти. Возможно, станет одним из тех полулюдей, которые, убив соперника, съедают его сердце. Пару лет назад один парень из Дистрикта-6 по имени Тит одичал вчистую. Распорядители Игр усмиряли его электрошоковыми ружьями, чтобы оттащить убитых им трибутов, прежде чем он их сожрет. На арене нет ни правил, ни ограничений, но поскольку каннибализм непривлекателен для капитолийской аудитории, его пресекают. Поговаривали, что лавина, прикончившая Тита, была устроена специально, чтобы победителем не стал сумасшедший.

Утром мы с Питом не видимся. Еще до рассвета приходит Цинна, дает мне надеть простой балахон и ведет на крышу. Одеваться для Игр и делать последние приготовления мы будем в катакомбах под ареной. Появляется планолет, ниоткуда — точно как в тот день в лесу, когда поймали рыжеволосую девочку, — и из него сбрасывают лестницу. Едва я за нее хватаюсь и становлюсь на нижнюю ступеньку, как застываю. Какой-то ток намертво прихватывает мои ладони и ступни к лестнице, так что я при всем желании не смогла бы свалиться, и меня поднимают наверх.

В планолете я ожидаю, что лестница меня отпустит, но не тут-то было: я все еще обездвижена, когда ко мне подходит женщина в белом халате со шприцем в руке:

— Это следящее устройство, Китнисс. Если будешь вести себя спокойно, я смогу установить его аккуратно.

Спокойно. Да я как статуя! Однако это ничуть не мешает ощущать острую боль, пронзающую предплечье, когда туда впивается игла, и из нее глубоко под кожу проникает миниатюрный маячок. Теперь распорядители Игр всегда смогут узнать, в каком месте арены я нахожусь. Заботятся, чтобы никто не потерялся.

Когда дело сделано, лестница меня отпускает. Женщина уходит, и наверх поднимают Цинну. Появляется безгласый слуга и ведет нас в каюту, где приготовлен завтрак. Несмотря на сжавшийся в комок желудок и отсутствие аппетита, я наедаюсь до отвала. Еда превосходная, но я так волнуюсь, что не получаю от нее никакого удовольствия; с таким же успехом я могла бы жевать угольную пыль. Единственное, что позволяет мне немного отвлечься, это вид из окна, когда мы проплываем над городом, а потом над лесами и полями. Как птицы. Только они свободны, а я нет.

Полет продолжается около получаса; перед приближением к арене стекла окон темнеют. Планолет приземляется, и мы с Цинной спускаемся по лестнице, которая в этот раз пропущена сквозь жерло широкой трубы в катакомбы под ареной. Следуя указателям, мы идем в комнату, предназначенную для моей подготовки. В Капитолии эти комнаты называют Стартовым комплексом, в дистриктах — Скотобазой, местом, куда сгоняют животных перед отправкой на бойню.

Все совершенно новое, я — первый и единственный трибут, который войдет в эту комнату. По окончании Игр арены становятся историческими достопримечательностями, куда капитолийцы любят приезжать на экскурсии или на отдых. Бывает, проводят там по месяцу: смотрят видеозаписи Игр, осматривают катакомбы, ездят в места, где происходили смертельные схватки. Можно даже поучаствовать в инсценировках. И кормежка, говорят, отличная.

Я с трудом удерживаю внутри себя завтрак, пока принимаю душ и чищу зубы. Цинна заплетает мои волосы в простую косу, какую я обычно носила дома. Потом приносят одежду — у всех трибутов она будет одинаковой, Цинна тут ничего не решает и даже сам не знает, что лежит в свертке. Он помогает мне одеться: обычные коричневые штаны, светло-зеленая блузка, грубый коричневый ремень и черная ветровка с капюшоном, достающая до бедер.

— Ветровка из особой ткани, отражающей тепло тела. Ночи могут быть холодными, — говорит Цинна.

Ботинки, которые я надеваю поверх плотно прилегающих носков, лучше, чем я надеялась. Кожа мягкая, почти как у тех, что я носила дома. Резиновая подошва, тонкая и гибкая, с жесткими шипами. Удобно для бега.

Ну, вроде бы все. Собралась. Тут Цинна вытаскивает из кармана брошь — золотую сойку-пересмешницу. Я совсем забыла о ней.

— Откуда? — спрашиваю я.

— С одежды, в которой ты была в поезде, — отвечает Цинна. Теперь я вспоминаю, как сняла ее с маминого платья и приколола к зеленой рубашке. — Это талисман из твоего дистрикта?

Я киваю, и Цинна прикалывает мне брошь к блузке.

— Комиссия ее чуть было не запретила. Некоторые посчитали, что иглу можно использовать в качестве оружия, и у тебя будет неправомерное преимущество. Но потом все-таки уступили. А кольцо из Дистрикта-1 не пропустили. Если повернуть камень, выскакивает шип. Отравленный. Девушка заявила, что ничего об этом не знает, и доказать обратное, конечно, нельзя, но талисмана она тем не менее лишилась. Все, ты готова. Подвигайся. Тебе ничего не должно мешать.

Я хожу, бегаю по кругу, машу руками.

— Нормально. Все сидит отлично.

— Остается только ждать сигнала. Разве что поешь еще?

Есть я не хочу, но стакан воды беру и пью маленькими глоточками, пока мы сидим на диване и ждем. Я сдерживаюсь, чтобы не начать кусать губы или грызть ногти, и вдруг ловлю себя на том, что впилась зубами в щеку, еще не совсем зажившую, после того как я прикусила ее во сне дня два назад. Во рту появляется вкус крови.

Мое волнение постепенно переходит в ужас. Возможно, через час я буду мертвой, мертвой как камень. Или даже раньше. Пальцы неотвязно тянутся к маленькому твердому комочку в предплечье — следящему устройству. Я давлю на него, несмотря на боль, давлю так сильно, что появляется небольшой кровоподтек.

— Хочешь поговорить, Китнисс? — спрашивает Цинна.

Я качаю головой, но через секунду протягиваю ему руку, и Цинна заключает ее между своими ладонями. Так мы сидим, пока приятный женский голос не объявляет, что пора приготовиться к подъему на арену.

Все еще сжимая ладонь Цинны, я подхожу к металлическому диску и становлюсь на него.

— Помни, что сказал Хеймитч. Беги и ищи воду. А дальше по обстановке, — говорит он. Я киваю. — И запомни вот еще что. Мне нельзя делать ставки, но если бы я мог, то поставил бы на тебя.

— Правда? — шепчу я.

— Правда.

Цинна наклоняется и целует меня в лоб.

— Удачи, Огненная Китнисс.

Сверху, отрезая нас друг от друга, разрывая наши сцепленные руки, опускается прозрачный цилиндр. Цинна касается пальцами подбородка: выше голову!

Я задираю нос кверху и расправляю плечи. Цилиндр начинает подъем. Около пятнадцати секунд я нахожусь в темноте, затем металлический диск поднимает меня из цилиндра на свежий воздух. Сначала я ничего не вижу, ослепленная ярким солнечным светом, и только чувствую сильный ветер, пропитанный внушающим надежду ароматом сосен.

Потом, будто отовсюду сразу, звучит громогласный голос легендарного ведущего Клавдия Темплсмита:

— Леди и джентльмены, семьдесят четвертые Голодные игры объявляются открытыми!

10

Шестьдесят секунд. Ровно столько до удара гонга, возвещающего, что диск можно покинуть. Попробуешь сойти раньше — и тебе оторвет ноги минами. Шестьдесят секунд, чтобы оглядеть кольцо трибутов, равноудаленных от Рога изобилия, гигантского лежащего на боку золотого конуса с жерлом футов двадцати высотой и загнутым хвостом, переполненного всякой всячиной, полезной для выживания на арене: продуктами, сосудами с водой, оружием, лекарствами, одеждой, средствами для разведения огня. Вокруг тоже разбросаны вещи — чем дальше от Рога, тем меньше их ценность. К примеру, всего в двух шагах от меня лежит кусок непромокаемой пленки размером три на три фута — в ливень худо-бедно сгодится. Зато у края Рога я вижу свернутую палатку, которая защитит почти от любой непогоды. Конечно, если у тебя хватит смелости пойти и сразиться за нее с двадцатью тремя трибутами. Именно это мне и запретил Хеймитч.

Мы находимся на ровной, утоптанной площадке. За трибутами напротив не видно ничего, кроме неба, — наверное, там сразу начинается склон или даже обрыв. Справа озеро. Слева и сзади — редкий сосновый лес. Наверняка Хеймитч хотел бы, чтобы я отправилась туда. Причем не мешкая.

«Улепетывайте что есть духу; чем дальше, тем лучше, и ищите источник воды», — звучат у меня в голове его инструкции.

Куча добра передо мною выглядит так соблазнительно... И то, что не достанется мне, достанется другим. Большинство трофеев, как всегда, разделят между собой профи. Вдруг что-то притягивает мой взгляд: там, на сваленных вместе скатках одеял поблескивают серебряный колчан со стрелами и лук с уже снаряженной тетивой, готовый к бою!

Он мой. Его положили для меня!

Я быстрая. Быстрее всех девочек в школе в коротких дистанциях, только две-три опережают меня на длинных. Тут всего ярдов сорок, как раз мне по плечу. Я прибегу первой, успею схватить лук... Вопрос в том, сумею ли я достаточно быстро убраться. Пока я вскарабкаюсь по скаткам и возьму оружие, подоспеют другие. В одного или двух я бы смогла выстрелить, ну а если их будет дюжина? Оказавшись рядом, меня легко пронзят копьями или сшибут дубинкой. Или даже просто забьют здоровенными кулачищами.

С другой стороны, не на одну же меня все накинутся. Лучше в первую очередь устранить более серьезных противников, а не тощую девчонку, пусть даже получившую одиннадцать баллов на тренировках.

Хеймитч никогда не видел, как я бегаю. Иначе он, возможно, не настаивал бы, чтобы я сразу уносила ноги, а посоветовал добыть оружие. Тем более оружие, которое для меня может оказаться спасительным. Во всей горе вещей я вижу только один лук! Минута заканчивается, решать нужно сейчас. Ноги сами собой принимают удобную стойку для бега — не в сторону леса, а к куче одеял, к заветному оружию. И тут справа от себя, через пять трибутов я замечаю Пита: он смотрит на меня и качает головой. Или это только кажется? Расстояние большое, и солнце светит в глаза. Пока я думаю, раздается гонг.

И я опоздала! Упустила свой шанс! Несколько секунд задержки заставили меня изменить план. Мгновение я топчусь на месте, не зная, какое направление избрать, потом бросаюсь вперед и хватаю с земли кусок пленки и буханку хлеба. Пожива настолько смехотворна, и я настолько зла на

Пита за то, что он отвлек меня, что с досады я решаюсь пробежать еще ярдов двадцать за ярко-оранжевым рюкзаком, набитым неизвестно чем. Ну не уходить же совсем с пустыми руками!

Какой-то парень, кажется, из Дистрикта-9, подбегает к рюкзаку одновременно со мной. Мы вырываем его друг у друга из рук, как вдруг он кашляет, обдавая мое лицо теплой липкой кровью. В отвращении я отшатываюсь назад, и парень оседает на землю. В его спине торчит нож. Другие трибуты уже успели добежать до Рога изобилия и теперь готовы атаковать. Сжимая в руке полдюжины ножей, ко мне мчится девушка из Дистрикта-2. Я видела ее на тренировках. Она никогда не промахивается. Я ее следующая мишень.

Мой неопределенный, расплывчатый страх сгустился во вполне конкретный, осязаемый ужас перед этой девочкой-хищницей, которая вот-вот меня прикончит. Адреналин выплескивается в кровь, и я опрометью кидаюсь к лесу, набросив рюкзак на плечо. За спиной свист ножа. Инстинктивно защищая голову, вздергиваю рюкзак вверх; в него вонзается лезвие. Продеваю руку во вторую лямку и бегу дальше. Девушка не станет меня преследовать: в Роге изобилия еще так много хороших вещей. Мои губы растягиваются в ухмылке. *Спасибо за нож.*

На опушке я оборачиваюсь, чтобы окинуть взглядом поле битвы. Около дюжины трибутов рубятся друг с другом у Рога. На земле лежат несколько тел. Те, кто предпочли унести ноги, уже достигли леса или бегут по лугу в противоположную от меня сторону. Я мчусь дальше, пока деревья не скрывают меня полностью от других трибутов, потом перехожу на бег трусцой, чтобы не выдохнуться слишком быстро. Следующие пару часов я то бегу, то быстро иду, стараясь увеличить отрыв от соперников. Хлеб я потеряла, когда боролась с парнем из Дистрикта-9, зато кусок пленки успела засунуть в рукав. Теперь я на ходу достаю ее, аккуратно сворачиваю и кладу в карман. Потом высвобождаю нож. Хороший, с длинным острым клинком, с зубчиками у рукояти — будет удобно пилить. Засовываю его за пояс. Рассмотреть содержимое рюкзака пока не решаюсь. Надо идти. Останавливаюсь только для того, чтобы прислушаться, не бежит ли кто следом.

Я могу идти долго. Не впервой. Вот без воды не обойдусь. Найти воду — это второе указание Хеймитча; первое я не выполнила, а тут уж смотрю во все глаза. Пока без толку.

Лес постепенно меняется. Среди сосен появляются другие деревья, некоторые мне знакомы, других я никогда раньше не видела. Доносится какой-то звук. Я вытаскиваю нож, готовая защищаться, но это всего лишь кролик. «Рада встрече», — шепчу я. Если есть один, будут и другие, дожидающиеся моих силков.

Местность идет под уклон. Это мне не очень нравится. На дне лощин я чувствую себя будто в западне. То ли дело наверху. Например, на холмах вокруг Дистрикта-12. Всегда видно, если приближается враг. Впрочем, выбора нет; я двигаюсь дальше.

Как ни странно, я совсем не устала. Не зря все эти дни ела как не в себе. Во мне бурлит энергия, даром что я так мало спала в последние ночи. И лес подпитывает меня новыми силами. Приятно побыть в одиночестве, даже если это всего лишь иллюзия: вероятно, меня сейчас показывают на экране. Не постоянно, но время от времени. В первый день столько смертей, что трибут, мирно шагающий по лесу, вряд ли привлечет много внимания. Будут показывать просто для сведения: жива, мол, пока, не ранена, идет. Это один из самых насыщенных дней по части ставок. Начало Игр, первые жертвы. Хотя не сравнить с тем, что будет, когда игроков останется раз, два и обчелся.

Ближе к вечеру начинают палить из пушек. Один выстрел — один мертвый трибут. Сражение у Рога изобилия, должно быть, закончилось: тела жертв собирают только после того, как их убийцы разойдутся. И из пушек в первый день стреляют, когда битва уже позади. Раньше просто невозможно за всем уследить. Я позволяю себе остановиться перевести дух, пока буду считать выстрелы. Один... два...

три... четыре... Еще, и еще, и еще... Одиннадцать. Одиннадцать убитых. Тринадцать в Игре. Я ногтями соскребаю с лица засохшую кровь мальчика из Дистрикта-9. Он точно умер. А Пит? Пережил ли он этот день? Узнаю через несколько часов, когда в небе высветят портреты погибших.

Внезапно меня обуревает тревога: а что, если Пита уже нет, а его обескровленное бледное тело подобрали и везут в Капитолий, чтобы вымыть, переодеть и отправить в простом деревянном ящике назад в Дистрикт-12? Что, если он не здесь и едет домой? Я изо всех сил стараюсь вспомнить, видела ли его с тех пор, как началась кутерьма. Помню только, как он качал головой перед ударом гонга.

Хотя, может быть, даже лучше, если Пит умер. У него не было воли к победе. А на мою долю точно не выпадет ужасная роль его убийцы. Да, наверное, лучше, если он уже выбыл. Навсегда.

Я в изнеможении опускаюсь на землю вместе с рюкзаком и отцепляю лямки. Все равно с ним надо разобраться до наступления темноты. Посмотреть, какие у меня ресурсы. Рюкзак добротный, жаль только, цвет неудачный — оранжевый. В темноте будет прямо-таки светиться. Завтра утром первым делом займусь его маскировкой.

Откидываю клапан. Больше всего я была бы сейчас рада воде. Про необходимость найти ее источник Хеймитч не с потолка взял. Без воды долго не протянешь. Пару дней я, возможно, еще смогу справляться с жаждой, но потом стану совсем беспомощной развалиной и загнусь за неделю, если не раньше. Осторожно вытаскиваю содержимое рюкзака: тонкий черный спальный мешок из теплоотражающей ткани, пачка галет, пакетик вяленой говядины, йод во флакончике, коробок спичек, моточек проволоки, солнечные очки. И большая пластиковая бутыль — пустая как барабан.

Воды нет. Неужели так трудно было наполнить бутыль? Я замечаю, как сухо у меня в горле и во рту, облизываю потрескавшиеся губы. Я шла весь день по жаре, много потела. Мне не привыкать. Вот только когда я хотела пить дома, в своем лесу, то всегда находила какой-нибудь ручеек, а зимой растапливала снег.

Когда я складываю вещи обратно в рюкзак, меня пронзает ужасная мысль. Озеро! Пока ждали горн, я видела озеро! Вдруг это единственный источник воды на всей арене?! Неплохой способ согнать нас вместе и устроить грандиозное побоище! От того места, где я сейчас, до озера день пути, и проделать его без капли воды — задачка еще та. А там, конечно, окажется, что озеро охраняют профи. Я уже готова поддаться панике и тут вспоминаю кролика, которого вспугнула сегодня. Он ведь находит воду! Остается выяснить где.

Надвигаются сумерки, и на душе у меня паршиво. Деревья слишком редкие и хилые, толком спрятаться негде. Сосновые иглы под ногами приглушают шаги, зато на них не видно следов животных, по которым я смогла бы выйти к воде. И я все еще продолжаю спускаться вниз в лощину, глубже и глубже. Кажется, она бездонная.

Есть тоже хочется, но начинать драгоценный запас галет и говядины еще слишком рано. Вместо этого подхожу к сосне, срезаю ножом твердую внешнюю кору и наскребаю большую горсть мягкого луба. Медленно жую его, продолжая идти. После недели самого роскошного питания в мире переходить на древесную кору трудновато. Впрочем, я столько ее съела за свою жизнь, что долго привыкать не придется.

Через час очевидно: больше откладывать некуда, пора искать место для ночевки. Ночные хищники уже выползают из своих обиталищ; время от времени слышны их завывания и уханья. Охотиться на кроликов буду не я одна. Хорошо бы самой не стать добычей. Возможно, как раз сейчас меня выслеживает целая стая!

Хотя что там хищники! Свои собратья трибуты куда опаснее. Наверняка многие выйдут ночью на поиски. Из тех, кто выжил в драке перед Рогом изобилия. У них есть еда, неистощимый запас воды из озера, фонари и факелы.

И, конечно, оружие, которое им не терпится испробовать. Надеюсь только, что я ушла дальше, чем пойдут они.

Достаю проволоку и устанавливаю в кустах две петли-ловушки. Это опасно: может навести на мой след, но что делать, еды у меня почти нет. А днем ставить ловушки некогда. Потом иду еще минут пять.

Место я выбираю очень тщательно. Наконец нахожу подходящую иву — не очень высокую, зато ее окружают несколько других, и за их висячими густыми ветвями легко укрыться. Я забираюсь наверх по толстым сучьям до развилины, достаточно прочной, чтобы устроить на ней постель. Задача непростая, однако мне удается более-менее удобно расположить спальный мешок. На его дно я помещаю рюкзак, следом заползаю сама. Затем снимаю ремень и привязываюсь им к суку — осторожность не повредит. Теперь если я случайно повернусь во сне, то не грохнусь на землю. Так как я невелика ростом, мешка хватает, чтобы залезть в него с головой, но капюшон я тоже натягиваю. Ночью быстро холодает. Я все-таки молодец, что добыла рюкзак. Спальный мешок — вещь незаменимая. Уверена, не один трибут сейчас всерьез озабочен тем, как ему согреться, а я тем временем могу поспать. Если бы еще не мучила жажда...

Едва наступает ночь, я слышу гимн, предшествующий показу погибших. Сквозь ветви мне виден парящий высоко в небе герб Капитолия. На самом деле его проецируют на огромный экран, привязанный к одному из планолетов-невидимок. Гимн затихает, и на мгновение небо темнеет. Дома по телевизору каждое убийство показывают в подробностях, а здесь это считалось бы неправомерным преимуществом для части трибутов. Если бы я, к примеру, застрелила кого-нибудь из лука, мои навыки обращения с этим оружием перестали бы быть секретом. Здесь на арене показывают фотографии — те же, что и при объявлении результатов тренировок, но под лицами нет баллов, только номера дистриктов. Я делаю глубокий вдох и готовлюсь загибать пальцы.

Первой на экране появляется девушка из Дистрикта-3. Это значит, что трибуты-профессионалы из Дистриктов 1 и 2 остались в живых. Кто бы сомневался. Затем парень из Дистрикта-4. А вот это уже странно — обычно первый день профи выдерживают в полном составе. Парень из Дистрикта-5... Девушка-лиса, стало быть, выжила. Дистрикты 6 и 7 потеряли обоих своих трибутов. Парень из Восьмого. Оба из Девятого. Да, это тот парень, с которым я дралась за рюкзак. Пальцы закончились. Остается только один убитый. Пит? Нет, это девушка из Дистрикта-10. Конец. Торжественная финальная музыка и герб Капитолия. Потом — темень и звуки леса.

От сердца отлегло. Пит — жив. Я снова говорю себе, что, если меня убьют, его победа поможет маме и Прим. Это объяснение позволяет мне внести хоть какой-то разумный порядок в эмоции, которые охватывают меня при мысли о Пите. Чувство благодарности за то, что он подарил мне шанс своим признанием в любви. Злость на его высокопарные рассуждения на крыше. Страх, что мы в любой момент можем столкнуться с ним один на один на арене.

Одиннадцать погибших и ни одного из Дистрикта-12. Кто же остался?.. Пять профи. Лиса. Цеп с Рутой. Рута... значит, ей все-таки удалось пережить первый день! Я рада. Это десять... Трех других вспомню завтра. Я много прошла сегодня; сейчас темно, и я высоко на дереве. Надо отдыхать.

Я почти не спала последние две ночи, а сегодня целый день на ногах. Постепенно я заставляю свои мышцы расслабиться. Смыкаю веки... Хорошо, что я не храплю...

Хрусь! Меня будит звук сломанной ветки. Как долго я спала? Четыре часа? Пять? Кончик носа совсем закоченел. Хрусь! Хрусь! Что это? Кто-то идет? Нет, не похоже. Скорее, спускается с дерева. Хрусь! Хрусь! Кажется, справа, в паре сотен ярдов от меня. Медленно, бесшумно я поворачиваю голову в том направлении. Сплошная тьма. Несколько минут слышен только шорох. Потом вспыхивает искра, и расцветает небольшой костерок. Пара ладоней греется над пламенем. Больше ничего не видно.

Я прикусываю язык, чтобы не выплеснуть на незадачливого трибута весь набор ругательств, какие только знаю. О чем он только думает?! Ладно бы развел костер вечером — тогда захватчики Рога изобилия были, конечно, еще слишком далеко и не заметили бы огня. Теперь-то они уже точно не один час прочесывают лес в поисках жертв! С тем же успехом можно размахивать флагом и кричать: «Сюда! Идите и убейте меня!»

И угораздило же меня оказаться рядом с самым большим недоумком на целой арене! Да еще привязанной к дереву и не имея возможности бежать, потому что можно запросто столкнуться с убийцами. Понятно, что ночь холодная и не всем удалось раздобыть спальный мешок, но тут уж сожми зубы и терпи до рассвета — иначе крышка!

Следующие пару часов я лежу, не смыкая глаз, в мешке и злюсь. Может, слезть с дерева да и самой прикончить беспокойного соседа? Изначально моей тактикой было бегство, а не нападение. Но находиться рядом по-настоящему опасно. С дураком — не со своим братом. К тому же это будет нетрудно: вряд ли у него есть хоть какое-то оружие, а у меня — отличный нож.

В небе еще темно, но уже чувствуются первые признаки рассвета. Я начинаю думать, что все-таки нас — меня и трибута, на которого я задумываю покуситься, — не найдут. И тут я их слышу: несколько пар ног внезапно переходят на бег. Трибут у костра, видимо, задремал: она даже не успевает броситься наутек. Теперь я знаю, что это девушка — мне слышны ее мольбы и предсмертный крик. Потом смех, поздравления. Чей-то возглас: «Двенадцать готовы, одиннадцать впереди!» — и одобрительное гиканье в ответ.

Значит, они действуют сообща. Не то чтобы это было для меня неожиданностью — в начале Игр альянсы не редкость. Сильные объединяются против слабых, а когда перебьют их, принимаются друг за друга. Нетрудно догадаться, что на сей раз союз образовали выжившие профи из Дистриктов 1, 2 и 4. Двое юношей и три девушки. Те, что ели за одним столом.

Они обыскивают вещи девушки. Судя по комментариям, ничего путного не находят. А вдруг это Рута? Нет, она слишком умна, чтобы вот так взять и развести огонь.

— Пойдем. Пусть заберут труп, пока не завоняло.

Я почти уверена, что голос принадлежит звероподобному парню из Дистрикта-2. Другие соглашаются, и, к своему ужасу, я слышу, как эта свора направляется в мою сторону! Но они ведь не знают, что я здесь? Откуда? В зарослях меня не видно... По крайней мере, пока не встало солнце. Потом черный цвет спального мешка превратится из маскировочного в предательский. Пусть бы они шли да шли своей дорогой — и через минуту оказались ко мне спиной!

Профи останавливаются на поляне ярдах в десяти от моего дерева. В руках у них фонарики, факелы. Сквозь ветви видны то чей-нибудь ботинок, то рука. Я замираю, боясь даже вздохнуть. Заметили меня? Нет, пока нет... Их мысли заняты другим.

— Пора бы им выпалить из пушки, а?

— Наверное. Ничто не мешает сделать это сразу.

— А может, она жива.

— Нет. Я сам ее заколол.

— Почему тогда нет выстрела?

— Кто-то должен пойти и убедиться, что дело сделано.

— Я же сказал!

Спор разгорается все сильнее, и тут один трибут утихомиривает остальных:

— Мы только зря тратим время! Пойду добью ее, и двигаем дальше!

Я чуть не падаю с дерева. Это голос Пита!

11

Слава богу, хватило ума пристегнуться! Я скатилась с развилины и теперь вишу на ремне лицом вниз, сквозь мешок цепляясь за ствол рукой и ступнями, между которыми еще и рюкзак попал.

— Ну давай, женишок, — говорит парень из Второго. — Сходи проверь.

Когда Пит разворачивается, чтобы идти, я секунду вижу его, освещенного факелом. Лицо распухшее от синяков, на руке окровавленная повязка. Судя по шаркающему звуку, он прихрамывает. Вот, значит, как! Мне качал головой — не лезь, мол, на рожон, — а сам тем временем думал нырнуть в самое пекло, наплевав на советы Хеймитча.

Ладно, это я еще могу понять. Ну, соблазнился, положим. Это еще мелочи. Но связаться со стаей волков, чтобы убивать остальных! Да никому из нашего дистрикта такое и в голову никогда не приходило! Профи — наглые мерзавцы, живодеры, пляшущие под дудку Капитолия и получающие за это куски пожирнее! Их ненавидят везде, кроме их собственных дистриктов.

Представляю, что теперь говорят о Пите у нас дома! И он рассусоливал передо мной о высоких материях!

Очевидно, благородный мальчик сыграл со мной на крыше еще одну шутку. Что ж, эта — последняя! С нетерпением буду ждать его портрета на ночном небе. Если сама раньше не убью.

Профи молчат, пока Пит не уходит подальше, затем говорят приглушенными голосами.

— Почему бы нам не прикончить его прямо сейчас? Зачем откладывать?

— Да пусть себе таскается. Чем плохо? Может, пригодится еще. Видал, как с ножом управляется?

С ножом? Вот это новость! Сегодня у меня ночь открытий. Как мало я знаю о своем друге Пите!

— К тому же с ним мы быстрее выйдем на *нее*.

Я не сразу понимаю, что они имеют в виду меня.

— Почему? Думаешь, она повелась на его сопливую сказочку про любовь?

— А что, может быть. По-моему, обычная дурочка. Вспомню, как она вертелась в своем платье, аж блевать охота.

— Знать бы, как она умудрилась получить одиннадцать баллов.

— Спроси у женишка. Он-то знает.

Шорох шагов Пита заставляет их замолчать.

— Ну что, мертвая была? — спрашивает парень из Дистрикта-2.

— Живая. Была, — отвечает Пит. Ему вторит пушечный выстрел. — Идем?

Банда профи убегает, и почти сразу же начинает светать, и воздух наполняется птичьим гомоном. Пару минут я еще выжидаю в той же неудобной позе, хотя мышцы уже дрожат от напряжения, затем взбираюсь на сук. Надо слезать вниз и идти дальше, а какое-то время я просто лежу, переваривая услышанное. Пит не только присоединился к профи, он помогает им искать меня — дурочку, но опасную, потому что получила одиннадцать баллов. А все благодаря луку и стрелам. Питу это хорошо известно.

Правда, им он еще не рассказал. Тянет время, понимая, что это единственное, благодаря чему его не убивают? Все еще притворяется перед зрителями, будто любит меня? Что он затеял?

Внезапно птичьи трели смолкают. Затем одна птица издает пронзительный тревожный крик. Точно как тогда, когда поймали рыжеволосую девушку. Высоко над затухающим костром возникает планолет. Изнутри выпадают громадные металлические челюсти, которые медленно и осторожно захватывают мертвое тело и поднимают его на борт. Планолет исчезает. Птицы поют снова.

— Давай, — шепчу я сама себе.

Выбираюсь из спального мешка, скатываю его и засовываю в рюкзак. Делаю глубокий вдох. Пока я была в мешке, скрытая темнотой и ивовыми ветвями, камеры вряд ли могли меня хорошо видеть. Теперь-то они наверстают. Как только спущусь на землю, точно удостоюсь крупного плана.

Зрители, наверное, здорово позабавились, слушая разговор профи и зная, что я тоже их слышу и вижу среди них Пита. Пока я еще толком не решила, как мне себя вести. В любом случае нужно показать, что я полностью владею ситуацией, а вовсе не сбита с толку и напугана.

Тут приходится просчитывать каждый шаг.

С этими мыслями я выныриваю из листвы на утренний свет и на секунду замираю, давая камерам возможность хорошенько на мне сфокусироваться. Склонив голову набок, я многозначительно улыбаюсь. Вот им! Пусть поломают голову, что означает эта улыбочка!

Я уже совсем собралась идти дальше, как вдруг вспоминаю о силках. Не совсем благоразумно проверять их сейчас, когда другие трибуты так близко, тем не менее просто взять и уйти я не могу. Видно, охотничьи инстинкты укоренились во мне слишком крепко. Да и соблазн велик — что, если там дичь?

Риск оправдан — в силках превосходный кролик. Мигом его свежую; голову, лапы, шкуру, хвост и внутренности присыпаю листьями. Жаль, костра не развести... От сырой крольчатины легко подхватить туляремию, это вам не шутка — испытано на себе. Тут я вспоминаю убитую девушку, и спешу к месту ее ночевки. Ага! Угли еще горячие. Быстро режу мясо, нанизываю кусочки на вертел из прутьев и прилаживаю над углями.

Теперь я даже рада камерам. Пусть спонсоры увидят, что я умею охотиться и не теряю осторожности от голода. Пока еда готовится, я маскирую свой оранжевый рюкзак с помощью куска обуглившейся палки. Довольно успешно. Еще бы грязью разок обмазать. Но без воды грязи не бывает...

Взвалив поклажу на спину, я хватаю вертел, присыпаю угли пылью и отправляюсь в сторону, противоположную той, куда ушли профи. Половину кролика я съедаю на ходу сразу же, а остатки заворачиваю в пленку. От мяса перестает урчать в животе, однако жажда меньше не становится. Вода сейчас для меня главное.

Я продолжаю старательно скрывать эмоции — готова спорить, моя физиономия все еще красуется на экранах Капитолия. А Клавдий Темплсмит со своими гостями в студии досконально разбирают тактику Пита и мою реакцию. Хотела бы я сама во всем разобраться! Пит показал истинное лицо? И что теперь? Как теперь расценивают наши шансы? Потеряем ли мы спонсоров? Есть ли они у нас вообще? Уверена, что есть. По крайней мере были.

Определенно, с басней про несчастных влюбленных покончено. Пит разделался с ней одним махом. Или все-таки нет?.. То, что он пока не распространялся обо мне профессионалам, возможно, сыграет нам на руку! Если я буду выглядеть довольной, люди, глядишь, подумают, что мы с Питом специально так договорились.

На небе всходит солнце — жаркое даже сквозь кроны деревьев. Я намазываю губы кроличьим жиром и стараюсь дышать ровно, но толку мало. Прошли всего сутки, а я уже ощущаю признаки обезвоживания. Пытаюсь вспомнить все, что знаю о поиске воды. Ручьи сбегают с холмов в долины, я иду вниз — это правильно. Найти бы теперь следы животных. Или место, где растительность особенно пышная. Везде все одинаковое, ничего не меняется. Местность все так же идет под уклон, вокруг те же птицы, те же деревья.

День проходит, и ясно, что беда не за горами. Моя моча темно-коричневого цвета, да и той почти нет, голова раскалывается от боли, язык пересох. Глаза болят от яркого света, но когда я надеваю солнечные очки, со зрением происходит что-то странное — я сую их обратно в рюкзак.

Ближе к вечеру мне кажется, я спасена: передо мной кустики с ягодами. Я торопливо срываю несколько, чтобы высосать из них сладкий сок, но, уже поднеся ко рту, присматриваюсь внимательнее. Ягоды похожи на чернику, только форма немного другая, а когда я разламываю одну из них, внутри она красная. Никогда не встречала таких. Может, ягоды съедобные, а может, это ловушка, придуманная распорядителями Игр. Даже инструктор в Тренировочном центре предупреждала нас, чтобы мы не ели никаких растений, если на сто процентов не уверены в их безвредности. Да это и без предупреждений понятно. Жажда так сильна, что только вспомнив слова инструкторши, я нахожу в себе силы выбросить ягоды.

Я изнурена, и это не обычная усталость от долгой ходьбы. Часто останавливаюсь передохнуть, хотя знаю, что мой единственный шанс — не прекращать поиски. Пробую другую тактику: забираюсь на дерево так высоко, как только позволяют мои трясущиеся руки и ноги, и осматриваюсь. Кругом, куда ни кинь взгляд, только безжалостный лес.

Ноги заплетаются, но я продолжаю путь дотемна.

Из последних сил взбираюсь на дерево и пристегиваюсь ремнем. Есть не хочу, просто посасываю кроличью косточку, чтобы чем-нибудь занять рот. Когда приходит ночь, звучит гимн, и высоко в небе появляется фотография девушки из Дистрикта-8. Той, которую ходил добивать Пит.

Страх перед бандой профи ничто в сравнении с раздирающей меня жаждой. Они ушли в другую сторону, и сейчас тоже нуждаются в отдыхе. А может, у них кончилась вода, и они вернулись к озеру.

Не исключено, что для меня это тоже единственный путь.

Утром все гораздо хуже. Голова пульсирует дикой болью в такт ударам сердца. При малейшем движении кажется, будто мне выворачивают суставы. С дерева я не спрыгиваю, а падаю. На упаковку рюкзака уходит несколько минут. Где-то внутри я осознаю, что делаю все неправильно: нужно быть осторожнее и шевелиться побыстрее, но сознание затуманено, и я не могу ни на чем сосредоточиться. Привалившись спиной к стволу, я осторожно провожу пальцем по языку, сухому и грубому, как наждак, и пытаюсь сообразить, как мне быть. Где взять воду?

Вернуться к озеру? Бесполезно. Не дойду.

Дождь? На небе ни облачка.

Искать дальше. Единственный шанс.

Внезапная мысль переполняет меня такой злостью, что даже в голове проясняется: Хеймитч! Вот, кто может прислать мне воду! Всего-то нажать на кнопку, и она тут же будет доставлена на серебряном парашюте. Уверена, среди моих спонсоров есть один или два, способных пожертвовать на бутылочку воды. Это на самом деле очень дорого, так ведь и спонсоры люди не бедные. Может, Хеймитч не понимает моего положения?

— Воды! — говорю я так громко, как только смею, и жду, что вот-вот сюда спустится парашют.

Напрасно.

Что-то не так. Неужели я ошибаюсь, и никаких спонсоров нет и в помине? Или их оттолкнуло поведение Пита? Не верю. Наверняка куча народу готова купить для меня воду, просто Хеймитч отказывается ее отправить. Как ментор, он распоряжается всеми взносами, а меня он ненавидит и никогда этого не скрывал. Ненавидит так сильно, что позволит мне умереть от жажды? Но как он решится на такое? Если ментор обделяет своих подопечных, ему придется за это ответить. Перед народом. Перед собственным дистриктом. На это не пойдет даже Хеймитч. Какие бы ни были мои знакомые торговцы с Котла, вряд ли они примут его с распростертыми объятиями. Где он достанет себе выпивку? Что же тогда? Хочет помучить меня за то, что была с ним непочтительна? Переманивает всех спонсоров помогать Питу? Или напился пьяным и понятия не имеет, что тут происходит? Почему-то я уверена, что это не так, и Хеймитч вовсе не желает меня погубить. Что ни говори, на свой лад он честно старался подготовить меня к трудностям. В чем же тогда дело?

Я закрываю лицо руками, хотя расплакаться мне сейчас не грозит. Даже под страхом смерти из моих глаз не выкатилось бы ни слезинки. О чем думает Хеймитч? Несмотря на все мои подозрения, гнев и ненависть, в глубине души я, кажется, знаю ответ.

Возможно, он хочет тебе что-то сказать. Это послание. Но о чем? И тут до меня доходит. Есть только одна причина для Хеймитча не присылать мне воду: я ее почти нашла.

Стиснув зубы, я встаю на ноги. Рюкзак потяжелел раза в три. Подбираю отломанный сук вместо посоха и иду. Солнце жарит вовсю, еще сильнее, чем в первые два дня. Я чувствую себя старым искореженным башмаком, пересохшим и потрескавшимся на жаре. Каждый шаг — усилие, но останавливаться нельзя. Сесть и отдохнуть нельзя. Если я сяду, то подняться уже не смогу. Я даже не вспомню, зачем мне вставать.

Какая легкая добыча я теперь! Любой трибут, даже крохотная Рута, смог бы со мной совладать: только подтолкнуть слегка, чтобы упала, а потом прирезать моим же ножом. У меня не будет сил сопротивляться. Впрочем, если и есть в этой части леса кто-то еще, то у него другие заботы. У меня такое ощущение, что на миллионы миль вокруг нет ни одной живой души.

Хоть бы я и вправду была одна. Так нет, за мной следит камера, куда ж без нее! Я сама сколько раз видела по телевизору, как трибуты замерзают, истекают кровью, умирают от голода или обезвоживания! Теперь я звезда экрана. Разве что где-нибудь особенно кровавое побоище случилось.

Мои мысли уходят к Прим. Вряд ли она смотрит Игры в прямом эфире, но на перемене в школе обязательно покажут обзор. Ради нее я стараюсь приободриться.

К середине дня очевидно, что конец близок. Ноги подкашиваются, сердце колотится как бешеное. Поминутно я забываю, где нахожусь и что делаю. Несколько раз, споткнувшись и упав на колени, я чудом встаю снова. Потом палка, служащая мне опорой, проскальзывает, и я растягиваюсь ничком на земле, не в силах подняться. Закрываю глаза.

Я переоценила Хеймитча. У него и в мыслях не было помогать мне.

Все в порядке. Здесь не так уж плохо. Воздух прохладнее, скоро наступит вечер. Легкий, сладкий аромат напоминает о кувшинках. Пальцы поглаживают землю, приятно гладкую. Хорошее место, чтобы умереть.

Кончики пальцев рисуют круги на прохладной, скользкой земле. Люблю грязь. Как часто я читала по ее мягкой поверхности, где искать дичь. И от укусов пчел помогает. Грязь, грязь. Грязь! Глаза моментально раскрываются, и я всаживаю пальцы в землю. Это грязь! Поднимаю голову. А там действительно кувшинки! Кувшинки в пруду!

Ползу. По грязи. Меня ведет запах. В пяти ярдах от места, где я упала, начинаются густые заросли, за ними — пруд. На поверхности плавают раскрывшиеся желтые цветы — мои милые кувшинки.

Я едва удерживаюсь, чтобы не окунуть лицо в воду и пить, пить, пока не лопну. К счастью, во мне осталась еще крупица благоразумия. Трясущимися руками я достаю бутыль и наполняю ее водой. Затем добавляю туда пару капель йода для дезинфекции — надеюсь, хватит. Полчаса ожидания — форменная пытка, но я выдерживаю. По крайней мере, мне кажется, что прошло полчаса — уж, во всяком случае, дольше не утерпеть.

Теперь медленно, по глоточку, уговариваю я саму себя. Делаю глоток и заставляю себя подождать. Потом второй. Часа за два осушаю всю бутыль. Затем еще одну. Приготовив третью, я забираюсь под дерево, не торопясь попиваю воду, ем кроличье мясо и даже позволяю себе драгоценную галету. Ко времени гимна я более-менее прихожу в норму. Сегодня лиц не показывают: никто не погиб. Завтрашний день надо будет провести здесь: отдохну, замаскирую грязью рюкзак, половлю рыбешек — я их видела, пока наслаждалась питьем, — а на гарнир еще и корней кувшинок нарою. Я уютно устраиваюсь в спальном мешке, не выпуская из рук бутыли, будто в ней моя жизнь — впрочем, так оно и есть на самом деле.

Несколько часов спустя я просыпаюсь от топота множества бегущих ног. В тревоге смотрю по сторонам. Рассвет еще не наступил, но мои пронизанные мгновенной болью глаза видят все и так.

Трудно было бы не заметить надвигающуюся на меня огненную стену.

Мой первый порыв — скорее слезть с дерева; я даже забываю, что пристегнута к нему ремнем. Кое-как торопливые пальцы справляются с пряжкой, и я кулем падаю на землю, запутавшись в спальном мешке. К счастью, рюкзак и бутыль уже в нем — собирать вещи некогда. Я сую внутрь ремень, перебрасываю мешок через плечо и бегу.

Весь мир растворился в дыму и пламени. С деревьев обламываются горящие сучья и падают, разбрасывая снопы искр, мне под ноги. Все, на что я способна, — это бежать, куда бегут другие: кролики, олени. Даже стая диких собак. Инстинкты животных острее, чем мои, и я целиком полагаюсь на них. Беда в том, что и бегают они гораздо быстрее меня. Грациозно они проносятся мимо, пока я то и дело спотыкаюсь о корни и ветки.

Жара страшная, но хуже жары дым, от которого я уже задыхаюсь. Натягиваю на нос край рубашки, хорошо, что она пропитана потом: дышать становится немного легче. Бегу. Меня душит дым, мешок нещадно бьет по спине, а ветки, внезапно выныривающие из серой пелены, царапают лицо в кровь. Бегу, потому что так надо.

Этот пожар не случайность, не вышедший из-под контроля костер, разведенный кем-то из трибутов. Языки пламени, настигающие меня, ровные и неестественно высокие. Огонь вызван с помощью машин распорядителями Игр. Сегодняшний день выдался чересчур спокойным: нет погибших, а может быть, и боев не было. Капитолийцы того и гляди заскучают и скажут, что в этот раз не Игры, а тоска зеленая. Такого распорядители не допустят.

Их расчет понять нетрудно. Есть команда профи, и есть остальные, разбежавшиеся, наверное, кто куда по всей арене. Пожар заставит нас обнаружить себя и сбиться в кучу. План не самый оригинальный из тех, что я видела, зато очень и очень эффективный.

Я прыгаю через толстый горящий сук, но недостаточно высоко — задняя часть ветровки загорелась. Стащив с себя и затоптав кое-как огонь, я запихиваю ее, опаленную и дымящуюся, в спальный мешок, надеясь, что недостаток воздуха не даст ей разгореться. Бросить жалко. Все свое имущество я несу на себе — больше рассчитывать не на что.

Дальше хуже, горло и нос обдирает жаром. Я захожусь от кашля, а легкие, кажется, сейчас сварятся. Положение становится буквально невыносимым: каждый вдох прошивает грудь жгучей болью. Я как раз успеваю забежать за каменные глыбы, когда открывается рвота. Скудный ужин и остававшаяся в желудке вода пропали даром. Я стою на четвереньках, пока меня выворачивает наизнанку.

Надо бежать дальше, а тело бьет дрожь, и голова будто набита ватой. Малость отдышавшись, беру в рот немного воды, полощу рот и выплевываю. Потом выпиваю несколько глотков. Одна минута, увещеваю я себя. Одна минута на отдых. Я использую это время, чтобы вытащить свои запасы, скомкать спальный мешок и как попало запихнуть все в рюкзак. Минута вышла. Знаю, что пора двигаться дальше, но мысли путаются, и я никак не соображу куда. Быстроногие звери, служившие мне компасом, оставили меня далеко позади. Уверена, я еще ни разу не была в этой части леса: раньше не попадались сколько-нибудь крупные камни. Куда меня гонят? Назад к озеру? Или в совершенно незнакомое место, полное новых опасностей? А я только-только нашла уголок, где рассчитывала спокойно провести день... Нельзя ли как-нибудь обойти огонь и вернуться к пруду? Стена огня должна где-то заканчиваться, и бесконечно гореть не будет. Не потому что у распорядителей не хватит топлива, а снова из-за опасений, что зрители обвинят их в однообразии. Если бы мне удалось попасть за кромку пожара, я, возможно, избежала бы встречи с профи. Идти, конечно, придется не одну милю — сначала просто подальше от этого пекла, а потом окольным путем назад, но почему бы не попытаться? Едва я принимаю решение, как в каменную глыбу за моей спиной врезается огненный шар — всего на пару футов выше моей головы. Я пулей вылетаю из-под уступа, подгоняемая страхом.

Интригующий поворот в Игре. Пожар придумали, чтобы нас расшевелить, зато теперь зрители развлекутся на всю катушку! Когда раздается следующее шипение, я тут же распластываюсь на земле, не дожидаясь, пока увижу шар. Дерево слева от меня окутывают языки пламени. Оставаться на одном месте — значит погибнуть. Я вскакиваю на ноги, и третий шар ударяет в землю; там, где я только что лежала, вырастает огненный столб. Время будто замирает, пока я отчаянно уворачиваюсь от снарядов. Я не вижу, откуда их выпускают, но точно не из планолета — угол, под которым они падают, не очень большой. Возможно, орудия спрятаны здесь повсюду — среди деревьев и каменных глыб. А где-нибудь в прохладном, чистом зале кто-то сидит за пультом — вот сейчас нажмет на кнопку, и мне конец. Нужно лишь одно прямое попадание.

Все мои планы возвращения к пруду — и без того смутные — забыты напрочь, пока я бегаю зигзагами, пригибаясь и подпрыгивая. Шары размером с яблоко, однако их сила огромна. Все чувства обостряются до предела и подчинены одной задаче — выжить. Нет времени раздумывать. Раздается свист — и ты либо действуешь, либо погибаешь.

Неосознанно я все-таки продвигаюсь вперед. Я смотрела Голодные игры с детства и знаю, что разные части арены оборудованы неодинаково и игроков подстерегают в них разные опасности. Если я уберусь подальше от этого места, то, возможно, орудия меня не достанут. Не исключено, правда, что я тут же провалюсь в яму с гадюками. Впрочем, пока это волнует меня меньше всего.

Трудно сказать, как долго длится мое метание, но постепенно атака ослабевает. Самое время: меня снова мутит. На сей раз горло и нос разъедает кислота, выделившаяся из шаров. Тело судорожно содрогается, пытаясь освободиться от яда. Жду следующего свиста, чтобы броситься в сторону. Все тихо. Глаза из-за рвоты слезятся и щиплет. Одежда пропитана потом. Сквозь кислый смрад дыма и блевотины я каким-то образом улавливаю запах горелых волос. Нащупываю рукой косу, и действительно — огненный шар отжег от нее добрых шесть дюймов. Между пальцами рассыпаются почерневшие пряди. Я пялюсь на них, словно завороженная их внезапным преображением, и тут раздается новый свист.

Мышцы успевают среагировать, но недостаточно быстро. Ядро врезается в землю сбоку от меня, задев по пути мою голень. Я совсем обезумела от вида горящей штанины. Корчусь, кричу и с ожесточением работаю ногами и руками, пытаясь убраться из этого ада. Немного придя в себя, катаю ногой по земле; огонь почти затухает. Потом, недолго думая, отрываю тлеющую ткань голыми руками.

Я сижу в нескольких ярдах от огненного столба. Икра ноги болит нестерпимо, на руках вздулись красные рубцы. От дрожи я не могу сдвинуться с места. Если распорядители собираются меня прикончить, лучшего момента не придумаешь.

Перед глазами встает Цинна с богатой, сверкающей тканью в руках — «Огненная Китнисс». Распорядителям Игр не откажешь в чувстве юмора. Возможно, именно красивые костюмы Цинны навели их на мысль помучить меня таким изощренным способом. Цинна, конечно, не мог этого предвидеть. Наверное, сейчас ему даже жаль меня. Почему-то мне кажется, что я ему не совсем безразлична. Лучше бы он меня голышом на колеснице выпустил — так безопаснее.

Атака закончилась. Распорядители не жаждут моей смерти. Во всяком случае, пока. Разумеется, они могли бы всех нас уничтожить за секунду, едва прогремел гонг. Изюминка в том, чтобы заставить нас убивать друг друга. Нет, случается, убивают и сами, но это больше для острастки. Чаще стараются свести нас лицом к лицу. Из чего следует, что если в меня перестали палить, то где-то рядом находится по меньшей мере один трибут.

Можно было бы влезть на дерево и спрятаться там, но дым еще слишком густой — вверху я тем более задохнусь. Я с трудом встаю и ковыляю подальше от стены огня, озаряющей небо. Сама она как будто уже не движется, только тучи черного дыма по-прежнему настигают меня.

Постепенно появляется и другой свет — утренний. Солнечные лучи рассеиваются в дыму. Дальше пятнадцати ярдов вокруг ничего не видно. Кто угодно может незаметно подобраться ко мне. Стоило бы на всякий случай вынуть нож, да боюсь, что долго его не удержу. Руки ужасно болят, хотя по сравнению с голенью это пустяк. Ненавижу обжигаться, всегда ненавидела, даже если совсем чуть-чуть, от горячего противня с хлебом. Для меня нет худшей боли, чем от ожога, но такой, как сейчас, я не испытывала никогда в жизни.

Я так изнурена, что даже не замечаю, как зашла в лужу, пока вода не достигает щиколоток. Вода бьет из трещины в камнях — ключевая, восхитительно прохладная. Я погружаю в нее руки и мгновенно чувствую облегчение. Мама всегда говорила, что самое лучшее при ожоге — холодная вода. Она вытягивает жар. Конечно, мама имела в виду небольшие ожоги. Для рук, возможно, то, что надо. А как быть с голенью? У меня до сих пор не хватило храбрости взглянуть на нее, и думаю, там простые средства бесполезны.

Какое-то время я лежу на животе у края лужи, опустив руки в воду. Огненные узоры на ногтях начали облупливаться. Хорошо. Огня с меня хватит. На всю жизнь.

Смываю с лица кровь и пепел и пытаюсь вспомнить, что знаю об ожогах. В Шлаке они не редкость. Печи мы топим углем. Да еще аварии в шахтах... Однажды к нам принесли молодого парня без сознания. Умоляли маму помочь. Шахтерский врач от него отказался. Сказал, чтобы забирали домой умирать. Но родственники не хотели с этим смириться. Парень лежал у нас на столе как труп. Я мельком увидела зияющую обугленную рану на его бедре: плоть прогорела до самой кости, — и тут же выбежала на улицу. Я ушла в лес и целый день охотилась, стараясь отвлечься от жуткого образа изуродованной ноги и воспоминаний о папиной смерти. А Прим — подумать только! — Прим, боявшаяся собственной тени, осталась дома и помогала. Мама говорит: целителями рождаются, а не становятся. Они сделали все, что было в их силах, но парень умер. Врач оказался прав.

Ногой надо срочно заняться, а я все еще не решаюсь на нее посмотреть. Вдруг она такая же, как у того парня, и я увижу свою кость. Хотя... мама говорила, что если ожог очень сильный, то боли может и не быть вовсе, потому что разрушены нервные окончания. Ободренная этой мыслью, сажусь и поворачиваю ногу, чтобы было видно.

И едва не теряю сознание: кожа, рубиново-красная, сплошь покрыта волдырями. Я делаю несколько медленных, глубоких вдохов, зная, что камеры сейчас направлены на мое лицо. Нельзя выказать слабость. Иначе помощи не жди. Жалким видом никого не удивишь. А вот стойкость часто вызывает восхищение.

Отрезаю ножом обрывки штанины и осматриваю рану внимательнее. Ожог размером с ладонь. Кожа нигде не почернела. Пожалуй, от воды вреда не будет. Осторожно опускаю икру ноги в лужу, опираясь каблуком о камень, чтобы не замочить ботинок. От облегчения у меня вырывается вздох. Есть какие-то травы, они ускоряют заживление, вот только припомнить я их не могу. Вода и время — единственные мои лекари.

Не пора ли идти? Дым постепенно рассеивается, но в нем еще таится угроза. Если я пойду дальше от пожара, то не напорюсь ли на вооруженных до зубов профи? К тому же стоит только приподнять ногу, как она вспыхивает новой болью. С руками иначе: хоть ненадолго я могу вытащить их из воды. Это позволяет мне разобраться с вещами. Наполняю бутыль водой, капаю йод и, подождав полчаса, наконец утоляю жажду. Без всякого желания грызу галету, чтобы как-то утихомирить желудок. Сворачиваю спальный мешок. За исключением нескольких подпалин он не пострадал. Чего никак не скажешь о куртке. Вонючая, обгоревшая, задний край испорчен безвозвратно. Я отрезаю целый фут снизу, и теперь она мне едва достает до пупка. Все лучше, чем ничего. И капюшон цел.

Несмотря на боль, мной овладевает сонливость. Хорошо бы забраться на дерево и выспаться, но там я буду слишком заметна. К тому же уйти от воды выше моих сил. Я аккуратно складываю свое добро и даже надеваю рюкзак, однако уходить не решаюсь. В луже замечаю растения со съедобными корнями. Вот и завтрак. Ем их с остатками крольчатины. Запиваю водой. Солнце неторопливо описывает дугу на небе. А стоит ли куда-то идти? Где я найду более безопасное место? Я откидываюсь спиной на рюкзак и поддаюсь слабости. Если профи меня ищут, плевать, пусть находят, успеваю подумать, проваливаясь в забытье. Пусть находят.

И они находят. Хорошо, что я собралась заранее: когда слышу их шаги, у меня меньше минуты форы. Уже опускаются сумерки. Едва проснувшись, я вскакиваю и шлепаю прямо по луже к кустам. Из-за ноги я не могу бежать быстро, но и у преследователей прыти, похоже, поубавилось. Я слышу их кашель, хриплые перекликающиеся голоса.

Однако они все ближе и ближе. Загоняют меня, как стая диких собак, и я поступаю, как всегда в таких случаях — выбираю дерево повыше и карабкаюсь вверх. Если бежать было больно, то лезть невыносимо: при беге напрягаются только мышцы, а здесь мои бедные ладони постоянно трутся о корявую кору дерева. Медлить нельзя, и когда появляются профи, я уже на высоте двадцати футов. Мы смотрим друг на друга. Надеюсь, им не слышно, как грохочет мое сердце.

Вот и конец. Какие у меня шансы против них? Все в сборе: пять профи и Пит. Единственное мое утешение — они тоже выглядят порядком потрепанными. Но они вооружены. Смотрят на меня, как на верную добычу, и скалятся. Что ж, они правы. Я в ловушке. И тут меня осеняет. Да, они крепкие и сильные, зато я легкая. Потому-то я, а не Гейл, срываю самые верхние плоды и ворую яйца из самых высоких гнезд. Я легче любого из них фунтов на пятьдесят — шестьдесят.

Теперь улыбаюсь я.

— Ну, как дела? — бодро кричу я.

Они ошарашены, а зрителям понравится.

— Нормально, — отзывается парень из Дистрикта-2. — А у тебя?

— На мой вкус было жарковато. — Я почти слышу смех из Капитолия. — Здесь, вверху, воздух чище. Не хотите подняться?

— С удовольствием.

— Катон, возьми с собой, — говорит девушка из Первого, протягивая серебряный лук и колчан.

Мой лук! Мои стрелы!

— Не надо. — Катон отстраняет лук. — Кинжалом сподручнее.

Я вижу его — короткий массивный клинок за поясом.

Жду, пока Катон залезет на дерево, и поднимаюсь выше. Гейл говорит, что в этом я похожа на белку: моментально вскарабкиваюсь на самый тонкий сук. Дело не только в весе, но и в умении: надо знать, где браться руками, куда ставить ноги. У меня большая практика. Я взбираюсь еще футов на тридцать, когда слышу треск. Катон летит вниз, цепляясь за сучья и ветки. Он здорово стукается о землю, у меня даже мелькнула надежда: не свернул ли он себе шею, но нет — встает на ноги, ругаясь как сапожник.

Следом решает попытать счастья девушка с луком — я слышала кто-то называл ее Диадемой (ну и дурацкие же имена дают детям в Дистрикте-1!). У нее хватает ума не лезть дальше, как только сучья под ногами начинают трещать. Я теперь на высоте восьмидесяти футов. Тогда девушка стреляет в меня из лука. Сразу становится ясно, что она совсем не умеет с ним обращаться. Одна стрела все-таки застревает в ветках настолько близко, что до нее можно дотянуться. Я дразню девушку, размахивая над нею стрелою, словно бы только для этого и добытой. На самом деле при случае я думаю воспользоваться ею по назначению. Будь то серебряное оружие у меня в руках, перестреляла бы всех до единого, они бы и опомниться не успели.

Профи собираются на совет, до меня доносятся их раздраженные голоса. Злятся, что я выставила их болванами. Но день уходит, а вместе с ним и возможность новой попытки напасть на меня. Наконец Пит резко подводит итог:

— Ладно. Пусть сидит там наверху. Никуда она не денется. Займемся ею завтра.

Что ж, в одном он прав: никуда я отсюда не денусь. Боль в ноге, ослабевшая было от холодной воды, вернулась с новой силой. Я спускаюсь в развилину и неуклюже готовлюсь ко сну, стараясь при этом не стонать. Надеваю куртку, разворачиваю спальный мешок, пристегиваюсь. В тепле мешка ноге становится совсем худо. Я разрезаю его внизу и высовываю голень на свежий воздух. Сбрызгиваю рану водой, слегка мочу ладони.

Вся моя бравада улетучилась. Я очень ослабла от боли, но не могу съесть ни крошки. Даже если я продержусь ночь, то что будет утром? Тупо смотрю на листья в надежде постепенно заснуть, да вот ожоги не дают забыться. Птицы устраиваются на ночь, поют колыбельные своим малышам. Ночные хищники выбираются из своих логовищ. Кричит сова. Сквозь дым пробивается слабый запах скунса. С соседнего дерева на меня смотрит какой-то зверек — опоссум, наверное. Его глаза горят, отражая свет факелов моих преследователей. Я резко поднимаюсь на локте. Это глаза не опоссума, не их тусклый блеск. Это вообще не глаза животного. В последних блеклых лучах догорающего дня я различаю знакомые черты. Она молча наблюдает за мной из-за ветвей. Рута.

Сколько она уже здесь? Вероятно, с самого начала. Сидела себе тихонько и помалкивала, пока внизу разворачивалось действие. Возможно, она забралась на свое дерево незадолго до меня, когда услышала погоню.

Какое-то время мы неотрывно смотрим друг другу в глаза. Потом, не тронув ни листика, из ветвей высовывается ее рука и показывает на что-то у меня над головой.

Мой взгляд следует в том направлении. Сначала я не вижу ничего, кроме листвы, но потом различаю на высоте пятнадцати футов надо мной какое-то пятно. Что это? Зверь? По размерам напоминает енота, но не енот: свисает вниз с ветки и слегка покачивается. Среди обычных вечерних звуков мой слух улавливает тихое жужжание. И тогда я понимаю. Это осиное гнездо.

Меня пронизывает страх, хочется закричать или броситься вниз, но я удерживаюсь. В конце концов, я ведь не знаю, что это за осы. Может быть самые обыкновенные — «ты нас не трогаешь, мы тебя не трогаем». Хотя на Голодных играх обыкновенное не в порядке вещей. Скорее всего это одна из капитолийских геномодификаций — осы-убийцы. Подобно сойкам-говорунам они были созданы в лаборатории, и во время войны их гнезда рассовали в лесах вокруг дистриктов — вместо мин. Они крупнее обычных ос, у них золотистое тело, а жало такое, что при укусе сразу вскакивает волдырь размером со сливу. Большинство людей умирают от четырех-пяти укусов. Некоторые — от одного. Выжившие часто сходят с ума от галлюцинаций, вызываемых ядом. И еще: если кто-то потревожит их гнездо, осы не успокоятся, пока не закусают обидчика до смерти. На то они и убийцы.

После войны капитолийцы уничтожили всех ос вокруг своего города, а гнезда вблизи дистриктов оставили нетронутыми. Еще одно напоминание о нашей слабости. Так же, как и Голодные игры. И еще одна причина не высовываться за пределы Дистрикта-12. Завидев в лесу осиное гнездо, мы с Гейлом тут же бежали в противоположную сторону.

И теперь такая штука висит у меня над головой? В поисках поддержки я оборачиваюсь к Руте, но та совершенно слилась со своим деревом. Темнота дарит мне короткую отсрочку, но к восходу профи обязательно придумают какую-нибудь хитрость, чтобы добраться до меня. У них и выхода другого нет, после того как я выставила их дураками. Так что гнездо, пожалуй, единственная моя надежда. Если я сброшу его на них, то, возможно, успею удрать. Разумеется, сама рискуя жизнью.

Близко к гнезду мне не подобраться. Придется отрезать сук у самого ствола и сбрасывать целиком вниз. Пилка у рукояти ножа должна выдержать. Выдержат ли мои руки? И не взбудоражится ли осиный рой от тряски? А если профи заметят, что я делаю, и перенесут лагерь в другое место? Тогда все пропало.

Мне приходит в голову, что самое подходящее время для того, чтобы пилить, — это пока играет гимн. А он вот-вот начнется. Я выбираюсь из спального мешка, поправляю нож на поясе и карабкаюсь вверх. Это само по себе опасно, сучья становятся слишком тонкими даже для меня, тем не менее я не сдаюсь. Возле сука, на котором висит гнездо, жужжание слышно отчетливее. Для ос-убийц оно все-таки слабовато, если это действительно они. Дым! Они очумели от него! Дым был единственной защитой, которую повстанцы нашли против ос.

Надо мной вспыхивает герб Капитолия; гремит гимн. Сейчас или никогда. Я начинаю пилить. Неловко дергаю нож туда и сюда, сдирая волдыри на правой ладони. Пропиливаю желобок, дальше дело идет легче, но руки уже чуть не отваливаются. Стискиваю зубы и пилю, пилю. Только пару раз поднимаю взгляд на небо: сегодня все живы. Ну и хорошо. Зрители сегодня и так довольны: меня покалечили, загнали на дерево и теперь караулят, чтобы убить. Гимн заканчивается, небо темнеет, а я пропилила только три четверти сука.

Как быть? Закончить на ощупь? Не самая разумная идея. Вдруг осы еще не совсем отошли от дыма. Или гнездо зацепится за ветви. Когда я попытаюсь улизнуть, это может сыграть роковую роль. Лучше снова прокрасться сюда на рассвете, и тогда уж точно сбросить гнездо на головы врагов.

В слабом мерцании факелов дюйм за дюймом спускаюсь к своей развилине. Там меня ждет, наверно, самый лучший сюрприз в моей жизни: на спальном мешке лежит маленькая пластмассовая баночка, прикрепленная к серебряному парашютику. Мой первый подарок от спонсоров! Хеймитч, должно быть, отправил его во время гимна. Баночка легко помещается у меня на ладони. Что в ней? Конечно, не еда. Я откручиваю крышку. Пахнет лекарством. Осторожно касаюсь вязкой поверхности. Пульсирующей боли в кончике пальца как не бывало!

— Спасибо, Хеймитч! — шепчу я.

Он не забыл обо мне. Не бросил на произвол судьбы. Мазь наверняка стоит кучу денег. Скорее всего, на одну эту крохотную баночку ушли пожертвования нескольких спонсоров. Для меня она бесценна.

Опускаю в нее два пальца и мягкими движениями мажу обожженную икру. Результат прямо-таки волшебный. Боль мгновенно уходит, остается ощущение приятной свежести.

Это не варево вроде тех, что готовит моя мама из размолотых лесных трав — лекарство приготовили капитолийские ученые в своих фантастических лабораториях. Обработав ногу, я втираю капельку мази в руки, заворачиваю баночку в парашют и бережно прячу на дно рюкзака. Теперь, когда боль утихла, я едва успеваю снова забраться в мешок, как тут же засыпаю.

Птичка, сидящая на ветке всего в нескольких футах от моей головы, предупреждает меня о наступающем рассвете. В сером предутреннем свете рассматриваю свои руки. Лекарство сотворило чудо: страшные ярко-красные пятна стали нежно-розовыми, как у младенца. В ноге еще чувствуется жар, так там ведь и ожог был куда серьезнее. Я снова покрываю икру мазью и без лишней спешки собираю вещи. Потом времени не будет. Заставляю себя съесть галету с полоской вяленой говядины. Пью воду.

Вчера я почти весь день провела на пустой желудок, и это уже начало сказываться на самочувствии.

Внизу банда профи и Пит еще спят. Судя по тому, что Диадема спит сидя, привалившись к дереву, она должна дежурить, но и ее сморила усталость.

Щурюсь, пытаясь разглядеть Руту на соседнем дереве, и ничего не вижу. Было бы нечестно не предупредить ее после того, что она сделала. К тому же если я сегодня погибну, то хочу, чтобы выиграла Рута. Пусть моя семья не получит дополнительные «призовые» крохи, но мысль, что победителем окажется Пит, просто непереносима.

Шепотом зову Руту, и тотчас из листвы выглядывают два больших испуганных глаза. Она опять показывает на гнездо. Я достаю нож и делаю пилящие движения. Кивнув, Рута исчезает. Ветви одного из соседних деревьев слегка шуршат. Потом тот же шорох слышится дальше. Рута перепрыгивает с дерева на дерево! Я едва удерживаюсь от смеха. Так вот что она продемонстрировала распорядителям Игр! Представляю, как она перелетала с одного снаряда на другой в тренировочном зале, ни разу не коснувшись пола. За такое не грех и десятку поставить.

На востоке проступают розовые полосы зари. Ждать больше нельзя. В сравнении со вчерашней пыткой сегодня карабкаться одно удовольствие. Я помещаю нож в пропил и собираюсь закончить дело, когда мой взгляд привлекает какое-то движение. Там, на гнезде. Яркая золотая бусина, оса-убийца медленно ползет по бумажной серой поверхности. Насекомое пока еще вялое, но раз оно выбралось наружу, скоро появятся и другие. Бисеринки пота проступают на ладонях сквозь тонкий слой мази; как могу, я осушаю их тканью рубахи, стараясь не стереть лекарство. Если не успею пропилить сук за несколько секунд, весь рой вырвется наружу и набросится на меня.

Оттягивать смысла нет. Делаю глубокий вдох, крепко сжимаю рукоять ножа и что есть мочи набрасываюсь на недопиленную часть сука. Раз-два, раз-два! Осы начинают гудеть, я слышу, как они выползают наружу. Раз-два, раз-два. Лезвие проходит насквозь, и я как можно дальше отталкиваю от себя конец сука. Он с шумом валится вниз, цепляясь за нижние ветви, пару раз ненадолго задерживается, но, крутнувшись, освобождается из зеленых лап и наконец глухо ударяется о землю. Гнездо трескается, как яйцо, выпуская из себя яростное облако насекомых-убийц.

Не успеваю опомниться, как меня жалит уже вторая оса — в щеку, и еще одна в шею; от яда почти сразу же начинает кружиться голова. Крепко хватаюсь за дерево, а другой рукой выдергиваю из кожи зазубренные жала. К счастью, прежде чем гнездо рухнуло, меня заметили только три осы. Другие набросились на врагов внизу.

Началось столпотворение. Не успев проснуться, профи подверглись массированной атаке ос-убийц. Пит и двоетрое других сразу сообразили, что надо все бросить и уносить ноги. «К озеру! К озеру!» — кричат они. Должно быть, озеро близко, раз они надеются добежать до воды раньше, чем их догонят осы. Диадеме и девушке из Дистрикта-4 не повезло: они отстали от остальных, и осы жалят их по нескольку раз. Диадема совсем обезумела: она визжит и размахивает луком, безуспешно пытаясь отбиться от ос. Зовет на помощь, но, конечно, никто не возвращается. Девушка из Четвертого дистрикта, бредет, шатаясь, дальше, только вот до озера ей все равно не добраться. Диадема падает, судорожно бьется на земле и затихает.

Гнездо — пустая скорлупа. Все осы пустились в погоню и вряд ли вернутся. Тем не менее рисковать не стоит. Живо соскальзываю с дерева и бегу в сторону, противоположную озеру. Меня мутит от осиного яда, но с грехом пополам я нахожу дорогу к своей лужице и залезаю в воду на случай, если осы будут меня искать. Минут через пять выбираюсь на камни. Про укусы ос-убийц люди совсем не преувеличивали: волдырь у меня на колене даже не со сливу, а с апельсин. Из отверстий, откуда я вынула жала, сочится зловонная зеленая жидкость.

Отек. Боль. Выделения. Предсмертные судороги Диадемы. Слишком много для одного утра, а солнце еще даже не полностью встало из-за горизонта. Страшно подумать, на что сейчас похожа Диадема. Тело обезображено. Распухшие пальцы вцепились в лук...

Лук! Где-то в глубине одурманенного разума одна мысль цепляет другую, и вот я снова на ногах, плетусь, раскачиваясь из стороны в сторону, между деревьев, обратно, туда, где лежит Диадема. Лук. Стрелы. Я должна их добыть. Пушки не стреляли, Диадема, наверное, без сознания, ее сердце еще борется с осиным ядом. Как только оно остановится и прогремит выстрел, планолет заберет ее тело, а вместе с ним и лук со стрелами. Уже навсегда. Нет, второй раз я их не упущу!

Я подбегаю к Диадеме, как раз когда раздается выстрел. Ос уже нет. Девушку, неотразимо прекрасную в золотом платье на интервью, невозможно узнать. Черты лица смазались, руки и ноги распухли в три раза. Волдыри лопаются, выплескивая гнилую зеленую жижу. Пытаюсь повернуть ее, тяну за руку, но тело расползается, и я падаю.

Неужели это происходит на самом деле? Или у меня уже начались галлюцинации? Крепко зажмуриваюсь и дышу ртом, стараясь унять тошноту и удержать завтрак в себе: кто знает, когда я смогу охотиться. Второй выстрел. Наверное, умерла девушка из Четвертого дистрикта. Птицы смолкают. Одна издает протяжный жалобный крик: рядом планолет. В смятении мне кажется, что он прилетел за Диадемой, хотя этого не может быть: я ведь еще на экране и пытаюсь достать стрелы. Снова падаю на колени, деревья вокруг меня вращаются. В середине неба возникает планолет. Я бросаюсь на тело Диадемы, словно защищая его, потом вижу, как в воздух поднимают девушку из Дистрикта-4, и планолет исчезает.

— Шевелись! — приказываю я себе. Стиснув зубы, подсовываю руки под тело Диадемы там, где должны быть ребра, и переворачиваю его на живот. Часто дышу. Это настолько кошмарно, что я уже не уверена в реальности происходящего. Тащу серебряный колчан, он за что-то зацепился — дергаю изо всех сил и вырываю. Прижимаю колчан к себе и слышу шаги: несколько пар ног идут через подлесок в мою сторону. Профи! Возвращаются, чтобы убить меня или забрать свое оружие. Скорее, и то и другое.

Бежать поздно. Вытаскиваю из колчана испачканную слизью стрелу, пытаюсь зарядить, но вместо одной тетивы вижу сразу три, и вонь от них омерзительная. Я не могу. Не могу! Не могу!

Когда первый охотник с копьем наперевес вырывается из кустов, я беззащитна. На лице Пита непонятное мне изумление. Жду удара.

Рука Пита опускается.

— Что ты делаешь здесь до сих пор? — шипит он. Я смотрю на него непонимающим взглядом; по волдырю у него под ухом стекает струйка воды. Все тело Пита сверкает, будто омытое росой. — Ты с ума сошла? — Он толкает меня тупым концом копья. — Вставай! Живо! — Я поднимаюсь, а он продолжает меня толкать. Что это значит? Зачем? Пит больно меня пихает. — Беги! Ну беги же!

Следующим из зарослей выбирается Катон. Он тоже мокрый и искрится от влаги, а под глазом вспух страшный шишак. В солнечных лучах ярко блестит кинжал. И я бегу, как велел Пит, — крепко сжимая ладонями лук и стрелы, налетая на деревья, внезапно возникающие бог весть откуда на моем пути, спотыкаясь и падая. Назад, мимо знакомого родника, в совершенно чужой лес. Мир переворачивается с ног на голову. Бабочка вырастает до размеров дома и рассыпается на миллионы звезд. Деревья становятся кровью и с плеском омывают мои ботинки. Из язв на руках выползают муравьи; я не могу их стряхнуть. Они ползут все выше и выше, до самой шеи. Слышу крик, пронзительный и долгий, без передышки. Смутно понимаю, что кричу я. Оступившись, падаю в неглубокую яму, наполненную крохотными оранжевыми пузырьками, гудящими, как осиное гнездо. Поджимаю колени к подбородку и жду смерти.

Напоследок в больном, помутившемся сознании вспыхивает: «Пит Мелларк снова спас тебе жизнь!»

Муравьи лезут в глаза, и я отключаюсь.

12

Я проваливаюсь в бесконечный кошмар, прерываемый минутами еще более страшного полубодрствования. Все самое жуткое, что случилось или еще может случиться со мной и с теми, кто мне дорог, предстает в таких ярких образах, что невозможно не поверить в их реальность. Очнувшись от одного видения, я не успеваю подумать: наконец-то закончилось, как подступает следующее, не менее мучительное. Сколько раз я видела смерть Прим. Была рядом с отцом в последние его минуты. Чувствовала, как мое тело разрывается на части. В этом особенность яда ос-убийц — он безошибочно находит, где в твоем мозге гнездится страх.

Когда прихожу в себя, я какое-то время не двигаюсь, словно боюсь разбудить новый приступ галлюцинаций. В конце концов понимаю, что их больше не будет: весь яд вышел из организма, оставив его разбитым и беспомощным. Продолжая лежать на боку в позе эмбриона, я подношу ладонь к глазам: муравьи, которых никогда не было, их не тронули. Чтобы просто выпрямить руки и ноги, требуются огромные усилия. Медленно, очень медленно принимаю сидячее положение. Я нахожусь в небольшом углублении, наполненном не жужжащими оранжевыми пузырями, а старыми, мертвыми листьями. Одежда мокрая, то ли от дождя или росы, то ли от пота. Пока я способна лишь пить мелкими глотками воду из бутыли и смотреть, как по ветке жимолости ползет жук.

Сколько времени я пробыла в беспамятстве? Когда я потеряла способность ясно мыслить, было утро. Сейчас дело к вечеру. Судя по тому, как у меня затекли ноги и онемели суставы, прошел не один день. Возможно, даже больше двух. В таком случае я никак не узнаю, кто из профи пережил нападение ос. Диадема и девушка из Четвертого дистрикта — точно нет. Остаются парень из Первого, оба трибута из Второго и Пит. Выжили ли они после укусов? Если да, то в эти дни им пришлось так же худо, как и мне. А как же Рута? Она такая маленькая, что и одного укуса хватит... С другой стороны, осам ведь нужно еще ее догнать, а она улизнула раньше других.

Во рту стоит мерзкий тухлый привкус, который не пропадает и от воды. Я подтягиваюсь к кусту жимолости и срываю цветок. Осторожно вытаскиваю губами тычинку, и на язык падает капелька нектара. Сладость растекается по рту и согревает кровь воспоминаниями о лете, о родных лесах, о Гейле. Почему-то на ум мне приходит наш разговор в то последнее утро.

«А ведь мы смогли бы, как думаешь?»

«Что?»

«Уйти из дистрикта. Сбежать. Жить в лесу. Я думаю, мы бы справились».

И вдруг я ловлю себя на том, что думаю уже не о Гейле, а о Пите. Пит! Он спас мне жизнь! Когда мы с ним столкнулись, я уже плохо отличала явь от бреда, вызванного ядом.

Но… если он вправду меня спас — а я верю, что так и было, — то зачем? Решил еще раз разыграть карту Нежно Влюбленного? Или он в самом деле хотел защитить меня? Тогда чего ради он вообще спутался с профи? С какой стороны ни посмотри — полная бессмыслица.

На секунду я задаюсь вопросом, что обо всем этом думает Гейл, и тут же отделываюсь от таких размышлений: не знаю почему, Пит и Гейл вместе плохо уживаются в моей голове.

Лучше порадоваться тому единственно хорошему, что случилось со мной на арене, с тех пор как я сюда попала. Я добыла лук! И у меня есть целых двенадцать стрел, если считать взятую с дерева. На них нет ни следа отвратительной зеленой слизи, которой истекал труп Диадемы — очевидно, это мне тоже привиделось, — а вот высохшей крови порядком. После отчищу. Мне не терпится испробовать оружие, и я выпускаю несколько стрел в ближайшее дерево. Лук почти такой же, как в Тренировочном центре. Не похож на мои самодельные. Это ерунда. Привыкну.

Оружие открывает для меня совершенно новые перспективы в Играх. Соперники сильны, только и я теперь не жертва, способная лишь бежать, скрываться и, рискуя погибнуть сама, сбрасывать осиные гнезда. Выскочи сейчас из-за деревьев Катон, я и не подумаю удирать. Я выстрелю. Уверена, мне это доставит удовольствие.

Хотя для начала неплохо бы хоть отчасти восстановить силы. Я опять потеряла много жидкости, а запас воды на исходе. Только-только малость отъевшись в Капитолии, теперь я стала худее, чем была дома. Аж мослы торчат, и ребра пересчитать можно. Никогда не была такой тощей, кроме тех жутких месяцев после отцовой смерти. И в довершение всего на мне живого места нет — сплошные ожоги, ссадины, синяки от ударов о деревья. И три волдыря от осиных укусов, по-прежнему большие и воспаленные. Ожоги я обрабатываю мазью. С волдырями пробую то же самое, только им хоть бы хны. Мама знает, чем их лечить. Надо прикладывать какие-то листья, и они вытягивают яд. Вот только дома в этом редко бывала надобность, так что я их не помню.

Главное — вода. Охотиться я теперь смогу по пути. Определить, откуда я пришла, не составляет труда — обезумев от яда, я бежала напролом сквозь кусты, обрывая листья и ломая ветви. Значит, теперь пойду в другую сторону. Надеюсь, мои враги все еще заперты в мире иллюзий.

Идти быстро невозможно: ноги не слушаются. Постепенно нахожу подходящий темп — ступаю медленно, но уверенно, как на охоте, когда выслеживаю дичь. Спустя всего пару минут замечаю кролика, и он становится первым трофеем, добытым с помощью нового оружия. Это, правда, не мой фирменный выстрел точно в глаз, но для начала сойдет. Примерно через час набредаю на ручей — мелкий, зато широкий. Для моих нужд его вполне достаточно. Солнце жарит вовсю, и пока вода в бутыли очищается, я раздеваюсь до белья и вхожу в неспешный поток. Грязь покрывает меня с головы до пят, вначале я пробую обливаться руками, но в конце концов просто ложусь в воду, предоставляя ей самой смыть с меня копоть, кровь и отслоившуюся в местах ожогов кожу. Прополоскав в ручье одежду, развешиваю ее на кустах сушиться. Потом сижу на залитом солнцем бережке, распутывая волосы. Ко мне возвращается аппетит, и я съедаю галету с ломтиком говядины. Оттираю мхом кровь с серебряных стрел.

Посвежев от купания и еды, я обрабатываю ожоги, заново заплетаю косу и одеваюсь в еще влажную одежду. Солнце ее быстро досушит. Решаю отправиться вдоль ручья — всегда рядом будет вода, а где вода, там и дичь. Путь ведет вверх, и это мне тоже по душе. Без труда подстреливаю какую-то необычную птицу, похожую на дикую индейку. Во всяком случае, выглядит она вполне съедобной. Вечером развожу небольшой костерок — в сумерках дым не так заметен, а к ночи я огонь затушу. Разделываю добычу, внимательно присматриваясь к птице. Вроде бы ничего подозрительного. Без перьев тушка не больше куриной, но тяжелая и плотная. Пристраиваю над углями первую порцию мяса. Вдруг сзади хрустнул сучок.

Мигом разворачиваюсь в сторону звука, одновременно вскидывая лук и накладывая стрелу. Никого. А если кто-то и есть, его не видно. И тут я замечаю, что из-за одного дерева выглядывает детский ботиночек. Расслабляю плечи и улыбаюсь. Надо отдать ей должное, по лесу она передвигается легче тени. Как иначе она сумела бы идти за мной так долго незамеченной? Слова срываются с языка, прежде чем я успеваю его прикусить:

— Знаешь, заключать союзы могут ведь не только профи.

В ответ — тишина. Потом из-за ствола выглядывает пара настороженных глаз.

— Ты это серьезно? Про союз?

— Почему нет? Ты спасла меня, показав осиное гнездо. Ты умная — иначе просто не выжила бы до сих пор. И вдобавок я все равно не смогу от тебя отвязаться.

Рута моргает.

— Хочешь есть?

Взгляд метнулся к мясу. Она сглатывает слюну.

— Присоединяйся. Я сегодня богатая.

Рута неуверенно выходит на открытое место:

— Я могу вылечить волдыри от укусов.

— Правда? Чем?

Порывшись в своем мешочке, она вытаскивает пригоршню листьев. Я уверена: это те самые, что использует мама.

— Где ты их нашла?

— Тут недалеко. Мы всегда носим их с собой, когда работаем в садах. Там полно гнезд. И здесь тоже.

— Точно. Дистрикт-11. Сельское хозяйство, сады. Так вот где ты научилась летать по деревьям, будто у тебя крылья.

Рута заулыбалась. Я коснулась приятной для нее темы — того, чем она может гордиться.

— Ну, тогда давай. Лечи.

Сажусь у костра и поднимаю штанину до колена. К моему удивлению, Рута берет горсть листьев в рот и жует. Моя мама сделала бы по-другому, но тут выбора нет. Хорошенько прожевав, Рута выплевывает противный зеленый комок мне на колено.

— О-о-о! — невольно вырывается у меня.

Кажется, листья прямо-таки высасывают боль.

Рута хихикает.

— Ты правильно сделала, что вытащила жала. С ними было бы еще хуже.

— Теперь на шею. И на щеку, — почти умоляю я.

Рута кладет в рот еще одну горсть листьев, и скоро мне хочется смеяться, так приятно почувствовать облегчение.

Я замечаю длинный ожог на Рутиной руке пониже локтя.

— У меня есть кое-что для этого.

Откладываю лук и смазываю ей руку лекарством.

— Тебе повезло со спонсорами, — говорит она с завистью.

— А тебе ничего не присылали?

Рута качает головой.

— Ничего, еще пришлют. Чем ближе к концу Игр, тем больше людей поймут, какая ты умная.

Я поворачиваю мясо.

— Ты не шутила, что хочешь взять меня в союзники?

— Нет, конечно. — Я почти слышу стон Хеймитча: надо ж — связалась с младенцем! Ну и пусть. Рута — боец, она не сдается, а главное — я ей доверяю. Почему не признать это открыто? И еще она напоминает мне о Прим.

— Ладно. Я согласна.

Рута протягивает мне руку, и я ее пожимаю.

Конечно, любой союз здесь временный, но сейчас не хочется об этом думать.

Рута добавляет к нашему ужину горсть каких-то мучнистых кореньев. Поджаренные над костром, они пряные и сладкие, похожи на пастернак. И птица ей знакома, в ее дистрикте такие водятся, их называют грусятами. Бывает, в сад забредет целая стая, и тогда в кои-то веки можно прилично поесть. Разговор прерывается, пока мы усердно набиваем животы. Мясо грусенка очень вкусное и сочное. Когда кусаешь, по подбородку стекают капли жира.

— Уф, — выдыхает Рута. — В первый раз съела целую ножку.

Могла бы и не говорить. Сразу заметно, что мясо перепадало ей нечасто.

— Бери другую, — предлагаю я.

— Можно?

— Бери сколько хочешь. С луком и стрелами мы не пропадем. А еще есть силки. Я тебя научу их ставить. — Рута нерешительно смотрит. — Да бери же! — Я сама сую ножку ей в ладонь. — Все равно через пару дней испортится, а мы и половины не съели. И кролик совсем целый.

Держа мясо в руке, Рута уже не может сдерживаться и с аппетитом вгрызается в него зубами.

— Я думала, в Дистрикте-11 еды больше, чем у нас. Вы ведь сами ее выращиваете.

Глаза Руты расширяются.

— Нет, что ты, из урожая ничего брать нельзя.

— А то что? В тюрьму посадят?

— Высекут при всех плетьми. Наш мэр очень строгий.

По выражению ее лица видно, что там это в порядке вещей. В Дистрикте-12 публичная порка бывает, но редко. Строго говоря, нас с Гейлом могли бы сечь каждый день — и это еще мягкое наказание за охоту в лесах. Вот только все чиновники сами у нас мясо покупают. К тому же наш мэр, отец Мадж, не очень любит такие вещи. Наверное, жизнь в самом бедном, непривлекательном и высмеиваемом дистрикте имеет свои преимущества: обычно Капитолию нет до нас дела, лишь бы достаточно угля добывали.

— А вы себе берете угля, сколько нужно? — спрашивает Рута.

— Нет. Сколько сможем купить. Бесплатно только то, что на башмаках принесем.

— Когда урожай собираем, нас кормят получше, чтобы мы весь день могли работать.

— А в школу вы ходите?

— Во время уборки — нет. Все работают.

Мне нравится слушать про жизнь Руты. Мы почти никогда не встречаемся ни с кем из других дистриктов. И этот наш разговор по телевизору вряд ли покажут, хотя ничего такого в нем нет. В Капитолии не хотят, чтобы мы что-то знали друг о друге.

Рута предлагает пересмотреть наши запасы: будет легче рассчитывать наперед, как тратить. К тому, что она уже видела, я добавляю только пару галет и чуть-чуть говядины. Рута выкладывает коренья, орехи, зелень и даже немного ягод.

С сомнением катаю в пальцах незнакомую ягоду.

— Ты уверена, что они не ядовитые?

— Да, у нас дома растут такие. Я их уже несколько дней ем. — Рута запихивает в рот целую горсть.

Я осторожно раскусываю одну — ничем не хуже нашей ежевики. Чем дальше, тем больше убеждаюсь, что не ошиблась в выборе союзницы. Мы разделяем припасы — если вдруг придется расстаться, у каждой будет еды на несколько дней. Кроме съестного, у Руты есть маленький бурдюк для воды, самодельная рогатка, запасные носки и острый осколок камня вместо ножа.

— Мало, конечно, — говорит она смущенно, — но я старалась быстрее убраться от Рога изобилия.

— И правильно.

Я тоже раскладываю свои вещи. Увидев солнечные очки, Рута даже присвистывает от удивления:

— Откуда они у тебя?

Я пожимаю плечами.

— В рюкзаке были. Пока что не пригодились. От солнца совсем не защищают, только хуже видно.

— Они не от солнца, они для темноты! — восклицает Рута. — Иногда, когда мы работаем ночью, нам выдают несколько пар для тех, кто сидит высоко на деревьях, куда свет от фонарей не достает. Как-то раз один мальчик, Мартин, не вернул свою пару, спрятал в штанах. Его убили на месте.

— Убили человека за эту штуковину?

— Да, хотя все знали, что он безобидный. У Мартина было не в порядке с головой, он вел себя, как трехлетний. Просто поиграть хотел.

После рассказов Руты Дистрикт-12 кажется прямо-таки раем небесным. У нас люди порой валятся с ног от голода, но я и представить себе не могу, чтобы миротворцы убили слабоумного ребенка. У Сальной Сэй есть внучка с приветом. Постоянно бродит по рынку. Все ее любят, дают ей еду и всякие безделушки.

— Так что это за очки такие? — спрашиваю я.

— В них можно видеть в полной темноте. Попробуй сегодня вечером, когда солнце скроется.

Я даю Руте немного спичек, а она мне вдоволь листьев на случай, если укусы снова воспалятся. Потом мы тушим костер и идем вверх по течению ручья, пока не темнеет.

— Ты где спишь? — спрашиваю я. — На деревьях? — Рута кивает. — В одной куртке?

Она показывает запасные носки.

— Надеваю их на руки.

Как же она вытерпела? Ночи были холодные.

— Если хочешь, давай спать вместе в моем мешке. Мы легко поместимся вдвоем.

Ее лицо светлеет. Видно, о таком она даже не мечтала.

Находим дерево с высокой развилиной и устраиваемся на ночь. Играет гимн. Сегодня никто не умер.

— Рута, я ведь только сегодня очнулась. Сколько ночей я пропустила?

Гимн заглушает наши слова, а я все равно говорю шепотом и даже прикрываю губы рукой. Я собираюсь рассказать о Пите и не хочу, чтобы зрители слышали. Рута меня понимает и отвечает так же.

— Две ночи. Девушки из Первого и Четвертого дистриктов погибли. Теперь нас десять.

— Случилось что-то странное. Но я не уверена. Может, мне все привиделось из-за яда, — продолжаю я. — Знаешь парня из моего дистрикта? Пита? Мне кажется, он меня спас. Но он ведь вместе с профи.

— Уже нет. Я следила за их лагерем у озера. Они успели туда вернуться, а потом вырубились. Пита с ними не было. Если он тебя спас, то ему пришлось от них сбежать.

Я молчу. Неужели Пит действительно меня спас и я снова у него в долгу? Возвратить этот долг я уже не сумею.

— Если даже так, то это всего лишь часть его плана. Убедить зрителей, что он в меня влюблен.

— Да-а? — задумчиво произносит Рута. — А я все принимала за правду.

— Какое там. Они придумали это вместе с нашим ментором.

Гимн заканчивается, и небо гаснет.

— Давай испытаем очки.

Я вытаскиваю их и надеваю. Рута не шутила. Видно все, вплоть до отдельных листочков на деревьях. Футах в пятидесяти от нас меж кустов крадется скунс. Я бы могла убить его, не слезая с дерева, если бы захотела. Я бы могла убить кого угодно.

— Интересно, есть у кого-нибудь еще такие?

— У профи. Две пары, — отвечает Рута. — У них все есть. И они сильные.

— Мы тоже сильные, — говорю я. — Только по-другому.

— Ты — да. Ты умеешь стрелять. А я что?

— Ты можешь сама себя прокормить. Они могут?

— Им и так хорошо. Захватили все запасы и в ус не дуют.

— А если бы не было запасов? Пропали? Долго бы они продержались? — не унимаюсь я. — У нас ведь Голодные игры, так?

— Игры голодные, зато профи сытые, — возражает Рута.

— Да. В этом-то и проблема, — сдаюсь я. И тут впервые в голове у меня рождается план. Не жалкая мыслишка о том, как унести ноги или избежать встречи с противником, а настоящий план нападения. — И я, кажется, знаю, что надо делать.

13

Рута окончательно мне доверилась. Как только заканчивается гимн, она прижимается ко мне и засыпает. Я тоже не жду от нее подвоха и не осторожничаю. Если бы она хотела моей смерти, ей только и нужно было, что потихоньку убраться от того дерева и не показывать мне гнездо осубийц. Где-то в глубине сознания меня тревожит очевидное: мы не можем победить обе. Но поскольку пока ни у одной из нас нет по-настоящему шансов выжить, я не позволяю этой тревоге взять верх.

К тому же меня сейчас занимает совсем другое: профессионалы и их припасы. Нам с Рутой надо как-то исхитриться и уничтожить у них все съестное. Уверена, прокормить самих себя станет непосильной задачей для профи. У них как: приберут к рукам всю еду — и тогда они герои. Однако были случаи, когда даже сохранить захваченное профи толком не умели — однажды, к примеру, провизию сожрали отвратительные ящерицы, в другой раз смыло наводнением, устроенным распорядителями Игр, — и вот в те-то годы побеждали, как правило, трибуты из других дистриктов. Преимущество профи оборачивается недостатком: с детства привыкнув к регулярной кормежке, они не умеют справляться с голодом. Не то что мы с Рутой.

Сейчас я слишком устала, чтобы разрабатывать план в деталях. Боль в ранах отступила, мысли окутаны легким дурманом от яда, рядом тепло Руты, приклонившей голову к моему плечу, — все это создает ощущение безопасности. В первый раз я осознала, какой одинокой была до сих пор на арене, как приятно чувствовать чью-то близость. Я погружаюсь в дремоту, твердо решив напоследок, что завтра расстановка сил на арене переменится. С завтрашнего дня испуганно озираться по сторонам будут профи.

Грохот пушечного выстрела вырывает меня из объятий сна. Небо исчерчено полосками предутреннего света, щебечут птицы. Рута сидит на ветке напротив меня и что-то держит в ладонях. Жду, не будет ли еще выстрелов, но все тихо.

— Как думаешь, кто это был? — спрашиваю я, невольно тревожась за Пита.

— Не знаю. Кто угодно, кроме нас. Вечером, может быть, узнаем.

— Напомни мне еще раз оставшихся.

— Парень из Первого. Оба трибута из Второго. Парень из Третьего. Цеп. Я. И ты с Питом, — перечисляет Рута. — Это восемь. Да, еще мальчик из Десятого — тот, с больной ногой. С ним девять.

Есть еще кто-то, но ни я, ни Рута не можем его вспомнить.

— Интересно, как это случилось, — шепчет Рута.

— Кто знает. Но у нас появился лишний шанс. Публика на время успокоится, и мы должны действовать, пока распорядители снова не решили, что Игры идут чересчур вяло, — отвечаю я. — А что у тебя в руках?

— Завтрак. — Рута раскрывает ладони: в них два больших яйца.

— Ух ты! Это чьи же такие?

— Точно не скажу. В той стороне болото. Наверное, какой-то водяной птицы.

Яйца неплохо бы сварить, но мы не рискуем зажигать огонь. Скорее всего, смерть трибута, о которой оповестила пушка, дело рук профессионалов, а значит, они уже оклемались. Мы выпиваем яйца сырыми. Потом съедаем кроличью ножку и немного ягод. Завтрак все равно удался.

— Ну, ты готова? — спрашиваю я, беря рюкзак.

— Готова к чему? — осведомляется в свою очередь Рута, но по тому, как она сразу оживилась, видно, что любая моя затея будет принята без лишних сомнений.

— Сегодня мы отнимем у профи их еду, — поясняю я просто.

— Правда? Как?

В глазах Руты вспыхивают задорные огоньки. Тут она совершеннейшая противоположность Прим, для которой приключения всегда только в тягость.

— Понятия не имею. Пойдем, будем думать, пока охотимся.

Толком заняться охотой не получается: я слишком увлечена расспросами, стараюсь выяснить о профи все что можно. Рута следила за ними совсем недолго, но она наблюдательная. Лагерь они разбили у озера, а хранилище запасов устроили ярдах в тридцати в сторону. Днем его охраняет мальчик из Третьего дистрикта.

— Мальчик из Третьего дистрикта? — удивляюсь я. — И он с ними?

— Да, он целыми днями торчит в лагере. От ос-убийц ему тоже досталось, когда профи притащили их за собой к озеру. Они держат его за сторожа, поэтому, наверное, и не убили до сих пор. Сам он не очень крепкий.

— Он вооружен?

— Не особенно, насколько я заметила. Копье есть. Двух-трех из трибутов он смог бы одолеть, но Цеп легко бы его убил.

— И еда лежит просто так? Под открытым небом? — спрашиваю я. Рута кивает. — Что-то тут не так. Не нравится мне это.

— Мне тоже. Только не пойму что, — признается Рута. — И, Китнисс, даже если ты подберешься к еде, как ты ее уничтожишь?

— Сожгу. Сброшу в озеро. Оболью жидкостью для горелок. — Я шутливо тычу Руту пальцем в живот, как если бы на ее месте была Прим. — Съем! — Рута хихикает. — Не бойся, что-нибудь придумаю. Испортить — дело нехитрое.

Некоторое время мы собираем коренья, рвем ягоды и травы, тихо обсуждаем планы, как нам победить мерзких профи. Рассказываем друг другу о себе. Рута — старший ребенок в семье, у нее шестеро братьев и сестер, которых она никому не дает в обиду. С самыми маленькими она делится своими пайками. Ищет еду на лугах. Это тоже запрещено, а миротворцы там гораздо суровее, чем у нас. И при всем том — на вопрос, что она любит больше всего, Рута, не задумываясь, отвечает: музыку.

— Музыку? — удивляюсь я. Для меня музыка по части полезности занимает место где-то между бантиками для волос и радугой. Да и то — по радуге можно, по крайней мере, погоду узнать. — У тебя есть время на музыку?

— Мы поем дома. И на работе тоже. Поэтому мне нравится твоя брошь.

Рута показывает на золотую сойку-пересмешницу, о которой я уже совсем и думать забыла.

— В вашем дистрикте водятся пересмешницы?

— Полно. С некоторыми я даже подружилась. Мы можем часами петь друг другу песни. А еще они передают вести.

— То есть как?

— Обычно я сижу выше всех на деревьях и первая вижу флаг, когда рабочий день заканчивается. Тогда я пою коротенькую мелодию. Вот так. — Рута открывает рот, и раздаются четыре нежные, чистые нотки. — А пересмешницы в саду подхватывают ее, и сразу все знают: на сегодня работа кончилась.

Я отстегиваю брошь и протягиваю Руте:

— Возьми. Для тебя она значит больше, чем для меня.

— Нет-нет. — Рута поспешно сжимает своей ладошкой мои пальцы вокруг броши. — Пусть она будет у тебя. Из-за нее я решилась тебе довериться. А у меня есть вот это. — Она вытаскивает из-под воротника ожерелье, сплетенное из какой-то травы. На нем висит грубая деревянная звездочка или, быть может, цветок. — Это хороший талисман.

— Что ж, до сих пор он помогал, — соглашаюсь я, прикалывая сойку обратно к рубашке. — Не расставайся с ним.

К полудню наш план готов. Перекусив, мы приступаем к его осуществлению. Я помогаю Руте собрать и сложить хворост для двух костров. Третьим она займется, когда я уйду. Встретиться мы договариваемся на том самом месте, где вчера вместе ужинали. Идя вдоль ручья, его легко найти. Перед уходом удостовериваюсь, что у Руты достаточно еды и спичек, и оставляю ей спальный мешок — вдруг не удастся вечером встретиться.

— А как же ты? Сама ведь замерзнешь.

— Не замерзну. Достану себе другой мешок у озера. Здесь красть не запрещено, — говорю я с улыбкой.

В последний момент Рута решает научить меня своему сигналу — тому, что означает конец работы.

— Здесь может и не сработать, но если услышишь, что пересмешницы его поют, знай, что со мной все в порядке, только я не могу сейчас прийти.

— Тут много пересмешниц? — спрашиваю я.

— А ты разве не видела? Кругом их гнезда, — отвечает Рута.

Я вынуждена признать, что действительно их не замечала.

— Ну, пока. Если все пойдет по плану, вечером увидимся, — говорю я.

Неожиданно Рута обнимает меня. Секунду поколебавшись, я прижимаю ее к себе.

— Будь осторожна, — просит она.

— Ты тоже.

Поворачиваюсь и ухожу. Обратно к ручью. На душе тревожно. Боюсь за Руту, что ее убьют. Боюсь, что никого из нас не убьют, и в конце Игр мы будем вдвоем, друг против друга. Боюсь оставлять ее одну. Боюсь за Прим, которую я оставила одну дома. Хотя у Прим есть мама, и Гейл, и пекарь, обещавший о ней заботиться. У Руты есть только я.

Добравшись до ручья, шагаю вдоль берега к тому месту, куда вышла вчера, очнувшись после нападения ос. Теперь, когда с дорогой все ясно, приходится то и дело одергивать себя, чтобы не забыть, где я нахожусь. В голову лезут разные мысли, вопросы без ответов, большинство из которых касаются Пита. Тот утренний выстрел — уж не его ли смерть он возвестил? А если да, то как это случилось? Убил ли его кто-то из профи? И не за то ли, что он оставил меня в живых? Стараюсь вспомнить, как все было тогда, у тела Диадемы. Когда Пит выскочил из кустов, он сиял! Уже одно это заставляет меня сомневаться в реальности того, что произошло потом.

Вчера я, должно быть, тащилась как черепаха, потому что всего пару часов спустя вижу знакомую отмель. Тут я пополняю запас воды и еще раз обмазываю грязью рюкзак. Похоже, сколько это ни делай, оранжевый цвет все равно со временем возьмет свое.

Чем ближе лагерь профи, тем сильнее обостряются мои чувства, тем осмотрительнее я становлюсь. Прислушиваюсь к каждому звуку, держа наготове заряженный лук. Никто из трибутов мне не встречается. Зато теперь я замечаю многое из того, о чем говорила Рута. Сладкие ягоды. Куст с листьями, помогающими от укусов. Множество осиных гнезд неподалеку от дерева, на котором я спасалась от профи. И время от времени всплеск черно-белого крыла в высоких ветвях — вот они, сойки-пересмешницы.

Подойдя к дереву с расколотым гнездом у подножия, на минуту останавливаюсь, чтобы собраться с духом. Рута подробно объяснила, как выйти отсюда к самому удобному пункту наблюдения вблизи озера. Не забывай, говорю я себе, теперь ты охотник, они — жертвы. Крепче сжимаю лук и продолжаю путь. Оказавшись в зарослях подлеска, снова поражаюсь сообразительности Руты. Здесь, на самом краю леса, листва такая густая, что можно спокойно наблюдать за лагерем профи без риска быть обнаруженной. Между нами — ровная площадка, откуда стартовали Игры.

Их четверо. Парень из Первого дистрикта, Катон, девушка из Второго и еще один худосочный паренек, должно быть, из Дистрикта-3. За все время, пока мы были в Капитолии, он практически ничем мне не запомнился. Не знаю, какой на нем был костюм, сколько баллов ему дали за тренировки, не помню интервью с ним. Даже теперь он почти незаметен в окружении своих больших, грозных компаньонов — сидит себе и возится с какой-то пластмассовой коробочкой. Однако он определенно чем-то для них полезен, иначе бы его не оставили в живых. Чем? Эта загадка лишь усиливает мою тревогу.

Все четверо, похоже, еще не вполне отошли от укусов ос-убийц. Даже отсюда видны здоровенные шишаки на их телах. Вытащить жала профи, скорее всего, не догадались, а если и вытащили, то они ведь ничего не знают о целебных листьях. Лекарства из Рога изобилия, очевидно, не помогли.

Сам Рог лежит, где и был, только теперь он пуст. Большая часть ценностей в ящиках, мешках и пластиковых коробах сложена аккуратной пирамидой довольно далеко от лагеря. Подозрительно далеко. Кое-что разбросано по периметру — почти как вокруг Рога изобилия в начале Игр. Пирамиду окружает сетчатый навес, годящийся разве что для отпугивания птиц.

Все это — и расстояние, и сеть, и само присутствие мальчика из Третьего дистрикта — совершенно сбивает с толку. Ясно одно: уничтожить запасы будет совсем не так легко, как казалось. Здесь точно есть какая-то хитрость, и до тех пор, пока я ее не разгадаю, лучше стоять и не рыпаться. Скорее всего, рядом с пирамидой устроена ловушка, а может, и не одна. На ум приходят замаскированные ямы, падающие сверху сети, нить, разорвав которую, получаешь отравленный дротик в сердце. Возможностей не счесть.

Я раздумываю, как поступить, когда до меня доносится крик Катона. Он показывает в сторону леса далеко позади меня. Я не оборачиваюсь: и так понятно, что Рута зажгла первый костер. Мы с ней специально набрали сырых веток, чтобы дым был густой. Профи тут же начинают вооружаться.

Разгорается спор, брать ли с собой мальчика из Третьего дистрикта или пусть остается здесь. Кричат громко, и я слышу почти все.

— Он пойдет с нами. В лесу он пригодится, а здесь ему теперь делать нечего. Запасов никто не тронет, — говорит Катон.

— А женишок? — возражает парень из Первого.

— Говорю тебе, забудь о нем. Я здорово его резанул. Удивительно, что он до сих пор не истек кровью. Ему точно не до нас, — отвечает Катон.

Стало быть, Пит где-то в лесу и опасно ранен. Я до сих пор не представляю, зачем ему понадобилось предавать профи.

— Идем.

Катон бросает копье в руки паренька из Дистрикта-3, и они все уходят в направлении костра. Последнее, что я слышу, прежде чем их голоса теряются в глубине леса, это слова Катона:

— Когда мы ее отыщем, я убью ее по-своему, и никто пусть не лезет.

Не думаю, что он имел в виду Руту. Гнездо с осами-убийцами сбросила не она.

Еще около получаса стою на месте, не зная, что предпринять. Лук и стрелы дают мне возможность действовать на расстоянии. Например, выпустить в пирамиду горящую стрелу — я без труда попаду в одну из ячеек сети, — но какой шанс, что вещи загорятся? Скорее всего, стрела затухнет, и что тогда? Без толку потеряю стрелу, да еще и подарю профи слишком много информации о себе: была здесь, хорошо стреляю из лука, и у меня есть сообщник.

Выбора нет. Надо подобраться ближе и там разбираться, чем защищена пирамида. Я уже совсем было вышла наружу, как вдруг мой взгляд улавливает движение. В нескольких сотнях ярдов справа от меня из леса показывается чья-то фигура. Секунду мне кажется, что это Рута, а потом я узнаю Лису — вот о ком мы не вспомнили сегодня утром. Девушка осторожными шажками крадется на площадку, потом, убедившись, что никого рядом нет, быстро семенит к пирамиде, туда, где разбросаны вещи, останавливается, внимательно осматривает землю и тщательно выбирает место, куда поставить ногу. Дальше она передвигается странными мелкими скачками, иногда приземляется на одну ногу, слегка покачиваясь, иногда отваживается на короткую пробежку. Один раз, перепрыгивая через небольшой бочонок, она, видимо, оттолкнулась слишком сильно: приземлившись на носочки, она не удерживает равновесия и по инерции падает вперед. Ее руки касаются земли, и я слышу отчаянный визг, но ничего не происходит. Через мгновение девушка поднимается и продолжает двигаться в той же непонятной манере, пока не оказывается у цели.

Как и следовало ожидать, я была права насчет ловушек, вот только на самом деле они явно сложнее, чем я думала. По поводу девушки я тоже не ошиблась: какой ловкой и хитрой надо быть, чтобы найти этот путь и так искусно им пользоваться. Сейчас она наполняет рюкзак, беря везде понемногу: галеты из ящика, несколько яблок из мешка, свисающего на веревке с пластмассового контейнера. Отовсюду только горсть или две, чтобы никто не заметил пропажи. Потом совершает свой причудливый танец обратно за пределы опасного круга и мчится в лес, целая и невредимая.

От злости я даже зубами заскрипела. Лиса, конечно, только подтвердила мои подозрения, но что это за ловушки такие? Неужели их так много? Или много механизмов, приводящих их в действие? Почему Лиса так закричала, когда ее руки коснулись земли? Можно подумать... и тут до меня начинает доходить... можно подумать, она боялась, что земля сейчас взорвется.

— Мины, — шепчу я.

Это объясняет все. И то, почему профи безбоязненно оставляют запасы без присмотра, и ужас Лисы, и что здесь делает мальчик из Дистрикта-3. У них же там заводы, где производят телевизоры, автомобили и взрывчатые вещества. Вот только откуда взяться взрывчатке на арене? Вряд ли она была в Роге изобилия. Такого рода оружие распорядители обычно не дают: гораздо увлекательнее, когда мы проливаем кровь от рук друг друга. Я осторожно выбираюсь из кустарника и подхожу к одному из дисков, на которых нас поднимали на арену. Земля вокруг изрыта и притоптана вновь. Мины были выключены спустя шестьдесят секунд после того, как мы оказались на поверхности, однако мальчик из Дистрикта-3 сумел их реактивировать. Никто раньше так не делал. Уверена, это стало сюрпризом даже для распорядителей Игр.

Что ж, не только им нас огорошивать. Ура мальчику из Третьего дистрикта! Только вот как теперь быть мне? Ясно, что едва я ступлю в этот чертов круг, как тут же взлечу на воздух. О горящей стреле теперь тем более и речи быть не может. Мины срабатывают при надавливании. Даже если давит что-то очень легкое. Был случай, когда девушка уронила свой талисман, маленький деревянный шарик, пока стояла на диске. Ее пришлось буквально соскребать с земли.

Я хорошо бросаю. Попробовать швырять камни? И чего я добьюсь? Допустим, одна мина взорвется. Возможно, от нее начнут взрываться другие. А если нет? Умный мальчик из Третьего дистрикта мог ведь установить их так, чтобы взрыв одной не затрагивал остальные — тогда и вор погибнет, и запасы целы останутся. Да и о чем я думаю? Сеть явно установлена для того, чтобы обезопасить пирамиду от подобного покушения. Чтобы вызвать цепь взрывов, нужно бросить не меньше тридцати камней одновременно.

Обернувшись к лесу, вижу, что к небу уже поднимается столб дыма от второго костра. Скоро профи заподозрят неладное. Надо торопиться.

Должен быть какой-то выход. Уверена. Мне бы только как следует сосредоточиться. Внимательно оглядываю пирамиду, ящики, контейнеры, фляги — все слишком тяжелое, чтобы опрокинуть стрелой. В одной из фляг наверняка масло для жарки. Снова возвращаюсь к идее с горящей стрелой, но понимаю, что, вероятнее всего, растрачу все двенадцать стрел и так и не попаду в нужную флягу, потому что придется выбирать наугад. Я даже всерьез подумываю повторить виртуозную прогулку Лисы — вдруг там вблизи отыщется какой-то иной способ разрушения, — когда мой взгляд падает на мешок с яблоками. Одним единственным выстрелом я могла бы перерубить веревку, разве не то же самое я сделала в Тренировочном центре? Мешок большой, да что толку: хорошо, если на одну мину попадет. Другое дело яблоки. Вот бы их освободить...

Наконец я знаю, что делать. Подхожу ближе и готовлю три стрелы — должно хватить. Становлюсь в стойку и, пока прицеливаюсь, забываю обо всем мире. Первая стрела прокалывает мешок сбоку у самого верха, оставляя небольшой разрыв. Вторая расширяет его до дыры. Одно из яблок уже качается, готовое упасть, когда я выпускаю третью стрелу, которая захватывает болтающийся кусок ткани и отдирает его от мешка.

Мгновение кажется, что ничего не происходит. Потом яблоки разом падают на землю, и мощный поток воздуха поднимает меня и отбрасывает назад.

14

Удар об утрамбованную землю едва не вышибает из меня дух. Рюкзак лишь немного смягчил падение. К счастью, колчан каким-то образом оказался зажат у меня под мышкой, благодаря чему и он, и мое плечо остались целы. Лук из рук я тоже не выпустила. Земля подо мной все еще сотрясается от взрывов, но я их не слышу. Не слышу совсем ничего. Как бы то ни было, яблоки, очевидно, подорвали достаточно мин, чтобы остальные взорвались от осколков. Я закрываю лицо ладонями, пока сверху дождем падают горящие обрывки и ошметки. Воздух наполняется едким дымом — не самое приятное для того, кто пытается снова научиться дышать.

Скоро вибрация прекращается. Я перекатываюсь на бок и наслаждаюсь видом дымящихся обломков, бывших только что аккуратной пирамидой. Едва ли профи смогут что-то спасти.

Пора убираться. Лучше быть подальше, когда они примчатся сюда. Встав на ноги, я понимаю, что бегство будет нелегким делом. Кружится голова. И это не заурядное недомогание, а кое-что похлеще: деревья вихрем проносятся вокруг меня, земля ходит ходуном.

Делаю несколько шагов и, сама не понимаю как, оказываюсь на четвереньках. Жду несколько минут в надежде, что все пройдет. Ничего не проходит.

Меня охватывает паника. Нельзя оставаться здесь. Бегство — вопрос жизни. Но я не в состоянии идти и вдобавок ничего не слышу. Прижимаю ладонь к левому уху — тому, что было обращено в сторону взрыва, — на ладони появляется кровь. Вдруг я оглохла насовсем? Какой ужас! Для охотника слух важен так же, как и зрение, иногда даже важнее. Плюс ни в коем случае я не должна показывать страх. Вне всякого сомнения, меня сейчас показывают в прямом эфире на всех телеэкранах Панема.

И никаких кровавых следов! — приказываю я себе, с трудом натягивая на голову капюшон и завязывая его непослушными пальцами под подбородком, чтобы кровь не вытекала наружу. Идти я не могу, ну а если ползти? Осторожно пробую двигаться. Да, очень медленно, но получается. Деревья вокруг слишком редкие. Единственная надежда — вернуться в Рутин подлесок и затаиться в густой листве. Нельзя, чтобы меня застали здесь на карачках под открытым небом. Меня не просто прикончат, Катон позаботится, чтобы моя смерть была долгой и мучительной. Мысль о том, что Прим суждено это увидеть, подстегивает меня, и я упорно, дюйм за дюймом, тащусь к укрытию.

Еще один взрыв, и я въезжаю лицом в землю. Видимо, одна из мин находилась дальше других, а теперь сработала от какого-нибудь упавшего ящика. Это повторяется еще два раза, напоминая о последних лопающихся зернышках кукурузы, когда ее поджариваешь на огне, как мы делали с Прим дома.

Сказать, что я успеваю спрятаться в последний момент, — это ничего не сказать. Только я вползаю в гущу кустарника, как на площадку вылетает Катон, а следом вся компания. Его ярость настолько неистова, что почти комична — оказывается, люди на самом деле рвут на себе волосы и бьют кулаками землю. Я бы рассмеялась, если бы не знала, на кого направлена эта буря негодования. Мне страшно. Мало того, что я рядом, так еще неспособна ни бежать, ни защищаться. Хорошо еще, кустарник не позволит камерам показать крупным планом, как я почем зря грызу ногти, обкусывая последние пятнышки лака, лишь бы не стучать зубами на весь лес.

Мальчик из Дистрикта-3 бросает камнями в руины, проверяя, все ли мины взорвались: профи подходят к жалким остаткам изобилия.

Первый мощный шквал гнева утих, и Катон теперь вымещает злость, пиная искореженные ящики и контейнеры. Другие трибуты ковыряются в кучках мусора, безуспешно пытаясь отыскать что-нибудь целое. Парень из Третьего дистрикта слишком хорошо сделал свое дело. Видимо, эта же мысль осеняет Катона, который поворачивается к нему и, кажется, ругается. Паренек едва успевает побежать, как профи настигает его и хватает за шею. По мускулам Катона пробегает дрожь, когда он сворачивает мальчишке голову.

Вот так вот. Будто муху прихлопнул.

Двое других профи пытаются успокоить Катона. Насколько я понимаю, он хочет вернуться в лес, а те удерживают его и почему-то показывают на небо. *Ну конечно же. Они уверены, что виновник взрывов погиб.*

Откуда им знать про стрелы и яблоки. Во всем винят неправильно установленные мины и думают, что незадачливый воришка подорвался сам. Выстрел пушки запросто можно было не услышать за взрывами, а тело, или то, что от него осталось, забрал планолет. Профи отходят подальше к озеру, чтобы распорядители прислали за убитым мальчиком. Ждут.

Вот, кажется, выстрелила пушка. Появляется планолет и забирает труп. Солнце опускается за горизонт. Наступает ночь. Высоко в небе появляется герб, и должен играть гимн.

Мгновение темноты, потом высвечивают лицо мальчика из Дистрикта-3 и следом еще одного — из Дистрикта-10. Того, что погиб утром. Снова герб. Теперь они знают: их враг жив. В свете герба я замечаю, что Катон и девушка из Второго дистрикта надевают очки ночного видения. Мальчик из Первого зажигает древесный сук вместо факела; огонь высвечивает суровую решимость на их лицах. Профи углубляются в лес. Охота началась.

Голова кружится уже меньше. Левое ухо по-прежнему ничего не слышит, зато в правом появился звон — надеюсь, это хороший знак. В любом случае, уходить я пока не собираюсь. Здесь, у места преступления, я, пожалуй, в большей безопасности, чем где-либо еще на арене. Профи, наверное, думают, что диверсант уже два-три часа бежит по лесу. Пусть так думают. Я отсюда не скоро выйду.

Первым делом я достаю и надеваю свои очки. Когда работает хотя бы одно из моих чувств охотника, я чувствую себя увереннее. Пью немного воды и вымываю кровь из уха. Опасаясь, что запах мяса привлечет хищников — если моей собственной крови будет недостаточно, — я ограничиваюсь легким, но вкусным ужином из зелени, кореший и ягод, которые мы с Рутой собрали утром.

Где теперь моя маленькая союзница? Пришла ли она на условленное место? Волнуется ли за меня? По крайней мере, сегодня на небе наших лиц не было.

Пересчитываю на пальцах оставшихся трибутов. Из Первого только парень, из Второго оба, Лиса и две пары из Одиннадцатого и Двенадцатого. Всего лишь восемь. В Капитолии теперь вовсю делают ставки и заключают пари. На телевидении каждому трибуту посвящают специальные выпуски, проводят интервью с друзьями и родственниками. Уже давно никто из Двенадцатого дистрикта не попадал в восьмерку. А сейчас нас даже двое. Хотя, если верить Катону, Пит скоро умрет. С другой стороны, слово Катона не приговор. Разве он не был уверен, что его запасы в полной безопасности?

Семьдесят четвертые Голодные игры объявляются открытыми, Катон. Для тебя они только начинаются.

Подул холодный ветерок. Тянусь за своим спальным мешком и вспоминаю, что оставила его Руте. Я ведь собиралась добыть себе другой, но куда уж там со всеми этими минами и прочими напастями. Меня пробирает дрожь. Ночевать на дереве сегодня и так опасно, поэтому я раскапываю между кустами небольшую ямку и, забравшись туда, укрываюсь листьями и сосновыми иголками. Все равно слишком холодно. Набрасываю сверху кусок непромокаемой пленки и загораживаюсь от ветра рюкзаком. Становится немного лучше. Теперь я больше сочувствую девушке из Дистрикта-8, которая разожгла костер в первую ночь на арене. Смогу ли я сама стиснуть зубы и продержаться до утра? Сгребаю на себя со всех сторон листья и иголки, засовываю руки под куртку и сворачиваюсь калачиком. В конце концов мне удается уснуть.

Открыв глаза, в первую минуту не могу ничего понять: мир кажется каким-то расколотым. Ах да, на мне ведь очки. Солнце давно встало, и теперь они причудливо преломляют дневной свет. Приподнимаюсь и сажусь. Снимаю очки. Откуда-то с озера доносится смех. Я замираю. Звук искаженный, но я слышу! Значит, слух возвращается. Действительно, несмотря на непрекращающийся звон в правом ухе, оно уже воспринимает звуки. Левое ухо перестало кровоточить — и то хорошо.

Выглядываю из кустов, не вернулись ли профи. Тогда мне придется торчать здесь неизвестно сколько. Нет, это всего лишь Лиса. Стоит посреди обломков и смеется. Она умнее, чем профи, и смогла даже на пепелище найти коечто полезное. Металлический котелок. Клинок от ножа. Ее веселость меня несколько озадачивает, пока я не догадываюсь, что теперь, когда профи остались без еды и снаряжения, у нее тоже появился шанс на победу. Как и у всех нас. Может, показаться ей и взять в союзники против банды профи? Нет. Исключено. Что-то в ее хитрой лисьей усмешке недвусмысленно подсказывает, что союзничество обернется для меня ножом в спине. А в таком случае, не пристрелить ли ее сейчас? Более удобного момента и ждать нечего. Вдруг девушка встрепенулась, должно быть, уловила какой-то звук, хотя точно не от меня. Глянув в сторону обрыва, она быстро убегает в лес. Я жду. Никого. Хотя если Лиса почувствовала опасность, то, пожалуй, и мне лучше уходить. Вдобавок мне не терпится рассказать Руте, как я разделалась с пирамидой.

Поскольку я все равно не знаю, куда направились профи, почему бы не пойти обратно к ручью? Быстро шагаю по знакомой дороге с луком в одной руке и куском холодной грусятины в другой. Кажется, сто лет не ела. Листья, ягоды — это все ерунда. Хочу мяса. Жир и белок — вот что мне нужно. До ручья дохожу без приключений. Наполняю бутыль водой и умываюсь. Осторожно промываю больное ухо. Затем иду вдоль ручья вверх по холму. В одном месте на берегу замечаю следы ботинок, отпечатавшиеся в грязи. Здесь были профи, но уже давно. Отпечатки глубокие, значит, земля была сырой и мягкой, а сейчас она уже почти высохла под жарким солнцем. До сих пор можно было не заботиться о том, как идешь: я легкая, а на сосновых иголках следов не останется. Теперь я снимаю ботинки и носки и продолжаю путь босиком по дну ручья.

Прохладная вода приятно освежает и бодрит. Я подстреливаю двух рыб — это совсем нетрудно при таком медленном течении — и на ходу лопаю одну из них прямо сырой, хотя только недавно ела грусенка. Вторую приберегаю для Руты.

Постепенно звон в правом ухе становится тише и наконец пропадает совсем. Рука то и дело тянется к левому уху, пытаясь его прочистить. Если и есть какое-то улучшение, оно пока неощутимо. Никак не могу привыкнуть к этой глухоте. Ощущение такое, что левая сторона не моя, и к тому же совершенно беззащитна. Даже слепа. Я все время кручу туда головой, стараясь хоть как-то противодействовать сплошной стене, отгородившей меня от половины окружающего мира. Чем дальше, тем меньше надежды, что слух восстановится.

Придя на место нашей первой встречи, я обнаруживаю, что с тех пор тут никого не было. Нигде, ни на земле, ни на деревьях, нет ни малейших следов Руты. Странно. Сейчас полдень, и при любом раскладе ей следовало уже вернуться. Ночевала она, конечно, на дереве. Где еще она могла укрыться в полной темноте, пока профи бродили по лесу со своим ночным зрением? Третий костер — хотя я забыла посмотреть вчера вечером — должен был загореться совсем далеко отсюда. Наверное, Рута возвращается очень осторожно. Скорее бы уже приходила. Мне не хочется торчать здесь весь день. После обеда я планировала подняться выше по холму и по пути охотиться. Сейчас мне ничего не остается как ждать.

Я смываю кровь с куртки и волос, обрабатываю раны, число которых увеличивается день ото дня. Ожоги порядком подзажили, но я все равно слегка смазываю их лекарством. Чтобы инфекция не попала. Потом съедаю вторую рыбину. На такой жаре все равно испортится, а для Руты я еще добуду. Только бы она появилась.

Со своим половинчатым слухом я не чувствую себя в безопасности на земле, поэтому забираюсь на дерево. Если покажутся профи, сверху будет удобно их перестрелять. Солнце едва тащится по небу. Чтобы не сидеть без дела, жую листья и прикладываю лепешки к местам укусов. Волдырей уже нет, хотя кожа еще побаливает. Расчесываю пальцами влажные волосы, заплетаю косу. Зашнуровываю ботинки. Проверяю лук и оставшиеся девять стрел. Несколько раз машу веткой у левого уха, надеясь услышать шелест, — безрезультатно.

В животе урчит, несмотря на съеденные мясо и рыбу. Видно, сегодня у меня один из тех дней, которые в Дистрикте-12 называют дырявыми: сколько в такой день ни ешь, все мало. А сейчас еще и заняться нечем. В конце концов я сдаюсь. Ну в самом-то деле — надо же как-то восполнять вес, потерянный на арене. А с луком и стрелами от голода я не помру.

Я неторопливо лущу и съедаю горсть орехов. Грызу последнюю галету. Затем принимаюсь за шею грусенка; ее хватает довольно надолго. Потом очередь доходит до крылышка, и с грусенком покончено навсегда. Сегодня дырявый день, и даже после этого я не могу отогнать от себя мысли о еде. Особенно обо всех тех вкусностях, что подавали в Капитолии. Цыпленок в апельсиновом соусе. Пироги и пудинги. Бутерброды. Макароны с зеленым соусом. Тушеная баранина с черносливом. Я посасываю листья мяты и уговариваю себя прекратить пустые мечтания. Мята помогает: дома мы часто пьем после ужина мятный чай, и желудок, наверное, решил, что время для еды закончилось. Я на это надеюсь.

Никогда еще здесь на арене мне не было так хорошо. Я сытно поела, отогрелась на солнышке, под рукой у меня лук и стрелы. Сижу и мягко покачиваюсь на ветвях. Но надо идти дальше. Где же пропадает Рута? Тени начинают расти, а вместе с ними и мое беспокойство. Ближе к вечеру я решаю пойти ее поискать. Хотя бы дойти до места третьего костра и посмотреть, не найдется ли там какого-нибудь намека на то, где она может быть.

Перед уходом я разбрасываю вокруг нашего старого кострища несколько листочков мяты. Мы рвали их не здесь, и Рута сообразит, что я сюда приходила, а для профи они ровным счетом ничего не будут значить.

Меньше чем через час я добираюсь туда, где Рута должна была развести третий костер, и сразу понимаю: что-то пошло не так. Хворост аккуратно сложен в кучу, местами, как надо, подсунута сухая трава, но огонь так и не был разожжен. Рута все приготовила, а потом не смогла вернуться. Где-то между вторым костром, дым которого я видела перед тем как взорвала пирамиду, и этим местом Рута попала в беду.

Она ведь жива! Жива ли? Если сигнал из пушки дали сегодня рано утром, я могла его не услышать. Тогда мое правое ухо еще не пришло в норму. Что, если сегодня вечером я увижу ее в небе? Нет, не хочу даже думать об этом. Найдется куча других объяснений. Она могла заблудиться, ей пришлось прятаться от хищников или какого-нибудь трибута. Цепа, например. Что бы ни случилось, я уверена: Рута застряла где-то между вторым костром и этой кучей хвороста у моих ног. Что-то удерживает ее на дереве.

Надо пойти и освободить ее.

После часов бесполезного ожидания приятно начать хоть как-то действовать. Тихо крадусь меж деревьев, стараясь держаться в их тени. Нигде ничего подозрительного. Нет следов борьбы, землю устилает ровный ковер сосновых иголок. И вдруг этот звук. Я останавливаюсь и поворачиваю голову — уж не почудилось ли? Но вот он снова. Рутин коротенький позывной из четырех нот, переданный мне сойкой-пересмешницей. Означающий, что с моей союзницей все в порядке.

Улыбаясь, иду в его сторону. Чуть дальше другая птица подхватывает горсточку нот. Рута пропела их недавно. Сойкам быстро надоедает петь одно и то же. Внимательно осматриваю кроны деревьев, не покажется ли она где-нибудь. Сглатываю комок в горле и пою сама. Надеюсь, Рута поймет это как знак, что опасности нет и она может ко мне присоединиться. Одна из соек повторяет мелодию за мной. И тут до меня доносится крик.

Крик ребенка, маленькой девочки. Никто на арене не способен так кричать, кроме Руты. Я срываюсь с места и бегу, понимая, что это, возможно, западня, что все трое профи, возможно, поджидают меня в засаде. Но ничего не могу с собой поделать. Снова отчаянные, пронзительные крики.

— Китнисс! Китнисс!

— Рута! — кричу я в ответ, чтобы она знала, что я рядом.

Чтобы *они* знали. Только бы отвлечь их от Руты. Я — та, кто натравила на них ос-убийц, я получила неизвестно за что одиннадцать баллов на тренировках. Зачем им она?

— Рута! Я здесь!

С криком выскакиваю на поляну и вижу на земле опутанную сетью Руту. Она только успевает высунуть руку и позвать меня, как в ее тело вонзается копье.

15

Трибут из Дистрикта-1 умирает, не успев вернуть себе оружие. Моя стрела глубоко вонзается ему в середину шеи. Он падает на колени и истекает кровью, пытаясь вырвать стрелу. Я уже зарядила вторую и верчусь с луком из стороны в сторону, крича Руте:

— Он один? Один?

Рута несколько раз говорит «да», прежде чем я это осознаю. Она повернулась на бок, скорчившись и зажав копье своим телом. Я отталкиваю труп парня и разрезаю ножом сеть. Одного взгляда на рану достаточно, чтобы понять: я ничего не смогу сделать. И никто не смог бы. Острие копья целиком вошло в живот. Я сижу на корточках перед Рутой, бессильно глядя на смертельное оружие. Нет смысла успокаивать ее, говорить, что все будет в порядке. Рута не дурочка. Она протягивает мне ладонь, и я хватаюсь за нее, как утопающий за соломинку. Словно умираю я, а не Рута.

— Ты взорвала еду? — шепчет она.

— Все до последнего кусочка.

— Ты должна победить.

— Я сделаю это. За нас обеих, — обещаю я.

Пушечный выстрел возвещает о смерти. Парня из Дистрикта-1. Я смотрю вверх.

— Не уходи. — Рута крепче сжимает мою ладонь.

— Я не ухожу. Я буду с тобой, — говорю я, придвигаясь ближе и кладя голову Руты себе на колени. Ласково глажу ее волосы.

— Спой, — просит она едва слышно.

Спеть? Что? Я знаю несколько песен. Когда-то в нашем доме тоже звучала музыка. У отца был замечательный голос, и он заражал меня своей любовью к пению, но после его смерти я почти не пела. Только когда Прим сильно болела, я напевала ей ее любимые песенки.

Петь сейчас? Меня душат слезы, а мой голос стал сиплым от дыма и постоянного напряжения. Но я не могу не исполнить последнюю просьбу Прим... то есть Руты. Я должна хотя бы попытаться. Мне приходит на ум колыбельная, которой мы в Дистрикте-12 успокаиваем голодных, несчастных ребятишек. Ее сочинили очень-очень давно в наших горах. Учительница музыки называет такие мелодии горными. Слова очень простые и успокаивающие; в них — надежда, что завтрашний день будет лучше, чем тот кусок безысходности, который мы называем днем сегодняшним.

Я откашливаюсь, сглатываю слезы и начинаю:

Ножки устали. Труден был путь.
Ты у реки приляг отдохнуть.
Солнышко село, звезды горят,
Завтра настанет утро опять.
Тут ласковый ветер. Тут травы, как пух,
И шелест ракиты ласкает твой слух.
Пусть снятся тебе расчудесные сны,
Пусть вестником счастья станут они.

Веки Руты затрепетали и опустились. Она еще дышит. Почти незаметно. Я не в силах больше сдерживать слезы, они ручьем текут у меня по щекам. Но я должна допеть для нее до конца:

Глазки устали. Ты их закрой.
Буду хранить я твой покой.
Все беды и боли ночь унесет.
Растает туман, когда солнце взойдет.
Тут ласковый ветер. Тут травы, как пух,
И шелест ракиты ласкает твой слух.

Мой голос становится едва слышным:

Пусть снятся тебе расчудесные сны,
Пусть вестником счастья станут они.

Вокруг мертвая тишина. И тут внезапно, так что мороз пробежал по коже, моя песня зазвучала снова. Это запели сойки-пересмешницы.

Какое-то время я сижу не двигаясь, мои слезы падают на лицо Руты. Гремит пушечный выстрел. Наклоняюсь и прижимаю губы к ее виску. Осторожно, словно боясь разбудить, кладу голову Руты на землю и отпускаю ее руку.

Распорядители ждут, когда я уйду, чтобы забрать тела. И мне незачем больше оставаться. Я переворачиваю парня на живот, снимаю рюкзак и вытаскиваю стрелу. Перерезав лямки, забираю рюкзак Руты. Я знаю, она хотела бы, чтобы он был у меня. Копье не трогаю. Его заберут вместе с телом. Я все равно не буду пользоваться копьем, так пусть лучше оно покинет арену навсегда.

Я не могу оторвать глаз от Руты. Она такая маленькая, еще меньше, чем всегда. Лежит в сетке, как птенец в гнезде. Как оставить ее здесь, такую беззащитную. Беззащитную, несмотря на то, что больше ей уже никто не причинит зла. Ненависть к парню из Дистрикта-1 теперь кажется глупой. Мертвый, он выглядит таким же трогательным и уязвимым, как Рута. Не он, а Капитолий виноват во всем.

В голове звучит голос Гейла. Теперь его гневные речи против Капитолия для меня не пустые слова. Теперь во мне тоже бурлит ярость. Смерть Руты заставила меня всей кожей ощутить несправедливость, которую творят с нами. Здесь еще сильнее, чем дома, я чувствую свою беспомощность. Капитолию все сходит с рук, ему нельзя отомстить.

Вспомнились слова Пита, которые он произнес тогда, на крыше: «Я только... хочу как-то показать Капитолию, что не принадлежу ему. Что я больше чем пешка в их Играх».

Я хочу того же. Здесь и сейчас. Хочу обвинить и посрамить их, заставить их понять: что бы они ни делали с нами, что бы ни принуждали делать нас, мы не принадлежим им без остатка. Рута — больше чем фигурка в их игре. И я тоже.

Рядом с поляной под деревьями растут дикие цветы. Возможно, просто сорная трава, но все равно красивые, с фиолетовыми, желтыми и белыми лепестками. Я нарываю охапку и возвращаюсь обратно к Руте. Украшаю ее тело цветами. Не торопясь, укладываю их один за другим. Прикрываю страшную рану. Обрамляю венком ее лицо. Самые яркие вплетаю в волосы.

Им придется это показать. Даже если сейчас они переключились на другую часть арены, они включат камеры, когда будут забирать тела. Все увидят Руту в цветах и поймут, что это сделала я. Отступаю назад и смотрю на нее в последний раз. Кажется, будто она и вправду уснула.

— Прощай, — шепчу я.

Касаюсь губ тремя пальцами левой руки и протягиваю их в ее сторону. Потом ухожу, не оборачиваясь.

Птицы замолкают. Откуда-то раздается свист сойки-пересмешницы, как всегда перед появлением планолета. Наверное, она слышит что-то, чего не слышат люди. Я останавливаюсь, по-прежнему глядя только вперед. Прошедшего не вернуть. Скоро птицы принимаются петь снова, и я знаю: ее уже здесь нет.

Другая сойка-пересмешница, совсем маленькая, почти птенец, садится на ветку впереди меня и поет Рутину мелодию.

Моя песня слишком затейлива для такой крохи, но эти простые нотки оказались ей по силам. Нотки, означающие, что с Рутой все в порядке.

— Она в порядке, — говорю я, проходя под веткой. — О ней больше не нужно беспокоиться. Она в порядке.

Я не знаю, куда идти. Ненадолго, в ту ночь с Рутой, я почувствовала себя почти как дома. Теперь это позади. Я бреду, не разбирая дороги, до самого вечера. У меня нет страха. Я даже не оглядываюсь по сторонам; любой трибут мог бы легко со мной разделаться. Если заметит меня первым. Иначе убью я. Недрогнувшей рукой и без тени жалости. Ненависть к Капитолию ничуть не уменьшила ненависти к соперникам. Особенно к профи. По крайней мере, они заплатят за смерть Руты.

Однако никто не появляется. Нас осталось немного, а арена большая. Скоро распорядители придумают какую-нибудь новую пакость, чтобы согнать всех вместе. Сегодня крови было вдоволь, так что, возможно, ночью нам дадут поспать.

Я как раз собираюсь поднять свой скарб на дерево и устроиться на ночлег, когда мне под ноги опускается серебряный парашют. Подарок от спонсора. Но зачем? У меня сейчас и так есть все, что нужно. Может, Хеймитч решил меня подбодрить, увидев, в каком я состоянии? Или это лекарство для уха?

Откидываю парашют и нахожу под ним маленькую буханочку. Хлеб. Не белый капитолийский, а черный, из пайкового зерна. По форме напоминает полумесяц и сверху посыпан семенами. Я вспоминаю урок Пита в столовой Тренировочного центра о том, чем отличается хлеб из разных дистриктов. Я знаю, откуда эта буханка. Бережно поднимаю ее с земли. Еще теплая. Сколько же пришлось заплатить нищим, полуголодным жителям Дистрикта-11, чтобы доставить ее сюда? Скольким пришлось лишить себя самого необходимого, чтобы пожертвовать монетку? Хлеб, конечно же, предназначался Руте. Но когда она погибла, они не забрали свой дар обратно, а поручили Хеймитчу переслать его мне. Чтобы поблагодарить? Или потому, что они, как и я, не любят оставаться в долгу? Как бы то ни было, такое случилось впервые. Никогда прежде трибуты не получали подарков от чужих дистриктов.

Выхожу на место, освещенное последними лучами заходящего солнца, и поднимаю лицо кверху.

— Спасибо, жители Дистрикта-11, — говорю я громко.

Пусть знают, что я догадалась, откуда этот хлеб. Что я понимаю всю ценность их дара.

Я забираюсь на дерево так высоко, что сучья начинают трещать под ногами. Не ради безопасности, просто мне хочется подальше убраться от этой проклятой, залитой кровью земли. Мой спальный мешок лежит аккуратно скатанный в рюкзаке Руты. Завтра я разберусь с вещами. Завтра придумаю новый план. Сегодня меня хватает только на то, чтобы пристегнуться к дереву и по кусочку есть хлеб. Он вкусный. Потому что напоминает о доме.

Вскоре на небе появляется герб, и в моем правом ухе играет гимн. Я вижу парня из Первого дистрикта. Руту. Больше никого. Нас шестеро. Всего шестеро. Все еще сжимая в руке хлеб, я засыпаю.

Иногда, когда все вокруг особенно плохо, мне снятся счастливые сны. Как мы гуляем с отцом по лесу. Сидим с Прим на солнце и едим пирог. Сегодня мне снится Рута. Вся в цветах, она сидит на дереве посреди целого моря густой листвы и учит меня разговаривать с сойками-пересмешницами. На ней нет ни ран, ни крови. Она улыбается и смеется. И поет своим чистым, мелодичным голосом красивые, незнакомые мне песни. Одну за другой. Ночь напролет. В предутренней дреме я слышу затихающие звуки ее голоса, сама она уже скрылась среди листвы. И еще несколько мгновений после пробуждения во мне сохраняется чувство покоя и теплоты. Но потом оно уходит, несмотря на все попытки его удержать, оставляя меня более грустной и одинокой, чем когда бы то ни было.

Все тело наполняет тяжесть, словно в моих жилах течет не кровь, а расплавленный свинец. Нет воли заняться даже простейшими делами. Я только лежу, уставившись немигающим взглядом в полог листьев у себя над головой. Так проходят часы. И снова выйти из оцепенения мне помогает мысль о Прим, о ее обеспокоенном личике, когда она увидит меня такой на экране.

Даю сама себе простые команды: сядь, выпей воды, разбери вещи. Медленно выполняю их, как бесчувственный механизм.

Кроме моего спального мешка, в рюкзаке Руты нахожу бурдюк для воды, почти пустой, горсть орехов и кореньев, кусок крольчатины, пару носков и рогатку. У парня из Дистрикта-1 было несколько ножей, два запасных наконечника для копья, фонарик, небольшой кожаный мешочек, походная аптечка, полная бутыль воды и пакетик сухофруктов.

Пакетик сухофруктов! Вот что он взял с собой из целой горы продуктов! Такая самонадеянность меня просто поражает. Зачем таскать с собой еду, если ее полно в лагере? Надеюсь, другие профи тоже гуляли налегке и теперь сосут лапу.

Кстати о еде. Мои собственные запасы подходят к концу. Я доедаю хлеб из Одиннадцатого дистрикта и последний кусочек кролика. Все, что у меня теперь есть, — это Рутины орехи и коренья, сухофрукты и один-единственный ломтик говядины. Собирайся на охоту, Китнисс!

Складываю нужные вещи в свой рюкзак, потом слезаю с дерева и прячу ножи и наконечники копий среди камней, чтобы никто, кроме меня, их не нашел. После вчерашних блужданий я понятия не имею, где нахожусь. Просто иду приблизительно в том направлении, где должен быть ручей. Я не ошиблась: этот путь приводит меня к третьему костру, который Рута так и не зажгла. Пройдя еще немного, натыкаюсь на стайку грусят, сидящих на ветках. Я успеваю убить трех, прежде чем птицы спохватываются и улетают. Возвращаюсь назад к сигнальному костру и разжигаю его, не заботясь о дыме. «Где ты, Катон? Я жду тебя», — думаю я, поджаривая птиц и коренья.

Кто знает, где их теперь носит, этих профи. То ли они слишком далеко, то ли уверены, что это какая-то хитрость. Или... неужели такое возможно?.. боятся меня. Разумеется, они знают, что у меня есть лук и стрелы, — Катон видел, как я снимала их с тела Диадемы, — однако сделали ли они правильные выводы? Что это я взорвала их трофеи и убила одного из них? Возможно, они думают на Цепа. Разве у него не больше причин отомстить за смерть Руты? Они все-таки из одного дистрикта. Хотя Цеп никогда не обращал на нее внимания.

А как насчет Лисы? Видела ли она, как я взрывала пирамиду?.. Нет. Судя по ее смеху на пепелище следующим утром, для нее это был приятный сюрприз.

Вряд ли профи думают, что костер разжег Пит. Катон уверен, что ранил его смертельно. Мне хочется рассказать

Питу, что я украсила тело Руты цветами. Что теперь я понимаю те его слова на крыше. Возможно, если он победит, то увидит меня на экране в Капитолии. По окончании Игр в честь победителя устраивается праздник, и тогда повторяют самые запоминающиеся моменты из них, а сам победитель наблюдает за всем с почетного места на трибуне в окружении своей группы поддержки.

Я обещала Руте, что победителем буду я. Ради нас обеих. И это обещание для меня даже весомее клятвы, которую я дала Прим.

Теперь я и вправду верю, что у меня есть шанс победить. И дело не в стрелах или в том, что я пару раз обхитрила профи, — хотя это тоже важно. Что-то произошло со мной, пока я сжимала ладошку Руты, наблюдая, как из нее вытекает жизнь. Я твердо решила отомстить за нее, заставить о ней помнить. И единственный способ для этого — победить и сделать так, чтобы помнили обо мне.

Пока я жду, что кто-нибудь выйдет и даст себя пристрелить, птица успевает даже пережариться. Никто не появился. Может, другие трибуты заняты тем, что вышибают друг из друга дух? Тоже неплохо. Со времени кровавой бойни у Рога изобилия и так было чересчур много поводов для того, чтобы меня показывали на экранах.

Устав ждать, я собираю мясо, укладываю его в рюкзак и иду к ручью, чтобы набрать воды и поискать каких-нибудь съедобных растений. На меня опять наваливается та утренняя тяжесть, и, хотя еще рано, я залезаю на дерево и устраиваюсь на ночлег. В голове прокручиваются события вчерашнего дня. Копье входит в живот Руты, моя стрела попадает в парня. Не знаю, почему я вообще о нем думаю.

Потом я осознаю... он — моя первая жертва.

В Капитолии по каждому трибуту ведут строгую статистику, на нее в первую очередь обращают внимание, когда делают ставки. Среди прочего там есть списки жертв. Думаю, формально на мой счет записали Диадему и девушку из Четвертого дистрикта, я ведь сбросила на них гнездо. Хотя то было совсем другое. Они ведь могли и не умереть.

Парня из Дистрикта-1 убила непосредственно я, и знала, что убиваю его. От моих рук погибло множество зверей, но только один человек. Я слышу голос Гейла: «Думаешь, есть разница?»

Поразительно похоже в том, что касается исполнения: натянула тетиву, выстрелила. А какая огромная разница в последствиях. Я убила парня, имени которого даже не знаю. Где-то у него есть семья, которая теперь его оплакивает. Возможно, у него была девушка, верившая, что он вернется...

Потом я вспоминаю о неподвижном теле Руты, и мысль о парне отступает на второй план. По крайней мере, пока.

Судя по небесным сводкам, сегодняшний день был беден событиями. Смертей нет. Сколько еще времени они будут ждать, пока не сгонят нас вместе очередной катастрофой? Если это случится сегодня, надо успеть поспать. Я прикрываю здоровое ухо краем мешка, чтобы не слышать гимна, но вместо него внезапно раздаются мощные звуки труб, и я сразу вскакиваю, настороженно глядя в небо.

Как правило, единственная информация, которой снабжают трибутов на арене, — это ночной показ погибших. Время от времени случаются важные сообщения, и тогда их предвещают трубы. Обычно так созывают на пир. Когда с едой на арене напряженка, распорядители приглашают трибутов в какое-нибудь известное всем место — у Рога изобилия, например, — обещая угощение. Еще один способ устроить побоище. Иногда там и вправду бывает много всего, а в другой раз только буханку черствого хлеба бросят. Нет, едой меня не заманишь, зато может подвернуться неплохой случай избавиться от парочки соперников.

Сверху, рокочущий как гром, раздается голос Клавдия Темплсмита, начинающего свою речь с поздравлений шестерке выживших. Но дальше он никого никуда не приглашает. Дальше следует нечто из ряда вон выходящее. В правилах Игр произошли изменения. Изменения в правилах! Уже одна эта фраза ставит в тупик. Как будто тут есть какие-то правила, о которых стоило бы говорить! Разве что:

не покидать круг, пока не пройдут шестьдесят секунд, да еще негласный запрет есть друг друга. И вот теперь еще одно правило: если последними выжившими оказываются два трибута из одного дистрикта, оба они будут объявлены победителями. Клавдий делает паузу, словно знает, что нам нужно время, чтобы переварить услышанное, и повторяет снова.

До меня не сразу доходит, чтó значит эта новость. В этом году могут победить двое. Если они из одного дистрикта. Они оба могут остаться в живых. *Мы* оба можем остаться в живых.

Прежде чем я успеваю себя остановить, с моих губ срывается крик:

— Пи-и-ит!

Часть III

ПОБЕДИТЕЛЬ

16

Я зажимаю рот обеими руками, но поздно: крик уже вырвался. Небо чернеет, и лягушки снова затевают свой хор. Идиотка! — ругаю я себя. Как можно вести себя так глупо! Замираю, ожидая, что со всех сторон из-за деревьев полезут убийцы. Потом вспоминаю, что лезть особенно некому. Никого почти не осталось.

Пит, который к тому же ранен, теперь мой союзник. Все опасения на его счет не имеют смысла: теперь, если любой из нас убьет другого, то станет изгоем в родном дистрикте. На месте зрителей я бы сразу прониклась отвращением к любому трибуту, который в данных обстоятельствах не захотел бы объединиться с земляком. А уж в моем случае и говорить нечего: несчастные влюбленные из Двенадцатого дистрикта просто обязаны быть вместе. Иначе о помощи сердобольных спонсоров можно забыть.

Несчастные влюбленные... Пит, должно быть, не забывал о своей роли ни на минуту. С чего бы еще распорядители решились на такое неслыханное изменение в правилах? Шанс для двоих. По всей видимости, наш «роман» снискал такую популярность у аудитории, что без этого изменения Играм грозил бы провал. И моей заслуги тут нет ни капли. Все, что я сделала полезного, так это не прикончила ненароком Пита. Он сумел убедить зрителей, что все время заботится обо мне. Качал головой, чтобы удержать меня от драки у Рога изобилия. Схватился с Катоном, давая мне возможность убежать. Даже союзничество с профи выглядит как хитрый ход, предпринятый ради моей защиты. Выходит, Пит никогда не был моим врагом.

Эта мысль вызывает у меня улыбку. Я убираю руки с лица и обращаю его к лунному свету. Оно должно быть хорошо видно на экранах.

Кого мне бояться? Лисы? Парень из ее дистрикта мертв. Она одна. Ночью. К тому же ее стратегией всегда было уклонение от опасности, а не нападение. Даже если она слышала мой голос, то вряд ли что-то предпримет. Будет ждать, чтобы кто-то другой меня прикончил.

Потом Цеп. Он, безусловно, опасен. С начала Игр я ни разу не видела его. Помню, как испугалась Лиса, когда, стоя у обгорелых остатков пирамиды, услышала какой-то звук. Но повернулась она не к лесу, а в противоположную сторону. К той части арены, которая уходит вниз и о которой я не имею ни малейшего представления. По-видимому, эта территория принадлежит Цепу, и Лиса бежала от него. Я почти уверена в этом. Оттуда он меня слышать не мог, а если и слышал, я для него слишком высоко. Такому быку до меня не долезть.

Остаются Катон и девушка из Дистрикта-2. Им новое правило наверняка пришлось по душе. Кроме нас с Питом, только они от него в выигрыше. И они могли слышать мой крик. И что мне теперь, в бега пуститься? Нет. Пусть они придут. Пусть наденут очочки и попрутся через лес, ломая ветки своими громадными телами.

Мне будет удобно стрелять в них сверху. Только они не придут. Не пришли днем к костру, теперь тем более не сунутся. Побоятся ловушки. Если придут, то когда отыщут меня сами, а не по моей подсказке.

«Так что лежи на месте, Китнисс, и постарайся заснуть, — приказываю я себе, хотя мне не терпится уже сейчас пойти искать Пита. — Найдешь его завтра».

И я засыпаю. Утром бравады у меня несколько поубавилось: профи не решатся напасть на меня, пока я наверху, а на земле вполне могут устроить засаду. Прежде чем слезть с дерева, я тщательно подготавливаюсь: плотно завтракаю, собираю и надеваю рюкзак, готовлю оружие. Внизу тоже все кажется тихим и мирным.

Сегодня мне надо быть чрезвычайно осторожной. Профи знают, что я буду искать Пита. И, возможно, они хотят выждать, пока я его найду, и уж тогда набросятся. Если он действительно так плох, как думает Катон, мне придется в одиночку защищать и себя, и Пита. С другой стороны, будь он совсем беспомощный, как бы он смог выжить? И как вообще я собираюсь его искать?

Я пытаюсь вспомнить какие-нибудь его слова, какой-то намек на то, где он может прятаться, но ничего такого на ум не приходит. Мысленно возвращаюсь к тому моменту, когда Пит стоял, искрящийся в лучах солнца, и орал на меня, чтобы я убегала. Потом появился Катон с обнаженным кинжалом. И когда я ушла, он ранил Пита. Как Питу удалось уйти живым? Может быть, яд ос-убийц подействовал на него не так сильно, как на Катона?

Наверное, так и было. Но осы должны были его покусать. Это наверняка. И как далеко он мог уйти с резаной раной и с ядом в крови? И как выживал все эти дни? Почему не умер до сих пор — если не от раны и укусов, то от жажды?

А вот это уже зацепка! Пит не выжил бы без воды. Я-то уж знаю: в первые дни сама чуть не загнулась. Значит, там, где он прячется, вода есть. Круг поисков сужается. Во-первых, мы имеем озеро. Поскольку рядом с ним находится лагерь профи, эту возможность можно сразу отбросить. Потом есть пара-тройка лужиц с ключевой водой. Там ты прикован к одному месту, это слишком опасно. Остается ручей. От нашего с Рутой лагеря он течет вниз почти к самому озеру и еще куда-то дальше. Держась ручья, можно все время менять свое местоположение и при этом оставаться вблизи воды. Можно идти по дну ручья, не оставляя следов. И ловить рыбу.

Как бы то ни было, начинать поиски нужно у ручья.

Чтобы сбить с толку врагов, я развожу костер и кладу туда побольше сырых веток. Пусть даже профи решат, что это хитрость. Главное, пусть думают, что я прячусь где-то рядом. А я тем временем буду искать Пита.

Солнце почти мгновенно растворяет утреннюю дымку; сегодняшний день обещает быть особенно жарким. Приятно ступить босыми ногами в прохладную воду. Я иду вниз по течению. Хочется покричать Питу, но это было бы неразумно. Придется найти его, пользуясь глазами и здоровым ухом, или же он должен найти меня. Не может же он не догадываться, что я его ищу? Не думает же он, что мне наплевать на новое правило и я предпочту действовать в одиночку? Хотя кто его знает? С Питом никогда ничего не поймешь. Такая вот загадочная натура. В других обстоятельствах это, возможно, интригует, а сейчас только лишняя помеха.

Скоро дохожу до места, где перед этим сворачивала к лагерю профи. Пока никаких следов Пита я не обнаружила, однако это меня не удивляет. После нападения ос-убийц я здесь ходила три раза и, если бы Пит был где-то рядом, что-нибудь заметила бы раньше. Дальше ручей сворачивает налево; в этой части леса я еще не была. К илистым берегам, густо заросшим водными растениями, подступают каменные глыбы, которые становятся тем крупнее, чем дальше я иду вниз по ручью. Наконец я чувствую себя в ловушке. Если на меня нападет Цеп или Катон, выбраться из ручья будет непростым делом. И вообще, что толку здесь ходить? Разве сможет тяжело раненный выжить среди этих камней, где ни в воду зайти, ни из воды выйти? И тут я замечаю на одном из валунов полоску крови. Она давно высохла и выглядит размазанной, будто кто-то пытался ее стереть, но не смог. Кто-то очень слабый.

Цепляясь за камни, карабкаюсь в том направлении и нахожу пятно крови. Потом еще и еще. К одному из пятен прилип клочок ткани. По-прежнему никаких признаков жизни. Я не выдерживаю и начинаю звать приглушенным голосом: «Пит! Пит!» Скоро на дереве неподалеку сойка-пересмешница начинает мне вторить. Я замолкаю и спускаюсь обратно к ручью. Бесполезно. Должно быть, Пит ушел дальше, вниз по течению.

Моя нога едва касается поверхности воды, и тут кто-то тихо произносит:

— Пришла добить меня, солнышко?

Резко поворачиваюсь. Звук пришел слева, и я слышала очень плохо. И голос был хриплый и слабый. Но это сказал Пит. Кто еще на арене стал бы называть меня солнышком? Внимательно просматриваю каждый дюйм берега и никого не вижу. Только ил, растения и камни.

— Пит? — шепчу я. — Ты здесь?

Нет ответа. Может, мне почудилось? Нет, я уверена, что в самом деле слышала голос, и притом очень близко.

— Пит! — повторяю я и крадусь вдоль берега.

— Эй, не наступи на меня!

Я отскакиваю назад. На этот раз голос прозвучал прямо у меня из-под ног. Но там никого нет. И вдруг посреди коричневой грязи и зеленых стеблей появляются два голубых огонька — его глаза. Я открываю рот от изумления, за что меня вознаграждает белозубая улыбка, прорезавшаяся под ними.

Это вершина маскировочного искусства. Что там метание тяжестей! Питу следовало превратить себя на глазах распорядителей в дерево. Или в валун. Ну, или в поросший травою берег ручья.

— Закрой глаза, — командую я. Пит закрывает глаза, рот и — исчезает. Большая часть его тела, вероятно, покрыта слоем жидкой грязи и травой, но лицо и руки, которые должны были остаться на поверхности, невозможно разглядеть точно так же, как и все остальное. Я становлюсь на колени рядом с ним.

— Вижу, ты не зря убил кучу времени на разукрашивание пирогов.

Пит улыбается:

— Да уж, пригодилось перед смертью.

— Ты не умрешь, — говорю я твердо.

— Кто тебе сказал?

Его голос такой изможденный и хриплый.

— Я тебе говорю. Теперь мы одна команда. Слышал новость?

— Слышал. Спасибо, что нашла мои останки.

Вытаскиваю бутыль с водой и даю ему попить.

— Катон ударил тебя кинжалом?

— Да. В правую ногу. Высоко.

— Мы сейчас спустимся к ручью и смоем с тебя грязь, чтобы осмотреть раны.

— Наклонись поближе. Хочу тебе кое-что сказать.

Я наклоняюсь и подставляю здоровое ухо к его губам. В ухе становится щекотно, когда он шепчет:

— Помни: мы безумно влюблены друг в друга. Если вдруг захочешь меня поцеловать, не стесняйся.

Я сердито отдергиваю голову и смеюсь:

— Спасибо, буду иметь в виду.

Пит еще шутит, значит, все не так плохо. Впрочем, когда я пытаюсь помочь ему выбраться к воде, моя веселость мигом улетучивается. Тут всего два шага, казалось бы, чего сложного? Но это действительно очень и очень сложно, потому что сам Пит не способен сдвинуться ни на дюйм. Самое лучшее, что он может сделать, это не мешать мне. Он кричит, когда я тяну его за руки. Грязь и трава вцепились в него мертвой хваткой, и только рванув изо всех сил, мне удается их перебороть. Пит по-прежнему лежит в двух шагах от воды, скрипя зубами от боли. Грязь на его лице покрылась канавками от слез.

— Потерпи, сейчас я буду катить тебя в ручей. Там очень мелко. Идет?

— Отличная идея.

Я сажусь на корточки рядом с ним. Что бы ни случилось, не остановлюсь, пока он не окажется в воде, решаю я про себя.

— На счет три. Раз, два, три!

Я переворачиваю Пита всего один раз, и мне приходится остановиться из-за его душераздирающих криков. Теперь он у самого края воды. Наверное, так даже лучше.

— Ладно, планы меняются. Я не стану заталкивать тебя в саму воду, — говорю я Питу.

Помимо прочего, я не уверена, что смогу его потом оттуда вытащить.

— Больше не будешь катить?

— Нет, хватит. Будем мыться здесь. Ты посматривай в сторону леса, хорошо?

Даже не знаю, как подступиться. На нем столько грязи и слипшейся травы, что я не вижу его одежды. Если он вообще одет. На мгновение эта мысль приводит меня в замешательство, но пути к отступлению нет. Нагота на арене дело привычное.

У меня есть две бутыли и Рутин бурдюк. Пристраиваю их к подводным камням так, чтобы два сосуда всегда наполнялись, пока я выливаю третий на тело Пита. Уходит немало времени, прежде чем мне удается обнаружить под слоем грязи одежду. Я расстегиваю молнию на куртке, потом рубашку и аккуратно их стаскиваю. Майка так приклеилась к ранам, что приходится разрезать ее ножом и отмачивать водой. Все тело в кровоподтеках, на груди длинный ожог. Четыре волдыря от осиных укусов, включая один под ухом. Меня это не пугает. С этим я справлюсь. Я решаю вначале заняться верхней частью тела, чтобы облегчить боль, а потом уже посмотреть рану на ноге.

После того как я вылила на Пита столько воды, он лежит посреди грязной лужи. Так обрабатывать раны бесполезно, поэтому я кое-как прислоняю его к валуну. Пит сидит молча, не жалуется, пока я смываю остатки грязи с волос и кожи. Она очень бледная, и Пит совсем не кажется мускулистым и сильным. Он вскрикивает, когда я вытаскиваю жала из волдырей, и облегченно вздыхает от приложенных листьев. Пока Пит обсыхает на солнце, я стираю рубашку и куртку и раскладываю их на валунах. Затем обрабатываю мазью ожог на груди. Только теперь я замечаю, какой Пит горячий. У него лихорадка. В аптечке, доставшейся мне от парня из Дистрикта-1, нахожу жаропонижающие таблетки. Мама иногда покупала такие, когда домашние средства не помогали.

— Выпей, — приказываю я Питу, и он послушно проглатывает лекарство. — Ты, наверное, голодный.

— Нет. Странно, но мне уже несколько дней не хочется есть.

Когда я предлагаю ему грусенка, он морщит нос и отворачивается. Тогда я понимаю, насколько все серьезно.

— Пит, ты должен что-нибудь съесть, — настаиваю я.

— Не надо. Все равно вырвет.

В конце концов мне удается уговорить его съесть несколько кусочков сушеного яблока.

— Спасибо. Мне уже лучше. Правда. Можно я теперь посплю? — говорит он.

— Потерпи немного. Сначала я взгляну на твою ногу.

Очень осторожно я снимаю с его ног ботинки и носки и медленно стаскиваю штаны. Я видела разрез на штанине там, куда угодил нож Катона, но это совсем не подготовило меня к виду раны. Глубокой, воспаленной, сочащейся кровью и гноем. А хуже всего запах. Запах гниющего мяса.

Первый порыв — убежать. Скрыться в лесу, как в тот день, когда к нам в дом принесли парня с ожогами. Охотиться, пока кто-то другой сделает то, на что у меня не хватает ни умения, ни смелости. Вот только здесь я одна.

Пытаюсь напустить на себя беспечный вид, как мама, когда ей приходится иметь дело с особенно тяжелыми случаями.

— Ужасно, да? — спрашивает Пит, внимательно наблюдая за моей реакцией.

— Так себе. — Я пожимаю плечами. — Видел бы ты, в каком состоянии маме приносят людей с шахт. — О том, что всякий раз, когда речь идет о чем-то посерьезнее простуды, меня как ветром сдувает, я предпочитаю не упоминать. Хотя, честно говоря, от простуженных и кашляющих я тоже стараюсь держаться подальше.

— Для начала рану надо хорошенько промыть, — говорю я.

На Пите остались только трусы. Они в приличном состоянии, зачем зря тревожить распухшее бедро? Да и что греха таить, мысль, что Пит будет лежать передо мной совершенно голый, меня смущает. Мама и Прим — те не такие. Нагота для них ничего не значит. Как ни удивительно, сейчас моя маленькая сестренка была бы гораздо полезнее для Пита, чем я.

Подсовываю под ноги Пита кусок непромокаемой пленки и промываю рану. С каждой новой бутылкой рана выглядит все страшнее. Кроме нее на ногах только один осиный укус и несколько маленьких ожогов, с которыми я быстро разделываюсь. Но этот страшный глубокий порез — что мне делать с ним?

— Подождем, пока рана немного подсохнет, и тогда... — тяну я.

— И тогда ты меня залатаешь?

Кажется, Пит заметил мою растерянность и жалеет меня.

— Вот именно. А сейчас съешь вот это.

Я сую ему в руку горсточку сушеных груш и спускаюсь к ручью, чтобы постирать остальную одежду. Разложив ее на камнях сушиться, просматриваю содержимое аптечки. Все очень нехитрое: бинты, лекарства от жара, от расстройства желудка. Ничего, что могло бы помочь Питу.

— Придется поэкспериментировать, — признаюсь я.

Листья, помогающие от укусов ос-убийц, хорошо борются с воспалением, поэтому я начинаю с них. Жую листья и прикладываю кашицу к ране. Спустя несколько минут по бедру начинает стекать гной. Убеждаю себя, что это хороший знак, и больно прикусываю зубами щеку; мой завтрак явно стремится выскочить наружу.

— Китнисс, — зовет Пит. Я смотрю ему в глаза. Лицо у меня сейчас, должно быть, зеленое. — Как насчет поцелуя? — произносит он одними губами.

В этой тошнотворной обстановке предложение кажется настолько несуразным, что я начинаю смеяться.

— Что такого? — спрашивает Пит невинным тоном.

— Я... я ничего не могу. Не то что моя мама. Делаю сама не знаю что и не выношу вида гноя, — объясняю я. — О-о! А-а! — Из меня вырываются стоны, пока я смываю первую порцию листьев и прикладываю новую.

— И как же ты охотишься?

— Убивать зверей гораздо легче, чем это. Можешь мне поверить. Хотя тебя я тоже, кажется, убиваю.

— А побыстрей убивать нельзя?

— Нет. Заткнись и жуй груши.

После того как я прикладывала листья три раза, и из раны вытекло, наверное, целое ведро гноя, опухоль спала. Теперь видно, насколько глубоко вошел нож — до самой кости.

— Что дальше, доктор Эвердин?

— Думаю, можно помазать средством от ожогов. От инфекции оно ведь тоже помогает. Потом забинтуем.

Так я и делаю. Когда нога обмотана белыми чистыми бинтами, все кажется не таким уж страшным. На фоне стерильной повязки край трусов выглядит ужасно грязным. Там наверняка полно микробов. Я достаю Рутин рюкзак.

— Возьми, прикройся. Надо постирать твои трусы.

— Я не против, если ты увидишь меня голым.

— Значит, ты такой же, как мама и Прим, — отвечаю я. — А я против, ясно?

Я отворачиваюсь и смотрю на ручей, пока в воду не шлепается комок. Должно быть, Питу стало получше, раз он уже может бросать.

— Кто бы мог подумать, что особа, убивающая одним выстрелом, так щепетильна, — рассуждает Пит, пока я при помощи двух камней стираю трусы. — Все-таки зря я тогда не дал тебе мыть Хеймитча.

Морщу нос при воспоминании.

— Он тебе что-нибудь присылал? — спрашиваю я.

— Ничего, — отвечает он. Потом продолжает, как будто слегка ревниво: — А что, тебе присылал?

— Да, лекарство от ожогов, — говорю я почти виновато. — И еще хлеб.

— Я всегда знал, что ты его любимица.

— Любимица? Да он меня на дух не выносит.

— Потому что вы с ним слишком похожи, — тихо говорит Пит.

Я прикусываю язык: сейчас не самое подходящее время оскорблять Хеймитча, а именно это я и собиралась сделать.

Даю Питу поспать, пока сушится одежда, а под вечер легонько трогаю его за плечо. Ждать дольше я не решаюсь.

— Пит, пора уходить.

— Уходить? — удивляется он. — Куда?

— Здесь оставаться нельзя. Может, ниже по ручью мы найдем укрытие, и ты там отлежишься.

Помогаю ему одеться и встать. Его лицо бледнеет, как только он опускает вес на больную ногу.

— Идем. Ты сможешь.

Пит не может. Мы проходим около пятидесяти ярдов по дну ручья — при этом Пит все время опирается на мое плечо, — и, кажется, он вот-вот потеряет сознание. Я усаживаю его на берегу. Ободряюще похлопываю по спине, осматривая окрестности. О том, чтобы забраться с ним на дерево, и думать нечего. Что ж, могло быть и хуже. В некоторых скалах есть углубления, почти пещеры. Пока мы шли, я приметила одну из них ярдах в двадцати вверх по ручью. Когда Пит снова способен встать, я наполовину веду, наполовину тащу его туда. Конечно, хотелось бы найти что-нибудь более подходящее, но придется довольствоваться этим. Мой союзник совсем обессилел. Он белый как бумага, задыхается и весь дрожит, хотя еще только начало холодать.

Я насыпаю на пол пещеры сосновых иголок, разворачиваю спальный мешок и помогаю Питу в него забраться. Даю ему две таблетки и немного воды, однако от еды он отказывается. Лежит и смотрит на меня, пока я пытаюсь замаскировать вход в пещеру стеблями вьющихся растений. Получается ужасно. Зверя, может, и удастся обмануть, но человек сразу сообразит, что к чему. Злюсь и срываю все обратно.

— Китнисс, — зовет Пит. Подхожу, поправляю волосы, падающие ему на глаза. — Спасибо, что нашла меня, Китнисс.

— Ты бы тоже меня нашел, если бы мог.

Лоб Пита пылает. Лекарства совсем не подействовали. Мне вдруг становится страшно, что он умрет.

— Послушай. Если я не вернусь...

Я прерываю его:

— Не говори так. Что я, зря выкачивала весь этот гной?

— Нет. Но если вдруг...

— Никаких вдруг. Это не обсуждается. — Я кладу пальцы ему на губы.

— Но я...

Повинуясь внезапному порыву, я наклоняюсь и целую Пита, заставляя его замолчать. Давно пора, кстати. Мы ведь нежно влюбленные. Я никогда раньше не целовала парня и, наверное, должна чувствовать нечто особенное, а я лишь отмечаю, какие неестественно горячие губы у Пита. Отстранившись, я повыше поднимаю край мешка.

— Ты не умрешь. Я тебе запрещаю. Ясно?

— Ясно, — шепчет он.

Выхожу на прохладный вечерний воздух, и к моим ногам тут же опускается парашют. Быстро распутываю узел в надежде на какое-нибудь сто́ящее лекарство для Пита, но там всего лишь баночка с горячим бульоном.

Хеймитч не мог бы выразиться определеннее: один поцелуй — одна баночка бульона. Я почти слышу его злобное ворчание: «Ты влюблена, солнышко. Твой парень умирает. Что ты ведешь себя как вяленая рыба?!»

Что ж, он прав. Если я хочу, чтобы Пит выжил, надо произвести впечатление на зрителей. Несчастные влюбленные отчаянно стремятся вернуться домой вместе! Два сердца бьются в унисон! Как романтично!

Задачка не из простых, я ведь ни в кого не была влюблена по-настоящему. А вот родители... Отец никогда не приходил из леса без какого-нибудь подарка для мамы. А ее лицо всегда светлело, едва она слышала его шаги за порогом. Когда отец умер, она сама почти перестала жить.

— Пит! — кричу я, подражая голосу мамы, когда она разговаривала с отцом. Ни с кем больше она так не говорила.

Пит снова задремал; бужу его поцелуем. Вначале Пит явно ошарашен, потом озаряется такой счастливой улыбкой, словно готов всю жизнь лежать вот так и смотреть на меня. Как только у него это получается?

Я показываю ему банку.

— Пит, смотри, что Хеймитч прислал тебе.

17

Целый час уходит на то, чтобы где уговорами и мольбами, где угрозами, а где и поцелуями заставить Пита выпить весь бульон. Наконец банка пуста. Пит засыпает, и тогда я с жадностью набрасываюсь на свой ужин: грусенка и коренья. В небе тем временем показывают сводку. Убитых нет. Остается надеяться, что мы с Питом сегодня достаточно развлекли публику и распорядители не станут тревожить нас ночью.

Привычно осматриваюсь в поисках подходящего для ночлега дерева и тут соображаю, что с этим покончено. По крайней мере на время. Не могу же я бросить Пита одного на земле. Я ничем не замаскировала место, где он прятался на берегу ручья — да и как его замаскируешь? — и мы отошли оттуда меньше чем на пятьдесят ярдов. Я надеваю очки, кладу рядом с собой оружие и заступаю на дежурство.

Температура быстро падает, и у меня зуб на зуб не попадает от холода. Я сдаюсь и заползаю в спальный мешок к

Питу. До чего приятно оказаться в тепле. Впрочем, я недолго им наслаждаюсь, потому что скоро становится не тепло, а нестерпимо жарко. Пита лихорадит, а специальная ткань отражает его жар. Я не знаю, что делать. Понадеяться, что жар уничтожит инфекцию? Или, наоборот, вытащить Пита из мешка? Может, холодный ночной воздух пойдет ему на пользу? В конце концов я лишь кладу ему на лоб мокрый бинт. Вряд ли это поможет, но хотя бы не навредит.

Ночью я то сижу, то ложусь рядом с Питом, снова и снова мочу бинт. Стараюсь не думать о том, что одной мне было гораздо лучше и безопаснее. А теперь я привязана к земле, не могу позволить себе заснуть и должна ухаживать за тяжелобольным. Хотя я ведь и раньше понимала, на что иду. Знала, что Пит ранен. И все равно отправилась его искать. Не знаю, какой инстинкт обрек меня на это, но надеюсь, он не приведет меня к гибели.

В первых лучах зари я замечаю на верхней губе Пита капельки пота. Жар пошел на убыль. Вчера вечером, когда я ходила за стеблями, чтобы замаскировать вход в пещеру, я наткнулась на куст Рутиных ягод. Теперь я обрываю их и растираю с водой в банке из-под бульона.

Увидев меня, Пит пытается встать.

— Я волновался, — говорит он. — Проснулся, а тебя нет.

Со смехом укладываю его обратно:

— Волновался за меня? Ты свою ногу давно видел?

— Подумал, вдруг на тебя напали Катон с Миртой. Они часто рыскают по ночам, — продолжает Пит серьезно.

— Мирта? Это кто?

— Девушка из Второго дистрикта. Она ведь еще жива?

— Да. Остались только они, мы, Цеп и Лиса. Лиса — это девушка из Пятого, я ее так назвала. Как ты себя чувствуешь?

— Лучше, чем вчера. По сравнению с грязью здесь просто рай. Чистая одежда, спальный мешок, лекарства и... ты.

Да-да, вся эта любовная чушь. Куда ж без нее? Пит ловит мою ладонь, когда я хочу пощупать его щеку, и прижимает к своим губам. Отец часто так делал с мамой. Но откуда Пит нахватался? Наверняка не от своего отца и той ведьмы.

— Больше никаких поцелуев, пока не позавтракаешь, — строго говорю я.

С моей помощью Пит садится, опираясь спиной о стену пещеры. Послушно ест с ложки ягодную мякоть, а от мяса снова отказывается.

— Ты не спала, — говорит он.

— Неважно, — отвечаю я, хотя на самом деле чувствую себя измочаленной.

— Поспи сейчас. Я покараулю. Если что, разбужу тебя, — предлагает он. Я колеблюсь. — Китнисс, ты не выдержишь не спать все время.

Тут он прав. Рано или поздно я все равно засну. И лучше сделать это сейчас, когда Пит вроде бы не так плох и светит солнце.

— Хорошо, — уступаю я. — Только пару часов. Потом разбуди меня.

Днем слишком жарко, чтобы залезать в спальный мешок. Я расстилаю его на полу пещеры и ложусь сверху, держа на всякий случай одну руку на луке. Пит сидит рядом, прислонившись к стене, и следит за входом.

— Спи, — говорит он тихо, убирая у меня со лба выбившиеся пряди волос.

Этот жест такой естественный и успокаивающий, совсем не то что наши наигранные поцелуи и ласки. Мне не хочется, чтобы Пит останавливался, и он как будто понимает меня. Он гладит мои волосы, пока я не засыпаю.

Я сплю долго. Слишком долго. Я понимаю это, едва раскрыв глаза. День уже в самом разгаре. Пит сидит рядом, в том же положении. Я поднимаюсь немного рассерженная, зато чувствую себя хорошо отдохнувшей. Лучше, чем за последние несколько дней.

— Пит, ты должен был разбудить меня через пару часов!

— Зачем? Тут все по-прежнему. И потом, мне нравится смотреть, как ты спишь. Во сне ты не хмуришься. Хмурый вид тебе не идет.

От этих слов я, конечно, сразу начинаю сердиться, а Пит смеется. Его губы совсем сухие. Трогаю щеку. Горячая, как печка. Говорит, что пил, но бутыли полные. Даю ему еще таблеток и не отстаю, пока он не осушает одну из бутылок почти полностью. Обрабатываю маленькие ранки, ожоги и укусы; они уже подзажили. И, наконец, призвав все свое мужество, разбинтовываю ногу.

Сердце опускается. Стало хуже, намного хуже. Гноя не видно, а вот опухоль увеличилась. Красная и блестящая кожа натянута как барабан. Вверх поднимаются красные прожилки. Заражение крови! Без нормального лечения Пит обречен. От листьев и мази пользы ни на грош. Нужны сильные антибиотики из Капитолия. Я даже представить себе не могу, сколько стоят такие лекарства. Хватит ли на них всех денег от спонсоров? Вряд ли. Чем ближе к концу Игр, тем дороже становятся дары. За одну и ту же цену в первый день можно купить целый обед, а в двенадцатый — одну-единственную галету. Лекарство, которое нужно Питу, даже в первый день потянуло бы на целое состояние.

— Ну-у, опухоль немного увеличилась, зато нет гноя, — произношу я дрожащим голосом.

— Я знаю, что такое заражение крови, Китнисс. Хотя моя мать и не лекарь.

— Тебе только нужно пережить остальных, Пит. Когда мы победим, в Капитолии тебя вылечат.

— Хороший план, — соглашается он.

— Ты сейчас поешь. Тебе нужны силы. Я приготовлю суп.

— Не зажигай огонь. Оно того не стоит.

— Посмотрим.

Я выхожу с банкой к ручью. Жара невыносимая. Распорядители явно химичат с температурой: днем поднимают ее все выше и выше, а ночью устраивают ледник. Разогретые на солнце камни наводят меня на мысль: возможно, удастся обойтись без огня.

Сажусь на большой плоский валун на полпути между ручьем и пещерой. Добавив в воду йода, ставлю банку на солнце и кладу внутрь несколько горячих камешков размером с яйцо. Повар, надо сказать, из меня неважнецкий, но для супа ведь особого умения не надо: побросал все в воду и жди, когда будет готово. Мелко рублю мясо грусенка, пока оно почти не превращается в кашу, толку Рутины коренья. К счастью, и то и другое уже изжарено, так что теперь нужно только разогреть. Вода уже теплая. Кладу в нее мясо и коренья, меняю камни и иду поискать какой-нибудь зелени, чтобы приправить суп. У подножия одной из скал растет лук-резанец. То, что надо. Крошу его очень мелко и добавляю в банку. Снова меняю камни, накрываю банку крышкой и жду, пока все истомится.

Пару раз я замечала, что здесь водится дичь, да разве тут поохотишься? Не оставишь же Пита одного. Надеясь на удачу, ставлю полдюжины силков. Интересно, как там поживают другие трибуты? Теперь, когда пирамида уничтожена. Ведь на нее полагались, по меньшей мере, трое: Катон, Мирта и Лиса. Цеп вряд ли. Скорее всего он, как и Рута, привык находить пищу сам. Чем они заняты? Воюют друг с другом? Ищут нас? Может, кто-то уже обнаружил наше укрытие и теперь ждет подходящего момента, чтобы напасть? В тревоге я бегу обратно к пещере.

Пит лежит в тени, вытянувшись на спальном мешке. Немного приободряется, когда видит меня, но ясно, что чувствует себя отвратительно. Накладываю ему на лоб мокрые бинты, и они согреваются, едва коснувшись кожи.

— Может, ты чего-то хочешь? — спрашиваю я.

— Нет. Хотя... да. Расскажи мне что-нибудь.

— Рассказать? Что?

Я не любительница травить байки. Это вроде пения. Время от времени Прим меня уламывает.

— Что-нибудь веселое, — говорит Пит. — Расскажи мне о твоем самом счастливом дне.

У меня невольно вырывается полувздох, полустон. О счастливом дне? Это тебе не супчик состряпать. Пытаюсь вспомнить, что хорошего у меня было в жизни. Почти все, что приходит на ум, связано с Гейлом и нашей совместной охотой. Не самая подходящая тема для Пита и зрителей. Остается Прим.

— Я тебе уже рассказывала, как добыла козу для Прим?

Пит качает головой. Я начинаю. Тут тоже есть загвоздка: мои слова услышат повсюду в Панеме, и хотя все уже наверняка сложили два и два и поняли, что я нелегально охочусь дома, зачем подставлять других? Гейла, Сальную Сэй, мясника, тех же миротворцев. Постоянные покупатели все-таки.

На самом деле деньги на козу я достала так. Был вечер пятницы. Назавтра у Прим день рождения — десять лет. Сразу после школы мы с Гейлом махнули в лес. Я хотела подольше пособирать и поохотиться, чтобы было на что купить подарок для Прим. Отрез на платье или щетку для волос. В силки попало порядком зверья, да и зелени в лесу было навалом, но, в общем и целом, добычи мы набрали столько же, сколько в любую другую пятницу. Я возвращалась расстроенная, несмотря на убеждения Гейла, что завтра нам обязательно повезет больше. Мы остановились у ручья передохнуть и тут увидели оленя. Он был совсем молодой, годовик, наверное: рожки только начали расти и еще покрыты бархатистой кожицей. Насторожился, готовый убежать, но не убегает: людей-то он раньше не видел. Красивый.

И уже не такой красивый, когда в него вонзились две стрелы — одна в шею, другая в грудь. Мы с Гейлом выстрелили одновременно. Олень побежал, споткнулся, и Гейл, не дав ему опомниться, резанул его по горлу. Меня словно что-то кольнуло в сердце: как же мы губим такую красоту и нежность! А в следующий момент в животе заурчало от предвкушения великолепного нежного мяса.

Целый олень! За все время нам с Гейлом удалось подстрелить лишь трех. Первый раз почти не считается: тогда мы убили олениху с хромой ногой и потом сами все испортили.

Не надо было тащить тушу в Котел. Все сразу набросились, стали торговаться, выбирать куски, кто сам взялся отрезать. Спасибо, Сальная Сэй вмешалась и послала нас к мяснику. Правда, вид уже был не тот: мясо порезано, шкура изодрана. Заплатить-то все заплатили, а целиком можно было продать дороже.

В этот раз мы просидели в лесу дотемна, а потом пролезли через дыру в заборе поближе к дому мясника. Хоть ни для кого и не секрет, что мы охотимся, а зря мозолить глаза не стоит, особенно со стопятидесятифунтовым оленем.

Постучали в заднюю дверь. На стук вышла женщина-мясник, невысокая, коренастая, по имени Руба. С Рубой не поторгуешься; назвала цену, а ты хочешь — соглашайся, не хочешь — уходи. Цена честная. Мы соглашаемся. Руба разделывает мясо и отрезает нам еще пару кусков на жаркое. Никогда в жизни у нас в руках не было столько денег сразу. Даже половины.

Вот откуда у меня на самом деле взялись деньги. Питу я говорю, что продала старый серебряный медальон мамы. Это никому не повредит. Потом сразу перехожу к дню рождения Прим.

После обеда мы с Гейлом пошли на рынок. Я выбирала ткань на платье, как раз присматривалась к куску голубого сатина, когда мой взгляд привлекло кое-что поинтереснее. На другой стороне Шлака один старик держит коз. Старика так и называют — Козовод, а как его по-настоящему зовут, я даже не знаю. Он все время кашляет, суставы у него опухшие и как будто вывернутые — видно, много лет на шахтах горбатился. Ему повезло. Сумел накопить денег, завел коз и теперь не умрет с голоду. Сам старик грязный и сердитый, но за козами следит и молоко продает хорошее. Было бы только за что покупать.

Одна козочка, белая с черными отметинами, лежала на тачке. Какой-то зверь, может, дикая собака, подрал ей лопатку, и началось заражение. Старик поддерживает козу, чтобы подоить; сама она на ногах не держится. Я знаю, кто ее выходит.

— Гейл, — шепчу я. — Я хочу подарить Прим эту козу.

В Дистрикте-12 коза может изменить жизнь. В еде козы неприхотливы, а на Луговине полно травы. Одно животное дает почти полведра молока в день. И попить хватит, и сыру сделать, и еще на продажу останется. К тому же все законно.

— Она сильно ранена, — говорит Гейл. — Давай посмотрим поближе.

Мы подходим, покупаем на двоих чашку молока и глядим на козу, будто из любопытства.

— Чего уставились? — спрашивает старик.

— Просто смотрим, — отвечает Гейл.

— Ну смотрите, пока жива. А то сейчас продам ее мяснику. Все равно молока от нее никто брать не хочет, а если и возьмут, так полцены выторговать норовят.

— Сколько мясник дает? — интересуюсь я.

Старик пожимает плечами.

— Постой тут, увидишь.

В эту минуту к нам с другого конца площади подошла Руба.

— Ты вовремя, — говорит старик. — Девочка положила глаз на твою козу.

— Да ладно, — равнодушно говорю я. — Продана так продана.

Руба смерила меня взглядом, потом недовольно посмотрела на козу.

— Нет, я такое брать не стану. Ты глянь, что у нее с лопаткой. Да там весь бок сгнил, наверно. Даже на колбасу не годится.

— Как так? Мы же договорились, — возмущается Козовод.

— Договорились, да не об этом. Ты сказал, пара отметин от зубов, а тут вон что. Продай ее девочке, если она такая дура, что купит.

Уходя, Руба мне подмигнула.

Козовод страшно разозлился. Козу он все равно хотел сбыть с рук, тем не менее торговались мы с ним не меньше получаса. Целую толпу собрали. Кто одно говорил, кто другое. Ну и цена вышла ни то ни се: почти даром, если коза выживет, и грабеж, если сдохнет. Каждый ушел со своим мнением, а я ушла с козой.

Гейл помог мне ее нести. Ему, наверное, тоже было интересно, как отреагирует Прим. А я была так рада, что перед уходом даже розовую ленточку купила и повязала козе на шею.

Надо было видеть Прим, когда мы появились дома с таким подарком. Это ведь она совсем не так давно со слезами упрашивала меня оставить Лютика, того паршивого кота. Сейчас она плакала и смеялась одновременно. Мама, правда, посмотрела на рану с сомнением, но они с Прим справились. Прикладывали травы, поили отварами.

— Прямо как ты меня, — говорит Пит.

За рассказом я даже забыла, что он здесь.

— Мне до них далеко. Они творят чудеса. Та животина не умерла бы, даже если бы захотела.

Запоздало прикусываю язык. Каково это слышать Питу, который действительно умирает. Умирает, потому что я такая бестолковая.

— Ничего. Я ведь не хочу, — шутит Пит. — Рассказывай дальше.

— Да я уже почти закончила. Помню только, в ту ночь Прим легла спать вместе с Леди на одеяле возле печки. И перед тем как заснуть, коза лизнула ее в щеку. Будто пожелала спокойной ночи. Она сразу влюбилась в Прим.

— На ней все еще была розовая ленточка? — спрашивает Пит.

— Наверно. Какая разница?

— Просто захотелось представить себе картину, — отвечает он задумчиво. — Понимаю, почему этот день был для тебя счастливым.

— Еще бы. Я знала, что коза для нас настоящая находка.

— Конечно. Именно это я и имел в виду. Какое значение имеет радость твоей сестры? Сестры, которую ты так любишь, что пошла вместо нее на Игры, — говорит Пит сухо.

— Коза действительно себя окупила. И не один раз, — продолжаю я рассудительным тоном.

— Ну как же. Иначе она бы просто не посмела. После того, как ты спасла ей жизнь. Я тоже постараюсь себя окупить.

— Правда? Напомни-ка, сколько ты мне стоил?

— Кучу хлопот. Не беспокойся, я все верну.

— Ты мелешь чепуху. У тебя, наверное, бред. — Я щупаю ему лоб. Температура явно поднялась выше, но я вру: — Нет, жар немного спал.

Звук труб заставляет меня вздрогнуть. Я вскакиваю и бросаюсь ко входу в пещеру: не хочу пропустить ни слова. Мой новый друг Клавдий Темплсмит, как и следовало ожидать, приглашает нас на пир. Нет уж, спасибо. Не настолько мы голодны. Разочарованно отмахиваюсь, а Клавдий продолжает:

— А теперь самое главное. Полагаю, некоторые из вас уже решили отказаться от приглашения. Так вот, пир будет необычным. Каждый из вас крайне нуждается в какой-то вещи. — Да, тут он попал в точку. Я крайне нуждаюсь в лекарстве для Пита. — И каждый из вас найдет эту вещь в рюкзаке с номером своего дистрикта завтра на рассвете у Рога изобилия. Советую хорошо подумать, прежде чем принимать решение. Другого шанса не будет.

Объявление кончилось, но слова, кажется, остались висеть в воздухе. Я вздрагиваю, когда Пит трогает меня сзади за плечо.

— Нет, — говорит он. — Ты не должна рисковать ради меня.

— С чего ты взял, что я собираюсь? — удивляюсь я.

— Значит, ты не пойдешь.

— Конечно, не пойду. Даже не сомневайся. Что я, сумасшедшая лезть в драку против Катона, Мирты и Цепа? — говорю я, помогая Питу лечь. — Пусть они перебьют друг друга. Завтра посмотрим, кто остался, и тогда будем думать, что делать дальше.

— Ты совсем не умеешь хитрить, Китнисс. Не знаю, как тебе удалось до сих пор выжить. — Пит начинает меня передразнивать: «Я знала, что коза для нас настоящая находка. Жар немного спал. Конечно, не пойду». Никогда не берись играть в карты на деньги. Проиграешься в пух.

Во мне вспыхивает злость.

— Вот как! Что ж, я пойду. И ты меня не остановишь.

— Я пойду за тобой. Сколько смогу. До Рога изобилия не дотяну, но буду орать твое имя, пока кто-нибудь не придет и не прикончит меня.

— Ты с этой ногой и десяти шагов не сделаешь.

— Тогда буду ползти. Если идешь ты, я иду тоже.

Пит упрям, и, пожалуй, у него еще хватит сил на то, чтобы потащиться за мной в лес. Даже если его не найдет никто из трибутов, то разорвут хищники. Может, завалить вход камнями? Он будет пытаться их убрать, и кто знает, чем для него обернется такое напряжение.

— И что прикажешь мне делать? Сидеть и смотреть, как ты умираешь? — говорю я.

Пит должен понимать, что это не выход. Зрители возненавидят меня. Да я сама возненавижу себя.

— Я не умру. Обещаю. Если ты обещаешь не ходить.

Мы кружимся на одном месте. Я знаю, что не переспорю его, и больше не пытаюсь. Делаю вид, будто неохотно уступаю.

— Тогда дай слово во всем мне подчиняться. Пить воду, будить меня, когда я скажу, и съешь весь суп, каким бы противным он ни был! — рявкаю я.

— Даю слово. Суп готов?

— Сейчас принесу.

Воздух заметно попрохладнел, хотя солнце еще высоко. Да, без распорядителей тут явно не обошлось. Не удивлюсь, если какой-нибудь трибут крайне нуждается в теплом одеяле.

Суп в железной банке еще не остыл. И на вкус как будто ничего.

Пит ест, не жалуется и даже с усердием выскребает банку. Потом еще долго нахваливает. Я могла бы загордиться, если бы не знала, что лихорадка делает с людьми. Это все равно что слушать болтовню пьяного Хеймитча. Даю Питу еще одну дозу жаропонижающего, а то, боюсь, у него совсем ум за разум зайдет.

Спускаюсь к ручью, чтобы вымыть банку. Голова занята только одним: Пит умрет, если я не пойду на пир. Протянет еще день-два, потом заражение перекинется на сердце, на мозг или на легкие, и это будет конец. Я останусь совсем одна. Опять. Пока за мной не придут.

Я так погружена в мысли, что едва не упускаю парашют, хотя он проплывает прямо у меня перед глазами. Бросаюсь к нему, выхватываю из воды и разрываю серебристую ткань. Внутри — пузырек. Хеймитч справился! Не знаю как, но он достал лекарство. Уговорил каких-нибудь прекраснодушных кретинов продать драгоценности. Пит спасен! Пузырек такой маленький... Лекарство, должно быть, очень сильное. Во мне зарождается смутное сомнение. Вытаскиваю пробку и нюхаю. Тошнотворно-сладкий запах. Моя радость мигом растаяла. Чтобы удостовериться, пробую жидкость на язык. Так и есть, успокоительный сироп. В Дистрикте-12 им пользуются сплошь и рядом. Самое дешевое лекарство да еще вызывает привыкание. У нас дома тоже стоит бутылка. Мама дает его от истерик, и тем, кто хочет забыться, и когда нужно зашить серьезную рану. Оно сильнодействующее. Пузыречка хватит, чтобы усыпить Пита на целый день, да что толку? От злости мне хочется швырнуть посылку Хеймитча в ручей, и тут до меня доходит. Целый день? Это даже больше, чем нужно.

Выливаю лекарство в банку и растираю с ягодами и листиками мяты, чтобы отбить вкус. Возвращаюсь в пещеру.

— Вот тебе десерт. Я нашла еще немного ягод дальше по ручью.

Пит, ничего не подозревая, берет в рот первую ложку. Проглатывает и хмурится.

— Что-то очень уж сладко.

— Конечно. Это сахарные ягоды. Мама варит из них джем. Ты что, их никогда не ел? — говорю я, запихивая ему в рот следующую порцию.

— Нет, — отвечает он озадаченно. — А вкус знакомый. Сахарные ягоды?

— Ну, на рынке они редко бывают. Растут только в лесу.

Еще ложка. И еще одна. Последняя.

— Сладкие, как сироп, — говорит он с полным ртом. — Сироп!

Глаза Пита расширяются, когда он понимает, в чем дело. Я с силой зажимаю ему рот, заставляя проглотить. Пит пытается вызвать рвоту — слишком поздно. Он уже засыпает. В осоловевших глазах злой укор. Боюсь, прощения мне не будет.

Я смотрю на Пита с грустью и облегчением. К его подбородку прилип кусочек ягоды, я стираю его.

— Ну и кто не умеет хитрить, Пит? — спрашиваю я.

Он меня не слышит. Это неважно. Зато слышит Панем.

18

До самой ночи я таскаю камни, чтобы как-то замаскировать вход в пещеру. Это стоит много трудов и пота, но в конце концов я довольна. Со стороны кажется, что у скалы просто лежит груда камней. Я оставила маленькое отверстие, через которое могу пролезть к Питу, снизу оно не видно. Сегодня ночью мне снова придется делить спальный мешок с Питом. Вдобавок он не будет замурован, если я не вернусь. Хотя без лекарств он долго не протянет. Если погибну я, Дистрикт-12 останется без победителя.

Ловлю в ручье мелкую костистую рыбешку и готовлю еду. Наполняю бутыли водой. Осматриваю оружие. Стрел всего девять. Думаю, не оставить ли нож Питу, чтобы ему было чем обороняться. А впрочем, вряд ли у него хватит сил.

Маскировка — его единственная защита. А мне нож может пригодиться. Кто знает, что меня ждет.

В одном сомневаться не приходится: Катон, Мирта и Цеп явятся на пир без опоздания. Насчет Лисы не уверена: идти напролом не в ее стиле. И неудивительно: она даже меньше меня, и у нее нет оружия, если только она не добыла за последние дни. Скорее всего, затаится поблизости и будет ждать, не удастся ли что-нибудь подобрать после побоища. А вот остальные... Да, денек предстоит жаркий. Мое главное преимущество в том, что я могу убивать на расстоянии, но в этот раз оно мне не поможет: чтобы достать рюкзак, придется лезть в самое пекло.

С надеждой смотрю в ночное небо: вдруг соперников уже поубавилось. Сегодня лиц нет. Они будут завтра. На пиру без жертв не обходится.

Заползаю в пещеру, надеваю очки и сворачиваюсь калачиком около Пита. Хорошо, что я выспалась днем. Сейчас спать нельзя. Не думаю, что кто-нибудь на нас нападет, но боюсь пропустить рассвет.

Холодно, жутко холодно. Как будто распорядители продувают арену потоком ледяного воздуха. Возможно, так оно и есть. Забираюсь в мешок к Питу. Даже его жар не сразу меня согревает. Странно лежать вот так рядом с Питом и при этом чувствовать, что он совсем не здесь. Находись он в Капитолии, или в Дистрикте-12, или даже на Луне, он не был бы дальше. С начала Игр мне еще не было так одиноко.

Придется смириться, что это не самая лучшая ночь в твоей жизни, говорю я себе. Стараюсь не думать о маме и Прим — ничего не выходит. Смогут ли они сегодня заснуть? Завтра занятия в школе скорее всего отменят: Игры подходят к концу, а тут еще такое важное событие — пир. Где мама и Прим будут их смотреть? По нашему старому ящику с кучей помех или пойдут на площадь, где стоят большие четкие экраны? Дома можно дать волю чувствам, зато на площади им не будет одиноко. Люди подбодрят, угостят. Интересно, разыскал ли их пекарь? Особенно теперь, когда мы с Питом союзники. И сдержал ли свое обещание позаботиться о Прим?

В Дистрикте-12 сейчас, наверное, дикий восторг. Обычно к концу Игр нам уже не за кого болеть. А тут сразу двое, да еще в одной команде. Закрыв глаза, я представляю, как все кричат, и волнуются перед экранами, и дают нам советы. Сальная Сэй, Мадж, даже миротворцы, покупавшие у меня мясо.

И Гейл. Уверена, он не кричит и не улюлюкает. Он просто внимательно смотрит. Следит за каждой минутой, не пропускает ни одной мелочи. И хочет, чтобы я вернулась. Не знаю, желает ли он того же Питу... Гейл не был моим парнем, но... возможно, хотел им стать? Предлагая убежать с ним, думал ли он только о нашей безопасности? Или о чем-то большем?

И как он теперь относится ко всем этим поцелуям?

Сквозь щель между камнями я вижу луну и по ее положению могу примерно определить время. Часа за три до рассвета готовлюсь к выходу. Кладу рядом с Питом воду и аптечку. Если я не вернусь, ничто другое ему уже не потребуется. После некоторых колебаний снимаю с него куртку и надеваю поверх своей. Питу с его жаром в спальном мешке тепло даже сейчас, а днем вообще будет пекло. Взяв запасную пару Рутиных носков и прорезав в них дырки для пальцев, надеваю на немеющие от холода руки. В Рутин же маленький рюкзачок кладу немного еды, бутыль с водой и бинты. Засовываю за пояс нож, беру лук и стрелы. Можно идти. Ах да, чуть не забыла. Мы ведь несчастные влюбленные. Наклоняюсь к Питу и целую его долгим, очень долгим поцелуем. Сентиментальные капитолийцы сейчас, наверное, жалостливо вздохнули. Делаю вид, что смахиваю слезу. Потом иду к лазу и протискиваюсь наружу.

Изо рта идет пар. Как у нас дома в ноябре. Бывает, выйдешь до утра из дома — и в лес. А там на условленном месте уже ждет Гейл. Сидишь с ним рядом, караулишь дичь, попивая травяной чай из фляжки. Эх, Гейл! Если бы ты сейчас был моим напарником...

Стараюсь идти быстро, при этом не выдать себя и не прозевать опасность. Очки — классная штука, однако глухота в левом ухе очень мешает. Видно, взрыв повредил его не на шутку. Впрочем, неважно. Если я вернусь домой, то стану богатой и оплачу любое лечение.

Ночью лес не такой, как днем. Даже в очках все выглядит странно и незнакомо. Словно дневные деревья, цветы и камни легли спать, а вместо себя послали своих зловещих двойников. Я не пытаюсь запутать следы, пойти другой дорогой. Поднимаюсь вверх по ручью, потом иду к тому самому укромному месту у озера, откуда наблюдала за лагерем профи. Внимательно осматриваюсь: нет ли чьих следов, не качнется ли ветка, не поднимается ли парок из-за кустов. Все чисто. Либо я пришла первой, либо другие засели еще с вечера. До рассвета еще час-два. Забираюсь поглубже в заросли и жду кровопролития.

Вместо завтрака жую листья мяты. Есть не хочется. Хорошо, что я надела куртку Пита. Иначе пришлось бы двигаться, чтобы согреться. Небо уже подернулось утренней серостью, а других трибутов все не видать. Впрочем, удивляться тут нечему: противники остались сильные. Интересно, догадываются они, что я пришла одна, без Пита? Лиса и Цеп скорее всего даже не знают, что он ранен. Надеюсь, они будут думать, что меня есть кому прикрыть, когда я побегу за рюкзаком.

Где же рюкзак? Уже светло, и я снимаю очки. Птицы поют свои утренние песни. Разве еще не пора? Вдруг я спутала место? Нет, я точно помню, Клавдий Темплсмит говорил о Роге изобилия. Вот он, Рог. Вот — я. Так где же мое угощение?

Едва золотого Рога коснулся первый луч солнца, на площадке стало заметно какое-то движение. Земля перед жерлом раскрывается, и снизу выплывает круглый стол, накрытый белоснежной скатертью. На столе — четыре рюкзака, два больших черных с номерами 2 и 11, один зеленый, поменьше, с номером 5 и совсем крохотный — можно на запястье носить — оранжевый. На нем номер не виден.

И только-только раздался щелчок: стол зафиксировался на месте, как из Рога изобилия выскакивает фигурка, хватает зеленый рюкзак и убегает с ним в лес. Лиса! Кому еще мог прийти в голову такой хитрый и рискованный план! Мы тут сидим, оцениваем ситуацию, а она уже со всем справилась. И остальные связаны по рукам и ногам, никто в здравом уме не станет ее преследовать, когда свой рюкзак еще лежит на столе и другие трибуты могут его украсть или испортить. Лиса чужого не тронула и правильно сделала. Вот как надо было поступить мне! Чувства изумления, восхищения, злости, зависти, досады охватывают меня одно за другим, и пока я успеваю что-то сообразить, рыжая копна волос скрывается далеко за деревьями. Теперь ее даже стрелой не достанешь. Вот так да! Я все время боялась кого-то еще, а может статься, настоящий мой противник — Лиса.

Вдобавок ко всему из-за нее я потеряла время. Ясно, что следующей должна быть я. Мой рюкзак маленький, любой схватит — и поминай как звали. Не мешкая больше ни секунды, бросаюсь к столу. Опасность. Я не вижу ее, но чувствую. К счастью, первый нож летит справа, я слышу свист и вовремя взмахиваю луком. Разворачиваюсь, натягивая тетиву, и стреляю в Мирту. Не успей она отклониться, стрела попала бы ей точно в сердце. Но попадает только в левую руку. Жаль, что Мирта метает ножи правой. Тем не менее я выигрываю несколько секунд, пока она вытаскивает стрелу и смотрит на рану. Бегу дальше, машинально заряжая лук с ловкостью бывалого охотника.

Наконец я у стола. Пальцы цепляют крохотный рюкзак, проскальзывают сквозь лямки, и я набрасываю его на руку, как дамскую сумочку. Он слишком мал, чтобы надеть на плечи. Поворачиваюсь, готовая выстрелить снова, и в этот момент второй нож попадает мне в лоб над правой бровью. Кровь заливает лицо, ослепляет правый глаз и наполняет рот резким металлическим вкусом. Отшатываюсь назад, успевая выстрелить наудачу в направлении соперницы. Едва стрела вылетает из лука, я уже знаю, что промахнулась. В следующее мгновение Мирта сбивает меня с ног и коленями придавливает мои плечи к земле.

Вот и конец, думаю я, надеясь, ради Прим, что мучения не будут долгими. Но Мирта, как видно, намерена вовсю насладиться моментом. Она не торопится. Наверняка Катон ее прикрывает, поджидая Цепа и, возможно, Пита.

— Где твой дружок, Двенадцатая? Еще не окочурился? — спрашивает она.

Что ж, пока мы разговариваем, я жива.

— Он там, в лесу. Как раз приканчивает Катона, — рычу я в ответ и ору что есть мочи: — Пи-и-ит!

Мирта бьет меня кулаком в горло, обрывая вопль. Тут же озирается по сторонам — засомневалась все-таки. Пита нет, и она поворачивается ко мне.

— Врешь, — ухмыляется Мирта. — Женишок — труп. Катон здорово его пырнул. Небось привязала его где-нибудь на дереве, пока совсем не загнулся. А что у нас в этом милом рюкзачке? Лекарство для любимого? Какая жалость. Он его так и не получит.

Мирта откидывает полу куртки. Внутри целый арсенал ножей. Выбирает небольшой, почти изящный ножичек с хитро загнутым концом.

— Я обещала Катону устроить хорошее представление для зрителей с твоим участием.

Изо всех сил пытаюсь сбросить ее с себя, но без толку. Она слишком тяжелая и держит меня как в тисках.

— Даже не рыпайся, Двенадцатая. Мы тебя убьем. Как убили эту жалкую козявку, твою союзницу, что скакала по деревьям... как ее звали? Рута? Пришла Руте хана, теперь возьмемся за тебя. О женишке можно не беспокоиться. Как тебе такой план? — издевается Мирта. — Так с чего начнем?

Небрежно вытирает рукавом кровь с моего лица и вертит его туда-сюда, будто это деревянный чурбан и она раздумывает, какой узор на нем вырезать. Пытаюсь укусить ее за руку, она хватает меня за волосы и прижимает голову к земле.

— Пожалуй… начнем со рта, — мурлычет Мирта, проводя кончиком ножа по моим губам.

Я крепко сжимаю зубы, однако глаза не закрываю. Ее слова о Руте привели меня в ярость. Надеюсь, мне хватит этой ярости, чтобы умереть с достоинством. Я буду смотреть Мирте в глаза, пока смогу видеть. Буду смотреть и не закричу. Умру несломленной, пусть даже только внутри.

— Думаю, губы тебе уже не понадобятся. Не хочешь послать женишку воздушный поцелуй на прощание?

Я набираю полный рот слюны и крови и выплевываю ей в лицо. Мирта вспыхивает от бешенства.

— Что ж, приступим.

Я вся сжимаюсь в ожидании неминуемой пытки. Но едва только кончик ножа надрезает мне губу, какая-то неведомая силища срывает с меня Мирту, и вот уже она сама кричит от боли. Я ошарашена и в первую минуту не могу понять, что произошло. Пит каким-то образом встал и пришел мне на помощь? Распорядители выпустили огромного дикого зверя для пущего веселья? Или Мирту зачем-то поднял планолет?

С трудом приподнимаюсь на онемевших руках и вижу, что все мои предположения неверны. Мирта барахтается в футе от земли в руках Цепа. У меня рот открылся от изумления, такой он огромный. Мирта по сравнению с ним всего лишь тряпичная кукла. Цеп и раньше был не маленький, а на арене, кажется, стал еще больше, еще мускулистее.

Он переворачивает Мирту и бросает на землю.

Я вздрагиваю от его крика:

— Что ты сделала с той девочкой? Это ты убила ее?

Мирта быстро пятится на четвереньках, словно сумасшедшее насекомое. Видно, она так поражена, что даже не способна позвать Катона.

— Нет, нет! Это не я!

— Ты называла ее имя. Я слышал. Ты убила ее? — Новая догадка искажает его лицо злостью. — Ты разрезала ее на кусочки, как собиралась разрезать эту девушку?

— Нет! Нет, я... — Мирта видит в руках Цепа камень размером с небольшую буханку хлеба и совершенно теряет над собой контроль. — Катон! — верещит она. — Катон!

— Мирта! — слышится из леса ответ Катона, но слишком далеко, чтобы он мог ей помочь.

Что он там делает? Разыскивает Лису и Пита? Или караулил Цепа да ошибся местом?

Цеп с силой ударяет камнем в висок Мирты. Крови нет, но на черепе остается вмятина. Мирта еще жива, она часто дышит, и из ее груди вырываются стоны.

Когда Цеп с поднятым камнем поворачивается в мою сторону, я знаю, что бежать бесполезно. Мой лук не заряжен. Я смотрю в карие глаза Цепа, завороженная их странным золотым блеском.

— О чем она болтала? Ты союзница Руты?

— Я... я... мы с ней объединились. Взорвали еду профи. Я хотела ее спасти. Очень хотела. Но он нашел ее раньше. Парень из Первого, — говорю я.

Возможно, если Цеп узнает, что я помогала Руте, он убьет меня быстро и без мучений.

— Ты его убила? — сурово спрашивает он.

— Да. Я его убила. И усыпала ее тело цветами. И пела ей, пока она не уснула.

На моих глазах выступают слезы. Воля и силы покидают меня. Остается только Рута, боль в голове, страх перед Цепом и стоны умирающей девушки.

— Уснула? — презрительно бросает Цеп.

— Умерла. Я пела ей, пока она не умерла, — говорю я. — Твой дистрикт... прислал мне хлеб.

Я поднимаю руку — не за стрелой; все равно не успею. Просто вытираю нос.

— Цеп, сделай это быстро, ладно?

По лицу видно, что в нем борются противоположные чувства. Цеп опускает камень и говорит почти с укором:

— В этот раз, только в этот раз я тебя отпускаю. Ради девочки. Мы с тобой квиты. Больше никто никому не должен. Понятно?

Я киваю, потому что мне понятно. Понятно про долги. Про то, как плохо их иметь. Понятно, что если Цеп победит, то возвратится в дистрикт, забывший о правилах ради того, чтобы отблагодарить меня. И что Цеп тоже пренебрегает ими. Сейчас он не станет разбивать мне голову камнем.

— Мирта! — кричит Катон с надрывом. Он уже близко и видит, что она лежит на земле.

— Тебе лучше поторопиться, Огненная Китнисс, — говорит Цеп.

Я не заставляю его повторять дважды. Что есть духу бегу по утрамбованной площадке подальше от Цепа и Мирты и голоса Катона. Оборачиваюсь только у самого леса. Цеп с двумя большими рюкзаками скрывается за краем площадки, в той части арены, которую я никогда не видела. Катон с копьем в руке стоит на коленях перед Миртой, умоляя не покидать его. Скоро он поймет, что ее уже не спасти. Как обезумевший раненый зверь, я мчусь не разбирая дороги, врезаясь в деревья, то и дело смахивая кровь, заливающую глаз. Раздается пушечный выстрел: Мирта умерла. Теперь Катон бросится по следу — либо моему, либо Цепа. Я ослабла из-за раны и вся трясусь от страха и изнеможения. У меня есть лук, однако Катон метает копье почти так же далеко, как я стреляю.

Только одно внушает мне надежду: Цеп забрал рюкзак Катона. Рюкзак с чем-то ему нужным. Готова спорить, что Катон преследует Цепа, а не меня. Тем не менее я не замедляю хода, даже оказавшись у ручья. Влетаю в него прямо в ботинках и, изо всех сил работая ногами, бегу вниз по течению. Сдираю с ладоней Рутины носки, служившие мне вместо перчаток, и прижимаю ко лбу, чтобы остановить кровотечение. За несколько минут они промокают до нитки.

Кое-как добираюсь до пещеры и протискиваюсь внутрь. В пятнистом свете пробивающегося сквозь щели солнца снимаю с руки оранжевый рюкзачок, отрезаю клапан и вытряхиваю на пол содержимое — узкую коробку с единственным шприцем для подкожного впрыскивания. Не раздумывая, втыкаю иглу в руку Пита и медленно надавливаю на поршень.

Мои руки становятся скользкими от крови, едва я касаюсь головы.

Последнее, что помню, — как изумительной красоты серебристо-зеленая бабочка, описав широкую дугу, садится мне на запястье.

19

Сквозь сон слышу шум дождя, барабанящего по крыше нашего дома. Просыпаться не хочется: приятно лежать, тепло укутавшись в одеяла, в безопасности. Смутно чувствую, что болит голова. Конечно, я подхватила грипп, и поэтому меня не будят, хотя я сплю, наверное, уже очень долго. Мамина рука гладит мою щеку. Обычно я ей этого не позволяю: не хочу, чтобы она знала, как мне не хватает ее ласки. Как мне не хватает ее самой, с тех пор как я перестала ей доверять. Потом я слышу голос, чужой голос, не мамин, и мне страшно.

— Китнисс, Китнисс, ты меня слышишь?

Я открываю глаза, и чувство уюта и безопасности тает как дым. Я не дома, не с мамой. Я в полутемной, холодной пещере, где у меня мерзнут ноги и пахнет кровью. Передо мной появляется худое, бледное лицо какого-то парня, я пугаюсь, потом узнаю его:

— Пит.

— Привет, — говорит он. — Рад снова видеть твои глаза.

— Я долго была без сознания?

— Точно не знаю. Я проснулся вчера вечером, а ты лежишь рядом в жуткой луже крови. Сейчас кровотечение, кажется, прекратилось, но я бы на твоем месте не пытался вставать.

Осторожно приподнимаю голову; она забинтована. От одного этого движения мне сразу становится дурно. Пит подносит к моим губам бутыль, и я жадно пью.

— Ты идешь на поправку, — говорю я.

— Еще как. Штука, которую ты мне вколола, знает свое дело. Сегодня к утру опухоль почти спала.

Кажется, Пит не сердится за то, что я его обманула, подсунула ему снотворное и убежала на пир. Хотя, возможно, он меня просто жалеет, потому что я такая слабая, а потом еще задаст мне перцу. Как бы то ни было, сейчас он сама доброта.

— Ты ел?

— Угу. Слопал три куска грусятины и только потом понял, что надо экономить. Не волнуйся, теперь я на диете.

— Все в порядке. Тебе надо есть. Я скоро пойду охотиться.

— Только не слишком скоро, ладно? Теперь моя очередь заботиться о тебе.

Выбора у меня нет. Пит кормит меня кусочками грусятины и изюмом, поит водой. Потом растирает мне ноги, чтобы они согрелись, укутывает их своей курткой и по самый подбородок застегивает спальный мешок.

— Твои ботинки и носки еще сырые. При такой погоде не скоро высохнут, — говорит он.

Гремит гром. В щель между камнями видны всполохи молний на небе. Сквозь трещины в потолке протекает дождь; Пит сделал у меня над головой навес из пленки.

— Интересно, зачем это все устроили? Грозу, дождь. Точнее, для кого?

— Для Катона и Цепа, — отвечаю я уверенно. — У Лисы наверняка есть где спрятаться. А Мирта... она собиралась меня мучить, но тут...

Мой голос замирает.

— Я знаю, что Мирта погибла. Видел ее вчера в небе. Ты ее убила?

— Нет. Цеп проломил ей голову камнем.

— Хорошо, что ты ему не попалась.

Воспоминания о пире накатывают со всей силой. Я чувствую тошноту.

— Я попалась. Он меня отпустил, — говорю я.

И потом, конечно, рассказываю остальное, все то, что до сих пор держала в себе, потому что Пит был слишком слаб для расспросов, а я была еще не готова пережить это заново. Взрыв, боль, смерть Руты, мое первое убийство и хлеб от Одиннадцатого дистрикта. Все, без чего нельзя понять случившееся на пире и то, как Цеп вернул мне долг.

— Он отпустил тебя, потому что не хотел оставаться в долгу? — искренне удивляется Пит.

— Да. Ты, возможно, не поймешь. У тебя всегда было всего вдоволь. Если бы ты жил в Шлаке, мне не пришлось бы тебе объяснять.

— Да и не пытайся, чего уж там. Куда мне понять своим умишком.

— Это как с тем хлебом. Наверное, я всегда буду тебе должна.

— Хлебом? Каким хлебом? Ты что, про тот случай из детства? — спрашивает Пит. — Думаю, теперь-то уж о нем можно забыть. После того, как ты воскресила меня из мертвых.

— Ты ведь даже не знал меня. Мы никогда не разговаривали... И вообще, первый долг всегда самый трудный. Я бы ничего не смогла сделать, меня бы вообще не было, если бы ты мне тогда не помог. И с чего вдруг?

— Сама знаешь с чего, — отвечает Пит. В голове плещется боль, когда я качаю головой. — Хеймитч говорил, что тебя непросто убедить.

— Хеймитч? А он тут при чем?

— Ни при чем... Так значит, Катон и Цеп, да? Наверное, будет нескромно надеяться, что они одновременно прикончат друг друга?

Шутка меня только расстраивает.

— Мне кажется, Цеп славный парень. В Дистрикте-12 он мог бы быть нашим другом, — говорю я.

— Если так, то пусть его лучше убьет Катон, — мрачно отвечает Пит.

Я вообще не хочу, чтобы кто-то убивал Цепа. Не хочу, чтобы кто-то еще умирал. Такие рассуждения не для арены, не для победителей. Как я ни сдерживаюсь, на глазах у меня выступают слезы.

Пит смотрит на меня с тревогой:

— Что с тобой? Очень больно?

Я не называю настоящую причину, но говорю правду. Правду, которая больше похожа на минутную слабость, а не на окончательное поражение.

— Я хочу домой, Пит, — произношу я жалостливо, как ребенок.

— Ты поедешь домой. Обещаю. — Пит наклоняется и целует меня.

— Я хочу прямо сейчас.

— Знаешь что, — говорит он, — ты сейчас заснешь, и тебе приснится дом. А потом оглянуться не успеешь, как будешь там на самом деле. Идет?

— Идет, — шепчу я. — Разбуди меня, если надо будет покараулить.

— Не беспокойся. Я хорошо отдохнул и здоров благодаря тебе и Хеймитчу. И потом, кто знает, сколько еще это продлится?

О чем это он? О дожде? О передышке, которую он нам дает? Или об Играх? Мне слишком грустно, и я слишком устала, чтобы спрашивать.

Когда Пит меня будит, снова вечер. Дождь превратился в ливень; вода с потолка уже не капает, а течет струйками. Под самую сильную Пит подставил банку. Мне стало лучше; я уже приподнимаюсь, почти не чувствуя головокружения, и просто умираю от голода. Пит тоже. Он явно не мог дождаться, пока я проснусь, чтобы поесть вместе.

Еды немного: два кусочка грусенка, немножко разных кореньев и горсть сухофруктов.

— Оставим что-нибудь на завтра? — спрашивает Пит.

— Нет, давай доедим все. Мясо и так уже давно лежит, не хватало нам еще отравиться.

Я делю еду на две равные части. Мы стараемся есть медленнее и все равно управляемся за две минуты. Желудок недовольно ворчит.

— Завтра идем на охоту, — говорю я.

— От меня толку мало, — отвечает Пит. — Я никогда раньше не охотился.

— Я буду убивать, а ты готовить. Еще ты можешь нарвать зелени и ягод.

— Хорошо бы тут рос какой-нибудь хлебный кустарник.

— Тот хлеб, что мне прислали из Дистрикта-11, был еще теплым, — вздыхаю я. — На, пожуй. — Я протягиваю Питу пару листиков мяты, потом бросаю несколько себе в рот.

Из-за дождя трудно даже разглядеть изображение в небе, но одно ясно: сегодня все целы. Значит, Катон и Цеп еще не встретились.

— А куда ушел Цеп? Что там, на той стороне арены? — спрашиваю я Пита.

— Поле. Трава мне по плечи, и нигде ни тропинки. Целое разноцветное море. Может, там и съедобные злаки есть.

— Уверена, что есть. И Цеп знает, как их отличить. Вы туда ходили?

— Нет. В траву никто не хотел соваться. Жутко. Мало ли что... Вдруг там змеи, или бешеные звери, или трясина.

Примерно так запугивают жителей Дистрикта-12, чтобы они не совались за ограждение. Я опять невольно сравниваю Пита с Гейлом. Гейл увидел бы в этом поле прежде всего источник пищи, а уж потом бы думал об опасностях — настоящие они или выдуманные. И Цеп явно из того же теста. Пит, конечно, не неженка и не трус, хотя, должно быть, если в твоем доме всегда пахнет хлебом, на многие вещи смотришь по-другому и не задаешь лишних вопросов. Интересно, что бы подумал Пит о наших с Гейлом совсем не безобидных шуточках по поводу порядков в Панеме? И о гневных речах Гейла против Капитолия? Удивился бы или возмутился?

— Вот на том поле, должно быть, и хлебные кусты растут, — говорю я. — Что-что, а на голодающего Цеп совсем не похож. Наоборот, отъелся.

— Или у него очень щедрые спонсоры, — говорит Пит. — Я уж и не знаю, чем заслужить, чтобы Хеймитч нам хоть хлеба прислал.

Я удивленно поднимаю брови, и тут до меня доходит, что Пит ничего не знает о недвусмысленном намеке Хеймитча: один поцелуй — одна банка бульона. Говорить об этом вслух, конечно, не годится. Если зрители поймут, что мы их все время дурачили, еды не видать как своих ушей. Надо действовать постепенно, чтобы правдоподобно выглядело. Я беру руку Пита и лукаво говорю:

— Наверное, он сильно поиздержался, помогая мне усыпить тебя.

— Кстати, — говорит Пит, переплетая свои пальцы с моими. — Не вздумай устроить что-нибудь подобное еще раз.

— А то что будет?

— А то... а то... — Пит не знает, что сказать. — Вот подожди только, придумаю.

— В чем проблема?

— В том, что мы оба живы. Поэтому тебе кажется, что ты поступила правильно.

— Я действительно поступила правильно.

— Нет! Не делай так, Китнисс! — Пит до боли сжал мою ладонь, и в его голосе слышен неподдельный гнев. — Не умирай ради меня. Я этого не хочу. Ясно?

Его настойчивость пугает меня, но, с другой стороны, тут открывается прекрасная возможность заработать еду, и я продолжаю в том же духе:

— А может, я сделала это ради себя. Тебе не приходило в голову? Может, не ты один... кто беспокоится... кто боится...

Я теряюсь. Не умею так ловко обращаться со словами, как Пит. И пока говорила, я представила, что на самом деле потеряла Пита, и поняла, как сильно хочу, чтобы он жил. Не из-за спонсоров, и не из-за того, что скажут потом дома, и даже не потому, что боюсь остаться одна. Из-за него самого. Я не хочу терять мальчика, подарившего мне хлеб.

— Боится чего, Китнисс? — тихо спрашивает он.

Жаль, что нельзя задвинуть шторы, закрыть ставни, как-то отгородиться от шпионящих глаз Панема. Пусть даже нам не дадут еды. То, что я чувствую, должно принадлежать только мне.

— Хеймитч просил меня не касаться этой темы, — уклончиво говорю я, хотя Хеймитч тут ни при чем и сейчас, наверное, ругает меня последними словами за то, что я в такой момент все испортила.

Пита непросто сбить с толку.

— Тогда мне придется догадываться самому, — говорит он, придвигаясь ближе.

Впервые мы целуемся по-настоящему. Никто из нас не мучается от боли, не обессилен и не лежит без сознания; наши губы не горят от лихорадки и не немеют от холода. Впервые поцелуй пробуждает у меня в груди какое-то особенное чувство, теплое и захватывающее.

Впервые один поцелуй заставляет меня ждать следующего.

А его нет. Точнее, есть, но совсем легкий, в кончик носа, потому что Пит отвлекся на другое.

— Кажется, у тебя опять кровь. Иди ложись. И вообще уже пора спать, — говорит он.

Я надеваю носки, они уже почти сухие. Заставляю Пита надеть куртку. Он совсем замерз, промозглый холод пробирает насквозь. Настаиваю, что буду дежурить первой, хотя ни он, ни я не ожидаем, что кто-то явится в такую погоду. Пит соглашается при условии, что я тоже залезу в спальный мешок. Я не возражаю, так как уже вся дрожу. Две ночи назад у меня было чувство, будто Пит в миллионах миль от меня, зато сейчас я застигнута врасплох его близостью. Мы укладываемся, Пит подсовывает мне под голову свою руку и обнимает, словно защищает даже во сне. Меня давно никто так не обнимал; с тех пор, как умер отец и я отдалилась от матери, ничьи руки не внушали мне такого чувства безопасности.

Я лежу в очках и вижу, как капли дождя разбиваются о пол пещеры. Ритмично и убаюкивающе. Несколько раз я начинаю дремать и тут же просыпаюсь, злясь на себя и чувствуя вину. Выдерживаю так три-четыре часа, потом бужу Пита. Он, кажется, не против.

— Если завтра дождь перестанет, я найду нам место высоко на дереве, и мы сможем спать оба, — обещаю я, погружаясь в сон.

На следующий день с погодой все так же. Ливень не прекращается ни на минуту, как будто распорядители всерьез задумали нас утопить. От ударов грома трясется земля. Пит собирается пойти искать еду, но я отговариваю: сейчас ничего дальше своего носа не увидишь, только вымокнешь до нитки. Он и сам это понимает, просто от голода уже хоть на стену лезь.

Еще один день клонится к вечеру, и никаких признаков перемены погоды. Хеймитч — наша единственная надежда, а он не дает о себе знать: то ли денег мало — а цены сейчас запредельные, — то ли недоволен впечатлением, какое мы производим. Скорее второе. Я первая готова признать, что смотреть на нас сейчас не потрясающе интересно. Голодные, ослабевшие, мы почти не двигаемся, стараясь не потревожить раны. Сидим, укутавшись в спальный мешок, тесно прижавшись друг к другу — ясно, что не из-за большой любви, а из-за холода. Бывает, задремлем для разнообразия.

Да и как дальше развивать наши романтические отношения? Вчерашний поцелуй удался неплохо, но как опять направить дело в нужное русло? В Дистрикте-12 я знала девушек, для которых это проще простого, однако у меня никогда не было ни времени, ни желания заниматься такой ерундой. И потом, от нас явно ждут не просто поцелуя, иначе бы мы получили еду еще вчера. Что-то подсказывает мне, что обычными знаками любви тут не отделаешься. Хеймитч хочет чего-то личного, хочет, чтобы мы изливали душу перед публикой. Разве не на это он подбивал меня, когда готовил к интервью? Даже думать противно. Мне, а не Питу. Может, попробовать разговорить его?

— Слушай, Пит, — беззаботно говорю я. — На интервью ты сказал, что любил меня всегда. А когда началось это «всегда»?

— Э-э, дай подумать. Кажется, с первого дня в школе. Нам было пять лет. На тебе было красное в клетку платье, и на голове две косички, а не одна, как сейчас. Отец показал мне тебя, когда мы стояли во дворе.

— Показал отец? Почему?

— Он сказал: «Видишь ту девочку? Я хотел жениться на ее маме, но она сбежала с шахтером».

— Да ну, ты все выдумываешь! — вырывается у меня.

— Вовсе нет. Так и было. Я еще спросил отца: «Зачем она убежала с шахтером, если могла выйти за тебя?» А отец ответил: «Потому что, когда он поет, даже птицы замолкают и слушают».

— Это правда. Про птиц. Точнее, было правдой, — говорю я.

Я удивлена и неожиданно растрогана тем, что пекарь так сказал Питу. И еще... возможно, мне не хочется петь не оттого, что я считаю это пустой тратой времени, а оттого, что пение и музыка слишком сильно напоминают об отце?

— А потом, в тот же день, на уроке музыки учительница спросила, кто знает «Песнь долины», и ты сразу подняла руку. Учительница поставила тебя на стульчик и попросила спеть. И я готов поклясться, что все птицы за окном умолкли, пока ты пела.

— Да ладно, перестань, — говорю я, смеясь.

— Нет, это так. И когда ты закончила, я уже знал, что буду любить тебя до конца жизни... А следующие одиннадцать лет я собирался с духом, чтобы заговорить с тобой.

— Так и не собрался, — добавляю я.

— Не собрался. Можно сказать, мне крупно повезло, что на Жатве вытащили мое имя.

Секунду-другую меня переполняет почти идиотское счастье, а потом я просто не знаю, что думать. Разве мы не должны придумывать подобную чепуху, чтобы казаться влюбленными? Но рассказ Пита так похож на правду. Потому что в нем есть правда. Об отце и птицах. О красном платье в клетку... у меня действительно было такое, а потом его носила Прим, пока оно совсем не превратилось в лохмотья уже после смерти отца.

И еще это объясняет, почему Пит ценой побоев отдал мне хлеб в тот ужасный голодный день. Если сходится так много, то... может быть, и остальное правда?

— У тебя... очень хорошая память, — говорю я, запинаясь.

— Я помню все, что связано с тобой, — отвечает Пит, убирая мне за ухо выбившуюся прядь. — Это ты никогда не обращала на меня внимания.

— Зато теперь обращаю.

— Ну, здесь-то у меня мало конкурентов.

Мне снова хочется невозможного: спрятаться ото всех, закрыть ставни. Под ухом прямо-таки слышу шипение Хеймитча: «Скажи это! Скажи!»

Я сглатываю комок в горле и произношу:

— У тебя везде мало конкурентов.

В этот раз я наклоняюсь к Питу первой.

Наши губы едва касаются, когда глухой звук снаружи пещеры заставляет нас вздрогнуть от испуга. Я хватаю лук, но уже все затихло. Пит смотрит сквозь щель между камнями и радостно вскрикивает. В следующую минуту он уже стоит под дождем и протягивает мне какой-то предмет. Серебряный парашют с корзиной! Внутри — мы даже не мечтали о таком — свежие булочки, козий сыр, яблоки и, самое главное, большая миска той бесподобной тушеной баранины с диким рисом. То самое блюдо, которое я назвала Цезарю Фликермену моим самым большим впечатлением в Капитолии.

Пит вползает обратно в пещеру, его лицо сияет как солнце.

— Наверное, Хеймитчу надоело смотреть, как мы умираем с голоду.

— Наверное, — соглашаюсь я.

В голове у меня звучит довольный, хотя и несколько усталый голос Хеймитча: «Да, да, вот что мне нужно, солнышко».

20

Меня так и подмывает влезть руками в миску с бараниной и запихивать ее в рот горсть за горстью. Пит меня останавливает:

— С рагу лучше не торопиться. Помнишь нашу первую ночь в поезде? Я тогда наелся жирного, и мне было плохо, а ведь перед этим я даже не голодал, как теперь.

— Ты прав. А так хочется проглотить все одним махом! — говорю я с сожалением.

Ничего не поделаешь. Мы с Питом ведем себя на зависть благоразумно: каждый съедает булочку, половину яблока и крохотную, размером с яйцо, порцию баранины с рисом. Я специально ем маленькой ложечкой — в корзину положили даже столовые приборы и тарелки — и смакую каждый кусочек. Потом с вожделением смотрю на миску.

— Хочу еще.

— Я тоже. Давай так. Потерпим часок и, если к тому времени нас не начнет мутить, съедим еще, — предлагает Пит.

— Идет, — соглашаюсь я. — Но час будет очень долгим.

— Может быть и не очень, — говорит Пит. — Что ты там говорила перед тем, как прислали еду? Что-то обо мне... нет конкурентов... самое лучшее в твоей жизни.

— Насчет последнего не помню, — говорю я, надеясь, что в пещере слишком темно и зрители не увидят, как я покраснела.

— Ах да. Это я сам об этом думал... Подвинься, я замерз.

Я двигаюсь, чтобы Пит мог залезть вместе со мной в мешок. Мы прислоняемся к стене пещеры, Пит обнимает меня, а я кладу голову ему на плечо. Так и кажется, что Хеймитч пихает меня локтем, чтобы я не расслаблялась.

— Значит, с пяти лет ты совсем не обращал внимания на других девочек? — спрашиваю я Пита.

— Ничего подобного. Я обращал внимание на всех девочек. Просто для меня ты всегда была самой лучшей.

— Представляю, как обрадовались твои родители, узнав, что ты любишь девчонку из Шлака.

— Мне все равно. И потом, если мы возвратимся назад, ты не будешь девчонкой из Шлака. Ты будешь девушкой из Деревни победителей.

А ведь правда. Если вернемся, каждый из нас получит дом в части города, специально предназначенной для победителей Голодных игр. Давным-давно, когда Игры только появились, Капитолий построил в каждом дистрикте по дюжине прекрасных домов. В Дистрикте-12, конечно, занят только один, а в большинстве других вообще никто никогда не жил.

Меня вдруг осеняет не слишком приятная мысль:

— Единственным нашим соседом будет Хеймитч!

— А что, здорово, — говорит Пит, обхватывая меня покрепче. — Ты, я и Хеймитч. Очень мило. Будем устраивать пикники, праздновать дни рождения и пересказывать старые истории о Голодных играх долгими зимними ночами, сидя у камина.

— Говорю же, он ненавидит меня! — возмущаюсь я и тут же смеюсь, представив Хеймитча своим приятелем.

— Ну, не всегда. Когда Хеймитч трезвый, он о тебе дурного слова не скажет.

— Хеймитч не бывает трезвый!

— Да, верно. Видно, я его с кем-то спутал... Ну да, точно. С Цинной. Вот кто тебя обожает. Хотя ты не очень-то радуйся: в основном это потому, что ты не дала деру, когда он захотел тебя поджечь. А что до Хеймитча... держись от него подальше. Он тебя ненавидит.

— По-моему, ты говорил, что я его любимица.

— Ну меня-то он ненавидит еще больше. Если подумать, людской род вообще не в его вкусе.

Думаю, зрители с удовольствием повеселятся за счет Хеймитча. Он так давно на Играх, что стал для многих кем-то вроде старого приятеля. А уж после того нырка со сцены его и вовсе каждая собака знает. Сейчас его наверняка вытащили из аппаратной и мучают расспросами. Чего он там про нас наговорит? Вообще-то ему не позавидуешь: у большинства менторов есть напарник — другой победитель, а Хеймитч всегда один отдувается. Почти как я, когда была без союзника. Просто разрывается, наверное, между желанием выпить, постоянными интервью и заботой о нас.

Странное дело: мы с Хеймитчем терпеть друг друга не можем, и, однако, Пит, возможно, прав, что мы похожи. Как иначе я смогла бы так легко его понимать? Что вода близко просто потому, что он мне ее не присылает. А успокоительный сироп нужен вовсе не для того, чтобы облегчить Питу страдания. А теперь я знаю, что должна разыгрывать влюбленность. Хеймитч, похоже, даже не пытался связываться подобным образом с Питом. Он знает, что для Пита тарелка бульона — это просто тарелка бульона.

— Интересно, как ему это удалось? — спрашиваю я. Странно, что этот вопрос не пришел мне в голову раньше. Наверное, потому, что еще недавно я не воспринимала Хеймитча всерьез.

— Кому? Что удалось? — не понимает Пит.

— Хеймитчу. Как он сумел победить в Играх?

Пит отвечает не сразу. Тут есть над чем подумать. Хеймитч хоть и крепок сложением, до Катона и Цепа ему далеко. Красотой особенно не отличается. Во всяком случае, не настолько, чтобы спонсоры от восторга стали засыпать его подарками. И вряд ли у него были союзники при таком-то характере. Только в одном Хеймитч мог превзойти остальных, и я догадываюсь об этом одновременно с Питом.

— Хеймитч просто обвел их всех вокруг пальца, — говорит он.

Я киваю и молчу, продолжая размышлять о Хеймитче. Может, он перестал пить, поверив, что у нас с Питом тоже хватит ума и хитрости выжить? Может, он не всегда был пьяницей и сначала пытался помочь трибутам? А потом не выдержал? Представляю, какой это ужас — заботиться о двух детях, а потом видеть, как они умирают. Год за годом, год за годом. Если я смогу отсюда выбраться, то заботиться о девочке из Дистрикта-12 станет моей обязанностью. Лучше пока об этом не задумываться.

Проходит около получаса, и я решаю поесть опять. Пит тоже голодный, поэтому не спорит. Пока я накладываю на тарелки маленькие порции баранины, начинает играть гимн. Пит смотрит в щель на небо.

— Сегодня там нечего смотреть, — говорю я, гораздо более заинтересованная едой, чем сводкой. — Из пушки ведь не стреляли.

— Китнисс, — говорит Пит тихо.

— Что? Съедим еще одну булочку пополам?

— Китнисс, — повторяет он, но я все еще занята своим.

— Я разрежу булочку. Сыр оставим на завтра, — говорю я и вижу взгляд Пита. — Что?

— Цеп погиб.

— Не может быть!

— Наверное, мы не услышали выстрела из-за грома.

— Ты уверен? Что там вообще можно увидеть — льет как из ведра? — говорю я, отталкивая Пита от камней, и выглядываю наружу — темное дождливое небо.

Еще несколько секунд в небе мерцает расплывчатое лицо Цепа, потом гаснет. Навсегда.

Я безвольно приваливаюсь к камням, забыв, что делала перед этим. Цеп погиб. Я должна радоваться, не так ли? Избавилась от соперника. Да еще такого сильного. Но я не радуюсь. Я думаю только о том, как Цеп отпустил меня, позволил мне убежать. Ради Руты, умершей с копьем в животе.

— Ты в порядке? — спрашивает Пит.

Неопределенно пожимаю плечами и обхватываю себя руками, словно мне холодно. Я не могу показать все, что чувствую. Кто поставит на трибута, оплакивающего своих соперников? Рута — другое дело. Она была моей союзницей. И такой маленькой. Никто не поймет моего горя из-за убийства Цепа. Убийства! Слово ошеломляет меня. Хорошо хоть я не произнесла его вслух. Это не добавило бы мне шансов на арене.

— Просто... если не победим мы... я хотела, чтобы победителем был Цеп, — говорю я.

— Да, понимаю. Но с другой стороны, это значит, что мы на шаг ближе к Дистрикту-12. — Пит сует мне в руки тарелку. — Поешь, пока не остыло.

Я беру в рот баранину, чтобы показать, что действительно уже успокоилась, еда кажется безвкусной как вата, и я с трудом ее проглатываю.

— Еще это значит, что Катон начнет охотиться на нас, — говорю я.

— И он добыл то, что ему необходимо, — добавляет Пит.

— Он наверняка ранен.

— Почему ты так уверена?

— Цеп не дал бы убить себя без боя. Он такой сильный. То есть был сильный. И там была его территория.

— Хорошо. Чем сильнее он ранен, тем лучше. Интересно, как поживает Лиса?

— Ну, с ней, думаю, все отлично, — ворчу я, до сих пор злясь, что спрятаться в Роге изобилия придумала она, а не я. — Пожалуй, легче справиться с Катоном, чем с ней.

— Может, они справятся друг с другом, а мы поедем домой. И дежурить надо внимательнее. Я пару раз задремал.

— Я тоже, — признаюсь я. — Но сегодня нельзя.

Мы молча едим, потом Пит вызывается дежурить первым. Я заползаю в мешок рядом с ним и натягиваю на лицо капюшон, чтобы укрыться от камер. Мне очень нужно немного уединения, чтобы справиться со своими чувствами. Я молча прощаюсь с Цепом и благодарю его за то, что он оставил меня в живых. Обещаю, что буду о нем помнить и постараюсь помочь его семье и семье Руты, если стану победителем. Потом засыпаю, сытая и согретая теплом Пита.

Первое, что я чувствую, когда меня будит Пит, это запах козьего сыра. Я продираю глаза и вижу перед собой половинку булочки, намазанную густой кремовой массой, поверх которой уложены ломтики яблока.

— Не сердись, — говорит Пит. — Очень есть хотелось. Вот твоя половина.

— Отлично, — говорю я и откусываю большой кусок. Сыр жирный и ароматный, похож на тот, что делает Прим, яблоки сладкие и сочные. — М-м.

— В пекарне мы делаем пироги с козьим сыром и яблоками, — говорит Пит.

— Дорогущие, наверное.

— Слишком дорогие для нас самих. Едим, только если они зачерствеют. Хотя мы вообще редко едим что-то свежее.

Ха! А я-то думала, что у торговцев сладкая жизнь.

Голодать-то Питу, конечно, не приходилось, что верно, то верно. И все-таки есть что-то удручающее в том, чтобы всегда жевать черствый хлеб, старые сухие буханки, которые никто не захотел купить. При всей нашей нищете у нас есть одно преимущество: так как я добываю еду каждый день, она большей частью такая свежая, что того гляди убежит.

В какой-то момент во время моего дежурства дождь прекращается. Не постепенно, а сразу. Слышно только, как с веток падают капли и шумит переполненный ручей. На небе показывается красивая круглая луна, и снаружи все видно даже без очков. Не знаю, правда, настоящая это луна или просто изображение на экране. Незадолго до моего отъезда луна была полной. Мы с Гейлом видели ее восход, когда охотились до поздней ночи.

Сколько меня не было дома? На арене я около двух недель, перед этим неделя подготовки в Капитолии. Да, луна уже могла завершить свой цикл. Почему-то мне очень хочется, чтобы это была моя луна, та самая, которую я вижу над лесами в Дистрикте-12. Пусть будет здесь хоть что-то настоящее, за что можно зацепиться в этом перевернутом мире арены, где во всем приходится сомневаться.

Нас четверо.

В первый раз я позволяю себе всерьез задуматься о возможной победе. О славе. О богатстве. О собственном доме в Деревне победителей. Мама и Прим станут жить со мной. Нам не будет грозить голод. Можно сказать, мы станем свободнее. Но что... потом? Чем я буду заниматься? До сих пор все мои дни уходили на добычу пропитания. Что я без этого? Чего я стою? Мне становится не по себе от этих мыслей. На ум снова приходит Хеймитч. Во что превратилась его жизнь? Он совсем один, у него нет жены и детей, и когда не спит, почти всегда пьяный. Врагу такого не пожелаешь.

— Ты не будешь одна, — шепчу я себе.

У меня есть мама и Прим. Во всяком случае, пока. Не хочется думать, что меня ждет потом... когда Прим вырастет, а мамы не станет. Я знаю, что никогда не выйду замуж, не рискну завести ребенка. Победа в Играх не защитит моих детей. Их имена будут в Жатве вместе с именами других. Я не позволю этому случиться.

Наконец приходит рассвет, солнечные лучи проникают в щели и освещают лицо Пита. Каким станет он, если мы возвратимся домой? Этот загадочный, добродушный малый, способный врать так ловко, что убедил весь Панем в своей огромной любви ко мне. Иногда даже я ему верю. Надеюсь, мы хотя бы будем друзьями. Мы спасли друг друга на арене, и этого уже не отнять. А еще он навсегда останется для меня мальчиком, подарившим мне хлеб. Мы будем хорошими друзьями. Но чем-то еще... Я чувствую, как через многие мили серые глаза Гейла смотрят на меня, когда я смотрю на Пита.

Мне становится неловко, я подхожу к Питу и трогаю его за плечо. Он разлепляет сонные глаза и, едва сфокусировав взгляд, притягивает меня к себе для поцелуя.

— Некогда тратить время впустую, надо идти на охоту, — говорю я, наконец оторвавшись от Пита.

— Я бы не назвал это пустой тратой, — говорит он, потягиваясь. — Значит, охотиться будем на пустой желудок, раз такая спешка?

— Ни в коем случае, — говорю я. — Наедимся как следует. Для охоты нужны силы.

— Это по мне, — говорит Пит, однако удивляется, когда я разделяю пополам всю оставшуюся баранину и протягиваю ему полную тарелку. — Так много?

— Сегодня мы добудем еду, — говорю я, и мы оба усердно работаем челюстями. Даже остывшее, это блюдо — самое лучшее из того, что я ела. Я бросаю вилку и вытираю остатки подливки пальцем.

— Что подумает Эффи Бряк о наших манерах?!

— Эй, Эффи, смотри! — кричит Пит. Он бросает вилку через плечо и вылизывает тарелку языком, громко причмокивая. Потом посылает воздушный поцелуй. — Мы скучаем по тебе, Эффи!

Я зажимаю ему рот ладонью, но сама не сдерживаю смеха.

— Перестань! Вдруг Катон как раз проходит мимо нашей пещеры.

Пит убирает мою руку и притягивает меня к себе.

— Что мне какой-то Катон? Ты меня защитишь.

— Ну хватит, — в изнеможении говорю я, выпутываясь из его объятий, при этом Пит успевает поцеловать меня еще раз.

Как только мы выходим из пещеры, сразу становимся серьезными. Последние дни, проведенные в пещере, кажутся передышкой, своего рода каникулами. Нас защищали скалы и дождь, и Катон преследовал Цепа. Теперь, несмотря на ясный теплый день, мы возвращены к суровой реальности Игр. Я даю Питу нож, так как своего оружия у него не сохранилось, и он засовывает его за пояс. В колчане чересчур свободно болтаются семь стрел — три из двенадцати я потратила, чтобы устроить взрыв, еще две на пиру. Оставшиеся надо беречь как зеницу ока.

— Он теперь вышел охотиться на нас, — говорит Пит. — Катон не станет ждать, когда добыча придет сама.

— Если он ранен... — собираюсь возразить я, но Пит меня прерывает:

— Не имеет значения. Если он способен идти, то придет.

Мы набираем воды из ручья; от дождя он вышел из берегов на несколько футов. Проверяю силки, поставленные еще до пира — они пусты. При такой погоде неудивительно. Да и вообще я почти не видела зверей поблизости.

— Нам лучше вернуться туда, где я охотилась раньше, — говорю я.

— Решать тебе. Говори, что я должен делать.

— Смотри в оба. Ступай по камням, пока можно, зачем оставлять лишние следы? И тебе придется слушать за нас обоих.

Теперь уже ясно, что мое левое ухо оглохло навсегда.

Я бы с удовольствием двигалась по воде, чтобы следов не было вообще, однако не уверена, что Пит со своей ногой сможет идти против течения. Лекарство уничтожило инфекцию, но он еще не окреп. Мой лоб тоже болит, хотя спустя три дня рана уже не кровоточит. На голове у меня повязка на случай, если от движения снова пойдет кровь.

Мы проходим мимо того места, где я под травой и грязью нашла Пита. Дождь и вода, вышедшая из берегов, скрыли все следы его пребывания там. Значит, при необходимости мы сможем вернуться в пещеру. Иначе я бы побоялась из-за Катона.

Постепенно валуны сменяются камнями, камни — галькой, и наконец, к моему облегчению, мы ступаем на настил из сосновых иголок. Мы в лесу. Теперь я осознаю, что у нас проблема. Когда идешь по камням, да еще с больной ногой, волей-неволей приходится шуметь. Беда в том, что даже в лесу Пит создает слишком много шума. Хотя «шум» — это мягко сказано. Идет, будто сваи заколачивает. Я поворачиваюсь и смотрю.

— В чем дело? — спрашивает он.

— Постарайся идти потише, — прошу я. — О Катоне я уже не говорю — ты распугаешь всех кроликов на десять миль в округе.

— Да? Прости, я постараюсь.

Идем дальше; стало немного лучше, но даже теперь я вздрагиваю при каждом его шаге, хотя слышу только одним ухом.

— Может, снимешь ботинки?

— Как? Здесь? — изумляется он.

Можно подумать, я предложила ему пройти босиком по горящим углям. Ну конечно, ведь для него лес всегда был жутким, запретным местом за пределами Дистрикта-12. Я думаю о Гейле, о его мягкой походке. Есть что-то сверхъестественное в том, как неслышно он передвигается даже осенью, когда лежат листья и почти невозможно сделать шаг, не вспугнув дичь. То-то он теперь ухохатывается над нами.

— Да, — терпеливо говорю я. — Я тоже сниму. Так мы оба будем шуметь меньше. — Как будто я в ботинках шумела.

Мы разуваемся, снимаем носки. Улучшение, несомненно, есть, и тем не менее я могла бы поклясться, что Пит задался целью сломать каждую ветку и наступить на каждый сучок у нас на пути.

Не стоит и говорить, что за те несколько часов, пока мы тащились до места нашей старой ночевки с Рутой, я абсолютно ничего не подстрелила. В другое время можно было бы половить рыбу, но сейчас течение в ручье слишком сильное. Поручить Питу собирать какие-нибудь коренья, а самой идти охотиться дальше — тоже не слишком удачный выход. Что сделает Пит с одним ножом против копий и силы Катона? Остается только спрятать своего напарника в каком-нибудь укромном месте и забрать на обратном пути. Боюсь только, гордость не позволит ему согласиться на такое предложение.

— Китнисс, — говорит он. — Нам надо разделиться, а то я только дичь распугиваю.

— Ты же не виноват, что у тебя болит нога, — говорю я великодушно, понимая, что нога тут не главная причина.

— Не виноват, но лучше тебе идти дальше без меня. Покажи мне съедобные растения, и я буду их собирать. Так от нас обоих будет польза.

— Не будет, если Катон придет и убьет тебя, — говорю я, стараясь, по-видимому безуспешно, чтобы это звучало тактично, а не в том смысле, что он слабак.

Как ни странно, Пит смеется:

— Ну, к Катону мне не привыкать. Я с ним уже дрался.

И чем обернулось? Чуть не умер в грязи. Язвительные слова вертятся у меня на языке, но я молчу. Ведь взяв на себя Катона, Пит спас мою жизнь. Пробую другую тактику.

— Почему бы тебе не забраться на дерево и не следить, чтобы все было спокойно, пока я буду охотиться? — говорю я так, словно это невесть какое важное дело.

— Почему бы тебе не показать мне растения и не пойти добывать нам мясо? — отвечает Пит, подражая моему тону.

Со вздохом уступаю и показываю Питу, где можно нарыть кореньев. Еда нам, безусловно, нужна. Одного яблока, двух булочек и кусочка сыра размером с апельсин надолго не хватит. Ладно, я ведь буду поблизости.

Перед уходом учу Пита сигналу — не Рутиному, а попроще, всего из двух нот. Будем пересвистываться и знать, что с другим все в порядке. К счастью, свист Пит осваивает легко. Вещи я оставляю с ним.

Ощущение такое, что мне снова одиннадцать лет, только в этот раз я боюсь удаляться не от забора, а от Пита. Брожу в пределах двадцати-тридцати ярдов. Без Пита лес оживает звуками животных. Периодически я слышу свист Пита, успокаиваюсь и отхожу немножко дальше. Скоро я добываю двух кроликов и жирную белку. Думаю, этого хватит.

Можно еще поставить силки и попробовать поймать рыбу. Да еще Пит нароет кореньев.

Возвращаясь, я вдруг осознаю, что мы с Питом уже какое-то время не обменивались сигналами. Я свищу и, не получив ответа, пускаюсь бегом. Вот уже и рюкзак, рядом аккуратная кучка кореньев. На земле под солнцем расстелена пленка, на ней в один слой лежат ягоды. Где же Пит?

— Пит! — кричу я испуганно. — Пит!

В кустах какой-то шорох, я поворачиваюсь и едва не пронзаю Пита стрелой. К счастью, в последний момент я отвела лук в сторону и она вонзилась в дуб чуть левее. Пит отскакивает назад, рассыпая горсть ягод.

Мой страх сменяется злостью.

— Почему ты ушел? Ты должен быть здесь, а не бродить по лесу!

— Я нашел ягоды там, у ручья, — отвечает он, явно обескураженный моей яростью.

— Почему ты не отвечал, когда я свистела?

— Я не слышал. Вода слишком шумела. — Он подходит и кладет ладони мне на плечи. Теперь я замечаю, что вся дрожу.

— Я думала, Катон убил тебя! — чуть не кричу я.

— Все хорошо. — Пит обнимает меня, я никак не реагирую. — Ну же, успокойся, Китнисс.

Я отталкиваю его, стараюсь привести в порядок свои чувства.

— Когда двое договариваются о сигнале, они не должны уходить слишком далеко друг от друга. Если на сигнал не отвечают, значит — беда. Неужели непонятно?

— Понятно.

— Так было с Рутой, и потом я смотрела, как она умирает!

Я поворачиваюсь, иду к рюкзаку и открываю новую бутылку с водой, хотя и в моей еще немного осталось. Я не готова простить Пита так сразу. Мое внимание привлекает еда. Булочки и яблоко целы, а вот сыра определенно стало меньше.

— И ты ел без меня!

Собственно говоря, мне все равно, просто ищу к чему придраться.

— Ел? Нет, ничего я не ел.

— В таком случае сыр съело яблоко.

— Я не знаю, что съело сыр, — произносит Пит медленно и отчетливо, словно старается не потерять терпение. — Я его не ел. Я собирал у ручья ягоды. Возьми попробуй.

На самом деле мне хочется ягод, но я не собираюсь уступать так быстро. Просто подхожу и смотрю на них. Какие-то незнакомые. Хотя нет, где-то я их видела. Но не на арене. Это не Рутины ягоды, хотя и похожи. На тренировках такие тоже не показывали. Наклоняюсь и беру несколько штук. Верчу их между пальцами.

В голове звучит голос отца: «Только не такие, Китнисс. Ни в коем случае не ешь такие. Это морник. От них умирают, едва успев проглотить».

Стреляет пушка. Я резко поворачиваюсь, ожидая увидеть, как Пит падает на землю, но он только удивленно поднимает брови. Ярдах в ста от нас появляется планолет. Он поднимает на борт исхудалое тело Лисы. Рыжие волосы блестят на солнце.

Я могла бы догадаться, когда заметила пропажу сыра...

Пит хватает меня за руку и толкает к дереву.

— Забирайся. Живо. Я следом. Сверху будет легче обороняться.

Я останавливаю его, внезапно успокоившись:

— Нет, Пит. Ее убил не Катон. Ее убил ты.

— Что? Да я ее с первого дня ни разу не видел. Как я мог ее убить?

Вместо ответа я показываю ягоды.

21

Пит не сразу понимает, что произошло. Я объясняю ему все по порядку. Про то, как Лиса потихоньку воровала продукты из запасов профи. Как брала по чуть-чуть, чтобы никто не заметил. А теперь украла у нас ягоды и была уверена, что они съедобны, раз мы их себе нарвали.

— Интересно, как она нас нашла? — говорит Пит. — Наверное, из-за меня, потому что я сильно шумлю.

Да уж, выследить нас было не труднее, чем стадо коров, но я стараюсь быть тактичной:

— Она очень умная. Вернее, была умной. Пока ты ее не перехитрил.

— Я не хитрил. И вообще как-то нечестно получилось. Мы бы ведь сами умерли, если бы она первая не съела ягоды. — Он осекся. — То есть нет, конечно. Ты же их узнала, правда?

Я киваю.

— У нас их называют морником.

— Даже название жуткое. Прости, Китнисс. Я правда думал, это те же самые, какие собирала ты.

— Не извиняйся. Теперь мы еще на шаг ближе к дому, так ведь?

— Я выброшу остальные.

Пит поднимает кусок пленки за края и собирается выбросить ягоды в кусты.

— Подожди! — кричу я.

Я нахожу в рюкзаке кожаный мешочек, доставшийся мне от парня из Первого дистрикта, и насыпаю в него несколько горстей ягод.

— Они обманули Лису, может и с Катоном сработают. Если будет нас преследовать, мы бросим мешочек, будто случайно, а он, глядишь, и попробует...

— И тогда здравствуй, Дистрикт-12.

— Точно, — говорю я и прикрепляю мешочек к поясу.

— Теперь он знает, где мы, если был не очень далеко отсюда. Видел планолет, думает, что мы убили Лису, и придет.

Пит прав. Возможно, Катон только и ждал такого случая. Впрочем, даже если мы убежим отсюда, нам все равно придется где-то зажарить мясо, и мы опять себя обнаружим.

— Давай разводить костер. Прямо тут, — говорю я и начинаю собирать ветки.

— Ты готова с ним встретиться? — удивляется Пит.

— Я готова поесть. Лучшего шанса спокойно приготовить еду не будет. Если Катон узнал, где мы, тут ничего не поделаешь. А еще он знает, что нас двое, и уверен, что мы специально охотились на Лису. Значит, ты выздоровел. А раз мы развели костер, то не только не боимся его, а, наоборот, устроили западню. Ты бы пришел в таком случае?

— Скорее всего нет, — признает Пит.

Пит — мастер по части разведения огня; скоро сырые ветки горят так, что треск стоит. Тем временем я подготавливаю к жарке кроликов и белку. Коренья, завернув в листья, пеку прямо в углях. Пока один из нас собирает съедобные травы, другой внимательно следит, не покажется ли Катон. Как я и предполагала, он не объявляется.

Когда еда готова, я укладываю ее в рюкзак, оставив нам по кроличьей ножке, чтобы съесть по дороге.

Я хочу подняться повыше на лесистый холм, найти подходящее дерево и устроиться на ночь, но Пит высказывается против:

— Я не умею лазать по деревьям, как ты, да еще с больной ногой. К тому же вряд ли я смогу уснуть в пятидесяти футах от земли.

— Внизу ночевать опасно.

— Может, возвратимся в пещеру? — предлагает Пит. — Там рядом вода, и удобно обороняться.

Я вздыхаю. Идти — или, точнее сказать, ломиться — через лес еще несколько часов, чтобы вернуться на то же место, где одни камни и нельзя охотиться? Как отказать Питу? Он слушался меня весь день, и я уверена, что, будь я на его месте, он бы не заставил меня ночевать на дереве. Вообще, я сегодня не очень-то хорошо обращалась с Питом. Придиралась, что он слишком шумит, ругалась за то, что ушел к ручью. В пещере легко было шутить и играть во влюбленных, но не когда жарит солнце и из кустов того гляди выскочит Катон. Хеймитч, наверное, из себя выходит. А что до зрителей...

Я обнимаю Пита за шею и целую его.

— Почему бы и нет. Давай возвратимся.

На лице Пита облегчение.

— Я и не надеялся, что ты так легко согласишься.

Осторожно, чтобы не испортить, вытаскиваю стрелу из дуба. Стрелы теперь для нас еда, безопасность и даже жизнь.

Уходя, подбрасываем в костер сучьев. Так он будет дымить еще несколько часов, хотя я сомневаюсь, что Катона еще можно этим обмануть. Вода в ручье заметно спала, и течение снова стало неторопливым. Я предлагаю идти по дну. Пит с готовностью соглашается. Идея оказывается тем более удачной, что в воде он производит гораздо меньше шума, чем на суше. Хотя мы подкрепились кроликом и идем под уклон, дорога кажется нескончаемой. За день мы умаялись, и по-прежнему очень хочется есть. Я держу лук наготове: отчасти из-за Катона, отчасти в надежде убить рыбу. Но ручей странным образом опустел.

Под конец мы едва передвигаем ноги. Уже вечер, солнце спустилось до самого горизонта. Наполняем бутыли водой и, обессиленные, забираемся по пологому склону в свое старое логово. В этих диких и неприютных местах пещера почти стала нашим домом. И в ней нам будет теплее, чем на дереве; с запада подул довольно крепкий ветер. Я раскладываю наш ужин. Не доев своей порции, Пит начинает клевать носом. После стольких дней бездействия сегодняшняя вылазка была для него слишком трудной. Я отправляю его спать. Едва забравшись в спальный мешок, он отключается. Натягиваю мешок ему до подбородка и целую в лоб. Не ради зрителей, а для себя. Я так рада, что он со мной, не погиб, как я боялась. Что я не одна против Катона.

Жестокий, кровожадный Катон, способный одним движением руки сломать человеку шею, одолевший даже Цепа, почему-то с самого начала Игр мечтает расправиться именно со мной. Возможно, его задело то, что я получила на тренировках больше баллов, чем он. Другой на его месте и ухом бы не повел, но Катон, похоже, пришел в ярость. Впрочем, ему для этого много поводов не надо. До чего он разозлился, когда обнаружил, что продукты и вещи взорваны! Остальные, конечно, тоже не радовались, а Катон будто с цепи сорвался. Я теперь даже сомневаюсь, все ли у него в порядке с головой.

На небе вспыхивает герб, появляется Лиса. Потом исчезает навсегда. Пит ничего не говорил, но мне кажется, ему неприятно, что она погибла по его вине. Даже если на арене без этого не обойтись. Что до меня, то не могу сказать, что жалею о смерти Лисы, однако я определенно ею восхищаюсь. По сообразительности она на сто очков обгоняла любого из трибутов. Уверена, если бы мы специально задумали ее отравить, она тут же почувствовала бы подвох и ни за что не взяла ягоды. Ее погубила неопытность Пита. Переоценивать противника подчас не менее опасно, чем недооценивать.

Эта мысль снова приводит меня к Катону. Мне кажется, я понимала Лису, ее сильные и слабые стороны. А что сказать о Катоне? Крепкий, тренированный, это ясно. Умный ли? Не знаю. Во всяком случае, не такой умный, как Лиса. И совершенно не держит себя в руках. Вряд ли он вообще что-то соображает в припадке гнева. Правда, в этом мы с ним похожи. Как я тогда запустила стрелу в яблоко во рту жареного поросенка, разозлившись на распорядителей! Возможно, Катон мне ближе, чем я думаю.

Несмотря на усталость, сна ни в одном глазу, и я даю Питу поспать подольше. Когда я трясу его за плечо, снаружи уже сереет рассвет. Пит смотрит встревоженно.

— Я проспал всю ночь. Это нечестно, Китнисс. Почему ты меня не разбудила?

Потянувшись, я заползаю в мешок.

— Посплю теперь. Разбуди, если будет что-нибудь интересное.

Очевидно, ничего такого не происходит, потому что, когда я снова открываю глаза, скалы горят под ослепительным послеобеденным солнцем.

— Наш друг не показывался? — спрашиваю я.

Пит качает головой.

— Нет. Его ненавязчивость начинает меня беспокоить.

— Интересно, сколько еще будут ждать распорядители, пока не сгонят нас вместе?

— Лиса погибла почти сутки назад, зрители наверняка сделали ставки и уже заскучали.

— Да, у меня предчувствие, что это будет сегодня, — говорю я. — Знать бы, как они это сделают.

Пит молчит. Что тут можно ответить?

— Что ж, пока ничего не происходит, нет смысла терять день охоты. Только вначале надо как следует подкрепиться. Вдруг что-то случится по дороге, — говорю я.

Пит собирает наши вещи, а я раскладываю еду для сытного обеда: крольчатину, коренья, зелень. Про запас оставляю только белку и яблоко.

Мы едим, и рядом с нами вырастает гора кроличьих косточек. Руки становятся жирными, от этого я еще сильнее чувствую себя грязной. В Шлаке мы, может, и не купаемся каждый день, но до такого состояния себя не доводим. Я сплошь покрыта грязью, кроме ног, которые обмылись в ручье, пока мы шли.

Мы покидаем пещеру, теперь уже навсегда. Скорее всего, другой ночи на арене уже не будет. Так или иначе, живой или мертвой, сегодня я отсюда выберусь. На прощание я дружески похлопываю скалу, и мы спускаемся к ручью умыться. Кожа прямо зудит от предвкушения прохладной воды. Можно даже вымыть голову и заплести волосы мокрыми. Еще я подумываю, не почистить ли быстренько одежду, и тут мы приходим к ручью. Точнее, к тому, что было ручьем. Теперь это лишь пересохшее русло. Я пробую его на ощупь.

— Даже грязь высохла. Должно быть, воду спустили ночью, — говорю я.

В меня заползает страх, я еще очень живо помню, что было со мной при обезвоживании: язык в трещинах, все тело ломит, мысли путаются. Бутыли и бурдюк почти полные, но вдвоем при такой жаре мы их быстро опустошим.

— Озеро, — говорит Пит. — Вот куда они нас заманивают.

— Может, есть еще пруды и родники, — говорю я с надеждой.

— Надо проверить, — отвечает Пит, не желая меня огорчать.

Я сама себя обманываю. Знаю ведь, что мы увидим. Пустые, пыльные впадины. Мы все-таки идем в одно из таких мест — туда, где я охлаждала обожженную ногу. И убеждаемся.

— Ты прав. Они собирают нас к озеру, — говорю я. У озера открытое место, ничто не мешает взгляду. Зрители увидят кровавую бойню во всех подробностях. — Пойдем сразу или подождем, пока закончится вода?

— Лучше сразу. Сейчас мы сытые и отдохнувшие. Пусть скорее все закончится.

Я киваю. Странно. Такое чувство, будто Игры начинаются заново. Двадцать один трибут мертв, но Катон попрежнему жив. А разве не он всегда был главным моим врагом, тем, кого я должна убить? Теперь остальные соперники кажутся незначительными препятствиями на пути к решающей битве. Битве между Катоном и мной.

Нет, не только. Я чувствую у себя на плече руку Пита.

— Двое против одного. Легче легкого, — говорит он.

— Следующий раз обедать будем в Капитолии.

— Точно.

Мы стоим обнявшись в лучах солнца, слушая шелест травы у наших ног. Потом, не говоря ни слова, отстраняемся друг от друга и идем к озеру.

Теперь меня не беспокоит, что от шагов Пита в страхе бегут звери и разлетаются птицы. Нам придется драться с Катоном, и мне все равно где. Впрочем, едва ли есть выбор:

если распорядители хотят, чтобы это было у озера, это будет у озера.

Мы останавливаемся передохнуть у дерева, на котором я спасалась от профи. Внизу все еще лежит оболочка осиного гнезда, превращенная дождем в бесформенную массу и высушенная солнцем. Когда я касаюсь ее носком ботинка, она рассыпается в пыль, которую уносит ветер. Я невольно смотрю вверх — туда, где пряталась Рута, когда спасла мне жизнь.

Осы-убийцы. Распухшее тело Диадемы. Жуткие видения...

— Пошли, — говорю я, желая поскорее убраться из мрака, окутывающего это место.

Пит не возражает.

Сегодняшний день начался для нас поздно, поэтому на площадку мы выходим только под вечер. Катона нигде не видно. Только Рог изобилия сияет в косых лучах солнца. На всякий случай мы обходим его кругом: вдруг Катон решил перенять тактику Лисы. Потом покорно, словно подчиняясь приказу, бредем к озеру и набираем воды.

Хмуро смотрю на заходящее солнце.

— Надеюсь, он появится до темноты. У нас только одни очки.

— Возможно, именно на это он и рассчитывает, — говорит Пит, старательно добавляя йод в бутыли. — Что будем делать? Вернемся в пещеру?

— Либо так, либо найдем дерево. Давай подождем еще полчаса. Потом уходим.

Мы сидим на виду у озера. Прятаться нет смысла. В деревьях на краю леса резвятся сойки-пересмешницы. Перебрасываются друг с другом замысловатыми трелями, словно яркими разноцветными шариками. Я присоединяюсь и пою Рутину мелодию из четырех нот. Птицы с любопытством затихают и прислушиваются. В тишине я пропеваю мелодию снова. Сначала одна, потом другая сойка подхватывают ее за мной. Скоро весь лес оживает звуками.

— Точь-в-точь как с твоим отцом, — говорит Пит.

Я нащупываю пальцами брошь у себя на рубашке.

— Это песня Руты, — говорю я. — Я им ее только напомнила.

Мелодия разрастается, и только теперь я осознаю, как она чудесна. Ноты накладываются одна на одну, дополняют друг друга, создавая дивную, неземную гармонию. Вот какие звуки рождались каждый вечер в садах Дистрикта-11 из четырех ноток, спетых Рутой! Теперь, когда она умерла, поет ли их кто-то вместо нее?

Я закрываю глаза и слушаю, завороженная красотой музыки. Внезапно она начинает рушиться. То там, то тут рулады обрываются. Резкие неприятные звуки вклиниваются в мелодию. И наконец птичьи голоса сливаются в один пронзительный тревожный крик.

Мы вскакиваем на ноги. Пит держит нож, я вскидываю лук. Из-за деревьев появляется Катон, он бежит в нашу сторону. У него нет копья и вообще никакого оружия, но он мчится прямо на нас. Моя стрела попадает ему в грудь и странным образом отскакивает.

— На нем кольчуга! — кричу я Питу.

Катон уже рядом, я напрягаю все силы, и... он, не сбавляя скорости, пролетает между нами. Мгновение я чувствую его тяжелое дыхание, вижу багровое лицо, залитое потом. Он бежит уже давно. Не к нам. Он спасается. От чего?

Я внимательно оглядываю кромку леса, как вдруг оттуда выскакивает существо. Я поворачиваюсь, успевая заметить, что к нему присоединяются еще с полдюжины подобных чудищ, и опрометью бегу за Катоном, не думая ни о чем, кроме спасения.

22

Переродки. Без сомнения. Я никогда не видела таких, но очевидно, что это не обычные животные. Они похожи на огромных волков, только какой волк способен, прыгнув, приземлиться на задние лапы и удержать равновесие? Какой волк подманивает членов своей стаи передней лапой как ладонью? Все это я вижу издалека. Уверена, вблизи откроются и другие, более страшные подробности.

Катон помчался прямиком к Рогу изобилия, и я без колебаний бегу туда же. Если он думает, что там безопаснее всего, то кто я такая, чтобы сомневаться? Даже если я сама успею добежать до деревьев, Пита с его больной ногой эти твари догонят в два счета — Пит! Мои ладони уже касаются заостренного металлического хвоста Рога, когда я вспоминаю о напарнике. Он отстал ярдов на пятнадцать, ковыляет изо всех сил, и переродки быстро его нагоняют. Я стреляю в стаю, одна тварь падает, но их слишком много.

Пит машет мне рукой:

— Наверх, Китнисс! Быстро!

Он прав. С земли я не смогу защитить ни себя, ни его. Я карабкаюсь, цепляясь за Рог руками и ногами. Снаружи золотой конус напоминает плетеные рога, в которые мы собираем урожай. По поверхности идут маленькие рубчики и швы, за них можно уцепиться. Вот только за день металл так разогрелся под палящим солнцем, что ладони наверняка покроются волдырями от ожогов.

Катон лежит на самой вершине широкого жерла, в двадцати футах над землей, давясь и судорожно хватая ртом воздух. Самое время его прикончить. Я останавливаюсь на полпути к вершине, заряжаю стрелу, но не успеваю ее выпустить, потому что слышу крик Пита. Резко поворачиваюсь и вижу, что он уже добежал, а переродки буквально дышат ему в спину.

— Лезь! — ору я.

Пит с трудом начинает карабкаться. Помимо раненой ноги ему мешает зажатый в руке нож. Я выстреливаю в шею переродка, первым коснувшегося лапами металла. Подыхая, существо откидывает назад переднюю лапу, задевая сородичей и нанося им глубокие раны. Только теперь я замечаю его когти: они длиннее, чем пальцы на руке у человека, и острые как бритвы.

Пит наконец доползает до меня, я хватаю его за руку и тащу за собой. Вспомнив о Катоне, я оборачиваюсь. Тот корчится от судорог, и очевидно, его больше заботят переродки, чем мы. Он что-то орет, я ничего не могу разобрать за сопением и рыком тварей.

— Что?! — кричу я.

— Он спрашивает, карабкаются ли они за нами, — говорит Пит, привлекая мое внимание к тому, что творится у основания Рога.

Переродки собираются в кучу и встают на задние лапы, что делает их до жути похожими на людей. Все они покрыты густой шерстью, у одних она прямая и гладкая, у других вьющаяся, цвет — от смоляного до белокурого (иначе не скажешь). И есть в них что-то еще, что-то страшное, от чего волосы дыбом встают, только я никак не могу уловить что именно.

Переродки тычутся мордами в Рог, нюхают и лижут металл, царапают его когтями, обмениваясь при этом короткими резкими воплями. Должно быть, так они общаются, потому что скоро стая расступается, освобождая место. Один из них, крупный переродок с шелковистыми светлыми завитками шерсти, разбегается и вскакивает на Рог. Могучие задние лапы подбрасывают его с такой силой, что он приземляется всего в десяти футах от нас. Розовые губы растягиваются в зверином оскале. На секунду чудовище застывает на месте, и тогда я понимаю, что именно в облике переродков не давало мне покоя. Зеленые, горящие ненавистью глаза не похожи на глаза волка или собаки. Они не похожи на глаза ни одного животного из всех, что я видела. Потому что они человеческие. Эта мысль едва доходит до моего сознания, когда я замечаю ошейник с номером 1, выложенным разноцветными камешками, и правда открывается мне во всей своей ужасающей полноте. Белокурые волосы, зеленые глаза, номер... это Диадема!

С моих губ срывается крик, и рука едва удерживает тетиву. Я не спешила стрелять, зная, как мало стрел у меня осталось. Хотела посмотреть, смогут ли существа карабкаться по Рогу. Теперь, несмотря на то что чудовище, безуспешно цепляясь когтями за скользкий металл, начинает со скрежетом съезжать вниз, я не удерживаюсь и стреляю ему в горло. Тело, дернувшись, с глухим стуком падает на землю.

— Китнисс? — Я чувствую у себя на плече руку Пита.

— Это она! — выдавливаю я.

— Кто?

Я кручу головой из стороны в сторону, по-новому разглядывая переродков теперь, когда их различные размеры и окраска обрели для меня смысл. Маленький с рыжим мехом и янтарными глазами... Лиса! А вон там пепельные волосы и светло-коричневые глаза — парень из Дистрикта-9, убитый, когда мы вырывали друг у друга рюкзак. И что хуже всего — самый маленький переродок с темной блестящей шерстью, огромными карими глазами и номером 11 на ошейнике из плетеной соломы. И звериным оскалом. Рута...

— В чем дело, Китнисс? — Пит трясет меня за плечо.

— Это они, они все, другие. Рута, и Лиса, и... все остальные трибуты, — произношу я сдавленным голосом.

Пит с шумом втягивает воздух, когда понимает.

— Что с ними сделали? Это ведь... не на самом деле их глаза?

Глаза меня беспокоят меньше всего. Гораздо важнее, что у них в голове. Вложили ли им в мозг память трибутов? Не потому ли они нас ненавидят, что мы живы, а их безжалостно убили? А те, которых мы действительно убили... считают ли они, что мстят нам?

Я не успеваю поделиться этим с Питом, потому что переродки возобновляют атаку. Они становятся по обе стороны Рога и, отталкиваясь мощными задними лапами, пытаются до нас допрыгнуть. Пара челюстей смыкается в дюймах от моей ладони, потом я слышу крик Пита и чувствую рывок, когда его вес и вес вцепившегося в Пита переродка тащат меня вниз. Если бы Пит не держался за мою руку, он был бы уже на земле. У меня едва хватило сил удержаться и удержать Пита. А другие трибуты уже приближаются.

— Убей его! Убей! — кричу я Питу, и он, должно быть, ударяет тварь ножом, потому что тяжесть уменьшается.

Наконец мне удается втащить Пита на Рог. Вместе мы ползем выше, где нас ожидает меньшее из двух зол.

Катон еще не поднялся на ноги, но его дыхание стало ровнее, и, судя по всему, скоро он придет в себя и попытается сбросить нас с Рога в лапы смерти. Я заряжаю лук и снова трачу стрелу на переродка. Цепа. Кто еще мог подпрыгнуть так высоко? Я успеваю почувствовать облегчение оттого, что переродки теперь нас не достанут, и только собираюсь повернуться к Катону, как вдруг лежащий рядом Пит внезапно исчезает, выхваченный кем-то очень сильным. Я уверена, что стая каким-то образом все-таки добралась до него, и тут в лицо мне брызгает кровь.

Передо мной, почти на самом краю Рога стоит Катон, сжимая в мощном захвате шею Пита. Пит хватается за руку Катона, но слишком слабо, словно не может решить, что важнее: дышать или остановить поток крови из зияющей раны, нанесенной переродком.

Я заряжаю предпоследнюю стрелу и нацеливаю ее в голову Катона: остальное его тело от шеи до щиколоток обтянуто плотной бледно-розовой сетью. Какая-то супермощная кольчуга из Капитолия. Так вот что было в его рюкзаке на пире? Кольчуга от моих стрел? Однако о защите лица они не позаботились.

Катон смеется:

— Стреляй, и он полетит вместе со мной!

Он прав. Если Катон упадет вниз к переродкам, то Пит наверняка тоже. Мы зашли в тупик. Я не могу застрелить Катона, не убив Пита. Катон не может убить Пита, не получив стрелу в голову. Мы застыли как статуи, думая, как быть дальше.

Мышцы, кажется, вот-вот лопнут от напряжения. Зубы едва не крошатся. Переродки притихли, и я слышу только шум крови в здоровом ухе.

Губы Пита посинели. Если я не сделаю что-нибудь, он задохнется. Я потеряю его, а Катон, возможно, воспользуется мертвым телом как щитом. Именно это он и задумал, судя по его торжествующей ухмылке.

Из последних сил Пит поднимает ладонь, перепачканную в крови, к руке Катона. Но не для того, чтобы оторвать ее от своей шеи. Вместо этого Пит рисует на кисти Катона крестик. Катон понимает, в чем дело, всего на секунду позже меня. Ухмылка тут же слетает с его лица. Этой секунды мне вполне хватает. Стрела пронзает незащищенную кольчугой кисть. Катон кричит и инстинктивно отпускает Пита, который не может устоять на ногах и валится назад на Катона. На какой-то страшный миг мне показалось, что сейчас рухнут оба. Я бросаюсь вперед и хватаю Пита в тот самый момент, когда наш соперник поскальзывается на залитом кровью металле и камнем падает вниз.

Глухой удар. Хриплый выдох. Вопли переродков. Мы с Питом жмемся друг к другу в ожидании выстрела из пушки, в ожидании конца Игр и нашего избавления. Ничего подобного не происходит. Это еще не все. Голодные игры достигли своей кульминации, и зрители должны насладиться ею сполна.

Я не смотрю вниз, но дикий рык, крики и стоны, звериные и человеческие вперемежку, говорят о том, что Катон сражается со стаей. Почему он до сих пор жив? Почему его не разорвали сразу же? Ну конечно! На нем ведь кольчуга, она защищает почти все тело. Эта ночь может стать очень длинной. У Катона, вероятно, в одежде был спрятан нож или кинжал. Время от времени раздаются предсмертные вопли переродков и звон, когда клинок ударяется о золотой Рог. Место битвы медленно смещается. Очевидно, Катон пытается совершить единственный маневр, способный спасти ему жизнь: пробраться к хвосту Рога и снова присоединиться к нам. Но как бы ни был Катон тренирован и ловок, в конце концов он просто выбивается из сил.

Не знаю, сколько времени длился бой, вероятно, не меньше часа, потом Катон падает, и мы слышим, как переродки тащат его, тащат внутрь Рога. Теперь-то они его прикончат, думаю я. Пушка по-прежнему молчит.

Наступает ночь и играет гимн, а на небе так и не показывают фотографию Катона. Снизу сквозь металл слышатся слабые стоны. Ледяной ветер, свободно гуляющий по открытой площадке, убедительно напоминает, что Игры еще не закончились и закончатся неизвестно когда и чьей победой.

Я смотрю на Пита и вижу, что кровотечение из раны ничуть не уменьшилось. Наши рюкзаки с вещами остались у озера, не было времени о них думать, когда мы бежали от переродков. Нет бинтов, нет ничего, чем можно остановить поток крови. И без того трясясь от холода на злом ветру, я срываю куртку, быстро стягиваю рубашку и снова влезаю в куртку. Пока я это делаю, у меня начинают стучать зубы.

В бледном лунном свете лицо Пита серое. Я заставляю его лечь и осматриваю рану. Теплая скользкая кровь струится по моим пальцам. Обычная повязка тут ничем не поможет. Пару раз я видела, как мама накладывала жгут, теперь попытаюсь сама. Отрезаю от рубашки рукав, дважды обматываю его вокруг голени чуть ниже колена и делаю петлю. Вместо палки использую последнюю стрелу: вставляю ее в петлю и туго закручиваю. Жгут — вещь опасная: Пит может потерять ногу. Но без жгута он потеряет жизнь, так что выбирать не приходится. Остатками рубашки обматываю саму рану. Потом ложусь рядом с Питом.

— Не спи, — говорю я.

Не знаю почему, я боюсь, что если он заснет, то уже не проснется.

— Ты замерзла? — спрашивает Пит.

Он расстегивает куртку и, когда я прижимаюсь к нему, застегивает ее снова. От Пита и от двух курток становится немного теплее, но ночь только начинается. Температура будет падать.

Уже сейчас я чувствую, как Рог, горячий как огонь, когда я по нему взбиралась, постепенно превращается в лед.

— Знаешь, Катон может победить, — шепчу я Питу.

— Не выдумывай, — отвечает он, натягивая мне на голову капюшон.

Пит дрожит еще больше, чем я.

Следующие часы становятся самыми худшими в моей жизни, а это, как вы понимаете, кое-что значит. Холод мучителен, но это еще полбеды. Настоящий кошмар — слышать Катона, пока твари измываются над ним: его крики, мольбы и наконец лишь слабые жалобные стоны. Мне уже все равно, кто он и что делал, я только хочу, чтобы его страдания закончились.

— Почему они его просто не убьют? — говорю я Питу.

— Ты знаешь почему, — отвечает он, сильнее прижимая меня к себе.

Я знаю. Ни один зритель не отвернется сейчас от экрана. С точки зрения распорядителей лучше и придумать нельзя.

Этому нет конца. Постепенно у меня не остается ни воспоминаний, ни надежд на завтрашний день. Только настоящее, которое будет всегда таким, как есть. Только холод, и страх, и жалобные стоны умирающего внизу парня.

Время от времени Пит начинает засыпать, я кричу его имя, и с каждым разом мой голос все громче и отчаяннее. Потому что, если он уйдет, если умрет сейчас у меня на глазах, я сойду с ума. Пит борется, возможно, больше ради меня, чем ради себя, и я понимаю, как ему трудно: ведь сон, беспамятство — это тоже избавление. Если бы и мне забыться вместе с ним! Но я не смогу — слишком бешено колотится в груди сердце, а значит, я не могу позволить уйти ему. Просто не могу.

Только едва заметное движение луны в небе указывает на то, что время не застыло навечно. Пит старается меня убедить, что утро уже не за горами, и иногда во мне на миг вспыхивает надежда, но тут же гаснет, задушенная беспросветным ужасом ночи.

Но вот Пит шепчет: «Встает солнце». Я открываю глаза и вижу звезды, блекнущие в мутном предутреннем свете. И еще я вижу лицо Пита — белое, ни кровинки, и понимаю, как мало ему осталось. Я должна вернуть его в Капитолий!

Пушка молчит. Прижимаю ухо к металлу и слышу слабые стоны.

— Кажется, сейчас он не так глубоко внутри. Может, у тебя получится его застрелить? — спрашивает Пит.

Если Катон лежит близко к жерлу, то, пожалуй, я смогла бы.

— Последняя стрела в жгуте, — говорю я.

— Значит, вытащи ее.

Пит расстегивает куртку, и я встаю. Высвобождаю стрелу и, как могу, окоченевшими пальцами снова затягиваю жгут. Потираю ладони, чтобы разогнать кровь. Потом подползаю к вершине Рога и перегибаюсь через край; сзади меня держит Пит.

Вскоре мне удается разглядеть в полумраке Катона, лежащего в луже крови. Больше всего он похож на кусок сырого мяса. Потом он издает какие-то звуки, и я понимаю, где у него рот. Мне кажется, он пытался сказать: «Убей».

Сострадание, а не месть движет мною, когда я выпускаю стрелу ему в череп.

— Попала? — шепотом спрашивает Пит.

Ответом ему служит выстрел из пушки.

— Выходит, мы победили, Китнисс, — произносит Пит бесцветным голосом.

— Да здравствуем мы, — отвечаю я без всякой радости.

В площадке открывается отверстие, оставшиеся переродки как по команде подбегают к нему и запрыгивают внутрь; земля срастается вновь.

Мы ждем, что за телом Катона прилетит планолет, ждем победного рева труб, но ничего не происходит.

— Эй! — кричу я в небо. — В чем дело?

В ответ — только щебет просыпающихся птиц.

— Может, нам уйти дальше от тела? — говорит Пит.

Я пытаюсь вспомнить прошлые Игры. Должны ли были победители уходить от своей последней жертвы? В голове у меня все перепуталось, и я ни в чем не уверена, но какая еще может быть причина для задержки?

— Давай. Ты дойдешь до озера? — спрашиваю я.

— Попробую.

Мы медленно спускаемся по Рогу вниз и обессиленно падаем на землю. Если у меня руки и ноги так одеревенели, то у Пита тем более. Я поднимаюсь первой, сгибаю и разгибаю ноги, машу руками. Потом помогаю встать Питу. Кое-как мы добираемся до озера. Я зачерпываю горсть холодной воды для Пита, еще одну подношу к своим губам.

Сойка-пересмешница издает протяжный тихий свист, и слезы облегчения текут по моему лицу, когда появляется планолет и забирает тело Катона. Сейчас прилетят за нами. Скоро мы поедем домой.

И снова ничего.

— Чего им еще нужно? — произносит Пит слабым голосом.

От ходьбы у него снова открылась рана.

— Не знаю.

В чем бы ни была причина, я не могу просто стоять и ждать, пока Пит истекает кровью. Я встаю поискать какую-нибудь палку и почти сразу нахожу стрелу, отскочившую от кольчуги Катона. Не успеваю я наклониться, как по арене прокатывается многократно усиленный голос Клавдия Темплсмита:

— Приветствую финалистов семьдесят четвертых Голодных игр! Сообщаю вам об отмене недавних изменений в правилах. Детальное изучение регламента показало, что победитель может быть только один. Игры продолжаются! И пусть удача всегда будет на вашей стороне!

На миг раздается шум помех, и наступает тишина. Не веря своим ушам, я тупо таращусь на Пита. Постепенно до меня доходит: они и не собирались оставлять в живых нас обоих. Распорядители продумали все заранее, они используют нас, чтобы устроить самый драматичный поединок за всю историю Игр. И я, как дура, купилась.

— Если подумать, этого следовало ожидать, — спокойно произносит Пит.

С трудом, морщась от боли, он встает и медленно идет ко мне, доставая из-за пояса нож.

Прежде чем я успеваю задуматься о своих действиях, мой лук заряжен, а стрела нацелена прямо в сердце Пита. Он удивлен, ножа в его руке уже нет, он летит в озеро и с плеском уходит под воду. Я бросаю оружие и, сгорая от стыда, отступаю назад.

— Нет, — говорит Пит, — сделай это.

Он подходит и сует лук мне в руки.

— Я не могу. Не буду.

— Ты должна. Иначе они снова выпустят переродков или еще что-нибудь придумают. Я не хочу умереть, как Катон.

— Тогда ты застрели меня, — говорю я с яростью, отпихивая от себя лук. — Застрели, возвращайся домой и живи с этим!

И, сказав, понимаю, что смерть здесь и сейчас гораздо лучше такой жизни.

— Ты знаешь, что я не смогу, — говорит Пит, отбрасывая оружие. — Что ж, все равно я умру раньше тебя.

Он наклоняется и стаскивает с ноги повязку, уничтожая последнюю преграду для покидающей его крови.

— Нет, не убивай себя! — кричу я, падая на колени и отчаянно пытаясь перевязать рану снова.

— Китнисс, я хочу этого.

— Не оставляй меня здесь одну, — умоляю я, потому что точно знаю: если Пит умрет, я никогда не вернусь домой по-настоящему. Всю оставшуюся жизнь я проведу здесь, на арене, снова и снова мысленно прокручивая эти минуты и думая, как его можно было спасти.

— Послушай, — говорит Пит, поднимая меня на ноги, — мы оба знаем, что им нужен один победитель. Только один из нас. Прошу тебя, стань им. Ради меня.

Он еще продолжает что-то в том же духе — как он меня любит и чем станет для него жизнь без меня. Я не слушаю: в голове, как птица в клетке, бьются его предыдущие слова.

Им нужен один победитель.

Да, им нужен победитель. Без победителя все их хитроумные планы и все Игры теряют смысл. Капитолий останется в дураках, и виноваты будут распорядители. Возможно, их даже убьют, медленно и мучительно, и казнь покажут на всю страну.

Мы с Питом должны погибнуть оба, или... они должны думать, что мы погибнем...

Непослушными пальцами я нащупываю и отвязываю кожаный мешочек у себя на поясе. Пит хватает меня за запястье.

— Я не позволю тебе.

— Доверься мне, — шепчу я.

Он долго смотрит мне в глаза, потом отпускает мою руку. Я раскрываю мешочек и отсыпаю немного ягод сначала в ладонь Пита, потом себе.

— На счет три?

Пит наклоняется ко мне и целует, очень нежно.

— На счет три, — говорит он.

Мы становимся спиной друг к другу, крепко сцепляем свободные руки.

— Покажи их. Пусть все видят, — просит Пит.

Я раскрываю ладонь; темные ягоды блестят на солнце. Другой ладонью сжимаю руку Пита, как сигнал и как прощание, и начинаю считать:

— Один. — Вдруг я ошибаюсь? — Два. — Вдруг им все равно, если мы умрем оба? — Три!

Обратной дороги нет. Я подношу ладонь ко рту и бросаю последний взгляд на мир. Ягоды едва попадают мне на язык, и тут начинают греметь трубы.

Их рев перекрывает отчаянный голос Клавдия Темплсмита:

— Стойте! Стойте! Леди и джентльмены! Рад представить вам победителей семьдесят четвертых Голодных игр — Китнисс Эвердин и Пита Мелларка! Да здравствуют трибуты Дистрикта-12!

23

Я выплевываю ягоды и тщательно вытираю язык краем куртки. Пит тащит меня к озеру, мы полощем рты водой, потом падаем друг другу в объятия.

— Ты ничего не успел проглотить? — спрашиваю я.

Он качает головой.

— А ты?

— Если бы проглотила, то была бы уже мертвой, — говорю я.

Пит что-то отвечает, но я ничего не слышу за ревом толпы, внезапно раздавшимся из репродукторов.

Над нами возникает планолет, и оттуда спускают две лестницы. Я не могу отпустить от себя Пита. Обнимаю его рукой, помогаю подняться, и мы оба становимся на первую ступеньку одной из лестниц. Электроток приковывает нас к месту; сейчас я этому рада, потому что не уверена, что Пит сумеет удержаться сам. Голова у меня опущена вниз, и я вижу, что, пока мы сами обездвижены, кровь из голени продолжает свободно вытекать. Как только за нами закрывается люк и ток отключают, Пит падает без сознания.

Мои пальцы так крепко вцепились ему в куртку, что, когда его уносят, у меня в руке остается клок черной ткани. Врачи в белоснежных халатах, в масках и перчатках стоят наготове и сразу включаются в работу. Пит, бледный и неподвижный, лежит на серебристом столе; к нему подключено множество трубочек и проводов. Внезапно я забываю, что Игры закончились, и мне представляется, что врачи — это очередная опасность, еще одна стая переродков, выпущенная, чтобы убить Пита. В ужасе я бросаюсь к нему, но меня хватают и заталкивают в другой отсек. Теперь нас разделяет прозрачная дверь. Я колочу руками по стеклу, ору что есть мочи — никто не обращает на меня внимания, кроме слуги, который появляется откуда-то сзади и предлагает мне напиток.

Я сажусь на пол, лицом к двери, тупо глядя на хрустальный стакан с соломинкой. Апельсиновый сок, холодный как лед. Как неуместно он смотрится в моей окровавленной, заскорузлой руке со шрамами и грязными ногтями. От аромата у меня текут слюнки, но я осторожно ставлю стакан на пол, не доверяя чему-то столь чистому и красивому.

Сквозь стекло я наблюдаю за врачами, суетящимися вокруг Пита, их лбы сморщены от напряжения. По трубкам текут какие-то жидкости, на стене мигают лампочки и прыгают стрелки, в которых я ничего не понимаю. Не уверена, но, по-моему, у Пита дважды останавливается сердце.

Это почти как у нас дома, когда приносят безнадежно покалеченного при взрыве на шахте, или женщину, которая третий день не может разродиться, или истощенного ребенка с воспалением легких. У мамы и Прим тогда точно такое же выражение на лицах, как у этих врачей. А я убегаю в лес, брожу там весь день и возвращаюсь, когда больной давно уже умер и на другом конце Шлака успели сколотить гроб. Здесь не убежать: меня держат стены планолета и еще, наверное, та самая сила, которая не отпускает от умирающего его близких. Как часто я смотрела на них, стоящих вокруг нашего кухонного стола, и думала: «Почему они не уходят? Зачем им видеть это?»

Теперь я знаю. Потому что у них нет выбора.

Я вздрагиваю, заметив, что кто-то смотрит на меня всего в нескольких дюймах от моего лица, но это всего лишь мое собственное отражение в стекле. Безумные глаза, впавшие щеки, спутанные волосы. Злобная. Одичавшая. Сумасшедшая. Понятно, почему никто ко мне близко не подходит.

Мы приземляемся на крышу Тренировочного центра, и Пита выносят из отсека, а я остаюсь за дверью. С криками я бьюсь в стекло и, кажется, замечаю копну розовых волос — должно быть, Эффи; она пришла меня выпустить, — и в тот же момент сзади в меня вонзается игла.

Проснувшись, я вначале боюсь пошевелиться. Я лежу в комнате, в которой нет ничего, кроме моей кровати и голых стен. Ни окон, ни дверей. Потолок светится мягким желтым светом. Воздух пропитан резким лекарственным запахом. В мою правую руку вставлено несколько трубочек, уходящих другими концами в заднюю стену. Я раздета, свежие простыни приятно ласкают кожу. Осторожно поднимаю левую руку. Она чисто вымыта, ногтям придана безупречно овальная форма, и даже шрамы от ожогов заметно уменьшились. Я ощупываю щеку, губы, сморщенный шрам над бровью, провожу пальцами по мягким шелковистым волосам и — рука застывает на месте. С замиранием сердца ерошу волосы у левого уха — нет, не показалось, я снова слышу.

Пробую сесть, но широкая лента вокруг талии не дает мне приподняться больше чем на несколько дюймов. Мне становится страшно, я пытаюсь взобраться выше на подушку и освободиться, и тут часть стены отодвигается в сторону и в комнату входит рыжеволосая безгласая. Увидев ее, я успокаиваюсь и прекращаю свои попытки. Мне хочется задать миллион вопросов, но я боюсь ей навредить. Наверняка за мной пристально наблюдают. Девушка ставит мне на ноги поднос и, нажав кнопку, приподнимает верхнюю часть кровати. Пока она поправляет подушки, я решаюсь на самый важный вопрос.

— Пит жив? — говорю я так громко и четко, как только позволяет мой охрипший голос, чтобы никто не подумал, что мы что-то скрываем.

Девушка кивает и дружески сжимает мне ладонь, подавая ложку. Думаю, она все-таки не желала мне смерти.

Пит выжил. Конечно, выжил. С их-то оборудованием и лекарствами. И все равно я сомневалась.

Когда безгласая уходит и дверь за ней бесшумно закрывается, я с жадностью набрасываюсь на еду. Тарелка прозрачного бульона, маленькая порция яблочного пюре и стакан воды. Это все? — думаю я разочарованно. Победителю могли бы дать чего-нибудь получше. Впрочем, даже этот скудный обед я доедаю с трудом. Желудок, кажется, сжался до размеров грецкого ореха. Странно, ведь еще вчера на арене у меня не было проблем с аппетитом.

Обычно после Игр до представления победителя проходит несколько дней. За это время грязного, изголодавшегося, израненного дикаря приводят в человеческий вид. Цинна и Порция сейчас готовят нам наряды для встречи с публикой. Хеймитч и Эффи устраивают банкет для спонсоров, просматривают вопросы для наших последних интервью. Дома, в Дистрикте-12, наверное, все из кожи вон лезут, организуя праздник в честь нашей победы: еще бы — такого уже лет тридцать не бывало.

Домой! К Прим и маме! К Гейлу! Даже мысль о нашем облезлом коте вызывает у меня умиление. Скоро я буду дома!

Хочу выбраться из этой кровати. Увидеть Пита и Цинну, узнать, что творится вокруг. И с какой стати я должна лежать? Я прекрасно себя чувствую. Едва я снова пытаюсь вылезти из-под ленты, по одной из трубок в вену мне вливается холодная жидкость, и почти сразу я отключаюсь.

Это происходит раз за разом. Я просыпаюсь, ем, и, хотя уже не делаю попыток встать, меня снова усыпляют. Я словно нахожусь в сумерках, замечаю только отдельные детали. Рыжеволосая девушка больше не приходит, шрамы постепенно исчезают и — может мне только кажется? — иногда я слышу громкий голос мужчины. Он не сюсюкает по-капитолийски, говорит грубовато и просто, как у нас дома. От этого голоса мне становится спокойнее: кто-то присматривает за мной и не даст меня в обиду.

И вот наконец я просыпаюсь, и к моей правой руке ничего не присоединено. Ленты вокруг пояса тоже нет, ничто не сковывает мои движения. Я хочу встать и замираю, увидев свои руки. Кожа идеальная — нежная и розовая. Исчезли не только шрамы, полученные на арене, но и давние, накопившиеся за годы охоты. Щупаю лоб — гладкий, как атлас. От ожога на голени не осталось и следа.

Спускаю ноги на пол, беспокоясь, смогу ли устоять, но они крепкие и сильные. В изножье кровати лежит одежда. Такую мы носили на арене. Я вздрагиваю и таращусь на нее, как будто она с зубами. Потом вспоминаю: да, именно так полагается выходить к своей группе подготовки.

Я быстро одеваюсь и кручусь у стены, где скрыта дверь. Она открывается, и я выхожу в широкий пустой коридор. Других дверей не видно, однако они должны быть. И за одной из них Пит. Теперь, когда я пришла в себя и могу двигаться, я волнуюсь за него все больше и больше. Скорее всего, с ним все в порядке, безгласая не стала бы врать. Но я хочу убедиться сама.

— Пит! — кричу я.

В ответ слышу свое имя. Жеманный голос по привычке вызывает раздражение, потом я осознаю, что буду рада увидеть Эффи.

Оборачиваюсь и вижу в большом зале в конце коридора их всех — Эффи, Хеймитча и Цинну. Не раздумывая, со всех ног бросаюсь к ним. Возможно, победителю следует вести себя сдержанно и с достоинством, — особенно если он знает, что его снимают, — но мне все равно. Я удивляюсь самой себе, когда кидаюсь на шею Хеймитчу. Он шепчет мне в ухо: «Ты молодец, солнышко», — и это без тени насмешки. Эффи даже прослезилась, она гладит мне волосы, приговаривая, что всегда считала нас жемчужинами. Цинна просто крепко обнимает меня, не говоря ни слова. Потом я замечаю, что нет Порции, и у меня опускается сердце.

— Где Порция? Она с Питом? Что с ним? Он в порядке? Он жив? — выпаливаю я.

— Все хорошо. Просто распорядители хотят, чтобы вы встретились на церемонии и это увидели зрители, — успокаивает Хеймитч.

— Правда? — говорю я. Страх отступает. — Я бы и сама хотела это увидеть.

— Иди с Цинной. Он тебя подготовит, — говорит Хеймитч.

Мне приятно быть рядом с Цинной, чувствовать на плечах его руку, когда он уводит меня от шпионящих камер по коридорам к лифту, который поднимает нас в вестибюль Тренировочного центра. Значит, больница находится глубоко под землей, ниже тренировочного зала, где трибуты учатся вязать узлы и метать копья. Окна затемнены, у дверей стоят несколько охранников. Больше никого. Мы идем к лифту для трибутов. Шаги гулко раздаются в пустом помещении. Пока мы поднимаемся на двенадцатый этаж, в голове у меня проносятся лица всех, кто был здесь вместе со мной, но уже никогда не вернется, и в груди что-то тоскливо сжимается.

Двери лифта разъезжаются, и меня окружают Вения, Флавий и Октавия. Они говорят все разом — так быстро и возбужденно, что я ничего не могу разобрать. Общее настроение понятно: они страшно рады видеть меня снова. Я тоже рада их видеть, хотя и не так, как Цинну. Скорее, как кто-нибудь, вернувшись домой после трудного дня, рад встрече с троицей своих домашних питомцев.

Меня ведут в столовую, где я получаю настоящий обед: жаркое из говядины, горошек и мягкие булочки. Правда, за моим рационом по-прежнему строго следят: когда я прошу добавки, мне отказывают.

— Нет-нет, мы ведь не хотим, чтобы на сцене все это выскочило наружу! — говорит Октавия и все же тайно передает мне под столом булочку.

Потом мы идем в мою комнату, и Цинна оставляет меня наедине со своими помощниками, поручая им подготовительные процедуры.

— О, тебе сделали полную регенерацию, — завистливо говорит Флавий. — Кожа без единого изъяна.

Когда я смотрюсь на себя в зеркало, замечаю только, какая я стала тощая. Наверное, сразу после арены было еще хуже, но и сейчас у меня можно пересчитать все ребра.

Мне включают душ, заботливо выбирая нужный режим. После душа занимаются прической, ногтями и макияжем, треща при этом без умолку. Моего участия в разговоре почти не требуется, и это меня вполне устраивает. Странно: речь идет об Играх, а они все время говорят о себе, где они были, что делали и как себя чувствовали в то время, когда на арене что-то случалось. «Я еще даже не вставал!» — «Я только покрасила себе брови!» — «Клянусь, я чуть в обморок не грохнулась!» Главное — они. Какая разница, что чувствовали умирающие мальчишки и девчонки на арене!

У нас в Дистрикте-12 не принято смаковать Игры. Мы смотрим их, стиснув зубы, потому что должны, и, как только передачи заканчиваются, побыстрее возвращаемся к своим повседневным делам. Сейчас я стараюсь отвлечься от болтовни, чтобы окончательно не возненавидеть всю эту компанию.

Входит Цинна. В руках у него желтое платье — кажется, вполне обычное.

— Что, с Огненной Китнисс покончено? — спрашиваю я.

— Сейчас увидишь, — говорит он, набрасывая на меня легкую ткань.

В передней части лифа чувствуются подкладки, призванные восполнить то, что украл голод. Я поднимаю руки к груди и хмурюсь.

— Понимаю, — говорит Цинна, прежде чем я успеваю возмутиться. — Дело в том, что распорядители настаивали на пластической операции. Хеймитчу едва удалось их перебороть. Придумали компромиссное решение. — Цинна не дает мне посмотреть на себя: — Подожди, еще туфли.

Вения помогает мне надеть кожаные сандалии без каблуков, и я наконец поворачиваюсь к зеркалу.

Я все еще Огненная Китнисс. Тонкая, почти прозрачная ткань испускает нежный свет, и стоит мне пошевелиться, как снизу вверх по нему прокатываются трепещущие волны. Рядом с этим платьем мой костюм на колеснице показался бы кричаще ярким, а наряд для интервью слишком вычурным. Сейчас я будто одета в пламя свечи.

— Ну, что скажешь? — спрашивает Цинна.

— По-моему, это — лучшее, — говорю я.

Когда мне наконец удается отвести взгляд от мерцающей ткани, я испытываю небольшое потрясение. Мои волосы никак не уложены, а только собраны сзади простенькой ленточкой. Косметика лишь едва сглаживает обострившиеся черты лица. На ногтях бесцветный лак. Короткое платье без рукавов едва достает до колен, и собрано оно не на талии, а выше, отчего пропадает почти весь эффект от подкладок. Я выгляжу как обычная девчонка. Совсем юная, не больше четырнадцати. Невинная. Безобидная. Странный образ для победительницы Голодных игр.

Ясно, что все было продумано заранее. Цинна ничего не делает просто так. Но зачем?

— Я полагала, мой вид будет более... изысканным, — говорю я.

— Я подумал, что Питу так понравится больше, — отвечает Цинна как-то неуверенно.

Питу? Нет. Кому есть дело до Пита? Капитолий, распорядители, публика — вот что важно. Не пойму, в чем дело, хотя очевидно одно: расслабляться рано, Игры еще не закончились. Своим деликатным, уклончивым ответом Цинна намекает мне об опасности. Такой, о которой нельзя говорить даже при своих ассистентах.

Мы спускаемся на этаж, где проходили тренировки. По традиции главных участников церемонии поднимают на специальных лифтах из-под сцены: вначале ассистентов стилиста, потом куратора-сопроводителя, стилиста и ментора, и наконец самого победителя. Поскольку в этом году победителей двое, а куратор, как и ментор, только один, все будет происходить немного не так. Я стою в плохо освещенном помещении под сценой на новом металлическом диске, который здесь установили специально для меня. Пахнет свежей краской, кое-где остались кучки опилок. Цинна с помощниками ушли переодеваться и занимать места на своих подъемниках; я совсем одна. Шагах в двадцати от меня в полумраке — временная перегородка. Наверное, за ней Пит.

Толпа орет так громко, что я даже не слышу, как ко мне подходит Хеймитч. Я испуганно отскакиваю в сторону, когда он касается моего плеча, будто все еще нахожусь на арене.

— Успокойся, это всего лишь я. Дай-ка на тебя взглянуть, — говорит он. Я поднимаю руки и поворачиваюсь. — Неплохо.

Звучит не особенно ободряюще.

— Что-то не так? — спрашиваю я.

Хеймитч осматривается в моей затхлой темнице — кажется, он принимает решение.

— Все хорошо, — говорит он. — Давай-ка обнимемся на счастье.

Странная просьба со стороны Хеймитча. Хотя теперь мы оба победители; возможно, это меняет дело. Едва я кладу руки ему на шею, он вдруг с силой прижимает меня к себе и быстро, но четко и спокойно говорит мне прямо в ухо, пряча губы за моими волосами:

— Слушай внимательно. У тебя проблемы. Власти в ярости из-за того, что ты переиграла их, сделала Капитолий посмешищем на весь Панем.

Я чувствую, как по спине бегут мурашки, а сама смеюсь, будто Хеймитч рассказывает что-то очень веселое:

— Правда? И что?

— Твое единственное спасение — представить все так, словно ты совсем обезумела от любви и не соображала, что делаешь.

Хеймитч отступает и поправляет у меня на голове ленточку.

— Все поняла, солнышко? — говорит он уже в открытую.

Эти слова могут относиться к чему угодно.

— Поняла. Ты говорил Питу?

— Незачем. Его учить не надо.

— А меня, думаешь, надо? — возмущаюсь я, поправляя ему ярко-красный галстук-бабочку, — видимо, Цинна заставил надеть.

— С каких пор тебя волнует, что я думаю? — говорит Хеймитч. — Нам лучше поторопиться. — Он подводит меня к диску подъемника и целует в лоб. — Это твой праздник, солнышко. Пусть он будет радостным.

Хеймитч уходит.

Я оттягиваю край платья, чтобы оно прикрывало колени и не было видно, как они трясутся. Хотя что толку... Я вся дрожу как осиновый лист. Надеюсь, это сойдет за радостное возбуждение. Мой праздник все-таки.

Воздух здесь внизу сырой и затхлый. Мне трудно дышать. Кожа покрывается холодным, липким потом. Я боюсь, что сцена сейчас обрушится и погребет меня под обломками. Когда мы под звуки труб покидали арену, я думала, что теперь мне уже ничего не угрожает. До конца жизни. Но если Хеймитч говорит правду — а зачем ему врать? — то я попала из огня в полымя.

На арене и то было лучше. Там меня бы убили, и дело с концом. Теперь, если я не сумею прикинуться «девчонкой, обезумевшей от любви», наказать могут и Прим, и маму, и Гейла — всех, кто мне дорог, весь Дистрикт-12.

Если не сумею... Значит, у меня еще есть шанс. Странно, на арене мне ничего такого даже в голову не пришло. Я хотела только обмануть распорядителей, совсем не думала о Капитолии. Но Голодные игры — это его оружие; никто не имеет права ему противостоять. И поэтому сейчас власти сделают вид, что у них все было под контролем. Что они сами подвели нас к двойному самоубийству. Но для этого я должна им подыграть.

Точнее, мы с Питом... Пит тоже пострадает, если все пойдет не так, как нужно. А Хеймитч его даже не предупредил! «Незачем. Его учить не надо». Что он имел в виду? Пит умнее меня и все поймет сам? Или... Пит и так уже безумно влюблен?

Не знаю. Я даже в своих чувствах не могу толком разобраться. Все слишком перепуталось. Что я делала потому, что этого требовали Игры? А что из ненависти к Капитолию? Или беспокоясь о том, что подумают дома? Или потому, что по-другому просто нельзя? Или потому, что Пит действительно мне дорог?

Я подумаю об этом. Не здесь, где на меня смотрят тысячи глаз. Дома, в тишине леса. Какая роскошь — быть наедине с собой! Кто знает, когда я испытаю ее снова. Сейчас наступает самый опасный этап Голодных игр.

24

Грохочет гимн. Цезарь Фликермен приветствует зрителей. Знает ли он, как много сейчас зависит от каждого слова? Скорее всего, да. И он захочет нам помочь. Толпа разражается аплодисментами, когда объявляют группу подготовки. Представляю, как Флавий, Вения и Октавия сейчас скачут по сцене и по-дурацки кланяются. Беззаботные и глупые. Они точно ни о чем не подозревают. Следующая очередь Эффи. Как долго она ждала этого момента. Надеюсь, она сможет им насладиться. Пусть голова у Эффи забита всякой чушью, в интуиции ей не откажешь. Думаю, она, по крайней мере, догадывается, что у нас неприятности. Порцию и Цинну встречают овациями: они были великолепны, несмотря на то что мы — их первые подопечные. Теперь я понимаю, почему Цинна выбрал для этого вечера такое платье: чем наивнее и проще я буду выглядеть, тем лучше. Потом появляется Хеймитч, и эмоции толпы перехлестывают через край. Крики, аплодисменты и топот ног не прекращаются минут пять. Еще бы! Хеймитчу удалось то, чего не удавалось никому прежде: вытащить не одного своего трибута, а обоих. А что, если бы он не предупредил меня? Как бы я стала себя вести? Щеголяла бы тем, какая я умная, что придумала использовать ягоды? Вряд ли. Но я бы выглядела куда менее убедительно, чем постараюсь сейчас. Прямо сейчас. Пластина начинает поднимать меня наверх.

Море света. Рев толпы, от которого вибрирует металл под ногами. Сбоку от меня — Пит. Он такой чистый, здоровый и красивый, что я едва узнаю его. Только улыбка ничуть не изменилась: здесь, в Капитолии, она точно такая же, как и под слоем грязи у ручья. Я делаю пару шагов и бросаюсь ему на шею. Пит покачнулся и едва удержался на ногах, только теперь я понимаю, что тонкая блестящая штуковина у него в руке — трость. Мы так и стоим, обнявшись, пока зрители безумствуют, и Пит целует меня, а я не перестаю думать: «Ты знаешь? Ты знаешь, в какой мы опасности?»

Минут через десять Цезарь Фликермен похлопывает Пита по плечу, желая продолжить шоу, а Пит, не оборачиваясь, отмахивается от него как от назойливой мухи. Публика стоит на ушах; осознанно или нет, Пит делает как раз то, что ей нужно.

Наконец Хеймитч нас разнимает и с благожелательной улыбкой подталкивает к трону. Обычно это узкое разукрашенное кресло, сидя на котором победитель смотрит фильм с наиболее яркими моментами Игр. Поскольку в этот раз нас двое, распорядители позаботились о роскошном бархатном диване, точнее диванчике; мама назвала бы его уголком влюбленных, так как на нем могут уместиться только двое. Я сажусь так близко к Питу, что практически оказываюсь у него на коленях, потом, глянув на Хеймитча, понимаю, что и этого недостаточно. Я снимаю сандалии, забрасываю ноги на диван и склоняю голову на плечо Пита. Он сразу же обнимает меня одной рукой, как в пещере, когда мы жались друг к другу, чтобы согреться. Рубашка Пита сшита из такой же желтой ткани, что и мое платье, он в строгих черных брюках и солидных черных ботинках. Жаль, что Цинна не одел меня во что-то похожее, я чувствую себя такой беспомощной и ранимой в тонком, коротком платьице. Хотя, очевидно, именно этого он и добивался.

Цезарь Фликермен отпускает еще пару шуточек, и начинается основная часть программы — фильм. Он будет идти ровно три часа, и его посмотрят во всем Панеме. Свет тускнеет, на экране появляется герб. Внезапно я понимаю, что не готова к этому. Я не хочу видеть смерть двадцати двух своих соперников и собратьев по несчастью. Я и так видела слишком много. Сердце бешено колотится в груди, мне хочется сорваться и убежать. Как выдерживали прежние победители, да еще в одиночку? Я вспоминаю прошлые годы... Пока идет фильм, в углу экрана время от времени показывают победителя, как он реагирует на увиденное. Некоторые ликуют, торжествующе вскидывают руки, бьют себя кулаками в грудь. Большинство выглядят отрешенными. Что до меня, то я остаюсь на месте только благодаря Питу, и лишь сильнее сжимаю его ладонь. Предыдущие победители хотя бы не боялись мести Капитолия.

Уместить несколько недель Игр в трехчасовую программу — задача не из легких, особенно если учесть количество камер, одновременно работавших на арене. Поэтому волей-неволей телевизионщикам приходится выбирать, какую историю они хотят показать. Сегодня это история любви. Конечно, мы с Питом победители, и все же с самого начала фильма нам уделяют слишком много внимания. Но я рада, так как это поддерживает нашу версию о безумной любви. К тому же меньше времени останется для смакования убийств.

Первые полчаса посвящены событиям перед Играми: Жатве, выезду на колесницах, тренировкам и интервью. Показ сопровождается бодрой музыкой, и от этого жутко вдвойне: почти все, кто на экране, сейчас мертвы.

Потом — арена. Кровавая бойня у Рога во всех ее ужасающих подробностях. Дальше в основном показывают меня и Пита, чередуя наши злоключения со сценами гибели других трибутов. Главный герой, безусловно, Пит. Наша романтическая история полностью его заслуга. Теперь я вижу то, что видели зрители: как он сбивал профи с моего следа, не спал всю ночь под деревом с осиным гнездом, дрался с Катоном и даже, когда лежал раненый в грязи, шептал в бреду мое имя. В сравнении с ним я кажусь бесчувственной и расчетливой: увертываюсь от огненных шаров, сбрасываю гнезда, взрываю запасы профи — до тех пор, пока не теряю Руту. Ее смерть показывают подробно: удар копья, моя стрела, пронзившая горло убийцы, последний вздох Руты. И песня. От первой до последней ноты. Я опустошена и ничего не чувствую. Словно наблюдаю за совершенно незнакомыми людьми в каких-то других Играх.

Ту часть, когда я осыпаю Руту цветами, пропускают. Так и должно быть. Даже это пахнет своеволием.

Я снова на экране, когда объявляют новое правило Игр: в живых могут остаться двое. Я кричу имя Пита и зажимаю руками рот. Если до сих пор я казалась безразличной к Питу, то теперь наверстываю сполна: нахожу его, ухаживаю за ним, иду на пир, чтобы добыть лекарство. И целую его по каждому поводу.

Переродки. Смерть Катона. Это, наверное, самое кошмарное, что было на арене. Но я безразлична, словно меня там никогда не было.

Наконец, решающий момент: наша попытка самоубийства. Зрители шикают друг на друга, чтобы ничего не упустить.

Я благодарна создателям фильма за то, что они заканчивают его не победными фанфарами, а сценой в планолете, когда я бьюсь в стеклянную дверь и кричу имя Пита.

Снова играет гимн, и мы встаем. На сцену выходит сам президент Сноу, следом за ним маленькая девочка несет на подушке корону. Корона только одна; толпа недоумевает — на чью голову он ее возложит? — но президент берет ее и, повернув, разделяет на две половинки. Одну он с улыбкой надевает на голову Пита. Повернувшись ко мне, Сноу все еще улыбается, но колючий взгляд прожигает меня ненавистью. Взгляд змеи.

Хотя мы оба собирались есть ягоды, основная вина лежит на мне. Я — зачинщица. И накажут меня.

Бесконечные поклоны и овации. Рука уже чуть не отваливается от приветственных взмахов толпе, когда Цезарь Фликермен наконец прощается со зрителями и приглашает их завтра смотреть заключительные интервью. Как будто у них есть выбор.

На очереди праздничный банкет в президентском дворце. Правда, нам поесть почти не удается: капитолийские чиновники, и особенно щедрые спонсоры, отталкивают друг друга локтями, чтобы с нами сфотографироваться. Мелькают сияющие лица. Все пьют и веселятся. Иногда я встречаюсь взглядом с Хеймитчем, который мне ободряюще кивает. На президента я даже боюсь смотреть. Я принимаю поздравления, смеюсь над шутками и улыбаюсь в объективы. При этом весь вечер не отпускаю руку Пита.

Солнце уже показалось из-за горизонта, когда мы, валясь с ног от усталости, возвращаемся на двенадцатый этаж Тренировочного центра. Я надеюсь, что теперь у меня будет время перекинуться словечком с Питом, но Хеймитч отправляет его вместе с Порцией сделать какие-то приготовления для интервью. Меня он лично провожает до двери в мою комнату.

— Почему мы не можем поговорить? — спрашиваю я.

— Дома наговоритесь. Ложись спать, в два часа — эфир.

Пусть Хеймитч делает, что хочет, но с Питом я увижусь. Покрутившись пару часов в постели, я выскальзываю в коридор. Первым делом проверяю крышу. Никого. Даже улицы внизу совершенно безлюдны после ночных гуляний. Возвращаюсь в кровать. Через некоторое время снова не выдерживаю и решаю пойти прямо в комнату Пита. Когда я пробую повернуть ручку, оказывается, что дверь заперта снаружи. Хеймитч! Или хуже — за мной следят, чтобы не сбежала от уготованного мне наказания. Конечно, я ни разу не была свободна с начала Игр, однако теперь это воспринимается совсем по-другому. Будто меня арестовали за преступление и скоро объявят приговор. Ложусь в кровать и делаю вид, что сплю, пока не раздается: «Подъем, подъем! Нас ждет важный-преважный день!»

У меня пять минут, чтобы съесть тарелку мясного рагу, потом приходит группа подготовки. Я только успеваю сказать: «Зрители были от вас в восторге!» — и следующие пару часов мне можно не раскрывать рта. Затем Цинна выпроваживает их за дверь и надевает на меня белое тонкое платье и розовые туфли. Сам делает мне макияж так, что я словно начинаю излучать теплый розовый свет. Мы болтаем о всякой ерунде, но я боюсь спросить его о чем-то действительно важном. После того происшествия с дверью меня не оставляет чувство, что за мной непрерывно следят.

Интервью будет проходить тут же рядом, в холле. Там освободили место, поставили диванчик и окружили его вазами с розовыми и красными розами. Вокруг только несколько камер и никаких зрителей.

Цезарь Фликермен простирает ко мне радушные объятия:

— Поздравляю, Китнисс. Как дела?

— Нормально. Волнуюсь из-за интервью.

— Не стоит. Мы славно проведем время, — он ободряюще треплет меня по щеке.

— Я не умею рассказывать о себе.

— Что бы ты ни сказала — все будет отлично.

О, Цезарь, если бы только это было правдой! Возможно, в этот самый момент президент Сноу готовит для меня «несчастный случай».

Появляется Пит, очень красивый в своем красно-белом костюме, и отводит меня в сторону:

— Я почти тебя не вижу. Хеймитч ни в какую не хочет подпускать нас друг к другу.

— Да, в последнее время он стал очень ответственным, — говорю я, понимая, что на самом деле Хеймитч изо всех сил старается спасти нам жизнь.

— Что ж, еще немного, и мы поедем домой. Там он не сможет следить за нами все время.

По мне пробегает дрожь — не знаю отчего, и думать некогда, потому что все уже готово. Несколько чопорно мы садимся на диван, однако Цезарь говорит:

— Не стесняйся, прижмись к нему ближе, если хочешь, вы очень мило смотритесь вместе.

Я снова забрасываю ноги на диван, и Пит притягивает меня к себе.

Кто-то считает: «10, 9, 8... 3, 2, 1», и вот мы в эфире. Вся страна смотрит сейчас на нас. Цезарь Фликермен, как всегда, великолепен: дурачится, шутит, замирает от восторга. Еще на первом интервью он и Пит легко нашли контакт друг с другом, так что поначалу мне почти не приходится ничего говорить, только улыбаться, пока они беседуют, будто старые приятели.

Но постепенно вопросы становятся серьезнее и требуют более полных ответов.

— Пит, ты уже говорил в пещере, что влюбился в Китнисс, когда тебе было... пять лет?

— Да, с того самого момента, как я ее увидел.

— А ты, Китнисс, сколько времени потребовалось тебе? Когда ты впервые поняла, что любишь Пита?

— Э-э, трудно сказать...

Я улыбаюсь и в отчаянии смотрю на свои руки. *Помоги!*

— Что до меня, я точно знаю, когда меня осенило. В тот самый момент, когда ты, сидя на дереве, закричала его имя.

Спасибо, Цезарь! Я ухватываюсь за подсказку.

— Да, думаю, тогда это и случилось. Просто... честно говоря, до этого я старалась не думать о своих чувствах. Я бы только запуталась, и мне стало бы гораздо тяжелее, если бы я поняла это раньше... Но тогда, на дереве, все изменилось.

— Как думаешь, почему это произошло? — спрашивает Цезарь.

— Возможно... потому что тогда... у меня впервые появилась надежда, что я его не потеряю, что он будет со мной.

Хеймитч, стоящий позади оператора, облегченно переводит дух; значит, я все сказала правильно. Цезарь достает из кармана носовой платок и какое-то время будто бы не способен говорить, так он растроган. Пит прижимает лоб к моему виску:

— Теперь я всегда буду с тобой, и что ты станешь делать?

Я смотрю ему в глаза:

— Найду такое место, где ты будешь в полной безопасности.

И когда он меня целует, по залу проносится вздох.

Отсюда разговор естественным образом переходит к тем опасностям, которые нас поджидали на арене: огненным шарам, осам-убийцам, переродкам, ранам. И тут Цезарь спрашивает Пита, как ему нравится его «новая нога».

— Новая нога? — кричу я, совсем забыв про камеры, и задираю штанину на брюках Пита. — О нет!

Вместо живой кожи я вижу сложное устройство из металла и пластика.

— Тебе не сказали? — негромко спрашивает Цезарь.

Я качаю головой.

— У меня еще не было времени. — Пит пожимает плечами.

— Это я виновата. Потому что наложила жгут.

— Да, ты виновата, что я остался жив.

— Это правда, — говорит Цезарь. — Если бы не ты, он бы истек кровью.

Наверное, это так, но все равно я так расстроена, что в глазах стоят слезы, и я прячу лицо на груди у Пита, чтобы не расплакаться перед всей страной. Пару минут Цезарю приходится уговаривать меня повернуться обратно к камерам. После этого он еще долго не задает мне вопросов, давая прийти в себя. До тех пор, пока речь не заходит о ягодах.

— Китнисс, я понимаю, что тебе тяжело, но я все-таки должен спросить. Когда ты вытащила ягоды... о чем ты думала в тот момент?

Я отвечаю не сразу, стараюсь собраться с мыслями. Вот он, самый важный вопрос. Сейчас я либо окончательно восстановлю Капитолий против себя, либо сумею убедить всех, что безумно боялась потерять Пита и не способна отвечать за свои поступки. Очевидно, моя речь должна быть долгой и убедительной, но я лишь мямлю едва слышно:

— Я не знаю... я просто... не могла себе представить, как буду жить без него.

— Пит? Хочешь что-нибудь добавить?

— Нет. Я могу только повторить то же самое.

Цезарь прощается с телезрителями, и камеры выключают. Слышны смех и слезы, поздравления, но я не уверена, что все прошло гладко, до тех пор пока не подхожу к Хеймитчу.

— Хорошо? — шепчу я.

— Лучше не бывает.

Я возвращаюсь в свою комнату, чтобы собраться к отъезду, но из вещей у меня только брошь с сойкой-пересмешницей, подарок Мадж. Кто-то принес ее сюда после Игр. Нас везут по улицам Капитолия в машине с затемненными стеклами. На станции уже стоит поезд. Мы наскоро прощаемся с Цинной и Порцией; через несколько месяцев нам предстоит встретиться снова: мы вместе будем совершать тур победителей по всем дистриктам. Так Капитолий напоминает народу, что Голодные игры по-настоящему никогда не заканчиваются. Нам выдадут кучу никому не нужных почетных значков, и все будут притворяться, как нас любят.

Поезд трогается, мы погружаемся в темноту туннеля, затем выныриваем на свет. Впервые со времени Жатвы я дышу воздухом свободы. Эффи сопровождает нас обратно, Хеймитч, разумеется, тоже. Мы плотно обедаем и молча смотрим по телевизору повтор интервью. Теперь, когда Капитолий с каждой секундой становится все дальше и дальше, я снова начинаю думать о доме. О Прим и маме. О Гейле. Я ухожу в свое купе и переодеваюсь в простую блузку и штаны. Тщательно смываю косметику, заплетаю косу и постепенно превращаюсь в саму себя. Китнисс Эвердин. Девчонку из Шлака, которая охотится в лесах и продает добычу в Котле. Я долго стою у зеркала, уясняя себе, кто я есть на самом деле, и стараясь забыть, кем была на арене и в Капитолии. Когда я наконец выхожу к остальным, воспоминание о руке Пита на моих плечах кажется далеким и чужим.

Поезд останавливается на дозаправку, и нам с Питом разрешают прогуляться по свежему воздуху. Охранять нас уже незачем. Мы идем, взявшись за руки, вдоль линии. Молча. Теперь, когда за нами никто не наблюдает, я не знаю, о чем говорить. Пит останавливается, чтобы нарвать мне цветов. Я изо всех сил стараюсь сделать вид, что рада им. Пит не знает, что эти белые и розовые цветочки на самом деле стебли пониклого лука и напоминают мне, как мы с Гейлом собирали его в лесу.

Гейл. Внутри все холодеет при мысли о скорой встрече с ним. Почему? Я не могу в этом толком разобраться, но у меня такое чувство, будто я обманываю кого-то, кто мне доверяет. Точнее, обманываю двоих. До сих пор меня это не слишком заботило: Игры отбирали все силы. Дома Игр не будет.

— Что-то не так? — спрашивает Пит.

— Нет, ничего.

Мы идем дальше, до конца поезда, туда, где вдоль линии растут только жиденькие кустики, в которых наверняка не спрятано никаких камер. Но слова не идут с языка.

Я вздрагиваю, когда Хеймитч кладет руку мне на спину. Даже здесь, в глуши, он старается говорить тихо:

— Вы славно поработали. Когда приедем, продолжайте в том же духе, пока не уберут камеры. Все будет в порядке.

Я смотрю ему вслед, избегая взгляда Пита.

— О чем это он? — спрашивает он.

— У нас были проблемы. Капитолию не понравился наш трюк с ягодами, — выкладываю я.

— Что? Что ты имеешь в виду?

— Это посчитали слишком большим своеволием. Хеймитч подсказывал мне, как вести себя, чтобы не было хуже.

— Подсказывал? Почему только тебе?

— Он знал, что ты умный и сам во всем разберешься.

— Я даже не знал, что было нужно в чем-то разбираться. Если Хеймитч подсказывал тебе сейчас... значит, на арене тоже. Вы с ним сговорились.

— Нет, что ты. Я же не могла общаться с Хеймитчем на арене, — лепечу я.

— Ты знала, чего он от тебя ждет, верно? — Я молча кусаю губы. — Да? — Пит бросает мою руку, и я делаю шаг, словно потеряв равновесие. — Все было только ради Игр. Все, что ты делала.

— Не все, — говорю я, крепко сжимая в руке букетик цветов.

— Не все? А сколько? Нет, неважно. Вопрос в том: останется ли что-то, когда мы вернемся домой?

— Я не знаю. Я совсем запуталась, и чем ближе мы подъезжаем, тем хуже, — говорю я.

Пит ждет, что я скажу что-то еще, ждет объяснений, а у меня их нет.

— Ну, когда разберешься, дай знать. — Его голос пронизан болью.

Мой слух восстановился лучше некуда: несмотря на шум локомотива, я ясно слышу каждый шаг Пита, идущего назад к поезду. Возвращаюсь в вагон и я, но Пит уже скрылся в своем купе. На следующее утро мы тоже не встречаемся. Он выходит, только когда поезд подъезжает к Дистрикту-12, и холодно кивает в знак приветствия.

Мне хочется сказать ему, что это нечестно. Что нельзя требовать от меня невозможного. Мы ведь совсем разные. На арене я поступала так, как было нужно, чтобы выжить, выжить нам обоим. И я не могу ничего объяснить про Гейла, потому что сама еще не понимаю. Зачем вообще со мной связываться: я никогда не выйду замуж, и Пит все равно возненавидит меня, не сейчас, так потом. Не имеет значения, какие чувства я испытываю, я не могу себе позволить завести семью и детей. И сможет ли он? После всего, через что мы прошли?

Еще мне хочется сказать, как сильно мне не хватает его уже сейчас. Но это было бы нечестно с моей стороны.

Так мы стоим и молча смотрим, как на нас надвигается маленькая закопченная станция. На платформе столько камер, что яблоку упасть негде. Наше возвращение станет еще одним шоу.

Краем глаза я замечаю, что Пит протягивает мне руку. Я неуверенно поворачиваюсь к нему.

— Еще разок? Для публики?

Его голос не злой, он бесцветный, а это еще хуже. Я уже теряю своего мальчика с хлебом.

Я беру его руку, и мы идем к выходу, навстречу камерам. Я очень крепко держу Пита и боюсь того момента, когда мне придется его отпустить.

КОНЕЦ ПЕРВОЙ КНИГИ

И ВСПЫХНЕТ ПЛАМЯ

Моим родителям
Джейн и Майклу Коллинз
и родителям мужа
Дикси и Чарлзу Прайор

Часть I

ИСКРА

1

Мои руки крепко сжимают флягу, хотя чай давно уже отдал свое тепло морозному воздуху. Все мышцы напряжены от холода. Если нагрянет стая диких собак, не уверена, что я смогу забраться на дерево. Надо бы встать и размять затекшее тело. Но я продолжаю сидеть, неподвижная, точно скала под ногами, наблюдая, как в лес проникают лучи рассвета. Солнце не остановишь, увы. Оно волей-неволей тащит меня за собой в этот день, которого я страшилась несколько месяцев.

К обеду они уже соберутся в моем новом доме, в Деревне победителей. Репортеры, телевизионщики, даже Эффи Бряк, мой прежний сопроводитель, — и та доберется в Дистрикт номер двенадцать из Капитолия (интересно, она до сих пор носит дурацкий розовый парик или на этот раз, в честь тура победителей, вздумает щеголять каким-нибудь новым оттенком, неизвестным в природе?). Будет и много других. Железнодорожный персонал, которому предстоит удовлетворять все мои нужды в течение долгого путешествия. Команда помощников, которые будут готовить меня к выходам на публику. Цинна, мой друг и стилист. Это он создал роскошный наряд, впервые приковавший ко мне всеобщее внимание во время Голодных игр.

Будь моя воля — забыла бы эти Игры навеки. Никогда бы не заговаривала о них. Притворилась бы, что это был страшный сон, и не более. Но тур победителей ни о чем не позволит забыть. Капитолий нарочно проводит его примерно посередине между сезонами, чтобы освежить у людей чувство ужаса. Нам, жителям дистриктов, не просто напоминают о том, как страшна железная хватка столицы, — нас вынуждают публично этому радоваться. В этом году я «звезда» представления. Меня провезут от дистрикта к дистрикту, и в каждом придется стоять перед ликующими зрителями, ощущая их затаенную ненависть, и смотреть со сцены в глаза людей, чьи родные убиты моей рукой...

Солнце неумолимо встает, и я заставляю себя подняться. Суставы болезненно ноют. Левая нога затекла так сильно, что «оживает» лишь через несколько минут усиленной ходьбы. Я три часа провела в лесу, но даже не попыталась всерьез поохотиться. Сумка для добычи пуста. Ни маму, ни мою младшую сестренку Прим это уже не затронет, они теперь могут позволить себе покупать в городской мясной лавке что пожелают, хотя, конечно, вкус лучше всего именно у свежей дичи. А вот Гейл Хоторн и его семья целиком зависят от этой охоты. Нельзя их подвести. И я пускаюсь в дорогу. Еще полтора часа проверять ловушки. В школьные времена мы успевали после полудня и пройтись по капканам, и поохотиться, и вернуться с добычей в город, чтобы выручить за нее деньги. Теперь, когда Гейл работает в угольных шахтах, а у меня не осталось других занятий, вся работа на мне.

Гейл уже наверняка спустился на вызывающем тошноту подъемнике в бездну и вгрызается в угольный пласт. Я знаю, что творится там, внизу. В школе нас каждый год водили туда на экскурсии. В раннем детстве шахта порождала у меня попросту неприятные ощущения. Туннели навевали клаустрофобию, затхлый воздух и темнота даже не позволяли свободно вздохнуть. Но после того как взрывом убило папу и нескольких его товарищей, я с трудом заставляла себя войти в подъемник. Ежегодная экскурсия превратилась в пытку. Два раза мне уже заранее становилось так плохо, что мать принимала мой страх за начало гриппа и разрешала остаться дома.

Я начинаю думать о Гейле. Только в лесах, среди свежего воздуха и прозрачных источников, он чувствовал себя по-настоящему живым. Не знаю, как ему удается терпеть... Впрочем, неправда, знаю. Он выдержит все, лишь бы прокормить свою мать, сестру и двоих младших братьев. В то время как я буквально сижу на мешках с деньгами, которых более чем достаточно на две семьи. Но нет, этот парень не примет в подарок даже монету. Гейл и мясо-то берет неохотно. Между тем, если бы я погибла на Играх, он, без сомнения, содержал бы и мою маму, и Прим. Постоянно ему твержу: для меня охота — желанное развлечение, чтобы не сойти с ума от безделья. И все равно я стараюсь не заставать его дома, когда приношу добычу. Это нетрудно, ведь Гейл трудится по двенадцать часов в сутки.

Мы видимся только по воскресеньям, в лесу. Для меня и теперь это лучший день недели, однако что-то переменилось. Нет больше тех свободных бесед о чем пожелаешь. Игры отняли у меня даже это. Я еще слабо надеюсь, но в глубине души понимаю: все бесполезно. В прошлое нет возврата.

Сегодня у нас богатый улов: восемь кроликов, пара белок и грузный бобер, запутавшийся в проволочных силках, которые изобрел сам Гейл. Он просто гений ловушек. Всегда точно знает, как изогнуть молодое деревце, чтобы ветки не дали хищникам раньше нас добраться до жертвы; как закрепить увесистое бревно в равновесии при помощи тонких прутиков или как сплести корзину, откуда не выплыть попавшейся рыбе. После стольких лет работы с его западнями я уверена, что никогда не смогу повторить это хрупкое равновесие, не сумею почуять заранее, по какой тропе пробежит дикий зверь. Дело даже не в опыте. Это врожденный дар. Зато я стреляю без промаха и в кромешной тьме.

Но вот впереди возникает забор, окружающий Дистрикт номер двенадцать. Солнце еще высоко. Прислушиваюсь, не гудят ли от электричества звенья цепи. Тихо — как и почти всегда, хотя нас убеждают, будто бы ток бежит круглые сутки. Через прокопанный под забором лаз я попадаю на Луговину, откуда рукой подать до родного дома. Нашего старого дома. Мы сохранили его, потому что мама и Прим до сих пор здесь прописаны — и вернутся сюда в случае моей внезапной смерти. А пока что мы трое благополучно воцарились в новом жилище, в Деревне победителей. И только я возвращаюсь в эту маленькую приземистую постройку, в стенах которой выросла. Она для меня и есть настоящий дом.

Сейчас, например, там будет удобно переодеться. Сменить старую кожаную отцовскую куртку на тонкое шерстяное пальто, немного узкое в плечах, а разношенные охотничьи сапоги — на дорогие фабричные туфли, более подходящие человеку в моем положении, как считает мама. Лук и стрелы надежно спрятаны в лесу, внутри прогнившей колоды. Время не ждет, но я все-таки позволяю себе немножечко посидеть на кухне. Какой запущенной она кажется без огня в печи, без скатерти на столе... Меня часто гложет тоска по прежней жизни. Да, мы едва сводили концы с концами, зато я точно знала собственное место на замысловатом полотне под названием жизнь. Теперь, когда вспоминаешь, те времена кажутся столь надежными по сравнению с нынешним днем, когда есть и богатство, и слава, и лютая ненависть Капитолия.

От мыслей меня отвлекает жалобный вой возле черного хода, — явился Лютик, старый облезлый котяра моей сестренки. Новый дом ему так же не по душе, как и мне. Лютик удирает сюда всякий раз, стоит Прим отправиться в школу. Мы с ним никогда особенно не ладили — и вот между нами возникла странная связь. Впустив кота, я угощаю его ломтем бобрового жира и даже немного почесываю за ухом.

— Тебе говорили, какой ты уродец, а, животное?

Он тычется мордой в руку, прося еще ласки, однако нам пора в путь.

— Идем.

Я хватаю Лютика в одну руку, добычу — в другую и тащу все за дверь. Кот изворачивается и в один скачок скрывается за кустарником.

Туфли жмут мне большие пальцы. Под ногами хрустит уголь Шлака. Несколько раз срезав путь через переулок или чей-нибудь задний двор, я в считаные минуты добираюсь до дома Гейла. Увидев меня в окно, его мама Хейзел отрывается от плиты, вытирает ладони о фартук и идет открывать дверь.

Мне нравится Хейзел. Эту женщину есть за что уважать. Взрыв, убивший моего папу, унес и ее мужа, оставив беременную вдову с тремя мальчишками на руках. Не прошло и недели с тех пор, как она разродилась, а Хейзел уже искала работу. Шахты — не выход, если в доме не с кем оставить младенца, однако ей удалось устроиться прачкой в городе, к одному из торговцев. Так в четырнадцать лет Гейл, старший из сыновей, сделался главным добытчиком в семье. Он уже тогда мастерски ставил ловушки, подписался на тессеры и разрешал лишний раз внести свое имя в лотерею ради скудного годового пайка из зерна и масла. Но и этого не хватило бы на семью из пяти человек, если бы Хейзел не обдирала пальцы до костей о стиральную доску. Зимой ее красные, потрескавшиеся руки начинали кровоточить от малейшей царапины. Когда-то Хейзел и Гейл вместе решили, что ни двенадцатилетнему Рори, ни десятилетнему Вику, ни четырехлетней Пози никогда не придется вписывать свои имена для Жатвы.

При виде добычи Хейзел улыбается. Поднимает бобра за хвост.

— Тяжелый!.. Вечером потушу с овощами.

В отличие от Гейла, она принимает помощь без капли смущения.

— И мех недурной, — отзываюсь я.

Мне приятно болтать с ней о достоинствах добычи. Хейзел наливает пахучего чая из трав, и я с благодарностью грею о кружку окоченевшие пальцы.

— Знаешь, я тут подумала... Может, после тура победителей стоит время от времени брать с собой Рори? В лес, после уроков? Ему надо учиться стрелять.

Хейзел кивает.

— Хорошо. Гейл и сам собирался, но он свободен только по воскресеньям и предпочитает проводить их с тобой.

Наверное, я все-таки покраснела. Глупо, конечно. Пожалуй, никто на свете не понимает меня лучше Хейзел. Ей известно о наших с Гейлом отношениях. Думаю, очень многие ждали, что мы поженимся, хотя у меня и мысли об этом не возникало. Но то было *до* Голодных игр. До того как Пит Мелларк, земляк-трибут, во всеуслышание заявил, что безумно влюблен в меня. Наш роман стал ключом к выживанию на арене. Только вдруг оказалось: для Пита все было гораздо серьезнее. А для меня? Не знаю. Зато представляю, как мучился Гейл. Стоит подумать о туре победителей, когда нам с Питом вновь придется разыгрывать из себя влюбленных, и сердце сжимается.

Я допиваю чай, хотя он обжигает губы, и отодвигаюсь от стола.

— Пора идти. Надо еще навести красоту для камер.

Хейзел обнимает меня.

— Приятного ужина.

— Спасибо, — отзываюсь я.

Следующая цель — Котел, где обычно мне удавалось сбыть с рук трофеи. Много лет назад он был угольным складом, потом оказался заброшен, стал точкой подпольной торговли и наконец превратился в настоящий черный рынок. Раз уж Котел притягивает к себе людей с подпорченной репутацией, стало быть, мне тут самое место. Лесная охота в окрестностях Дистрикта номер двенадцать нарушает, по меньшей мере, дюжину постановлений и по закону карается смертью.

Никто об этом не заговаривает, однако я — должница многих завсегдатаев Котла. Гейл рассказал, как Сальная Сэй устроила сбор пожертвований для меня и Пита во время Голодных игр. Поначалу деньги давали только в Котле, но многие люди, прослышав об этом, тоже внесли свой вклад. Не знаю точной суммы; знаю только, что эти деньги качнули чашу весов от смерти к жизни: на арене цена любого подарка достигает заоблачных высот.

До сих пор непривычно входить в Котел не с полной добычи охотничьей сумкой, а с увесистым кошельком на боку. Я стараюсь зайти почти в каждую лавку и что-нибудь приобрести: кофе, булочки, яйца, пряжу, масло... В последний момент покупаю три бутылки самогона у однорукой Риппер, жертвы несчастного случая в шахтах, у которой хватало ума прокормить себя.

Алкоголь — не для нас, а для Хеймитча. Во время Голодных игр он был нашим с Питом ментором. Угрюмый, жестокий, почти всегда пьяный, он все-таки сделал свою работу — и даже больше, поскольку впервые в истории было позволено победить двоим, а не одному оставшемуся в живых трибуту. Так что будь Хеймитч хоть кем угодно — перед ним я тоже в долгу. Пару-тройку недель назад, когда у него иссякли запасы, а в продаже не было ни бутылки, у Хеймитча началась ломка. Он трясся, орал на каких-то чудовищ, которых никто вокруг не видел, и до смерти перепугал мою Прим. Честно сказать, не очень понравилось наблюдать его в таком состоянии. С тех пор я обзавелась привычкой пополнять запасы спиртного — просто так, на случай очередной недостачи.

Увидев меня с бутылками, глава миротворцев Крей хмурит брови. Он уже в летах, лицо у него багровое, несколько серебристых прядей волос зачесаны набок.

— Девочка, для тебя это слишком крепкое пойло.

Ему ли не знать!

— Маме потребовалось для каких-то лекарств, — пожимаю плечами я.

— Ага, этой штукой убьешь любую заразу, — бросает он и покупает бутылку за новенькую монету.

Вот и заведение Сальной Сэй. Я заставляю себя подсесть к столу и заказать миску супа, судя по виду — смеси из тыквы с бобами, и принимаюсь хлебать. Тут появляется миротворец по имени Дарий и тоже берет себе миску. Он хоть и страж порядка, но мне по душе: не тычет в нос своей властью, может при случае и пошутить. Должно быть, ему за двадцать, однако выглядит он не намного старше меня.

Даже чем-то похож на мальчишку — наверное, из-за улыбки и рыжих волос, торчащих во все стороны.

— Тебе не пора на поезд? — интересуется Дарий.

— В обед заберут, — отвечаю я.

Тогда он громко шепчет:

— Тогда, может, наведешь красоту? — и я не могу сдержать улыбки, несмотря на мрачное настроение. — Ленточку заплетешь или что-нибудь в этом роде?

Он хочет погладить мою косу, но я отстраняюсь.

— Не беспокойся. Стилисты свое дело знают.

— И хорошо, — кивает Дарий. — Покажем немного патриотической гордости за дистрикт, хотя бы для разнообразия, а, мисс Эвердин?

А потом, с насмешливым порицанием покачав головой в сторону Сальной Сэй, выходит на улицу, чтобы присоединиться к своим товарищам.

— Суп оставь! — кричит ему вслед хозяйка, однако сквозь смех ее досада звучит не очень-то убедительно.

— Гейл придет на проводы? — спрашивает она у меня.

— Нет, его не было в списке. Мы уже виделись в воскресенье.

— Думаю, он что-нибудь придумает. Как-никак твой кузен, и все такое... — с хитрецой прибавляет Сальная Сэй.

Еще одна ложь, сочиненная капитолийцами. Когда во время Голодных игр мы с Питом пробились в последнюю восьмерку, журналисты явились разнюхивать наши личные тайны; в ответ на вопрос, кто мой близкий друг, местные жители сразу назвали Гейла. Репортерам он, разумеется, пришелся не ко двору. Учитывая мой якобы страстный роман на арене, парень со столь яркой мужественной внешностью никак не вписывался в понятие «близкий друг». К тому же он вовсе не собирался улыбаться и мило вести себя перед камерами. И вот его превратили в кузена. Вообще-то между нами и вправду есть определенное сходство. Прямые темные волосы, смуглая кожа, серые глаза... Я ни о чем не догадывалась до тех самых пор, когда уже на вокзале мама не заявила: «Если б ты только знала, как тебя ждут твои кузены!» Повернувшись, я с изумлением увидела Гейла, Хейзел и других ее деток. Что оставалось делать? Только подыгрывать.

Сальной Сэй известно, что мы не родственники; а ведь кое-кто из наших давних знакомых предпочел об этом забыть.

— Жду не дождусь, когда все будет позади, — шепчу я.

— Понимаю, — кивает Сальная Сэй. — Но чтобы дождаться конца, нужно пройти начало и середину. Лучше уж не опаздывай.

По дороге я замечаю, как с неба сыплются первые редкие снежинки. Между площадью в центре города и Деревней победителей — каких-то полмили, а кажется, будто перенеслась куда-то далеко-далеко.

Здесь находится отделенная от внешнего мира община: двенадцать домов вокруг прелестной зеленой лужайки с цветущими кустиками, каждый дом — в десять раз больше того, где прошло мое детство. Девять из них пустуют. В занятых живут Хеймитч, Пит и я.

Наши с Питом дома хотя бы излучают тепло настоящей жизни. Освещенные окна, дым из трубы, букеты ярко раскрашенных колосьев, прикрепленные прямо над входом в честь приближающегося праздника урожая. А вот от логова Хеймитча, вопреки стараниям садовников, так и разит запустением и одиночеством. Я собираюсь с духом, толкаю дверь и вхожу.

Нос тут же морщится от отвращения. Хеймитч не допускает к себе уборщиц, а сам он — хозяин неважный. С годами запахи горячительных напитков и рвоты, вареной капусты и пережаренного мяса, несвежей одежды и мышиных фекалий смешались в один стойкий дух, вышибающий слезы. Шагая через залежи рваных пакетов, осколков и обглоданных костей, я направляюсь прямо на кухню — где же еще искать Хеймитча? Он за столом: руки разбросаны по столешнице, лицо тонет в луже спиртного, от яростного храпа чуть голова не отваливается.

Я толкаю его в плечо и громко приказываю:

— Вставай! — Церемониться бесполезно, это мы уже проходили.

Храп на мгновение вопросительно умолкает и тут же возобновляется с новой силой. Я толкаю сильнее.

— Хеймитч, вставай! Сегодня тур победителей.

С усилием открываю окно и несколько раз глубоко вдыхаю чистый воздух. Разворошив ногами слой мусора, обнаруживаю оловянный кофейник. Набираю в него воды из-под крана. В запасе осталась горстка углей — хватит, чтобы разжечь конфорку. Насыпав молотых зерен, так чтобы получился довольно крепкий напиток, ставлю кофейник на огонь.

Хеймитч по-прежнему напоминает труп. Раз уж не вышло по-хорошему, я наполняю таз ледяной водой, опрокидываю ему на голову и отпрыгиваю подальше. Из глотки хозяина доносится гортанное рычание дикого зверя. Вскочив, он отбрасывает от себя стул футов на десять и грозно размахивает ножом. Совсем забыла: он всегда засыпает с оружием в руке. Нужно было сначала забрать у него нож, но у меня хватало других забот.

Хеймитч сыплет ругательствами, делает еще несколько взмахов и наконец приходит в себя. Утерев лицо рукавом, поворачивается ко мне. Я застыла на корточках на подоконнике, собираясь, если что, задать стрекача.

— Ты что здесь делаешь?

— Сам велел прийти, разбудить за час до приезда телевизионщиков, — отвечаю я.

— Чего?

— Правда, сам, — не сдаюсь я.

Кажется, он вспоминает.

— Почему я весь мокрый?

— Никак не могла растолкать. Знаешь, если тебе так нужна мамочка, в следующий раз проси Пита...

— О чем меня надо просить?

От одного только звука знакомого голоса у меня в животе сжимается неприятный комок из печали, стыда и страха.

И желания. Да, я почти готова признаться, хотя бы перед собой, вот только другие чувства все же сильнее.

Пит подходит к столу. Под солнечным светом, пролившимся из окна, на его белокурых волосах искрятся снежинки. Этот сильный, полный здоровья человек совсем не похож на голодного и больного юношу, которого я видела на арене. Он даже почти не прихрамывает. Опустив на стол буханку свежего теплого хлеба, Пит протягивает Хеймитчу руку.

— Разбудить меня без радикальных мер, грозящих воспалением легких, — ворчит тот, передавая нож.

Потом избавляется от грязной рубашки, продемонстрировав нам засаленную майку.

Пит улыбается, ополаскивает нож самогоном из бутылки, которую нашел на полу, и режет хлеб. Все это время он аккуратно снабжал нас горячей выпечкой. Я охочусь. Он возится с тестом. Хеймитч пьянствует. Каждый нашел чем заняться, только бы не вспоминать о Голодных играх. Уже протянув хозяину горбушку, Пит наконец обращает внимание на меня.

— Угощайся.

— Нет, я поела в Котле. Но все равно спасибо.

Голос будто бы и не мой, обезличенный. И так всякий раз, когда я пытаюсь заговорить с ним, — с тех самых пор, как от нас отвернулись камеры, снимавшие благополучное возвращение победителей.

— Пожалуйста, — натянуто отвечает он.

Хеймитч наугад бросает рубашку в кучу хлама.

— Бррр. Придется здорово над вами поработать перед выступлением.

И он, разумеется, прав. Публика ожидает увидеть двух голубков, победивших в Голодных играх, а не людей, которые без усилия не могут посмотреть в глаза друг другу. Но я отвечаю только:

— Помойся, Хеймитч.

И, спрыгнув с окна, отправляюсь через лужайку к дому.

Снег уже начинает укрывать землю, и за моей спиной остается цепочка следов. У парадного входа я задерживаюсь, отряхиваю дорогие туфли, а потом вхожу. Мама целые сутки готовилась, чтобы все безупречно выглядело перед камерами. Пожалуй, лучше не следить на сияющем чистотой полу. Стоит мне появиться, как откуда-то выныривает мама и жестом просит замереть.

— Не волнуйся, уже разуваюсь, — говорю я, оставляя туфли на коврике.

Она издает непонятный хриплый смешок и снимает с моего плеча охотничью сумку с покупками.

— Подумаешь, просто снег. Хорошо погуляла?

— Погуляла? — Ей известно, что я всю ночь провела в лесу. Тут мне в глаза бросается фигура в дверном проеме. За маминой спиной стоит мужчина в идеально сшитом костюме, с подправленными ножом хирурга чертами лица. С первой секунды ясно: он из Капитолия. Что-то не так. — Правильнее сказать, покаталась. Там ужасно скользко.

— К тебе пришли, — говорит мама.

Лицо у нее совершенно бледное, в голосе слышится плохо скрываемая тревога.

— Я думала, все начнется не раньше полудня, — бросаю я, притворяясь, будто не замечаю, в каком она состоянии. — Что, Цинна пришел пораньше?

— Нет, Китнисс, это...

— Сюда, пожалуйста, мисс Эвердин, — прерывает маму капитолиец, махнув рукой в сторону коридора.

Неприятно, когда тебе начинают указывать в собственном доме, однако мне хватает ума промолчать. Перед уходом оборачиваюсь, чтобы подбодрить маму улыбкой:

— Наверное, наставления перед туром...

В последнее время меня завалили сведениями о маршруте и расписаниями запланированных в каждом дистрикте мероприятий. Но пока я шагаю к закрытым дверям кабинета, которые никогда еще не запирались, в мыслях поднимается настоящая буря: «Кто там? И что ему нужно? Чего мама так испугалась?»

— Входите, — произносит мой провожатый.

Поворот полированной медной ручки — и я внутри. В ноздри бьют два плохо совместимых запаха — роз и крови. Низкорослый мужчина с белесыми волосами, неуловимо кого-то напоминающий, молча читает книгу. Он поднимает палец, словно хочет сказать: «Подождите минутку». Затем поворачивается — и в моей груди на миг замирает сердце.

Прямо на меня змеиным взглядом уставился президент Сноу.

2

По моим представлениям, на президента нужно смотреть на фоне колонн из мрамора, увешанных гигантскими флагами. Жутковато видеть его в обрамлении привычных вещей, у себя в кабинете. Это как если бы вдруг вы открыли кастрюлю — а вместо тушеного мяса нашли ядовитую змею.

Что ему здесь могло понадобиться? Перед глазами стремительно проносятся кадры из прошлых церемоний Открытия тура победителей. Лица выигравших трибутов, их менторов и стилистов. От случая к случаю мелькали высокопоставленные члены правительства. Но президент — ни разу. Он посещает празднества разве что в Капитолии. Да и то не всегда.

Если проделал такой долгий путь — вывод может быть только один. У меня серьезные неприятности. А значит, и у моих родных. По спине пробегают мурашки, стоит представить, как близко мама и Прим оказались от этого человека, который меня ненавидит. И всегда будет ненавидеть. Я ведь перехитрила изуверские Игры, выставила Капитолий на посмешище, а стало быть, в чем-то подорвала его власть.

Мне всего лишь хотелось выжить и сохранить жизнь Пита. Любой знак неповиновения — просто случайность.

Но если Капитолий решил оставлять в конце Голодных игр *одного* трибута, то, видимо, высказать свое мнение — уже дерзость и бунт. Единственное спасение заключалось в том, чтобы притвориться безумно влюбленной в Пита. И тогда нам обоим позволили жить. Короновали как победителей. Вернули домой, устроили в нашу честь торжество, дали прощально помахать в объективы и наконец оставили в покое. До нынешнего дня.

Возможно, сказывается непривычка к новому дому или внезапный страх при виде человека, который в любую минуту способен меня убить, только вдруг в голове все путается. Такое впечатление, что президент — у себя, а я — незваная гостья. Я даже не предлагаю ему присесть. И вообще молчу. На самом деле, я обращаюсь с ним, точно с ядовитой гадиной, — не двигаюсь, не отрываю от него глаз и обдумываю план бегства.

— Полагаю, нам обоим будет гораздо проще, если мы сразу договоримся не лгать друг другу, — говорит президент. — Что скажете?

«Ничего не скажу: у меня язык примерз к нёбу», — думаю я, но, к собственному изумлению, произношу твердым голосом:

— Да, пожалуй, это сбережет кучу времени.

Президент Сноу отвечает улыбкой, и я в первый раз обращаю внимание на его рот. Какие губы могут быть у змеи? Никаких. А у него — полноватые, и кожа натянута, словно на барабане. Вряд ли тут обошлось без операции. Похоже, Сноу нарочно переделывал рот, чтобы выглядеть привлекательнее. Если так, значит, он выбросил время и деньги на ветер.

— Мои советники опасались, что вы создадите массу проблем... Вы ведь не собираетесь создавать проблемы, верно?

— Верно, — киваю я.

— Я им так и сказал. Сказал, что любая девушка, сохранившая свою жизнь столь высокой ценой, не станет обеими руками отталкивать этот дар. Тем более если у нее есть семья. Мама, сестра и... кузены.

По тому, как он протянул последнее слово, я понимаю: президенту отлично известно о том, что мы с Гейлом — вовсе не веточки одного родословного древа.

Стало быть, карты брошены. Может, оно и к лучшему. Не люблю непонятных угроз. Всегда легче, если знаешь расклад.

— Давайте присядем. — Сноу занимает место за столом из полированного дерева, за которым Прим делает уроки, а мама подсчитывает семейный бюджет.

Он не имеет на это никакого права, равно как и вообще находиться здесь. Впрочем, у кого же тогда все права? Я опускаюсь напротив, на стул с резной прямой спинкой. Его явно делали для человека повыше: ноги едва достают до пола.

— У меня неприятности, мисс Эвердин, — говорит президент. — И начались они в ту самую минуту, когда вы воспользовались на арене своими ядовитыми ягодами.

Я это сделала, желая проверить, что решат распорядители Игр — остаться без победителя, если мы оба покончим самоубийством, или позволить нам сохранить наши жизни.

— Будь у Сенеки Крейна хоть немного мозгов, он бы раздавил вас на месте, словно букашек. К несчастью, наш главный распорядитель оказался сентиментальным глупцом. И вот, пожалуйста. Попробуйте догадаться, где он сейчас?

Я молча киваю: судя по тону высказывания, Сенеку казнили. Теперь, когда нас разделяет только стол, запах крови и роз обостряется. Роза — у президента на лацкане, это понятно, причем аромат генетически был усилен, в жизни цветы так не пахнут. А что касается крови... Даже не знаю.

— После этого мне оставалось одно: позволить вам разыграть вашу маленькую комедию. Нет, вы были просто прелестны: эдакая наивная влюбленная школьница. Обитателей Капитолия ваша игра убедила. А вот в дистриктах, к сожалению, на обман купились не все.

Видимо, на моем лице мелькает легчайшая тень удивления.

— Разумеется, вы об этом не подозревали. Где уж вам знать о настроениях в остальных дистриктах! Между тем некоторые восприняли ваш незатейливый фокус как знак открытого неповиновения, а вовсе не безоглядной любви. Ну, а если девчонке из Дистрикта номер двенадцать позволено бросить вызов Капитолию и уйти безнаказанной, что помешает им поступать точно так же? Что помешает, к примеру, устроить мятеж?

Смысл последнего предложения доходит не сразу. А потом обрушивается на меня всей своей тяжестью.

— Неужели начались мятежи?

Трудно сказать, страшит меня эта мысль или, наоборот, воодушевляет.

— Пока нет. Но это лишь вопрос времени — разве что радикально изменится ситуация... А мятежи, как известно, ведут к революциям. — Президент потирает место над левой бровью, которое (мне ли не знать) потирают, когда болит голова. — Вы имеете хотя бы отдаленное представление, что это значит? Сколько людей погибнет? В каких условиях окажутся уцелевшие? Может, Капитолий и не подарок, но стоит ему хоть на день ослабить хватку — поверьте на слово, вся система рухнет.

Меня поражает прямота и даже искренность его речи. Можно подумать, Сноу на самом деле превыше всего ценит благополучие жителей Панема, а ведь это полная чушь.

Не знаю, откуда берется смелость, но я говорю:

— Какая хрупкая система: рушится из-за горсти ягод.

Собеседник долго молчит и пристально разглядывает меня.

— Да, хрупкая, только не в том смысле, что вы подумали.

Раздается стук в дверь, и в кабинет просовывает голову капитолиец.

— Ее мать спрашивает: вы чай пить будете?

— Буду. С удовольствием, — говорит Сноу. Дверь открывается шире; на пороге стоит моя мама с подносом. —

Сюда, пожалуйста. — Положив книгу на угол, он похлопывает ладонью посередине стола.

Мама опускает поднос. На нем фарфоровый чайник и чашки (сервиз из ее приданого), сливки, сахар, тарелка с печеньем. Печенье украшено цветочками из глазури нежных оттенков — разумеется, это работа Пита.

— Как любезно. Забавно, знаете ли: многим людям и в голову не приходит, что президентам тоже хочется есть.

Надо же, само добродушие. По крайней мере, мама слегка успокаивается.

— Может, еще что-нибудь? — спрашивает она. — Если вы голодны, я бы приготовила...

— Нет, этого более чем достаточно. Благодарю.

Ясно: он ее выпроваживает. Мама бросает на меня быстрый взгляд и уходит. Президент наливает нам чаю, кладет себе сахар, сливки и долго-долго мешает ложечкой. Похоже, он все сказал и теперь ожидает ответа.

— У меня и в мыслях не было подстрекать людей к мятежам, — говорю я.

— Верю. Но это неважно. Ваш стилист оказался пророком, выбирая наряды. Вы, «Огненная Китнисс», бросили искру, способную (если вовремя не принять меры) разгореться в адское пламя, которое уничтожит Панем.

— Почему бы вам не убить меня прямо сейчас? — выпаливаю я.

— Прилюдно? — осведомляется Сноу. — Это лишь подольет масла в огонь.

— Тогда подстройте несчастный случай.

— Кто купится на такую дешевку? — возражает он. — Вы бы сами купились?

— Тогда скажите, что нужно сделать, и я это сделаю.

— Если бы все было так просто... — Президент берет печенье и разглядывает глазурные цветочки. — Мило. Ваша мать приготовила?

— Пит.

Впервые не выдержав, я отвожу глаза и делаю вид, что захотела чая, но тут же ставлю чашку обратно, услышав предательский звон о блюдце. Приходится, чтобы скрыть смущение, тоже взять выпечку.

— Пит... Ну и как он, ваша любовь до гроба?

— Хорошо, — отвечаю я.

— Скажите, когда он по-настоящему понял, насколько вам безразличен? — Сноу окунает печенье в чай.

— Пит мне не безразличен, — говорю я.

— Но, кажется, не до такой степени, чтобы в это поверил весь Панем.

— Кто это сказал?

— Я сказал. И если бы я один, мы бы с вами сейчас не разговаривали. Как поживает очаровательный кузен?

— Не знаю... я не...

В горле застревает комок. Как отвратительно обсуждать с президентом личные чувства, тем более к людям, которые мне дороже всего.

— Продолжайте, мисс Эвердин. Уж его-то прикончить легче всего, если мы не придем к соглашению, — произносит Сноу. — Вы оказываете молодому человеку плохую услугу, бегая с ним по лесу каждое воскресенье.

Если ему и это известно, то что еще? И вообще, откуда он знает? Многие могли рассказать, как мы с Гейлом охотимся. Каждое воскресенье приходим обратно с тяжелыми сумками трофеев. И так уже много лет. Вопрос в том, что, по его предположениям, происходит в лесах вокруг нашего дистрикта? Не думаю, что за нами кто-то следил. Или все-таки?.. Нет, исключено. А камеры? Эта мысль почему-то впервые приходит мне в голову. До сих пор лес был тайным убежищем, недоступным для капитолийцев, местом, где мы могли быть самими собой, говорить, что хотим... Я имею в виду, *до* Голодных игр. Если слежка тянется с тех самых пор, то что эти люди успели увидеть? Двух охотников, ведущих опасные разговоры о Капитолии, — да, пожалуй. Но не любовников, как намекает Сноу. Тут мы чисты. Разве только... разве что...

Это случилось лишь однажды. Быстро, внезапно, как гром среди ясного неба, — и все же случилось.

Вернувшись с Голодных игр, я несколько недель не могла увидеться с Гейлом наедине. Сначала мешали разные обязательные для посещения торжества. Банкет победителей, куда приглашали только высокопоставленных чиновников. Праздник для целого дистрикта, с бесплатной едой и развлечениями — все за счет Капитолия. День пакетов — первый из двенадцати, когда обитателям дистрикта раздают пайки. Вот это мне по душе: наблюдать, как вокруг веселятся вечно голодные дети Шлака, прижимая к себе пакетики с яблочным соком, мясные консервы и даже сласти. Знать, что дома их ожидают мешки зерна и бутыли с маслом. И что теперь целый год, раз в месяц, все будут получать угощение. В такие минуты я даже рада быть победительницей в Голодных играх.

В общем, сплошные праздники и церемонии; репортеры следили за каждым шагом, а я сидела на почетном месте и целовала Пита на публике, почти не надеясь, что нас оставят в покое. Но вот понемногу страсти утихли; телевизионщики с журналистами, собрав чемоданы, отправились восвояси, а между мной и Питом снова установились прохладные отношения. Наша семья поселилась в Деревне победителей. В дистрикте возобновилась привычная жизнь: рабочие по утрам отправлялись на рудники, а детишки — в школы. Я дождалась, пока все окончательно не уляжется, и как-то раз в воскресенье, никому не сказав, ушла в лес еще до рассвета.

Холода еще не наступили, поэтому я обошлась без куртки. Взяла с собой сумку с припасами: холодная курица, сыр, апельсины, хлеб из пекарни. Как обычно, ограждение было не под током, и мне удалось проскользнуть в дыру. Отыскав свои лук и стрелы, я зашагала прямиком на то место, где мы с Гейлом делили завтрак в то утро, когда меня поглотила Жатва.

Ждать пришлось два часа. Я уже начала волноваться: вдруг он потерял надежду за недели, миновавшие после Голодных игр. Или забыл обо мне. А то и возненавидел. Утратить лучшего друга, единственного на свете человека, с которым можно делиться секретами... Нет, это слишком ужасно. Вмиг набежали слезы, а горло мучительно стало сжиматься — так бывает, когда очень плохо.

Поднимаю глаза — и вот он, стоит поодаль, внимательно смотрит. Я, не раздумывая, вскочила и обняла его, то ли громко смеясь, то ли всхлипывая. Гейл очень долго не отпускал меня, целую вечность, и не отпустил бы, если бы не внезапный приступ отчаянной и оглушительной икоты, от которого мне пришлось «лечиться» холодной водой.

В тот день мы вели себя как обычно. Позавтракали. Поохотились, порыбачили, насобирали ягод. Болтали о городских событиях. Обо всем подряд. Только не о нас двоих. Не о его новой жизни шахтера, не о моей — на арене. Уже у дыры в ограждении, проделанной поблизости от Котла, я подумала, даже поверила, что все еще будет по-прежнему. Что мы сможем жить, как раньше. Добычу я, разумеется, отдала Гейлу, ведь у нас теперь было вдоволь еды. В Котел идти отказалась, хотя хотелось ужасно: все-таки мама и Прим до сих пор не имели понятия, где меня носит. Потом вызвалась ежедневно проверять ловушки.

И вдруг он взял мое лицо в ладони — и поцеловал.

Я растерялась. Казалось бы, после стольких лет вместе мне было известно все о его губах: как они улыбаются, говорят и грустят. Но я даже не представляла себе, какое тепло заструится от них по моим, когда наши губы встретятся. Или как эти руки, создавшие множество хитрых ловушек, легко могут обхватить меня. Смутно помню: вроде бы я издала негромкий гортанный звук и крепко сжала пальцы у него на груди. Тут Гейл отпустил меня и сказал:

— Я не мог этого не сделать. Хотя бы раз.

И ушел.

Солнце клонилось к закату; я знала: родные волнуются, — и все-таки продолжала сидеть под деревом у ограждения. Пыталась понять: понравился мне поцелуй или же разозлил? Но в памяти возникало только прикосновение губ и едва уловимый апельсиновый запах. Это было совсем не то, что множество поцелуев, которыми обменялись мы с

Питом, — трудно сказать, чего они вообще стоили. В конце концов я пошла домой.

И всю неделю исправно ходила к ловушкам, отдавая добычу Хейзел. С Гейлом не виделась до воскресенья. За это время я приготовила целую речь о том, что сейчас не желаю встречаться с парнями или выходить замуж. Однако старания оказались напрасными: Гейл повел себя так, словно ничего не произошло.

Может быть, ожидал, что я первой заговорю. Или верну поцелуй.

Я тоже сделала вид, что ничего не случилось. Но ведь на самом деле — случилось. Гейл сокрушил между нами невидимую преграду, а заодно и надежду на возвращение к старой, ничем не омраченной дружбе. Сколько ни притворяйся, теперь я не могла спокойно смотреть на его губы.

Все эти мысли молниеносно проносятся у меня в голове под немигающим взглядом президента, только что пообещавшего расправиться с Гейлом. Наивная, с чего я решила, будто Капитолий возьмет и просто забудет нас после Голодных игр? Можно было не догадаться о зреющих мятежах, но мне ведь сказали: Капитолий разгневан! И вот, вместо того чтобы действовать с величайшей осторожностью, что я натворила? Как это выглядит с точки зрения президента? Дерзкая победительница тут же забыла о Пите и на глазах у всего дистрикта отдала предпочтение обществу давнего друга. То есть открыто высмеяла капитолийцев. Теперь из-за моего легкомыслия под угрозой и Гейл, и его семья, и мои родные, и Пит.

— Прошу вас, не трогайте Гейла, — шепотом умоляю я. — Он просто мой друг. Мы дружим уже много лет. И потом, все уверены, что мы родственники.

— Меня занимает другое: как это повлияло на ваши отношения с Питом, а значит — и на настроение дистриктов.

— Я исправлюсь во время тура. Буду любить его без ума, как и прежде.

— Как и сейчас, — поправляет Сноу.

— Как и сейчас, — подтверждаю я.

— Увы, чтобы предотвратить восстания, потребуется куда больше усилий.

— У меня получится. Я всем дистриктам докажу, что травилась из-за безумной любви, а не ради желания насолить Капитолию.

Сноу встает и прикладывает салфетку к пухлым губам.

— Цельтесь выше.

— Как это? Что значит «выше»? — не понимаю я.

— Убедите *меня*.

Президент роняет салфетку, берет свою книгу и направляется к двери. Я не смотрю на него и поэтому вздрагиваю, когда в ушах раздается отчетливый шепот:

— Между прочим, я знаю о поцелуе.

Дверь захлопывается.

3

Кровь... Это же запах его дыхания.

«Интересно, почему? — думаю я. — Может, он ее пьет?» Представляю себе, как он потягивает багровую жижу из чашки, макая туда печенье.

За окном заводится машина — тихо, вкрадчиво, словно кот промурлыкал, — и вот звук затихает вдали. Капитолийцы скрываются незаметно, как и приехали.

Кабинет начинает плясать перед глазами, описывая кривые круги. Не упасть бы в обморок. Я хватаюсь за край стола. Другая рука до сих пор сжимает красивое печенье Пита. Кажется, на нем была тигровая лилия, но теперь в кулаке одни крошки. Я и не знала, что раздавила его в ту минуту, силясь хоть что-нибудь удержать, когда вся жизнь полетела в тартарары.

Здесь только что был президент Сноу. Дистрикты на грани восстания. Гейл, и не он один, в смертельной опасности. Все, кого я любила, обречены. Неизвестно, кому *еще* придется расплачиваться за мое поведение. Разве что все изменится после тура. Разве что я усмирю недовольство и успокою президента. Да, но как? Доказав перед всей страной, что люблю Пита Мелларка.

«Не выйдет, — проносится у меня в голове. — Я не настолько искусно играю». Вот Пит — он и вправду хорош, способен убедить в чем угодно. В то время как я замыкалась и молчала, он говорил за двоих. Но ведь не Пит должен доказать свои чувства, а я.

В коридоре слышатся легкие торопливые шаги. «Не стоит ей говорить. Ни единого слова». Потянувшись к подносу, я спешу отряхнуть ладонь и пальцы от крошек. Потом беру чашку и делаю судорожный глоток.

— Все хорошо, Китнисс? — интересуется мама.

— Да. По телевизору этого не показывают, но президент каждый раз встречается с победителем и желает удачного тура, — жизнерадостно улыбаюсь я.

Ее лицо светлеет от облегчения.

— Ясно. Я-то боялась, что у нас неприятности.

— Ничего подобного. Неприятности могут начаться, когда команда подготовки увидит, как я запустила свои брови.

Мама смеется. Я смотрю на нее и вспоминаю, что еще в одиннадцать лет приняла на себя семейные заботы. Отступать поздно: теперь я всю жизнь буду защищать родных.

— Налить тебе ванну? — спрашивает она.

— Чудесная мысль, — отзываюсь я и вижу, как маму радует мой ответ.

По возвращении с Голодных игр я только и делала, что пыталась наладить наши отношения. Приучала себя обращаться к ней с просьбами, а не сердито отказываться от помощи, как делала все эти годы. Отвечать на объятия, а не терпеть их. Позволила тратить мой выигрыш. На арене я поняла, что не могу и дальше наказывать маму. Она не виновата в том, что впала в такое тяжкое уныние после смерти отца. Порой с людьми происходит такое, к чему они совершенно не готовы.

Вот, например, как со мной. Прямо сейчас.

И потом: когда мы вернулись в дистрикт, мама совершила один очень мудрый поступок. На вокзале, после первых же объятий с родными, репортеры начали задавать вопросы. Кто-то поинтересовался ее мнением о моем новом парне. Мама ответила, что считает Пита более чем достойным на эту роль, но меня — слишком юной для того, чтобы вообще заводить отношения с мальчиками. И многозначительно посмотрела на Пита. Послышался дружный хохот, выкрики вроде: «Ой, кому-то не поздоровится». Пит выпустил мою руку и сделал шаг в сторону. Всего на минутку, ведь обстоятельства вынуждали действовать с точностью до наоборот, — зато у нас появился повод держаться чуть холоднее, нежели в Капитолии. И может быть, это сойдет за отговорку, почему меня так редко видели в обществе Пита с тех пор, как уехали телевизионщики?

Я поднимаюсь наверх, где над наполненной ванной клубится пар. Мама бросила в воду пакетик сушеных цветов, которые добавляют благоухания. Мы до сих пор не привыкли к подобной роскоши, когда стоит повернуть ручку крана — и в нашем распоряжении сколько угодно чуть ли не кипятка. Дома, в Шлаке, вода была ледяная, ее приходилось греть на огне. Раздевшись, я погружаюсь словно в жидкий шелк: оказывается, мама добавила еще и немного масла, — и пытаюсь решить, как быть дальше.

Первый вопрос: кому рассказать и рассказывать ли вообще? Мама и Прим отпадают; они только зря разволнуются. Гейл тоже. Даже если будет возможность поговорить: что он может поделать? Пожалуй, я помогла бы ему бежать в леса. Но Гейл не один на свете. Он ни за что не оставит родных. Да и меня, наверное. После тура надо будет как-нибудь объяснить, что наши общие воскресенья останутся в прошлом, но сейчас я не в силах загадывать настолько далеко. Кроме того, Гейл и так уже зол и рассержен на Капитолий. Не хватало еще и мне подстрекать его к личному мятежу. Нет, ни единой душе из дистрикта рассказывать нельзя.

Впрочем, есть еще три человека, которым можно довериться, и первый из них — мой стилист Цинна. Он и без моей помощи навлек на себя немилость. Зачем ухудшать его шаткое положение? Дальше — Пит. Ведь ему суждено стать моим товарищем по обману. Да, но как начать разговор? «Эй, привет! Помнишь, я тут заикнулась, что вроде как притворялась влюбленной в тебя? Так вот, пожалуйста, выкинь это из головы. И давай продолжать в том же духе, а то президент убьет Гейла». Нет, не могу. И потом, Пит отлично сыграет по правилам, даже не зная ставок. Кто остается? Хеймитч. Пьяница, разгильдяй и драчун, которого я только что окатила холодной водой из таза. Во время Голодных игр каждый ментор отвечает за выживание своего трибута. Надеюсь, Хеймитч еще заинтересован в этом.

Я опускаюсь на дно, позволяя воде сомкнуться над головой и отрезать все внешние звуки. Вот если бы ванна могла раздвинуться и позволила мне поплавать — как жаркими летними воскресеньями, в лесу, с отцом! Прекрасные были дни. Мы покидали дом рано утром и уходили в чащу дальше обычного, к небольшому озеру, которое папа нашел однажды во время охоты. Даже не помню, когда он успел научить меня плавать, — видимо, очень рано. Помню только, как я ныряла, плескалась и кувыркалась в воде. Помню вязкий ил между пальцами ног, ароматы цветов и зеленых листьев. Вот я лежу на спине, как сейчас, и смотрю в голубое небо. Вода заглушает лесные звуки. Отец набьет дичи, гнездящейся на берегу, я разыщу в траве яйца, и мы накопаем на мелководье корней китнисса — растения, от которого и пошло мое имя. Ближе к ночи, когда вернемся домой, мама сделает вид, будто не узнала свою слишком чистую дочь, и приготовит восхитительный ужин: жаркое из утки с печеными голубоватыми клубнями под аппетитным соусом.

Я никогда не водила Гейла на озеро. А могла бы. Дорога неблизкая, зато непуганой дичи там — сколько душа пожелает. Просто мне не хотелось ни с кем делить это место, оно было наше — мое и папы. После Голодных игр, когда стало нечем заполнить время, я несколько раз выбиралась туда в одиночку. С удовольствием плавала, но всегда возвращалась в печали. За эти пять лет озеро совершенно не изменилось — а кто бы узнал *меня*?

Даже под водой не укроешься от суеты. Гудят подъезжающие машины, кто-то кого-то приветствует, хлопают двери. Выходит, пробил час готовиться к туру. Кое-как вытираюсь насухо, набрасываю халат — и в то же мгновение в ванной комнате бесцеремонно появляется команда подготовки. Какая уж тут приватность. Что касается тела, между мной и этой троицей не осталось тайн.

— Китнисс, брови! — прямо с порога верещит Вения.

Хотя над моей головой собираются черные тучи, я все равно давлюсь усмешкой. Лазурные волосы Вении торчат во все стороны острыми клочьями, а прежние золотистые татуировки над бровями заворачиваются уже и под глаза.

— Да ладно, брось, — снисходительно похлопывает ее по спине Октавия, настоящая пышечка по сравнению с костлявой подружкой. — Ты-то быстро управишься, а мне что прикажешь делать с такими ногтями?

Она хватает мою ладонь своими бледно-зелеными руками — нет, скорее уже не бледно-, а ярко-зелеными: видимо, дань последнему писку капитолийской моды.

— Ну правда, Китнисс, с чем мне теперь работать? — почти рыдает Октавия.

Это верно, за последние несколько месяцев я изгрызла ногти до самых корней.

— Извини, — бормочу я под нос.

Все хотела избавиться от досадной привычки, однако приличный повод так и не подвернулся. Меньше всего в это время я размышляла о том, как бы угодить команде подготовки.

Флавий приподнимает несколько прядок влажных и спутавшихся волос — и неодобрительно трясет головой, разбросав оранжевые кудряшки.

— Честно скажи, к ним кто-нибудь прикасался? — говорит он сурово. — Помнишь, тебя просили не трогать волосы.

— Да! — Хорошо, что хоть в этом не подвела. — Вернее, нет, их никто не стриг. Конечно, я учла твое пожелание.

Ничего-то я не учитывала. Просто руки не доходили. Заплетала привычную косу — и все.

Кажется, это смягчает их праведный гнев. Меня осыпают дождем поцелуев, усаживают на кресло в спальне и, по заведенному обычаю, принимаются разом без остановки трещать, даже не дожидаясь ответа. Пока Вения колдует над моими бровями, Октавия клеит фальшивые ногти, а Флавий втирает в голову что-то клейкое, я успеваю чего только не наслушаться о Капитолии. И что последние Игры «были просто блеск», и что потом в Капитолии некуда было деваться от скуки, и что все ждут не дождутся нашего с Питом возвращения в последний день тура. А там уже не за горами Квартальная бойня.

— Ой, ты, наверное, волнуешься?

— Ты такая везучая!

— В первый же год — и сделаться ментором Квартальной бойни! — взахлеб восторгаются эти трое.

— Ну да, — говорю я бесстрастно.

А что остается? Даже в обычное время быть ментором — не пожелаешь и злейшему врагу. Я и так не могу проходить мимо школы без содрогания, все думаю: кто из детей станет моим трибутом? Да к тому же еще грядут семьдесят пятые Игры, Квартальная бойня. Их проводят каждые двадцать пять лет, отмечая порабощение дистриктов особенно пышными торжествами, а для пущей потехи — каким-нибудь новым издевательством над трибутами. В школе однажды рассказывали, что на второй юбилей Капитолий затребовал для арены вдвое больше трибутов. Учителя не вдавались в подробности, а странно, ведь именно тогда житель Дистрикта номер двенадцать завоевал корону.

— Теперь Хеймитч снова будет у всех на слуху! — пищит Октавия.

Он никогда не делился с нами собственным опытом на арене. А сама бы я ни за что не спросила. Если Голодные игры с его участием и повторяли по телевизору, я была слишком юной и ничего не запомнила. Зато Хеймитчу Капитолий не даст забыть. Может, в каком-то смысле оно и к лучшему, что во время следующей Жатвы менторские места займем уже мы с Питом. Похоже, Хеймитч свое отработал.

Вдоволь нащебетавшись о страшной Квартальной бойне, участники подготовительной команды принимаются самым подробным образом обсуждать свою бестолковую жизнь: сплетничают о людях, имен которых я даже не слышала, хвалятся новыми туфлями, а Октавия угощает нас длинным рассказом о том, какую промашку она дала, пригласив на день рождения гостей в нарядах из перьев.

Но вот мои брови выщипаны, волосы стали гладкими и шелковистыми, а ногти готовы принять слой лака. Очевидно, троице было приказано заняться только лицом и руками — все остальное скроет зимняя одежда. В ход идут самые разные краски. Флавий, которому страсть как хочется испробовать на мне фирменную пурпурную помаду, скрепя сердце ограничивается розовым оттенком. Судя по выбранной стилистом палитре, на этот раз я должна выглядеть невинной девочкой, а не соблазнительницей.

Это хорошо. Вызывающая внешность и поведение не способствуют доверию. Хеймитч предельно ясно дал мне это понять, когда готовил для первых интервью.

Входит мама и застенчиво говорит, что Цинна велел показать команде, как она заплела мои волосы в день Жатвы. Троица чуть ли не прыгает от восторга и, затаив дыхание, наблюдает за маминой замысловатой работой. Я вижу в зеркале абсолютно серьезные взгляды; взгляды, в которых горит желание попробовать сделать это самим. Эти люди так почтительно и любезно ведут себя с мамой, что мне становится стыдно за прежнее к ним презрение. Кто знает, какой бы я стала или о чем говорила, если бы выросла в Капитолии? Вполне возможно, меня бы ничуть не меньше мучили сожаления о том, что все гости явились на праздник в перьях.

Прическа готова, и я спускаюсь в гостиную, к Цинне. Один его вид уже внушает некоторую надежду. Стилист не переменился: простая одежда, стриженые каштановые волосы, легкая золотая подводка у глаз. Мы обнимаемся, и я с трудом сдерживаюсь, чтобы не выложить ему историю с президентом Сноу. Нет, решено: сначала Хеймитч. Он лучше знает, кого еще можно огорошить подобным рассказом. И все-таки с Цинной очень легко говорить. Совсем недавно мы долго болтали по телефону, появившемуся у нашей семьи вместе с новым домом, словно в насмешку: ведь ни у кого из наших знакомых подобной роскоши нет. Питу я не звоню, а Хеймитч вообще много лет назад вырвал провод из стенки. Правда, можно связаться с Мадж, дочкой мэра, мы с ней подруги, но лучше встретиться лично. Поначалу эта штуковина подолгу стояла без пользы. Потом стал названивать Цинна и развивать мой талант.

Считается, что талант есть у каждого победителя. Имеется в виду некое дело, которым вы занимаетесь, когда отпадает необходимость ежедневно ходить в школу или на фабрику. Это может быть все — нет, правда, все, что угодно, была бы тема для интервью. Как выяснилось, у Пита талант к рисованию. Он с детства расписывал глазурью печенья и торты в семейной пекарне, теперь разбогател и может позволить себе мазать красками холст. А у меня никакого таланта нет. Разве что к нелегальной охоте, но это не для экрана. Или к пению — чего я не стала бы делать для Капитолия ни за какие коврижки. Мама честно пыталась заинтересовать меня множеством разных увлечений из длинного списка, который прислала ей Эффи Бряк. Кулинария, составление букетов, игра на флейте. Ничто меня не зацепило, хотя у Прим обнаружилась склонность ко всем трем занятиям. Наконец за дело взялся стилист. Он предложил развить мою страсть к моделированию одежды. Очень трудно развить в человеке то, чего в нем нет и в помине, однако я согласилась — ради возможности время от времени пообщаться с Цинной.

В гостиной его руками разложены ткани, предметы одежды, альбомы с набросками. Я беру один из альбомов и всматриваюсь в платье, эскиз которого якобы создала.

— Знаешь, Цинна, по-моему, я подаю большие надежды.

— Одевайся, никчемное ты существо, — отвечает он и бросает мне кучу тряпок.

Может, я не питаю склонности к созданию разных нарядов, зато обожаю произведения Цинны. Например, вот эти. Черные струящиеся брюки из плотной теплой материи. Уютная белая рубашка. Вязаный свитер из пушистой, словно котенок, синей, зеленой и серой шерсти. Кожаные ботинки на шнуровке, нисколько не жмущие в носках.

— Я сама это создала? — осведомляюсь я.

— Нет, но мечтаешь придумывать собственные наряды, чтобы когда-нибудь превзойти меня, своего кумира. — Цинна вручает мне кучу маленьких карточек. — Прочтешь на съемке, пока они будут давать наплыв на шмотки. И постарайся вложить хоть немного души.

Внезапно врывается Эффи Бряк в парике — оранжевом, словно спелая тыква, — и громко напоминает:

— Работаем по графику!

Она целует меня в обе щеки, одновременно подзывая жестами остальных, и указывает, где мне нужно стоять. Не будь Эффи, мы бы, наверное, никуда не успели в столице, поэтому я ублажаю ее как могу. Дергаюсь, точно кукла на нитках, трясу одеждой и произношу бессмысленные фразочки вроде:

— Ну как, вам нравится?

Звукооператоры записывают на пленку мой бодрый голос, читающий карточки, чтобы позже наложить его на изображение, а потом выпроваживают меня из комнаты, чтоб не мешала снимать мои/Цинны шедевры.

Сегодня Прим отпросилась из школы пораньше. У нее тоже берут интервью — на кухне. Небесно-лазурный фартучек так подходит к ее глазам. Белокурые волосы перевязаны подходящей по цвету ленточкой. Сестра привстает на цыпочки в своих белоснежных туфлях так, словно собралась улететь, словно...

Бам! Кажется, меня только что с размаху ударили в грудь. Нет, разумеется, не ударили. Но боль такая, что я отступаю на шаг. И, крепко зажмурившись, вижу перед собой не Прим, а Руту. Двенадцатилетнюю Руту, соперницу по арене. Эта девочка из Одиннадцатого дистрикта и впрямь летала между деревьями, точно птица, цепляясь за самые тонкие веточки... Я ее не спасла. Позволила ей умереть. Перед глазами встает образ Руты, лежащей под деревом, с копьем в животе...

Кого еще мне в будущем не удастся спасти от ярости Капитолия? Кто еще погибнет, если я не смогу задобрить президента Сноу?

Оказывается, Цинна пытается нарядить меня в шубу. Опомнившись, я поднимаю руки. Мех и внутри, и снаружи, он обволакивает меня. В жизни не встречала подобных животных.

— Горностай, — поясняет стилист, заметив, как я поглаживаю белоснежный рукав.

Наряд дополняют кожаные перчатки, ярко-красный шарф и... Головы касается что-то мягкое.

— Ты возрождаешь моду на меховые наушники.

«Терпеть не могу меховые наушники», — думаю я. В них трудно слышать. После того, как во время Голодных игр меня наполовину оглушило взрывом, я возненавидела этот головной убор еще сильнее. Врачи Капитолия восстановили больное ухо, но неприятный осадок остался.

Тут появляется мама, зажав что-то в руке.

— На счастье, — произносит она.

Круглая золотая брошь с изображением летящей сойки-пересмешницы. Я пыталась отдать ее Руте, однако та не взяла. Сказала, что и доверилась мне исключительно из-за этой броши. Цинна прикалывает украшение к узлу шарфа.

Поблизости возникает Эффи Бряк и хлопает в ладоши.

— Всем-всем, внимание! Снимаем первые кадры на улице. Победители приветствуют друг друга перед началом чудесного путешествия. Давай, Китнисс, улыбайся шире, ты же взволнована, правда?

И она буквально выталкивает меня за дверь.

Сначала я ничего не вижу за пеленой уже всерьез повалившего снега. Потом различаю Пита, выходящего из парадной двери. В голове раздается голос президента: «Убедите меня». Придется.

Расплывшись в улыбке, я делаю несколько шагов, затем, словно не сдержавшись, бросаюсь бегом. Пит подхватывает меня на руки, кружит, поскальзывается на искусственной ноге, мы оба летим в сугроб — я сверху, он снизу — и целуемся, впервые за несколько месяцев. К поцелую примешиваются мех, снежинки, помада, но даже сквозь них ощущается спокойствие и уверенность, которые Пит излучает везде и всегда. И я понимаю, что не останусь одна. Пит не бросит, не подведет перед камерами, несмотря на причиненную мною боль. Даже не поскупится на подлинный поцелуй. Он по-прежнему заботится обо мне — как тогда, на арене. От этой мысли почему-то хочется плакать. Но я помогаю Питу подняться, просовываю руку в перчатке ему под мышку и весело тащу за собой.

День пролетает мимо, точно пейзаж за окном. Добираемся до вокзала, со всеми прощаемся, поезд трогается, и мы вместе, старым составом: Пит и я, Эффи с Хеймитчем, Цинна и Порция — стилист моего напарника, наслаждаемся великолепным ужином. Наконец я, в просторном халате поверх пижамы, сижу в шикарном купе, ожидая, пока остальные заснут. Хеймитч долго еще будет бодрствовать: не любит спать, когда снаружи темно.

Кажется, все затихло. Сую ноги в тапочки, тихо иду к его купе. Стучать приходится несколько раз. Дверь открывается, на пороге — Хеймитч, сердитый и хмурый, точно уверен, что я принесла недобрые вести.

— Что надо?

Облако винных паров окутывает меня и чуть не сбивает с ног.

— Есть разговор, — шепчу я.

— Прямо сейчас?

Киваю.

— Нашла время.

Он выжидает, но я уверена, что в капитолийском поезде каждое наше слово записывается на пленку.

— Ну? — рявкает Хеймитч.

Вагоны вдруг принимаются тормозить. Ясно: президент Сноу следил за мной, ему не понравилось, что я собралась довериться ментору, и сейчас от меня избавятся. Хотя нет, машинист просто останавливается для дозаправки.

— Не продохнуть в этом поезде, — небрежно бросаю я.

Невинная фраза, и все-таки Хеймитч понимающе щурится.

— Я знаю, что тебе нужно.

Оттолкнув меня, он бредет по вагону к выходу, борется с дверью, отпирает ее (метель ударяет в лицо) и вываливается на землю.

Проводница из Капитолия спешит помочь, но Хеймитч добродушно отмахивается, удаляясь неверной походкой.

— Я на минутку. Воздухом подышу.

— Простите, он выпил. — В моем голосе звучат извиняющиеся нотки. — Я за ним присмотрю.

Спрыгиваю, бреду по следам, черпая снег мягкими тапочками. Ментор уводит меня к хвосту поезда, где никто не станет подслушивать, и только тогда оборачивается.

— Что?

Я выкладываю все. Про нагрянувшего президента, про Гейла, про то, как мы все умрем, если у меня ничего не получится.

Озаренный багровыми хвостовыми огнями, Хеймитч заметно трезвеет и даже будто бы стареет на глазах.

— Значит, должно получиться.

— Поможешь мне продержаться до конца путеше... — начинаю я.

— Нет, Китнисс, поездка — это еще не конец, — произносит он.

— Как это? — не понимаю я.

— Даже если сейчас выгорит, через несколько месяцев капитолийцы вернутся и заберут нас на новые Игры. Теперь каждый год вы с Питом будете менторами. Каждый год они станут копаться в вашей личной жизни, разглашая на всю страну подробности вашего любовного романа. Ничего другого тебе не остается, как жить с этим парнем долго и счастливо до скончания дней.

Его слова — очень сильный удар. Выходит, мне никогда не быть с Гейлом, даже если захочется. Значит, выход один — любовь до гроба, ибо так решил Капитолий. Осталось от силы несколько лет свободы, мне ведь всего шестнадцать. Пока еще можно жить с мамой и Прим. А потом... потом...

— Ты поняла? — не отступает Хеймитч.

Я киваю. Да, поняла: если хочу уцелеть и спасти своих близких, мое будущее предрешено. Придется выйти замуж за Пита.

4

Мы в молчании ковыляем обратно к вагону. В вагоне, уже перед моей дверью, Хеймитч похлопывает меня по плечу.

— Знаешь, могло быть гораздо хуже.

И бредет обратно в купе, унося с собой мощный запах перегара.

Я захожу к себе, скидываю мокрые тапочки, халат и пижаму и забираюсь под одеяло в одном белье. Долго смотрю в темноту, вспоминая разговор с Хеймитчем. Все, что он сказал, чистая правда: и ожидания Капитолия, и мое будущее вместе с Питом, и даже последнее замечание. Разумеется, могло быть гораздо хуже. Однако не в этом дело, правда? В Двенадцатом дистрикте жители не избалованы свободами, но хотя бы вольны выбирать, с кем связать свою жизнь и связывать ли вообще. У меня отняли даже это право. А если президенту Сноу захочется, чтобы мы завели детей? Тогда им каждый год будет грозить Жатва. Ребенок победителя (а тем более двух) — лакомый кусок для телевизионщиков. Раньше такое уже случалось. И всякий раз вызывало в стране волнения: дескать, мало шансов, чтобы лотерея выбрала именно эту семью из множества. Однако шанс почему-то выпадал, и довольно часто. Гейл не сомневался: Капитолий нарочно подделывает результаты, чтобы прибавить Голодным играм остроты. Если учесть, как много шума я подняла вокруг своей персоны, нашему будущему ребенку прямая дорога на арену.

В голову лезут мысли о Хеймитче. Ни жены, ни семьи, весь мир заслонила пьяная мгла. Он мог выбрать любую женщину в дистрикте, но предпочел жить в уединении. Нет, это слишком уютное, спокойное слово. Он предпочел добровольное одиночное заключение. Может, потому, что уже на арене понял: так будет лучше? Когда имя Прим прозвучало в день Жатвы и младшая сестра начала подниматься на сцену, навстречу смерти, у меня хотя бы был выбор. Я заняла ее место. У мамы такого выбора не было.

Мысли отчаянно мечутся в поисках выхода. Я не дам президенту Сноу обречь меня на этот кошмар. Прижмут к стене — покончу с собой. Или попытаться сбежать? Что они сделают, если я вдруг исчезну? Бесследно растаю в лесах? Вот бы уговорить кого-то из близких скрыться вместе и начать в чаще новую жизнь. Маловероятно, что у меня получится, однако надежда есть.

Я трясу головой. Не время строить безумные планы. Нужно сосредоточиться на туре победителей. Судьбы многих людей зависят от того, хорошо ли я справлюсь с ролью.

Рассвет наступает раньше, чем мне удается заснуть, и вот уже Эффи колотит в дверь. Натянув на себя первое, что подворачивается под руку, я тащусь вслед за ней в вагон-ресторан. Не понимаю, для чего в обычный день тура меня подняли ни свет ни заря. Оказывается, накануне команда

Цинны готовила только к поездке на вокзал, а настоящая работа нам предстоит сегодня.

— Зачем это все? — ворчу я. — На улице холодно, так что и носа из-под шарфа не высунешь.

— Только не в Одиннадцатом дистрикте, — отвечает Эффи.

Дистрикт номер одиннадцать. Наша первая остановка. Родина Руты. Честно говоря, я предпочла бы начать где угодно, лишь бы не здесь. Но расписание тура почти всегда одинаково. Поезд отходит от нас, из Двенадцатого, и посещает все дистрикты, считая в обратном порядке, до Первого. Потом — Капитолий. Дистрикт победителя пропускают, оставляют на самый конец. Обычно в Двенадцатом праздник получается скомканным — ужин для трибутов и победный митинг на площади, где публика даже и не старается напускать на себя восторженный вид, — поэтому в наших краях поезд никогда особенно не задерживался. Но в этом году, впервые после победы Хеймитча, тур окончится в Дистрикте номер двенадцать, и Капитолий раскошелится на торжества.

Я пытаюсь «радоваться насущному хлебу», как выражается Хейзел. Повара явно решили меня побаловать. Приготовили самые любимые деликатесы, даже тушеное филе барашка с черносливом. На столе с моей стороны стоит апельсиновый сок и чашка дымящегося горячего шоколада. Все исполнено безупречно, и я набиваю еду за обе щеки, однако не чувствую вкуса. Между прочим, досадно, что к завтраку встали только мы с Эффи.

— А где остальные? — интересуюсь я.

— Кто знает, где носит этого Хеймитча, — отвечает она. Вот уж кого я совсем не ждала увидеть: должно быть, он только добрался до кровати. — Цинна вчера трудился до поздней ночи, обустраивая твой вагон-гардеробную. Там, наверное, сотня разных нарядов. А команда Пита, по-моему, еще не вставала.

— Разве ему не нужно готовиться? — осведомляюсь я.

— Не так усиленно, как тебе.

Выходит, пока меня целое утро будут ощипывать, Пит преспокойно выспится? Об этом я до сих пор не задумывалась, но кое-кто из парней на арене и вправду был волосат в таких местах, которые девушкам обривали наголо. В том числе Пит. Помню, как я омывала его у ручья. Под солнечными лучами, очищенная от грязи и крови, его белокурая голова засияла. А лицо было совершенно гладким. Ни у кого из парней с арены не росла борода, хотя многим она полагалась по возрасту. Интересно, как этого добились?

Я ощущаю себя разбитой, но на подготовительную команду и вовсе жалко смотреть. Троица глушит кофе напропалую и обменивается яркими цветными таблеточками. Насколько я могу судить, эти несчастные привыкли нежиться под одеялами до полудня, а тут срочный заказ национального значения — мои волосатые ноги...

Сегодня никто не расположен к обычным пустым беседам. В тишине слышно, как каждый волосок выдирается из своей фолликулы. Меня замачивают в ванне, наполненной густым вонючим раствором. Лицо и руки мажут разными кремами. Потом еще ванны с отварами, уже не такими противными. Тело чистят, драят, скоблят, массируют и натирают.

Флавий берет меня за подбородок и скорбно вздыхает:

— Жаль, что Цинна не разрешил ничего менять.

— Да уж, мы бы сделали из тебя конфетку, — прибавляет Октавия.

— Вот погодите, когда она подрастет, — зловеще вставляет Вения, — Цинна уже не отвертится.

Что он им тогда разрешит? Раздуть мои губы, как у президента Сноу? Сделать татуировки на груди? Окрасить кожу пурпуром и врастить в нее драгоценные камни? Покрыть лицо художественной резьбой? Превратить руки в лапы с хищными крючковатыми когтями? Пересадить на щеки кошачьи усы? В Капитолии мне встречалось и не такое. Эти люди хоть представляют себе, какими уродами кажутся нам, обыкновенным смертным?

Значит, однажды я стану беспомощной жертвой капризов моды. Мало того, что все тело болит и требует сна; впереди маячит навязанный брак; президент угрожает убить моих близких, если не справлюсь, — так тут еще и это!.. В итоге к началу обеда, за который Эффи, Цинна, Порция, Хеймитч и Пит уселись, не дожидаясь меня, я окончательно раскисаю и не могу ни с кем говорить. Зато остальные наперебой радуются еде и тому, как сладко можно выспаться в поезде. Все в восторге от нашего тура. Ладно, все, кроме Хеймитча. Мучаясь похмельем, он отщипывает от булки маленькие кусочки. Мне тоже кусок не лезет в горло: то ли от горя, то ли переела с утра. Лениво помешиваю бульон, отхлебываю пару ложек. На Пита, своего будущего супруга, даже смотреть не могу, хотя он нисколько не виноват.

Соседи по столу замечают мое настроение, но я пресекаю любые попытки втянуть меня в беседу. А потом поезд останавливается. Появляется проводница и объясняет: это не дозаправка. Что-то там поломалось, и мы простоим не меньше часа.

Эффи впадает в раж. Достав расписание, она подробно расписывает, как эта непредвиденная задержка повлияет на нашу дальнейшую жизнь вплоть до скончания века. Слушать ее становится просто невыносимо.

— Эффи, да всем наплевать! — вырывается у меня.

Все смотрят с укоризной; даже Хеймитч, которого тоже бесит ее болтовня.

— Нет, правда наплевать! — повторяю я, ощетинившись, и покидаю вагон-ресторан.

Что за жуткая духота! Мне становится дурно. Чуть ли не выломав дверь вагона, не обращая внимания на сработавшую сигнализацию, спрыгиваю на землю. А где же снег? Теплый благоухающий воздух ласкает кожу. Неужели за сутки можно так далеко уехать на юг? Я шагаю вдоль рельсов, щурясь на яркое солнце. В душу закрадываются первые сожаления: Эффи-то здесь при чем? Надо бы возвратиться и принести извинения. Вспышка — признак дурных манер, а манеры для этой женщины слишком важны. Однако ноги сами несут меня прочь, мимо поезда, в даль. Остановка продлится не менее часа. Можно идти целых двадцать минут в одну сторону и только потом развернуться: времени хватит с лихвой. Вместо этого, пройдя пару сотен ярдов, я сажусь на траву и устремляю взгляд перед собой. Интересно, пошла бы я дальше, окажись в руках верный лук и стрелы?

Через некоторое время за спиной раздаются шаги. Наверняка пришел пожурить Хеймитч.

— Знаешь, у меня нет настроения слушать нотации, — обращаюсь я к пучку зеленой травы под ногами.

— Хорошо, постараюсь быть кратким, — отзывается Пит и садится рядом.

— Я думала, это Хеймитч.

— Нет, он еще не догрыз свою булку. — Пит с осторожностью пристраивает на земле искусственную ногу. — Что, неудачный день?

— Да так, — отвечаю я.

Он набирает в грудь воздуха, точно перед прыжком.

— Слушай, Китнисс, я все хотел с тобой поговорить о своем поведении. Ну, тогда, в поезде. По дороге домой. Я ведь знал, что между тобой и Гейлом что-то есть. И ревновал — еще прежде, чем нас объявили парой. Я был не прав: Голодные игры закончились, и ты мне ничем не обязана. Прости.

Его извинения — точно гром среди ясного неба. Конечно, Пит воздвиг между нами стену, когда узнал, что моя влюбленность была чем-то вроде притворства. Но мне ли его винить? На арене я так старательно играла влюбленную, что временами сама не могла разобраться в чувствах к Питу. И до сих пор не могу.

— Ты тоже прости, — говорю я коротко.

— Тебе-то за что извиняться? Ты спасала наши шкуры. Просто мне как-то не по душе, что мы шарахаемся друг от друга в реальной жизни, а перед камерами валяемся в снегу. Вот я и подумал: если не буду строить из себя... ну, ты понимаешь, обиженного мальчишку, мы бы могли стать... не знаю... друзьями?

Все мои друзья, вероятно, обречены на смерть. Однако Пита отказ уже не спасет.

— Ладно.

Словно камень с души свалился. Все-таки меньше придется лицемерить. Лучше бы этот парень пришел со своим предложением чуть пораньше, прежде чем я узнала о планах Сноу. Теперь-то «просто друзьями» быть не получится. Но я благодарна уже за то, что мы вновь разговариваем.

— Что-то не так? — произносит он.

Я не могу рассказать. И молча щиплю пальцами траву.

— Ладно, давай потолкуем о чем-нибудь попроще. Представляешь, ты рисковала жизнью ради меня на арене... а я до сих пор не знаю, какой твой любимый цвет.

Мои губы трогает улыбка.

— Зеленый. А твой?

— Оранжевый.

— Да? Как парик у нашей Эффи?

— Нет, более нежный оттенок. Скорее, как закатное небо.

Закат. Перед глазами тут же встает картина: краешек заходящего солнца и небеса в оранжевых разводах. Красиво. Потом вспоминается глазурная лилия на печенье, и я с трудом удерживаюсь, чтобы не рассказать о визите президента. Хеймитч этого не одобрит. Лучше продолжить незатейливую беседу.

— Говорят, будто все без ума от твоих картин, а я ни одной не видела. Жалко.

— Так ведь у меня с собой их целый вагон. — Пит поднимается и подает мне руку. — Идем.

Приятно, что наши пальцы снова переплелись, и причиной тому — не нацеленные камеры, а настоящая дружба. Мы шагаем обратно к поезду.

— Надо задобрить Эффи, — спохватываюсь я.

— Не бойся перестараться, — советует Пит.

Возвращаемся в вагон-ресторан. Остальные еще обедают. Я рассыпаюсь в преувеличенных извинениях и, по-моему, здорово перегибаю палку — впрочем, этого еле-еле хватает, чтобы загладить столь ужасную вину, как нарушение этикета. Эффи (надо отдать ей должное) великодушно принимает мои оправдания: дескать, она понимает, какое давление я сейчас испытываю, и вновь начинает распространяться о том, как важно, чтобы каждый из нас неукоснительно следовал расписанию. Речь продолжается ровно пять минут. Думаю, я легко отделалась.

По окончании лекции Пит уводит меня в особый вагон, где хранит полотна. Не знаю, чего я ожидала. Наверное, увидеть тигровую лилию — как на том печенье, только размером побольше. И разумеется, не угадала. Пит изобразил на картинах Голодные игры.

На некоторых — подробности, понятные лишь тому, кто был с ним на арене. Струйки воды сочатся сквозь трещины в потолке пещеры. Пересохшее русло ручья. Руки Пита роются в земле, выкапывают коренья. Другие картины понятны любому зрителю. Знаменитый Рог изобилия. Мирта с ее арсеналом ножей под курткой. Белокурый, зеленоглазый переродок, подозрительно похожий на Цепа, кидающийся на нас с жутким оскалом. И еще — я. Всюду я. То высоко забираюсь на дерево. То стираю рубашку в ручье между двух камней. То лежу без сознания в луже крови. А вот такой я, должно быть, казалась ему во время сильной горячки: образ выступает из переливчатого серого тумана, под цвет моих глаз.

— Нравится? — спрашивает Пит.

— Мерзость, — роняю я. Мне явственно чудятся запахи крови, грязи, не человечье и не звериное дыхание переродка. — Ты воскрешаешь то, о чем я все это время мечтала забыть. Как тебе вообще удалось удержать в голове столько подробностей?

— Я вижу их каждую ночь.

Понимаю. Кошмары. Я и до Игр знала о них не понаслышке. Теперь они — постоянные спутники сна. Старые — об отце, которого на куски разрывает в шахте, — в последнее время редки. Зато я еще и еще раз переживаю происходившее на арене. Тщетно пытаюсь спасти Руту. Беспомощно наблюдаю, как истекает кровью Пит. Поворачиваю гноящееся тело мертвой Диадемы. И очень часто слушаю страшные вопли Катона, угодившего в зубы к переродкам.

— Да, я тоже. Ну и как, рисование помогает?

— Не знаю. Вроде бы стало немного легче уснуть. По крайней мере, хочется в это верить, — отвечает он. — До конца я от снов не избавился.

— Возможно, и не избавишься. Как Хеймитч.

Ментор ни разу об этом не упоминал, но... что еще мешает ему засыпать в темноте?

— Пожалуй. Но лучше уж просыпаться с кистью в руке, чем с острым ножом, — произносит Пит. — Значит, тебе не понравилось?

— Нет. Хотя сделано потрясающе. Правда, — признаюсь я. Однако не могу больше на это смотреть. — А *ты* не хочешь полюбоваться на мой талант? Цинна потрудился на славу!

— В следующий раз, — усмехается он. В это мгновение поезд дергается, и мы обращаем взгляды к ландшафту, плывущему за окном. — Подъезжаем. Дистрикт номер одиннадцать.

Мы переходим в самый хвост поезда. Здесь поставлены и кушетки, и кресла, но самое любопытное: задние окна сливаются между собой, охватывая даже потолок; впечатление такое, словно едешь снаружи, на открытом воздухе. Перед глазами непривычный пейзаж: широкие, бескрайние луга, по которым лениво бродят молочные стада. Никакого сходства с нашим дистриктом, густо поросшим лесами.

Поезд замедляет ход. Новая остановка? Но нет: впереди вырастает забор. Тридцати пяти футов высотой, весь в кольцах колючей проволоки. По сравнению с ним наше ограждение выглядит детской забавой. Привычно шарю глазами у основания. Его обложили массивными железными плитами — не подкопаешься, не улизнешь на охоту. И всюду, на равном расстоянии друг от друга, торчат сторожевые вышки. Посреди заливных лугов, поросших цветами, они будто бельмо на глазу.

— Что-то новенькое, — вслух замечает Пит.

Из разговоров с Рутой я вынесла смутное представление о здешних порядках, куда более жестких, нежели в нашем дистрикте, — но чтобы такое?

Начинаются золотые поля, протянувшиеся насколько хватает глаз. Мужчины, женщины, дети в соломенных шляпах от солнца распрямляют спины и смотрят нам вслед. В отдалении зеленеют сады. Наверное, в одном из таких же работала Рута. Рвала спелые плоды, добираясь до самых тонких веточек. То здесь, то там попадаются горстки лачуг (оказывается, наши дома в Шлаке — еще не худший вариант). Людей рядом нет. Похоже, всех до единого угнали на сбор урожая.

И так продолжается до бесконечности, все одно и то же. Невероятно, какой он огромный, Дистрикт номер одиннадцать.

— Интересно, сколько здесь жителей? — произносит Пит.

Я трясу головой: дескать, понятия не имею. В школе нам говорили, что здесь обширные земли, но и только. Странно: молодежь в ожидании Жатвы, мелькающая во время Голодных игр на экранах, явно составляет мизерную часть местного населения. Как же этого добиваются? Досрочно вытягивают тессеры? Заранее определяют участников и подстраивают, чтобы они оказались в толпе? Как получилось, что Рута вышла на сцену, и только ветер тоскливо провыл о желании занять ее место?

Меня начинает мутить от просторов и бесконечности. Когда Эффи зовет нас переодеваться, я даже не возражаю.

Иду к себе, отдаюсь на милость команды подготовки, которая долго колдует над моими лицом и прической. Цинна приносит прелестное рыжее платье, с узором в виде осенней листвы. Питу очень понравится.

Эффи в последний раз повторяет с нами расписание на день. Кое-где победителей возят по городу под ликование толп, однако местные жители, очевидно, нужнее сейчас на полях и в садах, так что мы просто выступим на площади перед Домом правосудия. Когда-то это большое мраморное сооружение было не лишено красоты... увы, время его не пощадило. Даже по телевизору можно заметить, как покосилась крыша, как зеленый плющ стыдливо пытается прикрыть осыпающийся фасад. Площадь зажата между обветшалыми витринами магазинов, по большей части — пустующими. Состоятельные обитатели дистрикта явно живут не здесь.

Наше выступление должно пройти на так называемой веранде, на вымощенном плиткой пространстве под сенью крыши, которую держат колонны. Нас с Питом представят публике, мэр прочитает спич в нашу честь, а мы ответим благодарственной речью, заготовленной в Капитолии. Хорошо, если трибут прибавит несколько теплых слов от себя лично, упоминая погибших союзников. Придется заговорить о Руте и Цепе. Я еще дома много раз пыталась выжать из себя хоть одно предложение, но застывала над белым листом бумаги. Вспоминать о них — значило растравить ужасные раны. К счастью, Пит ухитрился что-то накропать для нас обоих. В конце торжества нам вручат какую-нибудь памятную табличку — и поведут в Дом правосудия, на особый праздничный ужин.

Вокзал приближается; Цинна окидывает меня критическим взглядом, меняет оранжевую ленту на золотистую и закрепляет на груди круглую брошь с пересмешницей — ту, что была на мне во время Голодных игр.

Цветами поезд не встречают. Команда из восьми миротворцев торопится проводить нас к бронированному фургону. Когда дверь с грохотом захлопывается, Эффи презрительно фыркает:

— Можно подумать, мы какие-то преступники.

«Не мы, а я», — проносится у меня в голове.

Фургон подъезжает к Дому правосудия, и нас бегом, не давая времени оглядеться, заталкивают внутрь. Хотя я чувствую аппетитные ароматы грядущего ужина, плесень и разложение пахнут сильнее. С площади долетает гул толпы. Мы цепочкой шагаем к парадному выходу. Кто-то цепляет на платье микрофон. Пит берет меня за руку. Мэр представляет нас, и тут массивные двери со стоном распахиваются.

— Шире улыбки! — командует Эффи, подталкивая нас с Питом.

Ноги сами несут вперед.

Мелькает мысль: «Вот оно. Вот когда мне придется убеждать всех в своей нежности к Питу». Между тем торжество расписано по секундам. На поцелуи просто нет времени. Значит, придется выкроить.

Слышатся бурные аплодисменты; в отличие от Капитолия, публика здесь не свистит и не гикает. Проходим через тенистую веранду и замираем на вершине большого мраморного лестничного пролета, под ослепительным солнцем. Немного привыкнув к свету, я различаю домá, увешанные пестрыми флагами, дабы скрыть запустение. Площадь заполнена зрителями, но опять же, в масштабах местного населения это — капля в море.

Как обычно, у подножия сцены сооружен помост для членов семей погибших трибутов. Со стороны Цепа сидит ссутулившаяся старуха и крепкая, мускулистая девушка — сестра, наверное. А вот со стороны Руты… Я была не готова увидеть ее семью. Родителей, еще не оправившихся от горя. Пятерых младших ребятишек, так похожих на мою покойную союзницу. Те же стройные, легкие тела, то же сияние в карих глазах. Они удивительно похожи на стаю черных птичек.

Овация умолкает, и мэр произносит спич. На помост выходят две маленькие девочки с гигантскими букетами. Пит отчеканивает заготовленную речь, и я слышу, как из моего рта сама собой вылетает заключительная часть. Хорошо, что мама и Прим заставили выучить ее назубок.

У Пита в кармане — бумажка с личными комментариями, но, словно забыв об этом, он говорит от себя — простыми, берущими за душу словами. Рассказывает, как Рута и Цеп пробились в последнюю восьмерку, как спасали мне жизнь — а стало быть, и ему. И что мы теперь в неоплатном долгу. Внезапно запнувшись, Пит прибавляет кое-что, чего нет на бумажке:

— Понимаю, это ни в коем случае не восполнит ваших потерь, но мы решили отдавать пострадавшим семьям месячную часть нашего с Китнисс выигрыша — ежегодно, пока будем живы.

Кто-то невольно ахает. В толпе поднимается ропот. Такого еще никогда и никто не делал. Даже не знаю, законно ли это. Пожалуй, Пит тоже не знает, вот и молчал до поры до времени. Родственники Руты и Цепа смотрят на нас округлившимися глазами. Потеря близких людей навсегда изменила их жизнь к худшему, однако этот подарок означает не меньшие перемены. Месячная доля выигрыша — на такие деньги семья может целый год кормиться. Пока мы живы, им уже не придется голодать.

Я смотрю на Пита, и он отвечает печальной улыбкой. В голове звучит голос Хеймитча: «Все могло быть гораздо хуже». Но лучшего, нежели этот поступок, и представить нельзя. Порывисто поднимаюсь на цыпочки, чтобы поцеловать своего мнимого возлюбленного, — и на сей раз никто не упрекнул бы меня в неискренности.

Мэр выступает вперед и дарит нам памятные таблички, такие крупные, что ради своей мне приходится расстаться с букетом. Церемония подходит к концу, и тут я ловлю на себе взгляд одной из сестренок Руты. Малышке около девяти, она точная копия покойной: даже стоит, чуть расставив руки. Несмотря на добрые вести, ее глаза не сияют от счастья. Наоборот, в них немой укор. Должно быть, за то, что мне не удалось спасти Руту.

Или нет. За то, что *не поблагодарила* ее.

Меня словно окатывает холодной водой. Девочка права. Как я могла безвольно стоять, будто язык проглотила, предоставив говорить одному Питу? Если бы победила Рута, она бы не промолчала. Вспоминаю, как там, на арене, я обложила ее цветами, чтобы эта смерть не прошла незамеченной. Открещусь от нее сейчас — и все насмарку.

— Погодите! — Я выхожу вперед на негнущихся ногах, прижимая к груди табличку. Время, отведенное для речей, истекло, но мне обязательно нужно что-то сказать. Сегодняшнего молчания не искупят никакие деньги. — Погодите, пожалуйста.

Слова льются сами по себе, точно давно уже ждали своего часа.

— Хочу поблагодарить трибутов Одиннадцатого дистрикта, — начинаю я и поворачиваюсь к двум женщинам справа. — Мы с Цепом поговорили всего лишь раз; ему хватило этого, чтобы сохранить мне жизнь. Мы не были лично знакомы, но я всегда уважала его. За силу. За отказ играть по чужим правилам. Профи с самого начала звали Цепа к себе — он отказался. И я прониклась к нему уважением.

Старуха — похоже, бабушка Цепа — впервые поднимает глаза, и на ее губах появляется тень улыбки.

Толпа умолкает. Откуда взялась эта мертвая тишина? Кажется, зрители затаили дыхание.

Я поворачиваюсь в другую сторону.

— С Рутой было иначе. Я словно знала ее всю жизнь, и она будет вечно со мной. Все красивое напоминает о ней. Желтые цветы на Луговине возле дома. Сойки-пересмешницы, поющие на деревьях. А главное — моя младшая сестра Прим. — Голос дрожит, но, к счастью, осталось совсем чуть-чуть. — Благодарю за ваших детей. — Я поднимаю голову, обращаясь к зрителям. — И спасибо вам всем за хлеб.

Тысячи взглядов направлены на меня — такую маленькую и расстроенную. Вдруг среди публики кто-то начинает насвистывать незамысловатую мелодию Руты. Сигнал окончания рабочего дня в садах. На арене это был наш сигнал, означающий: «Я в безопасности». На последней, четвертой ноте я различаю того, кто свистел. Покрытый морщинами старый мужчина в выцветшей красной рубашке и комбинезоне. Наши взгляды встречаются.

То, что происходит дальше, нельзя списать на случайность. Огромная, заполнившая площадь толпа не может так слаженно действовать, если только заранее не подготовится. Все зрители до единого прижимают три пальца левой руки к губам и протягивают ко мне. Знак прощания в Двенадцатом дистрикте; жест, которым я проводила Руту с арены.

Раньше такой поворот событий мог бы растрогать меня до слез — если бы не визит президента. В ушах раздается голос, велевший *утихомирить* публику, и меня охватывает ужас. Как отнесется Сноу к этому единодушному приветствию девушке, бросившей вызов Капитолию?

Что же я натворила! И ведь не нарочно, как-то само собой получилось. Я просто хотела сказать спасибо, а в итоге пробудила к жизни нечто опасное. Призвала жителей Одиннадцатого дистрикта к публичному акту инакомыслия. Которое всячески должна была подавлять!

Судорожно соображаю, как бы уладить произошедшее, что бы такого сказать, но тут раздается легкий щелчок; микрофон отключен. Мэр продолжает речь. А мы принимаем прощальные аплодисменты, и Пит уводит меня к дверям, не подозревая, что все пошло неправильно.

Почувствовав себя как-то странно, я замираю на полпути. Перед глазами пляшут яркие пятна света.

— Что с тобой? — спрашивает Пит.

— Ничего. — Тут я замечаю его букет и слабым голосом лепечу: — Цветы забыла.

— Сейчас принесу.

— Я сама.

Мы уже скрылись бы под безопасной сенью Дома правосудия, если бы я не остановилась, если бы не вздумала пойти за букетом. Из глубокой тени веранды мы видим все своими глазами.

Двое миротворцев нашли старика, засвистевшего песенку Руты, и оттащили его на вершину лестницы. Поставили перед публикой на колени. И прострелили голову.

5

Едва старик упал, как перед нами возникает стена из белых мундиров. Миротворцы, некоторые с автоматами наперевес, подталкивают нас обратно к дверям.

— Идем-идем! — восклицает Пит, прижимая меня к себе и увлекая под сень Дома правосудия. — Все хорошо, да? Китнисс, вперед.

Как только двери громко захлопываются за нашими спинами, слышится грохот солдатских сапог. Миротворцы спешат вернуться к зрителям.

Хеймитч, Эффи и Порция с Цинной ожидают нас под экраном, заполненным помехами. Лица у них тревожные, напряженные.

— Что случилось? — кидается навстречу Эффи. — После прелестной речи Китнисс у нас почему-то пропала связь, а потом Хеймитчу померещился выстрел. Я ему говорю: чепуха, но сама думаю: кто знает? Психов на свете полно.

— Ничего не случилось, Эффи. Какой-то старый фургон газанул, — ровным голосом отвечает Пит.

Раздается еще два выстрела. Двери больше не заглушают их. Кто на этот раз? Бабушка Цепа? Сестренка Руты?

— Вы оба — за мной, — командует Хеймитч.

Мы с Питом идем за ним, остальные не трогаются с места. Теперь, когда важные персоны в безопасности, миротворцы, расставленные по Дому правосудия, не обращают на нас внимания. Поднимаемся по роскошной мраморной винтовой лестнице. Наверху — длинный коридор с потрепанным ковром на полу. В первой комнате гостеприимно распахнуты двери: нас точно ждали. Потолок уходит на высоту, наверное, двадцати с лишним футов. Повсюду лепнина в виде цветов и фруктов; из углов таращатся жирные голые детки с крылышками. Вазы с букетами источают насыщенный, почти ядовитый запах, от которого у меня начинают чесаться глаза. На стенах — вешалки с нашими вечерними нарядами. Комнату подготовили специально для нас, а мы заглянули сюда лишь на минутку, чтобы оставить подарки. Сорвав наши микрофоны, Хеймитч прячет их под подушку и жестом зовет за собой.

Насколько мне известно, он был здесь лишь однажды — много лет назад, во время собственного тура. Значит, у него прекрасная память или безошибочное чутье: ментор уверенно шагает по лабиринту винтовых лестниц и сужающихся запутанных коридоров. Время от времени ему приходится останавливаться и толкать очередную дверь, которая, судя по сердитому скрипу петель, давно уже не открывалась. В конце концов мы забираемся по стремянке через какой-то люк — и оказываемся под куполом Дома правосудия. Огромное пространство заполнено сломанной мебелью, стопками книг, отчетов и грудами ржавого оружия. Повсюду толстым слоем лежит пыль — похоже, ее не тревожили много лет. Солнечный свет едва сочится через четыре грязных квадратных окна. Хеймитч пинком закрывает люк и поворачивается к нам.

— В чем дело? — рявкает он.

Пит выкладывает ему, что случилось на площади. Как прозвучала песенка Руты, как молча приветствовали нас зрители, как мы замешкались на веранде, как стали свидетелями убийства.

— Что здесь творится, Хеймитч? — спрашивает он напоследок.

— Лучше ты ему расскажи, — обращается ментор ко мне.

Не согласна: это в сотни раз хуже. Но делать нечего, и я как можно спокойнее говорю о визите президента Сноу, о волнении в дистриктах, даже о поцелуе с Гейлом. Объясняю, что мы в большой опасности, вся страна в опасности из-за моей дерзкой выходки с ягодами.

— Я должна была все исправить во время тура. Уверить сомневающихся, что тронулась от любви. Остудить закипевшие страсти. А вместо этого — что получилось? Трое убиты. Все, кто сегодня пришел на площадь, будут наказаны.

Мне становится дурно, и я опускаюсь на пыльную тахту, из которой торчат пружины вместе с клочьями мягкой набивки.

— Выходит, и я подлил масла в огонь, со своими деньгами. — Пит вдруг сбрасывает на пол настольную лампу, стоявшую на картонной коробке. Осколки летят во все стороны. — Пора уже прекратить эти игры! Вы двое шушукаетесь, делитесь тайнами, а меня даже не посвящаете. Словно я невменяемый тупица или слабак, недостойный доверия.

— Это не так... — начинаю я.

— Именно так! — огрызается он. — Китнисс, у меня в Двенадцатом дистрикте тоже остались родные, друзья. Думаешь, их это не коснется? Или после всего, что мы вместе перенесли на арене, я до сих пор не заслуживаю обыкновенной правды?

— Ты всегда был хорош и надежен, Пит, — возражает ментор. — Так умно вел себя перед камерами. Я не хотел ничего портить.

— И переоценил мои способности. Сегодня я все угробил. Что теперь будет с родными Руты и Цепа? Я подарил этим людям светлое будущее? Да им повезет, если они доживут до вечера!

Пит разбивает что-то еще — по-моему, статуэтку. Таким я его ни разу не видела.

— Хеймитч, он прав, — вырывается у меня. — Зря мы молчали. Даже тогда, в Капитолии.

— На арене вы тоже как-то между собой общались? — произносит Пит уже несколько спокойнее. — Не обращая внимания на меня?

— Нет. Публично — нет. Просто я догадывалась, чего он хочет, по прилетевшим или не прилетевшим подаркам.

— Что ж, у меня такой возможности не было. Мне ведь не присылали подарков, пока не появилась ты, — бросает Пит.

Это мне в голову не приходило. Как же он должен был себя чувствовать — умирающий, истекающий кровью, но не получивший ни единой посылки, когда появилась я, с хлебом и мазью от ожогов? Можно подумать, Хеймитч спасал меня за его счет...

— Слушай, парень... — заводится ментор.

— Не трудись. Знаю: тебе пришлось выбрать одного из нас. Я сам хотел, чтобы это была она. Но теперь все иначе. На улице умирают люди, а сколько еще погибнет, если мы не справимся? Я лучше Китнисс держусь перед камерами. Мне не нужны советчики. Нужно только одно: знать, во что ввязываюсь! — выпаливает Пит.

— С этого дня недомолвкам конец, — обещает Хеймитч.

— Да уж, надеюсь.

Пит уходит, не удостоив меня взглядом.

Растревоженные пылинки клубами кружатся в воздухе, подыскивая новое место для приземления — мои ресницы, волосы, блестящую золотую заколку.

— Ты правда выбрал меня? — шепчу я.

— Ага, — отвечает ментор.

— Почему? Ведь он тебе больше нравился.

— Нравился, — не возражает Хеймитч. — Но, если помнишь, до изменения правил я не мог надеяться вытащить вас обоих. А Пит так усердно тебя защищал... Вот мне и пришло на ум: если три человека приложат столько усилий для спасения одного, этот один уж точно выиграет.

— А-а... — только и говорю я.

— Знаешь, порой приходится делать выбор. Если выпутаемся из этой передряги, ты тоже однажды научишься.

Да я и сегодня усвоила новый урок. Здешние земли — не увеличенный вариант моего родного дистрикта. Наш забор не охраняется и почти никогда не бывает под напряжением. Наши миротворцы — хотя и не сахар, но не такие жестокие. От наших трудностей скорее выдохнешься, нежели рассвирепеешь. Зато местные жители не понаслышке знакомы с горьким страданием и отчаянием. Президент Сноу прав. Достаточно искры, чтобы вспыхнуло пламя.

Все произошло так быстро, что в голове не укладывается. Предупреждение, выстрелы, осознание, что я нечаянно пробудила от сна нечто грозное и великое. До сих пор не могу поверить. Боже, как вообще я могла натворить столько бед?

— Идем, — зовет Хеймитч. — Нас будут ждать к ужину.

Я долго-долго стою под душем — покуда не появляется команда подготовки. Помощникам Цинны явно нет никакого дела до нынешних событий. Только и разговоров, что о грядущем вечере. Это в дистриктах они — важные люди, которых могут позвать на торжественный ужин, а в Капитолии с подобными приглашениями наверняка негусто. Троица наперебой тараторит, обсуждая меню, а перед моими глазами — старик, у которого от выстрела разлетается голова. Уже перед выходом, в зеркале, я замечаю, как надо мной поработали. Бледно-розовое платье без бретелек, до самого пола. Волосы убраны от лица, ниспадают на спину каскадом пружинистых завитков. Цинна подходит сзади, набрасывает на плечи мерцающую серебристую шаль — и ловит взгляд моего отражения.

— Нравится?

— Очень красиво. Как всегда, — отвечаю я.

— Давай проверим, как это будет смотреться с улыбкой, — вполголоса предлагает он. Действительно, через минуту нас ожидают яркие вспышки и телекамеры. Заставляю себя приподнять уголки губ. — Вперед.

Мы собираемся всей компанией в коридоре, чтобы вместе спуститься. Эффи явно не в духе. Не может быть, чтобы Хеймитч ей рассказал обо всем, что случилось на площади. Не удивлюсь, если в курсе Цинна и Порция, но Эффи? Ее по негласному соглашению не посвящают в дурные новости. Впрочем, ведущая не заставляет нас долго гадать.

— Какое счастье, — сердито цедит она, пробежав глазами свое расписание. — Скоро мы сядем на поезд — и прощай, Дистрикт номер одиннадцать!

— Что-то не так, Эффи? — спрашивает Цинна.

— Не понимаю, почему с нами так обращаются. Запихнули в фургон, притащили сюда... И потом: час назад я хотела прогуляться вокруг дворца, осмотреться. Я ведь немного смыслю в архитектуре, если вы не в курсе...

— Да-да, я слышала, — говорит Порция, не дожидаясь, пока молчание слишком затянется.

— Так вот, в этом году развалины дистриктов — самый последний писк моды. Не успела я высунуть нос, как появились трое рассерженных миротворцев и чуть не взашей прогнали меня обратно. Один даже дулом в спину толкнул! — восклицает Эффи.

Ого. Это наверняка из-за нашего с Питом и Хеймитчем исчезновения. По крайней мере, ментор, похоже, был прав, и никто не прослушивал пыльный купол, пока мы беседовали. Теперь-то, думаю, спохватились, да поздно.

У Эффи такой расстроенный вид, что я невольно ее обнимаю.

— Ужасно, правда? Может быть, нам не спускаться к ужину? Сначала пускай принесут извинения.

Знаю, она нипочем не пойдет на такое; зато мое предложение звучит, словно признание справедливости ее жалоб. Эффи на глазах расцветает.

— Ничего, я справлюсь. Такая у нас работа — взлеты, падения. Не стоит из-за меня вам обоим лишаться ужина. Но все равно спасибо, Китнисс.

И как ни в чем не бывало принимается разъяснять, в каком порядке положено заходить в зал. Сначала — команда подготовки, потом она сама, стилисты, Хеймитч. Мы с Питом, само собой, замыкаем шествие.

Где-то внизу начинают играть музыканты, и мы приближаемся к лестнице. Пит берет меня за руку.

— Хеймитч говорит, что я зря на тебя наорал. Ты просто выполняла его указания. Можно подумать, я сам никогда ничего не скрывал от тебя.

Вспоминаю, как я разозлилась, услышав, как Пит ни с того ни с сего объясняется мне в любви перед всем Панемом. Ментор предвидел мое потрясение — и не обмолвился ни словечком.

— Кажется, я тогда тоже что-то разбила, после того интервью.

— Да, вазон.

— И порезала твои руки. Похоже, нет смысла хранить друг от друга секреты, верно?

— Смысла — никакого, — соглашается Пит. Мы стоим на вершине лестницы, ждем. Эффи учила, что Хеймитч должен опередить нас на пятнадцать шагов. — А ты действительно только раз целовалась с Гейлом?

От изумления у меня вылетает ответ:

— Конечно.

Неужели после всего, что сегодня случилось, его волнуют такие подробности?

— Пятнадцать, — считает Пит. — Пора.

Нас озаряют яркие вспышки. Я вторю им ослепительной улыбкой.

Мы попадаем в мутный водоворот однообразных ужинов, церемоний, поездок в купе. Каждый день — такой же, как прежний. Просыпаемся. Нас одевают. Выступление перед ликующей толпой. В нашу честь произносят речи. Мы отвечаем заученными словами, не прибавляя ни запятой от себя. Иногда нас провозят по городу: там краем глаза увидишь озеро, тут — хмурый лес, безобразные фабрики, пшеничные поля, дымящие трубы очистительных заводов. Переодеваемся в вечерние наряды. Спускаемся к ужину. И снова в поезд.

Во время церемоний мы храним почтительные и торжественные выражения на лицах, однако ни разу не расстаемся, не расцепляем рук. На ужинах ведем себя, точно вконец обезумели от страсти: танцуем, целуемся, то и дело кокетливо пытаемся улизнуть от камер, чтобы остаться наедине. В поезде — шепотом подводим мучительные итоги: хорошо ли у нас получилось.

Но и без наших опасных речей (стоит ли упоминать, что выступление перед жителями Одиннадцатого дистрикта показали по телевизору в сильно урезанном варианте?) в воздухе словно витает нечто такое... Словно закрытый котел закипел и готов взорваться. Правда, кое-где зрители скорее напоминают усталый, замученный скот: с такими лицами в нашем дистрикте обычно встречали тур победителей. Зато в Восьмом, Четвертом и Третьем дистриктах люди при виде нас чуть не захлебываются от возбуждения, сквозь которое явственно проступает злость. Когда они кричат мое имя, мне слышится не восторг, а призыв к мести. А когда миротворцы пытаются усмирить разошедшуюся толпу — та не сдается сразу, пытается дать отпор. Видимо, я уже ничего не смогу изменить. Самые убедительные спектакли не повернут эту реку вспять. Если ягоды на моей ладони — всего лишь знак помешательства, жители дистриктов готовы тоже сойти с ума.

Цинне приходится ушивать мои платья в талии. Команда подготовки сетует на круги у меня под глазами. Эффи советует принимать снотворное, однако оно не действует. Вернее, почти не действует. Едва отключившись, я погружаюсь в мир новых и новых кошмаров, более ярких и сильных, чем раньше. Однажды Пит, который ночами бесцельно бродит по поезду, слышит крики из моего купе: опять я пытаюсь вырваться из мутной наркотической пелены, искусственно продляющей страшные грезы. Ему удается меня разбудить и слегка успокоить. Пит забирается под одеяло, мы прижимаемся друг к другу и засыпаем. Наутро я возвращаю Эффи ее таблетки. Но каждую ночь пускаю Пита к себе в постель, и мы отгоняем тьму, как тогда, на арене: сплетаем наши тела и руки в объятиях, оберегая друг друга от всех опасностей, которые могут настигнуть в любую минуту. Больше ничего не происходит, но вскоре в поезде о нас начинают сплетничать.

В ответ на упреки Эффи я думаю: «Хорошо. Может, слухи дойдут и до президента Сноу?» А вслух обещаю вести себя благоразумнее. Вот только выполнять обещание не собираюсь.

Особенно страшно в Дистриктах номер два и номер один. Катон и Мирта вернулись бы целыми и невредимыми, не победи мы с Питом. Диадема и мальчик из Первого были убиты моими руками. Старательно избегая взглядов их родных, я вдруг выясняю: того паренька звали Марвел. Почему я не знала раньше? Наверное, перед Голодными играми было не до того, а потом — тем более.

Ко времени возвращения в Капитолий мы впадаем в отчаяние. Кто-кто, а уж тамошние жители бунтовать не станут. Их имена никогда не стояли на лотерейных тессерах, их детям не придется умирать за преступления, якобы совершенные предками несколько поколений тому назад. В Капитолии все и так верят в нашу с Питом святую любовь, но еще остается слабенькая надежда: убедить сомневающихся из дистриктов. Кажется, что мы ни сделай — будет или чересчур мало, или слишком поздно.

Вернувшись в Тренировочный центр, я сама предлагаю Питу прилюдно попросить моей руки. Он соглашается, однако потом запирается у себя на долгое время. Хеймитч советует оставить его в покое. Я удивляюсь:

— Он сам этого хотел!

— Да, но не в виде фарса, — говорит ментор. — Он мечтал, чтобы все было по-настоящему.

Я ухожу к себе и долго лежу под одеялами, пытаясь не думать о Гейле — и думая лишь о нем.

Вечером, выйдя на сцену возле Тренировочного центра, мы отвечаем на кучу разных вопросов. Цезарь Фликермен в мерцающем костюме цвета полночного неба, с волосами, губами и веками зеленовато-голубоватого цвета, блестяще ведет интервью. Когда он заводит речь о будущем, Пит опускается на колено, изливает передо мной свою душу и умоляет стать его женой. Разумеется, я согласна. Цезарь вопит от радости, публика беснуется, нам показывают крупные кадры со всех концов страны: везде исступленное ликование.

Неожиданно приходит сам президент. Он поздравляет нас, дружески хлопает жениха по плечу, обнимает меня и порывисто чмокает в щеку. Опять эти запахи — кровь и розы. Когда Сноу с улыбкой уже отстраняется, впившись ногтями мне в руку, я собираюсь с духом и поднимаю брови.

Это немой вопрос, который не смеют вымолвить губы: «Я отдала вам все, играла по правилам, обещала выйти за Пита. Я справилась? Вы довольны?»

В ответ он почти незаметно покачивает головой из стороны в сторону.

6

Этим слабым движением Сноу рушит мои надежды. В нем — начало уничтожения дорогого мне мира. Не представляю, каким будет наказание. Знаю одно: потом уже ничего не останется. Неудивительно, если сейчас я впаду в беспросветную тоску. Но вот что странно. Вдруг накатывает волна облегчения. Это конец, можно выходить из игры. Самое громкое «нет» — лучше томления в неизвестности. Раз уж отчаянные времена требуют отчаянных действий, значит, мне теперь дозволено все.

Только не здесь, не сейчас. Главное — благополучно вернуться в Двенадцатый дистрикт, потому что моя задумка включает и маму, и Прим, и Гейла с его родными. И Пита, если он согласится бежать. Хеймитчу тоже находится место в списке. Мы скроемся вместе в лесах. Не знаю, как мне удастся всех убедить, куда мы отправимся среди лютой зимы, как уйдем от преследователей. На эти вопросы я еще не нашла ответа. Зато хотя бы наметила цель.

Вместо того чтобы рухнуть на сцену и зарыдать, я расправляю плечи и улыбаюсь, почти как безумная, впервые за много недель — от всего сердца. А когда президент, сделав публике знак замолчать, предлагает:

— А не сыграть ли нам свадьбу здесь, в Капитолии? — я без подсказки визжу, словно готова свихнуться от радости.

Цезарь Фликермен интересуется точными сроками.

— Ну, прежде чем назначать дату, нужно сперва побеседовать с мамой Китнисс, — отвечает Сноу и под оглушительный хохот зрителей обнимает меня за плечи. — Может быть, если вся страна пожелает, мы поженим вас до наступления тридцатилетнего возраста.

— О, тогда вам придется менять законы, — хихикаю я.

— Надо будет — изменим, — заговорщически подмигивает он.

С ума сойти, как весело.

Вечер, который устроили ради нас в банкетном зале, в личном особняке президента, совершенно бесподобен. Потолок высотой сорок футов преобразился в звездное небо, точно такое же, как у нас дома. Возможно, над Капитолием тоже ночами раскидывается восхитительный купол — да кто его видит? Город пылает сотнями тысяч огней, за ними не разглядеть ни единой звезды. Примерно посередине между полом и потолком, стоя будто бы на мягких белых облаках, парят музыканты. Вместо традиционных столиков — бесчисленные диваны и кресла: некоторые расположены возле каминов, другие почти утопают в благоухающих цветах, из третьих видны искусственные озера, полные экзотических рыбок. Отдыхай, веселись, делай все что душа пожелает. Участок в центре комнаты выложен плиткой. Здесь танцуют, здесь выступают артисты, здесь можно просто смешаться с пестрой толпой гостей.

Но настоящий гвоздь вечера — это еда. Чего только нет на столах, выстроившихся вдоль стен! Все, о чем можно мечтать и о чем даже не мечталось. На вертелах подрумяниваются коровьи, свиные и козьи туши. На огромных тарелках теснится дичь с начинкой из ароматных орехов и спелых фруктов. Обитатели океана переливаются под готовыми соусами либо так и просятся в хрустальные миски с душистой приправой. Я уж не говорю о несметных видах хлеба, сыров, овощей, сластей, водопадах вина и потоках других напитков, загадочно мерцающих бликами пламени.

Вместе с решимостью возрождается и мой аппетит. Неделями не могла смотреть на еду из-за треволнений — а тут вдруг словно с цепи сорвалась.

— Хочу перепробовать все, что нам подали, — заявляю я Питу.

Он пытается по глазам понять причину моего удивительного преображения. Питу еще неизвестно, что, по мнению президента, мы провалились. Должно быть, он думает: наоборот, все в порядке. Или даже, чем черт не шутит, воображает, будто я по-настоящему рада помолвке. По его лицу пробегает легкая тень изумления, но лишь на краткий миг, ведь на нас направлены камеры.

— Тогда лучше поспеши, — советует он.

— Ладно, кусну от каждого блюда — и хватит, — решаюсь я.

Решимость иссякает уже за первым столом, на котором стоит не то двадцать, не то целых тридцать видов супа, когда мне попадается сливочно-тыквенное пюре, посыпанное дробленым орехом и крошечными черными семенами.

— Всю ночь бы ела и ела! — вырывается у меня.

Во второй раз я «ломаюсь» на прозрачном зеленоватом бульоне, вкус которого могу описать одним словом: весна! В третий — на пенистом розовом супчике с ягодами малины.

Мелькают лица, щелкают вспышками камеры... Моя брошь с пересмешницей, кажется, сделалась писком моды. Несколько человек уже подходили ко мне похвастаться модным приобретением. Сойка выбита на сияющих пряжках, вышита шелком на лацканах пиджаков; кое-кто даже сделал татуировку на неприличных местах. Всем по душе талисман победителя. Представляю, как бесится президент Сноу, а что поделаешь? Голодные игры произвели настоящий фурор в этом мире, где горсть ядовитых ягод — всего лишь жест неразумной девчонки, отчаявшейся спасти возлюбленного.

Мы с Питом не ищем новых знакомств, однако за нами тут беспрестанно охотятся. Без нас и вечер — не вечер. Я напускаю на себя восторженный вид, хотя здешние жители мне глубоко безразличны. Они лишь отвлекают от угощения.

Каждый стол — уйма соблазнов, и даже при твердой решимости «только разочек попробовать» вскоре у меня начинает округляться животик. Откусываю от маленькой жареной птички. На язык брызжет апельсиновый соус. Вкуснятина. Бедный Пит доедает за мной: не бросать же начатые куски, как делают прочие. Для нас это — верх кощунства. У десятого стола я сдаюсь, не попробовав даже малой части предложенных блюд.

И тут меня настигает команда подготовки. Все трое шатаются от выпитого вина и от восторга, что их позвали на столь грандиозное событие.

— Вы почему не едите? — спрашивает Октавия.

— Ели, но больше уже не можем, — говорю я, и команда прыскает со смеху, словно ничего глупее не слышала.

— Чепуха! — провозглашает Флавий и подводит нас к столику с рюмками, в которых плещется прозрачная жидкость. — Плесните в рот — и дело с концом!

Пит поднимает рюмку, хочет выпить, но тут на него набрасываются.

— Не здесь! — верещит Октавия.

— Отойдите лучше туда, — советует Вения, тыча пальцем в сторону туалетов. — А не то все окажется на полу!

Пит смотрит на рюмку и туго соображает.

— Хотите сказать, это рвотное?

Команда заходится в хохоте.

— А как же, иначе все давно перестали бы есть, — объясняет сквозь смех Октавия. — Я, например, уже дважды прочистилась. Иначе и праздник не в радость.

Онемев, я смотрю на красивые рюмки с их содержимым. Пит опускает свою на место, причем с такой злостью, что та чуть не разбивается.

— Давай лучше потанцуем, Китнисс.

Мелодии льются на нас с облаков. Пит уводит меня подальше от этой троицы и злополучного стола на танцпол. В Двенадцатом дистрикте танцы свои, под скрипку и флейты, для них нужно много пространства. А здешние — можно исполнить на блюдечке для десерта. Эффи успела нас коечему научить. Музыка плавная, замедленная, словно во сне. Пит обнимает меня, и мы кружимся, не соблюдая такта.

Сначала просто молчим. Затем Пит произносит сдавленным голосом:

— Только немного свыкнешься, только подумаешь: все не так уж плохо — и на́ тебе...

Он осекается на полуслове. А у меня перед глазами встают изможденные тела ребятишек, лежащие на кухонном столе, пока мама прописывает родителям лекарство, которого им не добыть. Пищу. Теперь, когда мы богаты, она всегда заворачивает им с собой хоть немного еды. Но было время, когда она ничего не могла сделать, да и ребеночка приносили слишком поздно. А здесь, в Капитолии, люди блюют ради удовольствия вновь и вновь набить свои животы. Не потому, что больны, не потому, что еда испорчена. Просто все так делают. Иначе и праздник не в радость.

Однажды я заскочила к Хейзел отдать добычу; маленький Вик в тот день оставался дома, он мучился страшным кашлем. Семья Гейла питается лучше, нежели девяносто процентов населения нашего дистрикта. И все же мальчик битых пятнадцать минут рассказывал мне, как в День пакетов открыли банку с кленовым сиропом и каждому досталось по ложечке — намазать на хлеб, а может, и еще дадут до конца недели; как мама позволила ему капнуть немного сиропа в чай, чтобы смягчился кашель, но Вик не хотел соглашаться, пока остальные тоже не попробовали... Если так живет семья Гейла, что же творится в других домах?

— Пит, они привезли нас бороться насмерть потехи ради, — говорю я. — По сравнению с этим все прочее...

— Понимаю. Конечно. Просто бывает, что... ну, не могу терпеть. Так бы взял и... не знаю, что сделал. — Он замирает, а потом шепчет: — Наверное, мы были неправы, Китнисс.

— Насчет чего? — отзываюсь я.

— Когда пытались утихомирить дистрикты.

Мой взгляд молниеносно мечется из стороны в сторону. Кажется, никто ничего не слышал. Телевизионщики мирно припарковались у стола с моллюсками, а парочки, танцующие вокруг, либо слишком пьяны, либо слишком поглощены беседой, чтобы обращать на кого-то внимание.

— Извини, — произносит Пит.

Еще бы не извиняться. Самое подходящее место для подобных высказываний.

— Дома поговорим, — обещаю я.

Тут появляется Порция, чтобы представить нас дородному человеку, смутно мне знакомому. Это Плутарх Хевенсби, новый главный распорядитель Голодных игр. Мужчина спрашивает, можно ли похитить меня на один танец. Пит уже снова готов предстать перед камерами и благодушно дает разрешение: «Только на один!»

Мне вовсе не хочется танцевать с Плутархом Хевенсби. Чувствовать его правую руку в моей, а левую — на бедре. Я вообще не привыкла к прикосновениям, если не считать родных и Пита. Тем более распорядители Голодных игр в моем понимании — мерзкие твари, хуже слизней. Похоже, он чувствует мой настрой и во время танца держится на расстоянии вытянутой руки.

Мы мило щебечем о вечере, о развлечениях, о еде, потом он отпускает непонятную шутку: дескать, после моего индивидуального показа пунш ему больше не по вкусу. До меня не сразу доходит, что это — тот самый мужчина, оступившийся и усевшийся в чашу, когда я со злости пустила стрелу в распорядителей. Ну, не совсем в них. Я выбила яблоко изо рта поросенка на их столе. Однако все от неожиданности подскочили.

— Ах, это вы... — смеюсь я, вспомнив, как расплескался пунш под его пятой точкой.

— Да. Можете радоваться: у меня до сих пор поджилки трясутся. Так и не оправился.

Хочу напомнить ему, что двадцать два мертвых трибута тоже не смогут оправиться после игры, которую он помогал создавать, но только улыбаюсь:

— Хорошо. Значит, в этом году вы — главный распорядитель? Большая честь.

— Между нами говоря, желающих было немного, — подмигивает он. — Учитывая возросшую ответственность...

«Ах да, его предшественника казнили», — спохватываюсь я. Плутарх не может не знать об участи Сенеки.

— Уже готовитесь к новой Квартальной бойне? — осведомляюсь я.

— Да-да. Впрочем, ее готовят много лет, ведь арена возводится не за сутки. Но, скажем так, изюминка Игр изобретается именно сейчас. Хотите верьте, хотите нет, стратегическое совещание состоится сегодня ночью. — Отступив на шаг, мой партнер достает из кармана жилетки часы на цепочке и откидывает золотую крышку. — Скоро пора уходить. Совещание начинается в полночь.

— Поздновато для... — начинаю я и вдруг отвлекаюсь.

Повернув часы циферблатом ко мне, мужчина обводит их большим пальцем, и на хрустале на миг загорается образ, будто озаренный свечой. Еще одна пересмешница. Точь-в-точь, как на моей броши. Картинка сразу же исчезает, и Хевенсби захлопывает крышку.

— Как мило, — произношу я.

— Не просто мило. Вещица уникальная... Если меня будут спрашивать, скажите: пошел домой отсыпаться. Совещания идут под большим секретом. Просто мне показалось, что вам-таки можно довериться.

— Конечно. Молчу как могила.

Пожимая мне на прощание руку, он, по обычаю капитолийцев, легко наклоняет голову.

— Что же, увидимся летом на Играх, Китнисс. Поздравляю с помолвкой, и удачи вам с мамой.

— Да, без удачи не обойтись, — вырывается у меня.

Плутарх исчезает, и я бреду сквозь толпу в поисках Пита. Чужие люди то и дело подходят меня поздравить — с помолвкой, с победой на Играх, с удачным выбором помады. Я отвечаю, а в голове крутится одно: зачем Хевенсби похвастал своими часами? В его жесте было что-то необычное, почти таинственное. С чего бы? Наверное, главный распорядитель боится, как бы кто-нибудь не украл его замечательную идею — наложить исчезающую картинку с птицей на циферблат. Точно: небось, отвалил за нее целое состояние, вот и трясется от страха, не желая, чтобы завтра весь рынок заполонили дешевые подделки.

Я нахожу Пита возле стола с затейливыми пирожными. Он успел нарочно позвать сюда пекарей, чтобы выведать их секреты. Мастера отталкивают друг друга, торопясь отвечать на расспросы насчет глазури и прочего. Они даже собирают ему в обратный путь коробку с крошечными пирожными разных сортов, чтобы было что изучить спокойно дома, по возвращении.

— Эффи сказала, что к часу нам нужно быть в поезде, — говорит Пит. — А теперь?..

— Почти полночь, — отвечаю я.

И, бесцеремонно сорвав шоколадный цветок с верхушки печенья, грызу лепестки.

— Настало время поблагодарить всех и попрощаться! — словно по нотам выводит Эффи, возникшая неизвестно откуда прямо под боком.

Редкий случай: в эту минуту я влюблена в ее маниакальную пунктуальность. Подобрав у каких-то столиков Цинну и Порцию, Эффи ведет нас по залу, чтобы пожать руки самым важным персонам, и начинает подталкивать к выходу.

— Разве мы не должны попрощаться с хозяином? — спохватывается Пит.

— Ему не до вечеринок, и без того уйма дел, — отмахивается провожатая. — Завтра от нашего имени придут благодарственные подарки с карточками, я позаботилась... А, вот вы где! — кричит Эффи и машет парням из обслуги, буквально взвалившим Хеймитча на свои плечи.

Мы едем по улицам Капитолия в автомобиле с тонированными стеклами, позади — машина с командой подготовки. Пробираться сквозь празднующие толпы — задача не из простых, но наша волшебница учла абсолютно все; ровно в час мы на месте, и поезд отходит от станции.

Хеймитч заперся у себя. Цинна заказывает всем чай, и мы рассаживаемся вокруг стола. Эффи безудержно тарахтит о своем расписании, напоминая, что тур победителей не закончен.

— Впереди еще фестиваль Жатвы в Двенадцатом дистрикте. Предлагаю выпить чайку — и всем спать.

Никто не возражает.

Открыв глаза, я понимаю, что близится полдень. Моя голова покоится на руке Пита. Не помню, как он пришел прошлой ночью. Поворачиваюсь осторожно, чтобы не разбудить его. Оказывается, он уже проснулся.

— Ни одного кошмара, — говорит Пит.

— Что? — не понимаю я.

— Ты всю ночь проспала без кошмаров.

И верно. Интересно, когда такое случалось в последний раз?

— Мне что-то снилось, только не страшное, — вспоминаю я. — Вроде бы пересмешница, а на самом деле — Рута. То есть сойка пела ее голосом. А я шла следом по лесу, долго-предолго.

— Куда же она тебя звала? — спрашивает Пит, убирая с моего лба растрепанные волосы.

— Не знаю, — вздыхаю я. — Мы не дошли до места. Но мне было хорошо.

— Да, у тебя был счастливый вид.

— Слушай, а почему *я* не чувствую, когда ты видишь плохие сны?

— Трудно сказать. Кажется, я не мечусь и не вскрикиваю. Наоборот, просыпаюсь — и словно цепенею от ужаса.

— Будил бы меня, — говорю я, вспомнив, как сама тормошила его дважды, а то и трижды за ночь. И как долго ему приходилось меня успокаивать.

— Зачем? — возражает Пит. — Чаще всего я вижу, что потерял тебя. Открываю глаза — ты рядом, и все хорошо.

В этом он весь. Обронит фразочку мимоходом — словно кинжал в живот всадит. Парень просто ответил на мой же вопрос. Не потребовал ничего взамен, никаких уверений в любви. А на душе отчего-то гадко — словно я использовала человека самым грубым и отвратительным образом. Так ли? Не знаю. Зато мне впервые кажется неприличным лежать с ним в одной постели. Именно сейчас, когда мы помолвлены. Смешно...

— Не представляю, как дома я буду спать один, — вздыхает Пит.

И правда, мы почти приехали.

Сегодня вечером нас ожидает ужин в особняке у мэра Андерси, а завтра — торжественный проезд по главной площади в честь праздника Жатвы. В нашем дистрикте его отмечали всегда, но только в домашнем кругу и, если могли себе позволить, с друзьями. В этом году предстоят публичные торжества за счет Капитолия, так что жители наедятся от пуза.

К выходу из вагонов нас почти не готовят: на улице холодно, пора опять закутываться в меха. На вокзале, успев только поулыбаться и помахать руками, мы погружаемся в автомобиль и едем к мэру. Родных нам позволят увидеть не раньше вечера.

Хорошо еще, пир устраивают у мэра, а не в Доме правосудия — там, где поминали отца, где после Жатвы я пережила душераздирающее прощание с близкими. Дом правосудия полон горькой печали.

А вот особняк Андерси мне по душе. К тому же с его дочерью мы стали подругами. Может, и раньше были, но после того, как она пришла проводить меня на Голодные игры, я научилась воспринимать нашу дружбу всерьез. Именно Мадж приколола мне золотую брошку на счастье. По возвращении я начала проводить с Мадж куда больше времени. Как выяснилось, дочери мэра тоже нечем заполнить долгие дни. Поначалу было даже неловко. Девчонки нашего возраста болтают о мальчиках, тряпках и о других девчонках, но мы — не сплетницы, а разговор об одежде вызывает у меня страшную зевоту. После нескольких неудачных попыток совместно развлечься я догадалась: подружке безумно хочется в лес. Мы выбирались туда не единожды. Я показала ей, как нужно стрелять. Мадж пытается научить меня игре на пианино; впрочем, я предпочитаю слушать ее игру. Время от времени мы ходим друг к другу в гости.

Мадж больше нравится у меня. Ее родители — вроде бы симпатичные люди, но сомневаюсь, чтобы она частенько с ними общалась. Отцу нужно управлять Двенадцатым дистриктом, а мать иногда неделями не покидает постель из-за страшных мигреней.

— Вот бы свозить ее в Капитолий, — предложила я однажды, когда мы не стали играть, поскольку и через два этажа музыка причиняла боль этой несчастной женщине. — Там вылечат, глазом моргнуть не успеешь.

— Ты права, — грустно вздохнула Мадж. — Но в Капитолии нечего делать без специального приглашения.

Получается, и мэры могут не все.

Прибыв на место, Эффи не позволяет мне даже как следует обняться с подругой, а сразу тащит на четвертый этаж — готовиться. Накрашенная, причесанная, в серебряном одеянии с длинными рукавами, за час до ужина я ускользаю из-под надзора. Комната Мадж расположена этажом ниже, рядом с комнатами для гостей и кабинетом отца. По пути я просовываю голову к нему в дверь, чтобы поздороваться. Мэр куда-то ушел, но телевизор продолжает жужжать, и я задерживаюсь на пороге. Опять мы с Питом. Крупные планы: вот мы едим, танцуем, целуемся. Сейчас это видят в каждом доме по всей стране. Любопытно, Панем еще не тошнит от этих сладеньких голубков из Двенадцатого? Меня бы давно затошнило.

Собираюсь уйти, но тут раздается писк, и я поворачиваюсь к телевизору. На почерневшем экране вспыхивают слова: «ДИСТРИКТ НОМЕР ВОСЕМЬ: ПОСЛЕДНИЕ НОВОСТИ». Внутренний голос подсказывает: это не для моих глаз, это только для мэра. Надо бежать, и как можно скорее. Но я остаюсь, даже делаю шаг вперед.

Появляется репортер, которого я никогда не видела, — женщина с волосами, тронутыми сединой, и властным надтреснутым голосом. Она сообщает, что ситуация ухудшается, что в Дистрикте номер восемь объявлена тревога третьего уровня. Текстильная промышленность полностью остановлена. К месту событий стягивают дополнительные войска.

Щелк! — на экране высвечиваются кадры с главной площади. Я знаю, потому что была там всего лишь неделю назад. На крышах еще развешаны флаги с моими портретами. А внизу бушует яростная толпа. Нацепив самодельные маски, люди с выкриками бросают куда-то камни и кирпичи. Пылают здания. Миротворцы палят без разбора, сея черную смерть.

Впервые в жизни вижу такую ужасную сцену. Так вот что имел в виду президент, когда говорил о восстании.

7

Кожаная сумка с едой и фляга с горячим чаем. Оставленные Цинной перчатки на меху. Три голые ветки лежат на снегу — указывают, в каком направлении меня нужно искать. Гейл все поймет, когда явится на обычное место встречи. Сегодня первое воскресенье после фестиваля Жатвы, и у меня к нему есть разговор.

Я долго бреду по лесу сквозь холодную мглу тумана. Гейл не знает этой тропинки, зато меня ноги сами несут вперед, к заветному озеру. Старое место больше не вызывает доверия. А ведь мне предстоит излить перед Гейлом душу. Он должен узнать... должен помочь мне разобраться...

Потрясенная новостями из Дистрикта номер восемь, я выскочила за дверь и бросилась по коридору. Еле успела: мэр как раз выходил на лестницу. Я помахала ему рукой.

— Ищешь Мадж? — дружелюбно осведомился он.

— Да. Хочу похвастаться платьем.

— Ну, ты знаешь, где ее найти...

Тут из кабинета снова донесся слабый писк. Мэр помрачнел.

— Прошу прощения, — бросил он и, хлопнув дверью, скрылся в кабинете.

Я постояла, чтобы немного собраться с духом. Сама себе лишний раз напомнила, что должна держаться естественно.

А потом направилась к Мадж. Подружка сидела за туалетным столиком и расчесывала перед зеркалом золотые волны волос. На ней было то же прелестное белое платье, что и тогда, в день Жатвы. Увидев мое отражение, девушка улыбнулась.

— Смотрите-ка, настоящая капитолийская дама.

Я подошла чуть ближе. Коснулась пальцами птицы у себя на груди.

— Да уж, вплоть до брошки. Благодаря тебе сойки-пересмешницы стали последним писком столичной моды. Хочешь, верну?

— Не глупи, подарки не возвращают, — ответила Мадж, повязывая волосы праздничной золотой лентой.

— Кстати, откуда она у тебя? — спросила я.

— Это теткино украшение. Вроде бы очень древнее.

— Странно, почему именно сойка? — вслух подумала я. — То есть после всего, что случилось во время бунта, что натворили говоруны...

Сойки-говоруны — это переродки, генетически измененные птицы, специально выведенные учеными Капитолия, чтобы шпионить за лагерями повстанцев. Эти создания умели запоминать большие отрывки речи, а потом повторяли каждое слово в столичных лабораториях. Разгадав секрет, мятежники стали кормить соек такой небывальщиной, что Капитолий остался с носом. Ожидалось, что ставшие бесполезными птицы (а среди них были только самцы) вымрут сами по себе, однако те быстро научились спариваться с пересмешницами, и возник совершенно новый вид.

— Сойки-пересмешницы — не оружие, — возразила Мадж. — Это же просто певчие птички, правильно?

— Ага, наверное, — обронила я, но мысленно не согласилась.

Может быть, это и певчие птички — зато они существуют на свете вопреки желанию Капитолия. Никто не ждал, что послушным тварям хватит ума приспособиться к дикой природе, изменить генетический код, размножиться и создать новый вид. Ученые недооценили их волю к жизни.

Шагая по глубокому снегу, я слушаю, как пересмешницы скачут по веткам, подхватывают чужие песни, повторяют их и преображают во что-то свое. Как всегда, на память приходит Рута. Ночью, во сне, я следовала за ней через лес. Жаль, что рано проснулась: вот бы увидеть, куда мы шли.

Да уж, далековато брести до озера. Если Гейл все-таки решит пойти за мной, то потратит уйму сил, которые пригодились бы на охоте. На ужин у мэра он не явился, хотя там была вся его семья. Хейзел сказала: слег от какого-то недомогания, но разве она умеет врать? На фестивале Жатвы мы тоже не виделись. В тот день он отправился на охоту, по словам Вика. Вот это уже похоже на правду.

Спустя еще несколько часов туман рассеивается, и передо мной возникает обветшалый дом на берегу озера. Скорее даже не дом, а маленькая однокомнатная постройка. Отец говорил, когда-то их было множество: остатки фундаментов до сих пор видны. Люди приезжали сюда рыбачить и развлекаться. «Мой» дом — бетонный, поэтому пережил своих сородичей. Из четырех стеклянных окон цело лишь одно, только рама давно пожелтела и покосилась от времени. Водопровода и света нет и в помине, зато печка исправна. В углу вот уже много лет высится поленница. Я развожу небольшой огонек в надежде, что дым будет незаметен среди густой сероватой мглы. Слушая, как потрескивает маленькая печка, беру игрушечную метлу из веток (ее связал отец, когда мне было лет восемь) и выметаю сугробы, скопившиеся под пустыми оконными провалами. А потом сажусь у огня и жду Гейла.

Он появляется на удивление быстро. За спиной — лук и стрелы, к поясу приторочена тушка дикой индейки — видимо, подстрелил по пути. Мой гость медлит на пороге, словно раздумывая, входить или нет. В руках у него — нетронутая сумка с едой, фляга, перчатки. Разозлился, не нужно ему моих подарков. Мне ли не знать, что он чувствует. Сама так вела себя с матерью.

Заглядываю ему в глаза. Сквозь понятный гнев проступают боль и обида от моего предательства, которое все называют помолвкой. Эта встреча — моя последняя надежда не потерять Гейла, не лишиться его навсегда. Можно было бы говорить часами, а он все равно бы не понял. Поэтому я пытаюсь перейти прямо к сути своих оправданий.

— Президент Сноу пообещал, что убьет тебя.

Он только приподнимает брови. Ни страха, ни изумления.

— А кого еще?

— Полный список мне не показывали. Однако все наши родные наверняка там есть.

Вроде подействовало. Гейл подходит ближе к печи, садится на корточки.

— И что можно сделать?

— Уже ничего.

Надо бы объясниться подробнее, но я не знаю, с чего начать, поэтому просто сижу и хмуро смотрю на огонь.

Примерно через минуту Гейл нарушает молчание:

— Ладно, спасибо, что предупредила.

Я уже собираюсь огрызнуться, но замечаю, как сверкают его глаза. Улыбаюсь — и ненавижу себя за это. Нашла время веселиться. Сначала обрушила на человека такое бремя...

— Знаешь, я кое-что придумала.

— Неужели? — Гейл швыряет перчатки мне на колени. — На. Не нужны мне подачки от твоего жениха.

— Пит — не жених. Это часть игры. И перчатки совсем не его, а Цинны.

— Тогда верни. — Он забирает и быстро натягивает перчатки, на пробу сгибает пальцы и одобрительно кивает: — Хоть умру с удобствами.

— Я бы на это не рассчитывала. Впрочем, ты же не представляешь себе, что произошло.

— Ну так выкладывай, — говорит Гейл.

И я начинаю с того самого вечера, когда перед коронацией Хеймитч предупредил, что мы с Питом впали в немилость у Капитолия. Рассказываю о том, как долго не находила себе места после возвращения, о внезапном приезде Сноу, выстрелах в Одиннадцатом дистрикте, о нарастающем беспокойстве зрителей, о помолвке, за которую мы ухватились, как за спасательную соломинку, и о немом ответе президента: этого недостаточно. Настало время платить по счетам.

Гейл выслушивает меня, ни разу не перебив. Во время рассказа он успевает спрятать перчатки в карман, достать из сумки еду и приготовить обед. Чистит яблоки, поджаривает хлеб с сыром, бросает в огонь каштаны. Я смотрю на его красивые ловкие пальцы. Все в шрамах, как у меня (прежде чем кожу очистили от любых отметин в Капитолии), но крепкие и умелые. Руки, которые добывают в шахте руду — и в то же время способны сплести почти невидимую ловушку. Руки, которым можно довериться.

Дойдя до места, когда наш поезд пустился в обратный путь, я делаю передышку, чтобы согреться горячим чаем.

— Ну и наломали вы дров, — произносит Гейл.

— Это еще не все...

— Погоди, дай передохнуть. Лучше сразу скажи: что ты задумала?

Я набираю в грудь воздуха.

— Давай убежим.

— Что? — От неожиданности он даже давится чаем.

— Бежим в леса, насовсем.

Его лицо — как бесстрастная маска. Сейчас назовет меня сумасбродкой, начнет смеяться... Я вскакиваю со стула, готовая спорить до посинения.

— Ты сам говорил: должно получиться! Тогда, перед Жатвой. Ты говорил...

Он делает шаг вперед — и мои ноги вдруг отрываются от земли. Комната стремительно кружится; я обнимаю Гейла за шею, чтобы удержаться. Он хохочет от счастья.

— Эй! — возмущаюсь я и тут же сама начинаю смеяться.

Гейл опускает меня, но руки разжать не спешит.

— Отлично, давай убежим.

— Серьезно? По-твоему, я не свихнулась? Ты правда со мной?

Словно гора свалилась с моих плеч. На плечи Гейла.

— По-моему, ты, конечно, свихнулась, но я с тобой. — Он говорит от души. — У нас получится. Непременно получится. Давай удерем навсегда, без оглядки!

— Уверен? Это ведь будет непросто, особенно с маленькими. Не хочу, чтобы через каких-то пять миль...

— Да, я уверен. Совершенно, непробиваемо, на все сто.

Гейл наклоняет голову, прижимается разгоряченным лбом к моему и привлекает меня к себе. Не только лицо — он весь пылает от близости печки. Закрыв глаза, я медленно растворяюсь в тепле. Вдыхаю запахи яблок и мокрой от снега куртки. Зимние запахи нашего прошлого, которое отобрали Голодные игры. Я не пытаюсь отстраниться. Зачем? И тут он, понизив голос, шепчет:

— Люблю тебя.

Ну вот, пожалуйста.

Почему так бывает? И ведь если бы знать заранее... Только что говорили с ним о побеге — и нате вам. С губ срывается самый дурацкий ответ:

— Я знаю.

Звучит ужасно. Дескать, понимаю, ты в этом не виноват, однако не вздумай чего-то ждать от меня.

Гейл отстраняется, я прижимаю его к себе.

— Да, знаю! И ты... тоже знаешь, как я к тебе отношусь.

Этого мало. Он разрывает наши объятия.

— Гейл, я не в состоянии думать сейчас о мужчинах. С той самой минуты, как Жатва выбрала Прим, все мои мысли пропитаны только страхом. Ни для чего другого просто нет места. Может, когда мы окажемся в безопасности, все будет иначе. Трудно сказать заранее.

— Ладно, посмотрим, — отвечает он, проглотив досаду, и, отвернувшись к огню, достает каштаны с подпалинами. — Маму долго придется уговаривать.

Думаю, она не откажется от нашего плана. Но ощущение счастья уже улетучилось, уступив место привычной вежливой отстраненности.

— И мою. Я все ей растолкую. Объясню, что иначе нам конец.

— Она поймет. Мы с ней и Прим часто смотрели Голодные игры вместе. Мама тебе не откажет, — уверенно говорит Гейл.

— Надеюсь. — Похоже, в доме похолодало сразу на двадцать градусов. — Вот Хеймитч, тот крепкий орешек.

— Хеймитч? — Гейл отрывается от каштанов. — Он что, пойдет с нами?

— Иначе нельзя. Не могу же я бросить его и Пита, когда... — Меня прерывает громкий стон. — А что?

— Извини. Я не представлял, какой шумной компанией мы отправимся в бегство! — рявкает Гейл.

— Их запытают до смерти, лишь бы выяснить, где мы.

— А как же родные Пита? Они на побег не решатся. Скорее уж, побегут докладывать капитолийцам. Думаю, парню хватит ума это понять. А вдруг он захочет остаться?

Я пытаюсь ответить как можно спокойнее, хотя голос предательски вздрагивает:

— Значит, пусть остается.

— Ты готова уйти без него? — не сдается Гейл.

— Чтобы спасти Прим и маму, да... — начинаю я. — То есть нет! Я сумею его убедить.

— А меня ты смогла бы бросить? — спрашивает он с каменным лицом. — Допустим, мама не согласится прятаться в зимнем лесу с тремя малышами.

— Хейзел поймет, она умная.

— Ну а вдруг? Что тогда, Китнисс?

— Придется ее заставить, Гейл. По-твоему, я все выдумываю? — Теперь и мой голос тоже готов сорваться от злости.

— Нет. Впрочем... не знаю. Может, Сноу тебя запугивает. Он же лично хотел устроить свадьбу. Слышала, как визжали от радости капитолийские толпы? Теперь ни тебя, ни Пита просто так не убьешь. Нелегко будет выкрутиться.

— Конечно, пока Восьмой дистрикт бунтует, президенту только и дéла, что заниматься свадебным пирогом!

Я запоздало прикусываю язык. У Гейла мгновенно краснеют щеки, вспыхивают глаза.

— В Дистрикте номер восемь — восстание? — приглушенно осведомляется он.

— Не знаю. Не то чтобы настоящее — так, небольшие волнения. Просто люди на улицах...

Успокоить его — все равно что пытаться утихомирить дистрикты.

— Что ты видела? — восклицает Гейл, хватая меня за плечи.

— Своими глазами — почти ничего! Слышала краем уха... — Нет, бесполезно. Проще сказать ему все. — В кабинете мэра был включен телевизор. И я случайно... Там целые толпы, и все пылает, и миротворцы палят по жителям, а те отвечают камнями...

Тут я до боли закусываю губу и вместо того, чтобы продолжать рассказ, выпаливаю слова, которые все это время грызли меня изнутри.

— Гейл, это я виновата. Та выходка на арене... Если бы я тогда не достала ягоды, ничего бы и не случилось. Пит вернулся бы невредимым, все продолжали бы жить, как раньше.

— А как? — уточняет он, чуть смягчившись. — Мучась от голода? Надрываясь, точно рабы? Посылая детей на Жатву? Ты принесла не страдания, — ты подарила людям возможность. Главное, чтобы они осмелились воспользоваться ею. В шахтах уже поговаривают... Разве не видишь? Близится новое время! Наконец! Если в Восьмом восстание, значит, и мы могли бы... И все остальные! Вот оно, то, чего мы так долго...

— Прекрати! Ты не ведаешь, что говоришь. Миротворцы не из Двенадцатого — не ровня Дарию или Крею! Для них убить жителя дистрикта — то же, что муху прихлопнуть!

— Вот почему нам нужно вступить в борьбу!

— Нет! Нам нужно бежать отсюда, покуда не начались убийства!

Я снова срываюсь на крик. Зачем он так поступает? Почему не желает замечать очевидного?

Гейл грубо отталкивает меня.

— Ну и беги. А я не уйду ни за какие коврижки.

— Пару минут назад ты был рад бежать со мной. Не понимаю, причем здесь восстание в Восьмом? Ты просто взбесился из-за... — Нет, не могу ему бросить в лицо имя Пита. — А как же твоя семья?

— А другие семьи, Китнисс? Те, что не в силах бежать? Разве не понимаешь? Дело уже не в нашем спасении. Начинается революция! — Он трясет головой, не скрывая отвращения ко мне. — Ты столько могла бы сделать... — И бросает перчатки Цинны мне под ноги. — Я передумал. Не желаю столичных подачек!

И Гейл уходит.

Задумчиво смотрю на перчатки. Столичных подачек? Надеюсь, это не обо мне? Я для него — еще одно произведение Капитолия, неприкасаемая? Все это так несправедливо, что меня охватывает злость. И страх. Каких безумств Гейл теперь натворит?

Сажусь у печки; чтобы продумать следующий ход, нужно хотя бы согреться. Хорошо еще, что восстания вспыхивают не за день. До завтрашнего утра Гейлу не удастся потолковать с шахтерами. Нужно опередить его и побеседовать с Хейзел, она как-нибудь успокоит сына. Да, но если явиться прямо сейчас, он выставит меня за дверь. Может быть, ночью, когда все уснут... Хейзел часто работает допоздна, заканчивая стирку. Подойду к окну, постучусь, изложу все, и она удержит Гейла от глупостей.

В голове звучит наш разговор с президентом Сноу.

— Мои советники опасались, что вы создадите массу проблем, но вы же не собираетесь создавать проблемы, верно?

— Нет.

— Я им так и сказал. Сказал, что любая девушка, сохранившая свою жизнь столь высокой ценой, не станет обеими руками отталкивать этот дар.

Хейзел тоже пришлось тяжело потрудиться, поддерживая жизнь родных. Она будет на моей стороне. Или нет?

Приближается полдень, а дни теперь короткие. В лесу лучше не задерживаться дотемна без особой нужды. Затушив угли, убираю объедки, а брошенные перчатки Цинны сую за пояс. Поберегу пока: может, Гейл еще передумает. Помню, с каким лицом он швырнул мне подарок, отвергая и вещь, и меня.

Выбираюсь из леса засветло. Беседа с Гейлом не удалась, но я не отступлюсь от своего плана. Пора искать Пита. Как ни удивительно, вероятно, с ним будет легче договориться.

Мы сталкиваемся на границе Деревни победителей.

— Охотилась? — По его лицу видно, Питу не по душе такая затея.

— Не совсем. В город собрался?

— Да. Обещал поужинать со своими.

— Ладно, давай провожу немного.

Этой дорогой почти не пользуются; самое подходящее место, чтобы потолковать по душам, однако слова почему-то не идут с языка. С Гейлом все получилось — ужаснее не бывает. Молча кусаю губы. Городская площадь с каждым шагом все ближе. Сделав глубокий вздох, отпускаю слова на свободу.

— Пит, ты бы согласился бежать со мной из дистрикта?

Он берет меня за руку и останавливается. Даже не смотрит мне в глаза: сразу понял, что это всерьез.

— К чему такие вопросы?

— Я не смогла убедить президента. В Дистрикте номер восемь — восстание. Нам пора уносить ноги.

— Нам двоим?.. Конечно, нет. Кого еще позовешь?

— Маму и Прим. Твоих родных, если они согласятся. Наверное, Хеймитча.

— А как насчет Гейла?

— Не знаю. Кажется, у него на уме другое.

Покачав головой, Пит невесело улыбается.

— Еще бы. Да, разумеется, Китнисс. Я готов.

— Правда?

В сердце смутно затеплился огонек надежды.

— Ага. Вся беда в том, что *ты* не готова, — вдруг произносит он.

Вырываю руку со злостью.

— Ты меня плохо знаешь. Собирай вещички.

И устремляюсь вперед. Он идет следом, в двух шагах.

— Китнисс.

Я не сбавляю скорости. Если моя идея Питу не по душе, другой у меня все равно нет.

— Китнисс, остановись.

От угольной пыли, покрывающей все вокруг, еще тоскливее смотреть по сторонам. Пнув грязный, обледенелый ком, позволяю себя нагнать.

— Нет, я правда готов бежать, если хочешь. Просто вначале надо посоветоваться с Хеймитчем. Как бы не сделать хуже для всех... — Внезапно Пит настораживается. — Что там?

Спохватившись, я лишь теперь замечаю странные звуки, которые долетают с площади. Свист, звук удара, испуганные вздохи в толпе.

— Идем. — Лицо моего спутника неожиданно каменеет.

Почему? Неужели он раньше меня догадался, что это за шум?

На площади явно что-то творится, но из-за толпы не видно. Пит забирается на деревянный ящик, брошенный возле стены магазина сладостей, и протягивает мне сверху руку. Потом вдруг отталкивает и резко шипит:

— Слезай! Слезай скорее!

— А что? — не сдаюсь я, пытаясь забраться на ящик.

— Китнисс, иди домой! Я буду через минуту, честное слово!

Вырвав ладонь из его руки, я проталкиваюсь вперед. Люди оглядываются, узнают меня и в страхе отводят глаза. Слышится жаркий шепот:

— Девочка, лучше бы ты уходила отсюда.

— Сделаешь хуже.

— Смерти ему желаешь?

Я почти ничего не слышу: сердце слишком громко колотится. Понимаю одно. Там, на площади, происходит что-то ужасное, и это касается лично меня. В конце концов пробившись через толпу, я вижу, что не ошиблась. И Пит был прав. И незнакомые голоса — тоже.

Гейл привязан за кисти к высокому деревянному столбу. Дикая индейка, его сегодняшняя добыча, прибита чуть выше — гвоздем за шею. Куртка брошена наземь, рубашка разодрана. Гейл стоит на коленях, уже без сознания, и не падает только из-за веревок. Спина превратилась в густое кровавое месиво.

Рядом застыл человек, которого я никогда не видела. Глава миротворцев, если судить по мундиру. Высокий, подтянутый, с острыми, точно бритва, стрелками на штанах. Это не старина Крей.

Кусочки картины никак не желают складываться в одно целое. Но тут незнакомец замахивается плетью.

8

— Нет! — кричу я и бросаюсь вперед.

Замаха уже не остановить, да и силы не хватит. Остается одно: я падаю прямо на Гейла, раскинув руки, чтобы закрыть собой его тело. И принимаю на себя всю силу удара. Плеть обжигает левую половину лица.

Боль — ослепительная, мгновенная. Перед глазами зажигаются молнии, ноги подкашиваются, и я валюсь на колени, прижимая к щеке ладонь. Лицо начинает оплывать, левый глаз уже плохо видит. Булыжники мостовой покраснели от крови Гейла. Кажется, ей пропитался даже воздух. Из груди вырывается вопль:

— Не надо! Вы его убьете!

Мельком вижу лицо палача. Жесткий рот, у которого пролегли глубокие морщины. Седые волосы сбриты почти наголо. Длинный прямой нос покраснел на морозе. Глаза — черные, зрачков почти не видно, уставились на меня. Мощная рука замахивается снова. Невольно тянусь к плечу, но, разумеется, лук и стрелы остались в лесу. Стискиваю зубы, ожидая второго удара.

— Тихо! — гаркает чей-то голос.

Появляется Хеймитч. Правда, он тут же спотыкается о распростертое на земле тело. Это же Дарий! На лбу — огромная лиловая шишка. Миротворец лежит без чувств, но еще дышит. Что случилось? Может быть, он еще раньше пытался прийти на помощь?

Не обратив на него внимания, Хеймитч рывком поднимает меня на ноги. Хватает пальцами за подбородок.

— Ну вот, замечательно. Ей через неделю фотографироваться в свадебном платье. Что я скажу стилисту?

В глазах человека с плетью мелькает искорка узнавания. Укутанная по-зимнему, без макияжа, с небрежно убранной под пальто косой, я мало похожа на победительницу Голодных игр. К тому же половина лица опухла. Зато Хеймитч мельтешит на экране вот уже много лет, и его нелегко забыть.

Миротворец нехотя опускает плеть.

— Она прервала публичное наказание сознавшегося преступника.

Все в этом человеке — и властный голос, и странный акцент — внушает чувство новой и непонятной угрозы. Откуда он взялся? Из Дистрикта номер одиннадцать? Номер три? Может, из самого Капитолия?

— Да пусть хоть подорвала Дом правосудия, мне плевать! — рычит ментор. — Посмотри на щеку! Думаешь, такой шрам заживет за неделю?

— Меня это не касается. — В ледяном голосе незнакомца слышится нотка сомнения.

— Ничего, дружище, коснется. Вернусь домой — первым делом звоню в Капитолий, — угрожает Хеймитч. — Пусть выяснят, кто вас уполномочил портить прелестное личико моей победительницы!

— Схвачен браконьер. Зачем она вообще вмешалась? — ворчит мужчина.

— Это ее двоюродный брат. — Рядом возникает Пит и ласково гладит мне руку. — А я — жених. Так что если у вас к нему претензии, сначала придется иметь дело с нами.

В эту минуту мы, вероятно, единственные люди в дистрикте, готовые встать горой друг за друга. Впрочем, это ведь ненадолго. Меня сейчас беспокоит одно: как помочь выжить Гейлу? Новый глава миротворцев косится на свою команду. С облегчением замечаю знакомые лица старых приятелей по Котлу. Судя по выражениям, военных не очень радует происходящее.

Женщина по имени Пурния, завсегдатай у Сальной Сэй, торопится выйти вперед.

— Осмелюсь доложить, сэр: преступник получил достаточное число ударов — для первого правонарушения. А смертные приговоры приводятся в исполнение особым отрядом.

— Это местный стандартный протокол? — уточняет глава миротворцев.

— Так точно, сэр, — отчеканивает Пурния, и кое-кто из ее товарищей согласно кивает.

Правды никто из местных не знает. У нас, если человек появился в Котле с подстреленной дикой индейкой, один протокол: торговаться за дичь до последнего.

— Отлично, девушка. Забирайте своего брата. А когда оклемается, пусть не суется на земли Капитолия, иначе я лично соберу особый отряд.

Палач пропускает плетку через кулак, окатив нас кровавыми брызгами, потом аккуратно складывает ее колечками и удаляется. Миротворцы нестройным шагом идут за ним. Несколько человек отстает, чтобы унести оглушенного Дария. Наши с Пурнией взгляды встречаются. «Спасибо», — беззвучно шепчу я одними губами. Пурния не отвечает, но думаю, мы с ней друг друга поняли.

— Гейл! — Я бросаюсь к нему, беспомощно треблю узлы.

Кто-то протягивает нож, и Пит перерезает веревки. Гейл валится на землю.

— Отнесем его к твоей матери, — командует Хеймитч.

Носилок поблизости не достать, но старушка из магазинчика тканей продает нам широкую доску-прилавок.

— Только не говорите, где взяли, — просит она, спеша убрать остатки товара.

Площадь почти опустела. Страх пересилил тягу к состраданию. После всего, что случилось, я не могу никого винить.

К тому времени, как мы укладываем бесчувственное тело на доску вниз лицом, рядом остается лишь горстка людей: Хеймитч, Пит и несколько шахтеров, товарищей Гейла по смене.

Соседская девочка по имени Ливи берет меня за руку.

— Помощь нужна?

В серых глазах — и страх, и решимость. Когда-то мама спасла ее младшего брата от кори.

— Можешь дойти до Хейзел? Прислать ее к нашему дому?

— Ага. — Девочка разворачивается на каблучках и убегает.

— Ливи! — бросаю я вслед. — Только пусть не берет ребятишек.

— Я сама с ними посижу, — отвечает бывшая соседка.

— Спасибо!

Подхватив куртку Гейла, спешу догнать остальных.

— Снег приложи, — советует Хеймитч, не оборачиваясь.

Запускаю ладонь в сугроб и прикладываю к пострадавшей щеке холод. Боль притупляется. Левый глаз ужасно слезится, и в наступивших сумерках я бреду на звук шагов.

По дороге сменщики Гейла, Брисл и Том, рассказывают, как все было. Из леса Гейл прямиком направился к дому Крея, но вместо ценителя диких индеек, никогда не скупившегося на деньги, наткнулся на нового главу миротворцев, человека по имени Ромулус Тред. Никто не знает, куда делся Крей. Еще с утра он купил в Котле бутылку белого, не заикнувшись о том, что намерен оставить пост, а потом вдруг бесследно исчез. Гейл появился со свежей тушкой в руках и, конечно, не смог отвертеться. Тред арестовал его, вывел на площадь, заставил публично покаяться и тут же приговорил к избиению плетью. К тому времени, когда я прибежала на площадь, ему нанесли не менее сорока ударов. На тридцатом Гейл потерял сознание.

— Хорошо еще, птица была всего одна, — прибавляет Брисл. — Появись он с обычной сумкой трофеев...

— Парень соврал, будто нашел индейку на территории Шлака: дескать, она сама перепорхнула через забор, а он добил ее палкой, — вставляет Том. — Это тоже против закона. Но если бы Тред узнал, что Гейл шастал по лесу с луком, — убил бы на месте.

— А Дарий? — интересуется Пит.

— Он уже на двадцатом ударе сказал, что пора прекращать. Только не так любезно, как Пурния: вывернул Треду руку, и тот его стукнул кнутовищем в лоб. Теперь бедолаге не поздоровится, — замечает Брисл.

— Да уж, теперь нам всем придется несладко, — говорит Хеймитч.

Мокрый снег валит все гуще, становится все труднее что-либо разглядеть. Я уже полагаюсь только на слух, шагая обратно к дому. Дверь открывается, и на сугробы падает сноп золотого огня. На пороге — мама. Она прождала меня целый день и еще ничего не знает.

— Новый глава, — роняет мой ментор, словно других объяснений не требуется.

Мама кивает и на глазах превращается из женщины, что не могла без меня убить паучка, в бесстрашного воина. Я всегда с восхищением, даже с благоговением наблюдала подобные перемены. Когда в дом принесут умирающего или больного... Можно сказать, только в это время она и знает, зачем живет на свете. За считаные секунды длинный кухонный стол очищают от лишних вещей, накрывают стерильной белой тканью и опускают на него Гейла. Переливая воду из котла в миску, мать посылает Прим в кабинет за лекарствами. Сушеные травы, настойки, аптечные пузырьки. Ее длинные тонкие пальцы добавляют в воду горстку того, пару капель сего, замачивают в миске льняную тряпицу, а Прим уже слушает наставления по поводу следующей припарки.

Мама бросает взгляд в мою сторону.

— Глаз не задело?

— Нет, это просто опухоль.

— Приложи еще снега, — велит она.

Но Гейл сейчас явно на первом месте.

— Ты можешь его спасти?

Мама не отвечает, лишь молча отжимает тряпицу и растягивает руками, чтобы скорей остудить.

— Не волнуйся, — говорит Хеймитч. — До Крея тоже стегали жителей почем зря, и всех доставляли к ней.

Надо же, я и не помню такого времени, чтобы глава миротворцев пускал в ход плетку. В те годы маме было столько же, сколько мне сейчас, и она трудилась в аптекарской лавке вместе с родителями. Значит, уже тогда у нее были руки целительницы.

Теперь она с превеликой осторожностью принимается отмывать иссеченную плоть на спине Гейла. Я бесполезно стою в углу, с твердым комком в животе; с перчаток на пол накапала целая лужица. Усадив меня в кресло, Пит прикладывает к щеке тряпицу со свежим снегом.

Брисла и Тома Хеймитч отсылает по домам, и я вижу, как он сует им в ладони по крупной монете.

— Еще неизвестно, что станется с вашей сменой.

Шахтеры кивают и принимают деньги.

Появляется Хейзел — красная, запыхавшаяся, со снегом на волосах. Не говоря ни слова, она садится возле стола, берет Гейла за руку и подносит ее к губам. Мама не обращает ни на кого внимания. Она у себя, в особенной зоне, наедине с больным. Разве что Прим иногда потребуется. Прочие не существуют, они могут и подождать.

Но даже мама с ее искусными руками безумно долго промывает раны, обрабатывает края уцелевших лоскутов кожи, накладывает целебную мазь и легкую повязку. Теперь, когда крови нет, я могу четко видеть каждый рубец от удара; от этого зрелища начинает мучительно подергиваться щека. Мысленно умножаю свои страдания в два, три, сорок раз... Остается надеяться, что Гейл как можно дольше пролежит без сознания. Но, конечно, чуда не происходит. Едва наложена последняя повязка, как с его губ срывается стон. Хейзел гладит сына по голове, что-то шепчет, а мама и Прим тем временем роются среди скудных запасов болеутоляющих средств. Эти лекарства ужасно дороги, их трудно достать из-за повышенного спроса; к тому же нужно быть настоящим врачом. Сильные средства мама приберегает для самых серьезных случаев, но что такое серьезный случай? Мне кажется, боль — она боль и есть. Не могу смотреть, когда люди страдают. Я бы, наверное, перевела все запасы за день. А мама их бережет — в основном для умирающих, чтобы облегчить беднягам переход в иной мир.

Раз уж Гейл понемногу приходит в себя, ему предлагают выпить травяного настоя.

— Этого мало, — возражаю я.

Мама и Прим поворачиваются в недоумении.

— Этого мало. Я представляю себе, *что* он чувствует. А ваши травки хороши от мигреней.

— Добавим успокоительного сиропа. Настойка скорее от воспаления, Китнисс... — ровным голосом начинает мама.

— Дай же ты ему нормальное лекарство! — воплю я. — Дай! Кто ты такая, чтобы решать, вытерпит он или нет!

Гейл шевелит рукой, словно пытается до меня дотянуться. От этого на бинтах выступает свежая кровь, а с его губ слетает душераздирающий стон.

— Уведите ее, — велит мама.

В ответ я ору на нее непристойными словами. Хеймитч и Пит буквально выносят меня из комнаты и силой удерживают на постели в одной из спален, покуда я не сдаюсь.

Из заплывшего глаза даже слезы текут с трудом. Сквозь судорожные всхлипы я слышу, как Пит полушепотом рассказывает о президенте Сноу, о восстании в Дистрикте номер восемь. А в конце концов говорит:

— Она предлагает бежать.

Если у ментора есть какие-то соображения на этот счет, он оставляет их при себе.

Некоторое время спустя приходит мама и обрабатывает мое лицо. Потом берет меня за руку и нежно поглаживает, слушая рассказ Хеймитча о том, что произошло с Гейлом.

— Значит, опять началось? — говорит она. — Как раньше?

— Похоже, — кивает ментор. — Кто бы подумал, что мы когда-нибудь вспомним старину Крея добрым словом?

Прежний глава миротворцев не вызывал к себе нежных чувств уже из-за одного своего мундира, однако по-настоящему жители дистрикта ненавидели его за другое — за мерзкий обычай подарками заманивать в постель изголодавшихся, нищих девушек. В худшие времена вечерами они толпились у его порога, вымаливая возможность заработать хоть пару монет, чтобы прокормить семью. Будь я постарше, когда умер отец, — и сама оказалась бы среди них. А вместо этого научилась охотиться.

Я не понимаю, что значит «опять началось», но слишком вымотана, чтобы переспросить. Видимо, в голове все же откладывается мысль о возвращении худших дней, потому что, когда звонят в дверь, я мгновенно вскакиваю с кровати. Кто может явиться в такой час? Миротворцы. Больше некому.

— Они его не получат! — говорю я.

— А может, пришли за тобой, — возражает Хеймитч.

— Или за тобой, — отвечаю я.

— Дом-то ваш. Ладно, пойду отопру.

— Нет, я сама, — вполголоса произносит мама.

Мы все идем ее проводить. Настырный звонок не утихает. Дверь открывается: на пороге, вместо отряда бравых военных, стоит одинокая заснеженная фигурка. Мадж. Девушка протягивает мне вымокшую картонную коробку.

— Для твоего друга, — объясняет она. Внутри лежат полдюжины пузырьков с какой-то прозрачной жидкостью. — Это мамины. Она разрешила вам передать. Возьмите, пожалуйста.

И Мадж исчезает под вой метели, не дав нам опомниться.

— Сумасшедшая, — бормочет под нос мой ментор, когда мы все возвращаемся в кухню.

Я не ошиблась: настойки Гейлу, конечно же, не хватило. Он скрежещет зубами; на коже мерцают мелкие бисеринки пота. Мать набирает в шприц содержимое пузырька, делает укол в руку, и Гейлу заметно становится легче.

— Что за лекарство? — интересуется Пит.

— Это из Капитолия. Морфлинг, — отвечает она.

— А я и не знал, что Мадж — знакомая Гейла, — бросает он.

— Мы продавали ей землянику. — Меня неожиданно разбирает злость. Странно, с чего бы? Не из-за лекарства же...

— Ясно, любительница ягод, — вслух замечает Хеймитч.

Так вот что меня рассердило. Намек, будто между Мадж и Гейлом что-то есть. Дурацкие сплетни!

— Она мне подруга, — только и отвечаю я.

Теперь, когда Гейл успокоился, у всех от души отлегло. Прим заставляет нас поесть тушеной рыбы с хлебом. Хейзел могла бы остаться здесь, но ее ждут дети. Хеймитч с Питом и рады бы заночевать у нас, но мать отправляет их по домам — пусть отсыпаются. Меня прогонять бесполезно, и я остаюсь присмотреть за раненым, пока мама и Прим отдыхают.

И вот мы наедине. Опускаюсь на стул, где сидела Хейзел, и беру Гейла за руку. Потом осторожно притрагиваюсь к лицу. Пальцы касаются мест, которых не знали прежде. Густые темные брови, изгиб подбородка, линия носа, впадина у основания шеи. Провожу по щетине на подбородке и наконец добираюсь до губ — полных и мягких, слегка обветренных. Его дыхание согревает мою холодную кожу.

Интересно: все люди во сне кажутся моложе? Передо мной — все тот же мальчишка из леса, когда-то давно не давший украсть из его силков добычу. Странную парочку мы собой представляли: дети, лишившиеся отцов, перепуганные, но твердо решившие не позволить родным умереть от голода. Отчаянные, но уже не одинокие с того самого дня, потому что нашли друг друга. Перед глазами встают картины из прошлого: вот мы лениво рыбачим под вечер, вот я учу его плавать, вот я подвернула ногу и Гейл несет меня на руках домой. Мы доверяли друг другу, ободряли друг друга; каждый знал, что его спина надежно прикрыта.

Мне впервые приходит в голову мысленно поменяться с ним местами. Допустим, Гейл вызывается добровольцем во время Жатвы, спасая Рори. Оставляет меня, делается любовником какой-то чужой девушки ради того, чтобы выжить, и наконец возвращается вместе с ней. Живет с этой девушкой по соседству. Обещает на ней жениться.

Меня начинает буквально душить немедленная, реальная ярость — и на него, и на выдуманную незнакомку, и на весь мир. Гейл принадлежит мне. А я ему. Иначе и быть не может. Почему, чтобы это понять, мне потребовалось увидеть его едва не забитым до смерти?

Потому что я эгоистка. Трусиха. Та, которая наконец-то могла принести людям пользу, но вместо этого решила бежать и спасать свою шкуру; а те, кто не хочет со мной, пусть мучаются и умирают. Вот кого видел сегодня Гейл там, в лесу.

Неудивительно, что я победила в Голодных играх. Порядочным людям такое не по зубам.

«Зато спасла Пита», — тихонечко возражает внутренний голос.

Ой ли?.. Положа руку на сердце, я просто знала, что не смогу вернуться к нормальной жизни, если дам ему умереть.

Прижимаюсь лбом к краю стола. Ненавижу себя! Лучше бы я не вернулась с арены. Лучше бы этот Сенека Крейн и в самом деле разнес мою голову на кусочки, увидев злосчастные ягоды.

Да, ягоды... Горсточка яда — вот как можно меня описать. Если Пит выжил только из-за моего страха перед насмешками и отчуждением земляков, значит, я презренное существо. Если из-за большой любви — значит, все-таки эгоистка, но хотя бы заслуживаю прощения. А вот если ягоды на ладони — знак открытого вызова Капитолию, только тогда я чего-то сто́ю. Беда лишь в том, что теперь уже невозможно сказать, что же мною двигало.

А может быть, обитатели дистриктов правы? Может, я, пусть даже неосознанно, призывала к восстанию? В глубине души мне всегда было ясно: мало спастись самой и спасти своих близких. Даже если представится такая возможность. Это ничего не изменит. Людей по-прежнему будут казнить на площади, как сегодня Гейла.

Жизнь в Двенадцатом дистрикте, по большому счету, не отличается от выживания на арене. Обязательно наступает время, когда нужно перестать убегать, а вместо этого развернуться и посмотреть в лицо опасности. Самое сложное — найти в себе мужество. Гейл — другое дело, он прирожденный мятежник. Это я замышляла позорное бегство.

— Прости, мне так жаль, — срывается у меня с языка.

Наклоняюсь и нежно целую Гейла.

Его ресницы вздрагивают.

— Привет, Кискисс.

— Привет.

— Думал, ты уже где-то в лесах.

Передо мной встает очевидный выбор. Погибнуть в чащобе, точно загнанный зверь, или погибнуть здесь, рядом с Гейлом.

— Никуда я не побегу. Что бы нас ни ждало, я останусь тут.

— Я тоже.

Он собирается с силами чтобы улыбнуться, но тут же проваливается в сон, порожденный лекарством.

9

Кто-то трясет меня за плечо, и я поднимаю голову от стола. Должно быть, так и заснула. На здоровой щеке — отпечатки от складок на скатерти. Больная, принявшая на себя удар Треда, нехорошо пульсирует. Гейл спит как убитый, крепко сжимая мою ладонь.

Почувствовав запах свежего хлеба, я оборачиваюсь и вижу Пита. Лицо у него печальное. Похоже, он наблюдал за нами какое-то время.

— Отправляйся в постель, Китнисс. Я за ним присмотрю.

— Пит, насчет нашего вчерашнего разговора...

— Знаю, — перебивает он. — Можешь не объяснять.

Тусклый утренний свет очерчивает буханки на столе. У Пита круги под глазами. Если он и поспал, то совсем недолго. Вчера этот человек без раздумий решился бежать со мной. Вступился за Гейла. Он готов разделить со мной любую судьбу — и так ничтожно мало получает взамен. Как бы я ни поступила, кому-то всегда будет больно.

— Пит...

— Иди спать, хорошо?

Ощупью поднимаюсь по лестнице, забираюсь под одеяло и сразу же забываюсь. В какой-то момент в мои сны врывается Мирта, девушка из Второго дистрикта. Гонится за мной, валит наземь и достает свой нож. Острие глубоко вонзается в щеку, оставляя зияющий след. А Мирта преображается: тело покрывается темной шерстью, на пальцах вырастают хищные когти, лицо вытягивается в звериную морду, только глаза все те же. И вот уже нет соперницы по арене, а есть переродок — волкообразная тварь, созданная в Капитолии, одна из тех, что превратили нашу с Питом ночь перед победой в беспросветный кошмар. Запрокинув голову, она издает протяжный зловещий вой, и его подхватывает целая стая. Потом наклоняется и лакает кровь, которая хлещет из моей раны. Каждое прикосновение причиняет неимоверную боль. Я сдавленно вскрикиваю и просыпаюсь в холодном поту. Прижимаю ладонь к щеке. Вспоминаю, откуда взялся рубец. Вот если бы Пит оказался рядом... Минутку, к чему эти мысли? Теперь я свободна. Я выбрала Гейла и революцию. Жизнь рядом с Питом — уже не моя судьба, так желал Капитолий.

Опухоль вокруг левого глаза немного спáла, он даже приоткрывается. Раздвигаю на окне занавески. Вчерашняя метель усилилась, превратившись в настоящий буран. За окном — только непроглядная белизна и пронзительный вой, до странного похожий на голоса переродков.

Хорошо, пусть будет пурга с жестоким ветром и непреодолимыми заносами. Пусть отпугнет от наших дверей настоящих волков — миротворцев. У нас появилось несколько дней на раздумья. На разработку плана. Этот буран — просто подарок. Тем более Гейл, Пит и Хеймитч рядом.

Да, но прежде чем с головой окунуться в новую жизнь, лучше заранее подумать о последствиях. Менее суток назад я была готова скрыться в лесах со своими близкими, в разгар зимы, и потом вечно прятаться от преследователей. Сомнительное, мягко говоря, приключение. Теперь же мне угрожает опасность куда серьезнее. Бунтовать против Капитолия — значит навлечь на себя немедленный гнев. Надо свыкнуться с мыслью, что в любую минуту я могу попасть под арест. В дверь постучатся, как прошлой ночью, и отряд миротворцев уведет меня в темноту. Возможно, потом будут пытки. Увечья. В лучшем случае — пуля в лоб на глазах у публики. Капитолий бесконечно изобретателен, когда дело доходит до способов казни. Как подумаешь, кровь стынет в жилах. Хотя разве мне впервой смотреть в лицо неминуемой смерти? Я была трибутом во время Голодных игр. Выслушивала угрозы президента. Получила удар плетью в лицо. Меня давно уже превратили в мишень.

Дальше — самое сложное. Настало время смириться с тем, что друзья и родные вполне могут разделить мою судьбу. Прим. Стоило вспомнить о ней — и решимости как не бывало. Мое дело — защищать сестру! Натянув одеяло на голову, начинаю задыхаться от страха и ярости. Нельзя, чтобы Капитолий хоть пальцем коснулся Прим!

И вдруг меня осеняет. Да ведь ей уже причинили боль. Убили отца в этих проклятых шахтах. Спокойно смотрели, как она чуть не умирает от голода. Назвали ее трибутом, заставили наблюдать, как сестра сражается за свою жизнь на арене. Девочка перенесла куда больше, нежели я в ее годы. Но даже ее страдания блекнут перед судьбой малышки Руты.

Сбрасываю с себя одеяло и жадно глотаю холодный воздух, просачивающийся сквозь щели.

Прим... Рута... Именно ради них и стоит бороться! С ними обошлись так неправильно, так несправедливо, что мне не осталось иного выбора, верно?

Да. Вот о чем нужно помнить, если снова накатит ужас. Каких бы поступков от меня ни потребовали, чем или кем ни пришлось бы пожертвовать, я буду думать о них — и о маленьких юных личиках, взирающих на нас с Питом с площади Одиннадцатого дистрикта. Руте уже не помочь, зато Рори, Пози и Вик еще живы. И Прим жива.

Гейл прав: это наша возможность, лишь бы людям хватило смелости за нее ухватиться. И конечно: раз уж я поневоле заварила эту кашу, то могла бы теперь сделать многое. Только не представляю, что именно. Хотя отказаться от планов побега — уже серьезный шаг для начала.

Сегодня утром, стоя под душем, я впервые за долгое время не перебираю в уме список вещей, которые пригодятся в лесу, а пытаюсь сообразить, как организовали восстание обитатели Дистрикта номер восемь. Столько людей одновременно и неприкрыто бросили вызов Капитолию. Они хотя бы договорились между собой или это был нечаянный взрыв годами копившихся гнева и ненависти? Как устроить подобное здесь? Пойдут ли за нами местные жители — или захлопнут дверь перед самым носом? Вчера, после избиения Гейла, площадь опустела в мгновение ока. Может, это из-за чувства беспомощности, ведь никто не понимал, что же делать? Необходим человек, который укажет путь, внушит людям веру в свои силы. И это не я. Я хоть и подстрекнула дистрикты к мятежу, но вождь должен уметь убеждать других, а тут бы саму себя вразумить. Он должен быть человеком без страха и упрека, а мне бы хоть каплю мужества. Меня так легко сбить с мысли, а он должен мгновенно подыскивать точные и веские слова.

Слова. Только подумаю, и вспоминается Пит. Ему ничего не стоит привлечь слушателей на свою сторону. Вот он, без сомнения, смог бы зажечь толпу. Нашел бы, как и что говорить. Жаль, ему это даже в голову не приходило.

Спускаюсь: мама и Прим ухаживают за Гейлом. Судя по его лицу, действие лекарства заканчивается. Бинты уже сняты. Над обнаженной спиной клубится пар. Я готовлюсь к новому бою, но голос пока не повышаю.

— Не пора ему сделать еще укол?

— Сделаем, если понадобится. Сначала попробуем снежный компресс, — говорит мама, оборачивая воспаленную плоть чистой тряпицей, и кивает Прим.

Сестра подает глубокую миску. Там вроде бы снег, но какой-то странный, светло-зеленоватого цвета, и к тому же источает сладковатый запах. Прим осторожно раскладывает компресс. Я почти слышу, как он шипит, соприкасаясь с разгоряченной кожей. Гейл изумленно распахивает глаза и облегченно вздыхает.

— Хорошо, хоть снега достаточно, — произносит мама.

Пытаюсь вообразить, каково это — очнуться после публичного избиения в разгар знойного лета, когда из крана течет тепловатая водичка.

— Что же ты делала в жаркие месяцы? — интересуюсь я.

У мамы между бровями появляются глубокие морщины.

— Отгоняла мух как могла.

У меня в животе что-то поворачивается. Набрав горсть смеси в платок, она подает мне компресс. Прижимаю его к щеке. Боль тут же уходит. Это из-за холода, но и мамины травки тоже помогают.

— О-о-о... Замечательно. Почему вчера не стали накладывать?

— Раны должны были немного схватиться.

Не понимаю, что она имеет в виду, но какая разница? Лишь бы помогало. Мама знает, что делает. Меня начинает мучить совесть.

— Прости. Я вчера на тебя накричала.

— Бывало и хуже, — отвечает она. — Люди плохо переносят страдания тех, кого любят.

Тех, кого любят. От ее слов у меня немеет язык, будто бы на него попал снег. Конечно же, я люблю Гейла. Но какого рода любовью? Что понимать под этим словом? Не знаю. Прошлым вечером, в порыве страстей, я поцеловала его, но ведь он этого не помнит. Или все-таки... Надеюсь, что нет. Это бы сильно все усложнило. И вообще, не до поцелуев теперь, когда грядет великий мятеж. Трясу головой, избавляясь от лишних мыслей.

— А где Пит?

— Ушел домой, когда ты заворочалась. Сказал, что не хочет оставлять свой дом без присмотра в такую погоду.

— Хорошо добрался?

Во время пурги можно заблудиться буквально в трех соснах — и пропасть навеки.

— Позвони спроси, — пожимает плечами мама.

Иду в кабинет (куда редко вхожу после визита президента) и набираю номер. После пары гудков Пит снимает трубку.

— Привет, — говорю я. — Хотела убедиться, что ты спокойно дошел.

— Китнисс, наши дома находятся в трех шагах.

— Знаю, но сейчас пурга, и...

— Ладно, все хорошо. Спасибо, что позвонила. — Повисает долгое молчание. — Как там Гейл?

— Поправляется. Мама и Прим наложили снежный компресс.

— А твое лицо?

— Мне тоже дали снега. Видел сегодня Хеймитча?

— Навестил, — отвечает Пит. — Он пьяный в стельку. Ну, я затопил печку, оставил свежего хлеба...

— Есть один разговор к... к вам обоим.

По телефону больше не скажешь. Мой аппарат наверняка прослушивается.

— Давай подождем, пока буря уляжется, — произносит он. — До тех пор все равно ничего не случится.

— Да, ничего такого, — соглашаюсь я.

Метель утихает только спустя два дня, оставив после себя заносы выше моей головы. Еще через день расчищают дорогу между городской площадью и Деревней победителей. Я помогаю маме ухаживать за Гейлом, то и дело прикладываю к щеке компресс и на всякий случай силюсь припомнить подробности мятежа в Дистрикте номер восемь. Опухоль исчезает. Рубец еще ноет, и вокруг левого глаза — страшный синяк, однако при первой возможности я звоню Питу, чтобы пригласить его на прогулку в город.

Растолкав Хеймитча, тащим его с собой. Он ворчит и сопротивляется, но скорее для порядка. Нам всем нужно обсудить последние события, и Деревня победителей — самое неподходящее место для таких разговоров. Мы даже не раскрываем ртов, пока она не скрывается из вида. Я смотрю на десятифутовые белые стены, обрамляющие узкую расчищенную дорожку, и думаю о том, что им ничего не стоит рухнуть на нас.

Первым прерывает молчание Хеймитч.

— Итак, мы решили бежать навстречу неизвестности? — обращается он ко мне.

— Нет, — отзываюсь я. — Уже нет.

— Все же нашла в своем замысле кое-какие изъяны, солнышко? Может, есть новый план?

— Нужно поднять восстание, — выпаливаю я.

Ментор хохочет. Ладно бы хоть со злостью, но нет, он просто не воспринимает меня всерьез.

— А мне нужно срочно выпить. Расскажете потом, как все получилось, хорошо?

— Ты-то что предлагаешь? — огрызаюсь я.

— Мое дело маленькое — проследить, чтобы свадьба прошла без сучка без задоринки, — говорит Хеймитч. — Я сделал звонок и, не вдаваясь в подробности, перенес фотосессию.

— У тебя телефона нет, — напоминаю я.

— Благодаря Эффи уже есть. Представляешь, она даже предложила мне стать посаженым отцом невесты. Я сказал: чем скорее, тем лучше.

— Хеймитч! — жалобно вскрикиваю я.

— Китнисс! — передразнивает он. — У тебя ничего не выйдет.

Мы умолкаем, пропуская людей с лопатами. Может, они уберут эти жуткие снежные стены вокруг деревни? Но вот и площадь. Выходим — и замираем будто вкопанные.

«Все равно ничего не случится во время пурги», — решили мы с Питом. И, как оказалось, жестоко ошиблись. Площадь невозможно узнать. С крыши Дома правосудия свисает огромный плакат с изображением государственного герба Панема. Миротворцы в девственно-белых мундирах маршируют по чисто выметенной мостовой. Многие расположились на крышах, устанавливают пулеметные гнезда. Однако страшнее всего новые сооружения посередине площади. Огороженный частоколом позорный столб для избиений плетью и виселица.

— Быстро же работает этот Тред, — замечает Хеймитч.

В нескольких улицах от нас к небу взметается пламя. Мы не произносим ни слова, и так все ясно. Гореть может лишь... Перед моими глазами встают лица Риппер, Сальной Сэй и всех остальных друзей, которые только и выживали за счет Котла.

— Надеюсь, там сейчас никого не...

Я не могу закончить фразу.

— Да нет, — отвечает Хеймитч. — Этим людям хватило ума убраться подобру-поздорову. Будь ты немного постарше, тебе бы тоже хватило. Ладно, пойду загляну в аптеку за денатуратом.

Ментор неровным шагом бредет через площадь, а я, не понимая, поворачиваюсь к Питу.

— Зачем нужен... — Тут до меня доходит. — Мы не дадим ему это пить. Хеймитч убьет себя или, по крайней мере, ослепнет. У нас дома отложено несколько бутылок белого.

— У меня тоже. Надеюсь, это поможет ему продержаться, покуда Риппер придумает, как вернуться к своему делу, — произносит Пит. — Ну, мне надо навестить родных.

— А мне — Хейзел.

Если честно, я беспокоюсь. Думала, что она постучится в дверь, как только расчистят снег, но до сих пор от мамы Гейла ни слуху ни духу.

— Давай провожу, — предлагает Пит. — А в пекарню зайду на обратной дороге.

— Спасибо.

Страшно подумать, что меня там ожидает. Улицы почти пустынны. На первый взгляд, ничего удивительного: в это время дня взрослые обычно работают в шахтах, а дети учатся в школе. Но не сегодня. Из приоткрытых дверей и щелей между ставнями за нами следят чьи-то глаза.

«Восстание! — проносится у меня в голове. — Надо же быть такой дурой!» В нашем замысле с самого начала зияла серьезная брешь, которой ни я, ни Гейл не заметили. Восстать — означает нарушить закон, пойти против власти. Мы с родными людьми занимаемся этим всю жизнь — браконьерствуем, торгуем на черном рынке, высмеиваем капитолийцев, когда остаемся наедине в лесах; но для большинства обитателей Дистрикта номер двенадцать наведаться в Котел за покупками — уже опасная авантюра. И мы ожидали, что эти люди выйдут на площадь с кирпичами и факелами? Да при виде меня и Пита они оттаскивают детей от окон и плотно задергивают занавески.

Хейзел у себя дома, ухаживает за Пози. У малышки явные признаки кори.

— Я не могла ее бросить, — объясняет мать Гейла. — Сын-то в надежных руках...

— Разумеется, — говорю я. — Ему гораздо лучше. Мама сказала, через пару недель он вернется в шахты.

— Можно не торопиться, — вздыхает Хейзел. — По слухам, рудники закрыли вплоть до особого распоряжения.

Она бросает тревожный взгляд на пустое корыто для стирки, и я уточняю:

— Ты тоже не работаешь?

— Я бы рада, — произносит она. — Людям страшно ко мне обращаться.

— Это, наверное, из-за снега, — вставляет Пит.

— Рори с утра обежал всех соседей. Говорят, ничего не запачкалось.

Рори подходит и обнимает мать:

— Как-нибудь обойдется.

Достаю из кармана горсть монет и кладу на стол.

— Мама пришлет что-нибудь для Пози.

На улице обращаюсь к Питу:

— Возвращайся. Я хочу заглянуть в Котел.

— Вместе пойдем, — возражает он.

— Нет. Разве мало бед я тебе причинила?

— Думаешь, если я пропущу эту маленькую прогулку... станет легче? — Пит улыбается и берет мою руку.

Мы бок о бок шагаем по извилистым переулкам Шлака, и вот впереди возникает горящее здание. Оно даже не оцеплено. Власти знали, что мы не сунемся внутрь.

От жара снег вокруг тает; у моих ног бежит черный ручей.

— Это все угольная пыль из прошлого, — замечаю я.

Пыль таилась в каждой щели и трещине, въедалась в доски. Даже странно, что наш Котел не вспыхнул раньше.

— Надо бы навестить Сальную Сэй.

— Не сегодня, Китнисс. От наших визитов сейчас никому не станет легче.

Мы возвращаемся к площади. Я покупаю в пекарне пирожные и болтаю с отцом Пита о погоде. Ни один из нас не заикается об ужасных сооружениях на площади, всего лишь в нескольких ярдах перед пекарней. Уже уходя, напоследок, я обращаю внимание на то, что в рядах миротворцев не промелькнуло ни единого знакомого лица.

* * *

Со временем все становится только хуже. Шахты закрыты вот уже две недели, и половина Двенадцатого дистрикта жестоко страдает от голода. Все больше детишек просят вписать на тессерах свои имена, но часто не получают положенный им паек. Начинаются перебои с едой. Даже зажиточные покупатели нередко выходят из лавок с пустыми руками. Наконец рудники открывают, однако зарплата урезана, рабочие смены продлены, шахтеров теперь без зазрения совести посылают на самые опасные участки. Все с нетерпением ожидают Дня пакетов, но пища приходит подгнившей, подпорченной грызунами. На площади то и дело что-нибудь происходит. Жителей арестовывают и карают за мелкие проступки, на которые власть столько лет закрывала глаза, что никто и не помнил об их незаконности.

Гейл уходит к себе домой, и мы больше не говорим о восстании. Но мне все же кажется, происходящее только усиливает его решимость нанести ответный удар. Нечеловеческие условия в шахтах, искалеченные тела на площади, голодные лица родных. Рори подписывается на Жатву, но этого недостаточно, чтобы прокормить семью. Продукты дорожают на глазах.

Единственная радость: мне удается уговорить Хеймитча нанять Хейзел домработницей. Теперь у нее появился постоянный доход, а у ментора — совершенно другой уровень жизни. Непривычно входить к нему и видеть чистый, опрятный дом, где на плите готовится вкусная еда. Правда, Хеймитч едва замечает перемены: у него своя битва. Мы с Питом как могли растягивали запасы белого, но скоро они иссякнут, а нового пополнения не предвидится.

Шагая по улицам, я ощущаю себя настоящей парией. Теперь от меня шарахаются в людных местах. Зато уж дома от гостей нет отбоя. В кухне не переводятся больные и раненые. Мама давно уже перестала брать деньги за помощь. Но вскоре лекарства закончатся, и тогда ей останется разве что снегом лечить.

Само собой, лес под запретом. Полным. Это не обсуждается. Даже Гейл не суется туда. Но как-то утром...

Я нарушаю правило. Вовсе не оттого, что дом переполнен больными и умирающими. Не иссеченные спины, не осунувшиеся детские лица, не стук подкованных сапог и не вездесущая нужда загоняют меня под забор. Я бегу от картонных коробок со свадебными платьями. Посылка пришла как-то вечером; на записке почерком Эффи было написано: дескать, выбор одобрен самим президентом.

Свадьба. Значит, его воспаленный мозг еще не забыл об этой затее? Что она может дать? Или это ради капитолийцев? Обещали вам торжество — будет вам торжество. А потом нас убьют в назидание дистриктам? Не знаю. Не понимаю. Всю ночь я ворочаюсь и мечусь на постели и наконец не выдерживаю. Нужно бежать отсюда, хотя бы на пару часов.

Обшарив свой шкаф, нахожу специально утепленные вещи — творение Цинны, подарок во время тура победителей. Водостойкие ботинки, зимний костюм, закрывающий с головы до пят, и термоперчатки. Ничего не имею против прежней одежды, но сегодня мне предстоит особый маршрут, и без этого чуда современных технологий не обойтись.

На цыпочках спускаюсь по лестнице, нагружаю охотничью сумку едой и выскальзываю из дома. Окольными путями пробираюсь к бреши в заборе, поблизости от мясной лавки Рубы. Снег сплошь утоптан сапогами шахтеров, идущих на смену, так что мои следы затеряются. Тред усилил охрану где только мог, а про забор забыл. Решил, наверное, что нас и так отпугнут зимние морозы и дикие звери. Однако на всякий случай, оказавшись за оградой, я заметаю следы еловой лапой, покуда не скрываюсь под защитой деревьев.

Рассвет еще только брезжит, когда я нахожу лук и стрелы и отправляюсь прямиком по сугробам. Отчего-то меня непременно тянет к озеру. Может быть, попрощаться с добрыми старыми днями, которые никогда уже не вернутся?

Или же обрести второе дыхание. Повидаю эти места еще раз — и плевать, даже если поймают.

Путь занимает в два раза больше времени, чем обычно. Наряд от Цинны прекрасно удерживает тепло, я даже потею, хотя лицо немеет от холода. Должно быть, слепящее солнце играет со мной злую шутку; измотанная, погруженная в унылые мысли, я пропускаю знаки опасности. Тонкая струйка дыма, идущего из трубы, отпечатки свежих следов, запах отваренных еловых иголок. Буквально в нескольких ярдах от двери бетонного дома я замираю на месте, и даже не из-за дыма, следов или запаха. За спиной отчетливо щелкает затвор.

Привычка — вторая натура. Оборачиваюсь, натянув тетиву, хотя расклад, конечно же, не в мою пользу. Белый мундир, вздернутый подбородок... светло-коричневый глаз — вот куда попадет острие. Но тут пистолет падает в снег, и безоружная женщина в перчатках показывает мне какой-то предмет.

— Не стреляй! — выкрикивает она.

Не готовая к такому повороту событий, я колеблюсь. Может, им велели доставить меня живой и пытать, пока не оговорю своих близких. «Ага, удачи вам». Пальцы уже собираются отпустить тетиву, когда я успеваю разглядеть вещицу в руке незнакомки. Это маленький белый кружочек плоского хлеба. Скорее, крекер. Серый, подмокший по краям. Посередине — четкий рисунок.

Часть II

БОЙНЯ

10

Моя пересмешница.

Не понимаю. Сойка на хлебе? В отличие от капитолийских поделок, это никак не может быть данью моде.

— Что? Что это значит? — хрипло бросаю я, все еще готовясь выстрелить.

— Только то, что мы на твоей стороне, — произносит дрожащий голос у меня за спиной.

Я даже не заметила, как появилась вторая преследовательница — наверное, она вышла из дома. И скорее всего, вооружена. Однако вряд ли осмелится взвести затвор, потому что я в ту же долю секунды убью ее напарницу. Не отрывая взгляда от цели, громко приказываю:

— Выходи, чтобы я тебя видела!

— Она не может, она... — заикается женщина с крекером.

— Выходи сейчас же! — срываюсь я.

Судя по звуку, за моей спиной кто-то делает шаг и, натужно дыша, волочит больную ногу. Появляется девушка примерно моих лет. На ней мундир миротворца с белым плащом из меха, явно с чужого плеча — болтается на хрупкой фигурке, словно на вешалке. Оружия не видно. Руки из последних сил опираются на грубо сделанный посох из сломанной ветки. Правая нога волочится по снегу.

Лицо у девушки покраснело от холода. Зубы искривлены. Глаза — цвета шоколада, над одним — родинка в форме земляничины. Нет, это не миротворец. И не обитательница Капитолия.

— Кто вы? — спрашиваю я настороженно, но без прежней суровости.

— Меня зовут Твилл, — отвечает женщина. На первый взгляд ей около тридцати пяти лет. — А это — Бонни. Мы беженцы из Восьмого дистрикта.

Дистрикт номер восемь! Они оттуда, где было восстание!

— Где взяли мундиры? — интересуюсь я.

— Украли на швейной фабрике, — поясняет Бонни. — Мы там работали. Только мой предназначался для... коекого другого, поэтому так ужасно сидит.

— А пистолет взяли у мертвого миротворца, — вставляет Твилл, проследив за моим взглядом.

— Твой крекер с птичкой — что это значит?

— А ты не знаешь, Китнисс? — искренне изумляется девушка.

Меня рассекретили. Ну, конечно. Лицо непокрыто, рядом — Двенадцатый дистрикт, и я целюсь в них из лука. Ошибиться трудно.

— Почему, знаю. Это с броши, в которой я была на арене.

— Она не в курсе, — мягко произносит Бонни. — Наверное, вообще ничего не слышала.

Внезапно мне хочется самоутвердиться.

— Я слышала, что в вашем дистрикте было восстание.

— Да, вот поэтому нам и пришлось бежать, — поясняет женщина.

— Далековато ушли, — замечаю я. — Что собираетесь делать?

— Мы держим путь в Тринадцатый дистрикт, — отвечает Твилл.

— Как это? Тринадцатого дистрикта больше нет. Его стерли с лица земли.

— Семьдесят пять лет назад, — напоминает она.

Поморщившись, Бонни поудобнее перехватывает костыль.

— Что у тебя с ногой? — говорю я.

— Лодыжку подвернула. Ботинки-то не по размеру.

Закусив губу, размышляю. Внутренний голос подсказывает: мне сказали правду. Но только малую часть, а я хочу знать остальное. Делаю шаг вперед, подбираю одной рукой пистолет и только после этого опускаю лук. Потом застываю на месте, припомнив день, когда в небесах неизвестно откуда возник планолет и забрал двух беженцев из Капитолия. Юношу насмерть пронзили копьем, а рыжеволосую девушку, как потом выяснилось, покалечили, превратив в безгласую служанку.

— За вами погоня?

— Вряд ли, — качает головой Твилл. — По-моему, все решили, будто нас убило взрывом на фабрике. Но мы чудом спаслись.

— Хорошо, идем. — Я киваю в сторону бетонного домика и захожу последней, с пистолетом в руках.

Бонни торопится к печке, опускается на расстеленный на полу плащ миротворца и протягивает ладони к слабому пламени, пляшущему на конце обгорелого бревна. У нее такая бледная, прозрачная кожа, что сквозь пальцы виден огонь. Женщина кутает девушку потеплее, та вся дрожит от озноба. В кучке пепла стоит распиленная пополам жестяная банка с опасными рваными краями. Внутри тихо булькает кипяток с горстью сосновых иголок.

— Это вы *чай* заварили? — осведомляюсь я.

— Трудно сказать, что получится. Несколько лет назад один трибут на Голодных играх так делал. Кажется, это были иголки, но не уверена... — Твилл морщит лоб.

Видела я их дистрикт, насквозь изуродованный промышленностью. Обветшалые многоквартирные дома, сдаваемые внаем, и ни единой травинки в поле зрения. Ни малейшего знакомства с природой. Удивительно, как эти двое до сих пор живы.

— Еда, конечно, закончилась? — интересуюсь я.

Бонни кивает.

— Мы собрали в дорогу все, что могли, но с запасами было туго. Вот они и иссякли.

У нее дрожит голос, и я окончательно проникаюсь доверием. Действительно, сколько можно ждать подвоха? Это всего лишь хромая голодная беженка из Капитолия.

— Значит, сегодня вам сказочно повезло, — объявляю я, опуская на пол охотничью сумку.

Хотя по всему дистрикту свирепствует голод, у нас дома пищи более чем достаточно, и всегда есть чем поделиться. Моя главная забота — это родные Гейла, Сальная Сэй и несколько бывших торговцев из Котла, у которых отняли заработок. С утра я нарочно набила сумку едой: пусть мама увидит пустые полки в кладовой и решит, что ее дочь отправилась помогать нуждающимся. Хотелось выгадать время на длительную прогулку, чтобы близкие не волновались. Вечером я собиралась вернуть продукты на место, но, видимо, не судьба.

Достаю из сумки две свежие булки, покрытые слоем запеченного сыра. Мои любимые, Пит их часто готовит, чтобы меня побаловать. Первую булку бросаю женщине, а вторую, приблизившись, даю прямо в руки Бонни. Еще, чего доброго, промахнется, и такая вкуснятина угодит прямо в печку.

— Ой, — изумляется девушка. — Ой, это все мне?

У меня внутри что-то переворачивается. Перед глазами встает арена. Рута. Помню, как я дала ей ножку грусенка. «Ой, мне еще никогда не давали целую ножку». Недоверие вечно голодного человека.

— Ну да, налетай.

Бонни смотрит на булку, как на мираж, который вот-вот рассеется, а потом вонзает зубы прямо в мякоть. Еще, и еще, и еще, не в силах остановиться.

— Лучше пережевывай.

Она кивает и пытается есть помедленнее, но я-то знаю, как это нелегко, если в животе пустота.

— Кажется, ваш напиток готов.

Вытаскиваю жестянку из пепла, разливаю так называемый чай в две кружки, которые Твилл достает из мешка, и ставлю их на пол, чтобы немного остыли. Мои новые знакомые садятся поближе друг к дружке, едят и, едва успев подуть на дымящийся кипяток, делают обжигающие глотки, а я развожу огонь посильнее и жду. Когда беженки облизали пальцы, спрашиваю:

— Ну, что у вас там за история?

И они начинают рассказывать.

Сразу после Голодных игр в Дистрикте номер восемь усилились волнения. Вообще-то недовольные были всегда, но теперь уже желание перейти от пустых разговоров к делу воплотилось в жизнь. Текстильные фабрики, обслуживающие весь Панем, битком набиты грохочущей техникой. Пользуясь неумолкающим шумом, легко наклониться к товарищу и, почти прижавшись губами к уху, шепнуть пару слов, которых больше никто не услышит. Весть о грядущем восстании разлетелась в мгновение ока. Твилл работала в школе, Бонни была ее ученицей. Услышав последний звонок, они отправлялись работать на фабрику по пошиву мундиров. В течение нескольких месяцев Бонни, трудившаяся в отделе контроля, понемногу откладывала про запас то ботинок, то ремень, то штаны, пока не собрала одежду для Твилл и ее мужа. Было решено, что как только начнется восстание, они разнесут весть об этом по другим дистриктам — ведь в одиночку не справиться.

В тот день, когда в город явились мы с Питом, местные жители провели что-то вроде последней репетиции. Люди в казалось бы разрозненной толпе собрались по команде и встали у зданий, которые им предстояло захватить прежде всего. Замысел заключался в том, чтобы первым делом взять в свои руки Дом правосудия, штаб миротворцев и Коммуникационный центр на площади, а в других районах — вокзалы, зернохранилище, электростанцию и оружейный склад.

В ночь нашей помолвки, когда Пит преклонил колено и поклялся мне в вечной любви перед капитолийскими камерами, в Дистрикте номер восемь вспыхнул мятеж. Лучшего прикрытия и придумать было нельзя. Интервью с Цезарем Фликерменом по завершении тура победителей смотрят все и всегда. У жителей появился повод затемно выйти на улицы, собраться возле экранов на главной площади либо в центрах досуга. В обычное время это бы вызвало подозрение, но не теперь. В назначенный час, ровно в восемь, каждый был на условленном месте. Маски на лица — и началось.

Мятежники застали миротворцев врасплох, и к тому же значительно превосходили их числом. Военные сдали Коммуникационный центр, зернохранилище, электростанцию, потом у восставших появилось оружие. Забрезжила надежда: может, все не напрасно? И если как-то связаться с другими дистриктами, может, еще удастся общими силами свергнуть правительство Капитолия?

Но тут пробил час возмездия. В дистрикт нахлынули тысячи миротворцев. Планолеты дотла разбомбили оплоты бунтовщиков. Разразился ужасный хаос, и людям оставалось лишь разбежаться по домам. Двое суток ушло на то, чтобы подавить мятеж. Потом — неделя чрезвычайного положения. Обитателям дистрикта запретили покидать свои жилища. Ни угля, ни еды. И затем поздно вечером, когда люди были на грани голодной смерти, вышел приказ — всем возвращаться к прежней работе.

Для Твилл и Бонни это значило: в школу. Развороченная взрывами улица — не лучший путь на фабрику, и они опоздали к обычной смене; только услышали с расстояния в сотни ярдов, как прогремел мощный взрыв.

— Кто-то доложил Капитолию, что восстание задумали наши рабочие, — тихо произносит женщина.

Взрыв унес множество жизней, в том числе ее мужа и всю семью Бонни. Твилл с ученицей побежали забрать приготовленные мундиры, набили мешки едой, пошарив по домам теперь уже мертвых соседей, и бросились к железнодорожному вокзалу. Переодевшись на складе, незамеченными пробрались в крытый товарный вагон с материей, направлявшийся в Дистрикт номер шесть. На заправке покинули поезд и долго шагали по лесу, держась рельсов, пока два дня назад не добрались до наших краев, где им пришлось задержаться, потому что девушка подвернула лодыжку.

— Понимаю, почему вы бежите, но с какой стати в Тринадцатый дистрикт? — недоумеваю я. — Что вы там думаете найти?

Они беспокойно переглядываются.

— Мы еще точно не знаем, — говорит Твилл.

— Там же одни развалины, — говорю я. — Нам постоянно показывают кадры...

— Вот именно. Только кадры одни и те же, сколько мы себя помним.

— Правда?

Пытаюсь вызвать перед глазами экранные образы Дистрикта номер тринадцать.

— Вспомни Дом правосудия, — предлагает женщина. Я киваю: видела тысячи раз. — Если внимательно приглядеться, то можно заметить... В верхнем правом углу.

— Что заметить?

Твилл снова показывает мне крекер.

— Летящую сойку-пересмешницу. Одну и ту же все время.

— В нашем дистрикте, — начинает Бонни, — все уверены: Капитолий нарочно крутит старые пленки, не желая показывать, что там творится на самом деле.

Я недоверчиво хмыкаю.

— То есть вы пустились в дорогу из-за птички, мелькнувшей по телевизору? По-вашему, там стоит целый город, полный свободно разгуливающих людей, а Капитолию даже дела нет?

— Не совсем, — произносит Твилл. — Мы думаем, после того как город разрушили до основания, жители перебрались в катакомбы. Думаем, им удалось уцелеть. А Капитолий туда не суется, потому что в прежнее время, до наступления

Темных Времен, главным занятием Дистрикта номер тринадцать были ядерные исследования.

— Да нет же, графитовые шахты...

Я вдруг осекаюсь: так уверяет всех Капитолий.

— Небольшие, да. Но этого недостаточно, чтобы обеспечить работой огромный дистрикт. Уж в это-то мы уверены, — отвечает женщина.

Сердце колотится как ненормальное. Вдруг они правы? Что, если... Что, если нам и в самом деле есть куда бежать, кроме дикой чащи? Туда, где надежно и безопасно? Не лучше ли скрыться в Дистрикте номер тринадцать, чем дожидаться смерти на родине? Хотя, с другой стороны... Будь там живые люди, да еще с ядерным оружием...

— Почему они не помогают нам? — сердито бросаю я. — Почему допускают, чтобы мы так страдали от голода, казней, проклятых Игр?

Меня душит ненависть к этим воображаемым обитателям катакомб, преспокойно наблюдающим за нашими страданиями. Чем они лучше капитолийцев?

— Этого мы не знаем, — шепчет Бонни. — Просто хватаемся за соломинку, как утопающие.

Тут я наконец прихожу в себя. Все это фантазии, самообман. Тринадцатый дистрикт не существует, ведь Капитолий бы этого не позволил. Ну а кадры? Возможно, ошибка. Соек-пересмешниц на свете пруд пруди. Крепкие птички, живучие. Раз уж перенесли бомбежки, значит, сейчас и вовсе расплодились в неизмеримом количестве.

Разумеется, Бонни лишилась дома; ее родные мертвы; ни о возвращении, ни о том, чтобы прижиться в чужом дистрикте, речи быть не может. Неудивительно, что девушкой овладела мысль о независимом и процветающем Дистрикте номер тринадцать. И не мне ее разочаровывать. Пусть лучше верит в мечту, эфемерную, словно струйка дыма. Может быть, они с Твилл как-нибудь протянут еще немного в лесах. Даже в этом я сомневаюсь, но нужно же как-то помочь!

Первым делом вытряхиваю из сумки еду — в основном зерно и сушеный горох. Запаса хватит на некоторое время, если распорядиться с умом. Потом увожу Твилл в лес и учу основам охоты. Ее пистолет не нуждается в пулях, он может превращать энергию солнца в смертоносные лучи. Первый трофей — несчастная белка или, вернее, обуглившаяся тушка: выстрел попал в живот. Показываю, как освежевать добычу. Ничего, наловчится со временем. Вырезаю для Бонни добротный костыль. Вернувшись в дом, оставляю девушке пару запасных носков: днем их можно запихивать в обувь, чтобы крепче сидела, а ночью — надевать на ноги для тепла. Наконец объясняю, как лучше разводить огонь.

Беглянки подробно расспрашивают о ситуации в Двенадцатом дистрикте — должно быть, хотят передать мои слова, когда прибудут в Тринадцатый, — и я рассказываю, как нам живется при Треде. Остается только подыгрывать, чтобы не лишить их последней надежды. Но близится вечер, и мне уже некогда чесать языком.

— Пора уходить, — заявляю я.

Они лезут обниматься, благодарят. На глазах у Бонни показываются слезы.

— Не верится, что мы тебя встретили. Ты точно такая, как все себе представляют с того дня, когда...

— Знаю-знаю, — устало отмахиваюсь я. — С того дня, как мы с Питом достали ягоды.

Обратной дороги почти не замечаю, хотя с неба валит мокрый снег. Голова идет кругом от новостей о восстании, от призрачной и мучительной надежды на существование Дистрикта номер тринадцать.

Из разговора с Твилл и Бонни стало ясно одно: президент Сноу обвел меня вокруг пальца. Никакие телячьи нежности в мире уже не остановили бы движения, набиравшего силу в Дистрикте номер восемь. Может, мои ягоды и сыграли роль искры, но погасить костер было не в моей власти. Он это знал. Так зачем было заявляться к нам домой, заставлять меня убеждать всех в любви к Питу?

Очевидно, затем, чтобы я не вздумала подливать масла в огонь, когда поеду по дистриктам. И, конечно, чтобы развлечь капитолийскую публику. Кажется, свадьба задумана с той же целью.

Забор уже близко. Вдруг на ветку ближайшего дерева опускается пересмешница и выводит нежную трель. Я вдруг понимаю, что так и не получила внятного объяснения по поводу птички на крекере.

«Это значит, мы на твоей стороне», — так сказала Бонни. А что это за сторона? Неужели я, сама того не желая, стала «лицом» долгожданного бунта? А птичка на моей брошке — символом Сопротивления? Если так, то моей стороне не очень везет. Достаточно вспомнить события в Дистрикте номер восемь.

Прячу оружие в трухлявой колоде неподалеку от старого дома и направляюсь к забору. Глубоко погруженная в размышления, опускаюсь на одно колено перед знакомой дырой. Внезапно где-то кричит сова, и я прихожу в себя.

В сумерках ограждение выглядит как всегда — вполне безобидным, но звук заставляет отдернуть ладонь. Словно гудит гнездо рассерженных шершней. К забору вновь подключили напряжение.

11

Ноги сами несут обратно к лесу, и я сливаюсь с деревьями. Прикрываю рот перчаткой, чтобы не выдать себя белым паром дыхания. По венам струится адреналин, отгоняя все другие заботы, кроме этой новой угрозы. Что происходит? Тред вздумал усилить охрану дистрикта? Или как-то узнал, что я ускользнула из его сети? Решил до утра продержать снаружи, а потом заявиться и взять под арест? А дальше? Высечет, закует в колодки на площади, сразу повесит?

Приказываю себе успокоиться. Разве забор в первый раз оказался под током? Такое уже случалось, и не единожды. Правда, тогда со мной был Гейл. Мы попросту забирались на дерево поудобнее и выжидали, пока не отключится напряжение. Когда я задерживалась, Прим нарочно ходила к забору — прислушивалась, бежит ли по проволоке электричество, чтобы мама напрасно не беспокоилась.

Да, но сегодня родным и в голову не придет, что я здесь. Сама же об этом позаботилась. Так что, если не появлюсь, волнений им не избежать. Да и мне, сказать по совести, тоже не по себе. Не верится, что это случайность: ток пустили как раз в тот день, когда я вернулась в лес.

Казалось, никто не видел, как я пролезаю под ограждением, — или все же... Наемных шпионов везде хватает. Кто-то же доложил президенту, что Гейл целовал меня в этом месте. Хотя то было средь бела дня, и мне еще не приходило на ум осторожничать. Кстати, уже тогда я задумалась о следящих камерах... Неужели правда? Хорошо, что я шмыгнула под забор до рассвета, затемно, и замотала шарфом лицо. Впрочем, список местных жителей, готовых в обход закона вырваться в лес, наверное, слишком короток.

Вглядываюсь сквозь ветки в просторную Луговину за ограждением, но вижу один только мокрый снег, подсвеченный кое-где огоньками из окон домов на окраине Шлака. В поле зрения — ни одного миротворца. Похоже, меня никто не разыскивает. Неважно, догадался ли Тред о моем преступлении или нет; нужно как можно скорее вернуться домой и прикинуться, что я даже не выходила.

Стоит коснуться колючей проволоки — произойдет замыкание. Займусь подкопом — заметят, да и земля промерзла. Остается один-единственный выход: перемахнуть через верх.

Иду вдоль опушки, подыскивая высокое дерево с длинной веткой. Примерно через милю нахожу, по-моему, подходящий клен. Ствол чересчур широкий и заиндевелый, неудобно взбираться, и ветки, нависшие над мотками колючей проволоки, растут слишком высоко, но что делать? С грехом пополам залезаю и медленно начинаю пробираться вперед.

Один взгляд вниз, и я вспоминаю, почему мы с Гейлом предпочитали пересидеть в лесу, нежели связываться с треклятым забором. Чтобы не поджариться, необходимо ползти по ветке, растущей в двадцати футах над землей, не ниже. Моя — в двадцати пяти футах. Рискованный трюк даже для человека, который годами скакал по деревьям, — а куда деваться? Можно было бы поискать еще, но ведь уже смеркается. И снегопад усиливается так, что скоро будет не различить ни рожна. Отсюда, по крайней мере, виден сугроб, который смягчит падение. А кто знает, куда я могу угодить в другом месте? Закрепляю сумку на шее и потихонечку опускаюсь. Пару секунд вишу на руках, собираясь с духом, — и разжимаю пальцы.

Головокружительное падение. Страшный толчок, отдающийся прямо в спину. И вот моя пятая точка приземляется. Лежу на снегу, пытаюсь навскидку оценить повреждения. Судя по боли в копчике и пятке, без них не обошлось. Вопрос только в том, насколько это серьезно. Надеюсь, одни ушибы. Заставляю себя подняться на ноги: нет, кажется, что-то сломано. Впрочем, ходить я могу и чуть не бегом пускаюсь домой, стараясь не выдать своей хромоты.

Мама и Прим не должны ничего узнать. Надо срочно придумать отговорку, хотя бы самую глупую. На площади еще не все лавки закрылись. Захожу в одну из них за белой материей для перевязки ран, а то наши запасы кончаются. В другой — покупаю пакетик сластей для сестренки. Бросаю конфетку в рот. Мятный сахар тает на языке, и тут до меня доходит: это первая пища за целый день. Хотела устроить пикник у озера, но Твилл и Бонни были в таком ужасном состоянии, что у меня не поднялась рука взять себе хотя бы крошку еды.

Впереди — наш дом. На пятку совсем уже не наступить. Скажу матери, будто вздумала залатать брешь на крыше старого дома и оступилась. Насчет пропавших продуктов — тоже навру что-нибудь. С трудом доплетаюсь до порога. Скорее бы расслабиться возле печки... Однако меня ждет серьезное потрясение.

У дверей нашей кухни застыли два миротворца, мужчина и женщина. Женщина сохраняет бесстрастное спокойствие, зато в глазах ее напарника мелькает искра удивления. Меня тут явно не ждали. Победительница из Двенадцатого дистрикта сегодня должна была сгинуть в лесу.

— Здрасте, — невозмутимо бросаю я.

За крепкими спинами появляется мама, но близко к ним не подходит.

— А вот и она, как раз к ужину! — В голосе чуть больше радости, чем положено.

И к ужину я непростительно опоздала.

Разуться? Нет, нельзя же показывать раны. Откидываю капюшон и стряхиваю с волос налипший снег.

— Чем могу помочь, господа?

— Глава миротворцев Тред велел передать вам сообщение, — говорит женщина.

— Они тут несколько часов прождали, — вставляет мама.

Ждали, что я не вернусь. Хотели удостовериться в моей смерти или исчезновении, чтобы забрать родных на допрос.

— Наверное, что-нибудь очень важное, — замечаю я.

— Можно спросить: где вы были, мисс Эвердин? — осведомляется женщина.

— Лучше спросите, где меня не было.

Утомленно вздыхаю, иду через кухню, не хромая, хотя каждый шаг дается с неимоверным усилием, и кое-как добираюсь до стола. Сбрасываю сумку с плеча, оборачиваюсь к сестренке, застывшей возле плиты. Рядом в креслах-качалках сидят Пит и Хеймитч, играют в шахматы. Интересно, они здесь по собственной воле или по специальному «приглашению»? Все равно, я рада видеть обоих.

— Ну так где тебя не было? — бросает Хеймитч скучающим голосом.

— Вообще-то, я собиралась поговорить с козоводом по поводу козочки Прим, но кое-кто, — говорю я с нажимом, пристально глядя на сестру, — назвал совершенно неправильный адрес.

— Неправда, — возмущается Прим. — Я верно все назвала.

— А зачем было посылать меня к западному входу на рудники?

— К восточному входу, — поправляет сестра.

— Нет, ты точно сказала: к западному. Я еще переспросила: у кучи шлака? И ты ответила: да.

— У кучи шлака возле восточного входа, — терпеливо упорствует Прим.

— Ничего подобного. Когда ты это сказала?

— Вчера вечером, — вмешивается Хеймитч.

— Тебе называли *восточный* вход, — прибавляет Пит.

Они с ментором переглядываются и заливаются хохотом. Я сердито сверкаю глазами. Нареченный жених напускает на себя покаянный вид.

— Прости, но я тоже сказал: восточный. Ты совсем не умеешь слушать.

— Наверняка тебе и сегодня несколько раз говорили: пастух живет не там, а ты все равно сделала по-своему, — произносит Хеймитч.

— Лучше молчи, — огрызаюсь я, давая понять, что на самом деле он прав.

Насмешники снова прыскают, и даже Прим позволяет себе улыбнуться.

— Чудесно. Теперь пускай другие беспокоятся о том, чтобы эту безмозглую скотину кто-нибудь обрюхатил, — цежу, вызывая взрыв хохота.

А сама в глубине души восхищаюсь выдержкой Пита и Хеймитча. Вот они, настоящие победители Игр!

Бросаю взгляд на миротворцев. Мужчина осклабился, но у женщины вид недоверчивый.

— Что в сумке? — резко спрашивает она.

Знаю, надеется обнаружить лесные травы, а лучше дичь. Какую-нибудь неопровержимую улику. Вытряхиваю содержимое сумки на стол:

— Сами смотрите.

— А, хорошо, — замечает мама, увидев белую материю. — Бинты уже на исходе.

Пит подходит к столу и открывает пакет со сластями.

— О, мятные! — восклицает он, проглотив конфетку.

— Это мое! — Пытаюсь отнять пакет, но тот уже летит в руки Хеймитча. Ментор набивает сластями рот и перебрасывает добычу хихикающей Прим. — Вы вообще не заслужили вкусного!

— Да? Потому что мы правы? — Пит обвивает меня руками. Притворяюсь, будто вскрикнула от злости, а не от боли в копчике. Судя по взгляду, он все понимает. — Ладно, Прим и вправду сказала: западный. И вокруг тебя одни идиоты. Довольна?

— Так уже лучше, — отвечаю я и принимаю его поцелуй. Потом оглядываюсь на миротворцев и словно теперь вспоминаю, зачем они здесь. — Вы хотели мне что-то передать?

— От главы миротворцев Треда, — произносит женщина. — Он велел сообщить, что с этого дня ограждение вокруг Дистрикта номер двенадцать круглосуточно будет находиться под напряжением.

— А раньше не так было? — Я невинно хлопаю ресницами, пожалуй, даже чуть переигрываю.

— Он думал, вы пожелаете обрадовать своего кузена, — прибавляет женщина.

Надо бы легче на поворотах, но я с наслаждением выпаливаю:

— Спасибо. Передам. Он будет спать гораздо спокойнее, зная, что местная охрана больше не дремлет.

Женщина скрипит зубами от злости. Все пошло не так, как она ожидала, однако других указаний начальство не дало. Поэтому представительница власти отвечает коротким кивком и удаляется в сопровождении своего напарника. Как только мать запирает за ними дверь, я хватаюсь за кухонный стол, чтобы не упасть.

Пит бросается на помощь.

— Что с тобой?

— Да так, ударилась левой пяткой. И копчику тоже сегодня не поздоровилось.

Опираясь на его плечо, дохожу до кресла-качалки, опускаюсь на мягкую подушку.

Мама стягивает с меня ботинки.

— Что случилось?

— Поскользнулась, упала... — Четыре пары глаз недоверчиво смотрят на меня. Как будто нам всем неизвестно, что дом напичкан жучками. — На льду.

Не время и не место сейчас говорить откровенно. Сняв носок, мама с осторожностью ощупывает кости, и я болезненно морщусь.

— Возможно, есть перелом, — заявляет она. Потом проверяет правую ногу. — Тут все в порядке.

Копчик оказывается сильно ушиблен.

Сестренка приносит мою домашнюю пижаму. Мама обкладывает ногу снежным компрессом и кладет на скамеечку. Пока остальные ужинают за столом, я поглощаю три миски тушеного мяса и полбуханки хлеба. Потом задумчиво смотрю на огонь, думая о Бонни и Твилл. Хоть бы мокрый тяжелый снег хорошенько замел мои следы.

Подходит Прим, садится у моих ног на пол и опускает голову мне на колено. Мы берем по мятной конфетке, и я нежно глажу ее пушистые белокурые волосы.

— Как учеба?

— Хорошо. Сегодня проходили побочные продукты перегонки каменного угля, — отвечает она.

Молча сидим и смотрим на пламя. Потом она спрашивает:

— Не хочешь примерить свадебные платья?

— Только не сегодня. Завтра, наверное.

— Подожди, пока я вернусь из школы, договорились?

— Конечно.

Если до тех пор не угожу под арест.

Мама приносит ромашковый чай с успокоительным сиропом. У меня начинают слипаться веки. Пит вызывается проводить до постели. Наваливаюсь на его плечо, беспомощно клюю носом — и вдруг оказываюсь у него на руках. Пит несет меня в спальню, опускает на кровать, кутает в одеяло и прощается, но я ловлю его ладонь и прошу остаться. Успокоительный сироп обладает побочным эффектом: он развязывает язык не хуже бутылки белого. А мне не хочется, чтобы Пит исчезал. Пусть лучше снова спит рядом, отгоняя ночные кошмары. Но я не могу попросить об этом — даже сама не могу сказать почему.

— Не уходи. Подожди, пока я засну.

Присев на кровать, Пит согревает мою ладонь обеими руками.

— Я чуть было не решил, что ты передумала. Ну, когда опоздала к ужину.

В голове туман, однако я еще в состоянии сообразить, о чем речь. Ограждение снова под током, в доме дежурят миротворцы, меня нет как нет... Наверняка Пит решил, что я убежала. Возможно, вместе с Гейлом.

— Нет, я же говорила.

Поднимаю его ладонь и прижимаюсь щекой к тыльной стороне. Рука, месившая сегодня тесто для хлеба, слабо пахнет корицей и укропом. Меня так и тянет рассказать о встрече с Твилл и Бонни, о восстании, о Тринадцатом дистрикте, но это слишком опасно, и я ограничиваюсь одной фразой:

— Останься со мной.

Крепкие щупальца успокоительного тащат меня на дно. Пит что-то шепчет в ответ, но я уже не понимаю.

Мама дает поспать до обеда, затем расталкивает меня, чтобы осмотреть пятку. После чего прописывает неделю постельного режима, причем я даже не возражаю от слабости. Дело не только в пятке и копчике. Все тело ноет от переутомления. Послушно принимаю лечение и завтрак в постель, позволяю матери подоткнуть лоскутное одеяло. И долго лежу, глядя через окно на зимнее небо, размышляя о том, чем все это закончится. Много думаю о Бонни и Твилл, о груде белых свадебных нарядов, о том, догадается ли Тред, как я ухитрилась вернуться в дистрикт, и не явится ли с обвинением. Занятно: ведь он и так может в любую минуту арестовать меня, хотя бы за прошлые грехи. Или, чтобы арестовать победителя, нужен более веский повод? Интересно, связаны ли между собой Тред и Сноу? По-моему, президент даже не догадывался о существовании старины Крея. Но теперь, когда я представляю собой проблему общенационального масштаба, может быть, глава миротворцев получает подробные указания? Или действует по собственной воле? В любом случае, им обоим выгоднее держать меня взаперти, за электрозабором. Соберусь убежать — например, перебросить петлю на ветку клена и забраться наверх, — родных и друзей мне с собой уже не захватить. И потом, я пообещала Гейлу, что останусь и буду бороться вместе с ним.

Несколько дней каждый стук в дверь заставляет меня подскакивать на месте. Миротворцы так и не появляются, и страх понемногу рассеивается. Потом Пит рассказывает, что на некоторых участках забора напряжение отключают, потому что военным приказано пустить электричество прямо по земле. Видимо, Тред решил, что я ухитрилась проскользнуть под забором. Это здорово утешает. Дистрикту не помешает передышка. Пусть миротворцы занимаются чем хотят, лишь бы не издевались над жителями.

Пит каждый день приносит сырные булочки. Теперь мы вместе трудимся над семейной книгой — старинной рукописью из кожи и пергамента. Много лет назад ее начал кто-то из травников по маминой линии. На каждой странице — чернильный рисунок растения и описание медицинских свойств. Отец прибавил целый раздел, посвященный съедобным лесным и полевым дарам, благодаря которому наша семья и выжила после его ухода в мир иной. Я долгое время мечтала внести в книгу собственные сведения — то, что узнала от Гейла или когда готовилась к Голодным играм. Но ведь я не художница, а растение нужно зарисовать с безупречной точностью. Вот тут мне и пригодился Пит. Что-то он уже видел, что-то хранится у нас в засушенном виде, что-то приходится описывать для него по памяти. Пит делает наброски на клочках бумаги, пока я не разрешу перерисовать в книгу самый точный из них, а мне остается аккуратно внести на страницу все, что известно о растении.

Тихая, сосредоточенная работа хорошо помогает от разных треволнений. Мне нравится смотреть, как под руками помощника чистый лист расцветает после нескольких чернильных штрихов, как наша прежде черно-желтоватая рукопись начинает обретать краски. Когда Пит уходит в себя, его привычная безмятежность куда-то исчезает, и на лице появляется особое выражение — серьезное, отстраненное, будто окружающий мир перестал для него существовать. Время от времени я и раньше за ним это замечала: на арене, во время публичных выступлений или в Одиннадцатом дистрикте, когда он уводил меня из-под автоматов миротворцев. И еще я люблю смотреть на его ресницы — настолько светлые, что с ходу и не заметишь. Зато вблизи, под солнцем, струящимся из окна, они сияют, словно золото, и диву даешься: как эти пушистые изогнутые лучики не путаются, когда он моргает.

Однажды Пит резко поднял голову от работы, и я смутилась, точно шпионка, которую застали врасплох. Пожалуй, в каком-то смысле так и было. Но он только проговорил:

— Знаешь, кажется, мы впервые вместе заняты нормальным человеческим делом.

— Ага, — соглашаюсь я. Все наши прежние занятия относились исключительно к Играм, поэтому даже не пахли «нормальным и человеческим». — Неплохо для разнообразия.

Каждый вечер Пит, ради смены обстановки, сносит меня на первый этаж, где я ко всеобщей досаде прошу включить телевизор. Обычно мы смотрим лишь обязательные программы: уж очень тоскливо становится от назойливой пропаганды и передач, восхваляющих мощь Капитолия, в том числе монтажных «нарезок» из семидесятипятилетней истории Голодных игр. Однако теперь мне нужно кое-что увидеть. Ту самую пересмешницу, на которую возлагают надежды Бонни и Твилл. Наверное, все это чушь, но мне надо убедиться, увидев собственными глазами. И выбросить из головы любые мысли о Дистрикте номер тринадцать.

Первый звоночек — сюжет в новостях, имеющий отношение к Темным Временам. На экране дымятся руины Дома правосудия. В правом верхнем углу на секунду мелькает черно-белое крылышко пролетевшей сойки-пересмешницы. Ладно, это еще ничего не доказывает. История давняя, съемки тоже.

Однако несколько дней спустя мое внимание привлекает уже другая передача. На экране диктор читает текст о нехватке графита, сказавшейся на производстве Дистрикта номер три. За текстом следует якобы прямое включение: известная репортерша в защитном костюме и дыхательной маске, стоя перед развалинами Дома правосудия, сообщает о последних научных исследованиях, согласно которым рудники Дистрикта номер тринадцать, к сожалению, до сих пор представляют большую опасность для человека. Конец связи. Но перед самым переключением я отчетливо вижу в углу то же самое крылышко.

Репортершу просто-напросто наложили на старый фон. Она и не собиралась ехать в Тринадцатый дистрикт. Отсюда вопрос: *что же там происходит?*

12

После такого открытия становится трудно выдерживать постельный режим. Я хочу что-то делать, хоть что-нибудь выяснить о Тринадцатом дистрикте, участвовать в подготовке восстания, а вместо этого набиваю живот булками с сыром и наблюдаю, как Пит рисует. Иногда в гости наведывается Хеймитч, приносит последние городские вести, одна печальнее другой. Новые казни, новые голодные смерти.

К тому времени как я успеваю более-менее разработать пострадавшую ногу, зима начинает сдавать позиции. Мама учит меня разным упражнениям, велит больше гулять самостоятельно. Однажды, укладываясь в постель, я решаю назавтра отправиться в город, но просыпаюсь — и вижу перед собой улыбающиеся лица. Октавия, Вения, Флавий.

— Сюрприз! — пищат они. — А мы к тебе — пораньше!

После того удара на площади Хеймитч отложил фотосессию на несколько месяцев, чтобы щека успела зажить, и я ждала их не раньше чем недели через три. Но, разумеется, напускаю на себя восторженный вид: надо же, наконец-то! Мама развесила платья, ни одно из которых, сказать по правде, я так и не примерила.

После обычной истерики по поводу моей подпорченной красоты они немедленно приступают к делу. Самое трудное — это лицо, хотя мама сделала для исцеления все, что могла. На скуле осталась лишь тонкая розовая полоска. Мало кому известна история с плетью, и я говорю, будто неудачно поскользнулась на льду. Запоздало спохватываюсь: пять минут назад я по той же причине отказалась надеть высокий каблук, но эти трое — не из подозрительных, проглотят любую историю и не подавятся.

Безупречная кожа нужна мне всего лишь на считаные часы, а не дни, поэтому вместо воска по ней проходятся бритвой. Без ванной не обойтись, но, по крайней мере, жижа на этот раз не противная. Команда подготовки готова лопнуть от новостей; я стараюсь не слушать, и вдруг Октавия произносит фразу, которая заставляет меня насторожиться. Пустое, на первый взгляд, замечание о сорвавшейся вечеринке из-за неожиданных затруднений с креветками.

— А что такое? На них теперь не сезон? — интересуюсь я.

— Ой, Китнисс, мы вот уже сколько недель не видели морепродуктов! — жалуется Октавия. — Знаешь, в Дистрикте номер четыре стоит ужасная погода.

В моей голове начинает складываться из кусочков целая картина. Прерваны поставки морепродуктов. Да еще на несколько недель. Из Четвертого дистрикта. Во время тура победителей местные толпы кипели от плохо скрываемой ярости. Можно даже не сомневаться: Дистрикт номер четыре восстал.

Принимаюсь, будто бы между делом, расспрашивать, не принесла ли зима еще каких-нибудь трудностей. Эти люди привыкли получать все сразу, любая пропавшая мелочь для них — событие. Из потока жалоб на недостаток лент, музыкальных чипов и крабового мяса мне удается выудить очень важные сведения. Морепродуктами занимается Дистрикт номер четыре. Электроникой — номер три. И конечно же, номер восемь — ткани. Мысль о масштабах мятежа наполняет меня восторгом и ужасом.

Хочется поговорить еще, но тут появляется Цинна. Обняв меня, он проверяет, готов ли макияж, и слегка покрывает пудрой след от шрама, так чтобы ничего не осталось. Мне почему-то кажется, что стилист не поверил в историю «поскользнулась-упала», однако избавил меня от лишних расспросов.

Гостиная комната на первом этаже расчищена и залита искусственным светом. Эффи с азартом расставляет всех по местам, как всегда беспокоясь о расписании. Может, это и к лучшему, ведь нарядов — целых шесть штук, и к каждому положен свой головной убор, обувь, украшения, прическа, макияж, освещение, фон. Кремовое кружево — розовые розочки, туго завитые локоны. Платье-футляр в сияющих бриллиантах — лунный луч и вуаль с драгоценными камешками. Тяжелое одеяние из белого шелка с рукавами, ниспадающими от кисти до пола, — море жемчуга. Едва «отстрелялись» с одним нарядом, как начинаем готовиться к следующему. Чувствую себя тестом, которое мнут и месят, придавая то ту, то другую форму. Работаем без передышек, однако мама ухитряется запихнуть в меня немного еды с горячим чаем. И все же к концу фотосессии я едва не валюсь с ног от голода и переутомления. Надеюсь, теперь нам с Цинной дадут немного потолковать по душам... Напрасно: Эффи выталкивает всех за дверь, а мне остается ждать обещанного телефонного звонка.

На улице вечер, ноги смертельно гудят от немыслимых туфель, и я отказываюсь от мысли выбраться в город. Вместо этого поднимаюсь к себе, смываю слои косметики, масок и кондиционеров, а потом сушу лицо и волосы у огня. Прим застала съемки последних двух платьев и теперь обсуждает их с мамой. У обеих очень довольный вид. Уже засыпая в кровати, я вдруг понимаю почему. Им кажется, это добрый знак. Дескать, никто не станет пускаться в такие расходы и хлопоты ради жертвы, назначенной на заклание. Значит, Капитолий закрыл глаза на мое вмешательство в избиение Гейла.

В ночном кошмаре на мне тяжелое платье из белого шелка, только на сей раз — изодранное и грязное. Длинные рукава цепляются за шипы, ветки, в то время как я бегу по лесу. Меня настигает разъяренная стая переродков. С их обнаженных клыков капает голодная слюна. Ощутив спиной обжигающее дыхание тварей, я вскрикиваю и просыпаюсь.

Скоро рассвет, обратно можно и не укладываться. Обязательно нужно выбраться из дома и с кем-нибудь потолковать. С Гейлом — не выйдет, он уже в шахте. Но пусть хотя бы Пит или Хеймитч разделят бремя знаний, свалившихся на меня после той прогулки на озеро. Беженки, электрические заборы, независимый Дистрикт номер тринадцать, недостаток товаров в столице...

Позавтракав с мамой и Прим, пускаюсь на поиски собеседника. Ветерок несет утешительное тепло, обещая весну. Хорошее время для мятежа. Зимой люди чувствуют себя куда беспомощнее. Пита не оказывается дома — он, должно быть, уже отправился в город. А вот Хеймитч, как это ни странно, в такую рань расхаживает по кухне. Я вхожу в его дом без стука. Вокруг чистота и порядок, Хейзел орудует веником на втором этаже. Мой бывший ментор не то чтобы в стельку пьян, но заметно пошатывается. Похоже, не зря ходят слухи о том, что Риппер успешно вернулась к своему ремеслу. Я задумываюсь, не оставить ли Хеймитча в покое, пусть проспится? И тут он сам предлагает пройтись до города.

Мы уже выработали что-то вроде условного языка. За пару минут я успеваю выложить свои новости. А он свои — о предполагаемых восстаниях в Дистриктах номер семь и номер одиннадцать. Если мои догадки верны, значит, чуть ли не половина страны поднялась против Капитолия.

— Ты все еще думаешь, что здесь ничего не получится? — осведомляюсь я.

— Не сейчас. Прочие дистрикты гораздо крупнее нашего. Даже если каждый второй запрется дома, у бунтовщиков остается надежда на успешный исход. А в нашем, Двенадцатом, — или все, или ничего.

Этого я не учла. Оказывается, численность населения тоже играет серьезную роль.

— Ну а когда-нибудь? — продолжаю допытываться я.

— Может быть. Правда, нас очень мало, мы слабы и не выпускаем ядерного оружия, — прибавляет он с усмешкой. Рассказ о Тринадцатом дистрикте не заставил его запрыгать от восторга.

— Как по-твоему, Хеймитч, — спрашиваю я, — что будет с восставшими дистриктами?

— Ну, ты же слышала про Восьмой, — отвечает он. — Кое-что видела своими глазами у нас, и это еще до попыток бунта. Если дело дойдет до этого, думаю, капитолийцам ничего не стоит уничтожить еще один дистрикт. В назидание остальным, понимаешь?

— Так ты уверен, что Тринадцатый на самом деле разрушили? Я хочу сказать, Бонни и Твилл оказались правы насчет сойки-пересмешницы.

— И что из этого следует? Собственно говоря, ничего. Есть масса причин использовать устаревшие кадры. Может быть, они внушительнее выглядят. И потом, куда проще нажать пару кнопок в монтажной комнате, нежели отправлять репортера в такую даль, — возражает Хеймитч. — Чтобы Тринадцатый чудом восстановился, а Капитолию не было никакого дела? Похоже на выдумку вконец отчаявшихся людей.

— Понимаю. А все-таки я надеялась...

— Правильно. Потому что ты тоже в отчаянии.

Я не спорю. Он прав.

Прим возвращается после уроков, кипя от волнения. Учителя объявили, что вечером по телевизору будет обязательная для просмотра программа.

— Наверно, твоя фотосессия!

— Вряд ли, сестренка. Она была только вчера.

— Вообще-то, ходили такие слухи, — сникает она.

Надеюсь, это неправда. Я не успела подготовить Гейла. После того публичного избиения он наведывается к нам, только чтобы показать маме заживающую спину. Теперь Гейла часто посылают в забой по семь дней кряду. Как-то раз я пошла проводить его в город и по дороге выяснила, что Тред задавил на корню любые мечты о бунте в Двенадцатом дистрикте. От побега я отказалась, это ему известно. Как и другое: не будет восстания — не миновать моей свадьбы с Питом. Но видеть меня на экране в роскошных платьях... Это уж слишком.

Когда в половине восьмого мы собираемся у телевизора, я понимаю, что Прим не ошиблась. Ну конечно же, перед нами — не кто иной, как Цезарь Фликермен, беседует о грядущем торжестве с толпой на площади перед Тренировочным центром. Затем представляет Цинну, взлетевшего на вершину славы после Голодных игр с моим участием, и после дружеской болтовни нам предлагают переключить все внимание на огромный экран.

Теперь понимаю, как они ухитрились состряпать целое шоу спустя всего день после фотосессии. Оказывается, вначале Цинна задумал две дюжины свадебных платьев. Потом долго подгонял дизайн, создавал наряды, подбирал к ним аксессуары. На каждом этапе капитолийцы голосовали за полюбившийся вариант, и вот кульминация: меня показывают в шести победивших платьях. Вставить в готовую передачу несколько кадров — пустячное дело. Публика страшно взволнована. Зрители оглушительно ликуют, когда платье им по душе, и разражаются недовольным свистом, если нет. Кроме голосования, люди, скорее всего, делают ставки, какой из моих нарядов победит. Странно, не правда ли? Учитывая, что я даже не потрудилась примерить хотя бы один из них, пока не явились фотографы. Между тем Цезарь объявляет время последнего голосования — завтрашний полдень.

— Выдадим нашу Китнисс Эвердин замуж по самой последней моде! — восклицает он.

И вдруг, когда я уже тянусь выключить телевизор, велит нам ожидать у экранов очередного великого события этого вечера.

— Еще бы, ведь в этом году Голодным играм исполняется семьдесят пять лет, а это значит — настало время Квартальной бойни!

— Что они там задумали? — беспокоится Прим. — Впереди еще несколько месяцев.

Мы поворачиваемся к маме.

— Сейчас прочитают карточку, — произносит она с торжественным и отстраненным выражением на лице.

Звучит мелодия гимна, и у меня сжимается горло от отвращения: на сцену поднимается президент Сноу. За ним идет юноша в безукоризненно белом костюме, с деревянной шкатулкой в руках. Музыка обрывается, и президент начинает речь, напоминая нам всем о Темных Временах, которые и породили Голодные игры. Создавая правила, распорядители решили назвать каждую двадцать пятую годовщину Квартальной бойней, чье предназначение — освежить в народе память о людях, убитых во время восстания.

В последних словах нельзя не расслышать угрозу, ведь прямо сейчас в дистриктах разгораются новые мятежи.

Тем временем президент повествует о прошлых Бойнях.

— К двадцатипятилетнему юбилею, в напоминание о том, что бунтовщики сами выбрали путь насилия, каждый дистрикт *голосовал* за своих трибутов.

Я пытаюсь представить, каково это — избирать детей, которым придется идти на смерть. И каково отправляться на Игры, зная, что так решили твои соседи, знакомые, а не слепая воля случая.

— В пятидесятую годовщину, — не унимается Сноу, — в качестве напоминания, что за каждого павшего капитолийца было убито двое восставших, дистрикты предоставили вдвое больше трибутов.

Перед моими глазами возникает арена, а на ней — не двадцать три, а сорок семь соперников. Меньше шансов, меньше надежды, в конце концов, больше смертей. Именно в этот год победил Хеймитч.

— Я тогда потеряла подругу, — вполголоса произносит мама. — Мэйсили Доннер. Ее родители держали кондитерскую. Потом они отдали мне ее птичку. Канарейку.

Мы с Прим переглядываемся. Впервые слышим об этой Мэйсили Доннер. Наверное, мама боялась лишних расспросов.

— А теперь, в честь третьей по счету Квартальной бойни... — возвышает голос президент. Юноша в белом приближается и протягивает ему шкатулку. Сноу откидывает крышку, и мы видим ровные стопки желтоватых конвертов. Очевидно, первые устроители шоу расписали свой замысел на вeкá. Президент достает конверт с отчетливой надписью: 75, поддевает клапан, достает небольшую белую карточку и без запинки продолжает: — Дабы напомнить повстанцам, что даже самые сильные среди них не преодолеют мощь Капитолия, в этот раз Жатва проводится среди уже существующих победителей.

Мама слабо вскрикивает, Прим закрывает лицо руками, а я ощущаю то же, что люди на площади. Легкое недоумение. Как это — среди уже существующих победителей?

Внезапно я понимаю, что это значит. По крайней мере, лично для меня. В Двенадцатом дистрикте живы всего лишь три победителя. Двое мужчин. И одна...

Я вернусь на арену.

13

Тело срабатывает быстрее мозга, и я выбегаю за дверь, через газоны Деревни победителей, в непроглядную ночь. Земля сырая, у меня тут же промокают носки, ветер зло хлещет по щекам, но я не останавливаюсь. Куда? Куда бежать? Само собой, в леса. Уже у забора, услышав низкое гудение, вспоминаю: я же в ловушке. Тяжело дыша, разворачиваюсь и снова куда-то бегу.

Следующее воспоминание: я в подвале пустого дома Деревни победителей. Стою почему-то на четвереньках. Через окошко над головой сочится бледный лунный свет. Мне холодно, сыро и не хватает воздуха. Бегство не помогло, внутри по-прежнему нарастает ужас. Если не выпустить его на свободу, он поглотит меня целиком. Закатав край рубашки, сую его в рот и кричу. Не знаю, как долго. Но успеваю почти лишиться голоса.

Сворачиваюсь клубком на полу, смотрю на подвальную стену в лунных пятнах. Опять на арену. К источнику всех ночных кошмаров. Вот куда меня посылают. Положа руку на сердце, к этому я не была готова. Много зловещих видений проносилось в моей голове. Публичное унижение, пытки, казнь. Побег в леса, вечный страх перед миротворцами и планолетами. Брак с Питом и боязнь за детей, посылаемых на арену. Но я сама никогда, никогда не должна была туда возвращаться. Раньше подобного не случалось. Победитель уже навсегда свободен от Жатвы. Таковы правила. Так было до сих пор.

На полу — что-то вроде ткани, которой обычно закрывают мебель во время ремонта. Кутаюсь в нее, точно в одеяло. Вдали кто-то громко кричит мое имя. Но как я могу подумать о ком-нибудь кроме себя? И того, что ждет впереди.

Ткань довольно жесткая, но тепло удерживает. Постепенно мускулы расслабляются, сердце начинает колотиться чуть медленнее. Перед глазами встает деревянная шкатулка и пожелтевший конверт в руках президента Сноу. Возможно ли, чтобы условия будущей Бойни действительно были расписаны семьдесят пять лет назад? Непохоже. Это слишком уж легкий ответ на затруднения, перед которыми встал Капитолий. И со мной разобраться, и с дистриктами — все в одном аккуратном флаконе.

В ушах раздается голос президента Сноу: *«В честь третьей по счету Квартальной бойни, дабы напомнить повстанцам, что даже самые сильные среди них не преодолеют мощь Капитолия, в этот раз Жатва проводится среди уже существующих победителей».*

Да, победители — это сильнейшие. Те, кто выжили на арене, ускользнув из удавки нищеты, не дающей вольно дышать остальным. Они, а вернее, мы — воплощаем собой надежду там, где ее вообще нет. И теперь двадцать три человека из нас должны быть убиты в доказательство тщетности всяких надежд.

Хорошо, что я победила в прошлом году. Иначе знала бы соперников не только по телеповторам Голодных игр, но и лично. Даже те из них, кому не пришлось становиться ментором, каждый раз собираются в Капитолии. Думаю, многие из них успели подружиться между собой. А мне нужно беспокоиться всего лишь о том, чтобы не убить Пита или Хеймитча. *Пит или Хеймитч.* Пит или Хеймитч!

Резко сажусь на полу, отбросив одеяло. Как можно было допустить подобную мысль? Я никогда, ни за что на свете не подниму на них руку. Да, но один из них окажется вместе со мной на арене. Наверное, они уже решили между собой, кто именно. Кого бы ни выбрала Жатва, другой всегда может вызваться на его место. Я уже знаю, как это будет. Пит сам попросится на арену. Ради меня. Как защитник.

Нетвердым шагом бреду по подвалу в поисках выхода. Как вообще я сюда попала? Ощупью поднимаюсь по лестнице в кухню. Стеклянная вставка на двери разбита. А, так вот почему кровоточит моя рука. Устремляюсь в ночь, прямо к дому своего бывшего ментора. Хеймитч сидит в одиночестве за столом, сжимая в левой руке бутылку белого, а в правой — нож. Пьяный, как сто чертей.

— А, явилась. Ну, солнышко, поняла наконец, что к чему? Сообразила, что возвращаешься не одна? И теперь у тебя есть просьба... Какая?

Молчу. Окно широко раскрыто. Ветер дует в лицо, словно я до сих пор на улице.

— Знаешь, парню было проще. Я не успел распечатать бутылку, когда его принесло на порог. Просился поехать вместе с тобой. А ты-то что скажешь? — Он принимается подражать моему голосу: — «Хеймитч, займи его место, ведь если уж выбирать между вами, пусть лучше Пит будет сломлен до конца своих дней, чем ты»?

Закусываю губу. Теперь, когда слова прозвучали, мне страшно: неужели именно этого я и хочу? Пусть выживет Пит, хотя бы пришлось умереть Хеймитчу? Нет. Порой он бывает несносен, и все же близок мне, как родной человек. «В самом деле, зачем я пришла? — проносится в голове. — Что мне могло тут понадобиться?»

И вдруг с моих губ срывается:

— Есть еще выпить?

Ментор хохочет и с грохотом водружает на стол початую бутылку. Вытерев горлышко рукавом, делаю пару глотков, давлюсь, начинаю кашлять. Через несколько минут прихожу в чувство. Из носа и глаз течет, но зато внутри словно разбежался огонь, и мне это нравится.

— А почему бы тебе не поехать? — бросаю я совершенно будничным тоном. — Ты все равно равнодушен к жизни.

— Верно заметила, — отзывается он. — Мало того, в прошлый раз я спасал *тебя*, так что вроде как обязан теперь позаботиться о мальчишке.

— Тоже правильно, — одобряю я, утерев нос и вновь опрокидывая бутылку.

— А Пит заявил, что я у него в должниках. И расплачу́сь, только если позволю ему отправиться на арену и защищать тебя.

Так и знала. В этом смысле Пит легко предсказуем. Пока я корчилась на полу чужого подвала, жалея себя, любимую, он побывал здесь, беспокоясь лишь обо мне. Сказать, что меня накрывает волна стыда, — значит ничего не сказать.

— Знаешь, проживи ты хоть сотню жизней, и тогда не заслужишь такого парня, — говорит Хеймитч.

— Куда уж мне, — цежу я. — Среди нас троих он лучший, кто бы сомневался. Ну и что ты намерен делать?

— Не знаю, — вздыхает ментор. — Вернулся бы на арену с тобой, только вряд ли получится. Если на Жатве вытащат мое имя, Пит вызовется добровольцем.

Какое-то время мы просто сидим и молчим.

— Тебе, наверное, нелегко придется там, на арене? — говорю я. — Ты же со всеми знаком...

— Ай, какая разница, мне будет тошно в любом случае. — Мой собеседник указывает кивком на сосуд со спасительной влагой. — Может, отдашь обратно?

— Нет, — говорю я, обхватив бутылку руками.

Хеймитч лезет под стол за новой, сворачивает крышку, и тут я соображаю, что явилась не только за выпивкой.

— Все, до меня дошло. Я знаю, о чем пришла попросить. Если мы с Питом окажемся на арене, давай в этот раз постараемся вытащить живым *его*.

В покрасневших глазах собеседника что-то мелькает. Кажется, боль.

— Ты сам говоришь, при любом раскладе все будет ужасно. Чего бы Пит ни желал, теперь — его очередь. Мы оба в долгу перед ним. — В моем голосе звучат умоляющие нотки. — И потом, Капитолий меня ненавидит, мое дело решенное. А для Пита еще есть надежда. Пожалуйста, Хеймитч. Обещай, что поможешь мне.

Он хмуро глядит на бутылку, взвешивая услышанное, и наконец роняет:

— Ладно.

— Спасибо.

Сейчас не мешало бы заглянуть к Питу, но не хочется. Я пьяна и выжата как лимон — трудно ли переубедить человека в таком состоянии? Нет, придется брести домой, заглянуть в лица маме и Прим.

С грехом пополам поднимаюсь по лестнице; в тот же миг дверь распахивается, и Гейл принимает меня в объятия.

— Прости, — шепчет он. — Надо было бежать с тобой, когда ты предлагала.

— Нет, — отвечаю я.

Перед глазами все расплывается. Самогон из бутылки выплескивается на его куртку, но Гейлу все равно.

— Еще не поздно, Китнисс.

За его спиной прильнули друг к другу мама и Прим. Если мы сбежим — они умрут. И кто защитит на арене Пита?

— Поздно.

Колени подкашиваются, он успевает меня подхватить. В угаре я словно издали слышу звон бутылки, разбившейся об пол. Еще бы, ведь я уже ничего не держу в руках.

Проснувшись, бегу в туалет избавляться от выпитого накануне. По пути вверх самогон с прежней силой обжигает пищевод, только на вкус он стал в два раза противнее. Потное тело дрожит, будто в лихорадке. Уф, наконец организм очистился от этой отравы. Впрочем, яда в крови и так достаточно. В голове забивают сваи, во рту — раскаленная пустыня, в животе точно кошки дерутся.

Открываю душ и минуту стою под теплыми струями, прежде чем замечаю, что не сняла белье. Очевидно, мама вчера раздела меня и сама уложила в постель. Бросаю мокрые вещи в раковину, выдавливаю на голову шампунь. Ладонь как-то странно щиплет. Ну да, она же покрыта сетью мелких и ровных порезов. Смутно припоминаю, как разбивала чужое стекло. Растираю тело мочалкой от головы до пят, прервавшись лишь для того, чтобы проблеваться еще раз, прямо в душе. На этот раз из желудка выходит почти одна желчь. Вместе с пеной она исчезает в водостоке, оставив несколько пузырьков.

Надеваю халат и шагаю обратно в постель, не обращая внимания на воду, капающую с волос. Забираюсь под одеяло. Так вот что должен чувствовать отравленный человек. С лестницы доносятся шаги, и меня захлестывает вчерашняя паника. Я еще не готова увидеться с мамой и Прим. Пора взять себя в руки, принять спокойный и уверенный вид, как тогда, во время прощания перед последними Играми. Нужно быть сильной. Кое-как выпрямляю спину, заправляю мокрые волосы за уши, коснувшись висков (кровь бешено стучит), и собираюсь с духом для встречи. Они возникают на пороге с чаем и тостами. Лица — заботливые, печальные. Открываю рот, чтобы разродиться какой-нибудь шуткой, — и вдруг начинаю рыдать.

Вот вам и сильная.

Мама садится на край постели, Прим залезает ко мне, и они вместе гладят меня, мурлыча что-то успокаивающее, дожидаясь, пока я не выплачусь. Потом сестренка подает полотенце, сушит и распутывает мне волосы, а мать ухитряется напоить меня чаем с тостами. Одетая в теплую пижаму, накрытая несколькими одеялами, я опять засыпаю.

И прихожу в себя ближе к вечеру, если судить по свету в окне. Нахожу рядом с кроватью стакан воды, залпом его выпиваю. Голова и живот еще не совсем оправились, но мне уже лучше. Поднимаюсь, расчесываю волосы и заплетаю длинную косу. Спускаюсь не сразу — немного медлю на верхней ступеньке, слегка досадуя на себя за вчерашнюю слабость. Этот бездумный побег, пьянка с Хеймитчем и утренние рыдания... Ладно, пожалела себя денек — и хватит. Хорошо, хоть камер поблизости не оказалось.

В кухне мама и Прим снова обнимают меня, но теперь у них более сдержанный вид. Понятно, стараются лишний раз не расстраивать. Смотрю на сестренку: неужели это все та же хрупкая девочка, с которой мы попрощались девять месяцев назад? Жатва сама по себе стала испытанием, но то, что последовало дальше — вспышка насилия новой власти в дистрикте, бесконечная череда больных и раненых, за которыми ей слишком часто приходится ухаживать в одиночку, без маминой помощи, — заставило Прим повзрослеть на несколько лет. И потом, она подросла, почти уже догнала меня, хотя дело, конечно, не в росте.

Мама протягивает мне кувшин с особым отваром. Спрашиваю еще один, для Хеймитча, и бреду к нему через лужайку. Бывший ментор только-только продрал глаза. Он молча принимает кувшин. Мы сидим бок о бок, потягивая отвар, и наблюдаем через окно, как садится солнце. Почти идиллическая картина. С улицы доносятся чьи-то шаги. Это, должно быть, Хейзел. Не угадала: пару минут спустя входит Пит и швыряет коробку с пустыми бутылками на стол.

— Готово, — объявляет он.

Ментору стоит большого труда хотя бы сосредоточить взгляд на бутылках, поэтому я говорю за него:

— Что готово?

— Я вылил все ваше пойло в канаву, — пожимает плечами Пит.

Хеймитч подскакивает и начинает рыться в коробке.

— Ты... *что* сделал? — переспрашивает он, не веря своим ушам.

— Остальное разбил, — прибавляет нежданный гость.

— Он купит еще, — успокаиваю я.

— Нет, не купит, — щурится Пит. — Я ходил к Риппер, сказал, что немедленно донесу властям, если продаст одному из вас хотя бы стакан. На всякий случай еще и деньгами ее задобрил, хотя, по-моему, довольно было и страха перед миротворцами.

Хеймитч делает резкий взмах ножом, но Пит с легкостью отбивает удар. Во мне закипает злость.

— Тебя это вообще не касается!

— Очень даже касается. Как ни крути, двоим из нас предстоит вернуться на арену, а третьему — сделаться ментором. Пьяниц в команде не потерплю, особенно если это будешь ты, Китнисс.

— Что такое? — Я гневно брызжу слюной. Наверно, слова прозвучали бы убедительнее, не мучай меня такое похмелье. — Да я вчера в первый раз приложилась к бутылке!

— И взгляни, на кого похожа, — кивает он.

Не знаю, чего я ждала от нашей первой встречи после того злополучного объявления. Поцелуев, объятий. Капельку утешения. Но только не этого. Поворачиваюсь к хозяину дома:

— Ничего, я тебе раздобуду самогона.

— Значит, донесу на обоих, — бросает Пит. — В карцере протрезвеете.

— Чего ты добиваешься? — изумляется Хеймитч.

— Двое из нас вернутся из Капитолия, — начинает борец за трезвость. — Ментор и кто-то из игроков. Эффи выслала мне все записи с Играми живых победителей. Мы просмотрим и выучим все их приемы. Мы станем профи. И кто-то из нас обязательно выиграет, нравится это вам или нет!

С этими словами он быстро выходит, захлопнув дверь.

Мы вздрагиваем от грохота.

— Терпеть не могу самоуверенных типов, — бормочу я.

— А чего их любить? — поддакивает мой товарищ по несчастью, сливая последние капли в стакан.

— Он правда хочет, чтоб мы вернулись, — замечаю я. — Мы с тобой.

— Мечтать не вредно, — ворчит мой бывший, а может, и будущий ментор.

Однако спустя пару дней мы соглашаемся превратиться в профи, раз уж это единственный способ подготовить Пита к Бойне. Каждый вечер смотрим записи старых Голодных игр с участием еще живых соперников. Я запоздало удивляюсь, припомнив, что ни одного из них не встречала во время тура. Хеймитч находит мгновенное объяснение: меньше всего президенту Сноу хотелось, чтобы мы (особенно я) выступали в компании других победителей в готовых к восстанию дистриктах. Победитель находится на особенном положении; показать на экране, будто бы кто-то из них поддержал бунтовщицу, бросившую вызов самому Капитолию, — не самый удачный политический ход. Судя по датам, можно предположить, что большинство противников уже в летах. Это одновременно печалит и успокаивает. Пит без конца строчит в блокноте. Хеймитч рассказывает все, что ему известно про победителей прошлых Голодных игр, и картина мало-помалу начинает вырисовываться.

Каждое утро мы занимаемся физкультурой, укрепляем силы. Бегаем, поднимаем тяжести, делаем растяжки. Потом отрабатываем боевые навыки, мечем ножи, боремся врукопашную. Я даже учу обоих лазать по деревьям. Это против правил, однако никто нас не останавливает. Даже в обычные годы трибуты из Дистриктов номер один, два и четыре появляются подготовленными, прекрасно орудуя копьями и щитами, а здесь и сравнения нет.

После стольких лет наплевательского к себе отношения тело Хеймитча протестует против любых улучшений. Да, он еще силен, только выдыхается после самой короткой пробежки. Думаете, человек, не один год засыпающий с ножом в руке, должен уметь им пользоваться? Как бы не так: дрожащие руки не могут бросить его даже в стену дома.

Зато мы с Питом расцветаем. Я наконец-то знаю, на что потратить свободное время. Мы все находим себе занятие, которое не позволяет заранее опустить руки. Мама сажает нас на спецдиету, чтобы немного прибавили в весе. Прим обрабатывает утомленные мускулы. Мадж потихоньку от отца доставляет столичные газеты: журналисты гадают, кто будет победителем этого года, и мы в числе фаворитов. Даже Гейл приходит по воскресеньям и учит нас делать ловушки, хотя не испытывает теплых чувств ни к одному из моих товарищей по команде. Странно видеть их с Питом вместе, но, кажется, они решили оставить раздоры в прошлом.

Как-то вечером, когда я провожаю Гейла обратно в город, он признается:

— Почему мне так трудно ненавидеть этого парня?

— Рассказывай! — усмехаюсь я. — Будь это просто, никто бы сейчас и горя не знал. Он бы умер, а я — наслаждалась победой.

— А мы, Китнисс, где были бы *мы с тобой*? — произносит Гейл.

Не знаю, что и ответить. Мой мнимый кузен, который и не назвался бы кузеном, если бы не Пит... Действительно, *где* бы мы были? Ответила бы я на его поцелуй, будь я свободна, как птица? Открыла бы Гейлу сердце, поддавшись обманному благополучию денег, сытости, безопасности? А что потом? Постоянный ужас перед грядущей Жатвой, страх за наших детей. Что ни выбери...

— Охотились бы, наверное. Как всегда, — отвечаю я.

Это самый честный ответ, на какой я способна. Знаю, Гейл ожидал другого. Но ведь он же прекрасно понял, что, отказавшись от бегства, я предпочла *его* сопернику. И вообще, не люблю рассуждать о разных «если бы да кабы». Даже прикончив Пита, я не спешила бы выйти замуж. Пресловутая помолвка была только способом спасти жизни людей, да и та уже позабыта.

И все-таки я побаиваюсь, как бы Гейл от досады не решился на непоправимый шаг. Вроде восстания в шахтах. А по словам Хеймитча, Дистрикт номер двенадцать к этому не готов. Особенно после объявления о Квартальной бойне, если учесть, что на следующее утро к нам прибыл целый поезд миротворцев.

Я уже не надеюсь вернуться живой, поэтому чем скорее Гейл отпустит меня от себя, тем лучше. Нет, перед отъездом на Игры я скажу ему несколько слов на прощание. Объясню, как он был мне дорог все эти годы. Сколько хорошего внес в мою жизнь. И сколько значила для меня наша любовь, хоть и в том урезанном смысле, как я ее понимаю...

Однако меня лишают и этой возможности.

В день Жатвы всем жарко и душно. Жители дистрикта молча обливаются потом на улице, под дулами автоматов, и ждут результатов лотереи. Мы трое стоим отдельно, на огороженной веревками площадке. На этот раз Жатва длится примерно минуту. Появляется Эффи в блестящем парике с золотым отливом, но кажется, даже ей не до привычных шуточек. Дрожащие пальцы никак не раскроют шар, в котором, это уже известно всем, спрятана единственная бумажка с моим именем. Следом наступает черед Хеймитча.

Тот едва успевает печально взглянуть на меня, как Пит вызывается добровольцем.

Нас торопливо ведут к Дому правосудия.

— Порядок слегка изменили, — усмехается Тред, новый глава миротворцев.

Торопливо шагаем к черному ходу, садимся в машину и едем на вокзал. На платформах — ни камер, ни толпы провожающих. Когда под охраной привозят Эффи и Хеймитча, нас тут же заталкивают в вагон. Дверь захлопывается, колеса начинают свой перестук, Дистрикт номер двенадцать уплывает куда-то вдаль.

Я смотрю в окно и кусаю губы, с которых так и не сорвались прощальные слова.

14

За лесом давно не видно родных мест, но я продолжаю стоять у окна. В этот раз можно даже и не надеяться на возвращение. В прошлом году я обещала Прим сделать все, чтобы победить. А теперь поклялась себе, что спасу Пита. Эта поездка — в один конец.

Я-то старалась, придумывала прощальные слова. Хотела захлопнуть двери, оставить близких людей хотя и в печали, зато в безопасности. Но Капитолий украл даже это.

— Напишем письма, Китнисс, — произносит Пит у меня за спиной. — Пожалуй, так даже лучше. Оставим после себя что-то осязаемое. Хеймитч доставит конверты, если... придется.

Киваю и ухожу к себе в купе. Сажусь на кровать. Нет, письма — не для меня. Это как с речью в память Руты и Цепа в Дистрикте номер одиннадцать. В голове все казалось ясным и четким, и даже когда я обращалась к толпе, а вот взять ручку и перенести слова на бумагу — сплошное мучение. К тому же они должны были сопровождаться объятиями, поцелуями... Я бы погладила волосы Прим, коснулась бы лица Гейла, сжала бы руку Мадж. А что это за довесок — деревянный ящик с моим холодным, окоченевшим телом?

Душа разрывается, но слез нет. Хочется свернуться калачиком и проспать до завтрашнего утра, до самого Капитолия. Но у меня есть задача. Нет, больше, чем просто задача. Моя предсмертная воля. *Спасти жизнь Пита*. И я должна быть на высоте, насколько это возможно перед лицом разъяренного Капитолия. Ничего не получится, если все время горевать о близких, оставшихся дома. «Отпусти их, — велю я себе. — Попрощайся, забудь». Собрав последние силы, поочередно представляю себе каждого из них и мысленно отпускаю на волю, словно птиц из надежных клеток в моей груди, накрепко запирая дверцы, чтобы никто не вернулся.

Когда Эффи приходит за мной, на душе — пустота и легкость. Оказывается, это не самое неприятное чувство.

За ужином у всех подавленное настроение. Мы подолгу молчим; слышно только, как на столах меняют тарелки. Холодный овощной суп-пюре. Рыбные пироги со сливочной пастой из лайма. Снова эти мелкие птички под оранжевым соусом, с диким рисом и водорослями. Шоколадный заварной крем, усыпанный вишнями.

— Мне нравятся твои новые волосы, Эффи, — подает голос Пит (время от времени эти двое пытаются завязать разговор, который никто не поддерживает).

— Спасибо. Я подбирала парик под цвет броши Китнисс. Думаю, тебе нужно дать золотой браслет на лодыжку, а Хеймитчу — на руку, тогда все увидят: мы одна команда.

Похоже, Эффи и не догадывается, что моя сойка-пересмешница стала символом Сопротивления. По крайней мере, в Дистрикте номер восемь. В Капитолии это по-прежнему занятная безделушка, напоминание об особенно увлекательном сезоне Голодных игр. Настоящие мятежники не изображают секретный знак на прочных золотых украшениях. Скорее уж, на хрупком печенье, которое всегда можно съесть, если понадобится.

— Отличная мысль, — соглашается Пит. — Что скажешь, Хеймитч?

— А, все равно, — отвечает он.

Наш ментор больше не пьет, но, кажется, очень хочет. Заметив его страдания, Эффи велит унести свое вино. Бесполезно: на Хеймитча жалко смотреть. Будь он трибутом, свободным от всяких долгов, — давно залил бы глаза. А теперь ему предстоит вытащить Пита с арены, из толпы своих же старых приятелей, и неизвестно, что из этого выйдет.

— Может, и Хеймитчу купим парик? — шучу я, пытаясь разрядить обстановку, и получаю в ответ рассерженный взгляд.

Шоколадный крем с вишнями мы едим в гробовой тишине.

— Запись Жатвы будем смотреть? — осведомляется Эффи, прикладывая белую льняную салфетку к краешкам губ.

Пит идет за своим блокнотом, и мы собираемся в купе с телевизором — посмотреть на своих соперников. Едва успеваем занять места, как звучит мелодия гимна, и передача начинается.

За всю историю Игр было семьдесят пять победителей. Пятьдесят девять из них еще живы. Многие лица я знаю по прошлым сезонам или по пленкам, просмотренным по приказанию Пита. Некоторых невозможно вспомнить — настолько переменил их возраст, наркотики или пьянство. Как и ожидалось, Дистрикты номер один, два и четыре предоставили самое большое количество профи. Впрочем, и остальные смогли насчитать хотя бы двоих трибутов разного пола.

Жатвы мелькают очень быстро. Пит аккуратно рисует звездочку напротив каждого имени, прозвучавшего в лотерее. Хеймитч с бесстрастным лицом наблюдает, как его давние друзья один за другим поднимаются на сцену. Эффи вполголоса охает: «Ой, только не Цецелия!» или «Ну да, что за бой без Рубаки?» — и то и дело вздыхает.

Пытаюсь удержать в голове список соперников, но, как и в прошлом году, все кончается легкой мигренью. В память врезаются несколько человек. Классические красавчики, брат и сестра из Первого дистрикта: побеждали два года подряд, когда я была еще маленькой. Доброволец Брут из Второго (ему слегка за сорок): ждет не дождется возвращения на арену. Миловидный Финник с бронзовой шевелюрой из Дистрикта номер четыре: короновался десять лет назад, когда ему стукнуло четырнадцать. Вместе с ним вызывают какую-то юную истеричку с развевающимися каштановыми волосами, но ее место спешит занять восьмидесятилетняя старуха, которая не может подняться на сцену без палочки. Следующая — Джоанна Мэйсон, единственный живой трибут женского пола в Дистрикте номер семь; победила за счет того, что прикинулась слабенькой и беспомощной. Женщина из Восьмого, та самая Цецелия — за ней бегут трое детишек, ловят за руки, льнут к ногам. Ну, и Рубака из Дистрикта номер одиннадцать. Знаю, мой ментор к нему особенно привязан.

И вот звучит мое имя. Наступает очередь Хеймитча. Пит вызывается добровольцем. Кто-то из дикторов смахивает непрошеную слезу: еще бы, теперь нам, безумно влюбленной парочке из Двенадцатого, уже никогда не быть вместе. Впрочем, слеза высыхает, и тут же следует бодрая фраза:

— Держу пари, это будет лучший сезон среди всех!

Хеймитч уходит молча. Эффи бросает парочку замечаний об избранных игроках и, не получив ответа, желает нам обоим спокойной ночи. Я долго сижу и смотрю, как Пит вырывает из блокнота страницы с уже ненужными именами.

— Может, поспишь? — предлагает он.

«Я не справлюсь с кошмарами без тебя», — проносится у меня в голове. Уверена, эта ночь будет просто ужасной. Но не могу же я пригласить его снова в свою постель. Мы почти не притрагивались друг к другу с той самой ночи, как Гейла высекли на городской площади.

— Чем собираешься заниматься? — интересуюсь я.

— Еще раз прогляжу свои записи. Надо же уяснить себе, что нас ждет. Утром все обсудим. Иди спать, Китнисс, — говорит он.

Я следую его совету и, разумеется, через пару часов просыпаюсь от кошмара, в котором старуха из Четвертого дистрикта превратилась в гигантскую крысу и острыми зубами вцепилась в мое лицо. Знаю, что закричала, однако никто не пришел. Ни Пит, ни хотя бы кто-нибудь из капитолийского персонала. Натягиваю халат, чтобы немного умерить озноб, от которого все тело покрыто «гусиной кожей». Оставаться в купе невозможно, и я решаю пойти поискать кого-нибудь. Хочется чаю или горячего шоколада. Может, Хеймитч еще на ногах. Не верю, что он смог заснуть.

Встретив проводника, прошу его принести самый успокаивающий напиток, какой приходит на ум, — теплое молоко. Из купе с телевизором доносятся голоса: захожу туда и вижу Пита. Рядом с ним стоит коробка с записями старых Голодных игр. На экране показывают знакомый эпизод — победу Брута.

Увидев меня, Пит поднимается и достает кассету.

— Не спится?

— Спалось, но недолго. — Я зябко кутаюсь в халат, припомнив старуху в виде огромной крысы.

— Хочешь рассказать? — предлагает он.

Иногда это помогает, но я отрицательно машу головой. Не признаваться же, что тебя начинают преследовать люди, с которыми ты еще даже и не сражался?

Тут Пит раскрывает объятия, и меня бросает прямо к нему. С тех пор как по телевизору объявили Квартальную бойню, он впервые проявил нежность. А до этого был скорее придирчивым тренером — беспрестанно требовал, чтобы мы с Хеймитчем быстрее бегали, больше ели, лучше знали врага. Какая уж там любовь! Пит даже другом не притворялся. Спешу обвить его шею руками, пока, чего доброго, не получила приказ отжиматься от пола. Но вместо этого Пит привлекает меня к себе и прячет лицо в моих волосах. От касания его губ по шее и по всему телу разливается блаженное тепло. Мне так хорошо, так невероятно хорошо, что я не хочу разжимать объятия первой.

Да и с какой стати? С Гейлом я попрощалась. Мы больше не увидимся, это вопрос решенный. Как бы я ни поступила, ему не будет больно. Гейл ни о чем не узнает или решит, будто я играла перед камерами. Хотя бы одно бремя с плеч долой.

Мы отрываемся друг от друга, когда появляется проводник. У него на подносе — дымящийся керамический кувшин и две чашки.

— Я принес вам одну про запас.

— Спасибо, — благодарю я.

— Добавил немножко меда, чтобы подсластить. И щепотку пряностей... — Посмотрев на нас так, словно хочет сказать еще что-то, он еле заметно качает головой и уходит.

— Что это с ним? — недоумеваю я.

— Пожалел нас, наверное, — отзывается Пит.

— Да уж, — бросаю я, наливая себе молоко.

— Нет, правда. Не думаю, будто весь Капитолий безумно рад, что мы возвращаемся на арену. Или кто-нибудь из других победителей. Публика к ним привязалась.

— Думаю, они забудут свои терзания, как только увидят кровь, — возражаю я ровным голосом. Не хватало еще волноваться о том, как Квартальная бойня отразится на настроении капитолийских зрителей. — Значит, пересматриваешь пленки?

— Не совсем. Так, изучал отдельные боевые приемы.

— Кто на очереди? — интересуюсь я.

— Сама выбирай, — говорит он и подает коробку.

Каждая из кассет помечена датой и именем победителя. Достаю одну наугад. Вот это да, как раз ее мы и не смотрели. Пятидесятый сезон. Год, когда победителем стал Хеймитч Эбернети.

— Эту мы еще не видели, — замечаю я.

Пит качает головой.

— Не надо. Хеймитчу не понравилось бы. Мы тоже не смотрим собственные Игры. И потом, он в нашей команде, так что это бессмысленно.

— А победитель двадцать пятого года здесь есть? — осведомляюсь я.

— Вряд ли. Он уже наверняка умер, а Эффи дала мне записи только потенциальных соперников... — Он задумчиво крутит в руках кассету. — А что? Думаешь, стоит взглянуть?

— Это единственная Квартальная бойня. Вдруг выясним что-нибудь стоящее? — На самом деле мне тоже не по себе. Словно мы собираемся вторгнуться на личную территорию Хеймитча. Хотя с чего бы? Те Игры смотрел весь Панем. И все-таки... Ладно, признаюсь, меня просто разбирает любопытство. — А Хеймитчу можно и не рассказывать.

— Ну, если так... — соглашается Пит.

Он ставит кассету, я устраиваюсь рядом с ним, пью молоко (которому мед и пряности придают божественный вкус) и, забыв обо всем, погружаюсь в мир пятидесятого сезона Голодных игр. После гимна президент Сноу — совсем еще молодой, но от этого не менее мерзкий с виду — читает карточку для второй Квартальной бойни, привычным торжественным голосом провозглашая, что на сей раз дистрикты обязаны предоставить вдвое больше трибутов. Следующие кадры уже рассказывают о Жатвах. Список имен кажется мне бесконечным.

Голова идет кругом при виде толпы детей, обреченных на верную смерть. Ведущая в нашем Двенадцатом дистрикте — не Эффи — точно так же начинает с бодрой фразочки:

— Дамы вперед! — и объявляет имя: — Мэйсили Доннер!

— Точно! — вспоминаю я. — Мамина подруга детства.

Камера находит в толпе Мэйсили, прильнувшую к двум другим девушкам. У каждой из них белокурые волосы. Очевидно, это дочери торговцев.

— А вот, кажется, и твоя мама, — глухо произносит Пит.

Он прав. Когда Доннер мужественно высвобождается из объятий, чтобы взойти на сцену, я узнаю одну из белокурых девушек. Надо же: в моем возрасте мама на самом деле, без преувеличений, была настоящей красавицей. А та, что рыдает рядом, держа ее за руку, очень похожа на Мэйсили, но не только... Лицо ужасно знакомое.

— Мадж! — удивляюсь я.

— Ее мать. Они были близнецами или вроде того, — поясняет Пит. — Отец как-то раз говорил.

Перед глазами возникает жена мэра Андерси. Мама моей подруги. Та, которая половину жизни проводит в постели, отрешившись от мира, скованная ужасной болью. Не знала, что у них с моей матерью была общая привязанность. Вспоминается почему-то, как Мадж появилась в метель с коробкой обезболивающего средства для Гейла. Как подарила мне брошку покойной тети — Мэйсили Доннер, трибута, погибшего на арене. Теперь я совсем по-другому буду смотреть на свою пересмешницу.

Хеймитча выкликают последним, и он поражает меня еще сильнее, нежели юная мама. Молодой. Полный сил. В это трудно поверить, однако внешне он очень даже ничего: темные курчавые волосы, серые глаза с искрой, как у подлинного обитателя Шлака, и уже тогда — ощущение опасности исходит от него.

— Ой, Пит! Надеюсь, это не он убил Мэйсили? — вырывается у меня.

Отчего-то мне невыносимо об этом думать.

— По-моему, шансы слишком малы, — качает головой Пит. — Все-таки сорок восемь игроков...

Вот они на колесницах — трибуты нашего дистрикта, как обычно, одеты в убогие шахтерские робы, — и первые интервью мы перематываем: жаль тратить время. Но раз уж Хеймитчу предстоит победить, подробно смотрим его беседу с Цезарем Фликерменом, практически не изменившимся с той поры, если не считать темно-изумрудного оттенка волос, век и губ. Даже синий костюм мерцает все так же.

— Итак, Хеймитч, в этом сезоне соперников будет на сто процентов больше. Что ты об этом думаешь, а? — подает реплику Цезарь.

Тот пожимает плечами.

— Не вижу разницы. Ну, набрали еще больше стопроцентных глупцов; на моих шансах это не скажется.

Публика взрывается смехом, и Хеймитч отвечает высокомерной, бесстрастной полуулыбкой — как у акулы.

— А он не лезет за словом в карман, — бормочу я.

Наступает утро начала Голодных игр. Одна из трибутов поднимается на арену. И происходящее мы словно видим ее глазами — и невольно ахаем. На лицах игроков — изумление. Даже Хеймитч радостно поднимает брови, но тут же озабоченно хмурится.

Картина просто захватывает дух. Золотой Рог изобилия расположился посередине зеленого луга, пышно покрытого цветами. В лазурном небе плывут невесомые белые облачка. Безмятежно щебечут птицы. У некоторых трибутов раздуваются ноздри: наверное, запах тоже волшебный. Показывают снимок с воздуха: луг протянулся на многие мили. Где-то вдали с одной стороны зеленеют леса, с другой — белеет вершина высокой горы.

Многие сбиты с толку и, даже услышав гонг, движутся точно в опутавшем их полусне. Многие, но только не наш сегодняшний ментор. Миг — и он уже возле Рога, вооружен до зубов, на спине — мешок с отборными припасами. Хеймитч бросается к лесу прежде, чем большинство его соперников успевает ступить на землю.

В первой кровавой бойне погибает восемнадцать трибутов. Прочие тоже мрут словно мухи, и лишь теперь становится ясно, сколько угрозы таят в себе местные прелести. Сочные плоды на ветвях кустарника, кристальные воды ручьев, даже насыщенный запах цветов — все пропитано ядом. Безопасны лишь дождевая вода и пища, добытая у Рога изобилия. Тем временем возле горы в поисках жертв рыщет команда профи из десяти человек, сумевших как следует запастись едой и оружием.

Впрочем, у Хеймитча в чаще свои трудности. Пушистые золотые белочки, оказавшиеся кровожадными хищницами, не боятся нападать целыми стаями, а укусы жалящих бабочек вызывают агонию, если не убивают наповал. Но он продолжает идти вперед, всегда спиной к далекой горе.

Мэйсили, хоть и покинула Рог изобилия с маленькой сумкой, очень выгодно распорядилась добытым. Кроме глубокой миски и полосок сушеной говядины, она обнаружила духовое ружье с двумя дюжинами дротиков и, смазав каждое острие одним из местных ядов, приобрела оружие, смертельное для любого врага.

Четыре дня спустя живописная гора превращается в действующий вулкан. Извержение уносит жизни сразу двенадцати игроков, среди которых — пятеро профи. По склонам струится жидкое пламя, на лугу не скроешься, — и выжившим трибутам приходится бежать в лес.

Хеймитч упорно пытается следовать избранному направлению, но лабиринты непроходимых колючих зарослей оттесняют его обратно. Встретив троих профи, гораздо сильнее и крупнее себя, он молниеносно выхватывает свой нож и успевает зарезать двоих, но третий отбирает оружие и уже целится в горло — как вдруг валится наземь с отравленным дротиком под лопаткой.

Из лесного полумрака выступает Мэйсили Доннер.

— Вдвоем уцелеть будет легче.

— Убедила, — кивает Хеймитч, потирая шею. — Союзники?

Мэйсили молча кивает, и между ними возникает одна из тех связей, которые так сложно рвать, хотя рано или поздно приходится — если мечтаешь вернуться домой, в свой дистрикт. Вместе они, как и мы с Питом, держатся куда лучше. Чаще отдыхают, придумывают, как собрать больше дождевой воды для питья, сражаются спина к спине и поровну делят между собой припасы убитых соперников. Вот только Хеймитч не собирается отклоняться от выбранного курса.

— Зачем это? — много раз интересуется Мэйсили, не получая никаких объяснений, а потом попросту отказывается идти, пока не услышит ответа.

— Где-то же должен быть край, понимаешь? — бросает Хеймитч. — Арена не бесконечна.

— Что ты там хочешь найти? — спрашивает временная союзница.

— Не знаю. Но вдруг оно нам пригодится?

И вот, проломившись через непролазную стену колючих кустов при помощи раздобытой в бою паяльной лампы, оба выходят на плоский участок сухой земли, ведущей к обрыву. Далеко-далеко внизу виднеются острые зубцы скал.

— Это все, Хеймитч, — говорит Мэйсили. — Возвращаемся.

— Нет, я остаюсь.

— Ладно. Все равно нас осталось пятеро. Может, и вправду пора прощаться, — произносит она.

— Хорошо, — соглашается Хеймитч. Даже не посмотрев на нее. Не пожав руки.

Мэйсили молча уходит.

А он долго бродит по краю обрыва, словно пытаясь что-то сообразить. Нога задевает булыжник, и тот улетает в пропасть — похоже, что навсегда. Однако через минуту, когда Хеймитч присаживается отдохнуть, камень появляется снова, описывает дугу и падает у него за спиной. Трибут недоуменно изучает его. Потом, нахмурившись, подбирает еще один, покрупнее, и уже с умыслом швыряет за край. Когда булыжник возвращается прямо в руки, Хеймитч вдруг разражается хохотом.

И тут начинает кричать Мэйсили. Союз расторгнут, причем по ее же воле, так что можно было бы с чистой совестью пропустить вопли мимо ушей. Но Хеймитч устремляется в чащу — и успевает увидеть, как стая приторно-розовых птичек с длинными тонкими клювами многократно пронзает девушке шею. Мэйсили умирает, держа его за руку, и мне на память приходит Рута. Я тоже ее не уберегла.

В тот же день погибает еще один трибут, а его убийца становится жертвой хищных белок; теперь за корону сражаются двое — Хеймитч и девушка из Одиннадцатого. Она крупнее, быстрее, и когда дело неизбежно доходит до схватки, получается ужасное кровавое месиво. Оба успевают нанести друг другу множество страшных ран, когда Хеймитч теряет оружие. Придерживая руками выпадающие внутренности, он из последних сил тащится через дивно прекрасный лес. Противница следует по пятам с топором в руке, ожидая возможности нанести роковой удар. Хеймитч уже на краю. Топор летит прямо в цель, но «цель» в изнеможении валится наземь, и он отправляется в пропасть. Обезоруженная девушка замирает на месте, силясь руками зажать пустую глазницу, откуда хлещут потоки крови, — возможно, надеется попросту пережить соперника, который уже начал биться в судорогах. Но ему известно то, о чем не подозревает она. Топор возвращается. Перелетает через край и вонзается прямо в голову. Раздается пушечный выстрел, тело убирают, и барабанная дробь возвещает победу Хеймитча.

На этом запись кончается. Какое-то время мы просто сидим в молчании.

Наконец Пит подает голос:

— У подножия скалы было силовое поле, как и на крыше Тренировочного центра. Чтобы никто не вздумал покончить с собой. Хеймитч придумал способ сделать из него оружие...

— И не только против соперников, но и против Капитолия тоже, — подхватываю я. — Никто ведь такого не ожидал. Поле даже и не задумывалось как часть арены, а уж тем более — как подсобное средство для игроков. Капитолийцы остались с носом. Значит, вот почему я не помню, чтобы этот сезон часто крутили по телевизору. Поступок Хеймитча почти так же опасен, как наша выходка с ягодами!

Впервые за несколько месяцев мне хочется рассмеяться, от души рассмеяться. Пит озадаченно трясет головой, словно я сошла с ума. Отчасти так оно и есть.

— Почти, но не так же, — звучит у меня за спиной.

Поворачиваюсь, опасаясь увидеть злость на лице ментора, но Хеймитч подмигивает и запрокидывает бутылку. Итак, с трезвым образом жизни покончено. Наверное, стоило бы рассердиться, однако меня увлекает совсем другое чувство.

Я потратила столько недель, пытаясь лучше узнать врагов, но не дала себе труд задуматься о тех, кто со мной. В душе разгорается надежда. Кажется, я наконец уяснила, кто такой Хеймитч. И начала понимать саму себя. Неужели же двое людей, причинивших Капитолию столько хлопот, не придумают, как вернуть домой Пита?

15

Я много раз имела дело с Флавием, Венией и Октавией и, казалось бы, должна не моргнув глазом выдержать очередную встречу. Кто же знал, что она будет стоить мне стольких волнений. В какой-то момент каждый из этой троицы разражается рыданиями. У Октавии глаза вообще поминутно на мокром месте. Похоже, троица и впрямь ко мне привязалась, жалеет о моем возвращении на арену. Учитывая, что со мной навсегда пропадет и пропуск на крупные светские вечеринки (в особенности на нашу с Питом свадьбу), горе выглядит вполне искренним. К тому же этим людям ни разу не приходило в голову быть сильными ради кого-то, так что мне же самой приходится их утешать. Если вспомнить, кого именно среди нас ожидает смерть, это несколько раздражает.

Вспоминается фраза Пита о том проводнике, огорчившемся из-за победителей, которым вновь придется сражаться. Якобы не весь Капитолий в восторге от этого. Я до сих пор полагаю, что слезы публики быстро высохнут с первым ударом гонга, и все-таки для меня настоящее откровение — убедиться, что капитолийцы хоть что-то к нам чувствуют. Ведь они каждый год с удовольствием наблюдают, как умирают дети. Но может быть, победители прошлых лет — это другое дело. Зрители слишком много знают о них, чтобы с легкостью позабыть, что они — такие же люди. Кому по душе, когда убивают его хороших знакомых? В каком-то смысле наступающий сезон значит для столицы примерно то же самое, что и для дистриктов.

Слезы Флавия, Вении и Октавии, как нарочно, напоминают о тех слезах, что сейчас проливаются дома. К тому времени как появляется Цинна, я уже взвинчена и расстроена беспрестанными утешениями. Замерев посередине комнаты в тонком халатике, чувствуя жжение во всей коже и даже в сердце, я знаю, что больше не выдержу ни единого жалостливого взгляда. И, едва лишь дверь открывается, громко рычу:

— Только попробуй всхлипнуть — прикончу на месте!

— Сырое выдалось утро? — улыбается Цинна.

— Меня можно отжимать над тазом, — отвечаю я.

Он обнимает меня, ведет на обед, а по пути приговаривает:

— Не волнуйся. Твой покорный слуга привык изливать свои чувства в работе, так что если кому и сделает больно, то себе одному.

— Еще раз мне этого не вынести, — предупреждаю я.

— Знаю. Мы с ними потолкуем, — обещает Цинна.

После обеда мне становится лучше. Настроение поднимает и запеченный фазан в сияющей россыпи похожих на драгоценные камни мармеладок, и миниатюрные копии настоящих овощей в растопленном масле, и картофельное пюре с петрушкой. На сладкое подают дольки фруктов, которые нужно макать в жидкий шоколад. Цинна заказывает вторую общую миску, потому что я бесцеремонно принимаюсь черпать вкуснятину ложкой.

— Между прочим, что ты наденешь на нас на Открытие? Каски с лампами или живое пламя? — интересуюсь я, дочиста облизав и вторую миску.

Дело в том, что во время выезда на колесницах наши с Питом наряды должны как-то напоминать об угледобыче, распространенной в Двенадцатом дистрикте.

— Что-нибудь в этом роде, — загадочно отвечает Цинна.

Пора облачаться в костюмы. Стилист отсылает прочь заявившихся было участников команды подготовки, объяснив, что они и так с утра постарались — дальше некуда. Троица с благодарностью удаляется, оставляя меня в руках Цинны. Первым делом он заплетает мне волосы маминым способом, а потом принимается за макияж. В прошлом году краски было совсем немного, чтобы зрители узнавали меня потом на арене. Но сейчас лицо почти скрыто под слоем трагических бликов и черных теней. Высоко изогнутые брови, острые скулы, темно-фиолетовые губы, глаза — точно угли. На голову Цинна водружает полукорону, доставшуюся мне как победительнице, только не золотую, а из тяжелого черного металла. Наряд поначалу кажется очень простым — черный костюм, обтягивающий тело от шеи до самых пяток. Потом стилист убавляет в комнате свет и, устроив сумерки, нажимает особую потайную кнопочку на моем запястье. Завороженно опускаю глаза. Одежда медленно оживает: легкое золотистое свечение мягко разгорается, превращаясь в оранжево-алый цвет. Кажется, я целиком покрыта пылающими... нет, *я сама* — пылающий уголь, только что вынутый из печи. Цвета поднимаются и опадают, движутся и перемешиваются, в точности как на угольях.

— Как же тебе удалось? — восхищаюсь я.

— Мы с Порцией долго смотрели в огонь, — отвечает Цинна. — Ну-ка, взгляни на себя.

Он разворачивает меня к зеркалу. Оттуда смотрит не девушка, даже не женщина, а какое-то сверхъестественное создание, способное жить в самом жерле вулкана, сгубившего стольких людей во время Квартальной бойни Хеймитча. Черная полукорона, пылающая теперь, точно ее докрасна раскалили, бросает чудны́е блики на разукрашенное лицо. Китнисс, огненная девчушка, выросла из язычков огня и платьиц, отделанных самоцветами. Сегодня она — опаснее пламени.

— По-моему, это... то, что надо для встречи с другими игроками, — говорю я.

— Да, думаю, кончилось время розовых помад и ленточек за спиной, — кивает стилист. И касается кнопочки на запястье. — Не будем напрасно тратить заряд. В этот раз никому не маши и не улыбайся. Смотри прямо перед собой, словно публика ничего не значит.

— Ну, это проще простого, — вырывается у меня.

Цинна уходит по своим делам, а я решаю отправиться прямиком на нижний этаж комплекса, где ожидают своего выезда колесницы и трибуты. Хочу найти Хеймитча или Пита, но их еще нет. В отличие от прошлого года, когда каждый торчал у своей повозки, будто приклеенный, сегодня как менторы-победители, так и игроки стоят небольшими группами, переговариваются. Конечно, ведь они хорошо знакомы друг с другом, только не со мной. И вообще, я не такой человек, чтобы жать всем руки и представляться. Поглаживаю одного из коней и стараюсь держаться в тени: может быть, не заметят? Но ничего не выходит.

Поворачиваю голову на громкий хруст гальки — и в нескольких дюймах от моего лица вспыхивают знаменитые бирюзовые глаза.

— Привет, Китнисс, — произносит Финник Одэйр, словно мы знакомы всю жизнь, а не видим друг друга впервые.

— Привет, Финник, — в тон ему отзываюсь я, хотя чувствую себя неуютно. Парень встал слишком близко... и както чересчур открыт.

— Хочешь сахару? — Он протягивает полную горсть белоснежных кубиков. — Это для лошадей, но кому какая разница? Кони годами лопают сладкое, а вот мы с тобой... Если уж сахар сам дается в руки — хватай.

Финник Одэйр — живая легенда Панема. Пережив шестьдесят пятый сезон Голодных игр в четырнадцатилетнем возрасте, он так и остался самым юным из победителей. В Дистрикте номер четыре его растили как профи, поэтому шанс на удачу изначально был высок, но ни один тренер не может похвастаться тем, что наделил юношу невиданной красотой. В то время как остальным игрокам приходилось чуть не вымаливать горстку зерна или спички в подарок, высокий, отлично сложенный Финник с его золотистой кожей, бронзовой шевелюрой и потрясающими глазами не знал нужды ни в пище, ни в сильных лекарствах и ни в оружии. Спустя примерно неделю соперники запоздало сообразили: нужно было убить его первым. Парень и так превосходно орудовал копьями и ножами, добытыми у Рога изобилия, но когда к нему на серебряном парашюте опустился трезубец (самый дорогостоящий подарок на моей памяти), это решило исход Игры. Главное занятие жителей Четвертого дистрикта — рыболовство. Финник с раннего детства плавал на лодке. Он тут же сплел сеть из виноградной лозы, переловил ею всех противников и по одному заколол трезубцем. Еще пара дней — и корона была у него.

Капитолийцы слюной исходят по этому мальчику.

Благодаря юному возрасту, поначалу его на год или два оставили в покое, но уже с шестнадцати лет Финник присутствует на каждых Играх, и толпы поклонников таскаются за ним по пятам. Правда, никто не пользуется его благосклонностью долгое время. В течение своего ежегодного визита он успевает четыре-пять раз поменять окружение. Неважно, стар человек или юн, миловиден или уродлив, богат или беден — Финник проводит с ним какое-то время, принимает экстравагантные подарки, но никогда не задерживается и не возвращается.

Весьма вероятно, это один из самых потрясающих и желанных людей на планете, хотя, честно сказать, меня он совершенно не привлекает. То ли слишком красив, то ли слишком доступен, а может быть, его чересчур легко потерять.

— Нет, спасибо, сахару не хочется. А вот примерить когда-нибудь твой костюмчик я бы не отказалась.

На Финнике — золотая сеть, умышленно завязанная узлом возле паха, так что парень не сказать чтобы вышел на люди голым, но весь открыт перед публикой. Видимо, стилисты решили: чем больше плоти увидит зритель, тем выгоднее.

— А ты меня просто пугаешь в этом новом обличье. Что стало с милыми девичьими платьями? — спрашивает он и проводит языком по губам. Представляю, как это сводит с ума других людей, однако перед моими глазами тут же встает старый Крей, пускающий слюни при виде нищих голодных девушек.

— Я из них выросла.

Финник тянется к моему воротнику и потирает материю между пальцами.

— Не повезло тебе с этой Квартальной бойней. Могла бы пожить в Капитолии припеваючи: украшения, деньги, все, что душа попросит.

— Украшения терпеть не могу, а денег и так девать некуда. Кстати, на что ты потратил свои?

— Ну, такие банальные мелочи меня давно уже не занимают, — отмахивается он.

— Чем же люди расплачиваются за счастье лицезреть тебя рядом с собой? — осведомляюсь я.

— Тайнами, — отвечает Финник вполголоса и наклоняет голову, едва не коснувшись губами моего уха. — А что скажешь ты, огненная Китнисс? Есть у тебя секреты, достойные моего внимания?

Это глупо, но я почему-то краснею. Пытаюсь вернуть себе самообладание и шепчу:

— Нет, я открытая книга. Кажется, люди узнают мои секреты раньше меня самой.

Юноша улыбается.

— Увы, сдается мне, так оно и есть. — И быстро отводит глаза. — Пит идет. Жаль, что из-за Игры сорвалась ваша свадьба. Представляю, как ужасно ты себя чувствуешь.

Забросив еще один кубик сахара в рот, Финник беззаботной походочкой удаляется.

— Что ему понадобилось? — интересуется Пит, одетый и разукрашенный мне под стать.

Я тянусь губами к его лицу, томно приопускаю ресницы и самым что ни на есть обольстительным тоном мурлычу:

— Он предложил мне сахара и хотел выведать все мои тайны.

— Да ладно тебе, — смеется напарник.

— Нет, правда. Потом расскажу подробнее, а то сейчас у меня по коже мурашки бегают.

— Как по-твоему, — вдруг произносит Пит, оглядываясь по сторонам, — если бы только один из нас победил, сегодня он был бы здесь, участником этого жуткого маскарада?

— Разумеется. Особенно ты, — вырывается у меня.

— Почему — особенно? — улыбается он.

— Потому что у тебя слабость к красивым вещам, а у меня ее нет, — снисходительно поясняю я. — Капитолий сумел бы тебя заморочить, а там и купить навсегда.

— Чувство прекрасного — это еще не слабость, — возражает Пит. — Разве что в случае моего к тебе отношения...

Слышится музыка. Широкие створки дверей распахиваются, и первая колесница выезжает под рев толпы.

— Готова? — Пит подает мне руку, чтобы помочь взойти на повозку.

Я поднимаюсь и втягиваю его за собой.

— Постой-ка. — Поправляю ему корону. — Видел свой костюм включенным? Мы снова всех поразим.

— Это точно. Но Порция говорит, нам нужно быть выше этого. Не махать руками, ничего такого не делать, — предупреждает он. — Между прочим, где наши стилисты?

— Не знаю, — отзываюсь я, окидывая взглядом процессию. — Может лучше, проедем вперед и включимся?

Мы так и поступаем. В ту же минуту зрители поднимают шум, начинают показывать пальцами, и я понимаю: мы снова станем легендой Открытия. Двери все ближе; вытянув голову, оглядываюсь вокруг, однако не замечаю ни Цинны, ни Порции, а ведь в прошлом году они были рядом с нами до самого выезда.

— За руки нужно держаться? — спохватываюсь я.

— Думаю, это решили оставить на наше усмотрение, — отзывается Пит.

Я смотрю в эти голубые глаза, которые, сколько краски ни наложи, не станут смертельно опасными, и вспоминаю, как еще год назад собиралась убить его. Думала: Пит мечтает о том же. И вот как все изменилось. Теперь я сделаю все, чтобы он остался в живых, даже ценой моей собственной жизни. А все же внутри нет-нет и раздастся трусливый голосок: хорошо, что рядом — он, а не Хеймитч. Наши руки сами собой сплетаются. Какие могут быть споры! Конечно же, мы пройдем через это вместе, мы — единое целое.

Колесница врывается в предвечерние сумерки, и в тот же миг гул толпы перерастает в восторженный визг. Но ни один из нас даже ухом не поведет. Я напряженно смотрю куда-то вдаль, делая вид, будто нет ни публики, ни трибун, ни всеобщего сумасшествия. Разве что иногда бросаю взгляд на гигантские экраны вдоль трассы. Мы не просто красивы, мы — воплощение темной силы. Даже больше того: несчастные влюбленные из Дистрикта номер двенадцать, так много страдавшие и так мало радости получившие в награду, мы не ластимся к зрителям, не дарим улыбок, нам наплевать на воздушные поцелуи. Победители, которые не умеют прощать.

И мне это нравится. Наконец-то можно не притворяться.

Поворачивая на Большой городской круг, я замечаю, что кое-кто пытался украсть идею наших стилистов. Оснащенные лампочками костюмы трибутов из Третьего дистрикта, выпускающего электротехнику, хотя бы имеют какой-то смысл. Но для чего скотоводы Десятого, нарядившиеся коровами, нацепили пылающие пояса? Неужели чтобы поджариться? Жалкое зрелище.

А вот мы с Питом настолько великолепны в переливчатых углях, что даже трибуты глазеют на нас. Особенно парочка из Шестого, известная своим пристрастием к морфлингу. Оба — ходячие скелеты, обтянутые морщинистой желтой кожей. Огромные глаза не отрываются от нас, даже когда президент поднимается на балкон, чтобы всех поприветствовать на Открытии нового сезона. Звучит мелодия гимна, мы едем последний круг, и... Возможно, мне это мерещится? Или Сноу тоже не сводит взгляда с *меня*?

Дождавшись, когда за нами закроются двери Тренировочного центра, мы с Питом позволяем себе расслабиться. Цинна и Порция поздравляют с удачным началом. Появляется Хеймитч. Правда, сперва он подходит к трибутам Одиннадцатого дистрикта — говорит с ними, кивает в нашу сторону и наконец подводит к нам поздороваться.

Рубаку я помню — много лет подряд видела на экране, как он опрокидывает бутылку-другую в компании Хеймитча. Кожа темная, рост — около шести футов, одна рука заканчивается культей. Кисть утрачена в схватке во время Игры, тридцать лет назад. Я уверена, победителю предлагали сделать протез, точно так же как Питу, когда пришлось ампутировать часть ноги, — но он отказался.

Его напарница Сидер, судя по цвету оливковой кожи и черным прямым волосам с серебристой искрой, похожа на обитательницу Шлака, разница только в золотисто-карих глазах. Несмотря на свои шестьдесят лет, она выглядит очень крепкой и, судя по виду, за эти годы не пристрастилась ни к алкоголю, ни к морфлингу, ни к иным искусственным способам бегства от действительности. Прежде чем кто-то из нас успевает сказать хоть слово, Сидер ласково обнимает меня. Знаю, это в память Руты и Цепа, и я невольно шепчу:

— Как семьи?

— Живы, — приглушенно бросает она и лишь потом разнимает объятия.

Рубака обхватывает меня здоровой ручищей и смачно целует прямо в губы. Изумленно шарахаюсь в сторону — и слышу довольный гогот Хеймитча.

В это время являются служители Капитолия и велят нам пройти к лифтам. Пожалуй, их раздражает панибратство среди участников, которым, кажется, наплевать на Голодные игры. Мы с Питом шагаем рука об руку, и тут кто-то нас догоняет. Девушка сбрасывает венок из веток с листьями, не заботясь о том, куда он упал.

Джоанна Мэйсон. Дистрикт Седьмой, бумага и древесина, отсюда и ветки. Она победила за счет того, что долго и убедительно разыгрывала из себя беспомощную тихоню, на которую не стоило обращать внимания, а потом оказалась изощренной убийцей. Растрепав остроконечные локоны, она закатывает широко посаженные глаза.

— Ужасный костюм, да? Мой стилист — самый круглый дурень в Капитолии. Наши трибуты уже лет тридцать носят наряды лесных деревьев. Вот бы поработать с Цинной. У вас просто потрясающий вид.

Девчачьи разговоры никогда мне не удавались. Платья, волосы, макияж... Приходится врать:

— Да, он помогал мне разработать свою линию одежды. Ты бы видела, что Цинна делает с бархатом.

Бархат — единственный материал, вовремя пришедший мне на ум.

— Видела. Во время вашего тура. Это чудо без лямок в Дистрикте номер два, темно-синее с бриллиантами! Такая прелесть, что я готова была протянуть руку через экран и сорвать его прямо с твоей спины.

«Ага, — проносится у меня в голове. — Желательно вместе с кожей».

Дожидаясь лифта, она расстегивает остальную часть костюма, роняет на пол и с отвращением на лице отправляет пинком подальше. Кроме тапочек травяного зеленого цвета на ней теперь ни единой нитки.

— Фу, так-то лучше.

Мы заходим в одну и ту же кабину, и всю дорогу до восьмого этажа Джоанна болтает с Питом о живописи. Угольные переливы его костюма бросают блики на обнаженную грудь. Когда соседка нас покидает, я отвожу глаза, но прекрасно знаю, что Пит ухмыляется. Следом выходят Рубака и Сидер, и мы остаемся наедине. Я вырываю руку, а он ни с того ни с сего заливается хохотом.

— В чем дело? — бросаю я, когда мы выходим из лифта.

— В тебе, Китнисс. Разве не видишь? — давится смехом Пит.

— Чего не вижу?

— Почему они все так себя ведут. Финник с его сахарком, Рубака с поцелуями, а теперь эта девушка начала раздеваться. — Он пытается сделать серьезный вид, но все бесполезно. — Они же играют с тобой, потому что ты... Понимаешь?

— Нет, не понимаю.

В самом деле, о чем он?

— Например, не могла смотреть на мое обнаженное тело, даже когда я был при смерти. Ты такая... чистая, — наконец выдавливает из себя Пит.

— Неправда! — вырывается у меня. — Да я целый год, когда видела камеры, чуть не срывала с тебя одежду!

— Да, но... Понимаешь, для Капитолия ты слишком чистая. По мне, так все идеально. — Он явно пытается меня успокоить. — Они тебя просто дразнят.

— Нет, насмехаются! И ты с ними заодно!

— Ни в коем случае. — Пит отрицательно качает головой, кусая губы, чтобы снова не прыснуть.

Я начинаю всерьез сомневаться в своем решении сохранить ему жизнь, когда рядом с нами открывается еще один лифт. Хеймитч и Эффи, чем-то ужасно довольные, присоединяются к нам, и вдруг лицо ментора каменеет.

«Что я опять натворила?» — чуть не срывается у меня с губ. Но Хеймитч пристально смотрит мимо, на вход в столовую.

Проследив за его взглядом и поморгав от удивления, Эффи жизнерадостно щебечет:

— Кажется, в этот раз вам подобрали сочетающийся комплект!

Развернувшись, я вижу рыжеволосую безгласую девушку, с которой уже знакома по прошлым Голодным играм.

Как это мило — встретить подругу в подобном месте. Рядом стоит молодой человек, разумеется, тоже безгласый — и тоже рыжеволосый. Ясно, почему Эффи назвала их «сочетающимся комплектом»...

Внезапно меня словно током бьет. Потому что и молодой человек мне отлично знаком. И не по капитолийским торжествам. Мы частенько беседовали в Котле, посмеивались над варевом Сальной Сэй. В последний раз я видела его лежащим без сознания на площади, где истекал кровью Гейл.

Имя нашего нового безгласого — Дарий.

16

Ментор цепко впивается мне в запястье, предостерегая от необдуманных поступков, но я теряю дар речи не хуже Дария. Хеймитч однажды упоминал, что в Капитолии с языками безгласых делают что-то ужасное, и они уже никогда не заговорят. В ушах звучит голос Дария — веселый, поддразнивающий меня не так, как сегодняшние соперники по арене, а из искренней взаимной симпатии. Если бы Гейл это видел...

Выдать наше знакомство хотя бы жестом — нельзя, иначе бывшего миротворца ждет неминуемое наказание. Мы просто глядим друг другу в глаза. Он — бессловесный раб; я — обреченная на заклание жертва. Что мы могли бы друг другу сказать? «Мне жаль»? «Я чувствую твою боль, как свою»? «Хорошо, что мы с тобой были знакомы»?

Впрочем, Дарий этому вряд ли радуется. Не вмешайся я в ту позорную казнь, он бы не попытался остановить Треда. Не лишился бы языка. А главное, не состоял бы теперь при мне, ведь я более чем уверена: президент Сноу нарочно сделал его *моим* безгласым.

Вывернувшись из железной хватки Хеймитча, ухожу к себе в комнату и запираю дверь. Опускаюсь на край кровати, упираюсь локтями в колени, а лбом в кулаки. Долго смотрю на мерцающие цвета́ костюма, воображая, будто перенеслась в свой старый дом в Двенадцатом дистрикте и свернулась калачиком у огня. Заряд понемногу кончается, и материя гаснет, чернеет.

Когда наконец Эффи приходит позвать на ужин, я поднимаюсь, снимаю наряд и бережно складываю его на столе вместе с полукороной. Тщательно умываюсь в ванной, избавляясь от темной раскраски. И, переодевшись в обыкновенную рубашку с брюками, спускаюсь в банкетный зал.

Ужин проходит, словно в мутном сне. Дарий и рыжеволосая прислуживают нам за столом. Эффи, Хеймитч, Цинна, Порция и Пит, кажется, обсуждают Открытие. В память врезается лишь одно. Я нарочно роняю на пол тарелку с горошком и, не дожидаясь, пока меня кто-нибудь остановит, лезу под стол. Дарий тут же бросается собирать раскатившиеся горошины. На миг мы оказываемся рядом, скрытые от посторонних глаз, и наши руки соприкасаются. Его грубая кожа покрыта масляным соусом с тарелки. Наши отчаянно сцепившиеся пальцы говорят больше, нежели все невысказанные слова. Эффи квохчет:

— Китнисс, это же не твоя работа!

И мы разжимаем руки.

Когда все отправляются смотреть повтор Открытия, я втискиваюсь на кушетке между стилистом и ментором: не хочу, чтобы рядом был Пит. Кошмар, случившийся с Дарием, касается Гейла, меня и, возможно, Хеймитча, но не его. Они, в лучшем случае, здоровались при встрече на улице. Пит никогда не принадлежал Котлу, как мы. И вдобавок я все еще злюсь на него за насмешки. Как-нибудь обойдусь без участия и утешения. Нет, я не передумала сделать все для спасения его жизни, но больше ничего ему не должна.

На экране показывают, как процессия движется к Большому городскому кругу, и у меня в голове мелькает: это же отвратительно. Даже в обычный год провозить ряженых трибутов по улицам, точно пленных, — жестоко. Дети в костюмах выглядят глупо, однако стареющие победители представляют собой необычайно жалкое зрелище. Те, что помоложе, вроде Джоанны и Финника, или те, чьи тела не успели одряхлеть, как у Брута и Сидер, еще сохраняют остатки достоинства. Но люди, попавшие в хищные когти пьянства, морфлинга или болезней, смотрятся более чем нелепо в нарядах, изображающих дойных коров, деревья или буханки хлеба. В прошлом сезоне мы без передышки обсуждали каждого из участников; сейчас отпускаем лишь редкие замечания. Неудивительно, что зрители сходят с ума при виде нас с Питом — сильных, юных, красивых, в сияющих облачениях, как и положено выглядеть настоящим трибутам.

Едва заканчивается сюжет, я встаю и, поблагодарив Цинну с Порцией за великолепную работу, иду к себе спать. Эффи напоминает: за завтраком будем обсуждать стратегию тренировок. Но даже в ее голосе звучат утомленные нотки. Бедняжка Эффи. В кои-то веки ей выдался более-менее приличный год, и вот как все обернулось. Даже она, представьте себе, не может найти в происходящем светлую сторону. Думаю, по капитолийским меркам это уже серьезная трагедия.

Немного погодя в дверь еле слышно стучат, но я не отвечаю. Сегодня мне Пит не нужен. Тем более когда поблизости Дарий. Это все равно что сам Гейл. Гейл... Как я избавлюсь от мыслей о нем, пока живое, из плоти и крови, напоминание блуждает по здешним коридорам?

Сегодняшние кошмары связаны с языками. Сначала я, оледеневшая и беспомощная, наблюдаю, как руки в перчатках делают кровавый надрез во рту Дария. Потом оказываюсь на костюмированной вечеринке. За мной таскается кто-то — кажется, Финник — с торчащим из-под маски длинным и мокрым, подергивающимся языком. Потом он хватает меня, срывает свою личину — и я вижу перед собой президента Сноу, с пухлых губ которого капает красная слюна. И наконец я вновь на арене, во рту пересохло, язык — будто наждачная бумага. Впереди блестит водная гладь, но пруд удаляется каждый раз, когда я пытаюсь к нему прикоснуться.

Проснувшись, бреду в туалет и долго, до полного изнеможения, глотаю воду из-под крана. Затем избавляюсь от мокрой от пота пижамы, падаю голая на постель и забываюсь сном.

Наутро всеми силами оттягиваю минуту, когда придется спускаться к завтраку. Ну не хочется мне обсуждать тренировочную стратегию. О чем тут можно толковать? Каждый участник уже четко знает, на что способны другие. Или, по крайней мере, были способны. Мы с Питом продолжим играть в несчастную любовь, вот и все. Не говорить же об этом в присутствии безгласого Дария. Долго стою под душем, медленно надеваю оставленный Цинной тренировочный костюм, а потом заказываю еду из меню прямо в комнату, по телефону. Через минуту на столе появляется колбаса, яичница, хлеб, картошка, сок и чашка горячего шоколада. Набиваю живот, силясь растянуть время до тренировки, которая начинается в десять утра. В девять тридцать Хеймитч рассерженно барабанит в дверь, приказывая мне сейчас же идти в банкетный зал. После этого я отправляюсь чистить зубы и неспешно спускаюсь, убив на дорогу еще пять минут.

Зал совершенно пуст, если не считать Пита с Хеймитчем, чье лицо багровеет от алкоголя и злости. Кстати, на его руке сверкает литой золотой браслет с изображением пламени. Очень симпатичная вещица, но ментор крутит ее с таким несчастным видом, словно это не ювелирное украшение, а кольцо наручников, например.

— Ты опоздала! — рявкает он.

— Прошу прощения. Еле встала после целой ночи многоязычных кошмаров. — Я стараюсь говорить как можно враждебнее, но голос предательски вздрагивает.

Хеймитч мрачно хмурится, а потом сменяет гнев на милость.

— Ладно, забудем. Итак, во время сегодняшней тренировки перед вами стоят две задачи. Во-первых, продолжайте разыгрывать безумно влюбленных.

— Ясное дело, — бросаю я.

— И во-вторых, заведите друзей.

— Нет, — вырывается у меня. — Я никому не верю, большинство из них не выношу, и лучше уж нам остаться вдвоем.

— Я тоже так говорил, — начинает Пит, — но...

— Но этого недостаточно, — напирает ментор. — На сей раз вам потребуется куда больше союзников.

— Почему? — возмущаюсь я.

— Потому что преимущество — не за вами. Ваши соперники знают друг друга много лет. Думаете, кто станет их первой мишенью?

— Мы. И как ни крути, старой дружбы нам не пересилить, — роняю я. — Для чего и стараться?

— Но вы — настоящие бойцы. Любимцы публики. А значит, можете стать желанными союзниками. Если только сами дадите понять, что готовы работать в команде, — поясняет ментор.

— То есть ты предлагаешь связаться с профи? — с отвращением выпаливаю я.

По традиции трибуты из Первого, Второго и Четвертого дистриктов объединяются во время Игры, иногда привлекая в компанию еще нескольких отборных бойцов, и охотятся вместе на более слабых соперников.

— А разве мы не стремились к этому с самого начала? Сделаться профи? — парирует Хеймитч. — Но команду сколачивают еще перед Играми. В прошлый раз Пит чудом пробился туда.

Я вспоминаю, как возненавидела его, когда узнала об этом.

— Другими словами, ты предлагаешь объединиться с Брутом и Финником, я не ослышалась?

— Необязательно, — пожимает плечами ментор. — Пожалуйста, выбирай сама. Нынче все — победители. Лично я предложил бы Рубаку и Сидер. Финника тоже не стоит сбрасывать со счетов. В общем, найдите кого-нибудь, кто может вам пригодиться. Помните, перед вами уже не кучка дрожащих от страха детишек. Эти люди — опытные убийцы, как бы плохо ни выглядели некоторые из них.

Возможно, он прав. Но кому я могу довериться? Разве что Сидер. Вот только хочу ли я заключать с ней союз — чтобы потом убить ее своими руками? Не думаю. Хотя с Рутой мы же как-то объединились, а обстоятельства были такие же... Я обещаю Хеймитчу постараться, но в глубине души понимаю: вряд ли из этой затеи выйдет что-нибудь путное.

Эффи приходит за нами довольно рано: в прошлом сезоне мы вышли вовремя, и все равно явились на смотр последними. Тут вмешивается Хеймитч и не разрешает ей проводить нас до зала. Не хватало еще нам, самым юным участникам, заявиться в компании няньки, когда важно, напротив, показать всем, как мы уверены в себе. Приходится Эффи ограничиться проводами до лифта. Поправив наши прически, она сама нажимает на кнопку вызова.

Поездка слишком короткая для разговоров, однако, когда Пит находит мою ладонь, я ее не отдергиваю. Мало ли что между нами происходит наедине: на тренировку нужно явиться рука в руке.

Зря Эффи волновалась, что мы прибудем последними. Раньше нас пришли только Брут с Энорабией. Судя по виду, ей около тридцати. Однажды, сойдясь в рукопашной схватке с противником, она убила его, вцепившись зубами прямо в шею, — вот и все, что мне удается припомнить. Зато сколько славы это принесло победительнице! Уже после Голодных игр она искусственно изменила зубы — позолотила и заострила их, точно клыки. В Капитолии от поклонников и поклонниц отбоя не было.

К десяти утра появляется лишь половина участников. Атала, главный тренер, открывает зал точно в срок, даже не обратив внимания на отсутствие множества игроков. Возможно, она ожидала чего-то подобного. Мне становится чуточку легче. По крайней мере, людей, перед которыми придется изображать дружелюбие, оказалось на целую дюжину меньше. Прочитав список секций, в каждой из которых можно развить либо бойцовские приемы, либо навыки выживания, Атала дает добро начинать тренировки.

Я предлагаю нам с Питом разделиться, чтобы как можно больше успеть поодиночке, и он идет метать копья вместе с Рубакой и Брутом. А меня больше привлекает вязание узлов — самая непопулярная секция. Мне нравится инструктор, и он с теплотой вспоминает меня: в прошлом году мы провели вместе достаточно времени. К его вящей радости, я показываю, что не разучилась плести ловушки, запутавшись в которых противник через мгновение повисает на дереве вниз головой. Тренер явно видел мои силки в действии на арене и держит меня за продвинутую ученицу, но я прошу повторить все виды узлов, какие только могут пригодиться, и еще несколько тех, что наверняка не понадобятся. Я готова пробыть с ним все утро, но часа через полтора кто-то обвивает меня руками сзади и ловко заканчивает хитроумную удавку, над которой я билась. Разумеется, это Финник. Кажется, этот парень всю свою жизнь только и делал, что потрясал трезубцами да вязал затейливые узлы. Минуту спустя, смастерив петлю, он делает вид, будто вешается — мне на потеху.

Закатив глаза, я спешу перебраться в другое безлюдное место — туда, где учатся разводить костры. Нет, у меня это хорошо получается, но хотелось бы меньше зависеть от спичек. Инструктор дает мне кремень, огниво и обугленный лоскут. Задача оказывается сложнее, нежели представлялось вначале. При самых упорных стараниях я почти час бьюсь над приличным костром, наконец поднимаю торжествующие глаза — и вижу, что обзавелась компанией.

Рядом трибуты из Третьего пытаются разжечь огонь при помощи спичек. Может, уйти? С другой стороны, хотелось бы еще раз поработать с кремнием, да и Хеймитч потом будет спрашивать, с кем я пробовала подружиться, а эти двое, кстати, — не худший выбор. Оба невысокого роста, кожа у них пепельная, шевелюры черные. Женщина, Вайресс, примерно ровесница моей мамы. Голос у нее тихий, вежливый. Правда, я тут же замечаю за ней дурную привычку — обрывать предложение на полуслове, точно забыв о существовании собеседника. Ее более старший напарник, Бити, вечно суетится, упорно старается выглянуть из-под собственных очков. Странноватая парочка, но, по крайней мере, они не смутят меня неожиданным раздеванием. И к тому же приехали из Дистрикта номер три. Может даже, как-нибудь подтвердят мои догадки о вспыхнувшем там восстании?

Оглядываюсь вокруг. Пит угодил в окружение ножеметателей. Морфлингисты из Дистрикта номер шесть учатся маскировке, рисуют на лицах друг друга ярко-розовые завитушки. Трибута из Пятого рвет вчерашним вином посередине площадки для сражений на мечах. Финник с пожилой напарницей стреляют из лука. Джоанна Мэйсон опять разделась и натирается маслом, готовясь к уроку рукопашного боя. Пожалуй, не стоит мне трогаться с места.

Вайресс и Бити оказываются неплохой компанией. Они дружелюбны в меру, но не чересчур любопытны. Когда разговор заходит о наших талантах, выясняется, что эти двое — изобретатели. Жалко же смотрится на их фоне мое надуманное увлечение модой! Вайресс упоминает швейную машинку, над которой трудилась в последнее время и которая «сама должна чувствовать натяжение ткани и выбирать силу...» Тут она отвлекается на соломинку у себя в руке.

— Силу стежка, — договаривает Бити. — Автоматически. То есть исключает человеческие ошибки.

И он рассказывает о музыкальных чипах личного изобретения, настолько крошечных, что умещаются в косметической блестке, и умеющих петь часы напролет. Во время предсвадебной фотосессии Октавия тоже упоминала о чем-то подобном. Похоже, настало время намекнуть на восстание.

— Ах да, припоминаю, — бросаю я как бы между прочим. — Несколько месяцев назад моя косметичка ужасно расстроилась, когда не сумела их раздобыть. Наверное, немало заказов из Третьего дистрикта сорвалось.

Бити всматривается в меня сквозь очки.

— Да. Ну а у вас как с углем в этом году? Были какие-нибудь неполадки?

— Нет. Разве что пару недель, когда нам прислали нового главу миротворцев, а так — ничего серьезного, — отвечаю я. — В смысле, на производстве это не сказалось. Но людям, конечно, пришлось голодать: все-таки две недели безработицы.

Думаю, они поняли, что я хотела сказать. Не было у нас никаких мятежей.

— А жаль, — произносит Вайресс немного разочарованно. — А мне ваш дистрикт казался довольно...

— Интересным, — заканчивает за нее Бити. — И не ей одной.

Мне становится не по себе. Получается, где-то люди готовы страдать гораздо серьезнее, нежели мои земляки. Надо сказать что-нибудь в их защиту.

— Впрочем, у нас не так уж много жителей. Даже непонятно, к чему в Двенадцатом в последнее время столько миротворцев, — вздыхаю я. — И все же мой дистрикт по-своему интересен.

По дороге в секцию, где учат строить убежища, Вайресс неожиданно замирает, уставившись на столы, у которых прогуливаются распорядители Голодных игр, едят и пьют, иногда посматривая и в нашу сторону.

— Гляди-ка. — Она легонько кивает в их направлении.

Подняв глаза, я вижу Плутарха Хевенсби в роскошной пурпурной мантии с меховым воротником, отличающей главного распорядителя. Он гложет ножку индейки.

Непонятно, что могло ее так заинтересовать. На всякий случай я отзываюсь:

— Да, в этом году он недурно продвинулся.

— Нет-нет, посмотри на угол стола. Почти не...

— Почти не заметишь, — заканчивает Бити, прищурившись из-под очков.

Я недоуменно моргаю. А потом... тоже вижу. Квадратный, со сторонами не более шести дюймов, клочок пустого пространства странно подрагивает. В воздухе словно пробегают незримые волны, слегка искажая контуры кубка с вином и деревянного края столешницы.

— Силовое поле. Занятно. Зачем распорядителям отгораживаться от нас? — задумывается Бити.

— Это, наверное, из-за меня, — признаюсь я. — В том году на индивидуальном показе я пустила в них стрелу.

Собеседники изумленно хлопают глазами.

— Ну да, меня здорово разозлили. Значит, у каждого силового поля есть что-нибудь в этом роде?

— Трещинка, — загадочно произносит Вайресс.

— Да, слабое место, — поясняет Бити. — В идеале поле должно быть совершенно невидимым.

Мне хочется продолжать расспросы, но нас зовут на обед. Пит все еще зависает в компании десятерых победителей, и я решаю поесть вместе с Третьим дистриктом. Вот бы уговорить Сидер присоединиться к нам...

Однако новые приятели Пита придумали кое-что поинтереснее. Они стаскивают небольшие столики вместе и собирают один крупный стол, чтобы все могли есть сообща. Теперь я вконец теряюсь. Даже в школьные времена терпеть не могла питаться за общим столом. Честно: я бы так и обедала в одиночестве, если бы Мадж не обзавелась привычкой подсаживаться ко мне. Возможно, я бы еще стерпела общество Гейла, но он учился в старшем классе, и наши трапезы ни разу не совпадали.

Беру поднос и пробираюсь к тележкам, заставленным разной едой. Пит ловит меня у кастрюли с тушеным мясом.

— Ну, как прошло?

— Отлично. Прекрасно. Мне нравятся победители из Третьего дистрикта. Вайресс и Бити.

— Серьезно? — переспрашивает он. — Честно говоря, все над ними подшучивают.

— Почему меня это не удивляет? — парирую я.

Помню, Пита и в школе всегда окружала толпа приятелей. Непонятно, как он вообще обратил на меня внимание. Разве что из-за странностей.

— Джоанна зовет их: Тронутая и Долбанутый.

— Ну, разумеется. А мне-то хватило глупости посчитать их полезными. Но если сама Джоанна так сказала, натирая голые груди для драки, тогда конечно...

— Вообще-то, прозвища прицепились к ним несколько лет назад, — отвечает Пит. — И я не хотел никого обидеть. Просто делюсь информацией.

— Так вот, Вайресс и Бити очень умные. Они изобретатели. Они с ходу заметили силовое поле вокруг распорядителей. И если нам не судьба обойтись без союзников, лучше уж предпочесть эту парочку. — Я с такой силой швыряю половник в кастрюлю, что на нас обоих летят брызги соуса.

— Почему ты злишься? — интересуется Пит, утираясь подолом рубашки. — Из-за той шутки у лифта? Извини. Я думал, мы вместе посмеемся.

— Забудем, — трясу головой я. — Много разных причин.

— Дарий, — кивает он.

— Дарий. Игры. Это дурацкое приказание Хеймитча с кем-то дружить...

— Если что, можем снова остаться вдвоем.

— Знаю. Но Хеймитч, наверное, прав, — возражаю я. — Он всегда прав — если это касается Игр. Только не говори ему, что я так сказала.

— В любом случае последнее слово насчет союзников останется за тобой. Но мне сейчас ближе всего Рубака и Сидер, — заявляет Пит.

— Сидер — да, Рубака — ни за что. Вряд ли я передумаю.

— А ты пойди пообедай с ним. Обещаю, я больше не дам ему лезть с поцелуями.

За обедом Рубака и в самом деле был не так ужасен. По крайней мере, он трезв, а если даже и грубовато подшучивает оглушительным голосом, то в основном над самим собой. Ясно, чем он привлек нашего ментора с его темным образом мыслей, однако я все-таки не уверена, что готова взять этого человека в союзники.

Стараюсь вести себя дружелюбнее — и не только с ним, а со всей компанией. После обеда наведываюсь в секцию по определению съедобных насекомых вместе с трибутами Дистрикта номер восемь — Цецелией, оставившей дома троих ребятишек, и Лаем, тугоухим старцем, который с трудом понимает, что вообще происходит вокруг, и упрямо сует себе в рот ядовитых букашек. Меня так и разбирает рассказать о той лесной встрече с Бонни и Твилл — но как исхитриться? Кашмира и Блеск, сестра и брат из Первого дистрикта, сами приглашают меня заняться плетением подвесных гамаков. Оба держатся вежливо, но прохладно. Скорее всего, они лично знали убитых мной Марвела и Диадему, а то и были их менторами. И гамак, и попытка завести разговор получаются у меня не очень. Потом я некоторое время размахиваю мечом бок о бок с Энорабией. Мы обмениваемся двумя-тремя фразами, однако на большее нас не хватает. В рыболовной секции ко мне снова подходит Финник — главным образом чтобы представить старушку Мэгз из его родного дистрикта. Говорит она с жутким акцентом, да еще и картавит (похоже, перенесла инсульт), так что мне удается разобрать лишь одно слово из четырех. Однако могу поклясться, дайте ей что угодно — шип, рыбью косточку, кольцо-сережку, — и эта женщина в мгновение ока сделает рыболовный крючок. Немного погодя я перестаю слушать инструктора и попросту повторяю за ней. Изгибаю гвоздик, цепляю его на леску, сплетенную из своих волос, —

и получаю в награду беззубую улыбку, а также неразборчивое, но явно лестное замечание. Мне вдруг вспоминается, как Мэгз вызвалась на арену вместо молоденькой истерички из своего дистрикта. Сомневаюсь, что ею тогда двигала надежда победить. Старушка спасала несчастную девушку, так же как я — свою Прим. Обязательно нужно взять ее в нашу команду.

Отлично. Пойду скажу Питу, что я выбрала в союзники Долбанутого, Тронутую и восьмидесятилетнюю бабушку. Вот он обрадуется.

Чтобы слегка отрезвиться, на время бросаю мысли о дружбе и отправляюсь пострелять. Как это чудесно — испытывать все новые и новые виды луков и стрел. Инструктор Такс, убедившись, что неподвижные цели для меня — плевое дело, начинает высоко подбрасывать в воздух несуразные тушки фальшивых птиц. Поначалу мне это кажется глупым, потом затягивает. Так и впрямь больше похоже на настоящую лесную охоту. Поскольку мои стрелы сбивают любую цель, инструктор кидает в воздух все больше птичек одновременно. Забыв об Играх, о победителях, о своих неудачах, я полностью растворяюсь в стрельбе. Когда мне удается сбить пять летающих тушек разом и каждая из них с громким стуком падает на пол, до меня внезапно доходит, какая вокруг тишина. Поворачиваюсь: большинство победителей бросили заниматься и смотрят разинув рты. На лицах можно прочесть что угодно — от зависти до восторга и ненависти.

После тренировки мы с Питом слоняемся и болтаем в ожидании Эффи и Хеймитча. Когда те появляются к ужину, ментор с ходу берет быка за рога:

— Итак, чуть ли не половина участников пожелали записать тебя в союзницы. Только не говори, что ты ослепила всех обаянием.

— Просто люди заметили, как она стреляет, — улыбается Пит. — А ведь я тоже впервые увидел по-настоящему. Впору самому записаться.

— Так хорошо получилось? — прищуривается Хеймитч. — Настолько, что даже Брут захотел тебя?

Пожимаю плечами.

— Но я его не хочу. Мне нужна Мэгз и Дистрикт номер три.

— Кто бы сомневался, — вздыхает ментор и заказывает еще вина. — Скажу всем, что ты еще раздумываешь.

После успешного выступления с луком надо мной попрежнему подшучивают, но теперь это почему-то не бесит. Наоборот, появилось такое чувство, точно победители приняли меня в общий круг. Следующие два дня пролетают в тесном общении практически с каждым, кому предстоит борьба на арене. Даже с морфлингистами, которые с помощью красок (и не без помощи Пита) превращают меня в кусочек луга, поросшего желтыми цветами. Даже с Финником: он показывает, как нужно пользоваться трезубцем, в обмен на урок стрельбы из лука. Чем сильнее мы с ними сближаемся, тем хуже я себя чувствую, потому что не нахожу в себе ненависти. Кое-кто мне даже симпатичен. А некоторые настолько больны или стары, что естественно было бы взять их под защиту. И все они должны умереть, если я собираюсь вытащить Пита.

В конце последнего дня тренировок нас ждет индивидуальный показ. Каждому предоставляется пятнадцать минут на то, чтобы поразить распорядителей Игр своими умениями, но я совершенно не представляю себе, что именно мы можем показать. За ужином звучит много шуток по этому поводу. Спеть для них, что ли? Поплясать или станцевать стриптиз? Рассказать пару анекдотов? Мэгз (я уже лучше ее понимаю) решает попросту выспаться. А мне-то как поступить? Ну, выпущу пару стрел. Хеймитч велел удивить их по мере сил, но у меня — ни единой мысли.

Как девушка из Двенадцатого, я иду по списку последней. Банкетный зал понемногу пустеет и затихает: трибуты по одному отправляются на показ. В толпе почему-то легче сохранять гордый и независимый вид, но теперь я не могу отделаться от мысли: всем этим людям осталось жить каких-нибудь несколько дней.

И вот нас уже двое. Потянувшись через стол, Пит берет меня за руки.

— Уже решила, чем поразить распорядителей?

Трясу головой.

— В этом году по ним даже не выстрелишь: спрятались за силовым полем. Может быть, изготовлю парочку рыболовных крючков. А ты?

— Понятия не имею. Вот если бы разрешили испечь пирог...

— А ты займись камуфляжем, — советую я.

— Думаешь, морфлингисты оставили мне хоть каплю краски? — подмигивает он. — Эти ребята не покидали секцию маскировки с первого дня тренировок.

Повисает молчание. Потом с моих губ срывается то, что терзает нас обоих:

— Как же мы сможем их всех убить?

— Не знаю. — Пит прижимается лбом к переплетенным пальцам рук.

— Не нужны мне союзники. Зачем только Хеймитч велел завести друзей? — сержусь я. — От этого будет лишь хуже. Да, в том году мы сблизились с Рутой. Но я никогда бы не подняла на нее руку. Она — почти копия Прим.

Пит поднимает голову, озабоченно сморщив лоб.

— Ее смерть была самой ужасной, да?

— Не думаю, что другие намного лучше, — говорю я, вспомнив, как кончили Диадема и Катон.

Пит уходит, и я остаюсь одна. Проходит четверть часа. Затем половина. Примерно минут через сорок меня вызывают.

В зале стоит резкий запах чистящего средства. Один из матов перетащили в центр. Настроение распорядителей — не сравнить с прошлым годом. Тогда они, полупьяные, праздно лакомились закусками со стола, теперь же обеспокоенно перешептываются. Интересно, чем Пит их так раздосадовал?

Я ощущаю укол тревоги. Не хочу, чтобы Пит в одиночку подставлялся под гнев распорядителей. Мое дело — отвлечь огонь на себя. Но что же он мог натворить? Я непременно должна зайти еще дальше. Должна надолго стереть самодовольные ухмылки с лиц людей, напрягающих ум для того, чтобы убить нас позрелищнее. Пусть поймут, что жестокости Капитолия могут коснуться и их.

«Вы хоть представляете себе, как я вас ненавижу? — проносится у меня в голове. — Вас, посвятивших таланты и время Голодным играм?»

Пытаюсь поймать взгляд Плутарха Хевенсби, но тот будто бы намеренно избегает меня весь тренировочный период. Помню, как он приглашал на танец, как хвастал изображением пересмешницы на часах. А здесь — никакого внимания. Разумеется, я ведь — простой трибут, а это — главный распорядитель Игр. Такой могущественный, далекий, неуязвимый...

Внезапно я понимаю, что делать. Пожалуй, мне удастся переплюнуть выходку Пита. Бодро шагаю к секции по вязанию узлов и беру веревку. Руки с трудом подчиняются: я ведь не делала этого самостоятельно. Только наблюдала за Финником, а его ловкие пальцы двигались очень быстро. Минут через десять петля все же получается. Вытаскиваю на середину зала один из манекенов-мишеней и с помощью клеящих брусков подвешиваю его за шею. Для пущего эффекта не мешало бы связать руки за спиной, но время уже на исходе. Спешу в секцию маскировки, где морфлингисты устроили настоящий бедлам, и нахожу начатую банку с кроваво-красным ягодным соком. Вполне сгодится. Розоватая обивка манекена отлично впитывает яркую краску. Закрыв собой тело, аккуратно пишу на нем пару слов — и отступаю в сторону, чтобы насладиться выражением на лицах распорядителей в то время, как они прочитают знакомое имя:

СЕНЕКА КРЕЙН

17

Эффект превосходит мои ожидания. Кто-то вскрикивает, другие роняют бокалы с вином, и те разлетаются по полу с музыкальным звоном. Двое раздумывают, не упасть ли в обморок. Все просто потрясены.

Свершилось: Плутарх Хевенсби обратил на меня внимание. Какой пристальный взгляд! Между пальцами растекается сок от персика, раздавленного в руке. Наконец главный распорядитель, откашлявшись, произносит:

— Можете идти, мисс Эвердин.

Отвечаю любезным кивком, разворачиваюсь, а напоследок, не удержавшись от соблазна, швыряю через плечо банку с ягодным соком. Слышно, как она ударяет по манекену, расплескивая остатки багровой жижи. Еще пара бокалов со звоном падает на пол. В щель между съезжающимися дверями лифта я успеваю заметить в зале окаменевшие фигуры распорядителей.

В голове проносится: «Ну что, удивила?»

Да, это был необдуманный и опасный шаг, и за него, без сомнения, десять раз придется платить. Но прямо сейчас мне так хорошо, аж мурашки по коже.

Хочу найти Хеймитча и немедленно все ему выложить, однако поблизости никого нет. Наверное, готовятся к ужину. Да и мне не мешает помыться. Тем более этот сок на руках... Стоя под струями душа, я начинаю сомневаться в мудрости своего поступка. Прежде чем действовать, нужно было спросить себя: «Как это поможет Питу?» Прямо сейчас — никак. Все происходящее на тренировках охраняется режимом высшей секретности, поэтому не имеет смысла меня примерно наказывать: ведь ни одна душа не узнает за что. В прошлом году моя дерзость даже была вознаграждена. Впрочем, как можно сравнивать? Если распорядители всерьез разозлятся и захотят покарать меня на арене, Пит попадет под удар одним из первых. Может, не стоило так торопиться? И все же... Не могу сказать, чтобы я сожалела о сделанном.

Когда все собираются к ужину, пальцы Пита еще покрыты пятнами краски, хотя его волосы не успели высохнуть после душа. Значит, он все-таки что-то маскировал. Как только нам подают суп, Хеймитч решает заговорить о том, что теперь у всех на уме:

— Ну, и как прошли ваши показы?

Мы с Питом обмениваемся взглядами.

— Ты первый. — Отчего-то я не спешу облекать в слова свой подвиг. В тишине банкетного зала он кажется чересчур вызывающим. — Похоже, это было нечто. Я потом сорок минут ожидала вызова.

По-моему, Пит испытывает такие же терзания.

— Ну, я... занялся маскировкой, как ты предложила, Китнисс. — Он запинается. — Вернее, не совсем маскировкой. То есть краски мне пригодились...

— Для чего? — осведомляется Порция.

Мне вспоминается резкий запах чистящего средства, ударивший в нос на входе в тренировочный зал. Встревоженные лица распорядителей. Мат, передвинутый на середину. Может, под ним решили спрятать то, что не удалось отмыть?

— Ты написал картину, да?

— Видела? — вскидывается Пит.

— Нет. Но распорядители от души постарались ее закрыть.

— Все правильно, — безразлично бросает Эффи. — Трибут и не должен знать о поступках будущего соперника. А что ты нарисовал? — У нее как-то странно поблескивают глаза. — Портрет Китнисс?

Меня даже разбирает досада.

— С какой радости, Эффи?

— Например, чтобы показать, что будет любой ценой защищать тебя. Зрители в Капитолии другого и не ждут. Разве он не вызвался добровольцем, лишь бы пойти на арену с тобой? — произносит она как ни в чем не бывало.

— Вообще-то, — вмешивается Пит, — я написал портрет Руты. После того как Китнисс украсила ее тело цветами.

Некоторое время все молча переваривают услышанное.

— Ну, и чего ты хотел добиться? — очень уж сдержанным тоном интересуется ментор.

— Не знаю. Пусть хотя бы на миг осознают... ведь это они убили маленькую девочку.

— Кошмар. — Голос Эффи дрожит от подступающих слез. — Что за мысли... Разве так можно, Пит! Ни в коем случае. Ты только навлечешь беду на себя и Китнисс.

— Вынужден согласиться, — цедит Хеймитч.

Цинна и Порция не говорят ни слова, но лица у них чрезвычайно серьезные. Разумеется, они правы. Мне тоже не по себе — и все-таки здорово он придумал!

— Кажется, сейчас не самое подходящее время упоминать, что я повесила манекен и написала на нем имя Сенеки Крейна, — срывается у меня с языка.

С минуту никто не верит своим ушам, а потом на мою голову обрушивается неодобрение, равное по весу тонне кирпичей.

— Ты... повесила... Сенеку Крейна? — выдавливает Цинна.

— Ну да. Хвастала своими способностями вязать узлы, и он как-то сам собой очутился в петле.

— Ох, Китнисс, — приглушенно вздыхает Эффи. — Как ты вообще обо всем узнала?

— Разве это секрет? — бросаю я. — Президент Сноу не делал тайны из его казни. По-моему, даже был рад, что я в курсе.

Она поднимается из-за стола, прижав салфетку к лицу, и уходит.

— Ну вот, теперь и Эффи расстроилась. Надо было солгать, будто я стреляла из лука, словно пай-девочка.

— Можно подумать, мы с тобой сговорились, — еле заметно улыбается Пит.

— А разве нет? — осведомляется Порция, надавив пальцами на закрытые веки, будто бы от слишком яркого света.

— Нет. Никто из нас до последнего не представлял, чем займется на индивидуальном показе... — Я смотрю на Пита с какой-то новой признательностью.

— И знаешь что, Хеймитч? — подает он голос. — Мы решили обойтись без союзников на арене.

— Вот и отлично, — цедит ментор. — Не хватало еще, чтобы мои старые приятели гибли там из-за вашей непробиваемой глупости.

— Мы так и подумали, — отвечаю я.

Остаток ужина проходит в молчании. Когда мы встаем, чтобы удалиться в гостиную, Цинна приобнимает меня.

— Идем, поглядим результаты показов.

Усаживаемся вокруг телевизора. Эффи с заплаканными глазами присоединяется к нам. На экране мелькают лица трибутов, дистрикт за дистриктом, и под каждым снимком набранные очки — в пределах от одного до двенадцати.

— А ноль еще никогда не давали? — интересуюсь я.

— Все однажды случается в первый раз, — отзывается Цинна.

И оказывается совершенно прав. Потому что мы с Питом получаем по дюжине — впервые в истории Голодных игр! Впрочем, никто не спешит обрадоваться.

— Зачем они это сделали? — выпаливаю я.

— Чтобы другим игрокам не осталось другого выбора, как прикончить вас, — ровным голосом поясняет Хеймитч. — Идите спать. Глаза бы мои на вас не глядели.

Пит молча провожает меня до дверей и хочет уже попрощаться, но я обвиваю его руками, прижавшись лицом к могучей груди. Теплые ладони скользят вверх по спине, и он зарывается лицом в мои волосы.

— Прости, если я все испортила, — вырывается у меня.

— Не больше моего, — отвечает он. — Кстати, для чего ты это затеяла?

— Сама не знаю. Может, хотела им показать, что я не просто пешка в руках Капитолия?

Пит усмехается: наверняка вспомнил ночь накануне последних Голодных игр. Мы были на крыше, оба не в силах заснуть, и он сказал что-то в этом роде. Тогда до меня не дошло, о чем речь. А теперь доходит.

— Мне это знакомо, — кивает Пит. — Не то чтобы я уже сдался. То есть мы опять сделаем все, чтобы ты выжила, но, положа руку на сердце...

— Положа руку на сердце, ты сейчас думаешь: президент Сноу отыщет способ разделаться с нами, даже если мы победим.

— Да, это мне приходило на ум, — признается он.

Вот и мне тоже приходило. Не раз и не два. Но что, если обречена только я, а для Пита еще осталась надежда? В конце концов, кто вытащил те злосчастные ягоды? Зрители не усомнились, что им тогда двигала одна лишь любовь. Может быть, президент пожелает сохранить его, уничтоженного, с разбитым сердцем, как живой пример в назидание прочим?

— По крайней мере, все ведь поймут, что мы не сдались без борьбы? — говорит Пит.

— Поймут, конечно — киваю я.

И в первый раз личное горе, охватившее меня с той минуты, как объявили Квартальную бойню, отступает на задний план. Мысли вдруг возвращаются к старику из Одиннадцатого, застреленному на глазах у толпы. К Бонни и Твилл. К восстаниям, о которых почти ничего не известно. В самом деле, все дистрикты будут пристально наблюдать, как я отреагирую на смертный приговор, на эту последнюю жестокость президента Сноу. Будут ждать знака: не напрасны ли их труды, их терзания. Если я до последнего вздоха продолжу борьбу, Капитолий убьет мое тело... но не душу. Лучшего способа вдохновить мятежников и не придумаешь.

Красота затеи еще и в том, что спасти другого участника ценой собственной смерти — само по себе акт неповиновения. Отказ выступать на арене по навязанным сверху правилам. И ведь как ловко он совпадает с легендой, придуманной для публики! Да, если уцелеет Пит... восстание только выиграет. Мертвая, я принесу больше пользы. Меня провозгласят мученицей за правое дело, мое лицо будет красоваться на знаменах. Людей это подстегнет куда сильнее, нежели все, что я сделала бы при жизни. Тогда как Пит нужен всем, даже с разбитым сердцем: уж он-то сумеет переплавить свою боль в слова, от которых мятежники переродятся.

Если бы он только знал мои мысли — наверное, взорвался бы. Поэтому я просто спрашиваю:

— Итак, нам осталось несколько дней. Чем займемся?

— Я хочу одного, — произносит Пит. — Как можно больше времени провести с тобой.

— Тогда заходи!

Я увлекаю его в свою комнату. Какая необыкновенная роскошь — снова спать вместе. Я и не подозревала, как сильно изголодалась по человеческой ласке. По этому ощущению близости посреди темноты. Зачем, ну зачем нужно было запираться в прошлые ночи? Окутанная теплом, я погружаюсь в сон, а когда открываю глаза, за окнами уже светлый день.

— Ни одного кошмара, — говорит Пит.

— Ни одного, — подтверждаю я. — А у тебя?

— Тоже. Я и забыл, что это такое — спать по ночам.

Мы продолжаем лежать и не спешим навстречу новому дню. Завтра вечером — телеинтервью, так что сегодня нам предстоит выслушать уйму наставлений. «Каблук повыше, ухмылки — посаркастичнее», — думается мне. Но тут появляется рыжеволосая безгласая девушка и приносит записку от Эффи. Дескать, если судить по туру победителей, мы вполне справимся без ее с Хеймитчем напутствий. В общем, назначенная на сегодня встреча отменяется.

— Серьезно? — Пит отбирает записку и перечитывает собственными глазами. — Понимаешь, что это значит? Мы целый день можем делать все, что душе угодно.

— Жаль, никуда нельзя пойти, — говорю я с тоской.

— Кто сказал, никуда? — возражает он.

Крыша. Заказав побольше еды, мы берем с собой теплые одеяла и отправляемся на пикник. Пикник с утра до вечера, в цветочном саду, среди звенящих на ветру музыкальных подвесок. Мы едим, загораем на солнышке. Сорвав несколько виноградных лоз, я вспоминаю недавно полученные навыки и вяжу сети. Пит рисует меня. Потом мы придумываем игру: один запускает яблоко в силовое поле вокруг нашей крыши, а другой — ловит.

Никто нас не беспокоит. Смеркается. Я лежу, положив голову на колени своему напарнику, и лениво плету венки, а он перебирает мои волосы, притворяясь, будто повторяет какой-то узел. И вдруг его пальцы замирают.

— В чем дело? — интересуюсь я.

— Вот бы растянуть этот день навечно — так, чтобы никогда не кончался.

Обычно подобные замечания с его стороны, намеки на неувядающую любовь и все в этом роде, рождают во мне чувство вины. Но сейчас мне так тепло и спокойно, так не хочется волноваться о будущем, что я позволяю словечку «да» слететь с языка.

— Разрешаешь? — По голосу слышно: он улыбается.

— Разрешаю.

Его ловкие руки вновь принимаются перебирать мои волосы, и меня начинает клонить ко сну. Но когда над капитолийским горизонтом разгорается оранжево-желтое зарево, я просыпаюсь от осторожного прикосновения.

— Я подумал, тебе захочется на это взглянуть, — извиняется Пит.

— Спасибо, — выдыхаю я.

Сколько еще в моей жизни будет закатов? Можно по пальцам пересчитать. Каждый из них — событие, которое лучше не пропускать.

К ужину мы не спускаемся, и никого за нами не присылают.

— Я даже рад, — произносит Пит. — Устал видеть вокруг несчастные лица. Все то и дело плачут. А Хеймитч...

Можно не продолжать, и так все ясно.

Мы остаемся на крыше до самой ночи, а потом незаметно прокрадываемся ко мне, так никого и не повстречав.

Наутро меня будит команда подготовки. Увидев нас, мирно спящих в обнимку, Октавия не выдерживает и немедленно ударяется в слезы.

— Помни, что сказал Цинна, — жестко бросает Вения.

Она кивает и, всхлипывая, выходит из комнаты.

Пита ждет собственная команда подготовки, так что я остаюсь в компании Флавия с Венией. Их обычная болтовня сегодня не клеится. Звучат разве что дежурные рабочие фразы или просьбы ко мне — поднять подбородок. Близится время обеда, когда что-то капает на плечо. Поднимаю глаза: оказывается, Флавий стрижет мои волосы, втихомолку заливаясь слезами. Вения пристально смотрит на него. Парикмахер бережно кладет на стол ножницы и тоже выходит.

И вот уже нас всего двое. Вения держится очень прямо и так бледна, что ее татушки готовы осы́паться с кожи. Проворные пальцы работают за троих: завершают прическу, раскраску и маникюр. Все это время она избегает моего взгляда. И лишь с появлением Цинны, на прощание, берет меня за руки, смотрит прямо в глаза и говорит:

— Наша команда хочет, чтобы ты знала: мы почитали за... честь помогать тебе выглядеть на все сто.

Вот так. Мои глупенькие, пустые, привязчивые любимцы-зверушки, помешанные на перьях и вечеринках, почти разбивают мне сердце своим последним «прости». Судя по этим словам, всем ясно, что я уже не вернусь. «Интересно, хоть кто-нибудь этого не знает?» — проносится у меня в голове. Смотрю на Цинну. Уж он-то все понимает. Но держит слово: по крайней мере, с *его* стороны можно не опасаться слез.

— Ладно, что я сегодня надену?

— Особый заказ президента Сноу. — Стилист расстегивает чехол, под которым оказывается одно из венчальных платьев, знакомых мне по фотосессии. Тяжелый белый шелк, глубокий вырез, приталенный силуэт и рукава, ниспадающие до пола. И жемчуг. Он повсюду. Нашит на платье, на веревочках, обхвативших горло, на диадеме для вуали. — Зрительское голосование окончилось уже после объявления о Квартальной бойне, а ведь на улице была зима. Президент велел, чтобы сегодня вечером ты появилась в этом. Нашего мнения никто не спросил.

Я потираю между пальцами шелк, пытаясь понять, чего добивается Сноу. Наверное, хочет, чтобы мои унижение, мука, боль потери были заметнее в ярком свете прожекторов. Превратить свадебное платье в могильный саван — это так жестоко, так дико, что удар попадает в яблочко. Сердце ноет, словно его разрезали тупым ножом. С трудом выдавливаю:

— И в самом деле, не пропадать же такой красоте.

Цинна бережно помогает мне облачиться. Неуютно передергиваю плечами.

— Оно и раньше было таким тяжелым?

Помню, некоторые платья немного жали, но ни одно не весило целую тонну.

— Пришлось кое-что изменить из-за освещения, — объясняет стилист.

Я киваю, хотя не заметила внешней разницы. Цинна сам надевает на меня вуаль, украшения, туфли. Завершает мой макияж. Велит немного пройтись.

— Великолепно выглядишь, — замечает он. — Только помни, Китнисс, корсаж очень сильно притален, поэтому не вздумай поднимать руки над головой. По крайней мере, пока не начнешь кружиться.

— А что, придется? — уточняю я, подумав о прошлогоднем платье.

— Цезарь наверняка попросит. А если нет, предложи сама. Только не сразу. Припасем это на сладкое.

— Лучше дай знак когда, — прошу я.

— Хорошо. Ты как-то подготовилась к интервью? Знаю, Хеймитч предоставил вас обоих самим себе.

— Как-нибудь проскочу, — срывается у меня с губ. — Самое интересное, что я даже не волнуюсь.

И это чистая правда. Президент может ненавидеть меня сколько его душе угодно, но сегодня публика — у моих ног.

И вот вся наша компания собирается у дверей лифта. Пит одет в элегантный смокинг и белоснежные перчатки. Так наряжаются женихи на свадьбу — здесь, в Капитолии.

У нас дома все гораздо проще. Невеста обычно берет напрокат платье, успевшее повидать сотни свадеб. Жених одевается во что-нибудь чистое — главное, не в шахтерскую робу. Парочка идет в Дом правосудия, заполняет несколько документов и возвращается домой, к родным и друзьям. Те, кто могут себе позволить, устраивают небольшой ужин с тортом. Когда новобрачные переступают порог семейного дома, гости поют им особую песню. Жители Дистрикта номер двенадцать обзавелись еще собственной традицией: двое должны растопить печку, поджарить хлебец и вместе съесть его. Старомодный обряд, конечно, однако у нас без этого хлебца и свадьба — не свадьба.

За кулисами собрались остальные трибуты. Они негромко переговариваются, но разом умолкают, увидев меня и Пита. Все так и стреляют глазами по белому платью. Завидуют красоте? Впечатлению, какое оно произведет на публику?

Первым обретает голос Финник:

— Только не говори, что это была идея Цинны.

— Ему не оставили выбора. Так решил президент, — отвечаю я, словно защищаясь. Никому не позволю неуважительно отзываться о моем гениальном стилисте.

Кашмира отбрасывает летящие белокурые локоны за спину и, процедив: «Ну и видок у тебя!» — тащит братца вперед, чтобы возглавить процессию.

Пора выходить на сцену. Трибуты выстраиваются в очередь. Чувствую себя совершенно сбитой с толку. Вроде бы злятся все, но при этом кое-кто бросает сочувственные взгляды, а Джоанна Мэйсон даже останавливается, чтобы поправить мое жемчужное ожерелье, и говорит:

— Заставь его заплатить за это, да?

Не поняв, о чем речь, на всякий случай киваю. И только когда мы уже сидим на сцене, когда Цезарь Фликермен начинает брать интервью, до меня впервые доходит, насколько разгневаны победители, насколько обманутыми они себя чувствуют. Большинство из них ведет свою — очень тонкую, по-настоящему тонкую игру, стараясь уколоть и правительство, и в особенности президента Сноу. Есть, правда, люди вроде Брута и Энорабии, которые просто вернулись на шоу, а кое-кто слишком напуган или обкурен, чтобы присоединиться к общей атаке, однако многим хватает ума и храбрости вступить в борьбу.

Первый камешек запускает Кашмира. Дескать, она готова расплакаться, как подумает о бесчисленных капитолийских зрителях, которым больно будет расстаться с каждым из нас. Блеск упоминает о доброте, проявленной здесь к нему и его сестре. Бити в своей немного дерганой, нервной манере осведомляется, законна ли эта Квартальная бойня и проводилась ли какая-нибудь юридическая экспертиза по данному поводу. Финник читает стихотворение, посвященное своей «единственной настоящей любви в Капитолии», и в зале человек сто падает в обморок, приняв его слова на собственный счет. Когда наступает черед Джоанны Мэйсон, она интересуется, нельзя ли что-нибудь сделать. Разумеется, создатели Квартальной бойни не предполагали, что между капитолийской публикой и победителями возникнет столь прочная связь, разорвать которую было бы бесчеловечно. Сидер вслух рассуждает о том, как в ее родном Одиннадцатом дистрикте президента считают всемогущим. А всемогущему наверняка под силу переменить условия Бойни? Следующий игрок — Рубака — подхватывает:

ну конечно, президент бы так и сделал, если бы понимал, как это важно для всех.

К тому времени, когда подходит моя очередь, у многих зрителей уже сдают нервы. Кто-то рыдает, кто-то лежит на полу без чувств, другие во весь голос требуют изменить правила. При виде меня в белоснежном шелковом платье в зале чуть ли не вспыхивает мятеж. Конец и мне, и отчаянному любовному роману, и никаких вам «жили долго и счастливо», никакой свадьбы. Даже Цезарю не хватает мастерства, чтобы утихомирить публику, а между тем мои три минуты утекают сквозь пальцы.

Добившись наконец тишины, Фликермен поворачивается ко мне.

— Что же, Китнисс, сегодня выдался очень волнительный вечер для всех. Может, ты хочешь сказать нам несколько слов?

И я начинаю дрожащим голосом:

— Только одно: мне жаль, что ты так и не попадешь на мою свадьбу... Хорошо, хоть успею покрасоваться в белом платье. Правда ведь... правда, оно красивое?

Даже не глядя на Цинну, я понимаю: пора. И медленно поворачиваюсь, поднимая руки над головой.

В толпе раздаются громкие вскрики. Что это — восхищение? Я так великолепна? И тут меня что-то обволакивает. Серый дым. От огня. Нет больше веселых мерцающих язычков, какие тянулись за мной во время прошлой поездки на колеснице, — вместо них нечто куда более настоящее пожирает мой белый наряд. Я в ужасе: дымовая завеса густеет. В воздухе кружатся обгорелые лоскутки, жемчуг раскатывается по сцене. Остановиться — страшно. По крайней мере, жареной плотью не пахнет, да и Цинна отлично знает свое дело. Так что я продолжаю кружиться, еще и еще. Потом, задохнувшись, на долю мгновения исчезаю в облаке пламени — и вот уже все погасло. Медленно замираю на месте. Интересно, я теперь голая? И для чего стилисту понадобилось поджигать мое платье?

Нет, не голая. На мне — точная копия сгоревшего свадебного наряда, только угольно-черная и сшитая из тончайших перьев. В изумлении поднимаю руки над головой... и внезапно вижу себя на экране. На длинных, струящихся рукавах остались белые клочья. Или вернее сказать, на крыльях.

Цинна превратил меня в сойку-пересмешницу.

18

Дым рассеивается не сразу, так что у Фликермена подрагивает рука, когда он тянется прикоснуться к моему головному убору. Прежний сгорел дотла, вместо него появилась гладкая вуаль из перьев, ниспадающая на плечи.

— Ты похожа на птицу, — замечает ведущий.

— Да, это сойка-пересмешница, — отзываюсь я, слегка взмахнув «крыльями». — Как на моем талисмане, на брошке.

По лицу ведущего пробегает тень понимания. Готова поспорить, ему известно, что птица не просто какой-то там талисман. Что она означает гораздо больше. И если капитолийцы увидели впечатляющую перемену костюма, то в далеких дистриктах эта сцена произведет эффект степного пожара. Впрочем, он продолжает делать хорошую мину при очень опасной игре.

— Да уж, снимаю шляпу перед твоим стилистом. Вряд ли кто-то поспорит: подобного мы не видели ни на одном интервью. Думаю, Цинна, тебе лучше выйти на поклон! — провозглашает он с широким приглашающим жестом.

Тот поднимается и, повернувшись к зрителям, коротко и грациозно кивает. Мне вдруг становится страшно. Цинна, Цинна, что ты наделал? Что-то ужасное, непоправимое. Собственный небольшой мятеж. И все это ради меня. Помню, как он сказал: «Я привык изливать свои чувства в работе, так что если кому и сделаю больно, то себе одному».

...И вот уже сделанного не вернуть. Можно и не надеяться, что смысл моего волшебного преображения ускользнет от внимания президента Сноу.

Зрители, пораженные до немоты, устраивают шквал аплодисментов. Я еле слышу сигнал окончания интервью — время вышло. Цезарь благодарит за участие, и я возвращаюсь на место в теперь уже невесомом платье.

Пит проходит мимо меня, избегая смотреть в глаза. Осторожно сажусь в свое кресло. Убеждаюсь, что не пострадала, если не считать еще не погасших струек дыма, и превращаюсь в само внимание.

Цезарь и Пит еще с того раза сошлись на сцене, точно приятели. Публика без ума влюбилась в этот дуэт, умеющий и посмеяться, и в нужный момент перейти к разрывающим душу сценам вроде неожиданного признания в обреченной любви. Разговор начинается с легких шуточек насчет пламени, перьев и пережаренной дичи. Однако все видят, что Пит озабочен, и Фликермен решает перейти сразу к теме, волнующей всех.

— Скажи нам, что ты почувствовал, когда после таких испытаний узнал о Квартальной бойне? — забрасывает удочку Цезарь.

— Я был потрясен. Представляете, минуту назад на экране показывали Китнисс в очаровательном платье, и вдруг... — Пит умолкает на полуслове.

— Ты понял, что свадьбы уже никогда не будет? — участливо произносит ведущий.

Мой напарник долго молчит, словно взвешивая каждое слово. Смотрит на онемевшую публику, потом на пол и наконец — на Цезаря.

— Как, по-твоему, наши друзья, собравшиеся здесь, умеют хранить секреты?

В зале слышны беспокойные смешки. Что это значит? Хранить от кого? За ними теперь наблюдает весь мир.

— Абсолютно уверен, — отчеканивает Фликермен.

— Мы уже поженились, — тихо говорит Пит.

Зрители в изумлении, а мне приходится спрятать пылающее лицо в складках юбки. Господи, куда его понесло?

— Но... как же так? — лепечет ведущий.

— Ну, это был не официальный брак. Мы не ходили в Дом правосудия, ничего такого. Видите ли, не знаю, как в других дистриктах, а у нас, в Двенадцатом, есть собственный свадебный обряд. Его мы и провели, — поясняет Пит и рассказывает о поджаренном хлебце.

— Ваши родные, конечно, присутствовали? — уточняет Цезарь.

— Нет, мы никому не сказали. Даже Хеймитчу. Мама Китнисс бы нас не одобрила. Понимаете, в Капитолии свадьба прошла бы без общего хлебца. И потом, дожидаться было невмоготу. Поэтому как-то раз мы взяли и сделали это. И знаете, никакая бумага с печатью, никакой пир на весь мир не свяжет нас более крепкими узами, чем сейчас.

— Но это произошло до объявления о Квартальной бойне? — интересуется Фликермен.

— Разумеется, до. Позже мы бы так не поступили. — У Пита страшно расстроенный вид. — Но кто же мог знать? Ни одна душа в целом свете. Мы прошли через Игры, мы победили, все умилялись, видя нас вместе, и тут, словно снег на голову... Ну, то есть как можно было такое предвидеть?

— Понимаю, Пит. — Цезарь обнимает его за плечи. — Целиком согласен с тобой. Но я искренне рад, что вы двое хотя бы несколько месяцев наслаждались семейным счастьем.

Публика оглушительно хлопает. Будто бы приободрившись, я наконец поднимаю лицо и одариваю зрителей скорбной улыбкой благодарности. Глаза чуть слезятся от дыма — это сейчас очень кстати.

— А я — нет, — неожиданно возражает Пит. — Лучше бы мы подождали, когда все решится официальным путем.

Фликермен даже отступает на шаг.

— Разве краткое счастье хуже, чем никакое?

— Пожалуй, Цезарь, я бы с тобой согласился, — с горечью продолжает Пит, — если бы не ребенок.

Ну вот. Он опять это сделал. Устроил подлинный взрыв, уничтоживший все старания предыдущих участников. А может, и нет. Может, в этот раз он поджег запальный шнур от бомбы, сооруженной другими трибутами в надежде, что кто-нибудь бросит искру. Думаю, люди ждали этого от меня, облачившейся в платье невесты. Если бы они знали, насколько я завишу от своего стилиста, тогда как Питу довольно и собственного ума!

Выстрел гремит в виде многочисленных грозных выкриков с мест, обвиняющих Капитолий в несправедливости, в варварстве и жестокости. Даже самые преданные столице, самые жадные до кровавых зрелищ люди не могут хотя бы на миг отмахнуться от ощущения бесчеловечности происходящего.

Я беременна.

Новость не сразу до всех доходит. Она ударяет как молния, проникает в умы, подтверждается голосами соседей, и вдруг толпа начинает реветь, визжать и вопить, точно стадо израненного скота. Слышатся крики о помощи. Ну а я? Знаю, камеры взяли мое лицо самым крупным планом, но мне не приходит на ум опять закрываться. Потому что в эту минуту я тоже пытаюсь переварить слова Пита. Разве не это сильнее всего страшило меня в разговорах о свадьбе, о будущем — необходимость отдать своего ребенка на Игры? А ведь ложь Пита вполне могла обернуться сегодня правдой, разве нет? Не потрать я всю жизнь на возведение крепких барьеров — таких, что любая мысль о семье и браке вызывает мгновенное отвращение.

Цезарь снова не может угомонить толпу, даже после того, как звучит сигнал окончания интервью. Пит молча кивает и возвращается на свое место. Фликермен шевелит губами, однако в поднявшемся гвалте его никто не слышит. И только мелодия гимна, запущенная так громко, что у меня содрогаются даже кости внутри, напоминает нам об идущей программе. Я невольно встаю и принимаю протянутую Питом ладонь. Слезы бегут по его лицу. Интересно, искренние они или нет? Может, это признание, что мы долгое время терзались одними и теми же страхами? Как и все прочие победители. Как и любая семья в Панеме.

Смотрю на публику, а перед глазами встают родители Руты. Их лица, скорбящие об утрате. Повинуясь порыву, я вдруг протягиваю руку Рубаке. Пальцы крепко смыкаются вокруг его культи.

И тут начинается. Победители по всему ряду берутся за руки. Одни — торопливо, как морфлингисты, Вайресс и Бити. Другие неуверенно медлят, но подчиняются остальным, как Брут с Энорабией. К тому времени, когда отзвучали последние аккорды мелодии, мы, двадцать четыре человека, образовали неразрывную цепь, — первый знак единения между дистриктами со времени Темных Времен. Разумеется, телеэкраны один за другим отключаются и чернеют. Поздновато опомнились. Все уже видели.

На сцене тоже творится черт знает что: прожекторы быстро гаснут, и мы в полутьме бредем в Тренировочный центр. Пит провожает меня до лифта. Финник с Джоанной хотят присоединиться к нам, но подбежавшие миротворцы перекрывают им путь, и мы уезжаем наверх в одиночестве.

Как только выходим из лифта, мой спутник хватает меня за плечи.

— Времени не осталось, поэтому лучше сразу скажи: мне извиниться?

— Нет, — отвечаю я.

Конечно же, пойти на такое без моего согласия было не очень благоразумно, однако я рада, что не имела возможности отговорить его от безумной затеи, например, из-за чувства вины перед Гейлом. Зато теперь меня наполняет новая сила и вдохновение.

Где-то там, в далеком Двенадцатом, мама, сестра и друзья недоумевают, отчего это вдруг почернели экраны. Всего лишь в полете отсюда — арена, где Пита, меня и прочих трибутов ждет неотвратимая кара. Но даже если мы все погибнем в мучениях — того, что произошло сегодня на сцене, уже никто не отменит. Мы, победители, начали собственное восстание, и может быть — ну, ведь может такое быть? — Капитолию не удастся с ним справиться.

В нетерпении ждем остальных, но из лифта выходит один только Хеймитч.

— Там сейчас просто бедлам. Всех отослали домой, и повтор интервью отменили.

Мы с Питом бежим к окну и не можем понять, что творится на улицах города.

— Кажется, люди кричат? — уточняет Пит. — Требуют отменить Голодные игры?

— По-моему, они сами не знают, чего им требовать, — отзывается Хеймитч. — Такого еще не случалось. Для местных жителей даже идея вмешаться в ход шоу — сама по себе крамола. Но мы-то понимаем, что президент ни в коем случае не отменит Игры.

Да, он прав. Разумеется, Сноу не повернет назад. Ему остается одно: нанести ответный удар, и как можно больнее.

— А что, остальные уже разошлись? — спрашиваю я.

— Да, им велели. Не представляю, каково им сейчас пробираться через толпу.

— Значит, Эффи мы уже не увидим, — говорит Пит, вспомнив опыт прошлого сезона. — Поблагодари ее от нас.

— Пусть это будет не просто «спасибо», — вмешиваюсь я. — Скажи что-нибудь особенное. Это же Эффи, в конце концов. Передай: она самая лучшая, и мы очень благодарны и... любим ее.

Какое-то время мы молча стоим, пытаясь оттянуть неизбежное. Потом Хеймитч произносит:

— Думаю, нам с вами тоже пора попрощаться.

— Что-нибудь посоветуешь напоследок? — спрашивает Пит.

— Постарайтесь выжить, — грубовато бросает ментор, повторив нашу старую полушутку. Затем порывисто обнимает нас. Кажется, это его предел. — Идите спать. Вам нужен отдых.

Хочется сказать ему тысячу слов, но ведь Хеймитч и так все знает. Да еще этот ком, застрявший в горле... В общем, я в который раз позволяю Питу произнести за нас двоих:

— Береги себя, ладно?

Мы уходим, но вдруг замираем от голоса ментора:

— Китнисс, когда будешь на арене... — Он умолкает, нахмурившись так, словно я уже его подвела.

— Что? — обиженно вырывается у меня.

— Помни, кто твой враг, — договаривает Хеймитч. — Ну, все. Идите уже отсюда.

И мы шагаем по коридору. Пит хочет зайти к себе на пару минут, чтобы смыть боевую раскраску, но я его не отпускаю. Что, если дверь между нами захлопнется до утра, и мне придется всю ночь провести одной? И потом, в моей комнате тоже есть душевая. Нет, я не дам ему разомкнуть наши руки.

Удается ли нам поспать этой ночью? Не помню. Мы обнимаемся, удалившись куда-то в призрачную страну между грезами и реальностью. Не разговариваем. Каждый боится потревожить другого в надежде подарить ему несколько драгоценных минут отдыха.

На рассвете приходят Цинна и Порция. Значит, Питу пора уходить. На арену трибуты поднимаются в одиночку.

— Скоро увидимся, — произносит он, чмокнув меня на прощание в губы.

— Скоро увидимся, — эхом отзываюсь я.

Стилист провожает меня на крышу. Уже на лестнице, спущенной с планолета, я спохватываюсь, что не попрощалась с Порцией.

— Ничего, я все передам, — успокаивает Цинна.

Электрическая сила заставляет меня примерзнуть к лестнице до тех пор, пока доктор не вводит под кожу левого предплечья следящее устройство. Теперь меня можно в любую минуту легко найти на арене. Планолет срывается с места, и я гляжу в окна, пока их не закрывают особым затемнением. Стилист настаивает на том, чтобы я поела. Ну, или, в крайнем случае, попила. Вспомнив о том, как едва не скончалась от обезвоживания в прошлом году и сколько сил понадобится на то, чтобы вытащить Пита, я заставляю себя сделать несколько глотков.

Оказавшись в комнате Стартового комплекса, я принимаю душ. Цинна заплетает мне волосы в косу и подает одежду трибута. В этом сезоне она состоит из костюма типа облегающего комбинезона (очень тонкая ткань, застежка-молния на груди), дутого пояса толщиной в шесть дюймов, покрытого блестящим пурпурным пластиком, и пары нейлоновых ботинок на резиновой подошве. Я предлагаю стилисту ощупать материю.

— Что скажешь?

Он озабоченно хмурится.

— Даже не знаю. От холода или воды она точно не защитит.

— А от солнца? — Мне представилась раскаленная пустыня без единого облачка в небесах.

— Возможно. Если ее обработали... Ой, чуть не забыл.

Цинна достает из кармана золотую брошь с пересмешницей и прикалывает ее на костюм.

— Вчерашнее платье было великолепно, — произношу я.

Великолепно до безрассудства. И он это понимает.

— Вот я и подумал: тебе понравится, — отвечает он с натянутой улыбкой.

Мы садимся, как в прошлом году, и держимся за руки. А потом раздается голос, приказывающий мне готовиться к подъему. Стилист подводит меня к металлическому диску, аккуратно застегивает молнию под горло.

— Помни, девушка из огня, — шепчет он, — я и теперь готов на тебя поставить.

Потом наклоняется, быстро целует в лоб и отступает. Сверху плавно опускается прозрачный цилиндр.

— Спасибо, — говорю я, хотя Цинна вряд ли услышит.

И поднимаю, как он велел, подбородок. Скоро цилиндр начнет подниматься... Нет, почему-то не начинает. Нет, не начинает.

Вопросительно поднимаю брови, глядя на Цинну. Тот изумлен не меньше меня и чуть заметно качает головой. Что за странная задержка?

Внезапно дверь в комнату распахивается, и появляются три миротворца. Двое заламывают стилисту руки за спину и сковывают наручниками, а третий наносит страшный удар в висок, так что Цинна падает на колени. Однако его продолжают бить кулаками в перчатках с металлическими шипами, оставляя на теле и на лице зияющие раны. Моя голова готова взорваться от крика; я барабаню по непробиваемому стеклу, хочу вырваться наружу. Наконец миротворцы, словно не замечая меня, оттаскивают бесчувственное тело прочь из комнаты. Остается лишь окровавленный след на полу.

Измученная и перепуганная, я вдруг замечаю, что диск начал подниматься. Обессиленно прислоняюсь к стеклу. Но когда бриз подхватывает мои волосы, выпрямляю спину. И как раз вовремя, потому что стекло уплывает обратно. Я на арене. Кажется, что-то случилось с глазами? Земля вокруг слишком яркая, и сверкает, и словно приплясывает. Прищурившись, пристально смотрю себе под ноги: у самых ботинок, вокруг металлического диска, плещут синие волны. Медленно поднимаю взгляд. Вода окружила меня со всех сторон.

Среди хаоса в голосе мелькает одна лишь четкая мысль.

Огненной девушке здесь не место.

Часть III

ВРАГ

19

В ушах раздается трубный голос Клавдия Темплсмита, ведущего шоу:

— Леди и джентльмены, семьдесят пятые Голодные игры объявляются открытыми!

У меня меньше минуты на то, чтобы взять себя в руки. Потом прозвучит удар гонга, разрешающий трибутам сойти с дисков. Но куда?

Мысли путаются. Перед глазами — Цинна, весь в ссадинах и кровоподтеках. Где он теперь? Что с ним делают? Убивают? Пытают? Превращают в безгласого? Очевидно, избиение (как и встречу с Дарием) устроили ради того, чтобы я утратила душевное равновесие. Видит Бог, им это удалось. Хочется одного: рухнуть без сил прямо на диске. Но разве так можно — после всего, чему я стала свидетельницей? Цинна пошел на крайний риск, в пику могущественному президенту превратив мое свадебное платье в оперение сойки-пересмешницы. Я в долгу перед ним и перед мятежниками, которые, вдохновившись его примером, наверняка ободрились для новых битв против Капитолия. Отказ следовать навязанным правилам — мой личный, последний акт неповиновения. Так что я, стиснув зубы, готовлюсь играть.

«Но где ты?» Никак не могу понять. «Да где же ты?!» — требую я ответа у самой себя, и мир понемногу фокусируется перед глазами. Синие волны. Розоватое небо. Раскаленное добела солнце жарит вовсю. А вот и Рог изобилия, сверкающий золотом; до него ярдов сорок. Расположился то ли на круглом острове, то ли... Приглядываюсь внимательнее и вижу тоненькие полоски земли, расходящиеся от него во все стороны, точно спицы в колесе. Кажется, они равноудалены друг от друга, и между ними вода. И еще — трибуты.

Да, так и есть. Дюжина расходящихся спиц, а в промежутках — по два трибута, покачивающихся на своих дисках. По правую руку от меня — старый Лай из Восьмого дистрикта, по левую, на таком же расстоянии, — тоненькая полоска суши. Вдали, куда ни посмотри, виднеется узкий пляж, а за ним зеленеют деревья. Оглядываю круг игроков; Пита нигде не видно. Должно быть, он там, за Рогом изобилия.

Ловлю небольшую нахлынувшую волну в ладонь, принюхиваюсь. Облизываю кончик влажного пальца. Вода соленая, как я и подозревала. В Четвертом дистрикте нас водили на краткую экскурсию по пляжу, там было что-то подобное. Ладно, по крайней мере, чистая.

Ни лодок, ни веревок, ни хотя бы доски, чтобы уцепиться. Остался единственный способ добраться до Рога. С ударом гонга я, не задумываясь, ныряю влево. Правда, раньше мне доводилось плавать исключительно по тихому озеру и на более близкие расстояния, а тут нужно рассекать волны, однако в теле, да и во всех движениях вдруг появляется странная легкость. Наверное, из-за соли. Вся мокрая, выбираюсь на сушу и бегом устремляюсь к Рогу изобилия. С моей стороны других игроков пока что не видно — впрочем, огромный золотой конус ограничивает обзор. Да мне и некогда тратить время на мысли о соперниках. Я сейчас рассуждаю как профи: главное — завладеть оружием, и поскорее.

В прошлом году припасы были разбросаны вокруг Рога на значительном расстоянии, причем самые важные — ближе к центру, но теперь лежат общей кучей возле двадцатифутового устья. Золотой лук сверкает на самом виду, лишь протяни руку, и я первым делом хватаю его.

И тут чувствую: позади кто-то есть. Может, песок зашуршал, или ветер подул не так... Выхватываю стрелу из колчана, который все еще валяется в общей куче, вооружаюсь и оборачиваюсь.

Блестящий от капель, великолепный Финник стоит от меня буквально в нескольких ярдах, грозно замахнувшись трезубцем. На другой руке у него висит сеть. Мускулы напряжены до предела, но на губах играет улыбочка.

— Надо же, ты тоже умеешь плавать, — говорит он. — Разве в Двенадцатом есть где учиться?

— У нас дома ванна большая, — бросаю я.

— Еще бы, — усмехается он. — Как тебе арена?

— Не очень. А ты, наверно, в восторге. Будто по твоему заказу сделана, — отзываюсь я с ноткой горечи в голосе.

Действительно, складывается такое ощущение. Учитывая, что кругом вода, а большинство участников не обучены плавать. В Тренировочном центре не было ни одного бассейна, чтобы попробовать. Либо ты попал сюда уже опытным, либо — учись немедленно. Даже в первую кровавую драку не ввяжешься, пока не покроешь вплавь двадцать ярдов. Иными словами, у Четвертого дистрикта — огромное преимущество.

Пару секунд мы не двигаемся, оценивая друг друга, особенно оружие. Неожиданно Финник ухмыляется:

— Хорошо, что мы союзники. Да?

Заподозрив ловушку, я готовлюсь пустить стрелу, от души надеясь, что попаду прямо в сердце раньше, чем угожу на заточенные зубцы. Но тут он шевелит рукой, и что-то сверкает на солнце. Литой золотой браслет с узором в виде огня. Точь-в-точь такой, какой был на запястье Хеймитча в первый день тренировок. Мог Финник выкрасть его, чтобы ввести меня в заблуждение? Внутренний голос подсказывает: здесь не тот случай. Ментор по собственной воле расстался с украшением. Хотел подать мне знак, а вернее, приказ. Доверяй Финнику.

К нам приближаются чьи-то шаги. Нужно решаться.

— Да! — рявкаю я, разозлившись, хотя, казалось бы, ментору лучше знать.

Но почему он раньше меня не предупредил? Видимо, из-за того, что мы с Питом отказались иметь союзников. И вот Хеймитч сам нашел одного.

— Пригнись! — кричит Финник таким повелительным, не похожим на соблазнительное мурлыканье тоном, что я повинуюсь.

Трезубец летит над моей головой и с тошнотворным звуком врезается в цель. Мужчина из Пятого дистрикта, тот, которого вырвало в секции борьбы на мечах, валится на колени, и Финник выдергивает у него из груди трезубец.

— Первому и Второму — не доверяй, — произносит он.

Некогда задавать вопросы. Я хватаю колчан со стрелами.

— Ну что, разделяемся по сторонам?

Он кивает, и я обегаю высокую кучу.

Блеск с Энорабией только-только доплыли до суши. Либо неумехи, либо думали, что под водой игроков поджидают какие-нибудь опасности. Кстати, так оно и могло оказаться. Иногда хорошо лишний раз не задумываться. Как бы там ни было, теперь они на песке и скоро будут здесь.

— Нашла что-нибудь полезное? — кричит Финник.

Быстренько проверяю кучу: булавы, мечи, луки, стрелы, трезубцы, ножи, копья, топоры, металлические предметы, которым я даже не знаю названия... и ничего больше.

— Оружие! — отзываюсь я. — Одно лишь оружие!

— Здесь то же самое, — подтверждает он. — Хватай все, что хочешь, и быстро уносим ноги!

Я пускаю стрелу в Энорабию, успевшую подбежать слишком близко. Та, словно ждала нападения, проворно уворачивается, нырнув обратно в воду. А вот Блеску скорости не хватает, и в волны он падает со стрелой в левой икре. Перебросив через плечо еще один лук и колчан со стрелами, сунув за пояс два длинных ножа и острое шило, бегу на другую сторону, к Финнику.

— Сделай что-нибудь, а? — выпаливает он.

В нашу сторону мчится Брут, прикрываясь широким поясом, растянутым между ладонями, словно щитом. Я целюсь в печень, и он легко отбивает удар. Острие пробивает в материи дырку, из которой ему на лицо начинает хлестать пурпурная жидкость. Пока я достаю новую стрелу, Брут падает наземь, катится несколько ярдов назад и скрывается под водой. Позади раздается звон падающего металла.

— Уходим, — бросаю я.

Пока мы отвлеклись, Блеск с Энорабией добрались до Рога изобилия. Брут держится на расстоянии выстрела, да и Кашмира наверняка где-то рядом. Без сомнения, эти четверо профессионалов заранее заключили союз. Если бы речь шла лишь о моей безопасности, я бы охотно дала им отпор при поддержке Финника. Однако меня волнует Пит. Вот и он — застрял на своем диске. Я спешу к воде, и новый союзник шагает следом, не задавая вопросов, будто бы заранее знал, как я поступлю. У самого края берега я вынимаю ножи из-за пояса, готовясь нырнуть и как-нибудь перетащить Пита на сушу.

Финник опускает руку мне на плечо.

— Я сам.

Подозрительно. Что, если это ловушка? Вдруг он нарочно втерся в доверие, а сейчас поплывет и утопит Пита?

— Я могу, — вырывается у меня.

Однако Финник уже бросает на берег оружие.

— Береги силы. В твоем-то положении.

И, наклонившись, легонько хлопает мой живот.

Ах да, я ведь мнимоберременна. Интересно, что это значит и как мне себя вести — вызвать рвоту или что-нибудь в этом роде? Пока я соображаю, Финник замирает у кромки воды, роняет:

— Прикрой меня, — и ныряет без единого всплеска.

Я поднимаю лук, но, похоже, до нас уже никому нет дела.

Разумеется, Блеск, Кашмира и Брут с Энорабией уже сбились в стаю и выбирают оружие. Между тем большинство трибутов по-прежнему замерли на своих дисках. Нет, секундочку, кто-то стоит на песочной полоске напротив Пита, по левую руку от меня. Это Мэгз. Она не спешит приблизиться к Рогу, но и не удирает. А вместо этого вдруг ныряет и плывет в мою сторону. Седоволосая голова так и прыгает над волнами. Старушке, наверное, лет восемьдесят, однако все они прожиты в Дистрикте номер четыре — этого вполне достаточно, чтобы удержаться на воде.

Тем временем Финник доплыл до Пита и уже возвращается с ним, обхватив его и уверенно взмахивая свободной рукой. Тот не сопротивляется. Интересно, что такого парень сказал или сделал, чтобы вызвать к себе доверие? Показал браслет? Или напарнику достаточно было увидеть меня, застывшую в ожидании на берегу?

Когда они приближаются, я помогаю Питу выйти на сушу.

— И снова здравствуй, — говорит он и целует меня. — У нас появились союзники.

— Да. Хеймитч добился своего, — отвечаю я.

— Ну-ка, напомни, мы больше ни с кем не сговаривались? — уточняет он.

— Разве что с Мэгз. — Я киваю в сторону старой женщины, упорно плывущей к нам.

— Мэгз я не брошу, — вмешивается Финник. — Она меня по-настоящему любит, а это большая редкость.

— Прекрасно. Пусть будет она, — отвечаю я. — Особенно если учесть, куда мы попали. Возможно, ее крючки — наш единственный шанс прокормиться.

— Китнисс хотела быть с Мэгз еще в самом начале, — вставляет Пит.

— Значит, у нее замечательное чутье, — отзывается Финник и, наклонившись, одной рукой выуживает старуху из волн, будто тряпичную куклу.

Та что-то произносит (я успеваю разобрать только слово «держаться») и одобрительно похлопывает свой пояс.

— Она права. Смотри, вот еще кое-кто догадался. — Наш новый союзник указывает на Бити, который беспомощно барахтается в воде, но при этом не тонет.

— А что такое? — не понимаю я.

— Пояса, — вносит ясность Финник. — Это плавучие приспособления. Конечно, руками грести все равно приходится, зато голова не уходит под воду.

Я хочу попросить, чтобы мы подождали Бити и Вайресс, однако Бити еще далеко, а его подружки не видно вовсе. И потом, насколько я понимаю, Финник быстро расправится с ними, как с тем трибутом из Пятого, поэтому лучше уж двинуться дальше. Отдаю Питу нож, лук, колчан со стрелами, прочее оставляю себе. Мэгз тянет меня за рукав и что-то лопочет, пока и ей не достается шило. Успокоившись, она зажимает рукоятку беззубыми деснами и протягивает Финнику руки. Тот забрасывает сеть на плечо, поднимает ее на закорки, перехватывает свободной рукой трезубец, и мы бежим прочь от Рога.

Песок обрывается резко, и тут же встает стена деревьев. Это даже не лес. По крайней мере, я в таких не бывала. В памяти вертится иноземное, почти неприличное по звучанию слово. *Джунгли*. Вроде бы я услышала его во время прошлых Голодных игр, а может быть, от отца. Деревья здесь в основном незнакомые, гладкоствольные и почти без веток. Земля — очень черная и пружинит под ногами, почти скрытая под пологом лиан и ярких цветов. Солнце печет безумно, однако воздух при этом тяжелый и влажный. Кажется, здесь никогда до конца не просохнешь. Морская вода легко испаряется сквозь тонкую синюю ткань костюма, но тот уже липнет к телу из-за пота.

Пит идет впереди, рассекая густую растительность длинным ножом. Финника я пропускаю следом за ним: конечно, он самый сильный, но тащит на себе Мэгз, к тому же в чаще от моих стрел куда больше толку, нежели от его трезубца. Склон довольно крутой, жара страшная, и через некоторое время все выдыхаются. Хотя мы с Питом недаром вели упорные тренировки, а Финник настолько силен, что даже с Мэгз на закорках просит сделать привал не раньше чем через милю. Да и то, похоже, скорее ради своей спутницы.

Зелень совсем закрыла от нас колесо с Рогом изобилия, поэтому я решаю забраться на дерево и посмотреть назад. Лучше было бы этого не делать.

Кажется, будто сама земля вокруг злополучного Рога исходит кровью. Вода покрыта багровыми пятнами. Тела разбросаны по земле, колыхаются на волнах; костюмы на всех одинаковые, так что издали не различить, кто погиб, а кто выжил. Видно только, что некоторые из крошечных синих фигурок еще сражаются. Ну а я чего ожидала? Что вчерашний порыв победителей, соединивших руки, выльется во всеобщий заговор на арене? Нет, в это сразу не верилось. И все-таки я надеялась: люди будут вести себя хоть немного... воздержаннее, что ли? Но не с такой охотой предадутся новой резне. «Ведь вы же были знакомы между собой, — думаю я. — Держались, точно приятели...»

Нет, у меня здесь один только друг, и он прибыл не из Четвертого дистрикта.

Легкий, насыщенный влагой бриз холодит мне щеки. Нужно принять решение. Плевать на браслет: я должна покончить с этим и пристрелить Финника. Союз этот все равно будет недолговечен. А отпускать парня просто так чересчур опасно. Теперь, когда между нами установилось хрупкое доверие, — самое время убить. Возможно, это мой единственный шанс. Когда снова тронемся в путь, Финника будет несложно прикончить выстрелом в спину. Подлость? Согласна. А разве не бóльшая подлость — ждать, пока мы узнаем друг друга получше, пока меня чем-то еще обяжут? Нет, или сейчас, или никогда. Бросаю последний взгляд на сражающихся людей, на обагренную землю, чтобы утвердиться в своем решении, и скольжу вниз по стволу.

Что такое? Похоже, Финник прочел мои мысли. Он будто бы знал, *что* именно я увижу и *как* это на меня повлияет. Трезубец грозно, хотя и с небрежным видом, зажат в руке.

— Ну, как оно там, внизу, Китнисс? — спрашивает он. — Игроки взялись за руки? Дали всеобщий обет ненасилия? Побросали оружие в воду назло Капитолию?

— Нет, — отвечаю я.

— Нет, — повторяет он. — Прошлое — это прошлое, как ни крути. На арене так просто победителем не становятся. Разве что этот... — Он косится на моего напарника.

Значит, Одэйру известно то же, что мне и Хеймитчу. Пит намного лучше всех нас, остальных. Финник прикончил трибута из Пятого не моргнув глазом. Да и сама я разве не поспешила схватиться за лук? Целясь в Блеска, и в Брута, и в Энорабию, я стреляла на поражение. Пит попытался бы для начала поговорить. Попробовал бы расширить круг наших союзников. Ну, а проку от этого? Финник прав. Я тоже. Победителя на арене коронуют не за отзывчивость.

Я смотрю врагу прямо в глаза. Прикидываю, кто из нас проворнее. Что долетит быстрее — моя стрела до его головы или его трезубец до моего живота? Вижу, парень только и ждет малейшего движения, чтобы напасть. И тут Пит умышленно встает между нами.

— Много убитых? — спрашивает он у меня.

«Отойди же ты, идиот!» — мысленно бранюсь я.

Но Пит замирает как вкопанный, и мне приходится процедить:

— Не знаю. По меньшей мере, шесть. Остальные еще сражаются.

— Пора идти. Нам нужна вода, — произносит мой напарник.

По дороге нам так и не встретилось ни ручья, ни пресного озера, а из моря пить невозможно. Мне опять вспоминаются прошлые Игры, когда я чуть не скончалась от жажды.

— Да, лучше поспешим, — подхватывает Финник. — Ночью на нас начнется охота, нам надо уйти подальше и спрятаться.

Нас. Нам. Охота. Ладно, может быть, я немного поторопилась с мыслями об убийстве. До сих пор Финник приносил одну пользу. И у него на руке — привет от Хеймитча. И потом, кто знает, что принесет нам ночь? Если приспичит, всегда можно зарезать парня во сне. В общем, я упускаю удобный случай. И Финник тоже.

Недостаток воды многократно усиливает жажду. Во время восхождения я пристально поглядываю по сторонам, но безуспешно. Еще миля, и перед нами редеют деревья. Кажется, мы добрались до вершины холма. Может, на той стороне повезет — найдем источник или что-нибудь в этом роде.

Однако другой стороны не будет. Хотя я и замыкаю шествие, но понимаю это раньше всех. В глаза бросается крохотный переливающийся клочок пространства, похожий на изъян стекла. Яркий солнечный блик или знойный пар, поднимающийся от земли? Нет, он застыл на месте и не меняет его, даже когда я двигаюсь. Наконец мне приходит в голову связать этот подрагивающий квадратик со словами Вайресс и Бити, сказанными в Тренировочном центре. Так вот что ждет там, впереди! С моих губ срывается предупредительный крик. В ту же секунду Пит замахивается длинным ножом, чтобы разрезать лианы.

Звучит неприятный и резкий звук. Деревья на миг исчезают, я вижу сухую равнину и пустое небо над ней. Потом силовое поле отбрасывает Пита назад, он сбивает с ног Финника и Мэгз.

Я устремляюсь к нему, распростертому без движения в паутине из гибких лиан.

— Пит?

Ноздри улавливают едва ощутимый запах жженых волос. Я снова зову его и легонько трясу — никакого ответа. Касаюсь пальцами губ, но не чувствую теплого дыхания. Прижимаюсь ухом к груди, на которой так часто покоилась моя голова. Вот-вот послышится сильный, уверенный стук его сердца.

Но вместо этого — тишина.

20

— Пит! — восклицаю я и трясу сильнее. Даже хлопаю по лицу, но все напрасно. Сердце остановилось. Я бью пустоту. — Пит!

Посадив Мэгз у дерева, Финник отталкивает меня.

— Дай-ка я.

Он трогает некие точки на шее Пита, пробегает пальцами по его ребрам и позвоночнику. И вдруг зажимает бездыханные ноздри.

— Нет! — вырывается у меня.

И я набрасываюсь на Финника, очевидно решившего убедиться, что Пит окончательно умер, не дать ему даже надежды на случайное воскрешение. Ладонь парня взметается и бьет меня в грудь, отбросив к ближайшему дереву. Оглушенная болью, пытаюсь взять себя в руки, а между тем Финник опять зажимает Питу нос. Тогда, не вставая с места, я выхватываю стрелу и прицеливаюсь, но... Бог мой, это странно даже для Финника... Зачем он его целует? От неожиданности я забываю спустить тетиву. Погодите-ка. Не отпуская носа, Одэйр разжимает лежащему челюсти и с силой вдыхает воздух в легкие. Видно, как поднимается и опадает грудь Пита. Затем Финник расстегивает молнию у него на груди, чтобы надавить ладонями прямо над сердцем. Оправившись от первого потрясения, я наконец начинаю понимать, что происходит.

Мама тоже пыталась делать подобное, только очень редко. В нашем дистрикте, если у человека откажет сердце — мало надежды, что родные вовремя доставят его к моей маме. Поэтому в основном к нам домой попадали люди с ожогами, ранами и болезнями. Ну и конечно, изголодавшиеся.

Но в мире Финника все по-другому. Думаю, он прекрасно знает, что делает. Движения уверенные и отработанные. В отчаянии склоняюсь вперед и всматриваюсь: получится ли? Наконечник стрелы упирается в землю. Невыносимо долго ползут мучительные минуты. Надежда медленно тает. Когда я готова поверить, что все пропало: Пит умер, ушел в мир иной и уже не вернется, он слабо кашляет, и Одэйр отстраняется.

Бросив оружие, кидаюсь к ожившему.

— Пит? — нежно шепчу я, убирая налипшие белокурые пряди со лба, и трогаю пальцами шею, чтобы вновь ощутить биение пульса.

Его ресницы дрожат и взлетают вверх. Наши взгляды встречаются.

— Осторожнее, — слабо шепчет Пит. — Впереди силовое поле.

Я смеюсь, а по щекам в три ручья бегут слезы.

— Гораздо сильнее, чем в Тренировочном центре, — продолжает он. — Но со мной все в порядке. Так, небольшое сотрясение.

— Ты был мертвым! У тебя сердце остановилось! — выпаливаю я, не подумав, стоит ли заговаривать об этом. И зажимаю рот ладонью, потому что из него вырываются жуткие хлюпающие звуки — так бывает, когда всхлипываешь.

— Ну, сейчас-то оно заработало, — отвечает Пит. — Все нормально, Китнисс.

Я киваю, но звуки не прекращаются.

— Китнисс?

Ну вот, теперь *он обо мне* волнуется. Сумасшествие какое-то.

— Да ладно, это у нее гормональное, — слышится голос Финника. — Из-за малыша.

Поднимаю глаза. Он сидит и тяжело отдувается после напряженного восхождения и усилий, затраченных на воскрешение Пита.

— Нет, это не... — выдавливаю я из себя, но тут рыдания накатывают с новой силой, будто бы подтверждая только что сказанные слова.

Злобно сверкаю глазами сквозь слезы. Разумеется, глупо сердиться на Одэйра после всего, что он сделал. Я хотела лишь одного — спасти жизнь Питу, и не смогла, а Финник — смог. Парня благодарить надо. Я и благодарю — мысленно. С другой стороны, когда же это закончится? Я все больше запутываюсь в долгах перед человеком, которого собираюсь прикончить во сне.

Ожидаю увидеть на его лице самодовольство или насмешку, однако Финник скорее озадачен. Он переводит взгляд то на меня, то на моего напарника, словно пытаясь что-то сообразить, а потом слабо встряхивает головой, как бы желая избавиться от ненужных загадок. И спрашивает у Пита:

— Ну, как ты? Идти сможешь?

— Нет, ему нужен отдых, — вмешиваюсь я.

Из носа так и течет, а у меня с собой нет даже лоскута, не говоря уже о носовом платке. Мэгз отрывает с ветки висячий мох и предлагает мне целую горсть. Я настолько расклеилась, что даже не задаю вопросов. Громко сморкаюсь и вытираю слезы. Мох очень мягкий и вообще приятный на ощупь.

На груди у Пита что-то сверкает. Протягиваю руку. Это маленький золотой диск на цепочке, с гравировкой в виде моей сойки-пересмешницы.

— Это теперь и твой талисман?

— Да. Ты не против, надеюсь? Я хотел, чтобы у нас было что-то общее.

Натянуто улыбаюсь.

— Да нет, не против, конечно.

Этот диск на арене — и благословение, и проклятие. Мятежникам он придаст новых сил, но... Вряд ли президент Сноу посмотрит сквозь пальцы на подобную выходку. Значит, моя задача — вытащить Пита отсюда живым — усложняется.

— Что же вы предлагаете, — интересуется Финник, — прямо здесь разбить лагерь?

— Нет, так не годится. Здесь не найти ни воды, ни укрытия, — возражает Пит. — Я себя чувствую хорошо, честное слово. Если только идти чуть медленнее...

— Лучше медленно, чем никак. — Финник помогает ему подняться.

А я пытаюсь вернуть утраченное самообладание. Столько всего произошло, начиная с этого утра. Цинну избили до полусмерти у меня на глазах. Я очутилась на новой арене и наблюдала, как умирает Пит. Но спонсоры, чего доброго, могут увидеть во мне просто слабую истеричку. Хорошо, хоть Финник подбросил удачную отговорку — беременность.

Проверяю свое оружие. Так и думала: оно в безупречном состоянии. Это внушает уверенность в собственных силах, и я заявляю, что пойду впереди.

Пит собирается возразить, но Одэйр его опережает:

— Пусть идет. — И поворачивается ко мне, наморщив лоб. — Я слышал твой вскрик. Ты ведь знала, что впереди силовое поле?

Молча киваю.

— Откуда?

Как же ему ответить? Выдать секрет Вайресс и Бити — опасно. Трудно сказать, проглядели распорядители Игр тот момент, когда мне рассказали про «трещинку», или нет. В любом случае, это слишком ценная информация. Стоит им выяснить, что я в курсе, — и силовое поле могут подправить так, что его вообще не отыщешь. Приходится лгать.

— Не знаю. Я словно что-то слышу. Попробуйте сами.

Мы все затихаем. Вокруг стрекочут бесчисленные насекомые, напевают птицы, листья шумят на ветру.

— Ничего такого не разобрал, — произносит Пит.

— Да вот же, — не сдаюсь я. — Это как у забора вокруг Двенадцатого дистрикта, когда по нему бежит электричество, только гораздо, гораздо тише.

И когда все вновь навострили уши, наигранно восклицаю:

— Ага! Теперь слышите? Прямо оттуда, где Пита ударило током.

— Я тоже не разобрал, — сообщает Финник. — Но раз у тебя такая чувствительность — пожалуйста, веди нас.

Не мешало бы выжать из этого положения наибольшую пользу.

— Странно. — Я принимаюсь вертеть головой. — Слышит одно только левое ухо.

— То, над которым поработали доктора? — уточняет Пит.

— Ага. — Пожимаю плечами. — Перестарались, наверное. Знаешь, иногда я и вправду им слышу очень занятные звуки. Например, как трепещут крылья у бабочки. Или снежинки садятся на землю.

Замечательно! Теперь все внимание обратят на хирургов, восстанавливавших мое левое ухо, оглохшее после Голодных игр в прошлом году. Пусть объясняются бедолаги: почему я вдруг стала слышать, словно летучая мышь.

— Давай. — Мэгз толкает меня вперед, и я возглавляю шествие.

Переход предстоит неспешный, поэтому она решает брести сама, опираясь на палку, из которой Финник ловко сооружает посох. Он и для Пита мастерит нечто подобное, хотя тот возражает. Но я-то вижу, что ему хочется лишь одного — упасть на землю и не вставать. Финник идет в хвосте. В случае чего будет кому прикрыть наши спины.

Я шагаю, обратившись к силовому полю левым «суперухом», и якобы для перестраховки срезаю ветку, сплошь усеянную какими-то тверденькими орешками, чтобы бросать их перед собой. Неплохо придумано. Кажется, пресловутые «трещинки» чаще ускользают от моего внимания, нежели попадаются на глаза. Стоит орешку попасть в силовое поле, как он, прочертив дымящийся след, отлетает мне под ноги — весь почерневший.

Спустя несколько минут за спиной раздаются странные чмокающие звуки. Оборачиваюсь: оказывается, Мэгз набила полный рот очищенными орешками.

— Выплюнь! — кричу я. — Может, они ядовитые.

Она что-то шамкает и, не обращая внимания на мои вопли, с видимым наслаждением облизывает пальцы. Я смотрю на Финника. Тот только смеется:

— Вот сейчас и выясним.

Трогаюсь дальше. Странный он, этот Одэйр. Сначала спасает Мэгз, а потом разрешает ей есть плоды незнакомых деревьев. И Хеймитч зачем-то дал ему отличительный знак доверия. И моего напарника он воскресил из мертвых. Почему было просто не дать умереть сопернику? Никто и слова бы не сказал. Я даже не подозревала, что у него такие способности. Черт, ему-то ради чего помогать Питу? И связываться со мной? А ведь, если дело дойдет до драки, он убьет меня не задумываясь. Однако предпочитает, чтобы я сама выбирала, сражаться нам или нет.

Продолжаю шагать вперед и бросать орешки в надежде, что нам удастся прорваться влево, уйти подальше от Рога и даже, если возможно, найти воду. Однако проходит около часа — и все напрасно. Похоже, что поле ведет нас по дуге. Остановившись, смотрю назад. Мэгз еле бредет, согнувшись, а Пит взмок от усталости.

— Привал, — объявляю я. — Хочу еще раз осмотреться сверху.

Ищу дерево повыше и начинаю взбираться по спутанным веткам (готовым треснуть в любую минуту), стараясь держаться как можно ближе к стволу. Безрассудно лезу и лезу вверх, пока перед глазами не открывается хоть какой-то обзор. В конце концов, раскачиваясь взад-вперед под влажным и знойным ветром на верхушке не толще саженца, вижу, что мои подозрения подтвердились. Налево нам не свернуть никогда. Отсюда впервые арена видна целиком. Это идеальный круг. С идеально круглым колесом в середине. Небесный купол, накрывший зеленые джунгли, везде окрашен в одинаковый розоватый оттенок. И я замечаю пару мутных переливающихся квадратиков, по выражению Вайресс и Бити — изъянов стекла, выдающих то, что было намеренно скрыто от наших взглядов. Просто чтобы убедиться, пускаю стрелу в пустоту поверх деревьев. В глаза бьет сноп света, мелькает кусок настоящего синего неба, и обугленную стрелу отбрасывает обратно в джунгли. Спускаюсь на землю, чтобы сообщить всем плохие новости.

— Мы окружены силовым полем. Вернее даже, накрыты куполом — не знаю, насколько высоким. Есть лишь Рог изобилия, море и джунгли вокруг. Очень ровные, симметричные и не слишком большие.

— Воды не заметила? — интересуется Финник.

— Только соленую, в море.

— Должен же быть и другой источник, — хмурится Пит. — Или мы перемрем через пару дней.

— Ну, листва здесь довольно густая. Значит, где-то есть пруд или родники, — с сомнением отвечаю я. Внутренний голос подсказывает: Капитолий вполне мог решить, что непопулярный сезон лучше не растягивать. А если Плутарху Хевенсби просто велели прикончить нас поскорее? — В общем, как ни крути, нет смысла пытаться выяснить, что за гребнем холма. Ответ: ничего.

— Но между силовым полем и колесом должна быть питьевая вода, — повторяет Пит.

И все понимают, что это значит. Пора возвращаться. Навстречу профи, навстречу кровопролитиям. Хотя Мэгз еле ползает, а Пит еще слаб, чтобы драться.

Мы решаем спуститься по склону на несколько сотен ярдов и продолжать идти по кругу. Вдруг источник воды спрятан где-то на том уровне? Я по-прежнему иду впереди, подбрасывая орешки, но теперь силовое поле уже далеко. Солнце немилосердно печет, воздух почти дымится, глаза начинают нас подводить. Около трех часов дня становится ясно: Пит и Мэгз не в состоянии дальше идти.

Финник выбирает место для лагеря десятью ярдами ниже силового поля, объяснив, что оно может послужить защитой в случае неожиданного нападения. Потом они с Мэгз, нарезав высокой травы, растущей пучками, проворно сплетают подстилки. Судя по всему, орешки не причинили старухе вреда, так что Пит собирает их гроздьями, поджаривает, опять же бросаясь ими в силовое поле, и кропотливо чистит от шелухи, складывая мякоть на крупный лист. Я в это время стою на страже. Мне душно, тревожно и тошно после сегодняшних событий.

И хочется пить. Ужас, как хочется. Наконец не выдерживаю.

— Финник, не хочешь сам постоять на страже? А я бы прошлась, поискала воды.

Никто не в восторге от мысли, что я куда-то пойду одна. С другой стороны, жажда — страшная вещь.

Обещаю Питу не отходить далеко.

— Я с тобой, — отзывается он.

— Нет. Может быть, по дороге удастся кого-нибудь подстрелить... — Можно не добавлять: «А ты слишком громко топаешь», это и так понятно. И дичь распугает, и нас под угрозу подставит. — Я ненадолго.

Хорошо, что земля пружинит и скрадывает шаги. Опасливо пробираюсь сквозь джунгли, под углом к гребню. Вокруг только пышная растительная жизнь, и ничего больше.

Внезапно я замираю от грохота пушки. Окончился первый бой у Рога изобилия. Настало время считать убитых. Загибаю пальцы: каждый выстрел означает одного победителя, которого больше нет в живых. Восемь. Не так уж и много, если сравнить с прошлым годом. А кажется, будто наоборот, ведь на этот раз мне знакомо чуть ли не каждое имя.

Ослабев, прислоняюсь к дереву. Зной вытягивает из тела воду, точно сухая губка. Становится тяжело глотать, и кажется, обморок не за горами. Потираю живот: может, кто-нибудь из беременных зрительниц проникнется состраданием, переведет мне денег, и Хеймитч вышлет воду? Бесполезно. Сползаю на землю.

И, перестав шевелиться, различаю вокруг животных — странных птичек с искрящимся опереньем, древесных ящериц с проворными синими языками и, наконец, прильнувшего к ветке грызуна, похожего не то на крысу, не то на опоссума, которого тут же снимаю выстрелом с дерева, чтобы рассмотреть поближе.

Выглядит он уродцем: всклокоченная серая шерсть, над нижней губой выдаются два зуба, острых, как шило. Свежуя добычу, замечаю, что у зверя мокрая мордочка. Неужели пил из ручья? Лихорадочно принимаюсь кружить вокруг дерева по спирали. Источник должен быть где-то недалеко...

Ничего. Ну совсем ничего! Хоть бы росинка попалась. В конце концов, осознав, что Пит уже начал тревожиться, возвращаюсь в лагерь, еще сильнее страдая от жажды и разочарования.

За это время трибуты успели переменить место до неузнаваемости. Мэгз и Финник соорудили хижину из травяных подстилок, открытую только с одной стороны, зато защищенную с трех остальных, с крышей и полом. Старуха сплела даже несколько мисок, которые Пит наполнил жареными орешками. Все глядят на меня с надеждой, но я отрицательно машу головой.

— Нет. Ничего не нашла. Хотя вода там наверняка есть. Вот *он* ее находил. — Поднимаю освежеванную тушку, чтобы товарищи по лагерю могли ее рассмотреть, и рассказываю, как подстрелила зверька с мокрым носом, как потом обыскала каждый квадратный миллиметр пространства вокруг того дерева в радиусе, наверное, тридцати с лишним ярдов.

— Слушай, а у него съедобное мясо? — интересуется Пит.

— Трудно сказать. По виду не отличить от бельчатины. Поджарить бы... — Я запинаюсь, представив себе, каково будет разводить костер прямо здесь, без подручных материалов. Даже если получится — соперники слишком близко, а дым не спрячешь.

Однако Питу приходит на ум кое-что получше. Насадив кусок мяса на заостренную палку, он запускает ее в силовое поле. Палка тут же летит обратно. Мясо почернело снаружи, зато пропеклось внутри. От восторга все начинают хлопать в ладоши; потом испуганно затихают, вспомнив, где находятся.

Когда белое солнце спускается с розоватого неба, мы собираемся в травяной хижине. Меня до сих пор не отпускают сомнения насчет местных орешков, но Финник объясняет, что Мэгз узнала их по своей прошлой Игре. Признаться, я очень мало времени провела в секции распознавания съедобных растений: в том году обучение не принесло ни малейшей пользы, — а теперь сожалею. Может, хоть что-нибудь выяснила бы о местной флоре. Впрочем, у Мэгз очень даже бодрый вид, а ведь она ест орешки вот уже несколько часов кряду. Я тоже откусываю кусочек. Мягкий, чуть сладковатый вкус напоминает каштаны. Может, и впрямь сгодится в пищу? У грызуна мясо жесткое и с душком, зато на удивление сочное. Для первого вечера на арене ужин удался на славу. Было бы чем его запить!

Финник подробно расспрашивает меня о зверьке, которого мы решаем называть древесной крысой: на какой высоте я его заметила, долго ли наблюдала, прежде чем выстрелить, и чем он тогда занимался. Да вроде ничем особенным не занимался. Вынюхивал насекомых, наверное.

Близится ночь, и это меня пугает. Хорошо, что есть плотные травяные циновки — хоть какая-то защита от незнакомых ползучих тварей, ведущих сумеречный образ жизни. Незадолго до того, как солнце ныряет за горизонт, на небосвод восходит луна. В ее тусклом свете еле видны окрестности. Наш разговор сам собой обрывается: все знают, что будет дальше. Мы усаживаемся в ряд у входа в хижину, и Пит берет меня за руку.

На небе вспыхивает капитолийский герб, словно парящий в воздухе. Слушая гимн, я думаю об одном: «Мэгз и Финнику придется гораздо хуже, чем нам». Но даже мне очень больно смотреть на портреты погибших, возникающие на огромном невидимом экране.

Сначала это — мужчина из Пятого, тот самый, кого Финник заколол трезубцем. Значит, предыдущие дистрикты все еще играют в полном составе — четверо профи, Бити и Вайресс и, разумеется, Мэгз и Финник. Появляются новые снимки: морфлингист из Шестого, Лай и Цецелия из Восьмого, оба участника из Девятого, женщина из Десятого и Сидер, Дистрикт номер одиннадцать. Возвращается герб Капитолия, звучит финальная музыка, и вот уже небо темнеет.

Никто из нас не произносит ни слова. Я не могу притвориться, будто бы хорошо знала каждого, но сейчас думаю о трех ребятишках, так и льнувших к Цецелии, когда ее уводили прочь. О доброте, которую Сидер проявила ко мне в нашу первую встречу. Даже воспоминание о том, как морфлингист с остекленевшим взором рисовал на моем лице желтые цветочки, вызывает боль. Все эти люди мертвы. Их больше нет.

Трудно сказать, как долго мы просидели бы молча и без движения, если бы, скользя между листьями, на землю не опустился серебряный парашют. Никто не протягивает руки, чтобы взять его.

— Интересно, кому это? — наконец подаю голос я.

— Какая разница, — отзывается Финник. — Пит у нас чуть не погиб сегодня; пусть он и берет.

Мой напарник развязывает веревку, расправляет шелковый купол — и обнаруживает маленький металлический предмет непонятного назначения.

— Что это? — интересуюсь я.

Никто не знает. Передавая подарок из рук в руки, мы по очереди изучаем его. Это трубка. На одном конце она чуть сужается, на другом — край немного загнут вниз. Что-то смутно знакомое... Деталь от велосипеда, палка для шторы?

Пит дует в трубочку, но не извлекает ни единого звука. Финник просовывает в нее мизинец и пробует использовать как оружие. Полный провал.

— Мэгз, ты могла бы этим рыбачить? — осведомляюсь я.

Старуха, которая может рыбачить при помощи самых разнообразных предметов, хмыкает и отрицательно трясет головой.

Я катаю трубочку по ладони и размышляю. Хеймитч наверняка спелся с менторами Четвертого дистрикта. Не сомневаюсь, он приложил руку к выбору подарка. Значит, эта вещица — не просто ценная, она способна спасти наши жизни. Вспоминается прошлый сезон. Я тогда умирала от жажды, но Хеймитч не выслал воду, зная, что я найду ее, если постараюсь. Любая его посылка, и даже ее отсутствие, — это важный знак. Я почти слышу, как он рычит: «Мозги есть? Вот и пошевели извилинами! Ну, что это?»

Утираю пот, набегающий на глаза, и рассматриваю подарок при лунном свете. Поворачиваю то так, то сяк, под разными углами, прикрывая и открывая отдельные части. Жду, когда странная штуковина поведает мне о своем назначении. Наконец, раздосадованная, втыкаю одним концом в грязь. Сдаюсь. Может, если к нам примкнут Бити и Вайресс, они до чего-нибудь додумаются.

Вытягиваюсь на плетеной циновке, прижимаюсь к ней пылающей щекой и в раздражении продолжаю смотреть на подарок. Пит массирует напряженную точку между моими плечами и помогает слегка расслабиться. Странно, почему здесь не холодает после заката? Спустя некоторое время я начинаю думать о том, что творится дома.

Прим. Моя мама. Гейл. Мадж. Представляю, как они наблюдают за мной по телевизору. Хоть бы так оно и оказалось, хоть бы они были дома. А если заточены Тредом в тюрьму? Или наказаны, как и Цинна? Как Дарий... Из-за меня. Все до единого.

Сердце гложет тоска по родным, по нашему дистрикту, по лесам. *Нормальным* лесам, где у деревьев жесткие стволы, где вдоволь еды, а добыча не вызывает брезгливости. Повсюду журчат источники. Дуют прохладные ветры. Нет, холодные ветры, способные разогнать удушливую жару. Воображаю, как у меня замерзают щеки, немеют пальцы... И вдруг, точно по заказу, непонятный предмет обретает имя.

— Выводная трубка! — Я даже сажусь от неожиданности.

— Что? — вскидывается Финник.

Выдираю подарок из земли, очищаю, обхватываю ладонью возле суженного конца и смотрю на отогнутый край.

Точно, я видела это раньше. Стоял холодный и ветреный день, мы были в лесу вместе с отцом. Эта штука торчала из дырочки, аккуратно просверленной в стволе клена, а из нее в подставленное ведро текла живица. Кленовый сироп превращал даже наши безвкусные хлебцы в сладкое угощение. Ума не приложу, куда подевался запас этих трубок после смерти отца. Возможно, они до сих пор надежно спрятаны где-то в лесах. Так надежно, что и не отыскать.

— Это же выводная трубка. Что-то вроде обычного крана. Вставишь в дерево — и вытекает живица... — Неуверенно гляжу на жилистые зеленые стволы вокруг. — Если дерево правильное.

— Живица? — удивляется Финник, ни разу не видевший кленов у себя в дистрикте.

— Из нее потом делают сироп, — поясняет Пит. — Но здесь, наверное, будет что-то другое.

Все дружно вскакивают на ноги. Мы мучимся жаждой. Источников нет. У древесной крысы — острые, точно шильца, зубы и мокрая мордочка. Внутри деревьев может быть только одно... Финник торопится заколотить выводную трубку в зеленый массивный ствол при помощи камня, но я его останавливаю:

— Погоди, так можно и повредить. Сначала просверлим дырочку.

Мэгз достает свое шило, и Пит загоняет его под кору на два дюйма. Потом они с Финником поочередно расширяют отверстие ножами до нужных размеров. Я осторожно вставляю трубку, и мы отступаем на шаг в ожидании: что же будет?

Сперва ничего не происходит. Потом по желобку стекает капля. Старуха ловит ее ладонью, слизывает — и опять подставляет горсть.

Покачав и пристроив трубочку поудобнее, мы получаем тонкую струйку и по одному подставляем под самодельный кран иссохшие рты. Мэгз приносит корзину, сплетенную так плотно, что она держит воду. Мы наполняем сосуд до краев и передаем по кругу. Каждый делает несколько жадных глотков и, роскоши ради, умывает лицо. Вода, как и все остальное, здесь тепловатая, однако нам не до капризов.

Теперь, когда жажда не отвлекает, мы замечаем, как вымотались, и начинаем готовиться к ночевке. В прошлом году я постоянно держала вещи наготове, на случай внезапного бегства. На этот раз и пожитков особых нет, разве что оружие, которое я и так бы не выпустила из рук. Да еще выводная трубка. Вытаскиваю ее из дерева, пропускаю насквозь отрезанную лиану и крепко привязываю к своему поясу.

Финник вызывается караулить первым. Попросив его разбудить меня, как только устанет, я ложусь рядом с Питом. Но через несколько часов просыпаюсь сама — от звуков, напоминающих бой колокола. *Бомм! Бомм!* В Доме правосудия в новогоднюю полночь звонят немного иначе, но все же узнать можно. Пит и Мэгз продолжают спать, а вот Финник встревожен и озабочен не меньше моего.

— Я насчитал двенадцать, — шепчет он.

Киваю. Двенадцать. К чему бы? По удару на дистрикт? Может быть. Но зачем?

— Думаешь, это что-нибудь означает?

— Понятия не имею, — отвечает Одэйр.

Мы ожидаем каких-нибудь указаний или сообщений от Клавдия Темплсмита. Приглашения на пир, например. Единственное заметное событие происходит вдали: сверкающая молния бьет в огромное дерево, положив начало грозе. Наверное, ливень и есть источник воды для трибутов, лишенных такого сообразительного ментора, как наш Хеймитч.

— Поспи, Финник, — предлагаю я. — Все равно моя очередь караулить.

Тот мешкает, но понимает, что бодрствовать без конца невозможно, и, устроившись у самого входа с трезубцем в обнимку, погружается в беспокойный сон.

Я сижу с заряженным луком и наблюдаю за джунглями, призрачно-зеленоватыми в лунном свете. Примерно через час гроза кончается. Слышно, как дождь приближается, барабаня по листьям в нескольких сотнях ярдов от нас, но так и не добирается до лагеря.

Где-то грохочет пушка. Я вздрагиваю, а спящие даже ухом не ведут. Пожалуй, не стоит их будить ради этого. Еще один победитель умер. Я даже не задаюсь вопросом, кто это был.

Невидимый ливень резко обрывается, как и в прошлом году на арене.

А через пару мгновений с той стороны появляется плавно скользящая мгла. «Обычное дело после дождя, — мелькает у меня в голове. — Земля разогрелась, вот и дымится».

Туман продолжает уверенно наползать. Бледные щупальца вытягиваются вперед и загибаются кверху, словно манят за собой кого-то из зарослей. У меня на шее дыбом встают волоски. Что-то не так с этой мглой. Слишком уж ровно движется для обычного природного явления. А если не природного?

Ноздри втягивают приторный запах, и я расталкиваю товарищей, крича, чтобы они поскорее просыпались.

Считаные секунды — и все на ногах. А моя кожа покрывается болячками.

21

Крошечные проникающие ранки. От каждой капли, осевшей на тело.

— Бежим! — ору я. — Бежим!

Финник молниеносно приходит в себя и вскакивает, готовый сразиться с противником. А увидев стену тумана, забрасывает на спину спящую Мэгз и бросается в джунгли. Пит поднимается быстро, но плохо соображает. Схватив его за руку, я устремляюсь вслед за Одэйром.

— Что? Что такое? — недоуменно бормочет напарник.

— Туман ядовитый. Это какой-то газ. Скорее, Пит! — поторапливаю я.

Все-таки тот удар током не прошел для него даром, как ни отпирайся. Пит еле волочит ноги, гораздо медленнее обычного. И если я то и дело покачиваюсь, наткнувшись на спутанные лианы и мелкую поросль, он вообще спотыкается на каждом шагу.

Оборачиваюсь: мгла надвигается ровной стеной, протянувшись в обе стороны насколько хватает глаз. Ужас пронзает меня, словно ток. Первый порыв — убежать, спасать свою шкуру, бросить товарища. Это так просто — унести ноги, взобраться на дерево повыше линии тумана, который начинает рассеиваться футах в сорока над землей. Да, так я и поступила в прошлом сезоне, когда появились переродки. Удрала, а про Пита вспомнила, уже взобравшись на Рог изобилия. Но в этот раз нужно усмирить свой страх, засунуть его подальше и оставаться рядом с напарником. Мое выживание — больше не цель. Главное — Пит. Представляю, сколько глаз впилось в голубые экраны. Зрители в дистриктах напряженно ждут: убегу я, как хочется Капитолию, или не сдамся.

Крепко сплетаю наши с ним пальцы.

— Следи за мной. Иди по моим шагам.

Это помогает. Мы движемся немного быстрее — правда, не можем позволить себе передышку, а между тем беловатая мгла уже лижет наши пятки и словно плюется нам вслед. Капельки прожигают кожу, но вовсе не как огонь. Боль гораздо сильнее и ярче. Химикалии впиваются в плоть и начинают буравить кожу, слой за слоем. Комбинезоны от них совершенно не защищают. С таким же успехом нас могли завернуть в оберточную бумагу.

Финник, покрывший уже приличное расстояние, остановился, как только понял, что мы в затруднении. Но чем тут поможешь? Не драться же. Выбор один — бежать. Он подбадривает нас криками, и мы вслепую движемся на голос.

Зацепив искусственной ногой узел из ползучих растений, Пит падает, прежде чем я успеваю его подхватить. Помогаю ему подняться — и вдруг замечаю нечто намного ужаснее болячек или ожогов. Левая половина его лица как-то странно обвисла, точно все мышцы вдруг отказали разом. Веко почти закрывает глаз. Уголок рта изогнулся вниз под необычным углом.

— Пит... — начинаю я. И тут по руке пробегает судорога.

Значит, отрава не просто жалит кожу; настоящая мишень — нервные окончания. Пронзенная новым страхом, я дергаю Пита за собой, и он, конечно же, спотыкается. К тому времени, как удается поднять его на ноги, мои руки начинают безудержно корчиться. Передние щупальца мглы уже обхватили нас; основная масса белеет на расстоянии ярда. Мой напарник еще пытается идти, но с его ногами творится что-то не то. Они дергаются, словно у куклы-марионетки.

Вдруг его увлекает вперед какая-то сила. Оказывается, Финник вернулся, чтобы вытащить Пита. Спешу подставить еще здоровое плечо, а сама из последних сил поспеваю за стремительным шагом Одэйра. Обогнав туман ярдов на десять, Финник останавливается.

— Так не пойдет. Придется его нести. Возьмешь Мэгз?

— Да, — бодро бросаю я, а сердце уходит в пятки.

Ясное дело, старуха весит семьдесят фунтов, не больше, но ведь и я не гигант. Хотя раньше приходилось таскать грузы и потяжелее. Только бы руки так не тряслись. Приседаю. Мэгз забирается мне на закорки, как прежде — к Финнику. Медленно распрямляю ноги. Колени пока не дрожат. Может, и справлюсь. Одэйр (он уже взвалил Пита на спину) бежит впереди, разрывая лианы, а я — по его следам.

Туман все наступает, медленно и беззвучно, ровной стеной — если не считать цепких щупалец. Инстинкты кричат мне: от него надо уходить напрямую, но Финник, оказывается, мчится по склону под особым углом, по направлению к воде, окружающей Рог изобилия. «Точно, вода!» — проносится у меня в голове. Ядовитые капли все глубже проникают под кожу. Теперь я даже рада, что не убила Одэйра. Без него мне бы Пита не вытащить. Хорошо, когда кто-то играет на твоей стороне, хотя это и ненадолго.

Мэгз вовсе не виновата, что я начинаю падать. Она и хотела бы превратиться в пушинку, но не умеет. А мои силы не беспредельны. Особенно теперь, когда отнимается правая нога. Если первые два раза мне как-то удается подняться, то на третий она вообще отказывает, и старуха летит на землю, да и я качусь кубарем вслед за ней, попутно цепляясь за стволы и лианы.

Финник в тот же миг возвращается вместе с Питом.

— Не получится, — говорю я. — Можешь взять обоих? Идите вперед, я догоню.

Весьма сомнительное обещание, однако я произношу его со всей твердостью, на какую способна.

В лунном сиянии глаза Одэйра отсвечивают зеленым. Я очень ясно их вижу. Они странно мерцают, как у кота. Наверное, из-за набежавших слез.

— Нет, — отвечает он. — Я не могу взять обоих. У меня отказали руки. — В самом деле, они беспомощно дергаются во все стороны. Ладони пусты. Из двух трезубцев уцелел лишь один, и тот — у Пита. — Мэгз, прости. Я не справлюсь.

Дальше происходит нечто настолько невероятное и безумное, что я даже не успеваю вмешаться. Старуха рывком поднимается, целует Финника в губы и нетвердым шагом уходит в туман. Тело ее содрогается в жутких конвульсиях, точно в танце, а потом она падает.

Хочется закричать, но горло в огне. Делаю бессмысленный шаг навстречу туману, и тут грохот пушки провозглашает: Мэгз ушла навсегда, ее сердце остановилось.

— Финник? — хрипло зову я, но он уже отвернулся от страшного зрелища и возобновил отступление.

Волоча ногу, бреду за ним. Что еще остается?

Время и место утрачивают свой смысл. Похоже, туман проник даже в мысли, все кажется нереальным. Сокровенная, почти животная жажда жизни толкает меня вперед, вслед за товарищами, хотя и так уже очевидно: я умираю. Только по частям, а не как старуха — целиком, вся сразу. Это-то мне известно, или я просто думаю, что известно... Полный бред.

На бронзовых волосах Одэйра играют лунные блики. Продолжаю следовать за ним, хотя моя нога превратилась в бесчувственную деревяшку, а кожу пронзают обжигающие уколы.

Но вот Финник падает вместе с Питом. А я, словно заведенная, никак не могу остановиться, в конце концов спотыкаюсь об их распростертые тела и падаю сверху. «Значит, вот как, где и когда мы все умрем», — проносится в голове. Но мысль эта кажется отвлеченной и не пугает — по крайней мере, по сравнению с болью, терзающей меня прямо сейчас. Одэйр громко стонет, и я заставляю себя сползти. Теперь я отчетливо вижу стену тумана, принявшего жемчужно-белесый оттенок. То ли лунный свет обманывает мои глаза, то ли мгла начинает преображаться. Да, она быстро густеет, будто наткнулась на прозрачную стену. Прищуриваюсь: в самом деле, щупалец больше нет. И вообще никакого движения вперед. Как и прочие ужасы, виденные мной на арене, туман достиг положенного ему предела. Или же распорядители передумали нас пока убивать.

— Он остановился, — хочу сказать я, но из воспаленного рта вырывается лишь хриплое карканье. — Он остановился.

Видимо, со второго раза выходит немного понятнее, потому что Финник и Пит тут же оборачиваются. Белесая пелена поднимается к небесам, словно ее высасывают невидимым пылесосом, и вскоре от нее не остается ни клочка.

Пит скатывается с Финника, и тот поворачивается на спину. Мы переводим дыхание лежа, подергиваясь в сетях отравы, опутавшей и тела, и мысли. Проходит несколько минут. Пит неопределенно тычет пальцем вверх:

— Апс... яныы.

Подняв глаза, обнаруживаю парочку... Да, наверное, обезьян. Живьем я их не встречала — в наших лесах такая добыча не водится, — скорее, видела на картинке или во время одного из прошлых сезонов Голодных игр, но при виде странных зверьков мне приходит на ум то же самое слово. Шкура у них оранжевая, а может и нет, издалека не понятно. Рост — до пупка взрослому человеку. Наверное, обезьяны — это хороший знак. Они бы не стали слоняться поблизости, будь воздух отравлен. Какое-то время мы, люди и животные, молча рассматриваем друг друга. Потом Пит с усилием поднимается на колени и принимается отползать вниз по склону. Мы все ползем, потому что ходить после этой ночи кажется недостижимой роскошью — как, например, летать. Наконец зелень уступает место узкому песчаному пляжу, и теплые волны вокруг Рога изобилия лижут наши лица. Я отдергиваюсь, точно коснулась открытого пламени.

«Сыпать соль на раны». Впервые до меня доходит полный смысл этого выражения. Язвы и раньше ныли, а теперь боль вспыхивает с новой силой, и я едва не теряю сознание. Впрочем, появляется и другое чувство: словно что-то ее вытягивает. Пробы ради опускаю в воду ладонь. Мучительно, но терпимо. Сквозь лазурные волны видно, как из болячек на коже вытекает жижа молочного цвета. Вместе с ней растворяется боль. Отстегиваю свой пояс и снимаю комбинезон, превратившийся в продырявленные лохмотья. Удивительно, что белье и обувь не пострадали. Понемногу, с осторожностью опуская в воду конечности, вымываю отраву из ран. Пит следует моему примеру. А Финник, только-только притронувшись к воде, пятится прочь и ложится ничком на песке, не желая — или не в силах — принять очищение.

Хуже всего приходится, когда я открываю глаза под водой, тяну ее в ноздри, высмаркиваю наружу и даже несколько раз полощу горло. Зато теперь я в достаточно хорошей форме, чтобы заняться Финником. Онемение в ноге проходит, правда, по рукам еще пробегают судороги. Одэйра не дотащить до воды — он раньше умрет от боли. Зачерпывая воду горстями, поливаю его крепко сжатые кулаки. Яд выходит в воздух тоненькими клубами белесой мглы, от которых мне хватает ума держаться как можно дальше. Питу стало немного легче, и он спешит мне на помощь. Во-первых, разрезает костюм на Финнике, а во-вторых, находит пару глубоких ракушек, что куда лучше наших горстей. Для начала мы отливаем водой ладони: они пострадали сильнее всего. Бледный туман так и валит клубами, но Финник даже не замечает. Он продолжает лежать, закрыв глаза, и время от времени постанывает.

И вдруг я оглядываюсь, начиная понимать всю опасность нашего положения. Луна слишком яркая, чтобы надежно спрятаться от врагов под покровом ночи. Нам еще повезло, что никто до сих пор не напал. Конечно, мы бы заметили противников издалека, но если явятся сразу четверо профи, сила будет на их стороне. А эти громкие стенания скоро выдадут нас с головой.

— Надо его окунуть, — шепчу я.

Пит кивком указывает на ноги. Мы берем по одной, разворачиваем Одэйра на сто восемьдесят градусов и принимаемся окунать в соленую воду — по несколько дюймов плоти за раз. Сначала лодыжки. Выжидаем пару минут. До середины икр. Ждем. Потом колени. Над кожей вьются струи тумана, Финник охает. Продолжаем очищать его тело от яда, один небольшой участок за другим. Заодно выясняется, что чем больше времени я провожу в воде, тем прекраснее себя чувствую. Улучшается не только состояние кожи; мозг и мышцы тоже становятся заметно послушнее. У Пита разглаживается лицо, обвисшее веко вновь поднимается, как и уголок рта.

Между тем Финник начинает оживать. Глаза открываются и осмысленно смотрят на нас. Я кладу его голову себе на колени, и мы вымачиваем парня еще минут десять, пока из шеи выходит накопившаяся отрава. Когда Одэйр самостоятельно поднимает над водой руки, мы с Питом обмениваемся улыбками.

— Осталась твоя голова, Финник. Это противнее всего, но если вытерпишь — потом будет легче, — произносит мой напарник.

С нашей помощью Одэйр погружается и, вцепившись в наши ладони, прочищает глаза, рот, ноздри. Говорить пока не может — видно, горло еще саднит.

— Попробую сходить за питьем, — говорю я, нащупав на поясе выводную трубку, привязанную лианой.

— Давай сначала я просверлю дырку, — предлагает Пит. — А ты останься с ним. Ты же у нас — целительница.

«Неудачная шутка», — думаю я, однако молчу: забот и так предостаточно. Финнику почему-то досталось больше всех. То ли он просто крупнее нас, то ли напрягался за четверых. А если еще и вспомнить о Мэгз... Я до сих пор не могу понять, что произошло. Парень оставил ее, чтобы вытащить Пита. Зачем? А старуха не только не возразила — не задумываясь, побежала навстречу смерти. Может, оттого, что ее дни в любом случае сочтены? Или этим двоим показалось, что Финнику будет легче выиграть при таких союзниках, как мы? Однако задавать вопросы не время: стоит взглянуть на измученное лицо Одэйра, чтобы это понять.

И я решаю заняться собой. Извлекаю из лохмотьев комбинезона брошку с пересмешницей, прикалываю на бретельку. Застегиваю спасательный пояс. Он выглядит совершенно как новенький — должно быть, кислотонепроницаем. Плавать можно и без него, но Брут отбивал им стрелы, а лишняя защита не помешает. Распутываю волосы, заметно поредевшие после отравленного тумана, и, старательно расчесав их пальцами, вновь заплетаю то, что осталось.

Пит обнаружил подходящее дерево в десяти ярдах над песчаной полоской. Его плохо видно, зато звук ножа, скребущего ствол, слышен очень отчетливо. Интересно, что стало с шилом? Уронила его старуха или унесла с собой в туман? Полезная вещица... была.

Захожу поглубже на мелководье, чтобы попеременно поплавать на спине и на животе. Финник преображается на глазах. Медленно начинает шевелиться, словно проверяет силы, и вот уже — плывет, но не так ритмично и ровно, как это делаю я. Он скорее похож на морское животное, очнувшееся от спячки, — погружается и выныривает, пускает струю изо рта, кружится и уходит вниз штопором, так что мне даже со стороны становится дурно смотреть. А потом, когда я уже думаю, что он утонул, — над волнами показывается мокрая голова.

— Не надо так делать, — вздрогнув от неожиданности, говорю я.

— Как? Нырять или, наоборот, выныривать?

— И то и другое... То есть ни того, ни другого... Ничего не надо. Отмокай и будь паинькой. А если уж ты полон сил, пойдем и поможем Питу.

Как только мы приближаемся к джунглям, я сразу же чувствую перемену. Сказываются годы лесной охоты, а может, восстановленное ухо и впрямь лучше слышит благодаря капитолийским хирургам, но только я вдруг ощущаю большое скопление живых существ над нашими головами. Им даже не нужно визжать или вскрикивать. Достаточно ровного дыхания, которое вырывается из множества ртов.

Трогаю Финника за руку, и он поднимает взгляд. Не представляю себе, как все они могли подобраться к нам, сохраняя мертвую тишину. Хотя почему сохраняя? Мы были слишком заняты исцелением собственных ран, за это время могло произойти что угодно.

Не пять и не десять, а многие дюжины обезьян повисли на ветвях и лианах. Первая парочка, встреченная нами за краем тумана, напоминала приветственный комитет. А это — скорее грозная армия.

Финник поудобнее перехватывает свой трезубец. Я заряжаю лук сразу парой стрел. И как можно спокойнее окликаю:

— Пит? Мне тут нужна твоя помощь.

— Сейчас, минуточку. Я почти закончил, — отзывается он, копошась у дерева. — Ну вот. Принесла трубку?

— Да. Но мы кое-что нашли, на что тебе стоило бы взглянуть, — продолжаю я сдержанным голосом. — Подойди к нам, только осторожнее, чтобы не спугнуть.

Не нужно ему раньше времени замечать обезьян. Или даже прямо смотреть на них. Вдруг эти твари примут обычный взгляд за сигнал враждебности.

Пит поворачивается к нам, отдуваясь после работы. Мой тон его настораживает.

— Ладно, — небрежно бросает он.

И движется в нашу сторону. Стараясь, конечно, топать потише, хотя и с двумя здоровыми ногами у него это плохо получалось. Впрочем, главное: Пит идет, обезьяны не шевелятся... Когда до нас остается каких-то пять ярдов, он ощущает подвох и буквально на миг поднимает глаза. Слышится оглушительный визг — и его накрывает подвижная рыжая масса.

Никогда не видела, чтобы звери так быстро перемещались. Можно подумать, лианы нарочно смазаны маслом. Обезьяны скользят по ним, покрывая прыжками гигантские расстояния. Ощетинив загривки, оскалив клыки, выпуская когти, как выкидные лезвия... Мне мало известно про обезьян, однако в естественных условиях животные держатся по-другому.

— Переродки! — выдыхаю я, и мы с Финником бросаемся в заросли.

Стрелы нужно беречь. Ни одной мимо цели. Так я и делаю, при зловещем свете луны целясь то в глаз, то в сердце, то в шею. Твари падают одна за другой. Что ни выстрел — то смерть. Но и этого мало. Финник насаживает обезьян на трезубец и тут же отбрасывает их прочь, словно пойманную рыбу. Пит отбивается от врагов ножом. Мне в ноги, а то и пониже спины вцепляются когти, но, к счастью, нападающих кто-то снимает. Становится невыносимо душно: в воздухе все сильнее пахнет раздавленными растениями, пролитой кровью и потными шкурами. Мы трое становимся, повернувшись друг к другу спинами. И вот, потянувшись за новой стрелой, я хватаю пальцами пустоту. Внутри словно все обрывается. Минутку: ведь у Пита второй колчан! Ему стрелы все равно не нужны, он дерется ножом. Пытаюсь последовать его примеру, но переродки гораздо быстрее меня, они наскакивают и отпрыгивают обратно так стремительно, что я не успеваю отвечать на удары.

— Пит, стрелы! — вырывается у меня.

Он поворачивается, тянется за спину, и тут происходит ужасное. Я вижу, как из джунглей к нему бросается обезьяна. Выстрелить не могу, потому что нечем. Финник как раз вонзил свой трезубец в очередную жертву; вытащить не успеет. Пит возится с колчаном, не сумеет отбиться. Швыряю в животное собственный нож. Переродок делает кувырок и, увернувшись от лезвия, продолжает наступать.

Обезоруженной и беспомощной, мне остается только одно. Бросаюсь к напарнику, чтобы свалить его наземь, закрыть своим телом, хотя в душе уже понимаю: поздно.

А вот *она* — успевает. Появляется словно из ниоткуда, прямо из воздуха, и через миг, пошатываясь, уже стоит перед Питом. На теле — кровь, из раскрытого рта вылетает пронзительный визг, расширенные зрачки напоминают черные дыры.

Морфлингистка из Дистрикта номер шесть раскидывает костлявые руки, будто желает обнять переродка, и клыки впиваются прямо ей в грудь.

22

Уронив колчан, Пит всаживает свой нож обезьяне в спину, еще и еще, пока челюсти твари не разжимаются. Потом отбрасывает переродка ногой и готовится к новой атаке. Я подбираю стрелы, вновь заряжаю лук. За спиной громко дышит Одэйр; впрочем, у него теперь не так много работы.

— Ну, давайте же! Подходите! — в ярости восклицает Пит.

Но с обезьянами что-то случилось. Они отступают, пятятся в джунгли и растворяются в зарослях, точно повинуясь невидимому зову. Разумеется, зо́ву распорядителей, решивших, что на сегодня достаточно.

— Возьми ее, мы прикроем, — бросаю я.

Пит бережно поднимает свою спасительницу и переносит на пляж, где с оружием наготове — на всякий случай — встали мы с Финником. Но все обезьяны пропали, если не считать оранжевых туш, разбросанных на земле. Пит опускает морфлингистку на песок. Я разрезаю костюм у нее на груди, и нашим глазам предстают четыре проникающих раны. Кровь медленно сочится из них; все так безобидно с виду. Настоящие повреждения — глубоко внутри. Судя по месту укуса, зубы задели какой-нибудь жизненно важный орган — легкие или сердце.

Женщина разевает рот, словно рыба, которую вытащили на берег. Кожа у нее дряблая, зеленоватого оттенка. Вид изможденный, глаза пустые. Ребра торчат наружу, точно у ребенка, погибшего от истощения. Разумеется, уж ей-то продуктов хватало, и все же она предпочла предаться зависимости, как и Хеймитч. Я беру ее руку; та странно подергивается. Из-за яда, поразившего нервные окончания, или же из-за потрясения, а может быть, это ломка. Мы уже ничего не можем поделать. Разве что оставаться рядом, пока она не умрет.

— Пойду осмотрюсь. — Финник поднимается и уходит.

Мне хочется с ним, однако морфлингистка так сильно вцепляется в руку, что хоть разжимай костлявые пальцы, а на такую жестокость я не способна. Может, спеть ей, как Руте? Но я даже имени умирающей не узнала, не говоря уже о том, любит ли она музыку. Мне известно только одно: эта женщина умирает.

Пит опускается рядом на корточки и гладит ей волосы. А потом начинает вполголоса говорить, причем обращается явно не ко мне, потому что я не понимаю ни слова.

— У меня дома есть краски, из которых можно смешать любой оттенок. Розовый — нежный, словно кожа младенца, или насыщенный, как ревень. Зеленый, будто весенняя травка. Мерцающий голубой, точно лед на воде.

Морфлингистка не отводит от него глаз и ловит каждое слово.

— Однажды я целых три дня бился над оттенком белого меха в солнечных искрах. Понимаешь, мне-то казалось, он должен быть желтым, а все гораздо сложнее. Пришлось наносить слои самых разных красок. Один за другим, — продолжает Пит.

Женщина дышит все медленнее, все поверхностнее. И, обмакнув палец в кровь, чертит свободной рукой на груди свои любимые завитушки.

— А вот радугу до сих пор не могу понять. Они такие неуловимые. Появляются быстро, а исчезают еще быстрее. Разглядеть не успеешь. Померещится что-то синее, что-то пурпурное... И все, растаяла. Растворилась в воздухе, — произносит Пит.

Морфлингистка смотрит как зачарованная. Потом, словно в трансе, поднимает дрожащую руку и рисует у него на щеке что-то вроде цветка.

— Благодарю, — шепчет Пит. — Это очень красиво.

Ее лицо озаряет улыбка, из горла вырывается слабый писк. Потом окровавленная ладонь падает на грудь, мы слышим последний вздох, и в тот же миг палит пушка. Хватка вокруг моего запястья слабеет.

Пит относит умершую к воде. Потом возвращается и садится рядом со мной. Тело качается на волнах, которые несут его к Рогу изобилия, но тут появляется планолет. Оттуда выпадают железные четырехзубые челюсти, обхватывают морфлингистку и уносят в ночное небо. Навсегда.

Финник возвращается к нам, зажав полный кулак моих стрел, еще мокрых от обезьяньей крови.

— Вот, решил, что тебе сгодятся.

— Спасибо.

Иду отмывать свое тело, а заодно и оружие от багровых пятен. Потом возвращаюсь в джунгли за клочьями сухого мха. Мертвых обезьян уже нет и в помине.

— Куда они подевались? — любопытствую я.

— Не знаем, — пожимает плечами Финник. — Лианы пошевелились, а потом — раз! и тушки пропали.

Усталые, оцепенелые, мы смотрим на заросли. Теперь, когда ничто не отвлекает внимания, я замечаю, что крохотные болячки покрылись струпьями. Боль ушла, зато все чешется. Причем сильно. Внушаю себе, что это хороший знак. Наверное, ранки так заживают. Исподтишка наблюдаю за Питом и Финником: они уже вовсю расцарапывают свои пострадавшие лица. Надо же, и нашему безупречному красавчику сегодня досталось.

— Не чешитесь, — предупреждаю я, вспомнив давний мамин совет, хотя сама умираю от желания поскрестись везде сразу. — Инфекцию занесете. Может, попробуем еще раз добыть воды?

И мы отправляемся обратно к дереву, над которым уже поработал мой напарник. Пока он прилаживает выводную трубку, я и Одэйр стоим с оружием наготове, но угрозы пока не видно. Пит выбрал хорошее дерево, и вскоре вода начинает хлестать ручьем. Утолив жажду, мы ополаскиваем теплой водой исстрадавшиеся от чесотки тела. Затем наполняем питьем несколько раковин и возвращаемся на пляж.

Ночь еще не окончилась, но до рассвета остались считаные часы. Если только распорядители его не отменят. Вызываюсь покараулить, чтобы дать мужчинам немного передохнуть.

— Нет, Китнисс, лучше я, — возражает Одэйр.

По лицу видно: он еле сдерживает рыдания. Мэгз... Что ж, если он хочет остаться со своей скорбью наедине, я не стану ему мешать.

— Хорошо, Финник, спасибо.

Устраиваюсь на песке рядом с Питом, и тот без промедления засыпает. А я продолжаю таращиться в ночь, размышляя о том, как многое может перемениться за сутки. Еще вчера имя Одэйра стояло одним из первых в моем списке будущих жертв, а сегодня он караулит мой сон. Не представляю себе, зачем он спас Пита ценой жизни Мэгз. Знаю только, что никогда не сравняю счет между нами. Остается одно — уснуть поскорее, чтобы дать человеку спокойно погоревать. Так я и делаю.

Глаза открываются уже поздним утром. Пит рядом, он еще не проснулся. Над нашими головами на ветках подвешена травяная циновка — что-то вроде солнечного тента. Сажусь на песке и оглядываюсь вокруг. Оказывается, Финник не сидел сложа руки. Две плетеные миски наполнены свежей водой. В третьей — россыпь моллюсков.

Одэйр разбивает панцири камнем.

— Эти твари вкуснее свежими, — произносит Финник и, оторвав кусок мяса, ловко забрасывает его в рот.

Делаю вид, будто не замечаю, как у него покраснели глаза.

От запаха еды урчит в животе. Тянусь к миске, но вдруг замечаю засохшую кровь под ногтями. Похоже, я сильно чесалась во сне.

— Так можно инфекцию занести, — замечает Финник.

— Да, я в курсе.

Иду к соленой воде и смываю кровь. Даже не знаю, что ужаснее — боль или эта чесотка. Наконец решаю: все, с меня хватит, и, громко топнув ногой, запрокидываю лицо к небу.

— Эй, Хеймитч, ты меня слышишь или опять упился до чертиков? Вообще-то, нам не помешало бы средство для кожи.

Парашют появляется с удивительной быстротой. Тюбик ложится прямо мне в руку.

— Самое время, — ворчу я, но не могу заставить себя улыбнуться.

Хеймитч... Чего бы я только не отдала за пять минут разговора с тобой!

Плюхаюсь на песок рядом с Финником и откручиваю крышечку. Внутри — густая темная мазь с едким запахом дегтя и сосновых иголок. Сморщив нос, выдавливаю каплю на ладонь и принимаюсь втирать в ногу. Из груди вырывается вздох облегчения: чесотка и впрямь уходит. Правда, кожа приобретает зеленовато-серый оттенок, словно у привидения. Обработав одну ногу, приступаю к другой, а тюбик бросаю Финнику. Тот недоверчиво глядит на меня.

— У тебя такой вид, словно ты разлагаешься.

Однако страдания побеждают сомнения, и через минуту парень тоже втирает мазь во все тело. Смесь этой жижи со струпьями выглядит отвратительно. Даже забавно наблюдать, как он, горемычный, терзается.

— Бедненький Финник. Ты, наверное, первый раз в жизни стал непохож на красавца?

— Да уж. Непривычное ощущение. Ну ты же как-то всю жизнь терпела.

— Держись от зеркал подальше, — советую я, — скоро забудешь.

— Ага, особенно если ты будешь вертеться перед глазами.

Мы по очереди намазываем друг другу спины. Я уже собираюсь разбудить Пита, когда Одэйр говорит:

— Погоди. Это надо сделать вдвоем. Пусть увидит оба наших лица.

В последнее время в жизни осталось так мало места для развлечений, что я соглашаюсь. Мы становимся по бокам от спящего, наклоняемся прямо над ним и легонько трясем за плечи.

— Пит, вставай, — мелодично воркую я.

Его веки приподнимаются.

— Аа!

Напарник подпрыгивает, словно ужаленный. Мы двое валимся на песок и хохочем до коликов. А когда решаем остановиться, бросаем взгляды на Пита, который пытается напустить на себя негодующий вид, — и снова прыскаем. К тому времени, как приступ проходит, я начинаю думать, что ошибалась по поводу Финника. Может, он и не так тщеславен или самовлюблен, как мне раньше казалось? По крайней мере, не настолько... Стоит мне прийти к этому умозаключению, как возле нас опускается парашют со свежей буханкой. Вспомнив, что в прошлом сезоне каждая из посылок Хеймитча что-нибудь означала, я мысленно делаю для себя пометку на будущее. «Держись ближе к Финнику — и тебе не дадут умереть от голода».

Парень задумчиво крутит подарок в руках, мнет пальцами корку с видом скупого хозяина. В этом нет никакой нужды. И так ясно, что слегка зеленоватый хлеб с примесью водорослей выпекается только в Четвертом дистрикте. Это твое, Одэйр. Мы понимаем. И ты, наверное, тоже кое-что понял. Например, что вдруг получил чрезвычайно ценный подарок и что, вероятно, другого такого уже не пришлют. А может, хруст корки неожиданным образом напомнил тебе о Мэгз?

В конце концов он говорит:

— С моллюсками будет вкуснее.

Пока я натираю Пита лекарственной мазью, Финник проворно чистит богатый улов от панцирей. Мы садимся в кружок и угощаемся нежным мясом вприкуску с солоноватым хлебом Четвертого дистрикта.

Вид у нас жуткий — кажется, из-за мази стали отваливаться струпья, но я очень рада этому чудодейственному средству. Оно не только спасет нас от самой жестокой чесотки в жизни, но и послужит защитой от раскаленного солнца, сияющего на розовом небосклоне. Кстати, судя по его положению, сейчас около десяти часов утра, и мы провели на арене примерно день. Одиннадцать человек уже мертвы. Тринадцать живы. Десять скрываются где-то в джунглях. Трое или четверо из них — профессионалы. Кто прочие — почему-то не хочется вспоминать.

Я-то надеялась на покровительство джунглей, а они обернулись роковой западней. Настанет время, когда нам придется вернуться в чащу, чтобы поохотиться или стать чьими-то жертвами, но прямо сейчас мне хочется одного — оставаться как можно дольше на нашем пляже. Да пока и не слышно других предложений. А между тем джунгли словно замерли — мерцают на солнце зеленой листвой, мирно стрекочут голосами тысяч насекомых и не спешат нас пугать... И тут в отдалении раздается пронзительный крик.

Заросли напротив нас начинают странно качаться. Над гребнем холма поднимается гигантская волна. Захлестнув вершины деревьев, она с ревом несется вниз по склону и с такой силой обрушивается в море вокруг Рога изобилия, что вода пузырится у наших колен и смывает пожитки. Мы втроем ухитряемся спасти почти все, кроме разъеденных кислотой комбинезонов, от которых и так уже никакого прока.

Где-то грохочет пушка. Там, откуда пришла волна, появляется планолет и забирает очередное тело. «Двенадцать», — думаю я.

Поглотив чудовищный вал, круг воды постепенно успокаивается. Мы снова раскладываем вещи на мокром песке и собираемся сесть, когда я замечаю их. В трех «спицах» от нас из джунглей на пляж выходит странная троица.

— Вон там, — шепчу я, кивая в ее сторону.

Пит и Одэйр следят за моим взглядом, и мы, не сговариваясь, прячемся под сенью пышных зарослей.

Все трое находятся в ужасном состоянии, это видно сразу. Один из них почти тащит другого, а третий бродит неровными кругами, точно лунатик. Кожа у всех густого кирпично-красного цвета; их словно макали в краску, а потом как следует просушили.

— Кто это? — спрашивает Пит. — Может, переродки?

Я прицеливаюсь из лука, готовясь при необходимости выстрелить. Но пока ничего особенного не происходит. Тот, кто и так еле шел, обессиленно падает на песок. Его помощник, досадливо топнув ногой, толкает на пляж и третьего, что ходил кругами.

У Финника светлеет лицо.

— Джоанна! — кричит он и бросается навстречу троим краснокожим.

— Финник! — Это и вправду голос Джоанны.

Мы с Питом переглядываемся.

— Что теперь?

— Мы же не бросим товарища, — отвечает он.

— Куда уж нам. Ладно, пошли, — ворчу я, хотя, честно сказать, если бы у меня и был список возможных союзников, Джоанны Мэйсон там все равно бы не оказалось.

Однако мы бредем по пляжу, чтобы присоединиться к «веселой» компании. Рассмотрев спутников Джоанны, я чувствую, что окончательно сбита с толку. На песок повалился не кто иной, как Бити, а Вайресс описывает замысловатые петли, чтобы не рухнуть следом.

— Ого, посмотри-ка, кто с ней.

— Долбанутый и Тронутая? — Пит озадачен не меньше моего. — Хотел бы я знать, как так получилось.

Подходим ближе. Джоанна быстро тараторит, показывая на джунгли.

— Мы-то думали, дождь, понимаешь? Из-за молнии, а пить хотелось ужасно. А когда начали спускаться, оказалось — кровь. Густая, горячая. Глаза ничего не видят, рот не откроешь — тут же полный и наберется. Шатались-шатались вокруг, хотели выбраться, а потом Чума наткнулся на силовое поле.

— Мне так жаль, — произносит Финник.

Я секунду соображаю, кто такой Чума. Кажется, напарник Джоанны, трибут из Седьмого дистрикта, но мы с ним почти не виделись. Не припомню, чтобы он показывался на тренировках.

— Ясное дело, толку от него было немного, но все же земляк, — отвечает она. — Бросил меня вот с этими. — Она поддевает носком ноги полумертвого Бити. — Ему нож засадили в спину, а у нее вообще...

Мы поворачиваемся к Вайресс. Она все бродит кругами, покрытая кровью, и тихо бормочет:

— Тик-так. Тик-так.

— Мы уже поняли. Тик-так, тик-так, с нашей Тронутой что-то не так, — отмахивается Джоанна. Вайресс, точно среагировав на ее слова, качается в нашу сторону, и девушка грубо толкает ее на берег. — Лежи спокойно! Когда ж ты угомонишься?

— Отстань от нее! — рявкаю я.

Джоанна с ненавистью прищуривает карие глаза.

— Отстать? — шипит она и, сделав шаг вперед, внезапно закатывает мне оплеуху, да такую, что искры летят из глаз. — А кто их, по-твоему, вытащил из кровавых джунглей ради тебя? Ты...

Финник перебрасывает ее извивающееся тело через плечо, уносит к воде и несколько раз окунает. В промежутках Джоанна, визжа, осыпает меня оскорблениями. Но я не стреляю. Во-первых, она с Одэйром, а во-вторых, что там было сказано? «Ради меня»?

Поворачиваюсь к напарнику:

— Что это значит? При чем здесь я?

— Не знаю. Но ты сама хотела быть с ними, — напоминает Пит. — Еще вначале.

— Да, хотела. Вначале. — Все равно, это ничего не объясняет. Я смотрю на неподвижное тело Бити. — Тогда надо что-то делать, иначе недолго нам наслаждаться их обществом.

Пит несет изобретателя, а я веду Вайресс за руку к нашему небольшому лагерю. Усаживаем женщину на мелководье, чтобы помылась. Она лишь крепко сцепляет ладони и время от времени повторяет: «Тик-так». Отстегнув пояс Бити, я обнаруживаю привязанный к нему обрывком лианы увесистый металлический цилиндр. Понятия не имею, что это, но если предмет настолько важен для Бити, значит, и в самом деле имеет какую-то ценность. Бросаю его на песок. Одежда мужчины буквально присохла к коже, и я понемногу отдираю ее, пока Пит придерживает его в воде. Через несколько минут отмокает комбинезон. Оказывается, белье точно так же насквозь пропитано кровью. Чтобы отмыть беднягу, приходится раздеть его догола. Впрочем, не скажу, чтобы на меня это произвело впечатление. За последний год на нашем кухонном столе побывало множество обнаженных людей. Со временем к этому привыкаешь.

Подстелив травяную циновку, опускаем Бити на живот: нужно же осмотреть его спину. От лопатки к ребрам и ниже тянется рана длиной в шесть дюймов. Лицо очень бледное — видимо, крови потеряно немало, и она до сих пор сочится.

Я присаживаюсь на колени и размышляю. Что у нас есть из лекарств? Соленая вода? Начинаю понимать, как чувствовала себя мама, когда лечила больных одним только снегом. Бросаю взгляд на зеленые джунгли. Вот где наверняка есть отличная природная аптека; знать бы еще, как ею пользоваться. На ум приходит пушистый мох, который Мэгз протянула мне, чтобы высморкаться.

— Сейчас вернусь, — говорю я Питу.

К счастью, этого добра повсюду хватает. Срываю целые горсти с ближайшего дерева и тороплюсь обратно. Хорошенько обкладываю мхом рану Бити, а потом закрепляю при помощи прочных лиан. Влив ему в рот воды, мы перетаскиваем мужчину в тень, к самому краю джунглей.

— Кажется, это все, что в наших силах, — говорю я.

— Ну и хорошо. Ты замечательный лекарь, — отвечает напарник. — Это врожденное.

— Нет, — качаю я головой. — У меня кровь отца. — И она ускоряет свой бег по жилам во время охоты, а не во время какой-нибудь эпидемии. — Пойду посмотрю, как там его подружка.

Захватив горсть мха, подхожу к Вайресс. Та не сопротивляется, когда я раздеваю ее и оттираю кровь. Глаза у нее расширенные от страха, а с губ все настойчивее срывается: «Тик-так». Чувствую — хочет что-то сказать, но без «переводчика» Бити я совершенно беспомощна.

— Да, конечно, тик-так, тик-так.

Кажется, мои слова ее слегка успокаивают. Отстирываю комбинезон почти дочиста и помогаю Вайресс одеться. Пояс не пострадал, поэтому я его тоже застегиваю. А вот белье кладу в ямку на мелководье и придавливаю камнем.

Тут к нам присоединяются чистенькая Джоанна и линяющий Финник. Новоявленная союзница жадно глотает воду и набивает живот мясом моллюсков, а я пытаюсь влить или запихнуть хоть что-нибудь в рот своей подопечной. Одэйр отстраненным, почти насмешливым тоном рассказывает о ядовитом тумане и нашествии обезьян, опустив самую важную часть истории.

Потом каждый из нас вызывается караулить чужой сон; в итоге бодрствовать остаемся мы с Джоанной. Я — потому что уже отдохнула, а она — потому что наотрез отказалась ложиться. Все отправляются спать. Мы двое молча сидим на пляже.

Для верности покосившись на Одэйра, Джоанна поворачивается ко мне.

— Как же вы потеряли Мэгз?

— Из-за тумана. Финник нес Пита. Я — Мэгз, но не слишком долго. Потом упала и не сумела подняться. Он сказал, что не сможет нести двоих. Старуха поцеловала Финника и ушла в ядовитую мглу.

— Знаешь, она ведь была его ментором, — цедит девушка обвиняющим тоном.

— Я этого не знала.

— Практически членом семьи, — помолчав, продолжает Джоанна уже без прежней злости.

Мы наблюдаем, как волны полощут придавленное камнем белье.

— Да, — спохватываюсь я, — так зачем тебе понадобились Тронутая и Долбанутый?

— Я же говорю: нужно было доставить их тебе. Хеймитч заявил, что это единственный способ стать твоей союзницей. Ты ведь так ему и сказала?

«Нет», — проносится у меня в голове. Но лучше согласно кивнуть.

— Спасибо. Я ценю твою помощь.

— Надеюсь. — И девушка снова глядит на меня с открытым презрением, будто на самое тяжкое бремя в жизни.

Наверное, так чувствуешь себя, имея старшую сестру, которая тебя всей душой ненавидит.

— Тик-так, — раздается вдруг за спиной.

Оборачиваюсь: Вайресс незаметно подкралась к нам. Ее глаза прикованы к джунглям.

— Боже, опять она. Все, я пошла отсыпаться. Вы вдвоем чудесно покараулите.

С этими словами Джоанна уходит и растягивается рядом с Финником.

— Тик-так, — шепчет Вайресс.

Отвожу ее назад и укладываю, а потом, чтобы успокоить, долго поглаживаю ей руку. Женщина погружается в дрему, но беспокойно мечется и поминутно выдыхает свое «тик-так».

— Тик-так, — соглашаюсь я вполголоса. — Пора в постель. Тик-так. Засыпай.

Солнце поднимается по небосводу и наконец повисает прямо над нашими головами. «Полдень», — рассеянно думаю я. Хотя какая разница. Справа, вдали, в дерево бьет огромная молния и разражается электрическая гроза. Точно там, где и в прошлую ночь. Кто-то снова запустил бурю. Продолжая успокаивать Вайресс, я наблюдаю за вспышками, сама почти усыпленная плеском воды. И размышляю о прошлой ночи. Молнии начались после загадочного колокольного звона. Двенадцать ударов.

— Тик-так, — произносит Вайресс, очнувшись на миг, и опять отключается.

Тогда было двенадцать ударов. Примерно в полночь. И сразу гроза. Теперь солнце над головами. Как будто бы полдень. И молнии...

Медленно поднимаюсь и обвожу глазами арену. Вспышка мелькнула вон там. В следующем «куске пирога» наших новых союзников застал кровавый ливень. Мы, наверное, были в третьем, когда появился туман. Едва он рассеялся — обезьяны в четвертом сбились в опасную стаю. Тик-так. Стремительно поворачиваю голову в другую сторону. Несколько часов назад, около десяти, волна пришла со стороны второго участка, считая слева от молнии. Которая ударила прямо сейчас. В обед. И в полночь. И снова в обед.

— Тик-так, — шепчет Вайресс во сне.

Всполохи прекращаются, справа от них начинается ливень, и до меня вдруг доходит смысл ее слов.

Приглушенно ахаю:

— Да, тик-так.

Обвожу глазами арену, полный круг. Все верно.

— Тик-так, тик-так. Это просто часы.

23

Часы. Я почти вижу стрелки, кружащие над циферблатом арены, поделенным на двенадцать секторов. Каждый час на смену одному ужасу приходит другой. Молнии, кровавый дождь, ядовитый туман, обезьяны — это первые четыре часа. В десять — волна. Понятия не имею, что происходит в остальных семи секторах, но Вайресс права.

Сейчас время багрового ливня. Мы — на пляже, под сектором обезьян, и, на мой вкус, слишком близко к туману. Ограничиваются ли напасти джунглями? Вряд ли. Волна доходила почти до самого центра. Если туман просочится на пляж или обезьяны вернутся...

Расталкиваю товарищей:

— Вставайте. Вставайте, нам надо уходить.

Впрочем, на объяснения времени хватит. Успеваю изложить им свою теорию — и про «тик-так», и про движение невидимых стрелок, управляющих смертоносными силами в каждом из секторов.

По-моему, я убедила всех, кто остался в здравом уме, за исключением Джоанны, готовой отвергнуть любое мое предложение. Но даже она соглашается: мол, береженого Бог бережет.

Пока товарищи собирают наши пожитки и надевают на Бити комбинезон, я бужу Вайресс. Она просыпается с испуганным криком:

— Тик-так!

— Верно, тик-так, арена — это часы. Часы, Вайресс, ты была права, — говорю я. — Все верно.

Женщина расцветает на глазах. Рада, наверное, что ее наконец-то поняли. А ведь она, должно быть, еще с первым ударом колокола обо всем догадалась.

— Полночь.

— Да, полночь — это начало, — киваю я.

В памяти всплывает картинка и настойчиво требует моего внимания. Перед глазами встает уже не обычный циферблат, а хрустальный. «Начинается в полночь», — сказал Плутарх. А потом на миг загорелось изображение моей пересмешницы. Что, если главный распорядитель как раз и хотел намекнуть насчет арены? Но для чего? Ведь меня еще не объявили трибутом будущих Игр. Может, он собирался помочь мне как ментору? Или все было решено заранее?

Вайресс кивает в сторону кровавого ливня.

— Час тридцать, — произносит она.

— Точно. Час тридцать. Ровно в два вон там, — я указываю на близлежащие джунгли, — разольется ядовитый туман. Нам нужно перебраться отсюда в безопасное место. — Вайресс улыбается и послушно встает. — Пить хочешь?

Подаю плетеную миску с водой. Женщина опустошает ее почти на четверть, а потом доедает последний кусок зеленоватого хлеба, протянутый Финником. Теперь, когда непонимание больше не стоит между нами, она с радостью вышла из оцепенения.

Проверяю оружие. Завязываю выводную трубку и тюбик с мазью в парашют и закрепляю на поясе при помощи обрывка лианы.

Бити еще не пришел в себя, а когда мой напарник пытается поднять его, решительно возражает:

— Веревка.

— Да здесь она, — отзывается Пит. — С Вайресс все в порядке. Она с нами.

Бити вырывается.

— Веревка, — настаивает он.

— Ой, знаю я, что ему нужно, — нетерпеливо бросает Джоанна. И, пробежав по пляжу, приносит густо покрытый спекшейся кровью цилиндр, который был при нем, когда мы купали изобретателя. — Бесполезная штука. Провод, что ли? Долбанутый за ним и бежал к Рогу изобилия, тогда и нож в спину получил. Даже не знаю, что это за оружие. Если только отрезать кусок и использовать как удавку? Ну вот скажите, вы себе представляете, чтобы Бити кого-нибудь удавил?

— А как он, по-твоему, стал победителем? — возражает Пит. — Соорудил электрическую ловушку. Провод — лучшее оружие, которое у него было.

Странно: неужели Джоанна не в состоянии сложить два и два? Искренне ли она говорит? Подозрительно.

— Думаю, ты и сама все сообразила, — вставляю я. — Это же ты называла его Долбанутым.

Девушка угрожающе сужает глаза.

— Глупо с моей стороны, да? — произносит она. — Извини: забегалась, спасая шкуры твоих приятелей. Пока ты у нас... как там? Позволила Мэгз умереть за себя?

Мои пальцы невольно сжимаются на рукояти ножа у пояса.

— Ну, давай, — подначивает Джоанна. — Рискни. Мне плевать, что ты залетела. Сразу глотку перережу.

Конечно, сейчас я ее не могу прикончить. Но это лишь вопрос времени. Очень скоро одна из нас будет мертва.

— Может, лучше решим, куда идти? — предлагает Финник, пронзив меня взглядом. И отдает цилиндр изобретателю. — Вот он, твой провод, Долбанутый. Осторожнее с ним.

Бити покорно дает Питу себя поднять.

— Куда? — осведомляется мой напарник.

— Предлагаю отправиться к Рогу и понаблюдать, права Китнисс или нет, — подает голос Финник.

Я вовсе не против. К тому же это возможность лишний раз наведаться к оружейной куче. Нас ведь уже шестеро. Даже если забыть о Бити и Вайресс, в нашей компании четверо неплохих бойцов. Расклад куда лучше, нежели был у меня на прошлой Игре в то же самое время, когда приходилось выживать в одиночку. Да, союзники — это великолепно, пока не задумаешься о том, что их тоже придется поубивать.

Пожалуй, Вайресс и Бити сами найдут свою смерть: если придется убегать, им не уйти далеко. Джоанну — прикончу не моргнув глазом, если потребуется защищать Пита. Или просто чтобы заставить ее замолчать. А вот Финника лучше пусть уберет кто-нибудь другой. После всего, что он сделал для моего напарника, думаю, у меня рука не поднимется. Надо будет как-то стравить парня с профессионалами. Понимаю, жестоко. Но разве у меня есть выбор? Теперь, когда мы все знаем о часах, он может и не погибнуть в джунглях; остается убийство в драке.

Все эти мысли вызывают гадливость, и разум лихорадочно ищет новую тему. Но что сейчас может отвлечь меня от Голодных игр? Только мечта собственноручно расправиться с президентом Сноу. Знаю, это не самая подходящая греза для семнадцатилетней девушки — зато самая приятная.

Мы шагаем по тонкой полоске суши и приближаемся к Рогу с большой осторожностью: вдруг там затаились профи? Я в этом сомневаюсь, все-таки мы несколько часов провели на пляже и не заметили признаков жизни. Как я и предполагала, островок оказывается необитаемым. Остался только гигантский золотой Рог изобилия и не выбранное никем оружие.

Уложив Бити в тени огромного конуса, Пит подзывает Вайресс, чтобы вручить ей катушку с проводом.

— Почистишь?

Женщина молча кивает, отходит и принимается окунать катушку в воду, напевая вполголоса песенку про мышонка, забравшегося в часы. Что-то очень детское, но явно приятное для нее.

— Опять! — произносит Джоанна, закатывая глаза. — Она это пела несколько часов, еще до того, как затикала.

Вайресс вдруг выпрямляется и указывает на джунгли.

— Два, — объявляет она, тыча пальцем туда, где на берег из зарослей тянутся бледные щупальца отравленной мглы.

— Гляди-ка, она права. Сейчас около двух, и туман появился.

— В точности как по часам, — подхватывает Пит. — Ты просто умница, Вайресс.

Улыбнувшись, она продолжает макать катушку и напевать.

— О, не просто умница, — возражает Бити, заставляя нас в изумлении обернуться. Кажется, изобретатель приходит в себя. — У нее чутье. Она предугадывает события. Как, например, канарейки в шахтах.

— О чем речь? — обращается ко мне Финник.

— На рудниках всегда держат канареек, они раньше всех реагируют на отравленный воздух, — поясняю я.

— Как? Умирают? — вскидывается Джоанна.

— Сначала птица перестает петь. Это знак, что пора выбираться. Но если в воздухе слишком много яда — само собой, не выживет ни она, ни люди.

Мне не по душе разговаривать об умирающих канарейках. Сразу же вспоминается гибель папы, и Руты, и Мэйсили Доннер, оставившей маме в наследство певчую птичку, и… Этого только не хватало! Я думаю о Гейле, спустившемся в глубокую страшную шахту, и об угрозах Сноу. Так мало нужно, чтобы подстроить мнимый несчастный случай. Замолчавшая канарейка, искра — и ничего больше.

Возвращаюсь к мечтам о том, как бы я расправилась с президентом.

У Джоанны, хотя она и досадует из-за Вайресс, ужасно довольный вид. Пока я пополняю запас стрел, она вытаскивает из кучи два топора. Мне ее выбор кажется странным. Но тут девушка запускает одним из них прямо в Рог, сияющий на солнце, и лезвие застревает в золоте. Ах да, конечно. Дистрикт номер семь, древесина. Джоанна, наверно, еще не умела ходить, когда ей впервые дали в руки топор. Так же, как Финнику — острый трезубец. А Бити, должно быть, с юных лет играл с проводами. А Рута возилась с растениями.

Этим наш дистрикт невыгодно отличается от всех прочих. Мои земляки не спускаются в шахты до восемнадцати лет. Все другие трибуты довольно рано постигают свое ремесло. В рудниках тоже можно усвоить навыки, небесполезные на арене: мастерское владение киркой, обращение со взрывчаткой — все это важные преимущества для игрока. Жаль, что мы учимся слишком поздно...

Между тем Пит сидит на корточках и что-то чертит ножом на большом и гладком листе, который принес из джунглей.

Заглядываю ему через плечо. Оказывается, это карта арены. В центре — наш круглый остров и Рог изобилия, от него разбегаются тонкие полосы. Похоже на торт, который разрезали на двенадцать равных кусков. Вокруг — кольцо воды и еще одно, чуть потолще, обозначающее край джунглей.

— Посмотри, как расположен Рог, — обращается ко мне Пит.

Я приглядываюсь и замечаю, что он имеет в виду.

— Узкий конец показывает на двенадцать.

— Точно. Значит, это верхняя точка наших часов. — Мой напарник быстро царапает цифры вокруг циферблата. — С двенадцати до часа бьют молнии...

«Молнии» — пишет он крошечными буквами в нужном секторе. А потом в следующих, двигаясь по часовой стрелке: «кровь», «туман», «обезьяны».

— С десяти до одиннадцати — волна, — прибавляю я.

Пит прибавляет еще одну запись. Тут к нам подходят Джоанна и Финник, вооруженные до зубов топорами, трезубцами и ножами.

— Заметили что-нибудь необычное в остальных секторах? — уточняю я у новых союзников. Но им довелось увидеть одни лишь потоки крови. — То есть там нас может поджидать все, что угодно.

— Надо пометить участки пляжа, куда лучше не соваться, потому что напасти распространяются не только на джунгли. — Пометив диагональной чертой туман и волну,

Пит поднимает глаза. — Что ж, сегодня утром мы знали гораздо меньше.

Все согласно кивают. И тут до меня доходит. Полная тишина! Наша канарейка умолкла.

Медлить нельзя. Схватив стрелу, я стремительно оборачиваюсь. Вайресс плавно падает наземь. На шее зияет изогнутая, похожая на багровую улыбку, рана. Краем глаза успеваю заметить Блеска, и наконечник моей стрелы вонзается ему в мокрый висок. Пока я тянусь за новой стрелой, топор Джоанны вонзается прямо в грудь Кашмиры. Финник отбивает копье, брошенное Брутом в Пита, и получает от Энорабии удар ножом в бедро. Трибуты Второго дистрикта прячутся за Рогом. Иначе лежать бы им мертвыми в то же мгновение. Бросаюсь за ними следом. *Бум! Бум! Бум!* Грохот пушки возвещает о том, что Вайресс уже не помочь. И что можно не добивать ни Кашмиру, ни Блеска. Союзники присоединяются ко мне в погоне за Брутом и Энорабией, которые удирают от нас по узкой песочной дорожке в сторону зарослей.

Вдруг под ногами вздрагивает земля, и я падаю на бок. Островок с Рогом изобилия начинает вращаться, причем все быстрее, так что джунгли сливаются в мутную зеленую полосу. Центробежная сила увлекает меня к воде, и я упираюсь руками и ногами глубже в песок, чтобы как-нибудь удержаться на вдруг ожившей земле. Крепко зажмуриваюсь: голова сильно кружится, да и воздух наполнен летящими песчинками. Что тут поделаешь? Ровным счетом ничего, остается только держаться. Внезапно, без замедления, все прекращается.

Кашляя и борясь с дурнотой, я с трудом усаживаюсь на песке. Остальные — не в лучшем положении. Финник, Джоанна и Пит удержались. Троих мертвецов забрали соленые волны.

С того мгновения, как песня Вайресс оборвалась, прошло не больше минуты-двух. Мы тяжело дышим, выплевывая и выскребая песок изо рта.

— А где Долбанутый? — вдруг произносит Джоанна.

Все вскакивают на ноги. Шатаясь, обходим Рог изобилия. Изобретатель пропал. Финник замечает его, полуживого, в двадцати ярдах от берега и, бросившись в воду, плывет на помощь.

А мне приходит на ум катушка с проводом, которой он придавал такое значение. В отчаянии оглядываюсь по сторонам. Где она? Где? Вижу. Зажата в руках у Вайресс, покачивающейся на волнах далеко от нас. В низу живота холодеет. Задача ясна.

— Прикройте, — бросаю я остальным и, уронив оружие, мчусь по песчаной полоске, ближайшей к телу.

Потом, не замедлив хода, ныряю и принимаюсь грести из последних сил. Краем глаза различаю появившийся в небе планолет. Челюсти опускаются, чтобы забрать труп. Но я не сдаюсь — продолжаю плыть, пока не врезаюсь в труп. Судорожно дышу, стараясь не наглотаться воды, обагренной кровью, которая вытекает из раны. Вайресс лежит на спине (на волнах ее держат пояс и сила смерти) и невидящими глазами смотрит на беспощадное солнце. Подгребая одной рукой, с усилием разжимаю ей пальцы, вцепившиеся в катушку. Потом опускаю холодные веки, шепчу: «Прощай», — и плыву обратно. К тому времени, когда я выбираюсь на сушу с добычей, тело уже бесследно исчезает. Во рту остается соленый привкус моря и крови.

Возвращаюсь обратно к Рогу. Спасенный Финником Бити сидит на песке и откашливается водой. Когда началось безумие, мужчине хватило сообразительности крепко вцепиться в очки, так что видеть он может. Кладу ему на колени катушку. Долбанутый отматывает кусок проволоки и пропускает его между пальцами. Я присматриваюсь внимательнее. Никогда раньше такого не видела. Провод тонкий, как человеческий волос, и отливает на солнце тусклым золотом. Интересно, какой он длины? Должно быть, в несколько миль. Но я не задаю вопросов. Бити наверняка горюет о Вайресс.

У него, Финника и Джоанны одинаково скорбные лица. Все трое лишились напарников. Подхожу к Питу и обвиваю его за шею руками. Какое-то время мы просто стоим в молчании.

— Треклятый остров. Уходим отсюда, — бросает Джоанна.

Проверяем оружие, львиную долю которого нам удалось сохранить. К счастью, лианы здесь крепкие: трубка и мазь все еще приторочены к моему поясу. Сняв майку, Одэйр перевязывает раненое бедро. След от ножа неглубокий. Бити соглашается идти самостоятельно, только не очень спешить, и я помогаю ему подняться. Мы решаем вернуться на пляж, на двенадцатичасовой участок, чтобы спокойно несколько часов отдохнуть, держась подальше от ядовитых испарений. Все соглашаются — и устремляются в трех разных направлениях.

— Погодите-ка, — произносит Пит. — Рог указывал узким концом на двенадцать.

— До того, как нас раскрутили, — говорит Финник. — Лично я смотрел по солнцу.

— Солнце всего лишь подсказывает, что скоро четыре часа, — подаю голос я.

— Думаю, Китнисс хотела сказать: знать время — еще не значит понимать, где на циферблате написана цифра «четыре», — объясняет Бити. — Дело в том, что кольцо джунглей могли точно так же сдвинуть с места.

Вообще-то, я и не думала выводить настолько сложную теорию, однако согласно киваю: дескать, именно это и пришло мне в голову. И развожу руками:

— То есть любая из этих дорожек может вести к двенадцатичасовому сектору.

Мы кружим по островку и всматриваемся в джунгли. Заросли выглядят до обидного однообразно. Я вспоминаю высокое дерево, в которое ударяет первая молния. Оказывается, его точные двойники торчат на каждом участке. Джоанна предлагает пойти по следам Энорабии и Брута, но их давно сдуло ветром или же смыло волнами. Разобраться где что нет никакой возможности.

— Лучше бы я молчала про эти часы, — с горечью вырывается у меня. — Теперь нас лишили и этого преимущества.

— Только на время, — вставляет Бити. — В десять придет волна, и мы снова сориентируемся.

— Да, не могли же они переделать арену, — подхватывает мой напарник.

— Какая разница, — отмахивается Джоанна. — Ты должна была нам сказать, иначе с самого начала никто бы не сдвинулся с места, дурочка.

Забавно. Ее рассудительный, хотя и грубый ответ — единственное, что меня утешает. Да, я обязана была рассказать, чтобы убедить их сменить место лагеря.

— Ну ладно, пошли, пить хочется, — продолжает она. — Никому из вас внутренний голос ничего не подсказывает?

Выбираем тропу наугад и шагаем вперед, не имея понятия о направлении. Приблизившись к зарослям, опасливо вглядываемся: что может нас тут ожидать?

— По-моему, это участок обезьян, — заявляет Пит. — Сейчас они все попрятались. Попробую просверлить какое-нибудь из деревьев.

— Моя очередь, — возражает Финник.

— Ладно, тогда я прикрою, — отзывается мой напарник.

— Это может сделать и Китнисс, — вскидывается Джоанна. — А тебе нужно изготовить новую карту. Старую вода унесла. — И, оторвав с ближайшего дерева крупный широкий лист, протягивает его Питу.

Меня начинает разбирать подозрение. А если они решили нас разделить и прикончить поодиночке? Нет, ерунда. Пока Одэйр будет возиться с трубкой, я легко с ним управлюсь. Да и Пит куда выше Джоанны. Мы с Финником углубляемся в джунгли ярдов на пятнадцать. Отыскав подходящее дерево, он берет нож и принимается за работу.

Стоя рядом, с оружием наготове, я не могу отделаться от тревожного чувства: происходит что-то недоброе, и это связано с Питом. Чтобы понять, в чем дело, прокручиваю в уме наши злоключения с той самой минуты, когда зазвенел гонг. Мой напарник застыл на металлическом диске, и Финник помог ему добраться до суши. Потом оживил его после удара током и остановки сердца. Потом старуха ушла в туман, чтобы Одэйр мог вытащить Пита. Морфлингистка закрыла его собой от нападения обезьяны. Битва с профи заняла считаные секунды, но разве Финник не отклонил копье, предназначавшееся для Пита, зная, что сам получит удар ножом? Теперь даже Джоанна предпочитает, чтобы он рисовал карту, а не совался в опасные джунгли...

Да, никаких сомнений. По причинам, которые мне неведомы, часть победителей сговорилась вытащить Пита, пусть даже ценой своих жизней.

Открытие потрясает меня до глубины души. Во-первых, это *моя* работа. А во-вторых, какой смысл? На арене должен остаться только один игрок. Почему же все выбрали моего напарника? Что такого Хеймитч сказал или наобещал, чтобы вдохновить людей жертвовать собой ради Пита?

У меня-то свои причины. Он мой друг, мой единственный способ поквитаться с Капитолием, вывернув наизнанку бесчеловечные Игры. Но если бы не было этой связи, *что* заставило бы меня оценить жизнь товарища выше своей? Да, он храбр, однако мы все — победители, а значит, не из трусливых. У него доброе сердце, этого нельзя не заметить, но все же... И тут до меня доходит. Знаю, в чем Пит превосходит любого из нас. Он умеет пользоваться словами. Оба интервью он дал с таким блеском, что на его фоне все остальные поблекли. Может, как раз очевидная доброта помогла ему обратить на свою сторону зрительскую толпу — нет, целую страну — с помощью одной только фразы.

Я вспоминаю, как размышляла о том, что нашему восстанию нужен вождь, одаренный именно этим талантом. А если Хеймитч сумел убедить в этом всех игроков? Сказал, что язык Пита в состоянии принести Капитолию больше вреда, нежели наши мускулы? Не знаю. Для многих трибутов это было бы чересчур. Взять хотя бы Джоанну

Мэйсон. Да, но чем еще объясняются всеобщие жертвы, усилия?

— Китнисс, трубка еще у тебя? — возвращает меня к действительности голос Финника.

Разрезав лиану, привязанную к поясу, протягиваю Одэйру трубку.

И тут же слышу крик. Он полон такого ужаса и страдания, что у меня стынет в жилах кровь. Голос не просто знакомый, а... Бросив трубку, забыв, кто я есть и где нахожусь, очертя голову устремляюсь вперед, на звук. Нужно найти ее, нужно спасти. К черту опасности. Разрываю лианы, ломаю ветки. Ничто мне не помешает добежать до нее...

До моей младшей сестры.

24

Где она? Что с ней?

— Прим! — зову я. — Прим!

В ответ раздается еще один жуткий вопль.

Да как же она сюда попала? Почему превратилась в участницу Игр?

— Прим!

Лианы режут лицо и руки, ползучие травы обвиваются вокруг ног, но я все ближе и ближе. Теперь уже очень близко. По коже, обжигая незажившие язвы, струится горячий пот. Я почти задыхаюсь, точно в душном и влажном воздухе больше не осталось кислорода. Не знаю, что такого ужасного, непоправимого нужно было сделать, чтобы вызвать столь протяжный и жалобный крик.

— Прим!

Наконец, проломив стену зарослей, я вылетаю на маленькую опушку. Звук повторяется прямо над головой. Над головой? Запрокинув ее, пытаюсь хоть что-нибудь разглядеть. Неужели сестру подвесили к веткам? Отчаянно всматриваюсь. Ничего.

— Прим? — умоляюще зову я.

Не вижу. А плач звучит, и притом так ясно, что не ошибешься. Наконец мои глаза четко различают источник. На ветке, в десяти футах надо мной, разевает клюв хохлатая черная птичка. И тут я все понимаю.

Это сойка-говорун.

Прислонившись к дереву, схватившись за вдруг заболевший бок, наблюдаю за птицей, которой ни разу не видела — даже не знала о том, что их вид еще существует. Это подлинный перeродок, предшественник, отец моей сойки-пересмешницы. Стоит мысленно соединить его образ и обыкновенную сойку, и не останется никаких сомнений. А по виду не скажешь, что это создание капитолийских ученых. Обычная птичка... если не считать криков Прим, вылетающих из ее клюва.

— Замолчи!

Выпускаю стрелу говоруну в горло, а когда он падает на траву, еще и сворачиваю шею — для верности. И отбрасываю мерзкую тварь в джунгли. Лучше подохнуть от голода, чем притронуться к ее мясу.

«Это все не взаправду, — твержу я себе. — Так же, как переродки из прошлого сезона не были мертвыми трибутами. Это просто изуверские фокусы распорядителей».

Одэйр врывается на опушку и видит, как я мхом отчищаю стрелу от крови.

— Китнисс?

— Все хорошо. У меня все в порядке, — говорю я, хотя, разумеется, ничегошеньки не в порядке. — Мне померещился крик сестры, но...

Мои слова обрывает пронзительный визг. Это уже другой голос, не Прим, а совсем незнакомой девушки. Финник меняется в лице — бледнеет как смерть, и зрачки расширяются в ужасе.

— Стой, погоди! — кричу я в пустоту, потому что парня уже и след простыл.

Он умчался на помощь так же бездумно, как я к своей Прим.

— Финник!

Знаю, он не вернется, поэтому спешу вслед за ним.

Это нетрудно, ведь парень оставил за собой заметную, утоптанную тропинку. Но проклятая птица верещит в четверти мили от нас, бежать приходится вверх по склону, и к концу погони я выдыхаюсь. Одэйр описывает круги возле огромного дерева. Ствол не меньше четырех футов диаметром, ветки только начинают расти на высоте двадцати футов, а где-то в густой листве притаилась птица и громко кричит женским голосом. Финник тоже вопит, опять и опять:

— Энни! Энни!

Он в таком состоянии, что подходить бесполезно, и я поступаю так, как поступила бы в любом случае. Забираюсь на ближайшее дерево и, выследив говоруна, снимаю его стрелой. Птица падает прямо под ноги Одэйру. Тот поднимает пернатую тушку, туго соображая, что же произошло. Но когда я спускаюсь вниз, то вижу в его глазах отражение безысходной тоски.

— Успокойся, Финник. Это был говорун. Нас разыграли, — произношу я. — Все не взаправду, это не твоя... Энни.

— Да, не Энни. А голос — ее. Говоруны повторяют лишь то, что слышали. Откуда, по-твоему, взялись эти звуки? — спрашивает он.

Смысл его слов до меня доходит не сразу. А потом кровь отливает от щек.

— Финник, ты же не думаешь, что они...

— Именно так я и думаю.

Мне представляется Прим, привязанная к столу в белой комнате; люди в халатах и масках склонились над ней и пытают, добиваясь необходимых звуков. Или пытали. Колени подкашиваются, и я падаю наземь. Одэйр шевелит губами, но мне уже ничего не слышно. Кроме нового крика, раздавшегося где-то слева. И на этот раз голос принадлежит Гейлу.

Финник ловит меня за локоть, не давая бежать.

— Нет. Это не он. — И увлекает за собой вниз по склону, по направлению к пляжу. — Уходим отсюда!

Однако в криках Гейла — столько боли, что я продолжаю вырываться.

— Это не он, Китнисс! Там переродок! — надрывается Финник. — Идем!

Он силой тащит, почти уносит меня прочь, и я наконец начинаю соображать, что парень прав. Это просто еще один говорун. Застрелю его — ничего не изменится. Но ведь это же голос *Гейла*, и значит, где-то когда-то кто-то заставил его издавать подобные вопли.

Я прекращаю бороться и, как и в случае с ядовитым туманом, бегу от того, с чем нельзя сражаться. От неуязвимой силы, которая причиняет мне боль. Правда, на этот раз кровоточит моя душа, а не тело. Вот оно, оружие четвертого часа. Когда обезьяны прячутся, повинуясь велению стрелок, в игру вступают говоруны. Согласна с Финником: нам осталось только бежать. И Хеймитч уже не пришлет на серебряном парашюте лекарство от ран, нанесенных этими птицами.

Заметив Джоанну и Пита, застывших у края опушки, я испытываю разом и облегчение, и досаду. Почему никто не пришел за нами? Почему даже Пит не явился на помощь? Вот и сейчас он стоит, вскинув руки над головой, ладонями к нам, и вроде бы что-то пытается говорить, хотя ни звука не слышно. Почему...

Стена такая прозрачная, что мы с Финником врезаемся в нее с разбега и отлетаем обратно в джунгли. Мне везет: основная сила удара приходится на плечо, а Одэйр разбивает лицо в кровь. Теперь понятно, почему ни Пит, ни Джоанна, ни даже Бити, который теперь печально водит головой из стороны в сторону, не явились на помощь. Между нами возникла невидимая стена. Это не силовое поле: гладкую и твердую поверхность можно трогать сколько угодно. Однако ни нож Пита, ни топоры Джоанны не оставляют на ней даже мелких зазубрин. Можно даже не обходить весь барьер, и так ясно, что он целиком опоясывает сектор четвертого часа. И что мы в западне, во всяком случае, на время.

Напарник прижимает к барьеру ладонь со своей стороны, а я со своей, как будто могу ощутить его прикосновение через стену. Рот Пита открывается и закрывается. До нас не долетает ни звука — кроме тех, которыми наполнен наш участок. Сначала я пытаюсь читать по губам, но, не в силах сосредоточиться, бросаю эту затею и просто смотрю на его лицо, силясь не растерять остатки разума.

А потом птиц становится больше. Они прилетают одна за одной. Рассаживаются на ближайших деревьях. Разевают клювы. И начинают кошмарный, детально продуманный кем-то концерт. Финник сразу же валится на траву и зажимает ладонями уши так, словно готов раздавить свой собственный череп. Я какое-то время держусь. Даже опустошаю колчан, стреляя по ненавистным птицам. Но стоит упасть одной, как на ветку садится другая. Наконец я тоже сдаюсь и сворачиваюсь калачиком на земле, пытаясь отгородиться от душераздирающих воплей Прим, Гейла, мамы, Мадж, Рори, Вика и даже Пози, беспомощной маленькой Пози...

Знаю: пытка закончилась, потому что чувствую прикосновение рук Пита, которые поднимают меня и уносят из джунглей. И все-таки не разжимаю век, не убираю ладони от ушей. От напряжения мускулы словно окаменели. Пит сажает меня к себе на колени, нежно покачивает, говорит слова утешения. Проходит довольно долгое время, прежде чем я выхожу из оцепенения. И начинаю дрожать.

— Все хорошо, Китнисс, — шепчет напарник.

— Ты их не слышал! — отзываюсь я.

— Я различил голос Прим, еще в самом начале. Только это была не она, а сойка-говорун, — возражает Пит.

— Нет, она. Только не здесь. Птица просто запомнила голос, — вырывается у меня.

— Им хочется, чтобы ты так считала. Помнишь, как в прошлом сезоне я не мог понять, вправду ли у переродка глаза Диадемы? Так вот, это были совсем не ее глаза. И не голос Прим. Разве что капитолийцы взяли запись ее интервью, а потом изменили звук.

— Нет, над ней издевались, — говорю я. — Возможно, даже убили.

— Китнисс, ее не убили. Прим жива. Вспомни: ведь скоро нас останется восемь. А что потом?

— Семерым придется умереть, — в унынии отвечаю я.

— Да нет же, до́ма. Что происходит, когда в Игре остается восемь финалистов? — Подняв мой подбородок, Пит заставляет меня посмотреть ему прямо в глаза. Добивается пристального внимания. — Ну, что? На последней восьмерке?

Знаю, он искренне хочет помочь, и я задумываюсь.

— На последней восьмерке... У родных и друзей игроков берут интервью.

— Правильно, — хвалит Пит. — У родных и друзей. А как это сделать, если все они умерли?

— Никак, — неуверенно отзываюсь я.

— Вот именно. Поэтому не волнуйся, Прим жива. Она же первая кандидатка на интервью, верно?

Я хочу ему верить. Очень хочу. Просто... эти голоса...

— Сначала Прим. Потом — твоя мама. Кузен. Подруга, — перечисляет Пит. — Китнисс, это была дурная шутка. Страшная. Но по-настоящему пострадать от нее можем только мы с тобой. Мы в Игре, а они — нет.

— Ты сам в это веришь? — спрашиваю я.

— Разумеется, — роняет напарник.

Впрочем, ведь он в состоянии убедить людей в чем угодно. Повернувшись к Одэйру, я замечаю: тот ловит каждое наше слово.

— А ты, Финник?

— Пожалуй. Не знаю, — пожимает плечами тот. — Скажи, Бити, это возможно сделать? Взять чей-то спокойный голос и превратить...

— Ну, конечно, — кивает тот. — Ничего сложного. Такая задачка по зубам даже младшему школьнику.

— Согласна с Питом, — бесстрастно вставляет Джоанна. — Зрители обожают маленькую сестренку Китнисс. Если б ее и в самом деле убили, все дистрикты поднялись бы на восстание. — И вдруг, запрокинув голову, громко кричит: — Представляете, мятежи по всему Панему! Кому такое понравится?

От изумления у меня отвисает челюсть. Никто никогда не произносил таких слов на Голодных играх. Можно не сомневаться, этот фрагмент обязательно вырежут. Но я-то все слышала — и уже не сумею смотреть на девушку прежними глазами. Конечно, медалей за доброту ей не дождаться, а вот за храбрость... Или за безрассудство... А она поднимает несколько ракушек и скрывается в зарослях, бросив только:

— Я за водой.

Когда Джоанна проходит мимо, я безотчетно ловлю ее за руку.

— Не ходи. Эти птицы...

Должно быть, они попрятались. И все равно, не хочу туда никого пускать. Даже ее.

— Ну, мне-то на них наплевать. Я не то что вы все. У меня не осталось любимых. — Джоанна с досадой выдергивает ладонь и уходит.

А когда возвращается, я принимаю из ее рук воду и молча киваю, зная, как бы ее взбесил мой сочувственный голос.

Пока девушка носит питье и собирает мои стрелы, Бити возится с проводом, а Финник идет купаться. Мне тоже не помешало бы привести себя в порядок, но я еще слишком потрясена, чтобы покинуть объятия Пита.

— Кого же они использовали против Одэйра? — тихо интересуется он.

— Какую-то Энни, — говорю я.

— Энни Кресту, наверное.

— Кто это?

— Мэгз вызвалась добровольцем вместо нее. Энни была победительницей пять лет назад, — поясняет напарник.

Другими словами, в то лето, когда наша семья жестоко страдала от голода и мне пришлось начать всех кормить.

— Я почти не помню те Игры. Это, случайно, не год большого землетрясения?

— Ага, — подтверждает Пит. — Энни сошла с ума, когда ее напарника обезглавили. Сбежала от всех и долго пряталась. Потом от землетрясения рухнула дамба, и бо́льшая часть арены ушла под воду. Энни выжила потому, что лучше всех плавала.

— А потом ей не стало лучше? — уточняю я. — Я имею в виду с головой?

— Трудно сказать. Не помню, чтобы она мелькала во время следующих сезонов. Но, судя по Жатве, девчонке не полегчало.

«Так вот кого любит Финник, — думаю я. — Не вереницу поклонников и поклонниц из Капитолия, а несчастную сумасшедшую девушку с родины».

Грохот пушки заставляет нас всех собраться вместе на пляже. Планолет возникает, по нашим расчетам, в шестичасовом секторе. Челюсти опускаются не один, а пять раз, подбирая растерзанный труп по частям. Кто погиб, угадать невозможно. Что бы ни происходило в секторе номер шесть, я не желаю этого знать.

Пит чертит на древесном листе новую карту, прибавив «Г» вместо «говоруны» на четырехчасовом участке и «тварь» там, где только что собирали расчлененное тело. Теперь нам известно, чем угрожают семь секторов. Выходит, и в нападении соек можно найти светлую сторону: по крайней мере, мы снова представляем себе, в какой части циферблата находимся.

Финник сплетает еще одну миску для воды и рыболовную сеть. Я устраиваю короткое купание и вновь натираюсь мазью. А потом сижу у воды, чищу рыбу, пойманную Одэйром, и наблюдаю за тем, как солнце скрывается за горизонтом. Восходит луна, и арена наполняется таинственным полумраком. Мы уже готовы поужинать сырой рыбой, когда звучит гимн. И появляются лица...

— Кашмира. Блеск. Вайресс. Мэгз. Женщина из Пятого дистрикта. Морфлингистка, отдавшая свою жизнь за Пита. Чума. Трибут из Десятого.

Восемь покойников. Да еще восемь вчерашних. Это две трети участников, а ведь прошло каких-нибудь полтора дня. Своего рода рекорд.

— Что-то быстро редеют наши ряды, — замечает Джоанна. — Кто остался? Мы пятеро, и еще Второй дистрикт?

— Рубака, — прибавляет Пит, не задумываясь: видимо не забыл совет Хеймитча.

С неба опускается парашют с корзинкой квадратных булочек размером на один укус.

— Это из твоего дистрикта, Бити? — подает голос мой напарник.

— Да, из Третьего, — кивает тот. — Сколько их там?

Финник пересчитывает, пристально вглядываясь в каждую булочку и аккуратно складывая их обратно. Его обращение с хлебом все еще кажется мне подозрительным.

— Ровно две дюжины, да? — уточняет Бити.

— Двадцать четыре, — кивает Одэйр. — Как будем делить?

— Пусть каждый возьмет по три штуки, — предлагает Джоанна, — а те из нас, кто доживет до завтрака, сами как-нибудь разберутся. По жребию, например.

Я отчего-то прыскаю в кулак. Может, из-за того, что она права? Девушка отвечает почти одобрительным взглядом. Или нет, не совсем одобрительным, но слегка довольным.

Подождав, пока десятичасовой участок накроет волна и прилив уляжется, мы возвращаемся на берег и разбиваем лагерь. Теоретически, если держаться подальше от джунглей, теперь можно хоть целые сутки напролет оставаться в безопасности. Из сектора номер одиннадцать доносится режущий ухо стрекот какого-то — скорее всего, смертоносного — насекомого, но пляж вроде пуст. На всякий случай мы стороной обходим подозрительный участок: вдруг эти букашки, или как их там, только и ждут наших неосторожных шагов, чтобы напасть?

Не представляю себе, отчего Джоанна до сих пор не свалилась с ног. С начала Игры ей удалось поспать не более часа. Мы с Питом вызываемся караулить первыми: во-первых, потому что лучше других отдохнули, а во-вторых, нам хочется просто побыть вдвоем. Остальные мгновенно отключаются. Финник спит беспокойно, мечется, то и дело бормочет: «Энни...»

Мы сидим на сыром песке, смотрим в разные стороны. Я прижимаюсь к напарнику правым плечом и бедром. Он наблюдает за джунглями, а мне досталась вода. Хороший расклад, потому что меня все еще преследуют голоса соекговорунов, к сожалению, неспособные потонуть даже в неблагозвучном назойливом стрекоте. Проходит время, и я опускаю голову на плечо Питу. Чувствую, как его ладонь поглаживает мои волосы.

— Китнисс, — подает голос он. — Нет смысла притворяться, будто нам неизвестны намерения друг друга.

Может, и нет. Но и обсуждать это бесполезно. По крайней мере, нам это ничего не даст. А зрители Капитолия... представляю, как они припадут к экранам, лишь бы не пропустить ни единого слова.

— Я не в курсе, какую сделку вы заключили с Хеймитчем, но ты должна знать: он и мне кое-что обещал. — Ну разумеется. Ментор посулил напарнику спасти мою жизнь, чтобы усыпить его бдительность. — Следовательно, одному из нас он сказал неправду.

А вот это уже привлекает мое внимание. Двойная сделка. Двойная игра. И только Хеймитчу наверняка известно, кто обманут. Я поднимаю голову и смотрю Питу в глаза.

— Для чего ты сейчас это говоришь?

— Чтобы напомнить, насколько разные у нас обстоятельства. Если ты умрешь, мне не будет покоя в Двенадцатом дистрикте. Ты — вся моя жизнь, — заявляет он. — Я уже никогда не нашел бы счастья.

Мне хочется возразить, но Пит прижимает палец к моим губам.

— Ты — другое дело. Не скажу, что придется легко, но есть люди, ради которых тебе стоит жить на свете.

Тут он снимает со своей шеи цепочку с золотым медальоном. Поворачивает его в лунном свете, так чтобы я могла разглядеть пересмешницу. Потом касается большим пальцем потайной кнопки, совершенно не заметной прежде, и диск открывается. Оказывается, он полый внутри. На правой половинке — снимок мамы и Прим. Они радостно над чем-то смеются. Слева — Гейл, и на лице у него искренняя улыбка.

Сейчас ничто не могло бы сломать меня быстрее, нежели эти три портрета. После всего, что я слышала считаные часы назад... Это удар ниже пояса.

— Ты нужна родным, Китнисс, — произносит Пит.

Родные. Мама. Сестра. Мнимый кузен. Замысел Пита слишком легко разгадать. Он хочет, чтобы однажды Гейл и вправду сделался частью моей семьи. Чтобы я победила и вышла за него замуж. Чтобы даже не сомневалась по поводу выбора.

Пит задумал отдать мне... все.

Я жду, когда он заведет речь о ребенке, ради следящих за нами камер, но этого не происходит. Значит, наш разговор не был частью Игры. Пит на самом деле искренне дал мне понять, *что* чувствует.

— А я никому не нужен, — говорит он без нотки жалости к самому себе.

Это верно, семья без него проживет. Поскорбит для приличия, так же, как и кучка приятелей, но вполне продержится. Даже Хеймитч смирится с потерей — при помощи дополнительных доз алкоголя. Лишь один человек на свете действительно пострадает от этой невосполнимой утраты. И это я.

— Мне, — возражаю я. — *Мне* нужен.

Он с расстроенным видом набирает в грудь воздух. Готовится к долгому спору, а это нехорошо, это плохо, потому что разговоры о Прим и матери еще больше собьют меня с толку. И я закрываю напарнику рот поцелуем.

Ну вот, опять это странное чувство. Так уже было однажды. В прошлом сезоне, в пещере, я целовала Пита, выпрашивая подарки у Хеймитча. Потом это происходило тысячи раз — и во время Игр, и потом. Но только единственный поцелуй затронул что-то в моей душе. Пробудил жажду большего. Правда, из раны на голове тут же побежала кровь, и Пит уложил меня обратно.

На этот раз нам ничто не мешает. Напарник делает еще несколько попыток заговорить — и наконец сдается. Внутри меня разгорается обжигающее чувство; оно разливается из груди по всему телу, по рукам и ногам, до самых кончиков пальцев. Жаркие поцелуи не утоляют — наоборот, распаляют желание. А я-то считала себя знатоком по части жажды и голода. Но здесь нечто новое.

Первый полночный удар электрической молнии в дерево разом приводит нас в чувство. А заодно будит Финника. Тот резко садится с коротким вскриком и запускает пальцы в песок, словно хочет удостовериться, что наконец вернулся к реальности.

— Я больше не усну, — заявляет он. — Сменю кого-нибудь из вас, идите поспите. — И лишь теперь замечает наши объятия и выражения лиц. — Ну, или оба. Я один справлюсь.

— Это слишком опасно, — не соглашается Пит. — Я не устал. Отдыхай, Китнисс.

Я не возражаю (силы еще понадобятся, чтобы спасать его жизнь) и позволяю напарнику отвести себя к остальным. Застегнув у меня на шее цепочку с медальоном, он опускает ладонь на мой живот.

— Знаешь, из тебя выйдет отличная мать.

Потом целует меня на прощание и уходит к Финнику.

Упоминание о ребенке — это сигнал: пора возвращаться к Игре. Публика и так уже начала гадать, отчего Пит не пускает в ход самый убедительный довод. Да и спонсоров не мешает растрогать.

Однако, растягиваясь на песке, я думаю: вдруг за его словами скрывается нечто большее? Намек на то, что когда-нибудь мы с Гейлом могли бы иметь детей? Если так, это был удар мимо цели. Во-первых, у меня совершенно другие планы...

А во-вторых, если кого-то из нас двоих и можно представить в роли родителя, любому ясно, это буду не я.

Погружаясь в пучину сна, пытаюсь вообразить далекий, еще не существующий мир, где нет места Голодным играм и Капитолию. Мир, похожий на луг из песенки, которую я пела умирающей Руте. Где ребенку Пита ничто бы не угрожало.

25

Проснувшись, я короткое время упиваюсь блаженным чувством, которое как-то связано с Питом. Понимаю, блаженство — не самое подходящее слово для человека в моем положении, ведь, судя по тому, как идут дела, уже сегодня меня ожидает смерть. При самом лучшем раскладе получится уничтожить всех (и саму себя, конечно), чтобы мой напарник стал победителем Квартальной бойни. И все же, ощущение настолько неожиданно и приятно, что я стараюсь подольше его сохранить, но колючий песок, солнечный зной и чесотка возвращают меня к действительности.

Все уже встали и наблюдают, как на пляж опускается очередной парашют. Я присоединяюсь к товарищам. Оказывается, нам снова прислали хлеб. Такие же булочки из Третьего дистрикта, что и прошлым вечером. Двадцать четыре штуки. Итого тридцать три. Каждый берет себе пять, и восемь в запасе. Мы не произносим этого вслух, но после смерти очередного участника их можно будет поделить без остатка. Шутка о том, кому достанутся запасные булочки, при свете дня почему-то не веселит.

Сколько еще продлится наш союз? Никто из нас не ожидал, что число участников уменьшится с такой головокружительной быстротой. А вдруг я ошиблась, вообразив, будто все защищают Пита? Если это простое совпадение, или заговор с целью втереться к нам в доверие, а потом убить, или не знаю что еще? А впрочем, какие могут быть «если»? Я действительно не понимаю, что происходит. Значит, нам с Питом пора уносить ноги.

Опускаюсь рядом с ним на песок, жую хлеб. И почему-то старательно отвожу взгляд. Неужели из-за тех поцелуев? Тоже мне, новость! И потом, Пит мог ничего такого и не почувствовать. Наверное, все дело во времени: его слишком мало осталось. И к тому же сейчас наши цели (что касается выживания и победы в Игре) противоположны друг другу.

После еды я беру напарника за руку и тяну к воде:

— Идем, научу тебя плавать.

Надо увести его подальше от остальных, чтобы потолковать о побеге. Главное, чтобы никто не заподозрил, что мы собрались расторгнуть союз, иначе нас тут же превратят в мишени.

Если бы я учила Пита по-настоящему, то попросила бы отстегнуть пояс, который держит его на воде, а так — какая разница? Показываю основные движения и предлагаю поплавать туда-сюда на мелководье. Поначалу Джоанна косится в нашу сторону, однако в конце концов теряет интерес и ложится вздремнуть. Финник плетет новую сеть, а Бити все возится со своим проводом. Похоже, пора.

Во время мнимого урока я кое-что заметила. Чешуйки на язвочках высохли и начинают отваливаться. Аккуратно тру свою руку песком: кожа становится гладкой и совершенно не чешется.

Подзываю Пита, и мы начинаем чиститься от надоевших струпьев. Тут-то я и выкладываю план побега.

— Слушай, вода пока спокойна. Думаю, нам пора уходить, — выдыхаю я еле слышно, хотя остальные трибуты находятся на приличном расстоянии.

Пит кивает, раздумывая над моим предложением. Прикидывает, как будет лучше для нас.

— Знаешь, что я скажу, — произносит он. — Давай подождем, пока не погибнут Брут с Энорабией. По-моему,

Бити решил заманить их в ловушку. А потом, обещаю, мы немедленно убежим.

Не очень убедительный довод. С другой стороны, если удрать прямо сейчас, за нами станут охотиться целых две команды. И это не считая Рубаки, у которого вообще неизвестно что на уме. А ведь придется еще подстраиваться под ритм часов. И подумать о Бити. Раз Джоанна спасла его исключительно ради меня, то не преминет убить, когда мы улизнем. И тут я спохватываюсь: изобретателя все равно не спасти. Победителем станет лишь один из нас, и это должен быть Пит. Любые решения нужно принимать, исходя из его интересов.

— Хорошо, — соглашаюсь я. — Останемся, пока не погибнут профи. Но не дольше. — Поворачиваюсь и машу Одэйру: — Эй, Финник, давай к нам! Мы тут придумали, как тебя снова сделать красавчиком!

И вот уже мы втроем очищаем тела от струпьев и натираем друг другу спину, помогая стать розовыми, как здешнее небо. Потом все равно приходится наложить слой мази: кожа еще чересчур уязвима для солнца, да и в зарослях лишняя маскировка не повредит.

Бити подзывает нас к себе. Оказывается, за эти часы он и в самом деле что-то надумал.

— Думаю, вы согласны, что наша следующая задача — избавиться от Брута и Энорабии, — мягким голосом произносит он. — Вряд ли они отважатся еще раз напасть в открытую, ведь численный перевес на нашей стороне. Можно, наверное, их выследить, но это опасный и утомительный труд.

— По-твоему, они тоже разгадали секрет арены? — вставляю я.

— Если даже и нет, скоро разгадают. Может, не так подробно, как мы. Но должны же они заметить, что здесь любая угроза имеет свои пределы и что эти секторы располагаются по кругу. Тем более нашу последнюю драку прервали распорядители. Для чего? Мы знаем, это была попытка сбить нас с толку, но ведь и профи зададутся таким вопросом. Рано или поздно они смекнут, что арена — это часы, — продолжает Бити. — Поэтому я предлагаю поставить нашу собственную западню.

— Погоди, я схожу за Джоанной, — вмешивается Финник. — Она взбесится, если узнает, что пропустила такой важный разговор.

— Необязательно, — бормочу я, потому что куда уж ей больше беситься?

Но парня не останавливаю. Если вдуматься, мне тоже было бы неприятно угодить в подобное положение.

Когда Финник с Джоанной присоединяются к нам, Бити просит всех отойти чуть подальше и начинает чертить на песке. Сначала — круг, разделенный на двенадцать секторов. Это арена. Выходит не так достоверно, как у Пита, — скорее, как у человека, чей ум занят совершенно другими, куда более сложными заботами.

— Итак, на месте Брута и Энорабии, зная то, что нам уже известно, где бы вы чувствовали себя в наибольшей безопасности? — осведомляется Бити.

В его тоне не слышится ни тени высокомерия. Изобретатель говорит, как хороший учитель, пытающийся изложить урок доступнее. Может быть, роль играет разница в возрасте. Или все дело в том, что этот человек в миллион раз умнее нас всех вместе взятых.

— Там же, где мы сейчас, — отвечает Пит. — На пляже.

— Тогда почему они не на пляже? — интересуется Бити.

— Потому что он занят, — нетерпеливо бросает Джоанна.

— Вот именно. Мы же здесь. Ну так, куда бы вы переместились?

Я размышляю. В джунглях подстерегает смерть, на пляже — соперники.

— Спряталась бы у самого края зарослей. Чтобы сбежать в случае опасности, а заодно — шпионить за нашей командой.

— И добывать еду, — прибавляет Финник. — В джунглях полно растений и животных, но это все — незнакомое, а вот морская пища, судя по нашему виду, вполне съедобна.

Бити улыбается так, словно мы превзошли его ожидания.

— Правильно. Молодцы. Видите? Следующий вопрос: что происходит, когда на часах бьет двенадцать?

— В дерево попадает молния, — отвечаю я.

— Да. И вот мое предложение. Между сегодняшними полуденной и полуночной грозами надо привязать мой провод к тому самому дереву, а потом размотать до самой воды. Когда грянет молния, электричество побежит от проволоки в том числе и по всей поверхности пляжа, еще сырого после десятичасовой волны. В это время любой, кто коснется песка, будет немедленно убит током.

Все долго молчат, обдумывая услышанное. Для меня это все — какая-то сказка, далекая от реальности. Хотя почему? Я ставила тысячи разных ловушек. Это еще одна, только крупнее и сделана с применением научных знаний. Сработает ли? Неужели мы, трибуты, которых растили как рыбаков, шахтеров и дровосеков, что-нибудь в этом понимаем? Что нам известно о покорении небесных сил?

— А проволока и вправду выдержит столько тока? — подает голос Пит. — Уж больно хрупкая с виду, как бы не перегорела.

— Перегорит. Но не раньше чем проведет электричество. Она сработает как запал, только вместо огня будет ток, — поясняет Бити.

— Откуда ты знаешь? — недоверчиво произносит Джоанна.

— Так ведь я же ее создал, — отзывается изобретатель слегка удивленно. — Это даже не провод в обычном смысле. Но и молнии здесь не совсем обычные, не говоря уже о деревьях. Джоанна, ты лучше всех нас разбираешься в этом вопросе. Скажи, разве нормальное дерево не сгорело бы еще в первый день дотла?

— Ну да, — мрачно подтверждает она.

— В общем, не беспокойтесь, проволока все выдержит, — уверяет нас Бити.

— А мы где будем, когда это произойдет? — спрашивает Одэйр.

— Заберемся поглубже в заросли, пересидим грозу в безопасности.

— Может, и профи ее спокойно пересидят, если не станут приближаться к воде, — вставляю я.

— Верно, — кивает Бити.

— Зато рыбы с моллюсками благополучно поджарятся, — указывает Пит.

— А то и похуже, — подхватывает изобретатель. — Боюсь, этот источник еды мы уже потеряем. Но ты же нашла в джунглях что-то съедобное, Китнисс?

— Орешки и крыс, — подтверждаю я. — И потом, есть же спонсоры.

— Ну вот. Значит, это нас не должно тревожить, — подытоживает Бити. — Но так как мы союзники, а дело потребует участия каждого, отважимся ли мы на эту попытку — решать всем.

Мы чувствуем себя, будто младшие школьники. Обсуждать затею с изобретателем — все равно не сумеем, для этого нужны хоть какие-то знания. Мы можем только терзаться смутной тревогой. Посмотрев на обескураженные лица товарищей, я первая подаю голос:

— Почему бы и нет? Если не выйдет, мы не особенно пострадаем. Но это приличный шанс убрать с дороги соперников. Даже если умрут одни рыбы с моллюсками, Брут и Энорабия тоже останутся без морской пищи.

— Я за то, чтобы попытаться, — произносит Пит. — Китнисс права.

Финник косится на Джоанну и поднимает брови. Похоже, он без нее никуда.

— Ладно, — бросает она наконец. — Все лучше, чем гоняться за ними по джунглям. И вряд ли враги разгадают наш замысел, ведь нам и самим ни черта не ясно.

Бити заявляет, что хочет заранее наведаться к Дереву молний. Судя по солнцу, теперь около девяти часов утра. Все равно скоро покидать пляж. Так что мы разбираем свой лагерь, направляемся в грозовой сектор и углубляемся в заросли. Изобретатель еще слишком слаб, чтобы самостоятельно передвигаться; Пит и Финник по очереди несут его на закорках. Я пропускаю Джоанну вперед. Путь предстоит недальний, девчонка не заплутает. А мне будет лучше идти в хвосте: от моих лука и стрел в джунглях больше толка.

Знойный, удушливый воздух давит на грудь. С той минуты, как начались Голодные игры, от него никуда не сбежишь. Я потеряла, наверное, целые ведра пота и, даже наевшись рыбы, жестоко страдаю без соли. Хоть бы Хеймитч уже перестал кормить нас булочками Третьего дистрикта и прислал что-нибудь из Четвертого. Стакан со льдом сейчас тоже бы не повредил. Или бутылка с холодным напитком. Древесный сок — это хорошо, но у него такая же температура, как у соленой воды, у воздуха, у прочих трибутов и у меня. Мы все словно тушимся в одной гигантской миске.

Ближе к цели Финник предлагает пустить вперед меня.

— Китнисс может расслышать силовое поле, — объясняет он Бити и Джоанне.

— Расслышать? — переспрашивает изобретатель.

— Да, восстановленным в Капитолии ухом, — киваю я.

Нашла кого водить за нос. Бити! Вряд ли он позабыл, как указал мне на «трещинку», да и поле, скорее всего, не издает никаких звуков. Однако мужчина почему-то не ставит мою историю под сомнение.

— Ну что же, тогда пусть идет, — соглашается он, остановившись, чтобы вытереть пот с очков. — С электричеством шутки плохи.

Дерево молний нельзя перепутать с другими: оно здесь выше всех. Сорвав гроздь орешков и бросая их перед собой, медленно продвигаюсь к цели. Но когда в пятнадцати ярдах от нас возникает барьер, я замечаю его и без этой предосторожности. Только что взгляд блуждал по зеленым кронам — и вдруг высоко, с правой стороны, различил переливающийся клочок пространства. Бросаю перед собой орешек. Негромкое шипение подтверждает мою догадку.

— От дерева не отходите, — предупреждаю я остальных.

Настало время распределить обязанности. Бити присматривается к дереву, Финник его охраняет, Джоанна добывает нам воду, Пит собирает орехи, я охочусь поблизости. Древесные крысы, похоже, совсем не боятся людей, и я без труда снимаю троих. В десятичасовом секторе грохочет волна; пора возвращаться и свежевать добычу. Вычерчиваю в грязи, в нескольких футах от силового поля, линию, за которую нам нельзя заходить, и мы с Питом принимаемся жарить орешки, а также кусочки крысятины.

Бити по-прежнему копошится у дерева. Трудно сказать, чем он занимается: наверное, производит измерения и все в таком духе. Потом отрывает полоску коры, приближается к нам и швыряет ее в силовое поле. Вспыхнув, кора летит на землю, а через пару минут приобретает первоначальный вид.

— Что ж, это многое объясняет, — бормочет изобретатель.

Мы с Питом переглядываемся, и я закусываю губу, чтобы не рассмеяться. Многое? Объясняет? Кому из нас?

В скором времени из ближайшего, одиннадцатичасового, сектора долетает назойливый стрекот. На этот раз он звучит куда громче. Все напряженно вслушиваются.

— Это не техника, — решительно заявляет Бити.

— Мне кажется, насекомые, — предполагаю я. — Может, жуки.

— Кто-то с клешнями, — прибавляет Одэйр.

Звук нарастает, точно наши тихие разговоры дали понять неведомому, что живая плоть — очень близко. Не знаю, кто там, но руку даю на отсечение: оно за пару секунд обглодает нас до костей.

— Ладно, все равно пора уходить, — произносит Джоанна. — Гроза начнется меньше чем через час.

И мы уходим. Правда, недалеко. К такому же дереву, только растущему на участке кровавых дождей. Присев на корточки, подкрепляемся местной пищей и ждем полуденного сигнала. По просьбе Бити, когда стрекот начинает понемногу стихать, я забираюсь повыше и наблюдаю. Молния ослепляет даже на расстоянии, даже при ярком солнечном свете. Дерево целиком окутывается раскаленным бело-голубым сиянием и выбрасывает в воздух снопы электрических искр. Спустившись, я докладываю Бити обо всем, что увидела. Кажется, мой дилетантский отчет его вполне удовлетворяет.

После этого мы окольным путем возвращаемся на десятичасовой участок пляжа. Гладко вылизанный волной песок сияет от влаги. Бити отпускает всех отдохнуть, а сам берется за дело. Оружие выдумал он, мы в этом ни рожна не смыслим, и у нас появляется такое чувство, словно учительница разрешила пораньше уйти с уроков. Сперва мы по очереди спим под тенистым покровом джунглей, но ближе к вечеру все уже на ногах и взволнованы. Раз уж настало время прощаться с морской пищей, почему бы не устроить пир напоследок? Под руководством Одэйра мы закалываем трезубцами рыб, собираем моллюсков и даже ныряем за устрицами. Этот вид охоты мне нравится больше всего. Не то чтобы я обожала устриц, которых попробовала в Капитолии лишь однажды, да и то с брезгливостью: больно уж склизкие. Но как приятно погружаться на глубину, в какой-то иной, неведомый мир! Вода совершенно прозрачная, косяки красноватых рыб и таинственные морские цветы превосходно смотрятся на фоне песчаного дна.

Джоанна стоит на страже, пока мы с Питом и Финником чистим и раскладываем на листьях добычу. Мой напарник вскрывает очередную раковину и вдруг усмехается.

— Смотрите! — На его ладони блестит безукоризненно круглая жемчужина размером с горошину. — Знаешь, — обращается Пит к Одэйру с самым серьезным видом, — под очень сильным давлением уголь тоже превращается в жемчуг.

— Чушь какая, — презрительно отмахивается тот.

А я прыскаю в кулак. Именно так глупышка Эффи представила нас Капитолию в прошлом году. Угольки, из которых под сильным давлением жизненных обстоятельств получились жемчужины. Красота, порожденная страданием.

Ополоснув находку водой, Пит протягивает ее мне.

— Это тебе.

Я кладу подарок на ладонь и рассматриваю под солнцем радужные переливы на белоснежной поверхности. О да, я оставлю эту жемчужину. Буду хранить ее до скончания нескольких отведенных мне жизнью часов. Последний подарок от Пита. Единственное, что я могу от него принять. Может быть, именно это придаст мне сил перед смертью.

— Спасибо, — благодарю я, сжав ладонь и невозмутимо глядя в глаза человеку, который стал моим главным противником, решив сохранить мою жизнь ценой собственной. И мысленно обещаю себе сорвать его планы.

Пит делается серьезным и пристально смотрит на меня, словно хочет прочесть мои мысли.

— Медальон не подействовал, да? — произносит он, хотя Финник рядом, хотя *все* рядом и слышат каждое слово. — Китнисс?

— Подействовал, — отзываюсь я.

— Но не так, как бы мне хотелось, — произносит он, отводя глаза, и до конца ужина смотрит только на устриц.

Когда мы уже собираемся приступить к еде, появляется парашют и приносит приятные дополнения к нашему пиру. Баночку острого красного соуса и новую порцию булочек из Дистрикта номер три. Разумеется, Финник тут как тут, бросается их пересчитывать.

— Снова двадцать четыре.

Всего, значит, тридцать две. Мы берем по пять; в остатке — семь штук. Поровну их уже не поделишь. Это — пища для одного человека.

Солоноватая рыба, мясистые моллюски и даже устрицы превосходны на вкус, когда их как следует сдобришь соусом. Мы набиваем себе животы до того, что не можем проглотить больше ни кусочка, но и после этого остаются объедки. Выбрасываем их обратно в воду: пусть не достанутся после нашего ухода соперникам. Ну а пустые ракушки волна потом смоет с берега.

С этой минуты нам больше нечем заняться, только ждать. Мы с Питом безмолвно сидим у кромки воды, рука в руке. Он уже произнес прошлым вечером речь, которая не заставила меня передумать, а я никогда не соображу, как можно уговорить его. Время подарков и убеждений истекло.

Но у меня на поясе, в парашютике, вместе с лекарством и трубкой завернута морская жемчужина. Надеюсь, мои пожитки потом доставят домой...

И мама с Прим догадаются вернуть ее Питу, прежде чем хоронить мое тело.

26

Звучит гимн, однако на небе не появляется ни одного лица. Зрители, должно быть, уже волнуются: где же кровь? Впрочем, ловушка Бити обещает им столько потехи, что распорядители не удосуживаются строить нам новые козни. Может быть, им самим интересно: сработает или нет?

Около девяти мы покидаем усеянный ракушками лагерь, переходим на двенадцатичасовой участок пляжа и при свете луны начинаем неспешное восхождение к Дереву молний. Утром было гораздо легче: теперь животы набиты до отказа и мучает одышка. И зачем только мне понадобилось запихивать в себя последнюю дюжину устриц?

Бити обращается к Одэйру за помощью, а все остальные стоят на страже. Прежде чем коснуться дерева, изобретатель отматывает несколько ярдов проволоки, просит Финника хорошенько закрепить ее вокруг сломанной ветки и положить на землю. Затем они становятся по разные стороны от ствола и, передавая катушку друг другу, обматывают его проводом. Сначала вроде бы наугад, но постепенно я начинаю различать затейливый узор, мерцающий в лунном свете. Интересно, это как-то повлияет на действие западни или же Бити хочет произвести впечатление на зрителей? Ручаюсь, большинство из них разбирается в электричестве не лучше меня.

Работа как раз окончена, когда мы слышим рокот воды. Я раньше не задумывалась, когда именно происходит обвал. А ведь сначала волна должна вырасти, подняться, потом обрушиться и отхлынуть с берега. Но, судя по небу, сейчас половина одиннадцатого.

И тут Бити полностью посвящает нас в свой план. Мы с Джоанной проворнее всех перемещаемся в зарослях, так что нам предстоит отнести катушку, попутно разматывая провод, разложить его на двенадцатичасовом участке пляжа и погрузить цилиндр с остатками проволоки поглубже в воду. А потом — убежать обратно. Как можно скорее, чтобы успеть в безопасное место.

— Я пойду с ними, прикрою, — немедленно вызывается Пит.

После нашего разговора он менее всего настроен выпускать меня из поля зрения.

— Ты нерасторопен и к тому же понадобишься здесь, — отрезает Бити. — Джоанну прикроет Китнисс. Давай не тратить время на споры. Прости. Девушкам нужно отправляться, — прибавляет он и протягивает катушку Джоанне.

Я тоже не в восторге от этого плана. Как можно защищать Пита на расстоянии? Однако изобретатель прав. Мой напарник, с его-то ногой, ни за что не управится вовремя. Мы с Джоанной действительно самые быстроногие в команде. Похоже, другого выбора нет. И если уж я доверяю кому-нибудь кроме Пита, то одному лишь Бити.

— Все будет хорошо, — заверяю я. — Опустим катушку и сразу вернемся.

— Только не в зону грозы, — напоминает изобретатель. — Бегите к дереву в секторе первого часа. Если поймете, что не успеваете, значит, в следующий. Главное, не возвращайтесь на пляж, пока я не оценю ущерб.

Я обхватываю ладонями лицо Пита.

— Не волнуйся. Увидимся в полночь, — целую его и, не дожидаясь возражений, поворачиваюсь к Джоанне. — Готова?

Та пожимает плечами.

— Конечно. — Вижу, ее точно так же не радует возможность поработать со мной в одной команде. Однако мы все угодили в ловушку Бити. — Ты прикрываешь, я разматываю. Потом поменяемся.

И мы без лишних слов пускаемся в путь, вниз по склону. По дороге почти не беседуем. Одна держит цилиндр, а другая ее охраняет. Примерно на середине дороги мы слышим нарастающий мрачный стрекот. Значит, одиннадцать часов уже пробило.

— Давай поторопимся, — бросает моя спутница. — Хочу подальше убраться от берега до начала грозы: вдруг Долбанутый ошибся в расчетах.

Я вызываюсь нести катушку. Это сложнее, нежели охранять, а мы с Джоанной уже давно не менялись.

— Бери, — отвечает она.

Наши руки еще на цилиндре, когда он как-то странно дергается. Внезапно тонкая золотая проволока словно набрасывается на нас, петлями опутывая запястья. И отсеченный конец падает к нашим ногам.

Ровно секунда требуется нам, чтобы осознать этот неожиданный поворот событий. Мы с Джоанной обмениваемся взглядами, но ни одной из нас уже не нужно ничего говорить. Кто-то в зарослях перерезал провод. И в любую минуту может на нас напасть.

Высвободив ладонь, я выхватываю стрелу — и получаю металлическим цилиндром по голове. Очнувшись, понимаю, что лежу на земле. В левом виске пульсирует страшная боль. Со зрением творится что-то не то: перед глазами все мутится и расплывается, две луны в небе никак не сойдутся в одну. Дышать почти невозможно. Оказывается, Джоанна сидит у меня на груди, придавив коленями мои плечи.

Левое предплечье пронзает ужасная боль. Пытаюсь отстраниться, однако не тут-то было. Девушка втыкает в меня что-то вроде ножа — и еще поворачивает, мучительно вырывая его вместе с мясом. По запястью струится теплая жижа и натекает в полусогнутую ладонь. Джоанна грубо отбрасывает мою руку, окатив половину лица моей же кровью.

— Лежи спокойно! — шипит она.

Затем поднимается, избавляя меня от своей тяжести, и вот я уже лежу в одиночестве.

«Что значит, лежи спокойно? — проносится в голове. — Что происходит?»

Зажмурив глаза, как-то пытаюсь осмыслить свое положение.

Но думаю лишь о том, как Джоанна толкнула Вайресс на пляж. «Лежи спокойно! Когда ж ты угомонишься?» Но ведь не напала же. По крайней мере, с ножом. С другой стороны, я — не Вайресс. Не Тронутая. «Лежи спокойно! Лежи...» — отдается в памяти гулким эхом.

Слышатся чьи-то шаги. Ко мне приближаются двое. Уверенно топают, не таясь.

— Она почти покойница! — Это голос Брута. — Идем, Энорабия!

И оба уходят в ночь.

Это они обо мне? Пытаюсь найти ответ, но сознание то и дело ныряет в сумерки. Это я — почти покойница? И ведь и правда не поспоришь. Мысли с трудом ворочаются. Итак, что мне известно? Джоанна решила напасть. Ударила меня цилиндром по голове. Порезала руку, повредила вены — возможно, неизлечимо. Потом Энорабия с Брутом спугнули ее, помешав разобраться со мной до конца.

Союз расторгнут. Очевидно, Джоанна с Финником сговорились избавиться от нас этим вечером. Так и знала: надо было устроить побег с утра. Не знаю, где сейчас Бити, но я кажусь очень легкой добычей. И Пит...

Пит! Глаза в ужасе распахиваются. Он ожидает под деревом, ни о чем не подозревая. А если Одэйр уже расправился с ним? «Нет», — шепчу я. Профи перерезали провод недалеко от нас. Финник, Бити и Пит могут и не догадываться о происходящем здесь. Разве что удивятся, почему вдруг провисла проволока. Или отскочила обратно. Ведь это не явный сигнал к убийству, верно? Нет, все дело в Джоанне. Это она решила, что пробил час порвать с нами. Убить меня. Улизнуть от профи. И как можно скорее воссоединиться с Финником.

Не знаю, не знаю. Ясно одно: я должна вернуться за Питом, помочь ему выжить. Собираю остатки воли в кулак — заставляю себя присесть, а затем подняться, держась за ствол дерева. Хорошо, что оно подвернулась под руку, а то джунгли так и пляшут перед глазами. Неожиданно я сгибаюсь пополам и полностью избавляюсь от съеденных морепродуктов. В желудке не остается даже кусочка устрицы. Дрожа в ознобе и обливаясь потом, силюсь понять, в каком же я состоянии.

Поднимаю пострадавшую руку. В лицо брызжет кровь, и мир снова опасно кренится в сторону. Закрываю глаза, прислоняюсь к дереву, выжидаю, пока не утихнет качка. Делаю пару шагов по направлению к соседнему дереву, отрываю мох и, уже не разглядывая след от ножа, плотно бинтую предплечье. Так уже лучше. По крайней мере, не нужно на это смотреть. Осторожно касаюсь раны на голове. Шишка огромная. Внутри явно что-то повреждено; впрочем, висок не очень сырой и я вряд ли умру от потери крови.

Насухо вытерев руки мхом, дрожащей левой ладонью тянусь за луком. Заряжаю стрелу. И приказываю ногам нести меня вверх по склону.

Пит. Я себе клялась... помочь ему выжить. И он не убит, иначе уже прогремела бы пушка. От этой мысли сразу становится легче. Может, Джоанна действует в одиночку, зная, что Финник последует за ней, когда ясно увидит ее намерения. Помню, как он посмотрел на девушку, прежде чем одобрить затею Бити с ловушкой. Между ними давно существует прочная связь, основанная на годах дружбы, а то и... как знать? Иными словами, если Джоанна против меня, значит, Одэйр тоже не заслуживает доверия.

Стоит прийти к этому заключению, как кто-то бросается мне навстречу по склону. Ни Пит, ни Бити так быстро бегать не могут. Отступаю в густые заросли — и едва успеваю скрыться. Темнокожий от мази Финник проносится мимо, прыгая через ползучие спутанные лианы подобно оленю. Вскоре он достигает места, где на меня напали. Наверное, замечает кровь.

— Джоанна! Китнисс! — зовет он.

Я стараюсь двигаться побыстрее, но так, чтобы мир больше не крутился перед глазами. Сердце колотится, в голове — громкий стук. Мерзкие насекомые, видимо, чуют запах крови: стрекот многократно усиливается. Или это гудит у меня в ушах после удара? Пока насекомые не заткнутся, и не поймешь. Да, но когда они замолчат, начнется гроза. Скорее! Нужно добраться до Пита.

Вздрагиваю от грохота пушки. Кто-то умер. В такую ночь, когда все с оружием и в испуге мечутся в зарослях, это может быть кто угодно. Зато теперь каждый будет сначала стрелять, а потом задаваться вопросами. И я велю ногам пуститься бегом.

Что-то хватает меня за лодыжку. Растягиваюсь ничком. Оно обвивает... Остро впивается тонкими волокнами... Сеть! Одна из хитроумных ловушек Одэйра, нарочно оставленная здесь для меня. А скоро и сам он явится с трезубцем в руке. Я дергаюсь, извиваюсь, все больше запутываясь, — и лишь потом различаю при лунном свете, куда попала. В смятении поднимаю руку, обвитую сверкающей золотой нитью. Это не сеть, а провод Бити. С осторожностью поднимаюсь на ноги. Да, меня угораздило налететь на моток проволоки, отскочившей обратно к Дереву молний. Медленно высвобождаюсь из пут и продолжаю восхождение.

Хорошая новость: я на верной дороге, хотя в голове от удара все могло бы перемешаться. Плохая новость: проволока напомнила о приближающейся грозе. Насекомых пока еще слышно... Или они уже затихают?

На бегу я стараюсь держаться неподалеку от провода, растянутого на траве, но не касаться коварных петель. Если стрекот на самом деле становится тише и молния скоро ударит в дерево, ток побежит по проволоке и наверняка убьет любого, кто к ней притронется.

Наконец впереди появляется дерево в золотых узорах. Замедляю шаг. Подойти надо незаметно. Впрочем, тут бы просто на ногах удержаться. Ищу глазами кого-нибудь. Нет. Ни одной души.

— Пит? — приглушенно зову я. — Пит?

В ответ раздается негромкий стон. Поворачиваюсь. На земле — человек.

— Бити! — восклицаю я, опускаясь рядом с ним на колени.

Стон, должно быть, вырвался сам собой. Мужчина лежит без сознания, хотя рана у него лишь одна — глубокий надрез ниже локтя. Наспех затыкаю рану мхом и пытаюсь его растолкать.

— Бити! Бити, что случилось? Кто тебя ранил? Бити!

Наверное, пострадавшего человека нельзя так трясти, но я не знаю, что еще делать. Изобретатель мычит и на миг поднимает ладонь, словно пытается предупредить об опасности.

Тут я замечаю в его кулаке грубо обмотанный проводом нож — по-моему, раньше принадлежавший Питу.

Ошеломленная, сбитая с толку, встаю с проводом в руках. Другой конец прикреплен к дереву. Точно: прежде чем приступить к накручиванию золотых узоров, Бити намотал кусок покороче (добрых двадцать — двадцать пять ярдов) на ветку, которую положил на землю. Тогда я еще подумала, что это очередной электрический фокус, однако изобретатель так ничего и не объяснил.

Прищурившись, пристально всматриваюсь вперед и понимаю: мы находимся в считаных шагах от силового поля. Вон он, утренний пресловутый квадратик — вверху и справа. Что же сделал Бити? Неужели пытался проткнуть барьер ножом, как это случайно получилось у моего напарника? И причем тут электрический провод? Может, это был запасной план — если не выйдет пустить ток в воду, направить энергию молнии на силовое поле? А что дальше? Ничего?

Или очень крупные неприятности? Мы все поджаримся? Я так понимаю, поля тоже состоят из энергии. Тот барьер в Тренировочном центре был совершенно невидим, а этот непостижимым образом отражает джунгли. Но я заметила, как он слегка дрогнул под клинком Пита и под ударом моей стрелы. А прямо за ним должен быть реальный мир...

Нет, у меня не гудело в ушах. Все-таки дело в насекомых. Теперь это ясно, потому что все они умолкают, и только ветер шумит в листве. От Бити уже никакого проку. Его не растормошить. И не спасти. Кто-нибудь растолкует мне, что же он собирался делать с этим ножом и проволокой? Моховая повязка насквозь промокла от крови; не стоит себя обманывать ложной надеждой. Голова сильно кружится. Еще немного — и я совсем отключусь. Нужно как-нибудь отлепиться от этого дерева и...

— Китнисс! — Голос доносится издалека.

Что ты делаешь, Пит? Разве еще не понял? За нами идет охота!

— Китнисс!

Как его защитить? Быстро бежать не сумею, стрелять — навряд ли. Остается лишь одно — вызвать огонь на себя.

— Пит! — визжу я. — Пит! Я здесь! Пит!

Вот так. Это их отвлечет. Пусть устремятся ко мне. Подальше от моего напарника и поближе к Дереву молний, а оно и само вскоре превратится в оружие.

— Сюда! Сюда! Пит!

Ну конечно же, он не успеет. Ночью, с его-то ногой...

Сработало. Я слышу, как они приближаются. Двое. Ломятся через джунгли. У меня начинают подкашиваться ноги. Опускаюсь на землю рядом с Бити, переношу вес тела на пятки. Поднимаю и заряжаю лук. Если я уберу эту парочку, переживет ли Пит остальных?

Энорабия с Финником приближаются к Дереву молний. Они не видят меня: я сижу чуть выше по склону, лицо и руки натерты мазью. Прицеливаюсь в шею Энорабии. Если повезет и я попаду, Финник отпрыгнет за дерево — а тут молния. Осталось чуть-чуть. Стрекот уже почти затих. Да, я смогу их убрать. Обоих.

Грохочет пушка.

— Китнисс! — громко взывает Пит.

На этот раз я не отвечаю. Из груди Бити вырываются слабые вздохи. Скоро мы оба умрем. Финник и Энорабия — тоже. А Пит будет жив. Пушка стреляла дважды. Джоанна, Брут, Рубака — двоих из них уже нет. Питу останется убрать одного. Это все, что я могу для него сделать. Один только враг...

Враг. Враг. Слово тянет за собой недавнее воспоминание. И наконец извлекает его наружу. Странное выражение на лице Хеймитча. *«Китнисс, когда будешь на арене...»* Нахмуренный лоб, дурные предчувствия. *«Что?»* — Мой голос дрожит от обиды, хотя обвинения не прозвучало. *«Помни, кто твой враг,* — договаривает Хеймитч. — *Вот и все».*

Его прощальный совет. Но разве я нуждаюсь в напоминаниях? Разве не знала всегда? Мой враг — тот, кто терзает голодом, мучает и убивает нас на арене. Кто вскоре разделается со всеми, кого я люблю.

Тут до меня доходит смысл сказанного, и мой лук опускается. Да, мне известно, кто враг. И это не Энорабия.

И наконец я смотрю на клинок Бити совершенно другими глазами. Трясущиеся пальцы снимают проволоку с ножа, наматывают ее на стрелу, прямо над оперением, и закрепляют узлом, изученным во время тренировки.

Я поднимаюсь во весь рост и поворачиваюсь к силовому полю. Заметят? Плевать. Меня волнует одно: куда прицелиться. Куда воткнул бы свой нож Бити, будь он в состоянии? Наконечник стрелы направляется к мерцающему квадратику, к трещинке, к... как там его назвали? Изъяну в стекле. Отпустив тетиву, я вижу, как стрела попадает в цель и исчезает, потянув за собой золотую нить.

От ужаса волосы поднимаются дыбом, и тут по дереву бьет молния.

Белая вспышка бежит по проволоке; на мгновение купол взрывается ослепительным голубым сиянием. Меня отбрасывает на землю — вернее, мое уже бесполезное тело, которое больше не в силах пошевелиться. Расширенными остекленевшими глазами смотрю, как с неба дождем осыпаются легкие клочья материи. Я не могу добежать до Пита. Не могу даже потянуться к жемчужине. Но из последних сил напрягаю глаза, чтобы унести с собой последний прекрасный образ.

Я вижу звезду. А потом начинаются взрывы.

27

Все рушится разом. Из земли бьют фонтаны грязи, корней и обрывков растений. Деревья окутываются пламенем. Даже небо вдруг расцветает яркими всполохами. Его-то зачем забрасывать бомбами? Ах да, это фейерверки. Настоящие взрывы гремят внизу. Должно быть, распорядителям показалось мало уничтожить арену вместе со всеми трибутами. Решили добавить зрелищности нашим кровавым смертям.

Позволят ли хоть кому-нибудь выжить? Будет ли в семьдесят пятом сезоне Голодных игр свой победитель? Может, и нет. Ведь это Квартальная бойня, в конце концов, и... что там прочел президент на карточке?

«...дабы напомнить повстанцам, что даже самые сильные среди них не преодолеют мощь Капитолия...»

Даже самый сильный среди сильнейших не должен торжествовать. Наверное, в этой Игре никто и не собирался короновать победителя... Или мой бунт развязал распорядителям руки.

Прости меня, Пит. Прости, пожалуйста, что не спасла тебя.

Какое там «не спасла»! Скорее украла последнюю надежду, обрекла на гибель, разрушив силовое поле. Может, играй мы все точно по правилам, его оставили бы в живых.

Планолет появляется надо мной без предупреждения. Была бы сейчас тишина и окажись поблизости пересмешница, я все поняла бы раньше. Джунгли умолкли бы, а потом раздался бы голос птицы, предвещающий появление капитолийского летательного аппарата. Но моим ушам никогда не различить подобных тонкостей в разгар бомбежки.

Челюсти выпадают из планолета и замирают прямо надо мной. Металлические когти сгребают меня в охапку. Хочется закричать, убежать, вырваться на свободу, но я словно заледенела и не могу ничего поделать. Разве что в отчаянии надеяться умереть, прежде чем надо мной склонятся сумеречные фигуры, ожидающие наверху. Не для того же меня забирают, чтобы короновать. Хотят насладиться моей максимально медленной и публичной казнью.

Худшие опасения подтверждаются, когда надо мной первым делом возникает лицо Плутарха Хевенсби, главного распорядителя. В какой беспорядок я превратила его красивые Игры с их аккуратно тикающими часами, с ареной для победителей! Он еще понесет наказание за свою неудачу, возможно, даже поплатится жизнью, однако прежде увидит, как покарают *меня*. Его рука тянется в мою сторону — чтобы ударить? Нет, гораздо хуже. Большим и указательным пальцами Плутарх закрывает мне веки. Беспомощно погружаюсь в кромешную темноту. Теперь со мной могут сделать все, абсолютно все, а я даже не увижу...

Сердце колотится с такой силой, что кровь начинает хлестать из-под самодельной повязки. Мысли туманятся. Вот бы истечь кровью, пока хирурги не принялись за дело... Беззвучно шепчу «спасибо» Джоанне Мэйсон за добросовестно нанесенную рану — и тут же лишаюсь чувств.

Медленно прихожу в себя. Чувствую, что лежу на мягком столе. В левой руке покалывает; кажется, в нее вставлены трубочки. Меня намерены оживить. Похоже, тихая смерть, да еще не у всех на виду, сама по себе могла бы стать своеобразной победой. Тело почти не слушается. С трудом разлепляю веки и поднимаю голову. Правая рука кое-как шевелится — словно плавник или, вернее, частично одушевленная дубинка. С моторикой очень плохо. Не могу понять, целы ли мои пальцы. Однако мне удается раскачать руку так, чтобы трубочки отвалились. Аппаратура пищит — вызывает кого-то. Я так и не успеваю увидеть кого, потому что теряю сознание.

...И снова выныриваю. Тоненькие трубочки на месте, руки привязаны к столу. Можно только открыть глаза и слегка приподнять голову. Я нахожусь в большой комнате с низкими потолками, наполненной серебристым светом. Вижу два ряда кроватей, обращенных друг к другу. До слуха долетает чье-то дыхание — должно быть, других трибутов. Прямо напротив лежит Бити, подключенный сразу к десятку аппаратов. «Черт, дайте нам умереть спокойно!» — мысленно кричу я. С размаху бьюсь затылком об стол, и перед глазами все гаснет.

Когда я окончательно, по-настоящему прихожу в себя, никаких уз нет и в помине. Поднимаю ладонь: пальцы на месте и послушно шевелятся по моей команде. Привожу свое тело в сидячее положение. Какое-то время сижу на столе, дожидаясь, пока комната перестанет качаться. Левая рука перебинтована, однако трубки свисают с прикроватной консоли.

Я здесь одна, не считая Бити, который по-прежнему лежит напротив, под присмотром армии аппаратов. Где же тогда остальные? Пит, Финник, Энорабия и... и... Джоанна, Рубака или Брут — к началу бомбежки один из них был еще жив. Наверняка распорядители пожелают казнить публично всех, кого смогут. Но куда же делись другие? Переведены из лазарета в тюрьму?

— Пит... — шепчу я.

Мне так хотелось его защитить. И я до сих пор не отказалась от своего намерения. Раз уж не получилось спасти ему жизнь, попробую хотя бы избавить напарника от мучительной смерти, уготовленной капитолийскими палачами. Нужно добраться до него раньше — и убить. Осторожно спускаю ноги со стола. Оглядываюсь, подыскивая оружие. На столике возле кровати Бити лежит прозрачный пакет со стерильными шприцами. Отлично. Наберу воздуха и введу в вену.

На мгновение замираю, раздумывая, не прикончить ли заодно и Бити. Но тогда мониторы начнут пищать, и меня поймают, не дав исполнить задуманное. Мысленно обещаю товарищу вернуться и подарить ему спокойную смерть.

На мне почти нет одежды, кроме тонкой ночной сорочки, так что шприц приходится сунуть под повязку на руке. У двери — ни одного охранника. Видимо, я угодила в бункер, выкопанный на много миль глубже Тренировочного центра, либо в одну из крепостей Капитолия, откуда побег немыслим. И ладно. Я ведь собираюсь не бежать, а только закончить свою работу.

Крадусь по узкому коридору к металлической двери. Та чуть приоткрыта. За ней кто-то есть. Достаю шприц и прижимаюсь к стене. Прислушиваюсь к долетающим до меня голосам.

— В Седьмом, Десятом и Двенадцатом дистриктах нарушены коммуникации. Зато в Одиннадцатом под контролем транспорт. По крайней мере, есть надежда подбросить им немного еды.

По-моему, это Плутарх Хевенсби. Впрочем, я лишь однажды с ним разговаривала. Хриплый голос задает какой-то вопрос.

— Нет, извини. В Четвертый я тебя переправить не могу. Но дал особое распоряжение, чтобы ее вернули при первой возможности. Большего я пообещать не могу, Финник.

Финник? Я судорожно пытаюсь вникнуть в смысл разговора. Точнее, сообразить, почему он происходит между Плутархом Хевенсби и Одэйром. Неужели парень так дорог Капитолию, что ему простили все преступления? А может, он просто не догадывался о намерениях Бити? Финник хрипит еще что-то. Голос у него срывается от безысходности.

— Не глупи. Это худшее, что ты мог бы сделать. Тогда ее точно убьют. А пока ты жив — будут охранять как наживку, — отвечает Хеймитч.

Хеймитч! Я с грохотом распахиваю дверь и нетвердым шагом вхожу. Наш бывший ментор, Плутарх, а также изрядно потрепанный Финник сидят за накрытым столом, однако никто не ест. В изогнутые окна струится дневной свет, вдали можно различить верхушки деревьев. Мы, оказывается, летим.

— Что, солнышко, надоело калечить саму себя? — раздраженно бросает Хеймитч. Но тут же подхватывает меня, сильно покачнувшуюся вперед. Ловит за руку, замечает шприц. — Ага, теперь она борется с Капитолием при помощи уколов! Вот почему тебя никто и не допускает к серьезным планам. — Я недоуменно раскрываю глаза. — Ну-ка, брось!

Хватка на запястье резко усиливается. Наконец ладонь раскрывается, и шприц падает на пол.

Хеймитч усаживает меня в кресло рядом с Финником.

Плутарх ставит передо мной тарелку с похлебкой. Кладет булочку. Сует в руку ложку.

— Поешь. — Его голос звучит куда теплее, чем у Хеймитча.

А тот усаживается напротив.

— Китнисс, я тебе расскажу, что происходит. Только молчи и не задавай вопросов, пока не разрешу. Поняла?

Я тупо киваю. И вот что мне удается узнать.

С первого дня, когда объявили Квартальную бойню, возник тайный заговор с целью вызволить нас с арены. Трибуты из Дистриктов номер три, четыре, шесть, семь, восемь и номер одиннадцать кое-что знали об этом. Хевенсби вот уже несколько лет является членом подпольной группы, готовящейся свергнуть власть Капитолия. Это его стараниями среди оружия оказался провод. Бити поручили пробить отверстие в силовом поле. Посылки с хлебом, который мы получали, несли в себе зашифрованное послание. Номер дистрикта, где его испекли, означал третий день, назначенный для побега. Количество булочек, то есть двадцать четыре, — час. Планолет явился из Дистрикта номер тринадцать. Бонни и Твилл из Восьмого, мои лесные знакомые, не заблуждались по поводу его существования и могущественных возможностей. Сейчас мы кружным путем направляемся именно туда. В большинстве дистриктов Панема полным ходом идет восстание.

Хеймитч умолкает, чтобы дать мне усвоить услышанное. Или чтобы самому перевести дух.

Это ужасно. Снова, как и в Голодных играх, меня превратили в пешку. Сделали частью хитрого замысла, использовали без моего согласия, даже не предупредив. На арене, по крайней мере, мне было известно, что мной играют.

Наши так называемые товарищи оказались чрезвычайно скрытными личностями.

— И вы ничего не сказали. — Мой голос звучит так же сипло, как и у Финника.

— Ни тебе, ни Питу. Это было слишком рискованно, — поясняет Плутарх. — Я и так беспокоился, что ты комунибудь проговоришься во время Игры о моей выходке... — Он опять достает золотые часы и обводит циферблат большим пальцем, на миг вызвав к жизни картинку с пересмешницей. — Разумеется, тогда я просто хотел тебе намекнуть на устройство арены. Как будущему ментору. Думал постепенно завоевать доверие. Я и не подозревал, что ты превратишься в трибута.

— Мне до сих пор непонятно, почему нас с Питом не посвятили в замысел, — возмущаюсь я.

— После взрыва силового поля вы стали бы первой мишенью, — отвечает Хеймитч. — В подобных случаях чем меньше знаешь, тем лучше.

— Первой мишенью? Это еще почему?

— По той же причине, почему игроки согласились пожертвовать жизнью ради вашего спасения, — говорит Финник.

— Джоанна пыталась меня убить, — возражаю я.

— Нет, она отключила тебя, чтобы извлечь из руки следящее устройство, — поясняет Хеймитч. — А потом увела подальше Брута и Энорабию.

— Что? — Голова и так трещит по швам, а они еще ходят вокруг да около! — Не понимаю, о чем вы...

— Мы обязаны были тебя спасти, Китнисс, потому что ты — пересмешница, — отвечает Плутарх. — Пока ты жива, живо и дело революции.

Птица, брошка, песня, ягоды, часы, крекер, вспыхнувшее платье. Я — пересмешница.

Уцелевшая вопреки планам Капитолия. Символ восстания.

Еще в лесу, во время встречи с беженками Бонни и Твилл, мне в голову закралось такое подозрение. Но я не представляла себе настоящих масштабов своего влияния. Впрочем, и не должна была представлять. Хеймитч столько глумился над моими планами побега и собственного восстания, даже над слабой надеждой на существование Дистрикта номер тринадцать. Если он, притворяясь насмешливым пропойцей, мог так долго и так убедительно врать на подобные темы, то что еще было бессовестной ложью? Знаю что.

— Пит, — шепчу я с упавшим сердцем.

— О нем заботились ради тебя, — кивает ментор. — Погибни он, ты отказалась бы от любых союзов. Нельзя же было оставить тебя совсем без защиты.

Будничный тон, невозмутимое выражение лица. Хотя нет, лицо слегка посерело.

— Где он? — рассерженно шиплю я.

— Пита забрали в столицу вместе с Джоанной и Энорабией, — произносит Хеймитч.

И смутившись, отводит глаза.

Теоретически оружие у меня отобрали. Однако не стоит недооценивать вред, который могут нанести человеческие ногти, особенно если застать жертву врасплох. Бросившись через стол, я впиваюсь Хеймитчу прямо в лицо и расцарапываю его до крови, зацепив один глаз. Мы оба кричим друг на друга, плюемся бранью и обвинениями. Финник с трудом оттаскивает меня. Знаю, ментор готов разорвать меня на куски, но нельзя, ведь я — пересмешница. Да, пересмешница, которая и сама не желает жить.

Кто-то приходит на помощь Финнику, и вот я опять лежу на столе. Тело обездвижено, запястья крепко прикручены. В ярости снова и снова бью затылком об изголовье. В руку грубо втыкают иглу. Сердце пронзает такая боль, что я прекращаю бороться и только реву, словно умирающий зверь, пока совсем не срываю голос.

Лекарство не усыпляет, а лишь усмиряет. Боль никуда не уходит; она только притупляется, как бы смазывается, и долго — наверное, целую вечность — не выпускает меня из своих когтей. Кто-то меняет трубочки. Со мной говорят успокаивающими, сочувственными голосами, однако слова скользят мимо. Все мои мысли — о Пите. Где-то там он лежит на похожем столе, и кто-то пытается выудить сведения, которых у него никогда не было.

— Китнисс... Китнисс, прости. — Голос Финника, лежащего на соседней кровати, ухитряется проникнуть в мое сознание — вероятно, из-за того, что мы одинаково страдаем. — Я хотел вернуться за ним и Джоанной, но не мог пошевелиться.

Ответа не будет. Благие намерения Одэйра интересуют меня меньше всего.

— Из них двоих Джоанне придется намного хуже. Пит ничего не знает, и они очень скоро в этом удостоверятся. Убивать его тоже нельзя: вдруг получится использовать против тебя...

— В качестве приманки? — подхватываю я, глядя в потолок. — Как Энни — против тебя, да, Финник?

Слышатся приглушенные рыдания, но мне плевать. Эту дурочку, наверное, даже не станут допрашивать. Она ускользнула от окружающих в прошлое, в свои Голодные игры. И, может статься, я скоро ее догоню. Пожалуй, я тоже схожу с ума, просто им не хватает духу сказать об этом в лицо. Да, мой рассудок определенно на грани...

— Как бы я хотел, чтобы она умерла, — произносит Финник. — Она, и другие, и мы тоже. Это лучший выход.

Что тут ответишь? Не мне с ним спорить. Давно ли сама бродила по планолету со шприцем в руке, собираясь прикончить Пита. Неужели я в самом деле искренне желаю ему смерти? Нет, больше всего мне хочется... хочется возвратить его. Но это уже невозможно. Даже если мятежники свергнут правительство Капитолия, президент Сноу наверняка позаботится о том, чтобы напоследок пленнику перерезали горло. Нет. Пита не вызволить, не вернуть. Может, смерть — и впрямь лучший выход.

Да, но поймет ли *он* — или продолжит бороться? Сил у него достаточно, да и язык хорошо подвешен. Догадается ли мой бывший напарник, что для него еще есть надежда? А если догадается — воспользуется ли? Он ведь не рассчитывал на такой поворот событий. На деле, Пит уже мысленно готовился к неминуемой гибели. Возможно, узнав, что меня спасли, он еще и обрадуется. Решит, будто выполнил свою миссию.

Ненавижу его. Кажется, даже больше, чем Хеймитча.

Через какое-то время я сдаюсь. Перестаю разговаривать, отвечать на вопросы, отказываюсь от воды и пищи. Пусть колют мне в вены все, что им заблагорассудится, — этого мало, чтобы поддерживать на плаву человека, утратившего волю к жизни. Кстати, любопытная мысль: когда я умру, Пита могут наконец оставить в покое. Хотя бы в качестве безгласого прислужника будущим трибутам Двенадцатого дистрикта. А там, со временем, можно будет подумать и о побеге. Получается, моя смерть еще могла бы его спасти.

Впрочем, неважно. Достаточно и того, чтобы умереть *назло*. Прежде всего назло Хеймитчу, ведь именно он превратил и меня, и Пита в марионеток. А я-то ему доверяла. Сама отдала в руки то, что было мне дорого… Предатель.

«Вот почему тебя и не допускают к серьезным планам», — сказал он.

Верно. Кто же в здравом уме свяжется с девушкой, не способной увидеть разницу между врагом и другом?

Бесконечно подходят люди, чтобы поговорить, но для меня теперь их голоса — точно стрекот насекомых из джунглей. Бессмысленные, отдаленные звуки. Опасные, только если к ним подойти слишком близко. Стоит мне различить хоть слово, как я начинаю стонать и требовать успокоительного, потом уже все безразлично.

И вот однажды, открыв глаза, я вижу перед собой человека, от которого не могу отгородиться. Того, кто не намерен ни заискивать, ни объясняться, ни умолять меня переmениться. Ему одному известно, как я устроена.

— Гейл, — шепчу я.

— Привет, Кискисс. — Он подается вперед и убирает прядку волос, упавшую мне на глаза.

Половину лица у него покрывает свежий ожог, одна рука покоится в перевязи, а под шахтерской робой белеют бинты. Что произошло? Откуда Гейл вообще здесь взялся? Похоже, дома стряслось что-то ужасное.

Не то чтобы я позабыла о Пите — скорее, вспомнила остальных близких мне людей. Стоило бросить взгляд на Гейла, и они ворвались в мою действительность, настойчиво требуя внимания.

— Прим? — выдыхаю я.

— Жива. И твоя мама тоже. Я их вовремя вытащил.

— Значит, они уже не в Двенадцатом дистрикте?

— После Голодных игр появились планолеты. Сыпали зажигательными бомбами. — Гейл запинается. — Ну, ты же помнишь, что случилось с Котлом.

Помню. Я видела пожар. Старый склад был пропитан угольной пылью. Как и весь дистрикт... Представляю себе дождь из зажигательных бомб над Шлаком, и внутри поднимается новая волна ужаса.

— Они уже не в Двенадцатом дистрикте? — повторяю я. Как будто слова могут защитить от правды.

— Китнисс, — ласково произносит Гейл.

Точно таким же голосом он обращается к раненому животному, прежде чем нанести смертельный удар. Безотчетно прикрываюсь рукой, но собеседник перехватывает и крепко сжимает запястье.

— Не надо, — шепчу я.

Однако Гейл не из тех, кто стал бы хранить от меня секреты.

— Китнисс, Дистрикта номер двенадцать больше нет.

КОНЕЦ ВТОРОЙ КНИГИ

СОЙКА-ПЕРЕСМЕШНИЦА

Кэпу, Чарли и Изабель

Часть I

ПЕПЕЛ

1

Я опускаю глаза и вижу, как на мои изношенные туфли тонким слоем ложится пепел. Вот тут стояла кровать, которую делили мы с Прим. Там, напротив, — кухонный стол. Ориентиром мне служит груда черных от сажи кирпичей, в которую превратилась печка. Как бы иначе я разобралась в этом море серости?

От Двенадцатого дистрикта не осталось почти ничего. Месяц назад капитолийские зажигательные бомбы спалили дотла бедные домишки шахтеров в Шлаке, лавки и магазины в центре и даже Дом правосудия. Огня избежала только Деревня победителей. Не знаю почему. Возможно, чтобы тем, кто приедет сюда по делам из Капитолия, было где остановиться. Репортерам, комиссии по оценке угольных шахт, бригаде миротворцев в поисках возвращающихся беженцев.

Пока приехала лишь я. Ненадолго. Власти Тринадцатого дистрикта не одобряли мою поездку — мол, дорогостоящая и бессмысленная авантюра. Ради моей защиты им пришлось поднять по меньшей мере двенадцать планолетов, которые незримо кружат где-то вверху. Никаких полезных сведений поездка не даст. Но я должна была увидеть все сама. Даже поставила это условием нашего сотрудничества.

В конце концов Плутарх Хевенсби, главный распорядитель Голодных игр и предводитель мятежников в Капитолии, сдался:

— Пусть едет. Лучше потерять день, чем еще месяц. Возможно, так она скорее убедится, что мы на одной стороне.

На одной стороне... Левый висок пронзает боль, я прижимаю к нему ладонь. Сюда ударила меня катушкой проволоки Джоанна Мэйсон. Воспоминания вихрем проносятся в голове, пока я пытаюсь сообразить, где истина, а где ложь. Какая череда событий привела к тому, что я стою теперь посреди развалин своего города? Мысли путаются — сказывается сотрясение мозга после того удара. Из-за лекарств, которыми меня пичкают от физической и душевной боли, я порою вижу то, чего нет. Хотя точно не знаю. Я до сих пор не вполне уверена, что, когда однажды пол моей больничной палаты превратился в ковер из кишащих змей, это и впрямь было галлюцинацией.

Я использую способ, подсказанный одним из врачей: начинаю с простейшего — того, что знаю наверняка, — затем перехожу к более сложному.

Меня зовут Китнисс Эвердин. Мне семнадцать лет. Моя родина — Двенадцатый дистрикт. Я участвовала в Голодных играх. Сбежала. Капитолий меня ненавидит. Пита схватили. Его считают погибшим. Скорее всего, он убит. Возможно, лучше, если убит...

— Китнисс? Мне спуститься? — слышится в наушниках, которые мне навязали повстанцы. Мой друг Гейл вверху, на планолете. Внимательно наблюдает за мной и в случае чего мигом спустится.

Я осознаю, что сижу на корточках, обхватив голову руками. Должно быть, со стороны кажется, будто я на грани нервного срыва. Так дело не пойдет. Меня только-только понемногу начали отучать от лекарств.

Выпрямляюсь.

— Нет, все в порядке.

В подтверждение отхожу от моего прежнего дома и бреду в центр. Гейл хотел высадиться вместе со мной, но не настаивал, когда я отказалась. Понимает: любая компания мне сегодня в тягость. Даже его. Есть дороги, которые нужно пройти в одиночку.

Лето выдалось сухим и знойным. Редкие дожди не смыли кучи золы. Она вспархивает от моих шагов и тут же оседает. Ветра нет. Я внимательно смотрю под ноги. Здесь раньше была дорога. Высадившись на Луговине, я споткнулась о камень. Только оказалось, что это не камень, а человеческий череп. Он откатился, зияющие глазницы уставились в небо. Я долго не могла отвести взгляд от зубов, гадая, кому они принадлежали, и представляя, как выглядели бы мои.

По привычке стараюсь придерживаться дороги, но она усеяна останками людей, пытавшихся спастись бегством. Некоторые сгорели полностью, другие, избежав огня, задохнулись от дыма. На полуразложившихся трупах кишат мухи. Вас всех убила я. И тебя. И тебя. И тебя...

Потому что так и есть. Моя стрела, разрушившая силовое поле, вызвала огненный шквал возмездия и повергла в хаос весь Панем.

В голове звучат слова президента Сноу, сказанные мне перед туром победителей: «Вы, Огненная Китнисс, бросили искру, способную разгореться в адское пламя, которое уничтожит Панем». Он не преувеличивал. Возможно, он искренне пытался заручиться моей поддержкой, хотя от меня уже ничего не зависело.

Пожар все еще продолжается, машинально отмечаю я. Угольные шахты вдали изрыгают клубы черного дыма. Впрочем, кому какое дело? Почти все жители дистрикта погибли. Оставшиеся восемь процентов укрылись в Тринадцатом дистрикте — бесприютные беженцы, навсегда лишившиеся родины.

Конечно, так думать не следует. Я должна быть благодарна за то, что нас приняли. Больных, израненных, голодных, нищих. Однако мне не дает покоя мысль, что если бы не мятежники Тринадцатого дистрикта, Двенадцатый был бы цел. Это не снимает вины с меня — ее хватит на всех. Но что бы я смогла без них?

Жители Двенадцатого дистрикта вообще ни в чем не виноваты, им просто не повезло, что у них есть я. И все же некоторые выжившие рады, что вырвались оттуда. Прочь от голода и гнета, гибельных шахт, от плети начальника миротворцев Ромулуса Треда. Крыша над головой — уже счастье, ведь до недавнего времени мы и не подозревали о существовании Тринадцатого дистрикта.

Все, кто выжил, целиком обязаны своим спасением Гейлу, хотя сам он этого не признает. Как только Квартальная бойня была сорвана — когда меня вытащили с арены, — в Двенадцатом дистрикте отключили электричество, экраны телевизоров погасли, и в Шлаке настала такая тишина, что люди слышали биение чужих сердец. Никто и не думал ни протестовать, ни ликовать по поводу случившегося на арене, но уже четверть часа спустя небо заполнилось планолетами и градом посыпались бомбы.

Гейл вспомнил про Луговину — одно из немногих мест, свободных от старых деревянных построек, пропитанных угольной пылью. Он направил туда всех, кого смог собрать, включая мою маму и Прим. Люди снесли проволочное ограждение, теперь обесточенное и безопасное, и Гейл увел их в лес, к озеру, которое отец показывал мне в детстве. Они стояли там и смотрели издали, как пламя пожирает весь их мир.

К рассвету бомбардировщики улетели, языки пламени опали, и к озеру подтянулись последние из спасшихся. Мама и Прим развернули пункт первой помощи, лечили раненых целебными травами из леса. У Гейла было два лука со стрелами, охотничий нож, рыболовная сеть и восемь с лишним сотен напуганных и голодных людей. Гейлу помогали все, кто был в состоянии охотиться. Удалось продержаться три дня. А потом неожиданно прилетел планолет из Тринадцатого дистрикта. На новом месте уцелевших разместили в чистых квартирах с белыми стенами, снабдили новой одеждой и кормили три раза в день. К сожалению, жилье подземное, одежда совершенно одинаковая, а еда довольно безвкусная, но для беженцев из Двенадцатого это мелочи. Главное — они живы, они в безопасности, их не бросили на произвол судьбы, а приняли с распростертыми объятиями.

Вначале я никак не могла понять, с чего это нам так радуются, но один человек по имени Далтон открыл мне глаза.

— Вы им нужны. Я им нужен. Мы все. Некоторое время назад у них тут была какая-то эпидемия вроде оспы. Многие умерли, остальные стали бесплодными. Племенной скот — вот кто мы для них.

Несколько лет назад Далтон сбежал из Десятого дистрикта и пешком пришел в Тринадцатый. У себя в Десятом он работал на скотоводческой ферме. Занимался сохранением генетического разнообразия стада при помощи замороженных коровьих эмбрионов. Похоже, он знает, о чем говорит, — детей в Тринадцатом и вправду почти не видно. Ну и что с того? Нас не держат в загоне, дают возможность получить профессию, дети ходят в школу. Подростки старше четырнадцати получили низший армейский чин, их теперь почтительно называют солдатами. Каждому беженцу власти автоматически предоставили гражданство.

Все равно ненавижу их. Хотя теперь я почти всех ненавижу. Больше всего себя.

Дорога под ногами стала тверже, под ковром пепла чувствуется булыжная мостовая. Я на площади. Ее границами служат невысокие насыпи из золы и мусора, в которые превратились магазины. Груда черных обломков на месте Дома правосудия. Иду туда, где стояла пекарня родителей Пита. Я узнаю ее только по оплавленной печи. Родители Пита и оба старших брата погибли в огне. Из тех, кто в Двенадцатом дистрикте считался зажиточными, спаслось не больше десятка. Питу не к кому больше возвращаться. Кроме меня...

Отступив на несколько шагов, я спотыкаюсь и падаю на кусок раскаленного от солнца металла. Что это? Тут я вспоминаю недавние нововведения Треда. Колодки, позорный столб и виселица, на обломках которой я теперь сижу. Черт. Вот угораздило. Перед глазами проносятся картины, мучающие меня и днем и ночью. Пит под пытками — его топят в воде, жгут железом, режут, бьют током, калечат, пытаясь вытащить из него то, о чем он не имеет понятия. Я изо всех сил зажмуриваюсь и пытаюсь дотянуться до него через многие сотни миль, передать ему мои мысли, сказать, что он не один. Но он один. Я ничем не могу ему помочь.

Бежать. Скорее прочь с этого места! Туда, где нет углей и пепла. Я пробегаю мимо того, что было домом мэра, где жила моя подруга Мадж. Ни о ней, ни об ее родственниках ничего не известно. Эвакуировали их в Капитолий благодаря положению отца или оставили огню? Из-под ног поднимаются тучи пепла, я закрываю рот краем рубашки. Мне не хватает воздуха — не столько от того, *что* я вдыхаю, сколько от сознания, *кого* я вдыхаю.

Вот и Деревня победителей. Трава здесь тоже выгорела, и земля усыпана серыми хлопьями, но двенадцать домов стоят целы и невредимы. Я вбегаю в тот, где жила в прошлом году, захлопываю дверь и прислоняюсь к ней. Все осталось на своих местах. Чистота и порядок. Тихо до жути. Зачем я вернулась в Двенадцатый? Неужели думала найти здесь какие-то ответы? Ответы на вопросы, от которых не скрыться.

— Что мне делать? — шепотом спрашиваю я у стен. Я правда не знаю.

Приходят люди, разговаривают со мной. Все говорят и говорят. Плутарх Хевенсби. Фульвия Кардью, его деловитая помощница. Всяческие чиновники. Военные. Только Альма Койн, президент Тринадцатого, помалкивает. Наблюдает со стороны. Ей пятьдесят или около того. У нее потрясающие волосы, ни одной выбившейся пряди, даже ни одного секущегося кончика. Идеальные. Глаза — серые, но не как у выходцев из Шлака. Бледно-бледно-серые, такие светлые, будто все живые краски из них выкачали. То, что осталось, напоминает цветом грязный подтаявший снег в конце зимы.

Им нужно, чтобы я взяла на себя роль, которую они для меня придумали. Стала символом революции. Сойкой-пересмешницей. Бросить вызов Капитолию, вдохновить повстанцев — недостаточно. Теперь я должна стать настоящим лидером — лицом, голосом и плотью революции. Указать путь к победе. Я буду не одна. У них тут целая команда. Позаботятся о макияже, подберут одежду, напишут речи, организуют выступления — звучит до жути знакомо, не так ли? Мне останется только сыграть роль. Иногда я их слушаю, иногда только притворяюсь внимательной и разглядываю безупречно уложенные волосы Койн — может, это парик? В конце концов у меня начинает болеть голова, или сосать в желудке, или я чувствую, что начну биться в истерике, если сию же минуту не выберусь на поверхность. Не говоря ни слова, встаю и выхожу.

Вчера, перед тем как за мной закрылась дверь, я услышала слова Койн:

— Говорила же, в первую очередь надо спасти парня.

Это она о Пите. Я с нею согласна. Из Пита получился бы замечательный лидер.

А кого они вытащили вместо него? Меня, не желающую иметь с ними никаких дел. Еще Бити, изобретателя из Третьего. Бити я почти не вижу — едва он смог садиться на постели, его подключили к разработке оружия. Прямо на кровати отвезли в какой-то секретный отдел, и теперь он только иногда показывается в столовой. Он очень умный и рад внести свой вклад в борьбу, но повести за собой не сможет. Потом — Финник Одэйр, секс-символ рыбацкого дистрикта. Это он не дал умереть Питу на арене, когда я ничем не могла ему помочь. Из Финника тоже хотят сделать вождя повстанцев, только сперва нужно добиться, чтобы он не отключался каждые пять минут. Даже когда он в сознании, приходится повторять все по три раза, прежде чем до него дойдет. Врачи говорят, это из-за электрического шока, полученного на арене, но я знаю, что причина гораздо сложнее. Финник не может ни на чем сосредоточиться, потому что постоянно думает об Энни, сумасшедшей девушке из его дистрикта, — что с нею стало. Энни — единственная на земле, кого любит Финник.

В Тринадцатом я оказалась в том числе и по его милости. Но уже почти не держу на него обиды. Он, по крайней мере, понимает, каково мне. Да и трудно злиться на того, кто постоянно плачет.

Осторожно, стараясь не шуметь, обхожу первый этаж. Будто на охоте. Беру пару вещей на память: фотографию родителей в день свадьбы, синюю ленточку для волос, семейный справочник по лекарственным и съедобным растениям. Книга раскрывается на странице с желтыми цветами. Я быстро захлопываю ее. Цветы нарисовал Пит.

Что же мне делать?

А нужно ли вообще что-то делать? Мои мама, сестра, Гейл с семьею наконец в безопасности. Другие — либо погибли, чего уже не исправить, либо укрылись в Тринадцатом. Есть еще повстанцы в других дистриктах. Конечно, я ненавижу Капитолий не меньше, чем они, вот только принесу ли пользу повстанцам, став Сойкой? Как я могу помочь дистриктам, когда любой мой шаг оборачивается страданиями и гибелью людей? В Одиннадцатом дистрикте расстреляли старика за то, что он насвистывал мелодию Руты. У нас, в Двенадцатом, стало только хуже после того, как я заступилась за Гейла, когда его хотели высечь. Цинну, моего стилиста, перед Играми избили и выволокли без сознания из Стартового комплекса. Осведомители Плутарха считают, что его убили на допросе. Цинна, такой умный, загадочный, великодушный, умер из-за меня. Нет, нельзя об этом думать. Иначе мой хрупкий разум не выдержит и я совершенно потеряю связь с действительностью.

Что делать?

Став Сойкой-пересмешницей... чего я принесу больше, пользы или вреда? Кто мне ответит? Чьему ответу я поверю? Уж конечно, не той компании из Тринадцатого. Клянусь, я бы сбежала оттуда. Если бы не одно «но». Пит. Знай я наверняка, что он погиб, ушла бы в лес — только меня и видели. Даже не оглянулась бы. Но пока ничего не известно, я связана по рукам и ногам.

Внезапно за спиной слышится какое-то шипение. Я оборачиваюсь. В дверях кухни, хищно изогнув спину, плотно прижав уши к голове, стоит самый уродливый кот в мире.

— Лютик! — вырывается у меня.

Тысячи людей погибли, а он выжил и даже не исхудал. Что же он ел? Мы всегда оставляли приоткрытым окно в кладовке, чтобы он мог приходить и уходить, когда ему захочется. Наверное, ловил полевых мышей. О другой возможности думать не хочется.

Я сажусь на корточки и протягиваю руку:

— Иди ко мне, малыш.

Ага, как же. Он злится. Мы бросили его одного. К тому же в руке у меня ничего нет, а еда — это основное, что до некоторой степени примиряло его с моим существованием. На какое-то время мы с ним, правда, едва не сдружились. Так вышло, что мы оба невзлюбили новый дом и, случалось, в одно и то же время приходили к старому. Теперь это в прошлом. Желтые глаза Лютика недобро сверкают.

— Хочешь к Прим? — спрашиваю я.

Кот пошевелил ушами. «Прим» — единственное слово, кроме собственного имени, которое что-то для него значит. Хрипло мяукнув, он подходит ближе. Я беру его на руки, глажу, потом достаю из шкафа охотничью сумку и без лишних церемоний засовываю в нее кота. По-другому поднять его на планолет не получится, а эта животина слишком много значит для моей сестры.

Ее коза Леди, от которой действительно есть толк, к сожалению, не показалась.

Голос Гейла в наушниках говорит, что пора возвращаться. Однако охотничья сумка напомнила мне еще об одной вещи, которую я хотела взять. Вешаю сумку на спинку стула и взлетаю по ступенькам на второй этаж, в свою спальню. В шкафу висит отцовская охотничья куртка. Я привезла ее перед Бойней из нашего старого дома. Подумала, что куртка будет напоминать матери и Прим обо мне, если я не вернусь, и, может быть, утешит их. Слава богу, иначе она бы тоже превратилась в пепел.

Кожа мягкая и приятная на ощупь. Сколько часов я провела, закутавшись в эту куртку! От воспоминаний на душе становится тепло и спокойно. Неожиданно ладони покрываются потом. Какое-то странное ощущение в затылке. Резко поворачиваюсь. Никого нет. В комнате порядок. Все на своем месте. Тишина. Меня испугал не звук. Тогда что?

Ноздри невольно вздрагивают. Запах. Тяжелый, неестественный. Среди высохших цветов на комоде что-то белое. Осторожно переставляя ноги, подхожу ближе. В вазе, едва видимая в кругу своих увядших сородичей, стоит белая роза — свежая и безупречная до кончиков лепестков, до последнего шелкового листика.

Я немедленно понимаю, от кого она.

От президента Сноу.

Задыхаясь от запаха, пячусь, поворачиваюсь и бегу прочь. Сколько она здесь простояла? Сутки? Час? Прежде чем мне разрешили сюда прилететь, здесь побывали разведчики повстанцев. Искали взрывчатку, жучки, все, что может представлять опасность. На розу они могли не обратить внимания. Всего лишь цветок. Только не для меня.

Внизу хватаю со стула сумку и по пути несколько раз задеваю ею пол, прежде чем вспоминаю, что она не пустая. Стоя на лужайке, отчаянно машу руками планолету. Толкаю локтем бьющегося в сумке Лютика, отчего тот приходит в еще большую ярость. Наконец появляется планолет, и вниз спускается лестница. Становлюсь на ступеньку, и меня, обездвиженную током, поднимают на борт.

Гейл помогает мне сойти с лестницы.

— Все в порядке?

— Да, — отвечаю я, смахивая рукавом пот с лица и едва сдерживая крик: «Он прислал мне розу!» Лучше помалкивать, тем более когда за нами наблюдает Плутарх. Со стороны это будет похоже на бред. Будто я все это себе вообразила (что не исключено) или делаю из мухи слона. И в том и другом случае билет в страну наркотических грез, из которой я едва вырвалась, мне гарантирован. Никто другой не поймет, что такого страшного в цветке, пусть даже от президента Сноу. Потому что никто кроме меня не сидел с ним в кабинете перед туром победителей и не слышал его угроз. Это не просто цветок. Это обещание расплаты.

Белоснежная роза на комоде — послание, адресованное лично мне. О том, что пора платить по счетам. «Я найду тебя. Достану где угодно. Возможно, я уже сейчас вижу тебя», — шепчет она.

2

Может быть, капитолийские планолеты уже мчатся сюда, чтобы развеять нас по ветру? Все время, пока мы летим над Двенадцатым дистриктом, я жду нападения. Ничего не происходит. Через несколько минут я слышу радиообмен между пилотом и Плутархом о том, что воздушное пространство свободно, и немного успокаиваюсь.

Гейл кивком показывает на вопящую охотничью сумку:

— Так вот зачем тебе непременно надо было вернуться.

— Как будто был хоть один шанс его найти.

Сбрасываю на мягкое сиденье сумку — мерзкое существо внутри принимается угрожающе рычать — и сажусь напротив у окна.

— Заткнись.

Гейл садится рядом.

— Жуткое зрелище, да?

— Хуже не придумаешь.

Я смотрю в глаза Гейла и вижу в них отражение собственной скорби. Наши руки находят друг друга, жадно цепляясь за ту часть Двенадцатого дистрикта, которую не смог уничтожить Сноу. До конца полета сидим молча. Впрочем, лететь до Тринадцатого всего минут сорок. Пешком — неделя. Бонни и Твилл, беглянки из Восьмого дистрикта, которых я встретила в лесу прошлой зимой, были не так уж далеки от цели. Похоже, не дошли. Я пыталась навести справки в Тринадцатом, но никто ничего о них не слышал. Умерли в лесу, наверное.

С воздуха вид у Тринадцатого дистрикта ничуть не веселей, чем у нашего. Руины, правда, не дымятся, как показывают из Капитолия по телевизору, но на поверхности почти невозможно разглядеть никаких признаков жизни. Все семьдесят пять лет, прошедших с Темных Времен, когда Тринадцатый был якобы стерт с лица земли в войне с Капитолием, новое строительство велось исключительно под землей. Часть подземных сооружений существовали уже не одну сотню лет — тайные убежища для глав правительства на время войны либо последний приют человечества, если жизнь на поверхности станет невозможна. Но самое главное то, что Тринадцатый был центром по разработке ядерного вооружения для Капитолия. В Темные Времена повстанцы изгнали из своего дистрикта правительственные войска и, нацелив ядерные ракеты на Капитолий, предложили сделку: Капитолий оставляет Тринадцатый дистрикт в покое, а Тринадцатый дистрикт делает вид, будто его больше не существует. Хотя на западе страны Капитолий располагал резервным ядерным арсеналом, применить его без риска ответного удара со стороны Тринадцатого было нельзя. Оставалось принять условия. Капитолий разрушил все, что еще уцелело на поверхности, и перекрыл доступ к дистрикту извне. Возможно, лидеры Капитолия полагали, что, оставшись без поддержки, Тринадцатый постепенно вымрет сам. Несколько раз он и впрямь был на грани гибели, однако благодаря четкому распределению ресурсов, строгой дисциплине и постоянной бдительности ему всегда удавалось выкарабкаться и избежать диверсий Капитолия.

Теперь люди почти все время проводят под землей, лишь иногда, по расписанию, выбираясь на поверхность, чтобы размяться и побыть под солнцем. Расписание — это святое. Утром засовываешь в хитрую штуковину на стене правую руку до локтя и получаешь на ее внутренней стороне ядовито-фиолетовую татуировку: *7.00 — Завтрак. 7.30 — Дежурство по кухне. 8.30 — Образовательный центр, ауд. 17.* И дальше в таком духе. Чернила невозможно ни стереть ни смыть до 22.00, когда по расписанию душ. К тому времени вещество, отвечающее за стойкость чернил, распадается, и весь распорядок утекает в канализацию. Ровно в 22.30 звучит отбой, после чего все, кто не занят в ночную смену, должны быть в постели.

Лежа в госпитале, я обходилась без ежедневного «клеймения». Теперь, переселившись в отсек 307 к маме и сестре, должна жить, как остальные. Как бы то ни было, я не особенно обращаю внимание на эти надписи — за исключением тех, что касаются посещения столовой. В остальное время сижу в нашем отсеке, брожу по Тринадцатому или заваливаюсь спать в каком-нибудь укромном уголке. В заброшенном вентиляционном коробе. За трубами в прачечной. В подсобке образовательного центра. Замечательное место эта подсобка. Никто никогда не зайдет ни за мелом, ни еще за чем. Тут все жутко бережливые, расточительство — чуть ли не уголовное преступление. К счастью, жизнь в Двенадцатом приучила нас быть экономными. Зато Фульвия Кардью как-то раз смяла и выбросила почти не исписанный лист бумаги. Видели бы вы, как на нее все посмотрели, — будто она кого-то убила. Фульвия покраснела как помидор, отчего серебряные розы на ее пухлых щеках стали еще отчетливее. Ходячий символ расточительства. Одно из немногих моих развлечений в Тринадцатом — наблюдать за горсткой отъевшихся капитолийских «бунтарей», как они из кожи вон лезут, чтобы соответствовать.

Не знаю, долго ли наши гостеприимные хозяева намерены мириться с моим полнейшим пренебрежением к пунктуальности и правилам, столь ими любимыми, но пока что меня никто не трогает. Чего ждать от человека, страдающего «психической дезориентацией»? (Такой диагноз значится на пластиковом медицинском браслете у меня на руке.) Впрочем, рано или поздно моим вольным блужданиям придет конец. Да и с Сойкой надо что-то решать.

С посадочной площадки, наматывая лестничные марши, мы с Гейлом спускаемся в отсек 307. Лифт тоже есть, вот только он слишком напоминает тот, который поднимал меня на арену. Мало приятного проводить столько времени под землей, однако сегодня, после той жуткой розы (действительно ли она была?), я впервые чувствую себя тем спокойнее, чем глубже спускаюсь.

У двери с номером 307 я останавливаюсь. Сейчас начнутся расспросы...

— Что мне им говорить о Двенадцатом? — обращаюсь я к Гейлу.

— Вряд ли им нужны подробности. Сами видели, как все горело. Думаю, они больше волнуются за тебя. — Пальцы Гейла касаются моего лица. — И я тоже.

На секунду я прижимаю его ладонь к своей щеке.

— Я справлюсь.

Потом делаю глубокий вдох и открываю дверь. Мать и сестра дома. Сейчас *18.00 — Анализ дня*, полчаса отдыха перед ужином. В глазах у них забота. Будто в душу хотят заглянуть. Прежде чем кто-нибудь успевает произнести хоть слово, я открываю сумку, и вместо анализа дня у нас *18.00 — Обожание кота.* Прим сидит на полу и со слезами на глазах нянчит этого жуткого котищу, а тот урчит, изредка прерываясь, чтобы шикнуть в мою сторону. Особенно уничижительным взглядом он меня награждает после того, как Прим повязывает ему вокруг шеи синюю ленточку.

Мама прижимает к груди свою свадебную фотографию, потом ставит ее на казенный комод, рядом кладет справочник растений. Я вешаю на стул отцову куртку. На мгновение кажется, будто мы снова дома. Все-таки не зря я смоталась в Двенадцатый.

18.30. Мы идем в столовую на ужин, когда на руке Гейла пищит телебраслет — штуковина, похожая на большие наручные часы, но может принимать текстовые сообщения. Телебраслеты — редкость. Их выдают в качестве поощрения тем, кто особенно значим для дела революции. Гейлу этот статус присвоили за спасение жителей Двенадцатого дистрикта.

— Нас с тобой вызывают в штаб, — говорит он мне.

Я плетусь в нескольких шагах позади Гейла, готовясь к очередной промывке мозгов. Вот и штаб — зал заседаний военсовета, оборудованный по последнему слову техники. Тут и говорящие стены со встроенными компьютерами, и электронные карты, показывающие перемещения войск в различных дистриктах, и гигантский прямоугольный стол с замысловатыми приборными панелями — мне до них лучше не дотрагиваться. Останавливаюсь в дверях, никто не обращает на меня внимания. Все собрались в дальнем конце зала у телевизионного экрана, по которому круглые сутки идут передачи из Капитолия. Я уже думаю, не улизнуть ли потихоньку, как вдруг Плутарх, чья массивная фигура загораживала мне телевизор, поворачивается и энергично машет рукой — скорее сюда! С неохотой подхожу ближе. Что там может быть интересного? Всегда одно и то же: военные сводки, пропаганда, кадры бомбежек Двенадцатого дистрикта. Ясная демонстрация того, что нас всех ждет. На таком фоне появление Цезаря Фликермена, вечного ведущего Голодных игр, с раскрашенной физиономией и в блескучем костюме выглядит почти ободряюще. До тех пор, пока камера не отъезжает, чтобы показать гостя программы. Это — Пит.

У меня перехватывает дыхание, и я судорожно, со стоном хватаю ртом воздух, будто в последний момент, когда легкие уже разрываются болью от недостатка кислорода, вынырнула из-под воды. Пробившись к самому телевизору, касаюсь ладонью экрана. Вглядываюсь в глаза Пита, пытаясь уловить в них боль, тень страданий, которым его подвергали. Я ничего не нахожу. Вид у Пита не просто здоровый — цветущий. Гладкая, румяная кожа без единого изъяна, как после полной регенерации. Взгляд, движения — спокойные и уверенные. Ничего общего с тем избитым, окровавленным юношей, что виделся мне в кошмарах.

Цезарь усаживается поудобнее в кресле напротив, долго смотрит на Пита.

— Привет, Пит... С возвращением!

Губы Пита трогает легкая улыбка:

— Готов спорить, Цезарь, ты был уверен, что больше меня не увидишь.

— Признаюсь, ты прав. В тот вечер перед Квартальной бойней... кто бы мог подумать, что мы еще встретимся?

— У меня, по крайней мере, такого и в мыслях не было.

Цезарь слегка подается вперед:

— Думаю, все прекрасно знают, что было у тебя в мыслях. Пожертвовать собой ради Китнисс Эвердин и вашего ребенка.

— Именно так. Просто и ясно. — Пальцы Пита обводят узор на мягкой обивке подлокотника. — Только у других тоже были свои планы.

«Еще как были, — мысленно соглашаюсь я. — Значит, Пит обо всем догадался? Что повстанцы использовали нас как пешки в своей игре. Что меня с самого начала планировали спасти. И наконец, как наш ментор Хеймитч Эбернети предал нас обоих ради цели, которая его якобы совершенно не интересовала».

Пока длится пауза, я замечаю морщинки между бровями Пита. Да, он догадался, или ему рассказали. Однако Капитолий не убил его и даже не наказал. Такого я не решалась представить себе в самых смелых мечтах. Я не могу на него наглядеться. Пит — цел, невредим, здоров телом и духом. Осознание этого растекается по моим жилам подобно морфлингу, который мне колют в госпитале, и боль, мучившая меня вот уже несколько недель, отступает.

— Не мог бы ты рассказать зрителям о последней ночи на арене? — просит Цезарь. — Это позволило бы многое прояснить.

Пит согласно кивает, но с рассказом не торопится.

— Та ночь... Последняя ночь... Что ж, тогда для начала пусть зрители попробуют представить, что испытывает трибут на арене. Ты — букашка под колпаком с раскаленным воздухом. Кругом джунгли... зеленые, живые. Гигантские часы, отсчитывающие, сколько тебе осталось. Тик-так, тик-так. Каждый час — новое испытание, одно кошмарнее другого. Шестнадцать смертей за последние два дня. Некоторые погибли, защищая тебя. Если так пойдет дальше, оставшиеся восемь не доживут до утра. Кроме одного. Победителя. И ты сделаешь все, чтобы им стал другой.

Я покрываюсь пóтом при воспоминании. Рука безвольно соскальзывает с экрана. Питу не нужно кистей и красок, чтобы живописать Игры. Он прекрасно обходится словами.

— Когда ты на арене, остальной мир для тебя не существует, — продолжает он. — Все, что ты любил, стало таким далеким, что его как бы и нет. Розовое небо, монстры в джунглях, трибуты, жаждущие твоей крови, — только это по-настоящему реально и имеет значение. Хочешь ты или нет, тебе придется убивать, потому что на арене у тебя лишь одно желание, и плата за него высока.

— Плата — твоя жизнь, — говорит Цезарь.

— Нет, гораздо выше. Убивать ни в чем не повинных людей... Это... это — отдать все ценное, что в тебе есть.

— Все ценное, что в тебе есть, — негромко повторяет Цезарь.

Студию заполнила тишина, и я чувствую, как она растекается по всему Панему. Целая нация приникла к экранам. Никто прежде не говорил о том, каково это — быть трибутом.

— И ты цепляешься за это желание, как за последнее, что у тебя осталось своего, — продолжает Пит. — В ту последнюю ночь мое желание было спасти Китнисс. Я не знал о повстанцах, но чувствовал — что-то не так. Все чересчур запуталось. Я жалел, что не убежал с ней днем, как она предлагала. Но в тот момент это было невозможно.

— Ты был слишком увлечен идеей Бити — пустить электричество в соленое озеро.

— Слишком увлечен игрой в союзники. Никогда себе не прощу, что позволил им нас разлучить! Тогда-то я ее и потерял.

— Когда ты остался у Дерева молний, а Китнисс с Джоанной Мэйсон понесли катушку проволоки к озеру, — уточняет Цезарь.

— Я не хотел оставаться! — Пит даже покраснел от волнения. — Но если бы я стал спорить с Бити, он бы догадался, что мы решили разорвать союз. А как перерезали провод, там такое началось... Всего и не упомнишь. Я пытался ее найти. Видел, как Брут убил Рубаку. Я сам убил Брута. Китнисс звала меня. Потом молния ударила в дерево, и силовое поле вокруг арены... лопнуло.

— Его взорвала Китнисс, — говорит Цезарь. — Ты видел запись.

— Она сама не понимала, что делает, — огрызается Пит. — Никто из нас не знал планов Бити. Китнисс просто пыталась избавиться от провода.

— Что ж, может быть, — уступает Цезарь. — Но выглядит это подозрительно. Как будто она с самого начала была в сговоре с мятежниками.

Внезапно Пит вскакивает, нависает над Цезарем и впивается пальцами в подлокотники его кресла.

— Подозрительно? А что Джоанна едва ее не убила — это как? Тоже часть заговора? Или, может быть, Китнисс хотела, чтобы ее парализовало током? Или чтобы планолеты разбомбили наш дистрикт? — Пит уже кричит. — Она не знала, Цезарь! Никто ничего не знал. Мы только старались спасти друг другу жизнь!

Цезарь кладет руку на грудь Пита — то ли желая успокоить, то ли пытаясь защититься.

— Ладно, ладно, Пит, я тебе верю.

— Хорошо.

Пит выпрямляется и запускает пальцы в волосы, приводя в беспорядок тщательно уложенные светлые локоны. Смущенно садится в свое кресло.

Какое-то время Цезарь молча изучает Пита.

— А как насчет вашего ментора, Хеймитча Эбернети?

Взгляд Пита становится жестким.

— Понятия не имею, *что* знал Хеймитч.

— Как думаешь, он замешан в заговоре?

— Хеймитч никогда не говорил на эту тему.

— Что подсказывает тебе сердце? — не унимается Цезарь.

— Что Хеймитчу не следовало доверять. Ничего больше.

Я не видела Хеймитча с тех пор, как расцарапала ему лицо в планолете. По слухам, ему тут нелегко. В Тринадцатом дистрикте производство и потребление опьяняющих напитков строго запрещено. Медицинский спирт в госпитале держат под замком. Волей-неволей приходится быть трезвенником, и даже никакой самодельной бурды не купишь для облегчения страданий. Хеймитча держат в изоляции, пока он не просохнет настолько, чтобы его можно было предъявить публике. Жестоко, но так ему и надо, обманщику. Надеюсь, он сейчас смотрит передачу и видит, что Пит в нем тоже разочаровался.

Цезарь хлопает Пита по плечу:

— Если хочешь, мы можем сейчас закончить.

Пит криво усмехается:

— Что мы еще должны обсудить?

— Ну, вообще-то я собирался спросить, что ты думаешь о разгоревшейся войне, но ты, кажется, слишком взволнован...

— Я отвечу. — Пит делает глубокий вдох и смотрит прямо в камеру. — Я хочу, чтобы все, кто меня сейчас видит, неважно, на чьей вы стороне — Капитолия или повстанцев, задумались на минуту, к чему приведет эта война. Мы едва не вымерли во время предыдущей. Теперь нас меньше. Наше положение еще более шаткое. Так чего же мы хотим? Истребить человечество? В надежде... что на дымящихся руинах нашей цивилизации поселится другой, более разумный вид?

— Я не... не совсем понимаю...

— Нам нельзя воевать друг с другом, Цезарь. Нас и без того слишком мало. Если мы все не сложим оружие — и притом немедля, — человечеству конец.

— То есть ты призываешь к перемирию?

— Да. Я призываю к перемирию, — устало повторяет Пит. — А теперь пусть охрана отведет меня обратно, и я построю еще сотню карточных домиков.

Цезарь поворачивается к камере:

— Что ж, на этом специальный выпуск завершен, мы возвращаемся к нашему обычному вещанию.

Звучит финальная музыка, затем дикторша зачитывает список товаров, нехватка которых ожидается в ближайшее время: свежие фрукты, солнечные батареи, мыло. Я не отрываюсь от экрана, будто меня это страшно интересует, знаю — все ждут моей реакции. А как тут реагировать, когда я сама не понимаю, что чувствую. Пит — жив и здоров!

И он защищает меня перед Капитолием. А сам, похоже, с ним сотрудничает, раз призывает к перемирию. Да, конечно, он говорил так, будто осуждает обе стороны, но сейчас, пока преимущества у повстанцев столь незначительны, перемирие может означать только одно — все станет как прежде. Или хуже.

За спиной слышатся обвинения в адрес Пита. «Предатель», «лгун», «враг». Слова мячиками отскакивают от стен. Я не могу возразить и согласиться тоже не могу. Поэтому решаю просто уйти. Едва я достигаю двери, как среди общего ропота выделяется голос Койн:

— Тебя никто не отпускал, солдат Эвердин.

Один из ее людей кладет руку мне на плечо. Вполне безобидное действие, но после арены любое прикосновение я воспринимаю в штыки. Вырываюсь, бегу по коридорам. Сзади слышны звуки борьбы, но я не останавливаюсь. Быстро перебрав в уме свои маленькие укрытия, заскакиваю в подсобку образовательного центра и приваливаюсь к коробке с мелом.

— Ты жив, — шепчу я, прижимая ладони к щекам. Мои губы растянуты в такую широкую улыбку, что она, должно быть, смахивает на гримасу.

Пит — жив. Он предатель. Но для меня это сейчас неважно. Не имеет значения, что он говорит, как говорит и по чьему наущению. Главное, что он вообще способен говорить.

Через некоторое время дверь открывается, и кто-то входит. Ко мне подсаживается Гейл. Из носа у него идет кровь.

— Что случилось? — спрашиваю я.

Он пожимает плечами:

— Преградил дорогу Боггсу.

Вытираю ему нос своим рукавом.

— Полегче!

Я стараюсь сильно не нажимать. Промокаю, а не вытираю.

— Кто это?

— Да ты его знаешь. Правая рука Койн. Это он хотел тебя остановить.

Гейл отстранил мою руку.

— Брось! Так я у тебя совсем кровью истеку.

Действительно, после моих стараний кровь уже не капает, а бежит ручьем. Лучше бы не бралась.

— Ты дрался с Боггсом?

— Нет, просто встал в дверях, когда тот хотел бежать за тобой, вот и получил локтем по носу.

— Тебя, наверное, накажут.

— Уже. — Гейл поднял руку. Я смотрю на нее непонимающим взглядом. — Койн забрала у меня телебраслет.

Закусываю губу, силясь сохранить серьезный вид. Все так глупо.

— Сожалею, что доставила вам неприятности, солдат Гейл Хоторн.

— Не стоит, солдат Китнисс Эвердин, — улыбается Гейл. — Все равно я чувствовал себя придурком с этой штуковиной.

Мы оба смеемся.

— Кажется, я безнадежно упал в их глазах.

Вот что мне нравится в Тринадцатом: здесь я могу видеться с Гейлом. Капитолий нам теперь не указ, и мы снова стали друзьями. Гейла это устраивает — во всяком случае, с поцелуями он ко мне не лезет и разговоров о любви не затевает. Может, из-за того, что я еще толком не оправилась, может, хочет дать мне время разобраться со своими чувствами. Или потому, что это будет подло, пока Пит находится в руках Капитолия. Как бы то ни было, теперь у меня снова есть товарищ, с которым я могу делиться сокровенным.

— Что они за люди? — спрашиваю я.

— Такие же, как мы. Но у них было ядерное оружие, а у нас только пара угольных глыб — вот и вся разница.

— Хочется верить, что Двенадцатый не бросил бы остальных повстанцев на произвол судьбы. Тогда, в Темные Времена.

— Кто знает. Если стоит выбор — уступить или начать ядерную войну. Удивительно, как им вообще удалось выжить.

Может быть, оттого, что пепел родного дистрикта еще не успел осыпаться с моих ботинок, я впервые чувствую к Тринадцатому то, в чем до сих пор ему отказывала, — уважение. Он сумел выжить. Несмотря ни на что. Страшно представить, каково тут было в первые годы. Горстка людей, загнанных в подземелье под сожженным дотла городом. Помощи ждать не от кого. За семьдесят пять лет они многому научились, из граждан превратились в солдат и создали новое автономное общество. Они были бы еще сильнее, если бы их не подкосила оспа. Рождаемость упала, и потребовался приток новой крови. Их можно считать солдафонами, послушными винтиками, сухарями, но они живы. И они бросают вызов Капитолию.

— Не слишком-то они торопились себя проявить, — ворчу я.

— Не все так просто. Нужно было создать базу повстанцев в Капитолии, развернуть подполье во всех дистриктах, — говорит Гейл. — Потом понадобился кто-нибудь, кто привел бы все это в действие. Им была нужна ты.

— Им был нужен Пит, тут они просчитались.

Лицо Гейла мрачнеет.

— Сегодня Пит порядком нам навредил. Большинство повстанцев, конечно, пропустят его призыв мимо ушей, но есть дистрикты, где сопротивление слишком слабое. Хотя идея перемирия явно исходит от президента Сноу, в устах Пита она звучит разумно.

Я боюсь услышать ответ Гейла, но все равно спрашиваю:

— Как думаешь, почему он это сделал?

— Возможно, его пытали. Или просто убедили. Но мне кажется, Пит пошел с ними на сделку, чтобы спасти тебя. Он призывает к перемирию, а Сноу позволяет ему представить дело так, будто ты запутавшаяся беременная девушка и мятежники обманом тебя похитили. Если дистрикты потерпят поражение, у тебя будет шанс на помилование при условии, что ты правильно разыграешь эту карту.

Должно быть, вид у меня не шибко умный, потому что следующую фразу Гейл произносит очень медленно:

— Китнисс... Пит до сих пор пытается спасти тебе жизнь.

Спасти мне жизнь? И тут до меня доходит. Игры все еще продолжаются. Арена позади, но поскольку мы с Питом оба живы, его последнее желание — сохранить мне жизнь — все еще в силе. Он рассчитывает на то, что я буду сидеть тихо, не высовываясь, будто меня держат в плену. Тогда никому не понадобится меня убивать. А Пита? Победа повстанцев обернется для него гибелью. Если верх одержит Капитолий, кто знает? Может быть, нас обоих пощадят — конечно, если я правильно разыграю карту, — и мы до конца жизни будем смотреть Игры...

Перед глазами проносятся жуткие картины: копье, пронзающее насквозь тело Руты; избитый до бесчувствия Гейл у позорного столба; мой дистрикт, опустошенный и заваленный трупами. Ради чего? Ради чего? Кровь закипает у меня в жилах, картины меняются. Я вижу первый акт неповиновения, которому стала свидетелем в Восьмом дистрикте. Победителей, стоящих рука об руку в ночь перед Квартальной бойней. Мою стрелу, выпущенную в силовое поле. Случайно? Как бы не так! Я мечтала вонзить ее в самое сердце врага!

Я вскакиваю и опрокидываю коробку с карандашами, которые раскатываются по всему полу.

— Что такое? — спрашивает Гейл.

— Не будет никакого перемирия. — Я подбираю палочки с темно-серым графитом, сую их обратно в коробку. Получается плохо. — Мы не должны отступать.

— Я знаю. — Гейл сгребает карандаши в ладонь и постукивает по полу, чтобы выровнять.

— И все равно Пит не прав.

Дурацкие деревяшки никак не влезают в коробку, я пытаюсь запихнуть их силой, и некоторые ломаются.

— Знаю. Дай сюда. Ты их так все переломаешь.

Гейл забирает у меня коробку и быстрыми, точными движениями укладывает в нее карандаши.

— Пит не знает, во что превратился Двенадцатый. Он не видел своими глазами, как я...

— Китнисс, я не спорю. Если бы я мог нажать на кнопку и убить всех, кто работает на Капитолий, я бы это сделал. Без колебаний. — Гейл засовывает последний карандаш в коробку и закрывает крышку. — Вопрос в том, как поступишь ты.

Внезапно я понимаю, что этот вопрос, мучивший меня столько времени, всегда имеет лишь один ответ. Но только выходка Пита помогла мне его осознать.

Как я поступлю?

Я набираю в грудь воздуха. Поднимаю руки, словно вспомнив черно-белые крылья, которые дал мне Цинна.

— Я стану Сойкой-пересмешницей.

3

В глазах Лютика отражается тусклый свет ночника над дверью. Кот снова на своем посту, под боком у моей сестры, защищает ее от ночных опасностей. Прим прижалась спиной к матери. Втроем они выглядят точь-в-точь как в утро перед той Жатвой, что привела меня на Игры.

У меня отдельная кровать. Во-первых, я еще не совсем поправилась, во-вторых, спать со мной рядом все равно невозможно. Из-за кошмаров я мечусь и толкаюсь.

Проворочавшись без толку несколько часов, я наконец смиряюсь с тем, что в эту ночь мне не заснуть. Спускаю ноги на холодный плиточный пол и под пристальным взглядом Лютика на цыпочках крадусь к комоду.

В среднем ящике лежит моя казенная одежда. Тут все носят одинаковые серые рубахи, заправленные в такие же серые штаны. Под одеждой я храню те немногие вещи, что были при мне, когда меня вытащили с арены. Брошка с сойкой-пересмешницей, талисман Пита — золотой медальон с фотографиями мамы, Прим и Гейла внутри, серебряный парашют с трубочкой, чтобы добывать живицу, и жемчужина, которую Пит подарил мне за несколько часов до того, как я взорвала силовое поле. Тюбик с мазью у меня забрали. Для госпиталя. Лук и стрелы тоже. Оружие выдают только охранникам, остальное хранится в арсенале.

Я шарю по дну ящика и достаю подарок Пита. Потом усаживаюсь по-турецки на кровати. Касаюсь губами гладкой переливчатой поверхности жемчужины. Как ни странно, меня это успокаивает. Словно сам Пит целует меня прохладными губами.

— Китнисс? — шепчет Прим. Она проснулась и смотрит на меня сквозь темноту. — Что случилось?

— Ничего. Просто плохой сон. Спи, — машинально говорю я. Я привыкла не посвящать маму и Прим в свои дела. Для их же безопасности.

Осторожно, чтобы не разбудить маму, Прим выбирается из кровати, забирает Лютика и подсаживается ко мне. Дотрагивается до моей руки, сжимающей жемчужину.

— Ты замерзла.

Она берет в ногах кровати запасное одеяло и накрывает им нас обеих вместе с Лютиком. Тепло Прим и жар пушистого кошачьего тела окутывают меня со всех сторон.

— Расскажи мне. Я умею хранить секреты. Даже от мамы.

Куда делась та девчушка с выбившейся и торчащей сзади, как утиный хвостик, блузкой? Пигалица, что не могла дотянуться до верхней полки буфета и тащила меня посмотреть на глазированные пироги в витрине булочной? Тяготы и заботы быстро сделали ее взрослой. Слишком быстро. Моя сестренка умеет зашивать кровавые раны и понимает, о чем можно рассказывать маме, а о чем нет.

— Завтра утром я соглашусь быть Сойкой, — говорю я.

— Ты сама этого хочешь или тебя вынудили?

Я усмехаюсь.

— Наверное, и то и другое. Нет. Я хочу. Я обязана, если это хоть чем-то поможет мятежникам победить Сноу. — Мои пальцы с силой сжимают жемчужину. — Только вот... Пит. Боюсь, если мы победим, мятежники казнят его как предателя.

Прим задумывается.

— Китнисс, по-моему, ты не понимаешь, как сильно им нужна. Они пойдут тебе на уступки. Ты сможешь защитить Пита, если захочешь.

Пожалуй, я и впрямь важная фигура. Сколько им пришлось потрудиться, чтобы меня спасти! А потом даже доставили меня в Двенадцатый дистрикт.

— Ты хочешь сказать... я могу потребовать, чтобы они предоставили Питу неприкосновенность? Думаешь, они согласятся?

— Я думаю, ты можешь потребовать что угодно, и они никуда не денутся. — Прим морщит лоб. — Только вот... сдержат ли они свое слово?

Да уж. Сколько всего наврал Хеймитч, чтобы мы с Питом делали то, что ему нужно. Почему бы мятежникам не поступить так же? Устное обещание, данное за закрытыми дверьми, или даже письменный документ недорого стоят. После войны окажется, что никто мне ничего не обещал, а бумаги недействительны. На свидетелей в штабе полагаться нельзя. Они, может, сами смертный приговор и подпишут. Свидетелей должно быть много. Так много, сколько возможно.

— Нужно публичное заявление, — говорю я. Лютик взмахивает хвостом. Видимо, одобряет. — Я потребую, чтобы Койн выступила перед жителями Тринадцатого.

Прим улыбается.

— Отличная идея. Конечно, это не полная гарантия, но так им, по крайней мере, будет труднее пойти на попятную.

Я чувствую облегчение, как всегда, когда решение окончательно принято.

— Пожалуй, надо будить тебя почаще, утенок.

— Я не против, — говорит Прим и чмокает меня в щеку. — Постарайся теперь заснуть, хорошо?

И я засыпаю.

На следующее утро у меня *7.00 — Завтрак*, потом сразу *7.30 — Штаб*. Что ж, тем лучше. К чему затягивать? В столовой провожу рукой перед сенсором — кроме расписания на ней указано что-то вроде индивидуального номера. Двигаю поднос по металлической стойке мимо котлов с едой. Рацион на диво стабильный — миска горячей каши, чашка молока, что-нибудь фруктовое или овощное. Сегодня пюре из репы. Продукты доставляются с собственных подземных ферм Тринадцатого. Сажусь за стол — он общий для нескольких семей беженцев, включая Эвердин и Хоторнов, — и быстро уплетаю еду, мечтая о добавке, которой мне никто не даст. К питанию тут подходят с научной точки зрения. Ты получаешь ровно столько калорий, сколько необходимо, чтобы дотянуть до следующего приема пищи, ни больше, ни меньше. Размер порции зависит от возраста, роста, телосложения, состояния здоровья и доли физического труда в твоем расписании. Нас, беженцев из Двенадцатого, кормят все-таки немного получше, чем местных, чтобы мы поднабрали вес. Видимо, из тех соображений, что тощие солдаты быстрее устают. Что ж, результат налицо. Прошел всего месяц, а мы уже выглядим здоровее, особенно дети.

Рядом ставит свой поднос Гейл. Стараюсь не слишком жалобно смотреть на его пюре. Гейл и так часто со мной делится. Усилием воли отворачиваюсь и аккуратно складываю салфетку, но тут мне в миску шлепается полная ложка пюре.

— Прекрати так делать, — ворчу я. Звучит не слишком убедительно, учитывая, что я тут же набрасываюсь на угощение. — Нет, правда. Может быть, это запрещено.

С едой тут очень строго. Если ты, к примеру, что-то не доешь, то выносить это из столовой нельзя. Наверное, поначалу кое-кто пытался делать запасы. Людям вроде меня и Гейла, которые годами добывали пропитание для своих семей, здешние правила не по нутру. Пусть мы раньше частенько голодали, зато, если уж доставали еду, могли распоряжаться ею, как душе угодно. В каком-то смысле Тринадцатый дистрикт контролирует своих обитателей даже больше, чем Капитолий.

— Что они мне сделают? Телебраслет уже забрали, — говорит Гейл.

Я все еще пытаюсь что-то выскрести из миски, и тут меня озаряет:

— А что, если поставить им такое условие, раз они хотят, чтобы я была Сойкой?

— Чтобы мне разрешили кормить тебя репой? — осведомляется Гейл.

— Нет. Разрешили нам охотиться.

Глаза Гейла тут же оживляются, и я продолжаю:

— Конечно, добычу придется отдавать на кухню. Но мы хотя бы...

Заканчивать не требуется, Гейл и так все понимает. Мы могли бы выбраться наружу. Бродить по лесу. Быть самими собой.

— Попробуй, — говорит Гейл. — Сейчас самый подходящий момент. Захочешь луну с неба, из кожи вылезут, но достанут.

Гейл не знает, что еще я собираюсь просить. Боюсь, это так же реально, как луна с неба. Пока раздумываю, сказать ему или нет, звенит колокол. Пора уступать места следующей смене. При мысли о встрече с Койн мне становится не по себе.

— Что у тебя дальше в расписании?

Гейл смотрит на руку.

— История ядерных технологий в образовательном центре. Тебя там, кстати, уже заждались.

— Мне нужно в штаб. Пойдешь со мной?

— Ладно. Если меня оттуда не вышвырнут после вчерашнего.

Мы относим подносы и выходим.

— Думаю, надо включить в условия Лютика, — говорит Гейл. — Сдается мне, бесполезных домашних питомцев тут не жалуют.

— Ничего, подыщут ему работу. Будет каждое утро получать расписание на лапу, — отшучиваюсь я, но мысленно включаю кота в список условий. Ради Прим.

Койн, Плутарх и их подручные уже в сборе. При виде Гейла некоторые поднимают брови, но прогнать его никто не решается. В голове у меня начинает все путаться, поэтому я сразу прошу лист бумаги и карандаш. Моя нечаянная деловитость явно застает присутствующих врасплох, несколько человек озадаченно переглядываются. Вероятно, для меня готовилась какая-нибудь особенно проникновенная лекция. Вместо этого Койн собственноручно подает мне писчие принадлежности, и все молча ждут, пока я усаживаюсь за стол и корябаю свой список.

Лютик. Охота. Прощение Пита. Публичное заявление.

Ну, все? Второго шанса, возможно, не будет. *Думай. Что еще тебе нужно?* За плечом стоит Гейл. Я чувствую его присутствие. «*Гейл*», — пишу я. Без него я не справлюсь.

Голова начинает болеть, мысли скачут. Я закрываю глаза и проговариваю про себя:

Меня зовут Китнисс Эвердин. Мне семнадцать лет. Мой дом в Двенадцатом дистрикте. Я участвовала в Голодных играх. Сбежала. Капитолий меня ненавидит. Пит в плену. Он жив. Он предатель, но он жив. Я должна его спасти...

Список... Я так мало написала. Нужно думать шире, смотреть дальше своего носа. Сейчас я для них имею огромное значение, но так будет не всегда. Попросить что-нибудь еще? Для семьи? Для горстки выживших из моего дистрикта? Я все еще чувствую пепел мертвецов на своей коже. Удар ноги о череп. Запах крови и роз.

Карандаш двигается сам по себе. Открываю глаза и вижу пляшущие буквы. Я УБЬЮ СНОУ. Если его захватят в плен, я хочу, чтоб мне предоставили такое право.

Плутарх вежливо кашляет.

— Ну как, готово?

Поднимаю голову и вижу часы. Я сижу уже двадцать минут! Не у одного Финника проблемы с концентрацией.

— Да, — говорю я. Голос звучит хрипло, и я откашливаюсь. — Да, я согласна. Я буду вашей Сойкой.

Вокруг слышатся вздохи облегчения, взаимные поздравления и похлопывания по плечам. Только Койн все такая же невозмутимая. Будто ничего другого и не ожидала.

— Но у меня несколько условий. — Я разглаживаю листок и начинаю: — Моей семье будет позволено оставить кота.

Даже такая невинная просьба вызывает спор. Капитолийцы не видят тут ничего особенного — в самом деле, почему бы нам не держать домашнее животное? — зато местные сразу находят массу невероятных трудностей. В конце концов нас решают переселить в отсек на верхнем уровне, где есть роскошное окно, на целых восемь дюймов выступающее над поверхностью земли. Лютик сможет выходить, когда захочет, и делать свои дела. Еду будет добывать себе сам. Не вернется до комендантского часа — останется на улице. При малейшей угрозе безопасности его застрелят.

Не так уж плохо. Вряд ли ему много лучше жилось в Двенадцатом, когда там никого не осталось. Только что застрелить было некому. А если сильно отощает, уж требухи я ему как-нибудь раздобуду — конечно, если будет принято мое следующее условие.

— Я хочу охотиться. С Гейлом. В лесу, — говорю я, и в зале повисает тишина.

— Мы не станем далеко уходить. Луки у нас свои. А мясо будем отдавать на кухню, — добавляет Гейл.

Быстро продолжаю, прежде чем кто-то скажет «нет»:

— Я... я тут задыхаюсь... Сижу взаперти, как... Мне бы сразу стало лучше, если бы я... могла охотиться.

Плутарх излагает свои возражения — всевозможные опасности, риск травмы, дополнительные меры защиты, — но Койн его прерывает.

— Нет. Пусть охотятся. Два часа в день за счет учебных занятий. Радиус — четверть мили. С рациями и маячками на ногах. Что еще?

Бросаю взгляд на листок.

— Гейл. Нужно, чтобы он был со мной.

— В каком смысле? Присутствовал на съемках? Снимался вместе с тобой? Выступил в качестве твоего нового возлюбленного?

Вопрос был задан совершенно по-деловому, без тени язвительности, но я чуть не задохнулась от возмущения.

— Что?!

— Думаю, с любовными отношениями пусть все остается, как есть, — говорит Плутарх. — Зрителям может не понравиться, если Китнисс слишком быстро отвернется от Пита. Тем более что она якобы ждет от него ребенка.

— Согласна. На экране Гейл может изображать соратника. Так подойдет?

Я молча таращусь на Койн. Та нетерпеливо повторяет:

— По этому пункту? Все устраивает?

— Мы можем представить его твоим кузеном, — замечает Фульвия.

— Мы не родственники,— произносим мы с Гейлом одновременно.

— Да, но для выступлений так, пожалуй, действительно лучше, — говорит Плутарх. — Чтобы не было лишних вопросов. В остальное время он может быть кем угодно. Еще условия будут?

Разговор совершенно выбил меня из колеи. Послушать их, выходит, будто мы с Гейлом любовники, на Пита мне наплевать и вообще все было притворством. Мои щеки пылают. Неужели они всерьез считают, будто я в такой ситуации размышляю, кого лучше выставить своим любовником? Да за кого они меня принимают?! От злости мне даже не надо собираться с духом перед самым большим требованием:

— После войны, если мы победим, я хочу, чтобы Пита помиловали.

Мертвая тишина. Я чувствую, как напрягся Гейл. Наверно, надо было сказать ему раньше, но я не знала, как он отреагирует. Потому что речь идет о Пите.

— Он не должен понести никакого наказания, — продолжаю я. Тут мне приходит в голову еще одна мысль: — То же самое касается других трибутов, Джоанны и Энорабии.

По правде говоря, меня меньше всего волнует судьба Энорабии. Злобная стерва из Второго дистрикта никогда мне не нравилась. Однако не упомянуть ее одну кажется неправильным.

— Нет, — твердо произносит Койн.

— Да, — так же твердо отвечаю я. — Они не виноваты, что вы бросили их на арене. Кто знает, что теперь делает с ними Капитолий?

— Их будут судить вместе с другими военными преступниками. Как с ними поступить, решит трибунал.

— Они будут помилованы! — Я вскакиваю со стула. В моем голосе звенит металл: — Вы лично поручитесь за это перед жителями Тринадцатого дистрикта и беженцами из Двенадцатого. В ближайшее время. Сегодня. Запись выступления будет сохранена для будущих поколений. Отвечать за безопасность трибутов будет правительство и вы, президент Койн, иначе ищите себе другую Сойку!

Мои слова надолго повисают в воздухе.

— Вот оно! — слышу я, как Фульвия шепчет Плутарху. — В самую точку. Еще костюм, выстрелы на заднем плане, да дыма подпустить...

— Да, то, что надо, — шепчет Плутарх в ответ.

Я бы, наверное, испепелила их взглядом, но понимаю, что мне нельзя выпускать из поля зрения Койн. Особенно сейчас, когда она взвешивает мои требования и пользу, которую я могу принести.

— Ваше решение, президент? — спрашивает Плутарх. — Может быть, объявить амнистию ввиду особых обстоятельств. Этот мальчик... он ведь даже не совершеннолетний.

— Хорошо, — наконец говорит Койн. — Но тебе придется очень постараться.

— Я постараюсь, когда вы сделаете заявление, — заверяю я.

— Объявите, что сегодня во время анализа дня состоится общее собрание по вопросам национальной безопасности, — приказывает она. — Я выступлю с заявлением. Есть еще условия, Китнисс?

Листок у меня в руке превратился в измятый комок. Расправляю его на столе и читаю корявые буквы.

— Только одно. Я убью Сноу.

Впервые за все время на губах президента Койн появляется подобие улыбки.

— Когда дело дойдет до этого, бросим монетку.

Пожалуй, она права. Не у меня одной есть причины убить Сноу. В этом вопросе я могу положиться на Койн, как на саму себя.

— Идет.

Койн бросает взгляд на руку, потом на часы. Президент тоже живет по расписанию.

— Поручаю ее тебе, Плутарх. — Койн со своей командой выходит из зала, где остаются только Плутарх, Фульвия и мы с Гейлом.

— Отлично, отлично. — Плутарх опирается локтями на стол, трет глаза. — Знаете, чего мне не хватает больше всего? Кофе. Было б хоть чем запить эту овсянку да репу! Неужели я хочу слишком многого?

— Мы не ожидали, что здесь все так строго, — говорит Фульвия, массируя Плутарху плечи. — Даже в высших кругах.

— Хотя бы из-под полы продавался, — продолжает Плутарх. — В Двенадцатом и то был черный рынок, верно?

— Да, Котел, — говорит Гейл. — Мы там торговали.

— Ну вот. Хотя вы такие честные и неподкупные. — Плутарх вздыхает. — Ну да ладно, все войны когда-нибудь кончаются. Хорошо, что вы теперь в нашей команде.

Он протягивает руку, и Фульвия подает ему большой альбом в черном кожаном переплете.

— В целом ты уже имеешь представление, чего мы от тебя хотим, Китнисс. Знаю, решение далось тебе нелегко, но у меня, думаю, есть то, что поможет тебе избавиться от сомнений.

Плутарх пододвигает ко мне альбом. Минуту я смотрю на него с подозрением. Затем любопытство берет верх. Я открываю его и вижу на первой странице — саму себя.

Стройную, сильную, в черной форме. Только один человек мог создать такую одежду. За кажущейся простотой — истинное мастерство художника. Стремительный контур шлема, изогнутая линия нагрудника, слегка расширенные рукава... Я снова Сойка. Благодаря ему.

— Цинна, — шепчу я.

— Да. Он заставил меня пообещать, что я не покажу его тебе, пока ты сама не примешь решение. Я едва вытерпел, можешь мне поверить. Ну, давай листай дальше.

Медленно переворачиваю страницы, внимательно рассматривая каждую деталь. Нательная броня с тщательно подогнанными слоями, замаскированное оружие в ботинках и поясном ремне, специальные защитные пластины в области сердца. На последней странице набросок моей броши и подпись Цинны: «Я по-прежнему ставлю на тебя».

— Когда он... — Слова застревают у меня в горле.

— Э-э... точно не припомню. После того как объявили о Квартальной бойне. За пару недель до начала Игр, наверное. Эскизы — это не все. Форма уже готова! И Бити для тебя кое-что смастерил. Внизу, в арсенале. Все, молчу, молчу! Сама увидишь.

— Будешь самой элегантной мятежницей в истории, — улыбается Гейл.

Тут я понимаю, что он тоже знал. И с самого начала хотел, чтобы я согласилась.

— Мы разработали план информационной атаки, — рассказывает Плутарх. — Снять серию агитроликов с твоим участием и показать их всему населению Панема.

— Но как? Все телетрансляции идут через Капитолий, — говорит Гейл.

— Зато у нас есть Бити. Лет десять назад он занимался модернизацией подземной ретрансляционной сети. Считает, должно получиться. Конечно, сначала надо иметь, что показывать. Короче, Китнисс, студия тебя ждет не дождется. — Плутарх поворачивается к своей помощнице: — Фульвия?

— Мы с Плутархом долго думали и решили, что лучше всего начать с внешнего облика лидера повстанцев и уже от него перейти к... внутреннему. Другими словами, мы создаем тебе самый потрясный образ Сойки, какой только может быть, а потом работаем над тем, чтобы твой внутренний настрой ему соответствовал! — бодро докладывает Фульвия.

— Ну, форма-то для нее уже есть, — говорит Гейл.

— Да, но только форма! А боевые шрамы? Кровь? Дух мятежа, наконец? Лидер должен выглядеть устрашающе. Хотя перестараться тоже нельзя, чтобы не отпугнуть зрителей. Во всяком случае, она должна собой что-то представлять! Так, как есть... — подступив, Фульвия берет в ладони мое лицо, — абсолютно не годится.

Я рефлекторно отдергиваю голову, но Фульвия уже отвернулась и собирает со стола свои вещи.

— У нас для тебя еще один маленький сюрприз. Пошли.

Она машет нам рукой, и мы с Гейлом выходим вслед за ней и Плутархом в коридор.

— Вроде бы хочет, как лучше, а ведет себя по-свински, — шепчет мне на ухо Гейл.

— Добро пожаловать в Капитолий, — произношу я одними губами.

Слова Фульвии не произвели на меня впечатления. Однако я крепче сжимаю альбом и позволяю себе надеяться на лучшее. Наверное, я приняла правильное решение, если так хотел Цинна.

Мы входим в лифт.

— Минутку. — Плутарх сверяется с записной книжкой. — Отсек три-девять-ноль-восемь.

Он нажимает кнопку с номером 39. Ничего не происходит.

— Надо вставить ключ, — говорит Фульвия.

Плутарх достает из-под рубашки ключ на тоненькой цепочке и вставляет его в отверстие, которое я до сих пор не замечала. Двери закрываются.

— Ну вот.

Лифт едет вниз. Десять этажей, двадцать, тридцать! Все ниже и ниже. Я даже не подозревала, что Тринадцатый дистрикт уходит на такую глубину. Наконец створки разъезжаются, мы ступаем в широкий белый коридор с рядом красных дверей. По сравнению с серыми тонами на верхних этажах это кажется почти роскошью. На каждой двери ясно обозначен номер: 3901, 3902, 3903...

Я оглядываюсь на кабину и вижу, как поверх обычных дверок задвигается еще и металлическая решетка. Пока я смотрела на нее, появился охранник. Одна из дверей в дальнем конце коридора бесшумно покачивается на петлях.

Плутарх, вытянув руку, идет навстречу охраннику, мы следуем за ним. Мне тут как-то не по себе. Решетка, замкнутое пространство глубоко под землей, едкий запах дезинфекции... И еще что-то. Я бросаю взгляд на Гейла и понимаю, что он чувствует то же самое.

— Доброе утро, мы ищем... — начинает Плутарх.

— Вы ошиблись этажом, — резко обрывает его охранник.

— Неужели? — Плутарх снова глядит в блокнот. — У меня записано три-девять-ноль-восемь. Позвоните сами и...

— Сожалею, но я вынужден попросить вас уйти. По поводу ошибок в нумерации обращайтесь в главный офис.

Комната 3908 прямо перед нами. Всего в нескольких шагах. Дверь выглядит немного странно — точнее, все двери. Чего-то не хватает. Точно. Нет ручек. Видимо, двери свободно открываются в обе стороны, как та, из которой вышел охранник.

— Напомните-ка, где он находится? — просит Фульвия.

— Главный офис на седьмом этаже, — говорит охранник и разводит руки в стороны, подгоняя нас обратно к лифту.

Тут из-за двери 3908 доносится звук. Тихий, жалобный. Похож на скулеж зашуганной собаки, которою хотят пнуть ногой, только слишком человеческий и знакомый. Мы с Гейлом встречаемся взглядами. Всего на миг, но для людей, привыкших действовать как единое целое, этого достаточно. В следующую секунду я с шумом роняю альбом Цинны к ногам охранника, а когда тот за ним нагибается, Гейл наклоняется тоже, и оба сталкиваются лбами.

— Ой, простите, — смеется Гейл, хватая охранника за руки, чтобы устоять на ногах, и в то же время слегка оттирая его в сторону.

Это мой шанс. Я проскакиваю мимо отвлекшегося охранника, толкаю дверь с цифрой 3908 и — что это? На полу, полуголые, все в синяках, прикованные к стене сидят... помощники Цинны.

Моя команда подготовки.

4

Дезинфекции в воздухе столько, что хоть топор вешай, но и она не в силах отбить вонь немытых тел, застарелой мочи и гниющих язв. Едва ли я бы узнала своих старых знакомых, если бы не их капитолийские выверты — золотые татуировки на лице Вении, закрученные штопором оранжевые локоны Флавия и вечнозеленый цвет кожи у Октавии. Кожа выглядит дряблой, как сдувшийся шарик.

При виде меня Флавий и Октавия вжимаются в кафельную стену, будто ожидая удара, хотя я им никогда ничего плохого не делала. Злилась — бывало, да и то про себя. Почему же они от меня шарахаются?

Охранник приказывает мне выйти, потом слышится возня. Гейл как-то сумел его задержать. В поисках ответов я подхожу к Вении — она всегда была самой сильной из них. Приседаю на корточки и беру ее холодные как лед руки. Они сжимают мои ладони, словно тиски.

— Что случилось, Вения? — спрашиваю я. — Что вы тут делаете?

— Они увезли нас. Из Капитолия, — хрипло произносит она.

Сзади подходит Плутарх.

— Что здесь происходит?

— Кто вас увез? — допытываюсь я.

— Они, — расплывчато отвечает она. — Ночью, когда ты сбежала.

— Мы подумали, что тебе будет приятнее работать с привычной командой, — говорит Плутарх позади меня. — И Цинна так хотел.

— Цинна хотел *этого*? — рычу я. Потому что одно знаю точно — Цинна любил свою команду и никогда бы не одобрил такого. — Почему с ними обращаются как с преступниками?

— Честно — не знаю.

Что-то в голосе Плутарха заставляет меня поверить в его искренность, да и бледное лицо Фульвии выглядит убедительно.

Плутарх поворачивается к охраннику, который вместе с Гейлом как раз появился в дверях.

— Мне только сказали, что их держат под стражей. За что они наказаны?

— За кражу еды. Схватили и не хотели отдавать. Пришлось принять меры, — бурчит охранник.

Вения хмурит брови, будто пытается что-то понять.

— Нам ничего не объяснили. Мы очень хотели есть. Взяли всего один ломтик.

Октавия плачет, уткнувшись в свою оборванную тунику, чтобы заглушить всхлипы. Помню, когда я первый раз вернулась живой с арены, Октавия сунула мне под столом булочку. Видела, что я осталась голодной. Я осторожно приближаюсь к ее трясущейся от рыданий фигурке.

— Октавия.

Она вздрагивает от моего прикосновения.

— Все будет хорошо, Октавия. Я тебя отсюда вытащу. Обещаю.

— Ну, знаете, это уж слишком, — возмущается Плутарх.

— И все из-за какого-то куска хлеба? — спрашивает Гейл.

— Это уже не первое нарушение. Их предупреждали. А они все равно украли хлеб. — Охранник на мгновение замолкает, словно поражаясь их тупости. — Сказано же — нельзя брать хлеб!

Октавия все еще не решается открыть лицо, только слегка приподнимает голову. Кандалы на ее запястьях сдвигаются на несколько дюймов, обнаруживая кровоточащие раны.

— Я отведу их к моей матери, — говорю я охраннику. — Снимите цепи.

Мужчина качает головой.

— У меня нет на это полномочий.

— Снимите цепи! Немедленно! — кричу я.

Это выводит охранника из равновесия. Обычные граждане не разговаривают с ним в таком тоне.

— Я не получал приказа об освобождении. У вас нет права...

— У меня есть, — прерывает его Плутарх. — Мы в любом случае собирались их забрать. Они нужны отделу спецбезопасности. Всю ответственность беру на себя.

Охранник уходит, чтобы кому-то позвонить. Возвращается со связкой ключей. Арестанты так долго находились в одном положении, что с трудом могут идти. Нам приходится им помогать. Нога Флавия проваливается в металлическую решетку над круглым отверстием в полу. У меня холодеет в животе, когда понимаю, для чего в комнате понадобился сток, — так проще смывать с белых плиток следы человеческих страданий. Струей из шланга.

В больнице я нахожу маму — единственного человека, кому могу доверить пленников. Она с трудом их узнает — в таком они состоянии, и на ее лице отражается страх. Я ее понимаю. Одно дело каждый день видеть, как измываются над людьми в Двенадцатом, другое — осознать, что и здесь происходит то же самое.

Маму с радостью приняли на работу в больницу, правда, она тут скорее медсестра, чем врач, несмотря на то, что всю жизнь лечила людей. Однако ей никто не мешает провести нашу троицу в смотровую, чтобы самой обследовать. Я жду в коридоре на скамейке. Если их пытали, мама увидит.

Рядом садится Гейл и обнимает меня за плечи.

— Ничего, твоя мама их быстро подлатает.

Я киваю. Интересно, Гейл тоже сейчас вспомнил, как его стегали плетьми в Двенадцатом?

Плутарх и Фульвия садятся на скамейку напротив. Молчат. Если они ничего не знали о наказании, им должно быть неприятно, что президент Койн с ними даже не посоветовалась. Я решаю их подтолкнуть.

— Думаю, это предупреждение всем нам, — говорю я.

— Что? Нет... Что ты имеешь в виду? — спрашивает Фульвия.

— Их наказали, чтобы продемонстрировать свою власть. Не только мне. Вам тоже. Чтобы знали, кто тут хозяин и что будет, если ослушаться. Если у вас были какие-то иллюзии, лучше избавиться от них прямо сейчас. Капитолийское происхождение тут никого не защитит. Скорее наоборот.

— Как можно сравнивать Плутарха, организатора спасения повстанцев, с этими тремя... стилистами! — ледяным тоном возражает Фульвия.

Я пожимаю плечами.

— Как знаешь, Фульвия. Но что будет, если вы окажетесь в стане врагов Койн? Мою подготовительную команду похитили, но у них есть хотя бы надежда когда-нибудь вернуться в Капитолий. Гейл и я сможем жить в лесу. А вы? Куда денетесь вы двое?

— Надеюсь, от нас все-таки больше пользы, чем тебе кажется, — спокойно замечает Плутарх.

— Я понимаю. Трибуты тоже очень полезны для Игр. И с ними даже неплохо обращаются до поры до времени. Только чем все это заканчивается, ты знаешь не хуже меня, Плутарх.

Больше мы ничего не говорим. Сидим молча, пока не приходит моя мама.

— С ними все будет хорошо, — сообщает она. — Тяжелых телесных повреждений нет.

— Вот и отлично, — говорит Плутарх. — Когда они смогут приступить к работе?

— Возможно, уже завтра. Однако не исключена некоторая эмоциональная неустойчивость. После того, что они пережили. Им особенно тяжело, они ведь из Капитолия.

— Как и все мы, — говорит Плутарх.

То ли потому, что моя подготовительная команда выведена из строя, то ли я и сама выгляжу немногим лучше,

Плутарх до конца дня освобождает меня от обязанностей Сойки-пересмешницы. Мы с Гейлом отправляемся в столовую. На обед тушеная фасоль с луком, толстый ломоть хлеба и стакан воды. После рассказа Вении хлеб не лезет мне в горло, я перекладываю оставшийся кусок на поднос Гейла. За весь обед мы не перекинулись и парой слов. Когда наши тарелки опустели, Гейл закатывает рукав, чтобы свериться с расписанием.

— У меня сейчас тренировка.

— У меня тоже.

Я показываю Гейлу свою руку и вспоминаю, что вместо тренировки у нас теперь охота.

Мне так не терпится убежать в лес, пусть даже всего на пару часов, что все заботы уходят на второй план. Может быть, под солнцем, среди зеленой листвы я скорее разберусь в своих мыслях. Едва миновав центральные коридоры, мы с Гейлом, будто школьники, бегом несемся к арсеналу. Я тяжело дышу, и у меня кружится голова. Все-таки я еще не совсем оправилась от болезни. Охранники выдают нам наше старое оружие, а также ножи и тряпичный мешок вместо охотничьей сумки. Терпеливо жду, пока мне прикрепляют на щиколотку маячок и рассказывают, как пользоваться рацией. Даже делаю вид, будто слушаю. Единственное, что улавливаю, — на ней есть часы, и мы должны вернуться в Тринадцатый в указанное время, иначе нас лишат права на охоту. Это условие я постараюсь выполнить.

Мы поднимаемся наверх, на большой огороженный полигон у кромки леса. Забор что надо, просто так не перелезешь. Футов тридцати в высоту, поверху витки стальной ленты, острой как бритва, и непрерывно гудит — видно, пущен ток. Охрана без слов открывает хорошо смазанные ворота. Мы углубляемся в лес до тех пор, пока забор не исчезает из виду. На небольшой полянке останавливаемся и запрокидываем головы, подставляя лица лучам солнца. Я раскидываю руки в стороны и вращаюсь на одном месте — медленно, чтобы не закружилась голова.

Как и в Двенадцатом, здесь давно не было дождя; многие растения увяли, под ногами хрустит ковер из засохших листьев. Мы разуваемся. Все равно это не обувь, а одно мучение. Из бережливости мне выдали старые ботинки, которые стали малы прежнему хозяину. Не знаю, у кого из нас неправильная походка — у меня или у него, но разношены они как-то не так.

Мы охотимся, как в старые добрые времена, — молча. Нам не нужны слова, потому что в лесу мы — одно целое. Мы предугадываем движения друг друга, прикрываем друг другу спину. Сколько же прошло с тех пор, как мы ощущали себя такими свободными? Восемь месяцев? Девять? Конечно, сейчас все немного по-другому. Столько всего произошло... на ногах у нас маячки, и мне приходится часто останавливаться, чтобы отдохнуть. И я все равно счастлива — насколько можно быть счастливой в подобных обстоятельствах.

Зверье и птицы тут совсем непуганые. То мгновение, пока они пытаются понять, кто мы, приносит им смерть. Через полтора часа у нас целая дюжина тушек — кролики, белки, индейки, — так что мы бросаем охоту и решаем провести оставшееся время на берегу пруда. Вода в нем холодная и чистая — должно быть, из подземных источников.

Гейл говорит, что сам выпотрошит дичь, я не возражаю. Кладу на язык пару листиков мяты и с закрытыми глазами прислоняюсь к камню, впитывая звуки леса, позволяя горячему послеполуденному солнцу жарить мою кожу. Я наслаждаюсь покоем, пока его не нарушает голос Гейла.

— Китнисс, а почему ты так беспокоишься о своей подготовительной команде?

Я открываю глаза, старясь понять, не шутит ли он, но Гейл сосредоточенно потрошит кролика.

— А что здесь такого?

— Ну, не знаю. Они только и делали, что разукрашивали тебя перед убийством, разве нет?

— Не все так просто. Я знаю их. Они не злые и не жестокие. Даже не шибко умные. Обидеть их — все равно что обидеть ребенка. Они не понимают... не знают... — Я путаюсь в собственных словах.

— Чего не знают, Китнисс? Что трибутов — вот они как раз дети, в отличие от этой троицы уродов, — заставляют убивать друг друга? Что ты идешь умирать на потеху публике? Это такая большая тайна в Капитолии?

— Нет, конечно. Просто они смотрят на это не так, как мы. Они выросли среди этого и...

— Не могу поверить, ты их действительно защищаешь? — Одним быстрым движением Гейл сдирает шкуру с кролика.

Я чувствую себя уязвленной, потому что на самом деле их защищаю, и понимаю, как нелепо это выглядит.

— Я стала бы защищать любого, с кем так обходятся из-за куска хлеба, — говорю я в попытке найти хоть какое-то логическое объяснение. — Возможно, потому, что слишком хорошо помню, что сделали с тобой из-за индейки!

Вообще-то, Гейл прав. И правда странно, что я так переживаю за свою подготовительную команду. Ненавидеть и желать, чтобы их вздернули на виселице, было бы куда естественней. Но они такие наивные, к тому же помогали Цинне, а он ведь был на моей стороне, верно?

— Спорить не буду, — говорит Гейл, — но, по-моему, Койн ничего не собиралась тебе демонстрировать. Наказала их за нарушение правил, вот и все. Скорее уж думала сделать тебе приятное. — Гейл засовывает кролика в мешок. — Пора двигать обратно, а то опоздаем.

Я игнорирую его протянутую руку и неуверенно поднимаюсь на ноги.

— Пошли.

Всю дорогу по лесу мы молчим, но у ворот мне приходит в голову новая мысль.

— Перед Квартальной бойней Октавия и Флавий так ревели, что даже работать не могли. А Вения едва выговорила «прощай».

— Постараюсь не забыть об этом, когда они будут... работать над тобой.

— Постарайся.

Мы отдаем мясо на кухню Сальной Сэй. Ей нравится в Тринадцатом, хотя, по ее мнению, здешним поварам не достает воображения. Сама-то она даже из мяса дикой собаки с ревенем рагу состряпает, причем вполне съедобное. Тут так не разгуляешься.

После бессонной ночи и охоты я буквально валюсь с ног от усталости. Иду в свой отсек и — оказываюсь среди голых стен. Только тут вспоминаю, что нас переселили из-за Лютика. Поднимаюсь на верхний этаж и нахожу отсек Е. Он точно такой же, как и триста седьмой, только по центру стены в нем небольшое оконце — два фута в ширину и восемь дюймов в высоту. Окно закрывается толстой металлической пластиной. Сейчас пластина поднята, и кота, конечно, нигде не видно. Я растягиваюсь на кровати, и на моем лице играет луч солнца. В следующую секунду — по крайней мере, мне так кажется, — меня будит сестра. *18.00 — Анализ дня.*

Прим рассказывает, что после обеда постоянно объявляют о собрании. Должны присутствовать все жители, кроме тех, кто занят на особо важных работах.

Следуя указателям, мы идем в Ассамблею, огромный зал, в котором без труда умещаются несколько тысяч жителей Тринадцатого. Вероятно, тут проводились общие собрания и до эпидемии оспы, когда народу было много больше. Последствия катастрофы видны и по сей день. Прим тайком показывает мне покрытых рубцами людей, детишек с уродствами.

— Им многое пришлось перенести, — говорит она.

Только после сегодняшнего утра я не настроена на жалость.

— Не больше, чем нам в Двенадцатом.

Я вижу свою мать во главе группы способных передвигаться пациентов, одетых в больничные рубашки и халаты. Среди них Финник, все такой же красивый, несмотря на отрешенный вид. В руках у него кусок тонкой веревки, меньше фута в длину, слишком короткий, чтобы сделать удавку. Пока Финник тупо смотрит кругом, пальцы его быстро двигаются, механически завязывая и развязывая многочисленные узлы. Может, так нужно для лечения.

Я подхожу к нему:

— Привет, Финник.

Он не замечает меня, и я легонько толкаю его, чтобы привлечь внимание.

— Финник! Как дела?

— Китнисс, — произносит он, хватая меня за руку. Наверно, рад увидеть знакомое лицо. — Зачем нас здесь собрали?

— Я сказала Койн, что стану Сойкой-пересмешницей. Взамен я потребовала объявить амнистию остальным трибутам. Публично, чтобы было много свидетелей.

— О, отлично. Знаешь, я беспокоюсь за Энни. Она же не понимает. Скажет что-нибудь не то, а ее посчитают предательницей, — говорит Финник.

Энни. Надо же, совсем про нее забыла.

— Не беспокойся, все будет в порядке.

Я пожимаю Финнику руку и направляюсь прямо к трибуне в передней части зала. Койн, просматривающая перед выступлением свои записи, удивленно поднимает брови.

— Я хочу, чтобы вы добавили в список амнистированных Энни Кресту.

Президент слегка хмурится.

— Кто это?

— Она...

Я задумываюсь. Кто, в самом деле?

— ...подруга Финника Одэйра. Из Четвертого дистрикта. Тоже победительница Игр. Ее схватили и отправили в Капитолий, когда взорвалась арена.

— А, та сумасшедшая девочка. Тебе незачем за нее просить. У нас не принято карать слабых.

Я вспоминаю утреннее происшествие. Октавию, прижавшуюся к стене. У нас с Койн разные представления о слабости. Вслух я говорю лишь:

— Правда? Тогда почему бы ее просто не добавить в список?

— Хорошо, — соглашается президент, записывая имя Энни. — Хочешь стоять рядом со мной во время заявления?

Я отрицательно мотаю головой.

— Так я и думала. Тогда иди. Я начинаю.

Я пробираюсь обратно к Финнику.

В Тринадцатом бережливость распространяется даже на слова. Койн призывает публику к вниманию и сообщает, что я согласилась быть Сойкой-пересмешницей при условии, что остальные победители — Пит, Джоанна, Энорабия и Энни — будут помилованы, какие бы преступления против революции они ни совершили. Толпа неодобрительно гудит. Похоже, никто тут не сомневался, что я горю желанием быть Сойкой-пересмешницей, и вдруг условие — помиловать возможных преступников! Я стараюсь не замечать направленных на меня враждебных взглядов.

Несколько секунд президент не вмешивается во всеобщий ропот, затем бодро продолжает. Однако на этот раз ее слова являются для меня полной неожиданностью.

— Выдвигая это беспрецедентное требование, солдат Эвердин со своей стороны обязуется целиком посвятить себя делу революции. Таким образом, всякое отступление от возложенной на нее миссии — словом или делом — будет рассматриваться как нарушение сделки. В этом случае амнистия будет отменена, и участь четырех победителей определит суд согласно законам Тринадцатого дистрикта. Равно как и судьбу самой Китнисс Эвердин. Спасибо.

Другими словами — один неправильный шаг, и все мы умрем.

5

Еще одна сила, с которой нужно считаться. Еще один серьезный игрок, решивший использовать меня пешкой в своей игре, несмотря на то, что до сих пор это ни разу не приводило к желаемому результату. Распорядители Игр делают из меня звезду — потом не знают, как спасти свою шкуру из-за горстки ядовитых ягод. Президент Сноу пытается погасить мною пламя восстания, но каждый мой шаг распаляет огонь сильнее. Повстанцы вытаскивают меня металлическими щипцами с арены, чтобы я стала их Сойкой, и с удивлением понимают, что я вовсе не желаю отращивать крылья. И вот теперь Койн со своим драгоценным ядерным арсеналом и послушным Тринадцатым дистриктом, действующим как хорошо отлаженный механизм. Ей тоже довелось узнать, что поймать Сойку гораздо легче, нежели выдрессировать. Однако Койн быстрее других поняла, что я действую сама по себе, а потому представляю опасность. Поняла — и объявила об этом во всеуслышание.

Я провожу рукой по толстому слою пены. Хорошенько отмокнуть в ванне — только первый шаг. Подготовительной команде предстоит привести в порядок мои испорченные кислотой волосы, вылечить обожженную солнцем кожу, убрать уродливые шрамы, а уж потом портить, жечь и уродовать заново, но уже в более эстетичном варианте.

— Придайте ей вид «базис-ноль», — распорядилась Фульвия сегодня утром, — а дальше посмотрим.

«Базис-Ноль» — это то, как предположительно должен выглядеть хорошо выспавшийся человек, встав утром с постели, — максимальная безупречность в сочетании с естественностью. Ногти идеальной формы, но не отполированы. Волосы на голове мягкие и блестящие, но не уложены в прическу. Все волоски на теле удалены. Кожа гладкая и чистая, но без грамма косметики. Когда я впервые оказалась в Капитолии, Цинна наверняка дал такие же указания. Правда, тогда я была участником Игр. Мне казалось, что хотя бы в роли мятежницы я буду сама собой. Что ж, наверное, у телевизионных мятежников свои собственные стандарты.

Едва я смываю с себя пену, рядом уже стоит Октавия с полотенцем наготове. Без броской одежды, густого макияжа, красок, драгоценностей и всяких побрякушек в волосах она совсем не похожа на ту Октавию, какую я знала в Капитолии. Помню, как-то раз она заявилась с ярко-розовыми локонами, в которые были вплетены разноцветные фонарики в форме мышей. И рассказала, что держит дома мышей как домашних животных. Тогда мне показалось это дикостью — у нас мыши считаются вредителями, если только они не вареные. Наверно, она любила их, потому что они такие маленькие, мягкие и пискливые. Как она сама. Я пытаюсь привыкнуть к этой новой Октавии, пока она меня вытирает. Ее настоящие волосы приятного каштанового оттенка. Лицо — обычное, однако очень милое. Она моложе, чем я думала. Едва ли ей намного больше двадцати. Без длиннющих накладных ногтей пальцы будто обрубленные. У нее дрожат руки. Мне хочется успокоить ее, сказать, что все наладится, но вид разноцветных кровоподтеков, расцветших на ее болезненно-бледной коже, напоминает мне о моей собственной беспомощности.

Флавий тоже кажется полинявшим без привычной красной помады и яркой одежды. Зато он каким-то образом ухитрился вновь обрести свои оранжевые кудряшки. Кто изменился меньше всех, так это Вения. Ее волосы цвета морской волны, прежде торчавшие во все стороны, теперь гладко прилизаны, у корней пробивается седина. Однако самой яркой чертой внешности Вении всегда были татуировки, а они остались такими же золотистыми и потрясающими.

— Китнисс не причинит нам вреда, — говорит Вения тихо, но твердо, забирая из рук Октавии полотенце. — Она даже не знала, что мы здесь. Теперь все будет хорошо. — Октавия едва заметно кивает, но так и не осмеливается поднять на меня глаза.

Привести мою внешность в состояние «Базис-Ноль» оказывается очень непросто, несмотря на богатейший арсенал препаратов, приборов и инструментов, которые Плутарх предусмотрительно захватил с собой из Капитолия. Ну да моей команде не привыкать. Дело стопорится, когда они доходят до того места на моей руке, откуда Джоанна извлекла датчик слежения. Заштопывая зияющую рану, медики не особенно заботились о красоте, и теперь там бугрится здоровенный неровный шрам со стянутой вокруг кожей. В обычной одежде с длинным рукавом шрам не виден, но в костюме Сойки, который сделал Цинна, рукава оканчиваются чуть выше локтя. Проблема настолько серьезна, что приходится вызвать Фульвию и Плутарха. Могу поклясться, Фульвию едва не вырвало при одном взгляде на шрам. Для помощницы распорядителя Игр она слишком чувствительна. Вероятно, привыкла видеть неприятные вещи только на экране.

— Все и так знают, что у меня есть шрам, — бурчу я.

— Знать и видеть — не одно и то же, — возражает Фульвия. — Он просто отвратительный. Мы с Плутархом подумаем за обедом, что с ним делать.

— Ничего, разберемся, — отмахивается Плутарх. — Может, дадим тебе браслет или что-нибудь в этом роде.

С досадой я одеваюсь, чтобы идти в столовую. Моя команда подготовки сбилась в кучку возле двери.

— Вам принесут еду сюда? — спрашиваю я.

— Нет, — отвечает Вения. — Нам сказали идти в столовую.

Я вздыхаю про себя, представив, как вхожу в столовую с такой компанией. Правда, на меня и так все пялятся, так что большой разницы не будет.

— Идемте. Я покажу вам, где столовая.

Вокруг меня постоянно шушукаются и бросают украдкой взгляды, но реакция при виде моей экзотической троицы — это нечто. Люди буквально раскрыли рты и ахнули; некоторые даже тычут пальцами.

— Просто не обращайте на них внимания, — говорю я своим спутникам.

Опустив глаза и механически переставляя ноги, они движутся вместе с очередью, принимая миски с сероватого цвета рыбой, тушеной окрой и чашки с водой.

Мы садимся за стол рядом с моими земляками из Шлака. Они ведут себя посдержаннее, чем люди из Тринадцатого, — возможно, просто от смущения. Ливи, моя бывшая соседка в Двенадцатом, робко здоровается с ними, а Хейзел, мать Гейла, которая, должно быть, знает об их заточении, кивает на миску с тушеной окрой.

— Не бойтесь. На вкус она лучше, чем на вид.

Лучше всего обстановку разряжает Пози, пятилетняя сестренка Гейла. Она подбегает к Октавии и осторожно дотрагивается до нее пальчиком.

— У тебя зеленая кожа. Ты больная?

— Это такая мода, Пози, — объясняю я. — Как красить губы помадой.

— Чтобы быть красивее, — добавляет Октавия, и я вижу на ее ресницах слезы.

Пози на секунду задумывается, потом серьезно говорит:

— Ты красивая любого цвета.

На губах Октавии появляется робкая улыбка.

— Спасибо.

— Если хотите произвести впечатление на Пози, придется покраситься в ярко-розовый, — говорит Гейл, с шумом ставя свой поднос рядом со мной. — Это ее любимый цвет. — Пози хихикает и бежит обратно к маме. Гейл кивает на миску Флавия: — Лучше ешьте сразу. Остынет — будет вообще как клей.

Все принимаются за еду. На вкус окра более-менее сносная, только очень уж вязкая. Такое впечатление, что каждый кусочек глотаешь по три раза. Гейл, обычно неразговорчивый во время еды, старается поддержать беседу и расспрашивает, как идет работа над моим имиджем. Я-то знаю почему. Мы с ним вчера поссорились, когда он заявил, будто я сама вынудила Койн поставить ответные условия.

— Пойми, Китнисс, — увещевал он, — Койн — главная в этом дистрикте. Она не может допустить, чтобы у людей сложилось впечатление, будто ты ею командуешь.

— Ты хочешь сказать, она не приемлет чужого мнения, даже если оно справедливо, — парировала я.

— Я хочу сказать, что ты поставила ее в дурацкое положение. Ей пришлось заранее объявить амнистию Питу и другим трибутам, не зная, что еще они успеют натворить.

— По-твоему, я должна просто делать, что мне говорят, и бросить остальных трибутов на произвол судьбы? Впрочем, это действительно уже неважно, потому что мы и так их бросили!

С этими словами я захлопнула дверь у него перед носом. За завтраком я села в другом конце стола и не сказала ни слова, когда Плутарх отправил Гейла на тренировку. Знаю, Гейл беспокоится обо мне, но именно сейчас мне очень нужно, чтобы он был на моей стороне, а не на стороне Койн. Неужели это так трудно понять!

После обеда у нас с Гейлом запланирована встреча с Бити в отделе специальной обороны.

— Все еще злишься, — констатирует Гейл, когда мы едем в лифте.

— А ты все еще считаешь себя правым, — отвечаю я.

— Что есть, то есть. И готов повторить то же самое снова. Или ты хочешь, чтобы я соврал?

— Нет. Хочу, чтобы ты как следует подумал и пришел к правильному выводу.

Гейл только смеется в ответ. Я молчу. Бесполезно диктовать Гейлу, что и как ему думать. И если по-честному, это одна из причин, почему я ему доверяю.

Отдел спецбезопасности расположен почти так же глубоко, как тюрьма, в которой мы нашли группу подготовки. Целая сеть помещений заполнена компьютерами, научным оборудованием и испытательными установками.

Мы спрашиваем, как найти Бити, и нам указывают путь через длинный лабиринт коридоров, в конце которого находится огромное окно. Тут я впервые за все время в Тринадцатом дистрикте вижу нечто прекрасное — настоящий луг, воссозданный под землей, с деревьями, цветущими растениями и живыми колибри. Посреди луга в инвалидной коляске неподвижно сидит Бити, наблюдая за ярко-зеленой птичкой, которая, зависнув в воздухе, пьет нектар из большого оранжевого цветка. Внезапно она срывается с места, и, провожая ее глазами, Бити наконец замечает нас. Он машет рукой, чтобы мы заходили.

Воздух внутри неожиданно прохладный и совсем не спертый, как я предполагала. Со всех сторон слышится трепетание маленьких крылышек, и в первый момент мне кажется, будто я в нашем лесу около Двенадцатого дистрикта.

Каким чудом могло появиться подобное здесь, на такой глубине?!

Бити все еще очень бледный, но его глаза за неуклюжими очками светятся от радости.

— Разве они не прекрасны? Тринадцатый дистрикт уже много лет занимается изучением их аэродинамики. Они могут летать задом наперед и развивают скорость до шестидесяти миль в час. Хотелось бы мне сделать такие же крылья для тебя, Китнисс!

— Вряд ли я бы сумела с ними управляться, Бити, — смеюсь я.

— Вот она здесь, а вот ее уже нет. Ты можешь подстрелить колибри из лука?

— Никогда не пробовала. Мяса у них ни на зуб.

— Да, конечно. Ты не убиваешь из спортивного интереса. Хотя, уверен, охотиться на них было бы непросто.

— Можно устроить ловушку, — говорит Гейл. Лицо его принимает отсутствующее выражение, как всегда, когда он задумывается над какой-нибудь трудной задачей. — Натянуть сеть с очень мелкими ячейками, оставить только небольшое отверстие — в пару квадратных футов. Внутри приманка — много цветов. Пока колибри будут лакомиться, подойти и закрыть отверстие. Птицы полетят прочь от шума, а там сеть.

— Думаешь, получится? — спрашивает Бити.

— Не знаю. Просто пришло в голову. Они могут оказаться умнее.

— Могут. Но идея хорошая, поскольку основана на природном инстинкте — улетать от опасности. Думай, как твоя жертва... и ты найдешь ее слабое место.

Тут я вспоминаю кое-что из того, о чем вспоминать не хочется. Во время подготовки к Бойне я видела запись — Бити, еще совсем мальчик, соединяет какие-то проводки, и группа детей, охотившихся за ним, умирает от электрического тока. Тела бьются в конвульсиях, лица искажены гримасами. И Бити тоже это видел. Видел всех, кого ему пришлось убить ради победы в тех далеких Голодных играх.

Это не его вина. Он просто защищал свою жизнь. Мы все просто защищались...

Внезапно мне хочется поскорее уйти отсюда, прежде чем кому-нибудь придет в голову поставить сеть.

— Бити, Плутарх говорил, у тебя что-то для меня есть.

— Да. Твой новый лук. — Он нажимает кнопку на ручке кресла и выезжает из комнаты. Пока мы петляем по закоулкам отдела обороны, Бити поясняет, что вообще-то он уже понемногу ходит, но только слишком быстро устает, поэтому на кресле ему пока передвигаться проще.

— Как дела у Финника? — спрашивает он.

— Э-э... проблемы с концентрацией внимания, — отвечаю я. Не хочется рассказывать, во что тот на самом деле превратился.

— Проблемы с концентрацией, да? — Бити мрачно улыбается. — Знали б вы, что он пережил за последние несколько лет. Удивительно, как он вообще выжил. Скажи ему, что я делаю для него новый трезубец, ладно? Может, это немного отвлечет его от действительности.

Отвлекаться от действительности Финник сейчас, похоже, прекрасно умеет и без посторонней помощи, но я обещаю, что скажу.

У дверей с табличкой «Специальное вооружение» стоят четверо охранников. Проверив расписания на наших руках, они снимают у нас отпечатки пальцев, сканируют сетчатку глаз, берут анализы ДНК и пропускают через детекторы металла. Бити приходится оставить кресло снаружи, но как только мы проходим через все процедуры, ему предоставляют другое. Происходящее кажется абсурдом: неужто кто-нибудь, выросший в Тринадцатом дистрикте, может представлять для него угрозу, требующую таких серьезных мер? Или же меры предосторожности были введены недавно, в связи с притоком большого числа беженцев?

Затем нас ждет второй этап проверки — как будто моя ДНК могла измениться, пока я шла по коридору, — и наконец мы допущены в само хранилище. Признаюсь, у меня просто дух захватывает при виде такого количества оружия.

Чего там только нет! Пистолеты и ружья, гранатометы, мины, бронированные автомобили.

— Авиация, конечно, находится не здесь, — говорит Бити.

— Конечно, — соглашаюсь я, как будто это само собой разумеется. Удивительно, что среди всей этой суперсовременной техники может найтись место простому луку и стрелам, но тут мы подходим к стенду с боевым снаряжением для лучников. На тренировках в Капитолии я перепробовала целую кучу оружия, однако все оно не предназначалось для военных действий. Мое внимание привлекает грозного вида лук, так нагруженный разнообразной оптикой и прочими приспособлениями, что я бы и в руках его удержать не смогла, не говоря уже о том, чтобы из него выстрелить.

— Гейл, не хочешь попробовать? — предлагает Бити.

— Серьезно?

— Для боев тебе, разумеется, выдадут огнестрельное оружие, но если ты будешь сниматься с Китнисс в агитроликах, одна из этих штучек будет смотреться очень эффектно. Выбери на свой вкус.

— С удовольствием.

Гейл берет в руки тот самый лук, который я только что разглядывала, поднимает его на уровень плеча и смотрит вокруг через оптический прицел.

— Это уже нечестно, — замечаю я, — не оставлять оленю ни одного шанса.

— Ну, я ведь не собираюсь стрелять из него в оленей.

— Я на минутку, — говорит Бити, набирая код на панели. В стене открывается небольшая дверь. Когда Бити исчезает внутри, стена закрывается снова.

— А в кого собираешься? Для тебя так просто выстрелить в человека? — спрашиваю я.

— Я этого не говорил. — Гейл опускает лук. — Но если бы у меня было оружие, способное остановить то, что творилось в Двенадцатом... оружие, которое спасло бы тебя от арены... я бы пустил его в ход не задумываясь.

— Я тоже, — признаю я просто. Не знаю, как ему объяснить, что значит — убить человека. И что убитые навсегда остаются с тобой.

Бити возвращается с длинной черной коробкой, неуклюже зажатой между подножкой кресла и его плечом. Остановившись, он наклоняет коробку в мою сторону.

— Вот. Это тебе.

Я кладу коробку на пол и открываю защелки. Крышка бесшумно откидывается. Внутри, на бордовом жатом бархате, лежит черный лук.

— О! — вырывается у меня.

Осторожно вытаскиваю лук из футляра. Он великолепен. Прекрасная балансировка, изящная форма, плечи, изгибом напоминающие распростертые в полете крылья... И что-то еще. Или показалось? Я замираю. Нет, он действительно оживает в моих руках. Прижимаю его к щеке и чувствую легкую вибрацию.

— Что это? — спрашиваю я.

— Он здоровается, — широко улыбается Бити. — Услышал твой голос.

— Он узнает меня по голосу?

— *Только* тебя. Видишь ли, меня попросили сделать лук, который бы подходил к твоему костюму. Главное — внешний вид, остальное неважно. Я подумал-подумал и решил, что так не годится. Вдруг он тебе когда-нибудь действительно понадобится. Не как модный аксессуар, а как оружие. В итоге я сделал его поскромнее снаружи, зато в том, что касается начинки, дал волю фантазии. Но тебе лучше самой все увидеть. Хотите пострелять?

Еще бы мы не хотели! Стрельбище для нас уже готово. Стрелы Бити не менее удивительные, чем сам лук. Я попадаю ими точно в цель с расстояния сто ярдов. Различные их виды — стрелы-бритвы, зажигательные, подрывные — превращают лук в универсальное оружие. Разновидность стрелы легко определить по цвету древка. Есть даже возможность деактивировать стрелу голосовой командой, хотя не представляю, для чего это может понадобиться. Чтобы отключить специальные функции лука, достаточно произнести «Спокойной ночи». После этого лук переходит в режим сна до тех пор, пока мой голос снова его не разбудит.

Попрощавшись с Бити и Гейлом, я в бодром настроении возвращаюсь к команде подготовки. Терпеливо переношу оставшиеся процедуры, надеваю костюм, который теперь дополнен окровавленной повязкой на шрам — будто бы я только вернулась с поля боя. Вения прикрепляет мне против сердца брошку с сойкой-пересмешницей. Под конец я беру лук и колчан с обычными стрелами — кто мне даст разгуливать со специальными, — и мы все идем в съемочный павильон, где я стою столбом еще, наверное, несколько часов, пока остальные поправляют мне макияж, регулируют свет и степень задымления. Постепенно указания через интерком от невидимых людей в таинственной стеклянной кабинке поступают все реже и реже, а Фульвия и Плутарх все больше просто ходят вокруг и все меньше что-то меняют. Наконец на площадке становится тихо. Минут пять меня молча разглядывают, затем Плутарх говорит:

— Ну вот. То, что надо.

Меня подводят к контрольному монитору и показывают последние несколько минут записи. Женщина на экране кажется выше и внушительнее меня. Лицо перепачкано, но выглядит сексуально. Черные брови решительно изогнуты. От одежды поднимаются струйки дыма — то ли ее только что потушили, то ли она вот-вот загорится. Эту женщину я не знаю.

Финник, который уже нескольких часов бродит вокруг декораций, подходит ко мне сзади и говорит с долей прежнего юмора:

— Зрители захотят либо тебя убить, либо поцеловать, либо быть тобой.

На площадке царит радостное возбуждение — работа сделана на славу. Время идет к ужину, но никто не хочет прерываться. Речами и интервью, в которых я буду делать вид, будто участвую в боях бок о бок с повстанцами, мы займемся завтра. Сегодня нужно записать только один лозунг, одну фразу для короткого агитролика, который покажут Койн.

«Народ Панема, мы боремся, мы не сдаемся, мы отстоим справедливость!» — вот и все. Фразу сообщают мне с таким видом, будто работали над нею не один месяц, а то и год, и теперь жутко ею гордятся. А по-моему, язык сломаешь. И звучит неестественно. Не представляю, чтобы я сказала такое в реальной жизни — разве что для смеха, с капитолийским акцентом. Вроде того, как мы с Гейлом изображаем Эффи Бряк: «И пусть удача всегда будет на вашей стороне!»

Фульвия становится передо мной и, глядя мне в глаза, описывает битву, в которой я только что участвовала. Поле боя усеяно мертвыми телами моих товарищей, и я, чтобы сплотить выживших, кричу этот призыв. Прямо в камеру.

Меня быстро тащат обратно к декорациям, дымовая машина начинает работать. Кто-то кричит: «Внимание!», слышится гудение камер, потом команда: «Мотор!». Я поднимаю над головой лук и со всей яростью, на какую способна, кричу:

— Народ Панема, мы боремся, мы не сдаемся, мы отстоим справедливость!

На съемочной площадке наступает гробовая тишина. Она длится и длится.

Внезапно из динамиков раздается треск, и студию заполняет едкий смех Хеймитча. Когда ему наконец удается совладать с собой, он произносит:

— Вот так, друзья, умирает революция.

6

Услышав вчера голос Хеймитча, я вначале была потрясена, потом разозлилась — оказывается, он полностью пришел в форму и теперь снова контролирует мою жизнь. Я пулей выскочила из студии, а сегодня игнорировала его комментарии из кабины. Хотя понимала, что он прав.

Хеймитч потратил все утро, объясняя остальным, почему у меня не получилось, и убеждая, что так ничего не выйдет. Выше головы не прыгнешь. Я не могу просто стоять посреди студии в костюме и гриме, окруженная облаком искусственного дыма, и призывать дистрикты к борьбе не на жизнь, а на смерть. Удивительно, как я вообще выдержала столько съемок. Впрочем, это заслуга Пита, а не моя. В одиночку я не смогу стать Сойкой-пересмешницей.

Мы собираемся на совещание в штабе. Вокруг громадного стола сидят Койн со своими помощниками, Плутарх, Фульвия, моя подготовительная команда плюс несколько человек из Двенадцатого, помимо Хеймитча и Гейла. Присутствие некоторых, например Ливи и Сальной Сэй, сбивает меня с толку. В последнюю минуту Финник вкатывает на коляске Бити, а за ними входит Далтон, скотовод из Десятого. Видимо, Койн организовала это странное мероприятие специально, чтобы засвидетельствовать мой провал.

Однако с приветствием к собравшимся обращается не она, а Хеймитч, и из его слов я понимаю, что всех пригласил именно он. Впервые нахожусь с Хеймитчем в одном помещении с тех пор, как расцарапала ему лицо. Я нарочно отворачиваюсь в сторону, но вижу его отражение на блестящей контрольной панели у стены. Он сильно похудел, желтоватое лицо осунулось. На мгновение мне становится страшно — вдруг он умрет? Впрочем, я тут же напоминаю себе, что меня это не волнует.

Первым делом Хеймитч показывает пленку, которую мы отсняли. Похоже, под руководством Плутарха и Фульвии я превзошла саму себя — голос срывается, движения нелепые, будто я марионетка, которую дергают за невидимые ниточки.

— Ну вот, — произносит Хеймитч, когда видео заканчивается. — Кто-нибудь из вас считает, что этот ролик поможет нам выиграть войну?

Ответа нет.

— Отлично. Значит, сэкономим время. Тогда давайте все минутку помолчим, и каждый постарается вспомнить один случай, когда Китнисс Эвердин действительно задела вас за живое. Не потому, что вы позавидовали ее прическе, поразились горящему платью или она сносно выстрелила из лука. И не потому, что Питу удалось выставить ее в привлекательном свете. Меня интересуют те случаи, когда она *сама* пробудила в вас какое-нибудь настоящее чувство.

Наступает долгая тишина, мне уже кажется, что она никогда не закончится, и тут я слышу голос Ливи:

— На Жатве. Когда она вызвалась участвовать в Играх вместо Прим. Она понимала, что идет на верную смерть.

— Хорошо. Отличный пример, — говорит Хеймитч. Берет фиолетовый фломастер и делает помету в блокноте: — Вызвалась добровольцем на Жатве. — Потом оглядывает присутствующих. — Кто следующий?

К моему удивлению, следующим оказывается Боггс, которого я всегда считала перекачанным роботом, бездумно исполняющим приказы Койн.

— Когда она пела песню. Над умирающей девочкой.

У меня в голове всплывает воспоминание — Боггс с маленьким мальчиком на коленях. Кажется, в столовой. Может статься, Боггс все-таки человек.

— Покажите мне того, кто не захлебнулся слезами в тот момент! — говорит Хеймитч, занося в блокнот и этот пункт.

— Я плакала, когда она подмешала снотворное Питу, чтобы добыть ему лекарство, и потом целовала его на прощание! — выпаливает Октавия и прикрывает рот рукой, будто боясь, что ляпнула глупость. Хеймитч только одобрительно кивает.

— Да, да. Усыпила Пита, чтобы спасти ему жизнь. Очень хорошо.

Примеры сыплются один за другим без особой последовательности: когда я взяла Руту в союзники; пожала руку Рубаке после интервью; пыталась нести Мэгз. Снова и снова речь заходит про эпизод с ягодами, который каждый понял по-своему — любовь к Питу, упорство в безнадежной ситуации, протест против бесчеловечности Капитолия.

Хеймитч поднимает руку с блокнотом вверх.

— А теперь вопрос. Что объединяет все эти случаи?

— Китнисс была в них сама собой, — тихо произносит Гейл. — Никто не указывал ей, что делать или говорить.

— Точно! — восклицает Бити. — Она действовала не по сценарию! — Он похлопывает меня по руке. — Выходит, нам нужно просто тебе не мешать?

Все смеются. Даже я не удерживаюсь от улыбки.

— Все это очень занятно, но не слишком полезно, — ворчит Фульвия. — К сожалению, здесь, в Тринадцатом, у нее нет таких возможностей проявить себя. Так что если ты не предлагаешь бросить ее в гущу сражения...

— Как раз это я и предлагаю, — прерывает ее Хеймитч. — Высадить ее на поле боя и включить камеры.

— Но все ведь думают, что она беременна, — напоминает Гейл.

— Намекнем, что она потеряла ребенка из-за электрического шока на арене, — предлагает Плутарх. — Очень печальная история.

Идея Хеймитча вызывает много споров, однако его доводы звучат убедительно. Если я способна проявить себя только в реальных условиях, то так тому и быть.

— Пока она выполняет указания и произносит заученные реплики, результат в лучшем случае будет сносный. Все должно исходить от нее самой. Тогда это берет за душу.

— Даже если мы будем предельно осторожны, мы не сможем обеспечить ей полную безопасность, — возражает Боггс. — Она будет желанной мишенью для каждого...

— Я хочу сражаться, — вмешиваюсь я. — Здесь от меня никакого прока.

— А если тебя убьют? — спрашивает Койн.

— Вы снимите это на пленку и сделаете агитролик, — отвечаю я.

— Ладно, — соглашается Койн. — Но не будем торопиться. Вначале определим наименее опасную ситуацию, подходящую для наших целей. — Койн подходит к светящимся картам, где отображаются передвижения войск в различных дистриктах. — Сегодня после обеда доставьте ее в Восьмой. Утром там была интенсивная бомбардировка, но сейчас, кажется, уже закончилась. Выдайте ей оружие и телохранителей. Съемочная группа — на земле, ты, Хеймитч, на планолете в постоянном радиоконтакте с Китнисс. Посмотрим, что из этого выйдет. Будут еще предложения?

— Умойте ее, — говорит Далтон. Все поворачиваются к нему. — Она молодая девушка, а вы сделали из нее тридцатипятилетнюю женщину. К чему нам эта капитолийская мода?

Койн объявляет собрание закрытым, и Хеймитч спрашивает у нее разрешения поговорить со мной наедине. Все выходят, только Гейл неуверенно останавливается около моего стула.

— Чего ты боишься? — спрашивает его Хеймитч. — Телохранитель нужен скорее мне.

— Все в порядке, — говорю я Гейлу, и он уходит.

В зале слышны лишь гудение приборов и тихий шелест вентиляционной системы. Хеймитч садится напротив меня.

— Нам снова придется работать вместе. Так что давай выкладывай все, что ты обо мне думаешь.

Я вспоминаю нашу яростную стычку на планолете. Мне хотелось убить Хеймитча. Однако теперь я говорю только:

— Поверить не могу, что ты не спас Пита.

— Знаю.

Меня не отпускает чувство недосказанности. Не только потому, что Хеймитч даже не извинился. Мы были одной командой. Мы дали друг другу обещание беречь Пита. Пьяное, нереальное обещание под покровом ночи, но что это меняет? В глубине души я знаю — виноваты мы оба.

— Теперь ты, — говорю я Хеймитчу.

— Не могу поверить, что ты упустила его из виду в ту ночь.

Я киваю. В том-то и дело.

— Постоянно думаю об этом. Что я могла сделать? Как остаться с ним, не нарушив союза? Я до сих пор не знаю.

— У тебя не было выбора. А если бы мне удалось уговорить Плутарха остаться и спасти Пита, планолет бы рухнул. Мы и так едва успели.

Наконец я смотрю в глаза Хеймитча. Глаза жителя Шлака — серые и глубокие, с темными кругами от бессонных ночей.

— Китнисс, Пит жив. Не надо хоронить его раньше времени.

— Игра еще не окончена. — Я стараюсь произнести это с оптимизмом, но мой голос срывается.

— Да. Игра продолжается. И я по-прежнему твой ментор. — Хеймитч тычет фломастером в мою сторону. — Помни, ты будешь на земле, я — в воздухе. Сверху обзор лучше, поэтому делай то, что я тебе скажу.

— Посмотрим, — отвечаю я.

Возвращаюсь в гримерную и хорошенько мою лицо, глядя, как струи макияжа исчезают в водостоке. Из зеркала на меня смотрит девушка с шелушащейся кожей и усталыми глазами, довольно потрепанная, однако похожая на меня. Срываю с руки повязку, обнажая уродливый шрам от жучка. Вот так. Это тоже я.

Бити помогает мне надеть защитную экипировку, разработанную Цинной. Шлем из эластичных металлических нитей плотно прилегает к голове; в случае надобности его можно сдвинуть назад, как капюшон. Жилет обеспечивает защиту жизненно важных органов. К воротнику прикреплен маленький белый наушник. На пояс Бити цепляет мне маску — на случай газовой атаки.

— Если увидишь, что кто-то упал по неизвестной причине, немедленно надевай, — инструктирует он.

Потом пристегивает колчан, разделенный на три отсека.

— Запомни: справа — зажигательные, слева — подрывные, в центре — обычные. Вряд ли тебе придется стрелять, но, как говорится, береженого Бог бережет.

Приходит Боггс, чтобы проводить меня в отдел авиации. Как раз когда подъезжает лифт, появляется взволнованный Финник.

— Китнисс, они меня не пускают! Я сказал, что здоров, но они даже не дают мне полететь в планолете!

Я смотрю на Финника — голые ноги, торчащие из-под больничного халата, шлепанцы, спутанные волосы, веревка в руке, безумный взгляд — и понимаю, что вступаться за него бесполезно. Да я и сама не уверена, стоит ли его брать.

— Ой, совсем забыла, — говорю я, ударив себя по лбу. — Дурацкое сотрясение. Бити просил передать, чтоб ты зашел к нему в отдел спецвооружения. Он сделал для тебя новый трезубец.

При слове «трезубец» мне кажется, будто я вижу прежнего Финника.

— Правда? И какой он?

— Не знаю. Но если из того же разряда, что мой лук со стрелами, он тебе понравится, — заверяю я. — Только тебе придется немного потренироваться.

— Да, конечно. Я прямо сейчас туда спущусь.

— Э-э... может, лучше сначала надеть штаны?

Финник смотрит вниз, будто впервые замечая свой наряд. Затем сбрасывает с себя больничный халат и остается в нижнем белье.

— Зачем? — Он дурашливо принимает вызывающую позу. — Мой вид тебя возбуждает?

Не могу сдержать смеха — ситуация вдвойне забавная, потому что Боггс буквально не знает, куда девать глаза от смущения, а еще я рада, что Финник ведет себя, как тот парень, которого я встретила на Квартальной бойне.

— Я всего лишь человек, Одэйр, — успеваю сказать я, прежде чем двери лифта закрываются. — Извините, — говорю я Боггсу.

— Не за что. По-моему, ты... здорово справилась, — отвечает он. — Лучше, чем если бы я его арестовал.

— Да уж.

Я украдкой присматриваюсь к нему. Боггсу на вид около сорока пяти, поседевшие волосы коротко стрижены, глаза голубые. Превосходная выправка. За сегодняшний день он уже дважды заставил меня задуматься, что мы могли быть с ним друзьями, а не врагами. Может, стоит дать ему шанс? Жаль, что он так предан Койн...

Раздается серия громких щелчков. Лифт на мгновение останавливается, а потом вдруг едет влево.

— Он двигается и вбок? — удивляюсь я.

— Да. Под Тринадцатым проложена целая сеть шахт, — поясняет он. — Та, в которой мы сейчас, идет над транспортной осью к пятой подъемной платформе. Это в ангаре.

Ангар, тюрьма, спецвооружения... А еще где-то производят еду, вырабатывают энергию, очищают воду и воздух.

— Тринадцатый даже больше, чем я думала.

— В основном это не наша заслуга, — говорит Боггс. — Мы, так сказать, получили это место в наследство. Нужно только следить, чтобы все оставалось в исправности.

Щелчки возобновляются. Мы снова падаем вниз — теперь всего на пару уровней, — и двери открываются посреди ангара.

— Ого, — вырывается у меня при виде бесчисленных рядов всевозможных планолетов. Ну и флотилия... — Их вы тоже унаследовали?

— Некоторые создали сами, другие входили в состав воздушных сил Капитолия. Конечно, с тех пор мы их модернизировали.

В груди снова просыпается ненависть к Тринадцатому.

— Значит, все это у вас было, и вы бросили остальные дистрикты беззащитными перед Капитолием.

— Все не так просто, — возражает Боггс. — До недавнего времени у нас не было возможности воевать. Мы едва выжили. После того как мы свергли и казнили приспешников Капитолия, осталась всего горстка людей, умеющих управлять планолетами. Ударить ядерными ракетами? Могли. И чем бы тогда закончилась наша война с Капитолием? Уцелел бы хоть один живой человек на Земле?

— Пит сказал то же самое. А вы все назвали его предателем.

— Да. Потому что он призывает к прекращению войны. Ты же видишь — ни одна сторона не применяет ядерное оружие. Воюем по старинке. — Боггс показывает на один из небольших планолетов. — Нам туда, солдат Эвердин.

Я поднимаюсь по трапу. Внутри уже расположилась съемочная группа со своим оборудованием и еще несколько человек в серых десантных комбинезонах. Даже Хеймитч одет по-военному, хотя явно не в восторге от плотного форменного воротничка.

Ко мне подбегает Фульвия Кардью и разочарованно вздыхает, увидев мое лицо.

— Вся работа коту под хвост. Я тебя не виню, Китнисс. Что поделаешь, не все рождаются с фотогеничными лицами. Вот как он. — Она хватает Гейла, который разговаривает с Плутархом, и разворачивает его к нам. — Разве не красавец?

Гейл и правда выглядит впечатляюще в военной форме. Однако, учитывая обстоятельства, вопрос лишь смущает нас обоих. Я пытаюсь придумать остроумный ответ, когда Боггс вдруг выдает:

— Нас не так-то легко поразить. Мы только что видели Финника в одних трусах.

Боггс мне определенно нравится.

Звучит предупреждение о взлете; я сажусь рядом с Гейлом, напротив Хеймитча и Плутарха, и пристегиваю ремень безопасности. Планолет скользит по лабиринту туннелей, которые выходят на платформу. Какой-то механизм медленно поднимает ее вверх через все уровни, и внезапно мы оказываемся под открытым небом на огромном поле, окруженном лесом. Планолет отрывается от платформы и уплывает за облака. Теперь, когда волна возбуждения схлынула, я осознаю, что понятия не имею, что меня ждет в Восьмом дистрикте. Мало того, я почти ничего не знаю о ходе войны. Во что нам станет победа. И что будет, если мы победим.

Плутарх пытается меня немного просветить. Во-первых, на данный момент в состоянии войны с Капитолием находятся все дистрикты, кроме Второго, который, несмотря на свое участие в Голодных играх, всегда был в привилегированном положении. Там больше продовольствия и лучше жилищные условия. После Темных Времен и мнимого уничтожения Тринадцатого, Второй дистрикт стал новой военной базой Капитолия, хотя официально фигурировал в качестве поставщика строительного камня, так же, как Тринадцатый в свое время считался производителем графита. Помимо производства оружия, Второй дистрикт занимается подготовкой и даже набором миротворцев.

— То есть... некоторые миротворцы родом из Второго дистрикта? — спрашиваю я. — Я думала, они все из Капитолия.

Плутарх кивает.

— Так вы и должны были думать. Часть их действительно из Капитолия, однако его население просто не в состоянии предоставить такого количества рекрутов. При том, что граждане Капитолия не особо горят желанием обрекать себя на суровую жизнь в дистриктах. Контракт заключается на двадцать лет, семью заводить нельзя. Одни идут на это ради престижа, другие — в качестве альтернативы наказанию. К примеру, вступившим в миротворцы списываются долги. В Капитолии полно людей, которые по уши в долгах, только не все из них годятся для военной службы. Поэтому недостающих рекрутов набирают во Втором дистрикте. Для них это шанс выбраться из нищеты и каменоломен. В детях там с малых лет воспитывают воинский дух. Ну да ты и сама видела, как они стремятся стать трибутами.

Катон и Мирта. Брут и Энорабия. Я видела их рвение и жажду крови.

— Но все остальные дистрикты на нашей стороне?

— Да. Наша цель — занять один за другим все дистрикты, оставив Второй напоследок, и тем самым лишить Капитолий поставок. Затем, когда он достаточно ослабеет, мы двинемся на него, — объясняет Плутарх. — Это будет задача совсем другого уровня. Однако не будем забегать вперед.

— Если мы победим, кто будет управлять государством? — спрашивает Гейл.

— Все, — отвечает Плутарх. — Мы образуем республику. Жители каждого дистрикта, и Капитолия в том числе, будут выбирать представителей, которые смогут защищать их интересы в централизованном правительстве. Не смотрите так недоверчиво — когда-то эта система работала.

— В книгах, — бурчит Хеймитч.

— В книгах по истории, — уточняет Плутарх. — Если получалось у наших предков, почему не получится у нас?

По правде говоря, наши предки столько дров наломали, что дальше некуда. Посмотрите только, с чем они нас оставили — войны, разоренная планета. Похоже, им было наплевать, как будут жить люди после них. Однако в любом случае республика лучше того, что у нас сейчас.

— А если мы проиграем? — спрашиваю я.

— Если проиграем? — Плутарх иронично улыбается, глядя на облака за иллюминатором. — Ну, тогда Голодные игры в следующем году станут незабываемыми. Да, кстати. — Он достает из бронежилета пузырек, вытряхивает на ладонь несколько фиолетовых капсул и протягивает нам. — Мы назвали их «морник» в твою честь, Китнисс. Нельзя допустить, чтобы кого-то из нас захватили в плен. Обещаю, это совершенно безболезненно.

Я беру капсулу, но не соображу, куда ее деть. Плутарх дотрагивается пальцем до моего левого рукава. Я присматриваюсь и вижу на нем крошечный кармашек как раз по размеру капсулы. Даже если у меня будут связаны руки, я смогу наклонить голову и откусить ее.

Цинна продумал все до мелочей.

7

Планолет опускается на широкую дорогу на окраине Восьмого дистрикта. Тут же открывается люк и выдвигается лестница. Едва последний пассажир спрыгивает на асфальт, судно взмывает в воздух и исчезает. Я остаюсь на попечении охраны в лице Гейла, Богтса и двух других солдат. Съемочная группа состоит из двух десятков капитолийских операторов с тяжелыми переносными камерами, напоминающими панцири диковинных насекомых, режиссера — женщины по имени Крессида с бритой головой, украшенной татуировками в виде виноградных лоз, и ее помощника Мессаллы — стройного молодого человека со множеством серег в ушах. Присмотревшись, замечаю еще одну серьгу с большим серебристым шариком у него в языке.

Боггс уводит нас всех с дороги, ближе к складам, и на площадку садится второй планолет. Он привез ящики с медикаментами и команду из шести врачей в белых халатах. Мы все следуем за Боггсом в проход между двумя мрачными серыми складами. Кое-где на поцарапанных металлических стенах укреплены пожарные лестницы, ведущие на крышу. Миновав склады, мы выходим на широкую улицу и будто оказываемся в другом мире.

Отовсюду несут и везут раненых. На самодельных носилках, на тачках и тележках, перекинув через плечо и просто крепко обхватив руками. Окровавленных, с оторванными конечностями, без сознания. Их сносят в один из складов, над входом в который грубо намалеван красный крест. Мне вспоминается кухня в нашем старом доме, где мама ухаживала за умирающими, только здесь их в десятки, в сотни раз больше. Я ожидала увидеть разрушенные бомбежками здания, а вместо этого оказалась среди искалеченных человеческих тел.

Меня хотят снимать здесь? Я поворачиваюсь к Боггсу.

— Ничего не выйдет, — говорю я. — Здесь у меня ничего не получится.

Должно быть, он замечает панику в моих глазах, потому что останавливается и кладет руки мне на плечи.

— Получится. Пусть они просто тебя увидят. Ты подействуешь на них лучше всякого лекарства.

Тут женщина, принимающая пациентов, видит нас, присматривается и, убедившись, что зрение ее не подводит, широкими шагами направляется в нашу сторону. От нее пахнет металлом и потом, усталые темно-карие глаза опухли, повязку на шее следовало сменить еще дня три назад. Женщина дергает плечом, поправляя автомат на спине, чтобы ремень не врезался в шею. Большим пальцем показывает медикам на склад. Те идут внутрь, не задавая лишних вопросов.

— Командующая Восьмым Пэйлор, — говорит Боггс. — Капитан, это солдат Китнисс Эвердин.

Для капитана она выглядит довольно-таки молодо. Тридцать с хвостиком. Но когда она начинает говорить, голос звучит настолько властно, что не возникает сомнений в ее авторитете. Рядом с ней, в моей начищенной и сияющей новехонькой форме, я чувствую себя неопытным птенцом, только начавшим разбираться в жизни.

— Да, я ее узнала, — говорит Пэйлор. — Значит, ты жива. Мы сомневались.

Мне кажется, или в ее голосе проскальзывают обвинительные нотки?

— Я сама еще не уверена, — отвечаю я.

— Долгий реабилитационный период. — Боггс стучит себя по голове. — Сильное сотрясение, — его голос на секунду понижается, — выкидыш. Но она настояла на приезде, хочет лично увидеть раненых.

— Да, раненых у нас предостаточно.

— Вы размещаете их всех в одном месте? — спрашивает Гейл, хмуро глядя на госпиталь. — Я думаю, это не очень разумно.

Мне тоже так кажется. Любая заразная болезнь распространится здесь как пожар в сухом лесу.

— Думаю, это лучше, чем бросить их умирать одних, — говорит Пэйлор.

— Я не это имел в виду.

— Пока у меня нет других вариантов. Если вы придумаете что-то еще и сумеете убедить Койн, буду только рада. — Пэйлор машет рукой в сторону двери. — Заходи, Сойка. И бери с собой своих друзей.

Я оглядываюсь на диковинную компанию у меня за спиной, набираюсь решимости и следую за Пэйлор. Передняя часть склада отделена тяжелыми брезентовыми шторами.

Вповалку лежат трупы. Края штор трутся об их головы, лица закрыты белыми простынями.

— Мы начали рыть общую могилу в нескольких кварталах к западу отсюда, но у меня нет свободных рук, чтобы отнести их туда, — говорит Пэйлор. Находит щель между шторами и раздвигает их шире.

Я хватаюсь за запястье Гейла и шепчу:

— Не отходи от меня.

— Я рядом, — спокойно отвечает он.

Делаю шаг внутрь и получаю мощный удар по обонянию. В первый миг мне хочется зажать нос от ужасающей вони грязного постельного белья, гниющей плоти и рвоты. Люки в металлической крыше открыты, однако свежий воздух не в состоянии пробиться сквозь густую пелену жаркого зловония. Постепенно мои глаза привыкают к тусклому свету, доходящему от узких люков, и я различаю многочисленные ряды раненых. Они лежат на койках, тюфяках и просто на полу. Места слишком мало для всех. Гудение черных мух, стоны страдающих людей, плач их родных сливаются в один адский хор.

В дистриктах нет настоящих больниц. Мы умираем дома, но уж лучше на своей постели, чем здесь. Потом я вспоминаю: почти все, кого я вижу, потеряли дома во время бомбежек.

Пот градом катится по спине, собирается в ладонях. Спасаясь от вони, дышу ртом. Перед глазами мельтешат черные точки, кажется, я сейчас упаду в обморок, но тут ловлю на себе цепкий взгляд Пэйлор — она хочет знать, из какого я теста, не зря ли они на меня рассчитывали. Бросаю руку Гейла и заставляю себя пройти в глубь склада, протискиваясь в узкий проход между двумя рядами коек.

— Китнисс? — раздается хриплый голос откуда-то слева. — Китнисс?

Чья-то рука тянется ко мне из сумрака. Я цепляюсь за нее как за спасительную соломинку. Рука принадлежит молодой женщине с замотанной ногой. Сквозь толстые повязки сочится кровь, на ней кишат мухи. Лицо выражает боль и что-то еще, что-то совсем несовместимое с ее состоянием.

— Это правда ты?

— Да, это я.

Радость. Вот что написано на ее лице. Оно светлеет при звуке моего голоса, и на миг с него исчезает страдание.

— Ты жива! Ты правда жива! Люди говорили, но мы боялись поверить! — взволнованно произносит она.

— Мне крепко досталось. Но сейчас уже лучше. Вы тоже поправитесь.

— Надо сказать брату! — Женщина пытается сесть и кричит кому-то через несколько кроватей. — Эдди! Эдди! Она здесь! Китнисс Эвердин!

Мальчик лет двенадцати поворачивается в нашу сторону. Половину лица скрывает повязка. Край рта открывается в немом восклицании. Я иду к нему и откидываю влажные каштановые пряди с его лба. Ласково бормочу: «Привет». Мальчик не может говорить, но так внимательно смотрит на меня здоровым глазом, будто старается запомнить каждую черточку моего лица.

Мое имя волнами прокатывается по жаркой атмосфере госпиталя.

— Китнисс! Китнисс Эвердин!

Звуки боли и горя сменяются словами надежды. Меня окликают со всех сторон. Я иду дальше, пожимая протянутые ко мне руки, касаюсь тех, кто не может двигаться. Здороваюсь, знакомлюсь, спрашиваю, как дела. Ничего особенного, никаких складных речей и призывов. Но это неважно. Богтс прав. Один лишь взгляд на меня, живую, уже вдохновляет их.

Пальцы жадно хватают меня, желая ощутить мое тело. Один раненый обхватывает ладонями мое лицо, и я мысленно благодарю Далтона за то, что он посоветовал смыть макияж. Как нелепо я бы выглядела среди этих людей в разрисованной капитолийской маске. Шрамы, изъяны, следы усталости — вот что роднит меня с ними.

Многие спрашивают о Пите, несмотря на то интервью. Никто не сомневается, что его заставили. Я стараюсь говорить о нашем будущем с оптимизмом, но все очень расстраиваются, когда упоминаю, что потеряла ребенка. Одна женщина даже плачет. Мне очень хочется рассказать ей правду, однако, выставив Пита лжецом, я не добавлю популярности ни ему, ни себе. Ни общему делу.

Теперь я начинаю понимать, зачем повстанцы потратили столько сил на мое спасение. *Что* я для них значу. В войне с Капитолием, которая часто казалась мне единоборством, я была не одна. На моей стороне стояли тысячи, десятки тысяч людей из разных дистриктов. Я стала их Сойкой-пересмешницей задолго до того, как сознательно взяла на себя эту роль.

Новое, незнакомое чувство зарождается в моей душе, но полностью я осознаю его, лишь когда, стоя на столе, машу рукой на прощание людям, хрипло скандирующим мое имя. Власть. Я обладаю властью, о которой даже и не подозревала. Сноу знал о ней с тех пор, как я вытащила ягоды. И Плутарх, когда спасал меня с арены, тоже знал. Теперь знает Койн. Настолько хорошо, что вынуждена публично напоминать о своих полномочиях.

Когда мы выходим на улицу, я прислоняюсь к стене склада, чтобы отдышаться. Боггс подает мне фляжку с водой.

— Ты отлично справилась.

Ну да, меня не вырвало, я не упала в обморок и не убежала с криками. По правде говоря, выплыла на волне эмоций, охвативших людей.

— Получился неплохой материал, — говорит Крессида.

Я будто впервые вижу жуков-операторов, обливающихся потом под своими камерами-панцирями. Мессаллу, делающего какие-то пометки в блокноте. Я даже забыла, что меня снимают.

— Да я ничего такого не сделала, — говорю я.

— Ты недооцениваешь свои прошлые заслуги, — возражает Боггс.

Прошлые заслуги? Та череда бедствий, что шлейфом тянется за мной. Колени подкашиваются, и я сползаю вниз по стене.

— Это еще как посмотреть.

— Что ж, до идеала тебе, конечно, далеко, но по нынешним временам сгодишься.

Гейл садится рядом на корточки.

— Поверить не могу, что ты позволяла всем этим людям себя трогать, — качает он головой. — Все ждал, когда же ты бросишься к выходу.

— Заткнись, — смеюсь я.

— Твоя мама будет тобой гордиться, когда увидит репортаж.

— За всеми ужасами, которые здесь творятся, она меня даже не заметит. — Я поворачиваюсь к Боггсу. — И так во всех дистриктах?

— Почти. Мы изо всех сил стараемся помочь, но не всегда это возможно. — На минуту он замолкает, прислушиваясь к словам в наушнике. Я вспоминаю, что до сих пор не слышала голоса Хеймитча, и начинаю копаться в своем, проверяя, не сломался ли. — Мы возвращаемся. Срочно, — говорит Боггс, одной рукой помогая мне встать. — Возникли проблемы.

— Какие проблемы? — спрашивает Гейл.

— Бомбардировщики на подходе. — Боггс натягивает мне на голову шлем Цинны. — Живо!

Не понимая, что происходит, бегу вдоль стены склада к посадочной площадке. Я не чувствую опасности. Голубое небо все такое же чистое, люди по-прежнему несут раненых к госпиталю. Никакой тревоги. И тут начинает выть сирена. Считаные секунды спустя над нами возникает клин капитолийских планолетов и начинают сыпаться бомбы. Меня отбрасывает на стену склада. Правую ногу сзади чуть повыше колена обжигает боль. В спину тоже что-то ударило, но бронежилет меня защитил. Боггс прикрывает меня своим телом. Земля под ногами сотрясается от разрывов.

Стоять прижатой к стене, когда вокруг сыплются бомбы, — ощущение не из приятных. Как там отец говорил про легкую добычу? Глушить рыбу в бочке. Мы и есть та самая рыба. А улица — бочка.

— Китнисс! — Я вздрагиваю от голоса Хеймитча в ухе.

— Что? Да. Что? Я здесь! — кричу я.

— Слушай меня. Пока они бомбят, мы приземлиться не можем. Главное, чтобы они не заметили тебя.

— А они еще не знают, что я тут? Удивительно. Обычно причиной всех бед бываю я.

— Разведка считает — нет. Атака была спланирована заранее.

Следом подключается Плутарх, его голос звучит спокойно, но властно — голос главного распорядителя Игр, привыкшего командовать в любых обстоятельствах.

— Через три здания от вас синий склад. Внутри, с северной стороны, убежище. Сможете туда добраться?

— Постараемся, — говорит Боггс.

Плутарха, должно быть, слышали все, потому что телохранители и съемочная группа сразу поднимаются с земли. Я машинально ищу глазами Гейла. Он тоже на ногах. Кажется, его не задело.

— У вас около сорока пяти секунд до следующей атаки, — предупреждает Плутарх.

У меня вырывается стон, когда переношу вес на правую ногу, но я не останавливаюсь. Нет времени осматривать рану. Может быть, даже лучше, что я ее не вижу. К счастью, обувь на мне тоже Циннина. Подошвы рифленые и хорошо пружинят. В тех разношенных ботинках, что мне выдали в Тринадцатом, я бы далеко не убежала. Боггс идет впереди, я следом. Никто не думает меня обгонять, наоборот, все прикрывают меня со спины и по бокам. Секунды утекают как вода, и я заставляю себя перейти на бег. Второй серый склад позади, мы бежим вдоль грязно-коричневой стены третьего. Впереди уже виднеется выцветший синий фасад. Там убежище. Вот и угол, осталось только перебежать проход между зданиями, но тут начинается новая атака. Инстинктивно бросаюсь на землю в проход и откатываюсь к синей стене. Теперь своим телом меня прикрывает Гейл. На этот раз бомбежка длится дольше, зато взрывы гремят не так близко к нам.

Я поворачиваюсь на бок и встречаюсь глазами с Гейлом. На мгновение весь мир отступает на второй план, я вижу только разгоряченное лицо Гейла с пульсирующей на виске жилкой и приоткрытым ртом, которым он жадно втягивает воздух.

— Жива? — спрашивает он. Его слова почти тонут в грохоте.

— Да. Кажется, меня не заметили. За нами не охотятся.

— Нет, у них другая цель.

— Но тут ведь больше ничего...

И тут мы понимаем.

— Госпиталь! — кричит Гейл, вскакивая. — Их цель — госпиталь!

— Это не ваше дело, — жестко отрезает Плутарх. — Бегом в убежище!

— Но там же раненые! — говорю я.

— Китнисс! — В голосе Хеймитча звучит угроза, я уже знаю, что будет дальше. — Даже не думай...

Я выдергиваю наушник, оставляя его болтаться на проводе. Теперь, когда меня ничто не отвлекает, я слышу другой звук. На крыше коричневого склада строчит пулемет. Кто-то отстреливается. Прежде чем меня успевают остановить, бегу к лестнице и карабкаюсь вверх. Если я что и умею делать как следует, так это лазать.

— Не останавливайся! — слышу снизу голос Гейла. Затем удар ботинком в чье-то лицо. Если это лицо Боггса, Гейлу не поздоровится. Я уже у края крыши и перебираюсь с лестницы на смоляное покрытие. Разворачиваюсь, чтобы помочь Гейлу, мы оба бежим к пулеметным гнездам на противоположной стороне. Каждый пулемет обслуживают несколько повстанцев. Мы бросаемся в гнездо с двумя солдатами и пригибаемся к барьеру.

— Боггс знает, что вы здесь? — За пулеметом справа от нас стоит Пэйлор.

— Конечно, — отвечаю я чистую правду.

Пэйлор смеется.

— Ну да, еще бы он не знал. Умеете стрелять из таких? — Она хлопает по стволу оружия.

— Я — да. Научился в Тринадцатом, — говорит Гейл. — Но предпочитаю свое оружие.

— У нас есть луки. — Я поднимаю свой, и тут понимаю, насколько несерьезно он выглядит. — Это он только с виду такой безобидный.

— Надеюсь, что так. Ладно. Ожидается еще три волны. Им приходится отключать маскировку перед тем, как сбросить бомбы. Это наш шанс. Только не высовывайтесь из-за барьера.

Я готовлюсь стрелять с колена.

— Начнем с зажигательных, — предлагает Гейл.

Я киваю и достаю стрелу из правого колчана. Если мы не попадем в цель, стрелы куда-нибудь да упадут, и скорее всего на склады через дорогу. Лучше уж пожар, чем взрыв.

Внезапно я их вижу. Семь небольших бомбардировщиков летят клином кварталах в двух от нас.

— Гуси! — кричу я Гейлу.

Он поймет, что я имею в виду. На осенней охоте у нас с ним выработалась особая система, чтобы не стрелять обоим в одну и ту же птицу. Я беру на себя дальнее ответвление косяка, Гейл — ближнее, а в переднюю птицу стреляем по очереди. Сейчас времени на обсуждение нет. Оцениваю скорость и делаю выстрел. Попадаю в крыло одного из планолетов, ближе к фюзеляжу, и его охватывает огнем. Гейл промахивается. Огонь вспыхивает на крыше пустого склада напротив. Гейл тихо чертыхается.

Планолет, который я подстрелила, выбивается из строя, но продолжает сбрасывать бомбы. По крайней мере, он не исчезает из виду — так же, как и другой, в который попали из пулемета. Должно быть, повреждены маскировочные щиты.

— Отличный выстрел, — говорит Гейл.

— Я не в него целилась, — бормочу я.

Планолет, который я держала на прицеле, успел улететь вперед.

— Они быстрее, чем кажется.

— Приготовиться! — кричит Пэйлор.

Следующая группа планолетов уже на подходе.

— Зажигательные не годятся, — говорит Гейл. Я киваю, и мы оба берем стрелы со взрывающимися наконечниками. Склады, кажется, все равно заброшенные.

Пока планолеты подлетают, принимаю еще одно решение.

— Я встаю! — кричу я Гейлу и поднимаюсь на ноги. В таком положении у меня максимальная точность. Целюсь в точку впереди планолета и с первого выстрела пробиваю днище переднего. Гейл попадает в хвост следующего. Тот переворачивается в воздухе и с серией взрывов падает посреди улицы.

Неожиданно маскировку снимает третья группа. На сей раз Гейл точно поражает передний планолет, я подбиваю крыло второго, и тот, закружившись, врезается в летящий за ним. Оба падают на крышу склада через дорогу от госпиталя. Четвертый планолет прошивает пулеметная очередь.

— Вот так-то, — говорит Пэйлор.

Языки пламени и черный дым, поднимающийся от обломков, закрывают обзор.

— Они попали в госпиталь?

— Скорее всего, — отвечает она мрачно.

По пути к лестнице на другом конце крыши с удивлением вижу, как из-за вентиляционного короба показываются Мессалла и один из «жуков»-операторов. Я думала, они остались внизу.

— Кажется, они начинают мне нравиться, — говорит Гейл.

Внизу стоят один телохранитель, Крессида и второй «жук». Я ожидаю головомойки, но Крессида только указывает мне рукой в сторону госпиталя и кричит:

— Мне плевать, Плутарх! Просто дай нам еще пять минут!

Не спрашивая ни у кого разрешения, я выбегаю из прохода на улицу.

— О нет, — шепчу я, едва вижу госпиталь. Вернее — то, что от него осталось.

Я двигаюсь мимо раненых, мимо горящих остовов планолетов, не сводя глаз с того ужаса, который впереди. Люди кричат, дико мечутся не в силах помочь. Бомбы обрушились на крышу госпиталя и подожгли его, заперев раненых в ловушке. Группа спасателей пытается расчистить вход. Однако я знаю, что они там увидят. Если обломки и огонь кого-то пощадили, то дым сделал свое дело.

Сзади подходит Гейл. То, что он не кидается на помощь, только подтверждает мои подозрения. Шахтеры не опускают руки, пока есть хоть какая-то надежда.

— Пойдем, Китнисс. Хеймитч сказал, сейчас за нами пришлют планолет.

Я не могу пошевелиться.

— Зачем они это сделали? Зачем нападать на людей, которые и так умирают?

— Чтобы запугать остальных, — говорит Гейл. — Им не нужны раненые. Во всяком случае, не нужны Сноу. Это лишняя обуза. Если Капитолий победит, что они будут делать с толпами покалеченных рабов?

Сколько раз в лесу Гейл заводил свои тирады против Капитолия, а я их почти не слушала. Удивлялась, зачем разбираться в мотивах — какая разница, почему наши враги поступают так, а не иначе. Теперь понятно, что задуматься стоило. Когда Гейл спрашивал, стоит ли собирать всех раненых в одно место, он думал не об эпидемиях, а об этом. Потому что он знает, с кем мы имеем дело.

Я медленно поворачиваюсь спиной к госпиталю и вижу в двух шагах от себя Крессиду с «жуками» по бокам. Ни следа волнения на лице. Вот у кого железная выдержка!

— Китнисс, — говорит она, — по приказу президента Сноу бомбежка транслировалась в прямом эфире. Затем он заявил, что это его предупреждение мятежникам. Что ты об этом думаешь? Может быть, ты тоже скажешь что-нибудь повстанцам?

— Да, — шепчу я.

На одной из камер мигает красный огонек. Меня снимают.

— Да, — повторяю я увереннее. Все — Гейл, Крессида, «жуки» — отступают дальше, предоставляя «сцену» мне одной. Мой взгляд фокусируется на красной лампочке. — Я хочу сказать восставшим, что я жива. Что я здесь, в Восьмом дистрикте, где Капитолий только что разбомбил госпиталь, полный безоружных мужчин, женщин и детей. Все они погибли. — Потрясение, испытанное мной, перерастает в гнев. — Люди! Если вы хотя бы на мгновение поверили, что Капитолий будет относиться к нам по-человечески, если вы надеетесь на прекращение войны, вы обманываете самих себя. Потому что вы знаете, кто они, вы видите их дела. — Я машинально развожу руки в стороны, словно показывая весь ужас, творящийся вокруг меня. — Вот как они поступают! Они должны за это заплатить!

Движимая яростью, я приближаюсь к камере.

— Президент Сноу предупреждает нас? Я тоже хочу его предупредить. Вы можете убивать нас, бомбить, сжигать наши дистрикты, но посмотрите на это! — Одна из камер следует за моим жестом, указывающим на горящие планолеты на крыше склада. Сквозь языки пламени четко просматривается капитолийский герб. — Огонь разгорается! — Я перехожу на крик, чтобы Сноу точно не пропустил ни слова. — Сгорим мы — вы сгорите вместе с нами!

Мои последние слова повисают в воздухе. Мне кажется, будто время остановилось и я парю над землей в облаке жара, исходящего не от пылающих вокруг обломков, а от меня самой.

— Снято! — голос Крессиды возвращает меня к реальности, остужая мой пыл. Она кивает в знак одобрения.

— То, что надо!

8

Появляется Боггс и крепко берет меня за руку, хотя я и не думаю убегать. Бросаю последний взгляд на госпиталь — как раз в тот миг, когда остов здания обрушивается, — и силы меня оставляют. Всех этих людей — сотен раненых, их родственников, врачей из Тринадцатого — больше нет. Поворачиваюсь к Боггсу и вижу кровоподтек на его лице от ботинка Гейла. Я не специалист, однако нос у него определенно сломан. Впрочем, в голосе Боггса звучит скорее усталость, нежели злость.

— Все на посадочную полосу!

Я послушно делаю шаг вперед и морщусь от ужасной боли под правым коленом. Теперь, когда действие адреналина прошло, тело разваливается на части. Я изранена, окровавлена, и у меня такое чувство, будто в голове сидит кто-то и лупит молотком по левому виску. Взглянув на мое лицо, Боггс подхватывает меня на руки и бежит к взлетной полосе. На полпути меня начинает тошнить. Кажется, у Боггса вырывается вздох, хотя не уверена, потому что он совсем запыхался.

Небольшой планолет, не похожий на тот, который доставил нас сюда, уже стоит на взлетной полосе. Как только все поднимаются на борт, мы взлетаем. На сей раз нет ни удобных сидений, ни иллюминаторов. Очевидно, это грузовое судно. Боггс оказывает первую помощь раненым. Хочется снять испачканный рвотой бронежилет, но тут слишком холодно. Я устраиваюсь на полу, положив голову на колени Гейлу. Последнее, что помню, — Боггс накрывает меня мешками.

Просыпаюсь я только на своей старой кровати в больнице. Мне тепло, раны перевязаны. Рядом мама.

— Как ты себя чувствуешь?

— Будто побитая. Но терпимо, — говорю я.

— Нам никто даже не сказал, пока ты не улетела.

Я чувствую укол стыда. Нельзя забывать о таких вещах, после того как твоя семья дважды провожала тебя на Голодные игры.

— Прости. Мы не ожидали нападения. Предполагалось, что я только навещу пострадавших, — объясняю я. — В следующий раз заставлю их вначале договориться с тобой.

— Китнисс, со мной уже давно никто ни о чем не договаривается.

Она права. Никто. Даже я. С тех пор, как умер мой папа. К чему притворяться?

— Ну, я попрошу, чтобы они хотя бы... предупреждали тебя.

На тумбочке лежит осколок, вынутый из моей ноги. Врачей больше волнует моя голова, я ведь еще от прошлого сотрясения не совсем оправилась. Впрочем, в глазах у меня не двоится, ничего такого, и мысли не путаются. Я проспала вечер и всю ночь, и теперь ужасно хочу есть. Завтрак мне приносят совсем скудный — несколько кусочков хлеба, размоченных в теплом молоке.

Потом меня вызывают в штаб на утреннее совещание. Я собираюсь встать, но меня, оказывается, хотят отвезти туда прямо на больничной койке. Говорю, что прекрасно дойду сама, однако никто даже слушать не хочет. Наконец мы сходимся на кресле-каталке. Я ведь правда совсем в порядке. Ну, не считая головы, ноги, пары ушибов и небольшой тошноты после завтрака... Нет, пожалуй, хорошо, что я поеду в каталке.

Пока меня катят в штаб, на душе становится беспокойно. Вчера мы с Гейлом прямо нарушили приказ, и Боггс может подтвердить это своим сломанным носом. Конечно, нас накажут, но насколько сурово? Аннулирует ли Койн наше соглашение об амнистии победителям? Не лишила ли я Пита той ничтожной защиты, которую могла ему дать?

В штабе я застаю только Крессиду, Мессаллу и «жуков».

— А вот и наша маленькая звезда! — восклицает Мессалла, и все они так искренне улыбаются, что я не могу не улыбнуться в ответ.

Они здорово удивили меня вчера. Не послушались Плутарха. Ради репортажа полезли за мной в самое пекло. Они не просто выполняют свою работу, они ее любят. Как Цинна.

В голову приходит странная мысль, что, окажись мы вместе на арене, я выбрала бы их в союзники. Крессиду, Мессаллу и... и...

— Хватит мне уже называть вас «жуками», — говорю я вдруг операторам.

Потом объясняю, что не знаю, как их зовут, а они сами в костюмах и с аппаратурой напоминают насекомых. Кажется, такое сравнение их ничуть не обижает. Даже без камер они очень похожи друг на друга. Одинаковые песочные волосы, рыжие бороды и голубые глаза. Один, с обгрызенными ногтями, представляется Кастором и говорит, что другого зовут Поллукс. Он его брат. Поллукс только молча кивает. Сперва я думаю, это он от скромности или просто не очень разговорчивый, однако положение его губ и видимое усилие, с которым он сглатывает, мне знакомы. Я еще до объяснения Кастора понимаю, что Поллукс безгласый. Ему отрезали язык, он никогда больше не будет говорить. А я больше не буду удивляться их готовности рисковать жизнью ради свержения Капитолия.

Зал постепенно наполняется, я настраиваю себя и на менее радушные встречи. Однако недовольными выглядят только Хеймитч, для которого это обычное состояние, и Фульвия Кардью, явившаяся с кислой миной. Лицо Боггса от верхней губы до лба закрыто маской телесного цвета — я была права насчет сломанного носа, — поэтому о его мимике судить трудно. Койн с Гейлом входят в зал вместе, болтая как старые приятели.

— Завел новых друзей? — спрашиваю я, когда Гейл опускается на стул рядом с моей каталкой.

Гейл еще раз бросает взгляд на президента, затем поворачивается ко мне.

— Ну, должен же кто-то из нас налаживать контакты. — Он нежно касается моего виска. — Как себя чувствуешь?

Должно быть, на завтрак в столовой давали тушеную тыкву с чесноком. Чем больше народу собирается, тем сильнее запах. Желудок у меня сжимается, а освещение вдруг кажется слишком ярким.

— Слегка покачивает, — отвечаю я. — А ты?

— В порядке. Вытащили пару осколков. Ничего страшного.

Койн просит внимания.

— Наша информационная атака официально началась. Для тех из вас, кто пропустил вчерашнюю вечернюю передачу и семнадцать повторов, которые с тех пор Бити удалось передать в эфир, мы прокрутим ролик прямо сейчас.

Прокрутят ролик? Выходит, они не только успели просмотреть отснятый материал, но и смонтировали из него ролик и даже уже несколько раз показали? При мысли, что сейчас я увижу себя на экране, мои ладони покрываются потом. Как я выгляжу? Что, если такая же скованная и никчемная, какой была в студии, и они просто отчаялись добиться от меня чего-нибудь получше?

Из стола выдвигаются несколько дисплеев, свет тускнеет. В зале наступает тишина.

Несколько секунд экран остается черным. Затем в его центре вспыхивает маленькая искорка. Она становится все ярче и ярче, постепенно увеличивается в размере, поглощая окружающую черноту, пока наконец весь экран не взрывается пламенем, настолько мощным и реальным, что я как будто чувствую исходящий от него жар. На фоне огня возникает моя брошь с сойкой-пересмешницей, переливающаяся красным золотом, и тут же раздается низкий, звучный голос, который преследует меня в кошмарах.

— Огненная Китнисс Эвердин, — вещает Клавдий Темплсмит, официальный комментатор Голодных игр. — Она все еще пылает.

Внезапно вместо броши на экране появляюсь я сама на фоне настоящего огня и дыма в Восьмом дистрикте.

— Я хочу сказать восставшим, что я жива. Что я здесь, в Восьмом дистрикте, где Капитолий только что разбомбил госпиталь, полный безоружных мужчин, женщин и детей. Все они погибли.

На экране рушащийся госпиталь, отчаяние очевидцев, в то время как мой голос за кадром продолжает:

— Люди! Если вы хотя бы на мгновение поверили, что Капитолий будет относиться к нам по-человечески, если вы надеетесь на прекращение войны, вы обманываете самих себя. Потому что вы знаете, кто они, вы видите их дела.

Камера снова возвращается ко мне, когда я развожу руками, показывая на разрушения вокруг.

— Вот как они поступают! Они должны за это заплатить!

Далее следует фантастическая нарезка фрагментов битвы. Первые бомбы, мы бежим, нас сбивает взрывной волной, крупный план моего ранения (ого, сколько кровищи!), карабкание на крышу, пулеметные гнезда... Наконец несколько самых впечатляющих выстрелов повстанцев, Гейла и моих. Больше всего моих. Падающие планолеты. Резкая смена кадра. Я иду прямо на камеру.

— Президент Сноу предупреждает нас? Я тоже хочу его предупредить. Вы можете убивать нас, бомбить, сжигать наши дистрикты, но посмотрите на это!

Камера показывает охваченные огнем планолеты на крыше склада. Герб Капитолия на крыле тает, превращаясь в мое лицо.

— Огонь разгорается! — кричу я президенту. — Сгорим мы — вы сгорите вместе с нами!

Языки пламени снова заполняют собой весь экран. Поверх них появляются толстые черные буквы, из которых слагается фраза:

СГОРИМ МЫ — ВЫ СГОРИТЕ ВМЕСТЕ С НАМИ!

Слова воспламеняются, изображение на экране выгорает до полной черноты.

Мгновение в зале царит тишина, затем раздаются аплодисменты, а следом за ними просьбы показать ролик еще раз. Койн милостиво нажимает кнопку воспроизведения. На повторе, зная, чего ожидать, я представляю, будто смотрю свой старенький телевизор дома в Шлаке. Манифест против Капитолия. Такого еще никогда не показывали по телевизору. По крайней мере, на моей памяти.

К тому моменту, когда финальный кадр выгорает во второй раз, у меня появляется множество вопросов:

— Это видели во всем Панеме? И в Капитолии?

— В Капитолии — нет, — говорит Плутарх. — Мы пока не можем проникнуть в их систему, но Бити над этим работает. Зато во всех дистриктах видели. Даже во Втором, который в настоящий момент для нас, пожалуй, важнее Капитолия.

— А Клавдий Темплсмит тоже с нами? — спрашиваю я.

Вопрос очень веселит Плутарха.

— Только его голос. Но как удачно вписался! Нам даже подправлять ничего не пришлось. Клавдий действительно произнес эту фразу еще на первых твоих Играх. — Плутарх шлепает ладонью по столу. — А теперь давайте еще раз поаплодируем Крессиде, ее потрясающей команде и, конечно, нашей звезде экрана!

Я тоже хлопаю, пока не понимаю, что я и есть та самая звезда экрана и, наверное, нескромно аплодировать самой себе. Впрочем, все равно никто на это не обращает внимания. Случайно я замечаю, как вымученно улыбается Фульвия. Ей трудно смириться с тем, что идея Хеймитча в сочетании с мастерством Крессиды принесла такой успех, а ее собственный студийный подход оказался провальным.

В конце концов Койн это ликование, похоже, надоедает.

— Что ж, аплодисменты заслуженные. Результат превзошел наши ожидания. Однако у меня вызывает опасения тот риск, на который вы пошли ради успеха операции. Да, налет явился для вас неожиданностью. Тем не менее, учитывая обстоятельства, считаю, нам следует обсудить целесообразность решения отправить Китнисс в реальный бой.

Решения? Отправить меня в бой? Выходит, Койн не знает, как я нагло проигнорировала приказы, вытащила наушник и сбежала от телохранителей? Что еще они от нее скрывают?

— Решение далось нам нелегко, — говорит Плутарх, морща лоб. — Но все сошлись на том, что мы ничего не добьемся, если при первом выстреле будем запирать ее в бункере.

— Ты тоже с этим согласна? — спрашивает президент.

Гейл пинает меня под столом, и только тогда я понимаю, что она обращается ко мне.

— Я? Да, целиком и полностью. Приятно было для разнообразия сделать что-то самой.

— Хорошо, — говорит Койн. — Однако я призываю подходить к подобным акциям с большей осторожностью. Тем более теперь, когда Капитолию известно, на что она способна.

Слышится гул одобрения.

Нас с Гейлом никто не выдал. Ни Плутарх, на приказы которого мы наплевали. Ни Боггс со своим сломанным носом. Ни «жуки», которых мы затащили за собой в пекло. Ни Хеймитч — впрочем... Хеймитч одаряет меня убийственной улыбкой и медоточивым голосом цедит:

— Ну, разумеется, мы ведь не хотим потерять нашу маленькую птичку, едва она начала петь.

Я отмечаю про себя, что, пожалуй, не стоит оставаться с Хеймитчем наедине. Уж он-то мне не простил этого дурацкого наушника.

— Что вы еще планируете? — интересуется президент.

Плутарх кивает Крессиде, которая заглядывает в свои записи на планшете.

— У нас есть отличный материал с Китнисс в госпитале Восьмого. Можно сделать еще один агитролик под девизом «Вы знаете, кто они, вы видите их дела». Основная тема — как Китнисс общается с пациентами, особенно с детьми, потом бомбардировка госпиталя и его руины. Мессалла уже монтирует. Потом — ролик о Сойке. Самые удачные выстрелы Китнисс, смонтированные с эпизодами восстаний и кадрами войны. Мы назовем его «Огонь разгорается». И еще одной гениальной идеей с нами поделилась Фульвия.

От удивления Фульвия на секунду даже забывает кисло кривить губы, но быстро приходит в себя.

— Не знаю, насколько моя идея гениальна, но я подумала, почему бы нам не снять серию роликов под названием «Мы помним». Каждый ролик посвятить одному из погибших трибутов. Маленькой Руте из Одиннадцатого, старушке Мэгз из Четвертого... Это было бы своего рода персональное обращение к каждому конкретному дистрикту.

— Наша дань памяти вашим трибутам, так сказать, — говорит Плутарх.

— Это потрясающе, Фульвия, — искренне восклицаю я. — Лучший способ напомнить людям, за что они сражаются.

— Это должно сработать, — соглашается она. — А ведущим мог бы стать Финник. Конечно, если ролики будут пользоваться популярностью.

— По моему мнению, чем больше таких роликов мы снимем, тем лучше, — говорит Койн. — Вы можете приступить к работе уже сегодня?

— Конечно, — отвечает Фульвия, явно повеселевшая от такой поддержки ее идеи.

Ну вот, конфликт в творческом коллективе улажен. Крессида похвалила Фульвию за ее и впрямь замечательную идею и теперь без помех сможет заниматься собственным проектом с Сойкой-пересмешницей. Зато Плутарха, похоже, похвалы не интересуют. Ему главное, чтобы информационная атака работала. Я напоминаю себе, что Плутарх — распорядитель Игр, а не фигура в игре. Он сам по себе. Его значимость определяется не отдельными удачами, а конечным результатом. Если мы выиграем войну, тогда Плутарх выйдет на сцену. И будет вознагражден.

Президент отправляет всех заниматься делом, и Гейл везет меня обратно в госпиталь. Мы смеемся над тем, как все нас выгораживали. Гейл говорит, им просто стыдно признаться, что они за нами не уследили. Я великодушно предполагаю, что они сами не прочь повторить подобную вылазку, ведь у нас только-только стало что-то получаться. Возможно, мы оба правы. Потом Гейл уходит к Бити в отдел спецвооружения, и я засыпаю.

Кажется, всего минуту назад сомкнула глаза, но, открыв их, я вздрагиваю от неожиданности. Рядом сидит Хеймитч. Ждет. Возможно, уже давно, если верить часам. Хочу кого-нибудь позвать, однако понимаю, что разговора все равно не избежать.

Хеймитч наклоняется и размахивает чем-то у меня перед носом. Я не могу разглядеть, но догадываюсь, что это.

— Твой наушник, — говорит Хеймитч, бросая его на простыню. — Даю тебе еще один шанс. Если опять его вытащишь, будешь носить вот это.

Он показывает какой-то металлический обруч, который я про себя нарекаю оковами для головы.

— Альтернативное аудиоустройство. Надевается на голову и защелкивается под подбородком. Единственный ключ будет у меня. А если ты исхитришься снять и его, — Хеймитч кидает обруч на кровать и достает из кармана маленький серебряный чип, — я попрошу имплантировать тебе в ухо вот это. Тогда я смогу разговаривать с тобой двадцать четыре часа в сутки.

Хеймитч круглосуточно в моей голове. Это уже слишком.

— Я больше не буду вытаскивать наушник, — бормочу я.

— Что? Не слышу.

— Я больше не буду вытаскивать наушник! — повторяю я так громко, что наверно бужу половину госпиталя.

— Уверена? Лично меня устроит любой из трех вариантов.

— Уверена, — отвечаю я.

Зажимаю наушник в руке, а свободной швыряю обруч Хеймитчу в лицо. Он ловко его ловит. Явно был наготове.

— Что еще? — спрашиваю я.

Хеймитч поднимается.

— Я съел твой обед, пока ждал.

На тумбочке стоит поднос с пустой миской.

— Я на тебя пожалуюсь, — бурчу я в подушку.

— Конечно, солнышко.

Он знает, что я не доносчица.

Пытаюсь снова заснуть, но я слишком возбуждена. В голове вспыхивают картины вчерашнего дня. Бомбардировка, горящие планолеты, лица раненых, которых больше нет. Смерть подступает со всех сторон. Мое воспаленное воображение возвращает меня в гущу боя. Вот передо мной взрывается бомба. Вот я в планолете с отвалившимся крылом падаю в никуда. Вот лежу беспомощная на койке, и на меня обрушивается крыша госпиталя. Все это я видела собственными глазами или на пленке. Все это вызвала я сама — одним выстрелом из лука. Этот кошмар навсегда останется со мной.

Во время ужина Финник приходит ко мне со своим подносом, чтобы вместе посмотреть новый ролик. Вообще-то его определили в отсек на том же этаже, где раньше жила я, но у него так часто случаются рецидивы, что практически он живет в госпитале. Сегодня показывают ролик «Вы знаете, кто они. Вы видите их дела», смонтированный Мессаллой. Репортаж из Восьмого сопровождается студийными комментариями Гейла, Боггса и Крессиды. Мне тяжело видеть свое посещение госпиталя, зная, что произойдет дальше. Когда на крышу начинают сыпаться бомбы, я зарываюсь лицом в подушку и снова смотрю на экран только в конце, после гибели раненых.

По крайней мере, Финник не аплодирует и не радуется.

— Люди должны знать, что происходит, — говорит он просто.

— Давай выключим, Финник, пока они не дали повтор, — прошу я.

Но как только рука Финника тянется к пульту, кричу:

— Подожди!

Капитолий включился со специальным выпуском. На экране знакомое лицо. Да, это Цезарь Фликермен. Нетрудно догадаться, кто будет его гостем.

Изменения, произошедшие с Питом, повергают меня в шок. Здоровый парень с ясными глазами, которого я видела несколько дней назад, похудел по крайней мере на пятнадцать фунтов. Руки нервно дрожат, под глазами мешки. Его явно готовили к интервью, но ни элегантная одежда, ни грим не могут скрыть боли, которую он чувствует при каждом движении. Он искалечен и физически и морально.

Как же это случилось? Я совсем недавно его видела! Всего четыре — нет, пять — да, пять дней назад. Когда он успел так измениться? Что они с ним делали? И тут до меня доходит. Я прокручиваю в голове то первое интервью с Цезарем. Можно ли понять, когда оно происходило? Нет, никак. Его могли снять через день или два после того, как я взорвала арену, а потом они делали с Питом, что хотели.

— О, Пит... — шепчу я.

После нескольких дежурных фраз Цезарь спрашивает Пита, что тот думает о слухах, будто я снимаюсь в агитационных роликах для дистриктов.

— Они ее используют, — говорит Пит. — Чтобы подстегнуть повстанцев. Скорее всего, она не понимает, что происходит на самом деле. *Что* поставлено на карту.

— Может быть, ты хочешь ей что-нибудь сказать? — спрашивает Цезарь.

— Да, хочу. — Пит смотрит в камеру, прямо мне в глаза. — Не будь дурой, Китнисс. Думай своей головой. Тебя хотят превратить в оружие, которое уничтожит человечество. Используй свое влияние, чтобы остановить войну. Пока все не зашло слишком далеко. Спроси себя, доверяешь ли ты людям, которые рядом с тобой? Знаешь ли ты, что происходит на самом деле? И если нет, — узнай.

Черный экран. Герб Панема. Передача закончилась.

Финник выключает телевизор. Через минуту сюда заявится целая куча народа, чтобы разрушить то впечатление, которое оказали на меня слова Пита и его состояние. Я должна буду с ними соглашаться. Однако, по правде говоря, я не доверяю ни повстанцам, ни Плутарху, ни Койн. Я не уверена, что они говорят мне правду. И не смогу притворяться.

Шаги уже приближаются.

Финник крепко берет меня за плечи.

— Мы этого не видели.

— Что? — спрашиваю я.

— Мы не видели Пита. Только ролик о Восьмом. Потом сразу выключили телевизор, потому что ты расстроилась. Идет?

Я киваю.

— Доедай свой ужин.

Прежде чем входят Плутарх и Фульвия, я успеваю немного прийти в себя. С аппетитом ем капусту с хлебом. Финник восхищается тем, как смотрелся Гейл на экране. Мы поздравляем вошедших с удачным роликом и невзначай упоминаем, что сразу после него выключили телевизор. На их лицах появляется облегчение. Поверили.

Никто не упоминает о Пите.

9

После того как меня несколько раз будят кошмары, я больше не пытаюсь заснуть. Просто лежу в кровати и притворяюсь спящей, когда кто-нибудь заглядывает в палату. Утром меня выписывают. Советуют беречь себя и поменьше волноваться. Крессида просит записать несколько реплик для нового агитролика. За обедом я напрасно жду, что кто-нибудь заговорит о вчерашнем интервью Пита. Но ведь кто-то должен был его видеть, кроме нас с Финником!

После обеда у меня тренировка. Гейла отправили к Бити — работать над каким-то оружием, поэтому мне разрешают взять с собой в лес Финника. Некоторое время мы просто гуляем, потом прячем наши маячки под кустом и отходим подальше обсудить ситуацию.

— Я ни единого слова не слышал о Пите. А при тебе никто о нем не говорил? — интересуется Финник.

Я мотаю головой. После паузы он спрашивает:

— Даже Гейл?

У меня еще остается крошечная надежда, что Гейл действительно ничего не знает.

— Может, он просто ждет подходящего момента, чтобы поговорить с тобой?

— Может быть.

Мы сидим молча так долго, что прямо на нас выходит олень. Я убиваю его из лука, а Финник оттаскивает тушу к забору.

На ужин сегодня овощи, тушенные с олениной. После еды Гейл провожает меня до отсека Е. Расспрашиваю его о новостях, но он снова ничего не говорит о Пите.

Как только мама с сестрой засыпают, вытаскиваю из комода жемчужину и, зажав ее в руке, вторую ночь подряд прокручиваю в голове слова Пита. «Спроси себя, доверяешь ли ты людям, которые рядом с тобой? Знаешь ли ты, что происходит на самом деле? И если нет, — узнай».

Узнай. Что? У кого? И как Пит сам может знать что-нибудь кроме того, что ему говорят в Капитолии? Это всего-навсего их агитролик. Пропаганда. А если это просто уловки Капитолия, почему Плутарх мне ничего не сказал? Почему все молчат?

Однако истинная причина моей тревоги — Пит. Что они с ним сделали? И что делают прямо сейчас? Конечно, Сноу не поверил, что мы с Питом ничего не знали о восстании. Теперь, когда я стала Пересмешницей, его подозрения укрепились. А Пит может лишь гадать о планах повстанцев или сочинять небылицы для своих мучителей. Однако, как только ложь раскроется, его жестоко накажут. Каким покинутым он, должно быть, себя чувствует. В своем первом интервью Пит пытался защитить меня — как от Капитолия, так и от повстанцев, а я лишь навлекла на него еще большие беды.

Утром просовываю руку в стену и мутным взглядом разглядываю свое расписание. Сразу после завтрака съемки. В столовой быстро глотаю горячую кашу с молоком, тертую свеклу и тут замечаю на запястье Гейла телебраслет.

— Когда тебе его вернули, солдат Хоторн? — спрашиваю.

— Вчера. Решили, раз мы с тобой в одной команде, дополнительное средство связи не помешает.

А мне вот никто не предлагал телебраслет. Интересно, дадут, если попрошу?

— Ну, должен же кто-то из нас налаживать контакты, — говорю с ноткой ехидства.

— Что ты хочешь сказать?

— Ничего. Просто повторяю твои слова. И совершенно согласна — ты для этой роли подходишь больше. Надеюсь только, мы еще не потеряли контакт друг с другом.

Наши взгляды встречаются, и тут я осознаю, насколько зла на Гейла. Что я ни секунды не верила, будто он не видел ролика с Питом. Я чувствую себя преданной.

Гейл очень хорошо меня знает; разумеется, он уловил мое настроение и догадался о его причине.

— Китнисс... — начинает он. Уже в самом голосе слышится признание вины.

Я хватаю свой поднос, иду к транспортеру и с грохотом сваливаю на него посуду. Гейл догоняет меня в коридоре и хватает за руку.

— Почему ты ничего не сказала?

— Я? — Выдергиваю руку. — Почему ты ничего не сказал, Гейл? А я, между прочим, спрашивала тебя, что нового!

— Я виноват. Прости. Я не знал, что делать. Хотел сказать тебе, но все боялись, что ты расстроишься.

— Да, они правы. Я расстроилась. А еще больше расстроилась, потому что ты врешь мне. Ты заодно с Койн. — Тут телебраслет у него на руке начинает пищать. — А вот и она. Давай беги. Тебе есть что ей рассказать.

На мгновение на его лице отражается боль. Затем ее сменяет холодная ярость. Гейл разворачивается и уходит. Возможно, я была слишком язвительна, не дала ему объясниться. Возможно, все просто пытаются меня защитить. Плевать. Я устала от людей, которые врут мне ради моей пользы. На самом деле они пекутся о своей пользе. Соврем Китнисс о восстании, а то она натворит глупостей. Пошлем ее на арену, ни о чем не предупредив, — так будет проще вытащить ее оттуда. Не скажем ей о передаче с Питом, чтобы не расстраивать. Иначе она не сможет сниматься.

Мне действительно тяжело. Очень тяжело. Не знаю, как выдержу целый день перед камерой. Но я уже перед дверью в студию. Делать нечего, вхожу внутрь. Сегодня, говорят мне, мы полетим в Двенадцатый дистрикт. Крессида хочет взять интервью у меня с Гейлом о нашем разрушенном городе.

— Если, конечно, вы оба к этому готовы, — говорит Крессида, внимательно глядя мне в лицо.

— На меня можете рассчитывать.

Стою молча и неподвижно, будто манекен, пока подготовительная команда меня одевает, делает прическу и накладывает макияж. Неброский, только чтобы скрыть круги под глазами от бессонных ночей.

Боггс провожает меня до ангара, но мы не разговариваем, только поздоровались. Я рада, что не приходится оправдываться за мое поведение в Восьмом, тем более что маска у Боггса на лице выглядит жутковато.

В последний момент вспоминаю, что надо предупредить маму. Заверяю ее, что волноваться не о чем. В планолете мне отводят место у стола, за которым уже сидят Плутарх, Гейл и Крессида. На столе разложена карта. Плутарх с гордостью демонстрирует мне расположение войск до и после показа агитроликов. Повстанцы, которые в некоторых дистриктах едва удерживали оборону, вновь начали активно атаковать и полностью взяли в свои руки Третий и Одиннадцатый дистрикты — последний особенно важен, в нем производится большая часть продуктов питания для Панема.

— Ситуация обнадеживает. Даже очень, — говорит Плутарх. — Сегодня Фульвия должна закончить первый ролик из серии «Мы помним». Мы сможем прицельно воздействовать на отдельные дистрикты. Финник просто великолепен.

— Прямо за душу берет, — добавляет Крессида. — Многих трибутов он знал лично.

— В том-то все и дело, — говорит Плутарх. — Идет от самого сердца. Вы все молодцы. Койн очень довольна.

Значит, Гейл ничего им не рассказал. Что я видела выступление Пита и злюсь из-за их вранья. Но теперь мне этого мало, чтобы простить Гейла. Впрочем, все равно. Он тоже не хочет со мной разговаривать.

Только когда мы приземляемся на Луговине, я замечаю, что с нами нет Хеймитча. На мой вопрос Плутарх качает головой и говорит:

— Сказал, что не вынесет этого.

— Хеймитч? Не вынесет? Скорее уж, просто захотел устроить себе выходной, — предполагаю я.

— Кажется, буквально он сказал: «Без бутылки я этого не вынесу», — уточняет Плутарх.

Я закатываю глаза. Меня уже давно тошнит от причуд моего ментора, его слабости к алкоголю и от того, что он может, а чего не может вынести. Однако уже через пять минут пребывания в Двенадцатом, сама начинаю жалеть, что у меня нет с собой бутылки. Казалось бы, я уже смирилась с гибелью Двенадцатого — столько о ней слышала, видела разрушения с воздуха и даже ходила по пеплу. Так почему же эта рана до сих пор так болит? Может, раньше я была еще слишком далека от своего мира, чтобы до конца осознать его потерю? Или выражение на лице Гейла, когда тот впервые ступает на пепелище, заставляет меня по-новому прочувствовать весь ужас?

Крессида решает начать с моего старого дома. Я спрашиваю, что мне делать.

— Что хочешь, — отвечает она.

Я стою посреди своей кухни и не хочу абсолютно ничего. На меня нахлынуло слишком много воспоминаний. Поднимаю голову и смотрю на небо — крыша не уцелела.

Спустя какое-то время Крессида говорит:

— Отлично, Китнисс. Идем дальше.

Гейл так легко не отделывается. Несколько минут Крессида просто снимает, но как только он вытаскивает из пепла погнутую кочергу — единственное, что осталось от прежней жизни, — начинаются вопросы. О семье, о работе, о жизни в Шлаке. Крессида заставляет его вернуться в ночь бомбежки и воспроизвести все события. Мы следуем за Гейлом через Луговину и дальше в лес, к озеру. Я плетусь позади съемочной группы и телохранителей. Кажется, их присутствие оскверняет любимый мной лес. Мое сокровенное место, мое убежище, уже поруганное ненавистью Капитолия. Даже когда обуглившиеся тела вблизи забора остаются позади, мы все еще натыкаемся на разлагающиеся останки. Неужели это нужно снимать для всех?

К тому времени, как мы добираемся до озера, Гейл едва может говорить. Все мы обливаемся потом, особенно Кастор и Поллукс в своих панцирях, и Крессида объявляет перерыв. Я зачерпываю руками воду из озера, мечтая окунуться в него с головой и вынырнуть голой и никем не видимой. Брожу у берега, потом возвращаюсь к бетонному домику и, став в дверях, вижу, как Гейл прислоняет найденную им гнутую кочергу к стене у очага. На секунду представляю себе, что когда-нибудь сюда забредет одинокий путник и наткнется на это небольшое пристанище с кучкой дров, очагом и кочергой. Вот удивится, откуда все это тут взялось. Гейл поворачивается и встречается со мной взглядом. Я знаю, он думает сейчас о нашей последней встрече здесь. Когда мы спорили, бежать нам или остаться. Если бы мы сбежали, был бы Двенадцатый дистрикт по-прежнему цел? Думаю, да. Но и Капитолий по-прежнему властвовал бы в Панеме.

Все разбирают бутерброды с сыром и, устроившись в тени деревьев, начинают есть. Я специально сажусь с краю, рядом с Поллуксом, чтобы избежать разговоров. Хотя и так почти никто не разговаривает. В тишине птицы снова садятся на деревья. Я толкаю локтем Поллукса и показываю ему маленькую черную птичку с хохолком. Она перепрыгивает на другую ветку, на мгновение открывая белые пятнышки под крыльями. Поллукс указывает на мою брошь и вопросительно поднимает брови. Я киваю — да, это сойка-пересмешница. Поднимаю вверх палец, как бы говоря: «Подожди, сейчас кое-что увидишь», и изображаю птичий свист. Сойка-пересмешница склоняет головку набок и отвечает мне. Тут, к моему удивлению, Поллукс тоже насвистывает несколько нот, и птичка сразу же их повторяет. Лицо Поллукса озаряется восторгом, и он снова и снова обменивается с птицей мелодичным пересвистом. Думаю, это его первая беседа за долгие годы. Музыка привлекает соек-пересмешниц, как цветы пчел, и вскоре в ветвях над нашими головами собираются с полдюжины птиц. Поллукс хлопает меня по плечу и веточкой выводит на земле одно слово. СПОЙ.

При других обстоятельствах я бы не стала, но отказать Поллуксу не могу. Вдобавок сойки-пересмешницы поют совсем иначе, чем свистят, и мне хочется, чтобы он это услышал. Бессознательно у меня вырываются четыре ноты Руты, которыми она сообщала о конце рабочего дня в Одиннадцатом. Которые стали музыкальным фоном к ее убийству. Но птицы этого не знают. Они подхватывают простую мелодию и сладкозвучно перебрасываются ею друг с другом. Точь-в-точь как на Голодных играх, когда выскочившие из-за деревьев переродки загнали нас на Рог изобилия, а потом не спеша превращали Катона в кровавое месиво...

— Хочешь услышать, как они поют настоящую песню? — предлагаю я вдруг.

Хоть чем-нибудь заглушить воспоминания. Быстро встаю и опираюсь рукой о шершавый ствол клена, на котором устроились птицы. Я не пела «Дерево висельника» уже лет десять, потому что эта песня запрещена, но помню каждое слово. Начинаю негромко, как мой отец:

В полночь, в полночь приходи
К дубу у реки,
Где вздернули парня, убившего троих.
Странные вещи случаются порой,
Не грусти, мы в полночь встретимся с тобой?

Сойки-пересмешницы притихли, услышав новую мелодию.

В полночь, в полночь приходи
К дубу у реки,
Где мертвец своей милой кричал: «Беги!»
Странные вещи случаются порой,
Не грусти, мы в полночь встретимся с тобой?

Птицы внимательно слушают. Еще один куплет, и они запомнят мотив — он простой и повторяется четыре раза почти без изменений.

В полночь, в полночь приходи
К дубу у реки.
Видишь, как свободу получают бедняки?
Странные вещи случаются порой,
Не грусти, мы в полночь встретимся с тобой?

В кронах — тишина. Только шелест листьев на ветру, не слышно ни одной птицы — ни соек-пересмешниц, ни других. Пит прав. Когда я пою, они умолкают и слушают. Так же, как слушали отца.

В полночь, в полночь приходи
К дубу у реки
И надень на шею ожерелье из пеньки.
Странные вещи случаются порой,
Не грусти, мы в полночь встретимся с тобой?

Птицы ждут продолжения, но его нет. Последний куплет. В тишине вспоминаю, как однажды мы с отцом возвратились из леса. Я сидела на полу с Прим, которая едва только научилась ходить, пела «Дерево висельника» и плела нам ожерелья из пеньки, как в песне. Настоящего смысла я, конечно, не понимала, просто мне понравился мотив, и слова нетрудные. Да я тогда что угодно могла запомнить, лишь бы это пелось. Вдруг мама выхватила у меня веревочные ожерелья и заругалась на папу. Мы с Прим начали плакать, потому что мама никогда раньше не ругалась. Я выбежала из дома и спряталась. У меня был только один тайник — на Луговине под кустом жимолости, поэтому отец быстро меня нашел. Он успокоил меня, сказал, что все хорошо, только нам лучше не петь эту песню. Мама запретила. С этого момента каждое слово навсегда впечаталось в мою память.

Эту песню мы с отцом больше никогда не пели. Даже не заикались о ней. После его смерти она мне часто приходила на ум. Тогда я уже начинала понимать смысл слов. Начало будто бы совсем обычное — парень уговаривает девушку тайком встретиться в полночь. Правда, он выбирает странное место для свидания — под деревом, на котором повесили убийцу. Возлюбленная убийцы, наверное, была его сообщницей, или ее просто хотели наказать заодно с ним, потому что повешенный кричит ей, чтоб она бежала. Странно, конечно, что труп разговаривает, но по-настоящему не по себе становится, когда доходишь до третьего куплета.

Оказывается, песня поется от лица мертвого убийцы. Он все еще висит на том дереве. И хотя просил любимую бежать, уговаривает ее прийти к нему на свидание. От слов «видишь, как свободу получают бедняки?» прямо мурашки по телу. Может быть, он зовет ее к себе — умереть и стать свободной. В последней строфе становится ясно, что именно этого он и хочет. Чтобы его возлюбленная висела рядом с ним. Набросив ожерелье из пеньки на шею.

Раньше я считала этого убийцу таким мерзким типом, что хуже некуда. Теперь, с двумя поездками на Голодные игры за плечами, я стараюсь никого не судить, не зная всех подробностей. Возможно, его возлюбленная тоже была приговорена к смерти, и он хочет ее утешить. Или, может быть, жизнь там, где он ее оставил, еще хуже смерти. Разве я сама не хотела убить Пита, чтобы спасти его от Капитолия? Неужели у меня не было другого выхода? Наверное, был, но тогда мне не пришло в голову ничего лучшего.

Очевидно, мама решила, что семилетней девочке рано думать о таких вещах. Особенно если она начинает плести веревочные ожерелья. Конечно, о казнях мы знали не только из песен. Множество людей в Двенадцатом кончили жизнь на виселице. Мама боялась, как бы мне не взбрело в голову спеть такое перед всем классом на уроке пения. Да и сейчас бы ей не понравилось. Хорошо хоть этого никто... Нет, подождите-ка... Я поворачиваюсь и вижу в руках Кастора включенную камеру. Все смотрят на меня. По щекам Поллукса бегут слезы. Очевидно, моя сумасшедшая песенка пробудила в нем какие-то страшные воспоминания. Только этого мне не хватало. Со вздохом приваливаюсь к стволу. И тут сойки-пересмешницы начинают свой вариант «Дерева». С их голосами получается очень красиво. Сознавая, что меня снимают, я стою неподвижно, пока не слышу голос Крессиды: «Снято!»

Ко мне со смехом подходит Плутарх.

— Где ты этого набралась? Мы бы и нарочно такого не придумали! — Он обнимает меня и звонко чмокает в макушку. — Ты просто клад!

— Я пела не для камер.

— Тогда нам повезло, что они были включены. Ну-ка, все, поднимайтесь, возвращаемся в город!

На обратном пути, проходя мимо валуна, мы с Гейлом как по команде поворачиваем головы в одном направлении, будто пара гончих, почуявших след. Крессида это замечает и спрашивает, что там. Не глядя друг на друга, признаемся — место, где мы раньше встречались перед охотой. Крессида хочет посмотреть, хотя мы уверяем, что ничего особенного там нет.

Ничего особенного, всего лишь место, где я была по-настоящему счастлива.

Наш скалистый уступ над долиной. Может быть, не такой зеленый, как раньше, но кусты ежевики усыпаны ягодами. Отсюда мы шли охотиться, рыбачить, ставить силки. Здесь мы облегчали сердце и наполняли охотничьи сумки. Тут начинался мир, благодаря которому мы не умерли с голоду и не сошли с ума. И мы оба были друг для друга ключами от этого мира.

Нет теперь ни Двенадцатого дистрикта, откуда убегать, нет миротворцев, чтоб их дурачить, нет голодных ртов, чтобы кормить. Капитолий лишил меня всего, и я вот-вот потеряю Гейла. Узы взаимной потребности друг в друге, связывавшие нас эти годы, начали истончаться. Свет между нами угас, остались только темные тени. Как же вышло, что мы сегодня, стоя перед руинами Двенадцатого, настолько обозлены, что даже разговаривать не хотим?

Он ведь меня практически обманул! Пусть даже для моей пользы. Правда, он извинился. Думаю, искренне. А я не приняла извинений. Оскорбила его. Что с нами происходит? Почему мы постоянно ссоримся? Все так запутано, но отчего-то мне кажется, будто источник проблемы — во мне. Неужели я действительно хочу оттолкнуть его от себя?

Срываю с куста ежевику, осторожно перекатываю ее между большим и указательным пальцами, потом вдруг разворачиваюсь и бросаю Гейлу.

— И пусть удача...

Я бросила ягоду достаточно высоко, чтобы у него было время решить — принять ее или нет. Гейл смотрит на меня, а не на ягоду, но в последний миг открывает рот и ловит ее. Жует, глотает и после долгой паузы заканчивает:

— ...всегда будет на вашей стороне.

Все-таки он это сказал.

Крессида просит нас сесть в укромном местечке между выступами скал, где можно поместиться, только прижавшись плечом к плечу, и заводит разговор об охоте. Как мы первый раз попали в лес, как встретились друг с другом, что больше всего запомнилось. Постепенно мы оттаиваем, даже смеемся, вспоминая наши приключения с пчелами, дикими собаками и скунсами. Потом Крессида спрашивает, помогли ли нам наши охотничьи навыки во время бомбардировки в Восьмом, и я замолкаю.

Гейл лишь говорит:

— Давно пора было пустить их в дело.

Пока мы добираемся до городской площади, день сменяется вечером. Я веду Крессиду к развалинам пекарни и прошу снять меня на их фоне. Гляжу в объектив, не чувствуя уже ничего, кроме усталости и опустошения.

— Пит, посмотри на свой дом. Со времени бомбардировки о твоей семье ничего не было слышно. Двенадцатого больше нет. Ты призываешь сложить оружие? — Я окидываю взглядом пепелище. — Тут нет никого, кто бы мог тебя услышать.

У искореженного куска металла, который был виселицей, Крессида спрашивает, пытали ли нас когда-нибудь. В ответ Гейл задирает рубашку и поворачивается спиной к камере. Я смотрю на рубцы и снова слышу свист хлыста, вижу окровавленное тело, подвешенное за запястья.

— Не могу больше, — признаюсь я. — Встретимся в Деревне победителей. Хочу взять кое-что для... мамы.

Не помню, как я туда шла, как открывала дверь, осознаю себя уже сидя на полу напротив кухонных шкафчиков в нашем доме в Деревне победителей. Аккуратно ставлю в коробку керамические и стеклянные баночки, прокладывая между ними чистые бинты, чтобы не разбились. Связываю в пучки высушенные травы.

Вдруг вспоминаю про розу на комоде. Существовала ли она на самом деле? И если да, то стоит ли по-прежнему там? С трудом перебарываю желание пойти и проверить. Если она там, то снова напугает меня. Лучше поторопиться.

Опустошив шкафы, поворачиваюсь и вижу на кухне Гейла. Иногда он появляется так бесшумно, что даже жутко. Гейл стоит, упершись руками в стол. Я ставлю между нами коробку.

— Помнишь? — спрашивает он. — Тут ты меня поцеловала.

Значит, лошадиной дозы морфлинга, полученной после порки, оказалось недостаточно, чтобы вытравить это из его сознания.

— Я думала, ты не вспомнишь.

— Мне пришлось бы умереть, чтобы забыть. А может, и тогда б не забыл. Может, я как тот парень из «Дерева висельника», что вечно ждет ответа.

У Гейла, которого я ни разу в жизни не видела плачущим, в глазах слезы. Прежде чем они успевают скатиться, подаюсь вперед и прижимаюсь губами к его губам. Жар. Пепел. Страдание. Необычный вкус для нежного поцелуя. Гейл прерывает его первым и криво ухмыляется.

— Я знал, что ты меня поцелуешь.

— Это еще почему? — спрашиваю. Ведь минуту назад я сама этого не знала.

— Потому что мне больно. Только в этом случае я могу рассчитывать на твое внимание. — Гейл поднимает коробку. — Не переживай, Китнисс. Это пройдет.

Он выходит, не дожидаясь ответа.

Я слишком устала, чтобы раздумывать о его упреке. Во время короткого перелета обратно в Тринадцатый я сижу, свернувшись калачиком на своем кресле, стараясь не слушать Плутарха, разглагольствующего на свою излюбленную тему — старинная военная техника, утраченная человечеством. Высоко летающие самолеты, военные спутники, клеточные дезинтеграторы, управляемые снаряды, биологическое оружие. Все в свое время было либо снято с производства по моральным соображениям, либо пришло в негодность из-за атмосферных воздействий и недостатка ресурсов. В голосе главного распорядителя Игр слышится сожаление. Еще бы. Такие были славные игрушки, а приходится довольствоваться планолетами, ракетами «земля — земля» да обычными пулеметами.

Сбросив с себя костюм Сойки-пересмешницы, отправляюсь прямиком в постель, даже не поужинав. И все равно утром Прим приходится меня расталкивать. После завтрака решаю наплевать на расписание и вздремнуть в подсобке. Когда я выбираюсь из своего укромного местечка между коробками с мелом и карандашами, уже опять время ужина. Получаю в столовой большую порцию горохового супа, быстренько с нею расправляюсь и иду в отсек Е, однако тут меня перехватывает Боггс.

— В Штабе собрание, — говорит он. — Текущее расписание отменяется.

— Есть отменяется, — соглашаюсь я.

— Да ты вообще смотрела на него сегодня? — досадливо спрашивает он.

— Кто его знает? У меня же психическая дезориентация. — Я поднимаю руку, чтобы показать браслет с диагнозом, и вижу, что он пропал. — Ну вот. Даже не помню, когда мне сняли браслет. А зачем я понадобилась в штабе? Что-то случилось?

— Кажется, Крессида хочет показать тебе агитролики из Двенадцатого. Хотя ты их и так увидишь, когда будет эфир.

— Вот это бы мне в расписании не помешало. Просмотр роликов, — говорю я.

Боггс бросает на меня взгляд, но ничего не говорит.

В Штабе полно народу, есть только одно свободное место между Финником и Плутархом. Для меня. Мониторы уже выдвинуты и включены. Идет обычная программа из Капитолия.

— Что это? Мы не будем смотреть ролики из Двенадцатого?

— Э, нет, — отвечает Плутарх. — То есть возможно. Я не знаю точно, что включит Бити.

— Бити вроде бы нашел способ организовать трансляцию по всей стране, — поясняет Финник. — Показать наши ролики и в Капитолии. Он сейчас в отделе спецобороны как раз этим занимается. Сегодня вечером прямой эфир из Капитолия. Будет выступать Сноу. Вот начинается.

Играет гимн. На экране появляется герб Капитолия. В следующую секунду я смотрю прямо в змеиные глаза президента Сноу, приветствующего народ. Сноу стоит за трибуной, будто за баррикадой, но белая роза в лацкане видна преотлично. Тут камера отъезжает назад, и сбоку в кадре на фоне карты Панема появляется Пит. Он сидит на высоком стуле, поставив ноги на перекладину. Стопа его протеза выстукивает странный рваный ритм. На верхней губе и на лбу сквозь грим выступили капельки пота. Но больше всего меня пугает взгляд — яростный и в то же время рассеянный.

— Ему хуже, — шепчу я.

Финник сжимает мою руку.

Пит мрачным тоном начинает говорить про необходимость сложить оружие, указывая на урон, нанесенный инфраструктуре многих дистриктов. Попутно на карте показывают картины разрушений. Прорванная плотина в Седьмом. Сошедший с рельсов поезд; из цистерн выливаются ядовитые отходы. Пожар на зернохранилище, обваливающаяся крыша. Во всем этом Пит винит мятежников.

И вдруг — бац! — в телевизоре появляюсь я. Стою посреди развалин пекарни.

Плутарх вскакивает со стула:

— У него получилось! Бити прорвался!

Все кричат и смеются, будто с ума посходили, и тут на экране снова возникает Пит. Растерянный. Он тоже видел меня на мониторе. Только пытается продолжить — что-то о бомбардировке водоочистной станции, — как включается ролик с Финником, рассказывающим о Руте. Начинается настоящая битва за эфир — Бити против специалистов из

Капитолия. Однако они явно застигнуты врасплох, а Бити, ожидая сопротивления, заготовил целый арсенал пятидесятисекундных сюжетов. На наших глазах официальная трансляция разваливается под градом отрывков из наших агитроликов.

Плутарх вне себя от восторга, все дружно болеют за Бити, только Финник рядом со мной сидит неподвижно как статуя и молчит. Я встречаюсь взглядом с Хеймитчем и вижу в его глазах отражение своего собственного ужаса. С каждым восторженным возгласом у Пита все меньше шансов остаться в живых.

Динамики трещат, и на экранах появляется герб Капитолия. Секунд через двадцать мы снова видим Сноу и Пита. В студии суматоха. Из аппаратной слышны яростные крики. Сноу, подойдя ближе к камере, заявляет, будто мятежники пытаются сорвать трансляцию, чтобы люди не узнали об их преступлениях, однако истина и справедливость восторжествуют. Как только будет наведен порядок, программу покажут в полном объеме. Затем Сноу обращается к Питу — не хочет ли тот что-нибудь сказать Китнисс ввиду сегодняшней выходки бунтовщиков.

При упоминании моего имени лицо Пита становится напряженным.

— Китнисс... подумай, к чему это приведет. Что останется в конце? Никто не может быть в безопасности. Ни в Капитолии, ни в дистриктах. А вы... в Тринадцатом... — Пит судорожно втягивает воздух, будто задыхается; глаза его кажутся безумными, — не доживете до завтрашнего утра!

За кадром слышится приказ Сноу:

— Выключай!

Бити еще больше усугубляет хаос, включая с интервалом в три секунды мою фотографию перед госпиталем. Однако в промежутках мы видим то, что происходит в настоящий момент в студии. Пит пытается еще что-то сказать. Затем камера падает; виден лишь кафельный пол. Топот сапог. Звук удара, слившийся с криком Пита.

И его кровь на белой плитке.

Часть II

АТАКА

10

Крик рождается где-то глубоко внутри, поднимается все выше и выше и наконец застревает у меня в горле. Будто безгласая, я молча задыхаюсь от боли. Да и сумей я совладать со своими судорожно сомкнутыми связками, услышит ли меня кто-нибудь? В зале стоит невообразимый шум. Вопросы, предположения. Все пытаются расшифровать слова Пита. «А вы... в Тринадцатом... не доживете до завтрашнего утра!» Лишь судьба самого вестника, чья кровь только что была на экране, никого не интересует.

— Заткнитесь все! — раздается властный голос. Все взгляды обращаются к Хеймитчу. — Что тут непонятного! Мальчик предупредил о нападении. На нас. На Тринадцатый.

— Откуда он знает?

— Почему мы должны ему верить?

— С чего ты взял?

Хеймитч раздраженно рычит:

— Пока мы тут болтаем, его избивают. Какие еще доказательства вам нужны? Китнисс, скажи ты им!

— Хеймитч прав, — встряхнув головой, выдавливаю я наконец. — Не знаю, откуда Пит получил эту информацию, и правдива ли она. Но он в нее верит. И его... — Я не могу выговорить, что делает с ним Сноу.

— Вы его не знаете, — говорит Хеймитч Койн. — В отличие от нас. Созывайте своих людей.

Президент выглядит невозмутимой, только слегка озадаченной. Задумчиво постукивает пальцем по контрольной панели.

— Мы, разумеется, не исключали такого варианта развития событий, — говорит она ровным тоном, обращаясь к Хеймитчу. — Несмотря на то, что прямая атака на Тринадцатый, очевидно, только повредит Капитолию. Ядерные ракеты вызовут непредсказуемое радиационное заражение. Даже обычной бомбардировки достаточно, чтобы ощутимо повредить нашу военную базу, которую, как мы знаем, Капитолий стремится захватить. Кроме того, враг должен принимать в расчет возможность ответного удара. Хотя вполне вероятно, что, учитывая наш альянс с повстанцами, все это рассматривается как приемлемый риск.

— Вы так думаете? — интересуется Хеймитч таким тоном, что иронии могут не заметить только в Тринадцатом.

— Да. В любом случае, мы давно не проводили учения пятого уровня, — говорит Койн. — Объявляю воздушную тревогу.

Она быстро пробегает пальцами по кнопкам на пульте, приводя свое решение в действие. Едва она поднимает голову, все начинается.

С тех пор как я в Тринадцатом, среднеуровневые учения здесь проводились дважды. Первый раз я почти ничего не помню, так как лежала в госпитале, а пациентов тревога не касалась. Видимо, было решено, что трудности нашей транспортировки перевешивают пользу от учебы. Я только смутно слышала механический голос, приказывающий людям собраться в желтых зонах. Потом еще были учения второго уровня — действия во время профилактических мероприятий, таких как карантин до проведения анализов на наличие вируса гриппа. Нам просто было велено вернуться в свои отсеки. Все время, пока пищали динамики, я сидела за трубой в прачечной и глядела на паука, плетущего свои сети. Однако к тому, что происходит сейчас, я оказалась не готова. Барабанные перепонки едва не лопаются от душераздирающего воя сирен. Уж их-то точно не проигнорируешь. Кажется, звук специально предназначен, чтобы повергать людей в панику. Но только не жителей Тринадцатого дистрикта.

Боггс ведет меня и Финника из Штаба в коридор, потом на широкую лестницу. Ручейки людей сливаются в могучий поток, равномерно текущий вниз. Никто не кричит и не пытается протолкнуться вперед. Даже дети не капризничают. Мы спускаемся, пролет за пролетом, молча, потому что за воем сирены не слышно собственного голоса. Я ищу глазами маму и Прим, но обзор загораживают люди, идущие рядом. Они обе сегодня работают в госпитале, так что тревогу не пропустят.

У меня закладывает уши, тяжелеют веки. Мы уже на глубине угольной шахты. Единственный плюс в том, что чем глубже мы спускаемся под землю, тем меньше слышны сирены. Будто они для того и созданы, чтобы физически прогнать нас с верхних этажей. Наверное, так оно и есть. Постепенно то одна, то другая группа отделяется от общего потока и скрывается за отмеченными значками дверьми, однако Боггс ведет меня глубже и глубже до самого основания лестницы у входа в огромную пещеру. Я иду прямиком туда, но он меня останавливает — нужно провести рукой с расписанием перед сканером. Очевидно, информация стекается на компьютер, чтобы никто не потерялся.

Трудно понять, образовалась ли эта пещера естественным путем или была создана людьми. Где-то стены полностью каменные, в других местах укреплены железобетонными конструкциями. Лежанки высечены прямо в каменных стенах. Есть кухня, санузлы, медпункт. Все, что нужно для длительного пребывания.

На стенах через равные промежутки наклеены белые таблички с буквами и цифрами.

Пока Боггс объясняет, что нам с Финником надо пройти в зоны, обозначенные, как наши жилые отсеки — в моем случае буквой «Е», — подходит Плутарх.

— А, вот вы где.

Последние события ничуть не испортили ему настроение. Он прямо-таки светится от счастья. До Пита и бомбардировки Тринадцатого ему нет дела. Лес рубят — щепки летят.

— Китнисс, я понимаю, тебе сейчас нелегко из-за неприятностей у Пита, однако не забывай — на тебя все смотрят.

— Что?

Поверить не могу, что он так отозвался о положении Пита. Неприятности.

— Другие люди в убежище станут брать пример с тебя. Если ты будешь спокойной и смелой, они постараются быть такими же. Запаникуешь, — это сразу перекинется на других.

Я только молча смотрю на него.

— Огонь разгорается, так сказать, — добавляет он для туго соображающих.

— Может мне представить, будто я перед камерой?

— Да! То, что нужно. На публике человек всегда становится храбрее. Посмотри хотя бы, как мужественно держался Пит!

Я едва удерживаюсь, чтобы не влепить ему пощечину.

— Ну, мне пора к Койн, пока не заперли двери. Держись! — говорит он и уходит.

Я направляюсь к большой букве «Е» на стене. Наш сектор представляет собой очерченный линиями квадрат каменного пола размером двенадцать на двенадцать футов. Есть две лежанки — кому-то из нас придется спать на полу — и квадратная яма для хранения вещей. На стене под прозрачным пластиком висит лист белой бумаги с надписью: «ПРАВИЛА ПОЛЬЗОВАНИЯ УБЕЖИЩЕМ». Я вглядываюсь в черные строки, но слов не вижу — перед глазами все еще капли крови на белом кафеле. Кажется, я никогда не смогу стереть их из памяти. Постепенно строки разделяются на слова и буквы.

Первый раздел озаглавлен «По прибытии».

1. Убедитесь, что все жители вашего отсека на месте.

Мамы и Прим еще нет, но я-то пришла в числе первых. Они, наверное, занимаются транспортировкой больных.

2. Получите на складе по одному вещевому мешку на каждого жителя вашего отсека. Застелите постели. Сдайте вещмешки.

Осматриваюсь в поисках склада. Им оказывается глубокое помещение, отгороженное прилавком. Уже образовалась очередь, пока небольшая. Я подхожу, называю свой отсек и прошу три мешка. Сверившись со списком, мужчина достает мешки с полки и бросает на прилавок. Я надеваю один на спину, два других беру в руки. Когда я поворачиваюсь, вижу, что собралась уже целая толпа.

— Простите, — говорю я, протискиваясь между людьми. Случайность? Или они вправду берут с меня пример, как говорит Плутарх?

Вернувшись в наш сектор, открываю один из пакетов. Тонкий матрас, постельное белье, два комплекта серой одежды, зубная щетка, расческа и фонарик. В других мешках то же самое, только, кроме серой одежды, есть еще белые халаты. Это, очевидно, для моей матери и Прим, на случай если им потребуется выполнять медицинские обязанности. Я заправляю кровати, раскладываю вещи и возвращаю вещмешки. Осталось прочитать последнее правило.

3. Ждите дальнейших указаний.

Сажусь на пол, скрестив ноги. Жду. В помещение непрерывным потоком текут люди, занимают места, получают вещмешки. Скоро убежище заполнится до отказа. Может, мама и Прим остались в другом месте, вместе с пациентами? Нет, вряд ли. Они ведь были в списке. Я уже начинаю волноваться, когда наконец показывается мама. Мой взгляд скользит по незнакомым лицам за ее спиной.

— Где Прим? — спрашиваю я.

— Ее тут нет? Она должна была идти из больницы прямо сюда. Ушла на десять минут раньше меня. Куда же она подевалась?

Зажмуриваю глаза, чтобы мысленно проследить ее путь, будто на охоте. Вот она слышит рев сирены, бросается помогать пациентам. Кивает, когда ее отправляют в убежище, потом вдруг задерживается на лестнице. Обеспокоенная. Но чем?

Я открываю глаза.

— Кот! Она вернулась за котом!

— О нет! — восклицает мама. Мы обе знаем, что я права. Мы проталкиваемся через поток людей, пытаясь выбраться из бункера. Солдаты по обеим сторонам от входа вращают металлические колеса, и толстые створки дверей медленно съезжаются. Почему-то я уверена, что, как только вход будут загерметизирован, ничто в мире не заставит солдат его открыть. Возможно, это даже не в их власти. Без разбора расталкиваю людей и кричу, чтобы подождали. Расстояние между створками неумолимо сокращается до ярда, потом до фута; остается только пара дюймов, когда я просовываю в щель руку.

— Откройте! Выпустите меня!

Солдаты в растерянности немного поворачивают колеса в обратном направлении. Недостаточно, чтобы я могла пролезть, но, по крайней мере, пальцы останутся целы. Я пользуюсь шансом и просовываю в отверстие плечо.

— Прим! — ору я наверх. Мать уговаривает охранников, а я пытаюсь протиснуться дальше. — Прим!

Наконец я ее слышу. Едва уловимый звук шагов по лестнице.

— Мы идем! — доносится голос сестры.

— Не закрывайте! — Это голос Гейла.

— Они идут! — говорю я охранникам, и они приоткрывают двери еще чуть-чуть. Я стою между створками, боясь, что иначе их закроют. Вот и Прим, ее щеки раскраснелись от бега, на руках она держит Лютика. Затаскиваю ее внутрь, следом бочком протискивается обвешанный вещами Гейл. Створки смыкаются с громким категорическим лязгом.

— О чем ты только думала? — Я со злостью встряхиваю Прим за плечи, потом обнимаю, сдавливая между нами Лютика.

— Я не могла его бросить, Китнисс, — оправдывается Прим. — Во второй раз. Ты бы видела, как он бегал по комнате и орал. Он вернулся, чтобы защищать нас.

— Ладно, ладно. — Я делаю несколько вдохов, чтобы успокоиться, размыкаю объятия и поднимаю Лютика за шкирку. — Надо было утопить тебя, пока была возможность.

Кот прижимает уши к голове и вытягивает лапу. Прежде чем он успевает зашипеть, я сама шиплю на него. Его это, похоже, сбивает с толку. Шипение кот всегда считал своим личным способом выразить презрение. В отместку он испускает такое жалобное «мяу», что сестра сразу же встает на его защиту.

— Ну же, Китнисс, не надо его дразнить, — говорит она, забирая кота обратно на руки. — Он и так весь испереживался.

Надо же, я задела нежные чувства твари. Как тут удержаться от соблазна? Но Прим искренне переживает за него. Поэтому я только представляю себе, как хорошо бы смотрелись перчатки из шкурки Лютика — уже много раз это помогало мне мириться с его существованием.

— Ладно, прости. Мы там, под большой буквой «Е». Лучше подыщи ему местечко, пока он совсем не свихнулся. — Прим убегает, и я остаюсь один на один с Гейлом. В руках он держит коробку с медикаментами из нашей кухни в Двенадцатом. Места нашего последнего разговора, поцелуя, размолвки... или как это еще назвать. На плече у него моя охотничья сумка.

— Если Пит прав, все это, скорей всего, погибло бы, — говорит он.

Пит. Кровь, будто капли дождя на окне. Будто грязные брызги на ботинках.

— Спасибо за... все. — Я забираю наши вещи. — Как ты оказался в нашем отсеке?

— Просто зашел проверить, — отвечает он. — Если понадоблюсь, мы в сорок седьмом.

Практически все разошлись по своим секторам, и теперь, когда я иду к нашему новому жилищу, на меня смотрят по меньшей мере пятьсот человек. Стараюсь держаться как можно спокойнее, чтобы загладить свой яростный прорыв сквозь толпу. Как будто этим кого-то проведешь. Хорошенький пример! А ну и пусть. Все и так считают меня сумасшедшей. Какой-то мужчина встречается со мной взглядом и сердито потирает локоть. Видно, я сбила его с ног. Мне хочется и на него зашипеть.

Прим усадила Лютика на нижнюю лежанку и накрыла одеялом. Только морда выглядывает. Это его любимая позиция во время грозы. Раскаты грома — единственное, чего Лютик боится по-настоящему. Мама аккуратно кладет свою коробку в квадратное хранилище. Я сажусь на корточки, прислонившись к стене, и смотрю, что Гейл положил мне в сумку. Справочник по растениям, охотничья куртка, свадебная фотография родителей плюс мои личные вещи из комода. Брошь сойки-пересмешницы сейчас на костюме Цинны, но остаются еще золотой медальон и серебряный парашют с трубкой для живицы и жемчужиной Пита. Я завязываю жемчужину в уголок парашюта и засовываю на самое дно сумки, будто в этой жемчужине сама жизнь Пита и никто не сможет ничего ему сделать, пока я ее охраняю.

Слабые отзвуки сирен резко обрываются. Из динамиков звучит голос Койн, которая благодарит нас за образцовую эвакуацию. Койн подчеркивает, что это не учебная тревога. Пит Мелларк, победитель из Двенадцатого дистрикта, выступая по телевидению, предупредил о возможном нападении на Тринадцатый сегодня ночью.

И тут падает первая бомба. Удар, потом взрыв, отдающийся во внутренностях, пробирающий до мозга костей и корней зубов. *Нам крышка.* Я поднимаю глаза к потолку, ожидая увидеть огромные трещины, каменные глыбы, рушащиеся на нас, но по бункеру проходит лишь легкая дрожь. Свет гаснет. В темноте я сразу теряю ориентацию. Невнятные звуки — вскрики, неровное дыхание, плач грудных детей, обрывок истерического смеха — кружат вокруг меня в напряженном воздухе. Затем раздается гул генератора, и помещение наполняется тусклым неровным светом, так непохожим на обычное резкое освещение Тринадцатого. Почти как у нас дома, в Двенадцатом дистрикте, когда мы проводили зимние вечера при свечах и бликах огня из печи.

В сумраке протягиваю руку к Прим и, ухватившись за ее ногу, усаживаюсь рядом с ней. Сестра тихо воркует над Лютиком:

— Все хорошо, малыш, все хорошо. Тут с нами ничего не случится.

Мама обнимает нас, я кладу голову ей на плечо и позволяю себе вновь почувствовать себя маленькой.

— В Восьмом взрывы были другие, — говорю я.

— Наверное, это бункерная бомба, — говорит Прим все таким же спокойным голосом, чтобы кот не волновался. — Нам рассказывали про них на ознакомительном курсе для новых граждан. Такие бомбы проникают глубоко в землю и только потом взрываются. Ведь бомбить Тринадцатый на поверхности не имеет смысла.

— Ядерные? — спрашиваю я, чувствуя, как по телу пробегает холодок.

— Не обязательно. В некоторых просто много взрывчатых веществ. Но... наверно, и такие, и такие бывают.

Толстые металлические двери убежища едва различимы в темноте. Выдержат ли они ядерный удар? Если даже они совершенно не пропускают радиацию, что маловероятно, сможем ли мы когда-нибудь выйти отсюда? От мысли, что остаток жизни придется провести в этом каменном склепе, меня охватывает ужас. Хочется бежать сломя голову к двери и кричать, чтобы меня выпустили. Но это бессмысленно. Конечно, никто меня не выпустит, а вот паника начнется.

— Мы так глубоко под землей. Наверняка нам ничего не грозит, — бесцветным голосом говорит мама. Может быть, она тоже думает о моем отце, разорванном на куски в глубине шахты? — Но мы были на волосок от гибели. Слава богу, у Пита оказалась возможность предупредить нас.

Возможность. Легко сказать. Сколько всего потребовалось для этой возможности. Узнать, найти удобный случай, набраться смелости, в конце концов. И что-то еще, чего я не могу понять. Пит, казалось, боролся с самим собой. Почему? За словом в карман он не полезет. Быть может, это связано с пытками? Или с чем-то хуже? Вроде безумия?

Голос Койн, возможно чуть более мрачный, чем обычно, заливает бункер. Громкость звука меняется вместе с яркостью освещения.

— Как мы видим, информация Пита Мелларка соответствует действительности, за что мы ему очень благодарны. Датчики показывают, что первая бомба была очень мощной, но не ядерной. Ожидается продолжение атаки. Пока длится бомбардировка, граждане должны оставаться на выделенных им местах, если нет других предписаний.

К маме подходит солдат и говорит, что она нужна в медпункте. Ей не хочется оставлять нас, хотя это всего в тридцати ярдах.

— С нами все будет порядке. Правда, — успокаиваю я ее. — С таким-то защитником. — Я киваю на Лютика. Он шипит на меня, но так робко, что мы все смеемся. Даже мне становится его жалко.

— Почему ты тоже не ложишься с ним? — спрашиваю я Прим, когда мама уходит.

— Знаю, это глупо... но я боюсь, что лежанка на нас обрушится.

Если обрушатся каменные лежанки, то обрушится и весь бункер, думаю я, но боюсь, такой довод прозвучит не слишком утешительно. Поэтому я освобождаю куб-хранилище и устраиваю там постель для Лютика. Потом кладу матрац перед хранилищем, и мы с сестрой усаживаемся на нем.

Нам разрешают пользоваться ванными комнатами, заходя туда небольшими группами. Только чтобы умыться и почистить зубы. Включать душ сегодня еще нельзя. Мы с Прим сворачиваемся на матраце, укрывшись двумя одеялами. От стен тянет промозглой сыростью. Лютик с несчастным видом, несмотря на заботы Прим, лежит на дне куба и дышит мне в лицо кошачьим духом.

Условия неважнецкие, но я рада возможности побыть с сестрой. Мне постоянно не хватает времени. С тех пор, как мы прибыли в Тринадцатый, я почти не уделяла ей внимания. Говоря откровенно, с первых Голодных игр. Я не забочусь о ней, как следовало бы старшей сестре. В конце концов, это Гейл проверял наш отсек, а не я. Мне многое нужно наверстать.

Внезапно я осознаю, что даже ни разу не поинтересовалась, как она восприняла переезд, как ей тут живется.

— Тебе нравится в Тринадцатом? — спрашиваю я.

— Сейчас? — уточняет она. Мы обе смеемся. — Иногда я очень скучаю по дому. А потом вспоминаю, что его больше нет и скучать не о чем. Здесь мне спокойнее. Нам не приходится волноваться за тебя. То есть мы, конечно, волнуемся, но не так, как раньше. — Она замолкает, и на ее губах появляется робкая улыбка. — Кажется, меня собираются учить на врача.

Для меня это новость.

— Еще бы не собирались! Они будут полными дураками, если упустят такой шанс.

— За мной наблюдали, когда я помогала в госпитале. Я уже хожу на курсы медсестер. Многое я знаю от мамы, но мне еще учиться и учиться.

— Здорово, — отвечаю я.

Прим будет доктором. В Двенадцатом дистрикте она об этом и не мечтала. Темнота внутри меня немного отступает, будто кто-то зажег спичку. Вот будущее, ради которого стоит воевать.

— А как у тебя дела, Китнисс? — Прим кончиком пальца легонько гладит Лютика между глаз. — Только не говори, что все в порядке.

Это уж точно. Все не в порядке. Скорее в полной его противоположности, как ее ни назови.

Я рассказываю Прим о Пите. О том, как раз от раза ему становится хуже, и что в этот самый момент его, быть может, убивают.

Лютику придется немного поскучать — теперь все внимание Прим обращено на меня. Она прижимает меня к себе, пальцами зачесывает мне волосы за уши. Я замолкаю, потому что у меня больше нет слов. Только сверлящая боль в груди. Возможно, у меня даже сердечный приступ, но это кажется такой мелочью, что не стоит и упоминания.

— Китнисс, я думаю, президент Сноу не убьет Пита, — говорит Прим. Конечно. Она хочет меня утешить. Однако следующие ее слова звучат неожиданно. — Иначе у него не останется никого, кто тебе дорог. Он больше не сможет причинить тебе боль.

Тут мне на ум приходит та девушка, Джоанна Мэйсон, участвовавшая в последних Играх. Соперница по несчастью. Помню, как я не давала ей идти в джунгли, где сойки-говоруны подражали крикам твоих близких, подвергаемых пыткам. Она только отмахнулась: «Ну, мне-то на них наплевать. Я не то что вы все. У меня не осталось любимых».

Наверное, Прим права. Пит нужен Сноу живым. Особенно теперь, когда Сойка-пересмешница подняла столько шума. Он уже убил Цинну. Разрушил мой дом. Моя семья, Гейл и даже Хеймитч не в его власти. Пит — все, что у него осталось.

— Что они с ним сделают? — спрашиваю я.

Прим говорит так, будто ей по меньшей мере тысяча лет:

— Все, что потребуется, чтобы сломить тебя.

11

Что может сломить меня?

Этот вопрос не дает мне покоя следующие три дня, пока мы ждем освобождения из нашей несокрушимой тюрьмы. Что разобьет меня на миллион осколков так, чтобы я никогда больше не подняла голову, стала никчемной развалиной? Я никому не говорю об этих размышлениях, которые мучают меня наяву и преследуют ночью в кошмарах.

За это время падают еще четыре бункерные бомбы, очень мощные. Разрушений много, но они не критические. Между атаками проходит по многу часов, однако стоит только подумать — вот, закончилось, как все внутри тебя содрогается от нового взрыва. Капитолий не дает высунуть носа из-под земли. Хочет ослабить дистрикт. Завалить жителей работой по его восстановлению. Уничтожить? Нет.

Койн была права. Зачем разрушать то, чем хочешь завладеть? Ну а в ближайшей перспективе их цель — задушить информационную войну, как можно дольше не допустить моих выступлений по телевидению Панема.

Нам почти ничего не сообщают о том, что происходит во внешнем мире. Телевизионные экраны никогда не загораются, мы слышим лишь сообщения Койн о типе бомб. Без сомнения, война продолжается, но о положении на фронтах мы можем только гадать.

Главный принцип нашей жизни в убежище — строгая согласованность. Все по графику — еда, сон, физические упражнения, личная гигиена. Даже отведено время для совместного общения. Наш сектор быстро приобретает популярность у детей и взрослых благодаря Лютику. Он — звезда вечернего шоу «Сумасшедший кот», идея которого случайно родилась во время отключения электричества несколько лет назад. Водишь по полу лучом фонарика, а Лютик за ним гоняется. Я получаю от его глупого вида злорадное удовольствие. Правда, все остальные почему-то уверены, что он умница и милашка. Мне даже выдали дополнительный комплект аккумуляторов, которые здесь большая ценность. Обитателям Тринадцатого здорово не хватает развлечений.

Ответ на мучающий меня вопрос приходит на третий вечер. Внезапно я понимаю, что шоу «Сумасшедший кот» прекрасно иллюстрирует мое положение. Лютик — это я сама. Пит, которого я стремлюсь спасти, — луч света. Пока Лютик думает, что у него есть шанс ухватить лапами неуловимый луч, он злится и распаляется все больше (совсем как я, с тех пор как покинула арену, оставив там Пита). Когда свет внезапно гаснет, Лютик какое-то время выглядит безутешным и растерянным, потом успокаивается и находит себе другое занятие (вот что произойдет, если Пит умрет). Но что по-настоящему сводит Лютика с ума — это когда я не выключаю фонарик, а направляю луч света высоко на стену — туда, куда даже коту ни за что не влезть и не допрыгнуть. Он мечется туда-сюда вдоль стены, вопит и не обращает ни на что внимания. Так продолжается до тех пор, пока я не выключу фонарик (именно это и проделывает сейчас со мной Сноу, только я не знаю, во что выльется его игра).

Может быть, Сноу достаточно того, что я это осознаю. Когда я считала, что Пита мучают, добиваясь от него информации о повстанцах, это было плохо. Но понимать, что его подвергают пыткам из-за меня, — невыносимо. Я чувствую, что в самом деле ломаюсь под тяжестью этого открытия.

После «Сумасшедшего кота» — отбой. Электричество есть не всегда; иногда лампы горят на полную мощность, а другой раз приходится щуриться, чтобы разглядеть в полумраке лицо соседа. Ночью верхний свет только слегка тлеет, но в каждом секторе дополнительно включают ночники.

Прим, убедившаяся, что стены от бомбежек не рушатся, свернулась вместе с Лютиком на нижней полке. Мама устраивается на верхней. Меня к себе не берут, потому что я мечусь во сне. Я стелю себе на полу.

Хотя сейчас я как раз не мечусь. Мои мышцы напряжены. Приходится прилагать усилия, чтобы держать себя в руках. Снова та боль в сердце. Я представляю, как во все стороны от сердца разбегаются крошечные трещины по всему телу. По туловищу, по рукам и ногам, по лицу — я вся покрыта сетью трещинок. Одна хорошая встряска от бункерной бомбы, и я рассыплюсь на причудливые, острые как бритва осколки.

Когда большинство людей, поворочавшись, засыпает, я осторожно выбираюсь из-под одеяла и на цыпочках иду искать Финника. Почему-то мне кажется, что он меня поймет. Финник сидит под ночником в своем секторе и вяжет узлы на веревке. Даже не пытается заснуть. Шепотом говорю ему о своей догадке и понимаю: тактика Сноу не новость для Финника. Она его и сломала.

— Именно это они делают с тобой и Энни, да?

— Во всяком случае, ее схватили не ради важной информации о повстанцах. Они знают, что я не стал бы рисковать и рассказывать ей что-то. Для ее же блага.

— О, Финник, прости меня.

— Нет, это я должен просить прощения. За то, что не предупредил тебя.

В памяти всплывает картина — я, обезумевшая от ярости и горя, привязана к кровати. Финник старается меня утешить: «Они скоро поймут, что он ничего не знает. Но они не убьют его, а будут использовать против тебя».

— Ты меня предупреждал. На планолете. Только я думала, они будут использовать его как приманку. Чтобы заманить меня в Капитолий.

— Мне не стоило говорить и этого. Все равно уже ничего нельзя было исправить. Раз уж я не предупредил тебя перед Квартальной бойней, нужно было молчать и потом. — Финник дергает веревку, и сложный узел легко распутывается. — Просто сначала я все не так понял. После первых Игр я был уверен, что любовная история — притворство. Мы все ждали, что ты будешь и дальше притворяться. Только когда Пит чуть не погиб от силового поля, я... — Финник замолкает.

Вспоминаю арену. Как я рыдала, пока Финник пытался вернуть Пита к жизни. Озадаченный вид Финника. И то, как он списал все на мою мнимую беременность.

— Что ты?

— Я понял, что ошибся в тебе. Ты действительно его любишь. Хотя я не знаю, кто он для тебя. Возможно, ты сама этого не знаешь. Но только слепой мог не заметить, как он тебе дорог.

Только слепой? Перед туром победителей Сноу хотел, чтобы я развеяла сомнения в моей любви к Питу. «Убеди *меня*». Похоже, там, под жарким розовым небом, когда жизнь Пита висела на волоске, мне это удалось. И тем самым я дала Сноу оружие, которое меня раздавит.

Я долго молчу, глядя, как расцветают и разглаживаются узлы на веревке Финника, потом спрашиваю:

— Как ты это выносишь?

Финник смотрит на меня с удивлением.

— А разве я выношу, Китнисс? Нет. Я не могу этого вынести. Каждое утро я выползаю из кошмаров и вижу, что реальность ничем не лучше. — Что-то в моем лице заставляет его замолчать. — Лучше не поддаваться слабости. Шагнуть в пропасть гораздо легче, чем из нее выкарабкаться.

Кому, как не ему, знать. Я глубоко перевожу дух, пытаясь взять себя в руки.

— Постарайся отвлечься от неприятных мыслей, — советует Финник. — Завтра мы первым делом раздобудем тебе веревку, а пока можешь взять мою.

Остаток ночи я сижу на матрасе и, как одержимая, вяжу узлы. Результаты я демонстрирую Лютику. Если какой-то узел кажется ему особенно подозрительным, он кидается на него и кусает несколько раз, чтобы наверняка обезвредить. К утру пальцы у меня стерты, но я держусь.

После двадцати четырех часов затишья Койн наконец позволяет нам покинуть бункер. Прежнее жилье разрушено. Все получают точные указания о расположении новых отсеков. Мы собираем вещи, сдаем постельные принадлежности и послушно становимся в колонну у двери.

На полпути к выходу появляется Боггс, вытаскивает меня из очереди и подает знак Гейлу и Финнику, чтобы те шли следом. Люди нас пропускают. Некоторые даже улыбаются — похоже, шоу «Сумасшедший кот» снискало мне популярность.

Вот и выход. Потом вверх по лестнице, коридор, лифт, двигающийся в разные стороны и, наконец, отдел спецобороны. По пути никаких разрушений не видно, однако мы по-прежнему находимся очень глубоко под землей.

Боггс вводит нас в помещение, один в один похожее на Штаб. За столом сидят Койн, Плутарх, Хеймитч, Крессида и еще несколько человек. Все выглядят крайне уставшими. Кто-то притащил кофе, хотя, очевидно, он тут считается неприкосновенным запасом. Плутарх держит чашку обеими руками, будто ее в любой момент могут отнять.

Президент сразу переходит к делу:

— Вам четверым срочно необходимо переодеться и подняться на поверхность. Через два часа у нас должен быть ролик, демонстрирующий, что, несмотря на ущерб, нанесенный бомбардировками, наши военные силы и боевой дух по-прежнему крепки. И самое главное, что Сойка цела и невредима. Есть вопросы?

— Можно нам тоже кофе? — спрашивает Финник.

Нам подают дымящиеся чашки. Блестящая черная жидкость вызывает у меня отвращение — я никогда не была в восторге от этой бурды. Надеюсь, она хотя бы поможет мне не свалиться с ног. Финник подливает мне сливок и тянется к сахарнице.

— Хочешь сахару? — предлагает он прежним игривым голосом.

Совсем как тогда, при нашей первой встрече. Мы стояли в окружении лошадей и колесниц, разодетые и разукрашенные на потеху толпе, — еще не союзники. Воспоминание вызывает у меня улыбку.

— На вот, так вкуснее, — добавляет он уже нормальным тоном, бросая мне в чашку три куска сахара.

Уходя, замечаю недовольный взгляд Гейла, направленный на меня и Финника. Что на этот раз? Неужели он в самом деле думает, будто между нами что-то есть? Может быть, он видел, как я прошлой ночью ходила к Финнику? Я как раз шла мимо Хоторнов. Гейла задело, что его компании я предпочла Финника. Впрочем, сейчас мне не до этого. Жутко горят натертые веревкой пальцы, глаза слипаются, съемочная группа ждет невесть чего. И Пит в руках Сноу... Пусть Гейл думает все, что ему заблагорассудится.

В новой гримерной подготовительная команда засовывает меня в костюм Сойки-пересмешницы, приводит в порядок волосы и наносит легкий макияж быстрее, чем успевает остыть мой кофе. Десять минут спустя вся группа сетью запутанных коридоров и переходов пробирается к выходу на поверхность. На ходу допиваю кофе. Оказывается, сливки и сахар значительно улучшили его вкус. Опрокидываю в рот гущу, осевшую на дне чашки, и чувствую, как по жилам разливается приятное тепло.

Вот и последняя лестница. Боггс дергает рычаг люка. В шахту врывается свежий воздух. Я вдыхаю его полной грудью и впервые позволяю себе признаться, как опостылел мне бункер. Мы выходим в лес, я поднимаю руки и касаюсь листьев. Некоторые уже начинают желтеть.

— Какой сегодня день? — спрашиваю я, не обращаясь ни к кому конкретно.

Боггс говорит, что на следующей неделе начнется сентябрь.

Сентябрь. Значит, Сноу держит Пита в своих когтях уже пять или даже шесть недель. Я разглядываю лист у себя на ладони и замечаю, что она дрожит. Ничего не могу с этим поделать. Видимо, виноват кофе. Я слишком часто дышу, хотя идем мы не быстро. Надо успокоиться.

Становятся заметны последствия взрывов. Мы приближаемся к первой воронке, тридцати ярдов в ширину и такой глубокой, что не видно дна. Боггс говорит, что, если бы на верхних десяти уровнях остались люди, они, скорее всего, погибли бы. Мы огибаем воронку и двигаемся дальше.

— Их восстановят? — спрашивает Гейл.

— В ближайшее время нет. Тут не было ничего существенного. Только несколько резервных генераторов и птицефабрика. Нужно только засыпать воронку.

Деревья заканчиваются, и мы входим на огороженную территорию. Вокруг воронок груды развалин, старые и несколько свежих. Только малая часть Тринадцатого существовала на поверхности. Несколько постов охраны, учебный полигон плюс часть верхнего этажа одного из подземных зданий — где и находилось окно Лютика, — выступала примерно на фут над поверхностью и была покрыта еще несколькими футами стали. Но такая защита не могла выдержать мало-мальски серьезного нападения.

— Сколько времени мы выиграли благодаря предупреждению Пита? — интересуется Хеймитч.

— Около десяти минут. Потом ракеты были бы обнаружены нашими системами безопасности, — говорит Боггс.

— Но это ведь помогло, правда? — спрашиваю я.

Я не вынесу, если он скажет «нет».

— Безусловно. Мы успели завершить эвакуацию населения. В таких случаях счет идет на секунды. Кому-то эти десять минут спасли жизнь.

Прим, подумала я. И Гейлу. Они пришли в бункер всего за пару минут до того, как упала первая ракета. Их спас Пит. Еще две строки в список долгов, по которым я никогда не расплачусь.

Крессиде приходит идея снять меня на фоне развалин Дома правосудия — довольно остроумно, учитывая, что Капитолий столько лет использовал его в качестве декорации для своих фальшивых репортажей. Теперь в десяти шагах от Дома правосудия зияет свежая воронка.

По пути к осыпавшемуся парадному входу Гейл вдруг показывает что-то впереди, и все останавливаются. Сначала я не понимаю, в чем дело, затем вижу рассыпанные по земле свежие розовые и красные розы.

— Не трогайте их! — кричу я. — Это для меня.

В нос ударяет приторно-сладкий запах, и сердце едва не выпрыгивает из груди. Значит, мне не почудилось. Роза на комоде была реальной. А вот и еще одна весточка от Сноу. Розовые и красные красавицы на длинных стеблях. Такие же украшали студию на нашем с Питом интервью после победы. Цветы для влюбленных.

Я сбивчиво объясняю все это остальным. Цветы, кажется, не ядовитые, только аромат генетически усилен. Ровно две дюжины роз. Уже слегка увядших. Видимо, их сбросили сразу после последней бомбы. Люди в защитных костюмах собирают розы в тачку и увозят. Но я уверена, ничего сверхъестественного в них не найдут. У Сноу свои методы. Вроде избиения Цинны, пока я стою в прозрачном цилиндре. Цель та же — вывести меня из равновесия.

Что ж, нужно, как в тот раз, собрать волю в кулак и не сдаваться. Однако пока Крессида расставляет операторов, мое беспокойство только нарастает. Я измотана, нервы натянуты как струна, все мысли только о Пите. Зря я пила кофе. Меньше всего я сейчас нуждаюсь в возбуждающем. Меня и так всю трясет, никак не могу восстановить дыхание. После бункера дневной свет режет глаза, и приходится щуриться. По щекам бежит пот, хотя на улице не жарко.

— Что именно от меня требуется? — спрашиваю я.

— Всего пара слов. Люди должны видеть, что ты жива и готова бороться дальше, — отвечает Крессида.

— Хорошо.

Я становлюсь напротив камер и смотрю на красный огонек. Смотрю... Смотрю...

— Простите. Ничего не приходит в голову.

Крессида подходит ко мне.

— Ты себя хорошо чувствуешь?

Я киваю.

Она достает из кармана платок и вытирает мне лицо.

— Может, воспользуемся проверенным способом? Вопрос — ответ?

— Да. Так будет лучше.

Я скрещиваю руки на груди, чтобы скрыть дрожь. Бросаю взгляд на Финника. Он поднимает вверх руки с оттопыренными большими пальцами. Только сам при этом заметно дрожит.

Крессида возвращается на свое место.

— Китнисс, Тринадцатый дистрикт только что пережил ракетно-бомбовый удар Капитолия. Расскажи нам, что ты при этом испытывала?

— Мы находились очень глубоко под землей, и никакой реальной опасности не было. Тринадцатый живет и здравствует, и я вместе... — Мой голос срывается.

— Попробуй последнюю фразу еще раз, — предлагает Крессида. — Тринадцатый дистрикт живет и здравствует, и я — вместе с ним.

Я делаю глубокий вдох, с силой опуская диафрагму.

— Тринадцатый живет и... — Нет, все не так.

Могу поклясться, вокруг еще стоит запах роз.

— Китнисс, давай только эту фразу, и на сегодня все. Обещаю, — говорит Крессида. — Тринадцатый живет и здравствует, и я вместе с ним.

Я встряхиваю руками, чтобы расслабиться. Упираю кулаки в бедра, потом опускаю руки по швам. Рот то и дело наполняется слюной, к горлу подступает тошнота. Сглотнув, открываю рот, чтобы произнести наконец эту чушь, убежать в лес и... и тут я начинаю рыдать.

Какая из меня Пересмешница. Не могу произнести даже одно это предложение. Ведь за каждое мое слово расплачиваться придется Питу. Его будут пытать. Не до смерти, нет — это было бы слишком милосердно. Сноу позаботится, чтобы его жизнь стала хуже смерти.

— Выключай! — слышу я тихий голос Крессиды.

— Что это с ней? — бормочет Плутарх.

— Она поняла, для чего Сноу нужен Пит, — отвечает Финник.

Вокруг раздается что-то вроде коллективного вздоха сожаления. Потому что теперь я знаю и не смогу быть Сойкой. Я вообще ни на что не годна.

Несколько пар рук обнимают меня, но я не хочу ничьих утешений. Ничьих, кроме... Хеймитча. Потому что Хеймитч тоже любит Пита. Я тянусь к нему, бормоча что-то отдаленно напоминающее его имя; он подходит, обнимает меня и похлопывает по спине.

— Ну-ну, не надо. Все уладится, солнышко.

Он усаживает меня на обломок мраморного столба и кладет мне руку на плечи.

— Я больше не могу, — говорю я сквозь рыдания.

— Знаю.

— Я только и думаю, что он сделает с Питом за то, что я Сойка-пересмешница!

— Знаю, знаю. — Хеймитч крепче стискивает мои плечи.

— Ты его видел? Как странно он себя вел? Что с ним сделали? — Задыхаясь от слез, я выдавливаю еще только: — Это я во всем виновата!

Затем я окончательно впадаю в истерику, в руку мне вонзается игла, и мир исчезает.

Видимо, мне вкололи что-то очень сильнодействующее, потому что просыпаюсь я только на следующий день. Это не похоже на пробуждение от мирного сна. Кажется, будто я вынырнула из царства тьмы, где бродила в одиночку среди призраков. Хеймитч — с восковой кожей, с красными от усталости глазами — сидит на стуле возле моей кровати. Я вспоминаю о Пите и снова начинаю дрожать.

Хеймитч сжимает мое плечо.

— Все в порядке. Мы попробуем его вытащить.

— Что?

Наверно, я ослышалась. Какой-то бред.

— Плутарх направляет в Капитолий спасательную группу. У него там свои люди. И он считает, что мы сможем вызволить Пита живым.

— Почему мы не сделали этого раньше?

— Слишком многое стоит на кону. Но все согласились, что другого выхода нет. Как тогда на арене — мы сделали все возможное, чтобы спасти тебя. Нам нельзя сейчас терять Сойку-пересмешницу. А ты не сможешь исполнять ее роль, пока Сноу отыгрывается на Пите. — Хеймитч протягивает мне чашку с водой. — На, выпей.

Я медленно сажусь и делаю глоток.

— Что значит — слишком многое на кону?

Хеймитч пожимает плечами.

— Наши агенты засветятся. Могут погибнуть люди. Впрочем, они и так гибнут каждый день. К тому же мы спасаем не одного Пита, но и Энни для Финника.

— Где он?

— За ширмой, отсыпается после укола. У него тоже крышу сорвало, когда тебя вырубили.

Я улыбаюсь, чувствуя себя уже не такой слабой.

— Да, съемки вышли еще те. Вы вдвоем слетаете с катушек, Богтс мчится организовывать операцию по спасению Пита. Остается только крутить повторы.

— Если за дело взялся Богтс, это уже хорошо, — говорю я.

— Да, он парень что надо. В команду брали добровольцев, но он притворился, будто не заметил мою руку, — рассказывает Хеймитч. — Видишь? Он уже продемонстрировал благоразумие.

Что-то не так. Хеймитч слишком старательно пытается меня ободрить. Это совсем не в его духе.

— Ну и кто же еще вызвался добровольцем?

— Кажется, всего их семеро, — уклончиво отвечает он.

Я чувствую холод под ложечкой от нехорошего предчувствия.

— Кто еще?

Наконец Хеймитч перестает ломать комедию.

— Ты знаешь кто, Китнисс. Ты знаешь, кто вызвался первым.

Конечно, я знаю.

Гейл.

12

Сегодня я могу потерять их обоих.

Пытаюсь представить себе мир, в котором не будут больше звучать голоса Гейла и Пита. Их неподвижные руки. Потухшие глаза. Я стою над мертвыми телами, смотрю на них в последний раз и выхожу из комнаты, где они лежат. Но когда я открываю дверь и ступаю наружу, там оказывается только бесконечная пустота. Бледно-серое ничто — вот что ждет меня впереди.

— Хочешь, я попрошу, чтобы тебя усыпили, пока все не закончится? — спрашивает Хеймитч.

Он не шутит. Этот человек всю свою взрослую жизнь не расставался с бутылкой, пытаясь заглушить боль, причиненную ему Капитолием. Наверняка у него, шестнадцатилетнего мальчишки, участника второй Квартальной бойни, были люди, которые его ждали, — родители, друзья, возможно, любимая девушка. Где они теперь? Что сделал с ними Сноу? Как вышло, что, пока мы с Питом не навязались ему на голову, он был совсем один на всем свете?

— Нет, — говорю я. — Я полечу в Капитолий. Я хочу участвовать в спасательной операции.

— Они уже улетели.

— Когда? Их можно догнать. Я могу...

Что? Что я могу?

Хеймитч качает головой.

— Тебя не пустят. Это очень опасно. Была мысль послать тебя в другой дистрикт, чтобы отвлечь внимание Капитолия во время операции. Но решили, что ты слишком слаба.

— Пожалуйста, Хеймитч! — умоляю я. — Я должна что-то сделать. Не могу же я просто сидеть сложа руки и ждать, пока их убьют. Чем-то же я могу помочь!

— Ладно. Я поговорю с Плутархом. А ты лежи, не вставай.

Легко сказать — лежи. Шаги Хеймитча еще отдаются эхом в коридоре, когда я проскальзываю через щель в ширме к Финнику. Он лежит на животе, вцепившись пальцами в наволочку. Жестоко вырывать его из призрачного, спокойного мира грез в реальность, но оставаться наедине с собой для меня невыносимо. Наверное, я трусиха и эгоистка.

Я расталкиваю Финника и объясняю ему ситуацию. Удивительным образом его первоначальная тревога быстро проходит.

— Как ты не понимаешь, Китнисс? Наконец-то все решится. Пан или пропал. К концу дня они либо будут с нами... либо погибнут. Это... больше, чем мы могли надеяться!

Что ж, во всем можно найти светлую сторону. Однако я тоже немного успокаиваюсь. По крайней мере, есть надежда, что наши мучения закончатся.

Ширма резко отодвигается, и появляется Хеймитч. Говорит, что, если мы оклемались, у него есть для нас работенка. Все еще нужен репортаж о том, как Тринадцатый пережил бомбежку.

— Справимся за пару часов, и тогда Бити сможет передать ее в эфир как раз во время проведения операции. Может быть, это отвлечет внимание Капитолия.

— Отвлекающий маневр, — соглашается Финник. — Вроде дымовой завесы.

— Желательно что-нибудь по-настоящему захватывающее, чтобы даже президент Сноу не смог оторваться. Есть идеи? — спрашивает Хеймитч.

Осознание, что я реально могу чем-то помочь, заставляет меня сосредоточиться. Быстро глотаю завтрак, привожу себя в порядок и лихорадочно думаю, что мне говорить. Президенту Сноу наверняка интересно, какой эффект на меня произвели его розы и забрызганный кровью пол. Он хочет видеть меня сломленной — значит, я должна быть сильной. Однако боюсь, парой дерзких фраз его не проведешь. К тому же нам важно выиграть время, а кричать и махать кулаками перед камерой долго не будешь. Нужно о чем-то рассказывать.

Не знаю, что из этого выйдет, но, когда все собираются на поверхности, я прошу Крессиду поспрашивать меня о Пите. Сажусь на поваленную мраморную колонну, где в прошлый раз у меня произошел срыв. Сейчас на камере загорится красный огонек, и Крессида задаст вопрос:

— Как ты познакомилась с Питом?

И я наконец делаю то, чего добивался от меня Хеймитч с самого первого интервью. Откровенничаю.

— Мне было одиннадцать лет, и я умирала от голода, — начинаю я и рассказываю все о том ужасном дне, когда, стоя под дождем, пыталась продать детскую одежду. Как мать Пита прогнала меня от дверей булочной, и как он ценой побоев отдал мне хлеб, спасший нам жизнь.

— Мы даже ни разу не разговаривали друг с другом. Пока не оказались в поезде по пути на Игры.

— Но он уже тогда был в тебя влюблен.

— Похоже на то. — Я позволяю себе слегка улыбнуться.

— Как ты переживаешь разлуку с ним?

— Тяжело. Сноу может его убить в любой момент. Особенно после того, как Пит предупредил Тринадцатый о бомбежке. Ужасно жить с этой мыслью. Но теперь, когда я знаю, как с ним обращаются, у меня не остается сомнений. Я сделаю все, чтобы уничтожить Капитолий. Мои руки развязаны.

Я поднимаю глаза и смотрю, как высоко в небе парит сокол.

— Президент Сноу однажды признался мне, что Капитолий уязвим. В то время я не поняла, что он имеет в виду. Мой разум был затуманен страхом. Теперь я не боюсь. Власть Капитолия хрупка, потому что он во всем зависит от дистриктов. Сам он не способен обеспечить себя ни едой, ни энергией, ни даже миротворцами, чтобы держать нас в узде. Стоит нам объявить независимость, Капитолий рухнет. Президент Сноу, сегодня я объявляю свою независимость.

Получилось если не потрясающе, то весьма неплохо. Все хвалят мой рассказ о хлебе. Однако именно мое обращение к президенту Сноу наталкивает Плутарха на какую-то мысль. Он торопливо подзывает к себе Финника и Хеймитча, и они недолго, но живо о чем-то спорят, причем вид у Хеймитча недовольный. Кажется, побеждает Плутарх — лицо Финника бледнеет. Тем не менее он согласно кивает.

— Ты не обязан этого делать, — говорит ему Хеймитч, когда тот заступает на мое место перед камерой.

— Обязан. Если это поможет ей. — Финник сжимает в кулаке веревку. — Я готов.

Я гадаю, о чем пойдет речь. Про Энни? О бесчинствах в Четвертом дистрикте? Однако Финник Одэйр начинает совершенно неожиданно:

— Президент Сноу... продавал меня... мое тело. — Его голос звучит глухо и отрешенно. — И не только меня. Если победитель был привлекательным, президент дарил его кому-нибудь или выставлял на продажу за огромную цену. Отказаться было невозможно — иначе убивали кого-нибудь из твоих близких. Поэтому все соглашались.

Это все объясняет. Вот откуда эта вереница поклонников и поклонниц из Капитолия. Никакие они не поклонники. Обычные негодяи вроде Крея, нашего бывшего главы миротворцев, который покупал отчаявшихся девушек, чтобы использовать и выбросить, просто потому, что он мог себе это позволить. Мне хочется прервать запись и попросить у Финника прощения за то, что так плохо о нем думала. Но мы должны сделать свою работу, и я чувствую, что у Финника это получится гораздо лучше, чем у меня.

— Я был не единственным, но самым популярным, — продолжает он. — И, наверное, самым беззащитным, потому что были беззащитны люди, которых я любил. Чтобы успокоить совесть, мои покровители давали мне деньги и украшения. Впрочем, они делились со мной еще кое-чем, более ценным.

Секретами, думаю я про себя. Финник уже говорил мне, что любовницы часто выбалтывали ему разные тайны.

— Секретами, — говорит Финник, повторяя мои мысли. — Не выключайте телевизор, президент Сноу, потому что многие из этих секретов касаются вас. Однако давайте начнем с других.

Финник рассказывает о таких подробностях, что не остается сомнений в его правдивости. Экзотические сексуальные пристрастия, измены, безмерная алчность, политические интриги. Тайны, нашептанные во хмелю под покровом ночи, на влажных подушках. Перед Финником не стеснялись. Кто он? Раб из покоренного дистрикта, которого можно купить и продать. Смазливый, но неопасный. Кто ему поверит? И кто вообще станет его слушать? А ведь секреты так и просятся с языка. Особенно такие пикантные.

Я не знаю людей, про которых говорит Финник, однако все они, похоже, заметные фигуры в Капитолии, и, судя по разговорам моей группы подготовки, любой их грешок привлекает пристальное внимание. Если люди способны часами обсуждать неудачную прическу, то какой же интерес вызовут обвинения в инцесте, предательствах, шантаже и поджогах? А впереди еще президент...

— Ну а теперь перейдем к нашему славному президенту Кориолану Сноу, — говорит Финник. — Он был так молод, когда пришел к власти. И так умен, что смог удержать ее. Интересно, как ему это удалось? Одно слово. Одно только слово, и все станет на свои места. Яд.

Финник прослеживает политическую карьеру Сноу, про которую я до сих пор ничего не знала, подробно останавливаясь на загадочных смертях его противников и, хуже того, ставших неудобными союзников. Одни падали замертво во время застолий, другие медленно угасали в течение нескольких месяцев. Списывалось все на испорченных моллюсков, неуловимые вирусы или вовремя не выявленную патологию аорты. Сноу сам пил из отравленной чаши, чтобы отвести подозрение. Противоядия иногда срабатывали не в полной мере. Говорят, поэтому он всегда носит в лацкане надушенные розы. Чтобы отбить запах крови от незаживающих язв во рту. И так далее и тому подобное... Говорят, у Сноу есть список, и никто не знает, кто будет следующим.

Яд. Оружие змеи.

Поскольку мое мнение о Капитолии и его достопочтенном президенте и так было хуже некуда, не могу сказать, что слова Финника особенно меня потрясли. Однако на капитолийских мятежников они производят куда большее впечатление — даже у Плутарха не раз вытягивается лицо, очевидно, от удивления, как такая пикантная подробность прошла мимо него. Когда Финник замолкает, никому не приходит в голову выключить камеры, пока он сам не произносит: «Снято».

Телевизионщики убегают редактировать материал, а Плутарх отводит Финника в сторону, видимо, выведать, что еще ему известно. Я остаюсь среди руин наедине Хеймитчем. Возможно, участь Финника ждала и меня. Почему нет? Сноу мог бы выручить немалые деньги за Огненную Китнисс.

— С тобой было то же самое? — спрашиваю я Хеймитча.

— Нет. Мать, младший брат, моя девушка — через две недели после Игр их никого не было в живых. Из-за того фокуса с силовым полем. Сноу уже никого не мог использовать.

— Странно, что он тебя не убил.

— Это как раз понятно. Я стал примером. Для молодых Финников, Джоанн и Кашмир. Чтобы все видели, что бывает с неудобными победителями. Но как бы то ни было, Сноу знал, что прижать меня ему нечем.

— Пока не появились мы с Питом, — говорю я тихо.

Хеймитч молчит.

Теперь остается только ждать. Мы с Финником сидим в отделе спецобороны. Пытаемся чем-нибудь заполнить медленно тянущиеся минуты. Вяжем узлы, размазываем еду по тарелкам, лупим по мишеням в тире. Из боязни обнаружения связь со спасательным отрядом не поддерживается. Ровно в 15.00 мы входим в помещение, сплошь уставленное мониторами и компьютерами, и в безмолвном напряжении наблюдаем, как Бити со своей командой пытается захватить телеэфир. От обычной суетливости Бити нет и следа; я еще никогда не видела его таким сосредоточенным. Большую часть моего интервью вырезали, оставили минимум, чтобы показать, что я все еще жива и готова к борьбе. Гвоздь программы — мерзость и похоть Капитолия в изложении Финника. Не знаю, улучшил ли Бити свое оборудование, или его коллеги из Капитолия сами засмотрелись, но наша трансляция прерывается гораздо реже. Целых шестьдесят минут подряд лицо Финника с переменным успехом соперничает с капитолийскими дневными новостями и попытками выключить и то и другое. Финальную часть про Сноу техгруппа повстанцев умудряется передать почти без потерь.

— Шабаш! — Бити вскидывает руки от пульта, предоставляя эфир Капитолию. Вытирает пот со лба. — Либо они уже выбрались оттуда, либо их нет в живых. — Он поворачивается на стуле к нам. — Однако план что надо. Плутарх вам рассказал?

Конечно, нет. Бити ведет нас в другую комнату и показывает на схеме, каким образом спасательный отряд при поддержке внутренних агентов попытается — точнее, уже попытался — освободить победителей из подземной тюрьмы. Среди прочего в вентиляционную систему подается усыпляющий газ, потом где-то отключается электричество, и в нескольких милях от тюрьмы в правительственном здании взрывается бомба. Плюс наше вторжение в эфир. Бити доволен, что мы запутались в плане, — значит, нашим врагам тоже будет трудно за всем уследить.

— Как с твоей электрической ловушкой на арене? — спрашиваю я.

— Точно. А ведь славно сработала!

Ну... это как посмотреть, думаю я про себя.

Мы с Финником хотим прорваться в Штаб — первые новости от спасательной команды поступят, конечно, туда, —

но нас не пускают, говоря, что там идет обсуждение важных военных вопросов. Однако из отдела спецобороны мы уходить отказываемся. Сидим на подземном лугу с колибри.

Вяжем узлы. Молчим. Вяжем. Тик-так. Не думать о Гейле. Не думать о Пите. Вязать узлы. Мы отказываемся от ужина. Пальцы стерты до крови. В конце концов Финник не выдерживает и сгибается, как тогда на арене, когда нас атаковали сойки-говоруны. Я совершенствуюсь в завязывании петли. В голове крутятся слова из «Дерева висельника». Гейл и Пит. Пит и Гейл.

— Ты сразу полюбил Энни? — спрашиваю я.

— Нет. — Он долго молчит, потом добавляет: — Она завладела моим сердцем постепенно.

Я пытаюсь заглянуть в свое сердце, но в данный момент им, похоже, владеет один Сноу.

Наверное, уже за полночь, и наступил следующий день, когда Хеймитч вдруг открывает дверь.

— Вернулись. Нас ждут в госпитале.

С моих губ готов сорваться поток вопросов, однако Хеймитч отрезает:

— Это все, что я знаю.

Мне хочется бежать, но Финник ведет себя странно, будто потерял способность двигаться. Я беру его за руку и веду, как маленького ребенка. Через отдел спецобороны, к лифту, потом в больничное крыло. Там настоящий кавардак. Слышны распоряжения врачей, по коридорам везут раненых.

Мы едва не сталкиваемся с каталкой, на которой без сознания лежит девушка с бритой головой. Ее тело покрыто кровоподтеками и гнойниками. Джоанна Мэйсон. Она на самом деле знала секреты повстанцев. По крайней мере, один из них. И поплатилась за это.

В одной комнате я вижу Гейла, раздетого до пояса, по его лицу течет пот, в то время как врач извлекает щипцами что-то у него из-под лопатки. Ранен, но жив. Я окликаю его и хочу подойти ближе. Медсестра выталкивает меня и закрывает дверь.

— Финник! — раздается не то вопль, не то радостный возглас. Красивая, разве что слегка чумазая девушка с темными спутанными волосами и сине-зелеными глазами бежит нам навстречу в одной простыне. — Финник!

Внезапно кажется, будто во всем мире есть только эти двое, летящие сквозь пространство навстречу друг другу. Они обнимаются, теряют равновесие, ударяются о стену и остаются там, слившись в одно целое. Неразделимое.

Я чувствую, что завидую им. Точнее, не им самим, а какой-то определенности. Никто не усомнится в их любви.

К нам с Хеймитчем подходит Боггс, усталый, но невредимый.

— Мы вытащили их всех. Кроме Энорабии. Но она из Второго, ее, возможно, и не арестовывали. Пит там, в конце коридора. Скоро очухается от газа. Тебе лучше быть с ним рядом.

Пит.

Целый и невредимый — может, не совсем невредимый, но он жив, и он здесь. Далеко от Сноу. В безопасности. Со мной. Через минуту я прикоснусь к нему. Увижу его улыбку. Услышу его смех.

Хеймитч улыбается мне.

— Ну что, пойдем.

У меня кружится голова. Что я ему скажу? Да какая разница, что скажу? Пит все равно будет счастлив. Все равно покроет меня поцелуями. Будут ли они такими же, как тогда на арене, поцелуи, о которых я не смела вспоминать до этого момента.

Пит уже проснулся, он с растерянным видом сидит на кровати, вокруг хлопочут трое врачей — успокаивают его, светят фонариком в глаза, проверяют пульс. Жаль, что я не успела к его пробуждению и он не меня увидел первой. Но вот он поворачивается в мою сторону, и на его лице отражается удивление и какое-то другое, более сильное чувство, которое я не могу разгадать. Нежность? Страсть? Да. Пит отталкивает от себя врачей, вскакивает на ноги и бежит ко мне. Я лечу ему навстречу, раскрывая руки для объятий. Он протягивает ко мне ладони, хочет коснуться моего лица.

Я открываю рот, чтобы произнести его имя, и тут пальцы Пита впиваются мне в шею.

13

Холодный воротник натирает шею, и мне еще труднее сдерживать дрожь. По крайней мере, меня освободили из гудящей и тикающей тесной камеры, где я лежала, не уверенная, что смогу дышать, слушая бестелесный голос, приказывающий мне не двигаться. Даже теперь, когда я знаю, что довольно легко отделалась, мне кажется, будто в комнате не хватает воздуха.

Опасения врачей не подтвердились. Спинной мозг цел, дыхательные пути, вены и артерии тоже. Синяки, хрипота, боль в горле и покашливание не в счет. Все будет хорошо. Сойка-пересмешница не потеряет голос. Кто бы еще определил, не потеряю ли я рассудок? Мне пока нельзя разговаривать. Я даже не могу поблагодарить Боггса, когда он приходит меня проведать. Боггс осматривает мою шею и говорит, что солдаты на тренировках по рукопашному бою получают травмы и похуже.

Это Боггс одним ударом вырубил Пита, прежде чем тот успел меня изувечить. Хеймитч, конечно, сделал бы то же самое, если бы совершенно не растерялся. Застать врасплох одновременно и меня и Хеймитча — не просто. Нас ослепила радость. Окажись я с Питом наедине, он бы меня убил. Потому что его свели с ума.

Нет, одергиваю я себя, Пит не сумасшедший. Он «охморенный». Я слышала это слово в разговоре Плутарха и Хеймитча, когда меня везли мимо них по коридору. «Охморенный». Что бы это значило?

Прим (она прибежала, как только услышала о нападении и с тех пор не отходит ни на шаг) укрывает меня еще одним одеялом.

— Скоро этот ошейник снимут, Китнисс. Тогда тебе будет теплее.

Маме, которая ассистировала в сложной операции, еще ничего не сообщили. Прим берет мою руку, сжатую в кулак, и массирует ее, пока пальцы не расслабляются и в них не начинает циркулировать кровь. Потом берется за второй кулак, но тут появляются врачи, освобождают мою шею от жесткого воротника и делают укол для снятия боли и отечности. Как велено, держу голову неподвижно, чтобы не усугубить травму.

Плутарх, Хеймитч и Бити ждут в коридоре. Не знаю, сообщили ли они Гейлу. Видимо, нет, раз он не пришел. Плутарх выпроваживает врачей и пытается заодно выставить Прим, но та говорит:

— Нет. Если вы меня прогоните, я пойду прямо в хирургию и расскажу обо всем маме. Вряд ли она станет церемониться с распорядителем Игр, особенно когда он так плохо заботится о Китнисс.

Плутарх выглядит оскорбленным. Хеймитч только усмехается.

— На твоем месте, Плутарх, я бы не рисковал.

Прим остается.

— Что ж, Китнисс, — начинает Плутарх, — состояние Пита стало шоком для всех нас, хотя мы уже видели ухудшение в последних двух интервью. Пита избивали, и это до некоторой степени объясняло его психическую неустойчивость. Теперь ясно, что побоями дело не ограничивалось. Капитолий подверг Пита довольно необычному приему воздействия на сознание, известному как «охмор». Верно, Бити?

— К сожалению, я не знаком со всеми деталями, Китнисс, — говорит Бити. — Капитолий тщательно скрывает этот метод, но я полагаю, последствия бывают разными. «Охмор» — старинное слово, означает «обморок» или «припадок беспамятства». Насколько мы знаем, это похоже на формирование условного рефлекса страха с использованием яда ос-убийц, а он как раз вызывает помутнение рассудка. Ну да о действии яда ты знаешь лучше всех нас, тебе ведь досталось от ос на первых Играх.

Паника. Галлюцинации. Кошмарные видения гибели твоих близких. Особенность яда ос-убийц — он точно находит, где именно в твоем мозге гнездится страх.

— Уверен, ты не забыла то чувство ужаса. Вдобавок спутанность сознания, так? Невозможность отличить реальность от галлюцинаций? Большинство выживших после укусов рассказывают о таких же симптомах.

Да. Встреча с Питом. Даже когда в голове уже прояснилось, я не была уверена, действительно ли он спас меня от Катона, или мне это привиделось.

— Хуже всего, что воспоминания можно подменить. — Бити постукивает себя по лбу. — Вывести из подсознания, модифицировать и вернуть в память искаженными. Предположим, я заставляю тебя что-то вспомнить — просто говорю о каком-то событии или показываю видеозапись — и в это время ввожу тебе дозу яда ос-убийц. Не так, чтобы ты совсем отключилась, но достаточно, чтобы вызвать страх и сомнение. Мозг сам свяжет их с тем событием и поместит все в долговременную память.

Я чувствую подступающую дурноту. Прим задает вопрос, который крутится у меня на языке:

— Они сделали это с Питом? Исказили его воспоминания о Китнисс?

Бити кивает:

— Настолько, что он видит в ней врага. И хочет ее убить. Во всяком случае, на данный момент это самое правдоподобное объяснение.

Я закрываю лицо руками. Не верю, что это происходит на самом деле. Такого просто не может быть. Заставить Пита забыть его любовь ко мне... кто на такое способен?

— Но... это можно как-то исправить? — снова спрашивает Прим.

— Мм... у нас слишком мало информации, — говорит Плутарх. — Честно говоря, вообще нет. Если когда-либо и предпринимались попытки реабилитации от охмора, у нас нет доступа к таким сведениям.

— Но вы попытаетесь? — настаивает Прим. — Нельзя же запереть его в камере с мягкими стенами, как сумасшедшего?

— Конечно, попытаемся, Прим, — говорит Бити. — Только ничего гарантировать мы не можем. Победить страх труднее всего. Как раз его мы запоминаем особенно крепко — из чувства самосохранения.

— К тому же нам пока неизвестно, были ли подменены какие-то другие воспоминания помимо тех, что связаны с Китнисс, — говорит Плутарх. — Мы созовем консилиум из психиатров и военных медиков. Лично я настроен оптимистично и надеюсь на полное излечение.

— Неужели? — язвительно спрашивает Прим. — А что думаешь ты, Хеймитч?

Я слегка раздвигаю ладони, чтобы видеть выражение его лица. Оно усталое и удрученное.

— Думаю, Питу станет лучше. Но... вряд ли он когда-нибудь будет прежним.

Я снова крепко сжимаю руки, отгораживаясь ото всех.

— По крайней мере, он жив, — говорит Плутарх, будто теряя терпение. — Сегодня вечером Сноу в прямом эфире казнил подготовительную команду Пита вместе со стилистом. Мы понятия не имеем, что стало с Эффи Бряк. Пит пострадал, но он здесь. С нами. И это большой прогресс по сравнению с тем, что было двенадцать часов назад. Давайте не будем об этом забывать, ладно?

Попытка Плутарха ободрить меня, походя упомянув об очередных четырех, если не пяти убийствах, приводит к обратному результату. Порция. Команда подготовки Пита. Эффи. К горлу подступает комок, оно судорожно сжимается, и я начинаю задыхаться. Врачам не остается ничего другого, как снова вколоть мне снотворное.

Когда его действие проходит, лежу и думаю, смогу ли когда-нибудь спать нормально, без лекарств. Я даже рада, что несколько дней мне нельзя говорить, потому что не хочу ничего говорить. И делать тоже. С виду я образцовая пациентка — мою заторможенность принимают за самообладание и готовность следовать указаниям врачей. Слез больше нет. Вообще ничего больше нет — только лицо Сноу и мой беззвучный шепот в голове: «Я убью тебя».

Мама и Прим по очереди навещают меня, уговаривают проглотить немного мягкого пюре или каши. Время от времени кто-нибудь приходит с новостями о Пите. В его крови и тканях было много осиного яда, но постепенно он выводится. С Питом общаются только люди из Тринадцатого, никого из знакомых к нему не допускают, чтобы не пробудить опасные воспоминания. Группа экспертов часами трудится над стратегией его лечения.

Гейл ранен в плечо и не должен вставать с кровати. Однако на третью ночь, как только мне сделали уколы и приглушили свет, он проскальзывает в мою палату. Молча склонившись надо мной, легкими, как крылья бабочки, пальцами проводит по синякам на моей шее и, поцеловав в лоб, исчезает.

На следующее утро меня выпускают с рекомендацией не делать резких движений и поменьше говорить. Расписания мне не ставят, и я бесцельно слоняюсь по коридору, пока Прим не освобождается от дежурства в госпитале. Она отводит меня в наше новое жилище — отсек 2212. Такой же, как предыдущий, но без окна.

Лютику теперь выдают дневной рацион, а под раковиной в ванной стоит ящик с песком. Когда Прим поправляет мне постель, кот вспрыгивает на подушку, соперничая со мной за ее внимание. Прим берет его на руки, но продолжает смотреть на меня.

— Китнисс, я знаю, как ты переживаешь из-за Пита. Но не забывай — Сноу обрабатывал его много недель, а здесь он только несколько дней. Возможно, прежний Пит, который тебя любит, все еще есть где-то внутри и хочет вырваться к тебе. Не отчаивайся раньше времени.

Я любуюсь своей маленькой сестренкой. Она унаследовала все лучшие качества, какими только может похвастать наша семья: исцеляющие руки матери, рассудительность отца, мой боевой дух. Но в ней есть и что-то еще, что-то свое. Способность разглядеть в хаосе жизни, в мельтешении случайных деталей самое важное и существенное. Может быть, она права? И Пит снова ко мне вернется?

— Мне пора в госпиталь, — говорит Прим, усаживая Лютика на кровать рядом со мной. — А вы составите друг другу компанию, ладно?

Лютик соскакивает с кровати и бежит за Прим, громко жалуясь, когда дверь закрывается перед его носом. Компания мы друг для друга, прямо скажем, паршивая. Примерно через полминуты я понимаю, что не могу дольше находиться в этой подземной камере, и оставляю Лютика одного. Заблудившись несколько раз, в конце концов добираюсь до отдела спецобороны. Каждый встречный пялится на мою посиневшую шею, так что мне становится не по себе, и я натягиваю воротник почти до самых ушей.

В одной из лабораторий нахожу Бити и Гейла — должно быть, его тоже выписали сегодня утром. Оба склонились над чертежом и целиком поглощены какими-то вычислениями. На столе, полу, стульях разложены варианты того же чертежа. Другие чертежи приколоты к стенам и заполняют экраны нескольких мониторов. В схематичных линиях одного из них я узнаю ловушку Гейла.

— Что это? — спрашиваю я сиплым голосом.

— А, Китнисс, ты нас застукала, — радостно говорит Бити.

— А что? Это какой-то секрет?

Я знала, что Гейл постоянно торчит внизу у Бити, но думала, они возятся с луками и всяким оружием.

— Вообще-то нет. Просто я чувствую себя виноватым, что так надолго украл у тебя Гейла.

По правде говоря, беспокоиться об отсутствии Гейла мне было особенно некогда, учитывая, что большую часть времени я находилась в прострации и лежала в госпитале. Да и наши отношения оставляют желать лучшего. Однако Бити об этом знать незачем. Пусть думает, что он передо мной в долгу.

— Надеюсь, вы провели время с пользой.

— Идем. Сама увидишь. — Бити подзывает меня к монитору.

Вот оно что. Они используют принципы, лежащие в основе ловушек Гейла, чтобы создать оружие против людей. Главным образом мины. Дело тут не столько в технических хитростях, сколько в психологии. Устроить ловушку на пути к жизненно-важным ресурсам. Воде, пище. Напугать жертву, чтобы она сама побежала навстречу своей гибели. Поставить под угрозу молодняк, чтобы привлечь истинную добычу — родителей. Заманить в якобы безопасное место, где на самом деле ждет смерть. Постепенно Гейл с Бити отошли от чисто охотничьих приемов и сосредотачивались на человеческих побуждениях. Таких, как сострадание. Взрывается мина. Люди спешат на помощь раненым. И тут срабатывает вторая, более мощная, убивая всех вокруг.

— По-моему, вы переходите все границы, — говорю я. — Получается, нет никаких правил? Никаких запретов, чего ни в коем случае нельзя делать с другими людьми?

Оба смотрят на меня — Бити с сомнением, Гейл враждебно.

— Правила есть. Мы с Бити следуем тем, которые использовал президент Сноу, когда промывал мозги Питу, — говорит Гейл.

Жестоко, но в точку. Я молча иду к двери. Чувствую, что если останусь тут еще на минуту, то просто взорвусь от ярости. Я еще не успеваю покинуть отдел спецобороны, когда в коридоре меня перехватывает Хеймитч.

— Скорее. Нас ждут в госпитале.

— Зачем?

— Появилась идея насчет Пита. Пустить к нему самого безобидного человека из Двенадцатого, кого Пит точно не испугается. С кем у него есть общие детские воспоминания, никак не связанные с тобой. Сейчас они ищут таких людей.

Задачка не из легких. Все друзья детства Пита скорее всего жили в центре, а оттуда мало кто уцелел. Но едва мы входим в палату, где собираются врачи, лечащие Пита, как я вижу ее — Делли Картрайт. Сидит и болтает с Плутархом.

— Китнисс! — кричит она, одаривая меня такой улыбкой, будто я ее самая лучшая подруга. Она всем так улыбается.

— Привет, Делли.

Ее младший брат, я слышала, выжил. А вот родителям, у которых был обувной магазин в центре, не повезло. В унылой грязно-серой одежде, принятой в Тринадцатом, и с простой косой вместо локонов Делли выглядит старше своих лет. Кажется, она немного похудела. Делли была одной из немногих детей в Двенадцатом дистрикте, которые могли похвастать парой фунтов лишнего веса. Местная диета, стресс, потеря родителей сыграли свою роль.

— Как дела? — спрашиваю я.

— О, столько всего переменилось. — Ее глаза наполняются слезами. — Но люди здесь очень добрые, правда?

Делли действительно так думает. Она искренне любит людей. Не только горстку друзей и знакомых, а всех вообще.

— Они стараются, чтобы мы чувствовали себя не хуже, чем дома, — говорю я. Полагаю, это про них можно сказать, не погрешив против истины. — Тебя выбрали для встречи с Питом?

— Вроде бы да. Бедный Пит. И ты тоже. Я никогда не сумею понять Капитолий.

— Наверное, лучше его не понимать.

— Делли очень давно знакома с Питом, — говорит Плутарх.

— Да. — Лицо Делли светлеет. — Мы вместе играли в детстве. Я говорила всем, что он мой брат.

— Что думаешь ты? — спрашивает меня Хеймитч. — Делли может как-то напомнить Питу о тебе?

— Ну, мы все учились в одном классе. Но почти не пересекались друг с другом, — говорю я.

— Китнисс была самой потрясающей девчонкой. Я даже не мечтала, что она обратит на меня внимание, — говорит Делли. — Она охотилась, ходила в Котел и все такое. Все ею восхищались.

Мы с Хеймитчем оба вглядываемся в лицо Делли. Это что, шутка? По ее словам выходит, у меня почти не было друзей, потому что я всех отпугивала своей исключительностью. Неправда. У меня не было друзей, потому что я не умею дружить. Просто Делли смотрит на меня сквозь розовые очки.

— Делли всегда думает о людях лучше, чем они есть, — говорю я. — Вряд ли у Пита могут быть связаны с ней какие-то плохие воспоминания. Нет, постойте. В Капитолии. Когда я солгала, что не знаю безгласую девушку. Пит выручил меня. Сказал, будто она похожа на Делли.

— Да, помню, — подтверждает Хеймитч. — Хотя не знаю... Это ведь было неправдой. И Делли там близко не было. Не думаю, что такая ерунда может перечеркнуть детские воспоминания.

— Особенно если они связаны с таким приятным человеком, как Делли, — говорит Плутарх. — Надо рискнуть.

Плутарх, Хеймитч и я идем в комнату рядом с палатой Пита. Там уже толпится десяток экспертов, вооруженных ручками и блокнотами. Стекло, прозрачное только с одной стороны, и микрофоны позволяют нам незаметно наблюдать за Питом. Он пристегнут к кровати. Не вырывается, однако его руки постоянно нервно двигаются. Выражение лица более осмысленное, чем когда он пытался задушить меня, но оно чужое.

При виде открывающейся двери его глаза расширяются, будто от ужаса, затем взгляд становится растерянным. Делли идет вначале робко, затем, приблизившись к Питу, улыбается совершенно непринужденно.

— Пит, это я, Делли. Помнишь меня?

— Делли? — Кажется, атмосфера немного разрядилась. — Делли. Ты?

— Да! — с облегчением произносит она. — Как ты себя чувствуешь?

— Ужасно. Где мы? Что произошло?

— Самый ответственный момент, — волнуется Хеймитч.

— Я приказал ей ни словом не упоминать ни о Китнисс, ни о Капитолии, — говорит Плутарх. — Посмотрим, какая будет реакция на воспоминания о доме.

— Ну... мы в Тринадцатом дистрикте. Теперь живем здесь, — говорит Делли.

— То же самое мне говорили те люди. Но я ничего не понимаю. Почему мы не дома?

Делли закусывает губу.

— Там... стало опасно. Я тоже очень скучаю по дому. Только что вспоминала, как мы с тобой рисовали мелом на мостовой. У тебя здорово получалось. Помнишь, как ты на каждом камне нарисовал зверюшек?

— Да. Поросят, кошек, всех, каких знал... Ты что-то сказала... про опасность?

Я вижу, как на лбу Делли выступил пот.

— Да... там нельзя было оставаться.

— Держись, девочка, — шепчет Хеймитч.

— Не бойся, тебе здесь понравится. Все очень добры к нам. Всегда есть еда, и чистая одежда, и в школе гораздо интереснее.

— Где мои родители? Почему они не приходят? — спрашивает Пит.

— Они не могут. — Делли уже едва не плачет. — Многим не удалось улететь. Нам надо строить новую жизнь. Хороший пекарь нигде не пропадет. Помнишь, как твой отец разрешал нам лепить фигурки из теста?

— Там был пожар, — внезапно произносит Пит.

— Да, — шепчет Делли.

— Двенадцатый сгорел дотла! Из-за нее! — яростно кричит Пит, дергая за ремни. — Из-за Китнисс!

— Нет, Пит. Она не виновата.

— Это она тебе сказала? — шипит он на Делли.

— Выведите ее, — приказывает Плутарх.

Дверь немедленно открывается, и Делли начинает пятиться назад.

— Она не говорила. Я сама...

— Она лжет! — обрывает ее Пит. — Не верь ни одному ее слову! Она — переродок. Капитолий создал ее, чтобы уничтожить нас всех, кто еще жив!

— Нет, Пит. Она не...

— Не верь ей, Делли, — в исступлении кричит Пит. — Я поверил, и она чуть не убила меня. Она убила моих друзей. Мою семью. Даже не подходи к ней! Она переродок!

В дверной проем просовывается рука, вытаскивает Делли наружу, и дверь закрывается.

Пит продолжает орать:

— Она переродок! Мерзкий переродок!

Пит не просто ненавидит меня, он даже не верит, что я человек. Когда он меня душил, было не так больно.

Эксперты строчат как сумасшедшие, фиксируя каждое слово. Хеймитч и Плутарх берут меня под руки и выводят из комнаты. Прислоняют к стене в коридоре. Здесь тихо. Но я знаю, что за дверью и за стеклом Пит продолжает кричать.

Прим ошибалась. Ничего уже не поправить.

— Я не могу здесь больше оставаться, — произношу я, едва ворочая языком, как пьяная. — Если вы хотите, чтобы я была Пересмешницей, отправьте меня куда-нибудь еще.

— Куда же? — спрашивает Хеймитч.

— В Капитолий, — непроизвольно вырывается у меня. Я точно знаю, что мне там предстоит сделать.

— Сейчас не могу, — говорит Плутарх. — Пока не освобождены все дистрикты. Но могу обрадовать — бои закончились почти везде, кроме Второго. Это будет орешек потверже.

Верно. Сначала дистрикты, потом Капитолий. А потом я убью Сноу.

— Хорошо, — говорю я. — Пошлите меня во Второй.

14

Второй дистрикт, как и следовало ожидать, отличается большей площадью, поскольку состоит из множества горных деревушек. Первоначально в каждой из них была своя шахта или каменоломня, где и трудились местные жители. Теперь же в деревнях по большей части места дислокации и тренировочные базы миротворцев. На первый взгляд кажется, что разбить их не составит труда — ведь на стороне мятежников воздушные силы Тринадцатого. Но есть одна загвоздка: в самом центре дистрикта находится практически неприступная гора — средоточие военной мощи Капитолия.

С тех пор как я передала местным изможденным и отчаявшимся повстанцам то, как Плутарх высказался об их дистрикте, гору мы называем не иначе как Орешком. Военная база на Орешке появилась сразу после Темных Времен, когда капитолийцы потеряли Тринадцатый дистрикт и отчаянно нуждались в новой подземной крепости. У них, правда, сохранилось кое-что в окрестностях самого Капитолия — ядерные ракеты, авиация, пехота, — тем не менее значительная часть их военных сил осталась на территории врага. Конечно, нечего было и думать, чтобы построить копию Тринадцатого, который создавался веками. И тут им пришла мысль использовать заброшенные штольни в соседнем Втором дистрикте. С воздуха Орешек кажется обычной горой, зато внутри находятся огромные пещеры, образовавшиеся, когда из горы высекали каменные плиты, которые затем поднимали на поверхность и везли по скользким узким дорогам к далеким стройкам. Сохранилась даже железная дорога, доставлявшая шахтеров от горы в столицу Второго дистрикта. Рельсы ведут прямо к площади перед Домом правосудия, где мы с Питом стояли во время тура победителей, стараясь не смотреть в глаза скорбящим родственникам Катона и Мирты.

Место, конечно, не идеальное, поскольку в горах часто случаются оползни, селевые потоки и сходы лавин, однако преимущества перевешивали недостатки. Продвигаясь в глубь горы, шахтеры оставляли опорные стойки и каменные перегородки, чтобы штольни не обвалились. Капитолий укрепил их и начал превращать гору в военную базу с вычислительными центрами, залами заседаний, казармами, оружейными складами, ангарами для планолетов и ракетными пусковыми установками. Снаружи гора осталась почти такой, как прежде. Непроходимые дебри, полные диких животных. Природная защита от врагов.

По сравнению с прочими дистриктами, во Втором люди жили в достатке. Даже по их телосложению видно, что они с детства нормально питались и имели все необходимое. Некоторые шли в шахтеры или рабочими в каменоломни. Другие обучались для работы в Орешке или поступали в миротворцы. С малых лет детей тренировали и учили драться. Голодные игры открывали путь к богатству и славе. Неудивительно, что капитолийскую пропаганду здесь проглатывали куда легче, чем в остальных дистриктах. Даже перенимали капитолийские обычаи. И все же в конечном счете они оставались такими же рабами. Если миротворцы и работники Орешка предпочитали об этом не задумываться, то каменотесы помнили всегда, и именно они составили костяк Сопротивления.

За две недели, которые я провела здесь, положение не изменилось. Дальние деревни в руках мятежников, город разделился на два лагеря, а Орешек стоит все такой же неприступный. Входы укреплены, сердце базы надежно скрыто в глубине горы. И пока это так, Второй дистрикт принадлежит Капитолию.

Я стараюсь помочь чем могу. Навещаю раненых. Снимаюсь в агитроликах. Меня не допускают в места сражений, но приглашают на собрания военного совета, чего никогда не делали в Тринадцатом. Вообще здесь лучше. Больше свободы, никаких дурацких расписаний на руке. Не нужно сидеть под землей, как крот. Я живу в деревнях повстанцев или в пещерах. Ради безопасности меня часто переселяют. Мне разрешили охотиться при условии, что я буду не одна и не стану уходить далеко. Чистый горный воздух творит чудеса. Я чувствую, как ко мне возвращаются силы и из головы выветриваются остатки тумана. Но чем светлее становится разум, тем яснее я осознаю то, что сотворили с Питом.

Сноу украл его у меня, искалечил до неузнаваемости и выбросил. Боггс, поехавший во Второй вместе со мной, говорит, что спасательная операция прошла подозрительно легко. Скорее всего, Пита намеривались так или иначе доставить мне. Может быть, высадили бы в каком-нибудь из мятежных дистриктов, а то и в самом Тринадцатом. Обвязанного ленточками и с надписью: «Для Китнисс». Запрограммированного убить меня.

Только теперь я способна оценить настоящего Пита. Его доброту, надежность и теплоту, за которой кроется истинный огонь сердца. Кто в целом мире, кроме Прим, мамы и Гейла, любит меня просто так, ни за что? Теперь, вероятно, никто. Иногда, оставшись одна, я достаю из кармана жемчужину и вспоминаю мальчика с хлебом, его сильные руки, защищавшие меня в поезде от кошмаров, наши поцелуи на арене. Ищу название тому, что потеряла. Только какой в этом смысл? Все кончено. Пит меня покинул. Что бы ни было между нами — этого больше нет. Клянусь, я убью Сноу.

Лечение Пита в Тринадцатом продолжается. Плутарх держит меня в курсе, хотя я его об этом не прошу. Бодрым голосом кричит в трубку что-нибудь вроде: «Отличные новости, Китнисс! Мы почти убедили его, что ты не переродок!» или «Сегодня он самостоятельно ел пудинг!»

Потом звонит Хеймитч и говорит, что Питу нисколько не лучше. Единственный лучик надежды приходит от моей сестры.

— У Прим идея, — рассказывает Хеймитч. — «Охмор» наоборот. Вызвать у Пита какое-нибудь воспоминание о тебе и в это время вколоть ему успокоительное, например морфлинг. Мы попробовали пока только с одним воспоминанием. Показали Питу видеозапись, где вы с ним в пещере и ты рассказываешь, как добыла козу для Прим.

— Есть улучшения?

— Ну, если полное ошеломление лучше неконтролируемого страха, то да, — говорит Хеймитч. — Хотя я в этом не уверен. Он молчал нескольких часов. Будто впал в ступор. А когда очнулся, единственное, о чем спросил, — где теперь коза.

— Само собой.

— Как дела у вас? — спрашивает Хеймитч.

— Никаких сдвигов.

— Мы пришлем вам спецгруппу, чтобы разобраться с горой. Бити и еще несколько человек. Ну, знаешь, всяких технарей-умников.

Я не удивляюсь, увидев среди технарей Гейла. Так и думала, что Бити возьмет его с собой. Не то чтобы Гейл шибко разбирается в технических премудростях, зато по части всяких хитростей ему равных нет. Глядишь, и заманит гору в одну из своих ловушек.

Гейл с самого начала предлагал полететь со мной во Второй, но я не хотела отрывать его от работы с Бити. Сказала, что в Тринадцатом он нужнее. Не стала добавлять, что в его присутствии мне будет еще труднее вспоминать о Пите.

Мы встречаемся вечером того же дня, когда прилетает спецгруппа. Я сижу на бревне у околицы деревни, в которой сейчас живу, и ощипываю гуся. Еще десяток птиц лежит у моих ног. Тут пролетает много стай, и охотиться легко. Гейл молча садится рядом и начинает мне помогать. Мы почти заканчиваем, когда он спрашивает:

— А нам хоть что-нибудь достанется?

— Угу. Большая часть идет на кухню, а парочку надо отдать тем, у кого буду ночевать. В качестве благодарности.

— Неужто им недостаточно чести, что ты спишь в их доме?

— Увы, нет. Прошел слух, будто Пересмешницы опасны для здоровья.

Мы ненадолго замолкаем. Потом Гейл говорит:

— Вчера я видел Пита. Через стекло.

— И что?

— Мне пришла в голову эгоистическая мысль.

— Что тебе больше не придется к нему ревновать?

Я чересчур резко дергаю рукой, и вокруг разлетается облачко перьев.

— Нет. Наоборот. — Гейл выбирает перья из моих волос. — Я подумал... что теперь у меня нет шансов. Никакие мои страдания не сравнятся с его. — Гейл крутит перышко между большим и указательным пальцами. — Если он не поправится, мне ничего не светит. Ты никогда не сможешь отпустить его. Со мной ты всегда будешь чувствовать себя виноватой.

— Когда целовала Пита, я тоже чувствовала себя виноватой, — признаюсь я. — Из-за тебя.

Гейл смотрит мне прямо в глаза.

— Если это правда, я, возможно, сумел бы смириться со всем остальным.

— Это правда. Как и то, что ты сказал о Пите.

Гейл испускает вздох отчаяния. Однако, когда мы относим птиц на кухню и уходим в лес за хворостом, я снова оказываюсь в его объятиях. Губы Гейла нежно касаются синяков на моей шее, подбираясь все ближе к моим губам. И тогда во мне что-то происходит. Мои чувства к Питу остаются прежними, но я внутренне смиряюсь с тем, что он больше никогда ко мне не вернется. Или я к нему не вернусь. Я останусь во Втором, пока мы его не завоюем, потом пойду в Капитолий и убью Сноу, а после... не все ли равно. Пит будет ненавидеть меня до самой смерти. Я закрываю глаза и целую Гейла, будто желая наверстать все те поцелуи, в которых ему отказывала. Потому что ничто больше не имеет значения, и потому что я так отчаянно одинока.

Прикосновение Гейла, жар и вкус его губ напоминают мне, что по крайней мере мое тело живо, и это приятное чувство. Я освобождаюсь от всех мыслей и в счастливом забытьи позволяю ощущениям завладеть моим телом. Когда Гейл слегка отстраняется, прижимаюсь к нему, но чувствую у себя под подбородком его руку.

— Китнисс.

Раскрыв глаза, не сразу понимаю, где я. Это не наш лес, не наши горы, не наша тропинка. Рука машинально тянется к шраму на левом виске — будто виновато давнее сотрясение.

— Поцелуй меня, — просит Гейл.

Я стою в растерянности, не двигаясь; он наклоняется ко мне и касается моих губ своими. Потом внимательно смотрит мне в лицо.

— Что с тобой творится?

— Не знаю, — шепчу я в ответ.

— Тогда это все равно что целовать пьяную. Так не считается, — говорит он, неловко смеясь. Поднимает вязанку хвороста и сует мне в руки. Это приводит меня в чувство.

— Откуда ты знаешь? — спрашиваю я, в основном чтобы скрыть смущение. — Ты целовался с пьяными девушками?

Думаю, в Двенадцатом Гейл мог напропалую целоваться с девушками. Во всяком случае, желающих было предостаточно. Раньше я никогда об этом не задумывалась.

Он качает головой.

— Нет. Но могу себе представить.

— Так ты никогда раньше не целовался? — допытываюсь я.

— Этого я не говорил. Когда мы познакомились, тебе было только двенадцать. И вдобавок ты меня жутко доставала. У меня была другая жизнь, помимо охоты с тобой, — говорит Гейл, собирая ветки.

Теперь мне становится действительно любопытно.

— С кем ты целовался? И где?

— Всех не упомнишь. В школьном дворе, за кучей шлака, да мало ли где.

Я закатываю глаза.

— И когда же я удостоилась твоего особого внимания? Когда меня увезли в Капитолий?

— Нет. Примерно за полгода до этого. Сразу после Нового года. Мы были в Котле, ели похлебку у Сальной Сэй. Дарий стал тебя поддразнивать. Не продашь ли ты ему за поцелуй кролика. И я понял... что мне это не нравится.

Я помню тот день. Жуткий холод, к четырем часам уже стемнело. Мы охотились, однако снегопад заставил нас вернуться в город. В Котле полно народу, все хотят погреться. Суп на костях дикой собаки, которую мы подстрелили неделей раньше, вышел не ахти, но все-таки был горячий, а мне жутко хотелось поесть и согреться. Я сижу по-турецки на прилавке Сэй. Дарий, прислонясь к столбу, щекочет мне щеку концом моей же косички, и я время от времени бью его по руке. Он объясняет мне, почему его поцелуй стоит целого кролика, а то и двух. Ведь всем известно, что рыжие мужчины самые страстные. Мы с Сальной Сэй смеемся над его дурашливой настойчивостью, а он показывает мне женщин в Котле, которые якобы заплатили куда больше, чтобы насладиться его губами.

— Видишь? Вон та в зеленом шарфе? Иди спроси ее, если тебе нужны доказательства.

Кажется, это было тысячу лет назад, в другой вселенной.

— Дарий просто шутил, — говорю я.

— Скорее всего. Хотя если бы и не шутил, ты догадалась бы об этом последней. Взять хотя бы Пита. Или меня. Или даже Финника. Я уже боялся, что он положил на тебя глаз, но, к счастью, привезли Энни.

— Ты плохо знаешь Финника, если так думал.

Гейл пожимает плечами.

— Я знаю, что он был в отчаянии. Отчаявшиеся люди часто совершают безрассудные поступки.

Камешек в мой огород?

На следующий день с самого утра технари устраивают совещание. Меня тоже пригласили, хотя не знаю, чем я могу помочь. Обхожу стол стороной и усаживаюсь на широкий подоконник. Из окна открывается вид на гору.

Командующая Вторым дистриктом, женщина средних лет по имени Лайм, устраивает нам виртуальную экскурсию по Орешку, показывая внутреннее пространство и фортификационные сооружения, подробно рассказывает о неудачных попытках взять гору штурмом.

Я уже несколько раз сталкивалась с Лайм и всякий раз не могла отделаться от чувства, что где-то уже ее видела. Внешность у нее довольно запоминающаяся — шесть футов рост, развитые мускулы... Но тут на экране появляется Лайм во главе отряда, пробирающегося к главному входу Орешка, и все становится на свои места — Лайм еще одна победительница. Трибут Второго дистрикта, участвовавшая в Голодных играх два десятилетия назад. Когда мы готовились к Квартальной бойне, Эффи среди прочего присылала нам видеозапись с ней. Наверняка Лайм показывали и в обзорах Игр, но, по-видимому, она старалась не выделяться. Почему-то сразу вспоминаются рассказы Хеймитча и Финника, и возникает мысль: а что сделал Капитолий с ней?

После выступления Лайм технари засыпают ее вопросами. Час за часом, прервавшись только на обед, пытаются разработать реальный план захвата Орешка. Бити полагает, что сможет взломать часть компьютерной системы, также обсуждается, как можно использовать горстку наших агентов, находящихся там, но никаких по-настоящему новых идей ни у кого нет. Разговор то и дело возвращается к тому, что иного выхода, кроме штурма, нет. Я вижу, как растет раздражение Лайм. Штурмовать гору пытались уже не раз и разными способами, но все без толку, только напрасно теряли солдат. Наконец она не выдерживает:

— Следующий, кто предложит штурм, будет сам им руководить. Так что пусть вначале крепко подумает, насколько гениален его план!

Гейлу надоело торчать на одном месте за столом, и теперь он то расхаживает взад-вперед по залу, то присаживается ко мне на подоконник. Он сразу принял сторону Лайм, что атаковать входы не получится, и выпал из обсуждения. Последний час он сидит, сосредоточенно нахмурив брови, и не отрываясь смотрит на гору. В тишине, последовавшей за ультиматумом Лайм, он наконец произносит:

— А зачем нам вообще захватывать Орешек? Разве не достаточно вывести его из строя?

— Возможно, это шаг в верном направлении, — говорит Бити. — Что у тебя на уме?

— Представим, что Орешек — это логово диких собак, — продолжает Гейл. — Кому придет в голову туда лезть? Значит, остаются два выхода — либо замуровать собак внутри, или спугнуть их, чтобы они выскочили наружу.

— Мы пытались подорвать входы, — говорит Лайм. — Стены слишком толстые, ничто их не берет.

— Я имел в виду другое, — возражает Гейл. — Что, если нам использовать саму гору?

Бити встает и присоединяется к Гейлу у окна. Напряженно смотрит сквозь плохо подходящие очки.

— Ну, понял? Посмотри на склоны.

— Лавины... — шепчет Бити. — Это будет непросто. Нужно точно рассчитать места и последовательность взрывов. Потом уже ничего не исправишь.

— Нам не нужно ничего исправлять, если мы откажемся от захвата Орешка и просто его обезвредим.

— То есть ты предлагаешь вызвать сход лавин и заблокировать выходы? — спрашивает Лайм.

— Именно, — отвечает Гейл. — Замуровать врага внутри, отрезать от внешнего мира. Не дать выбраться на планолетах.

Пока все обсуждают план, Богтс с хмурым видом листает чертежи внутренних помещений Орешка.

— Мы рискуем убить всех, кто будет внутри. Посмотри, какая там вентиляция. Если это вообще можно назвать вентиляцией. Никакого сравнения с Тринадцатым. Воздух поступает исключительно через отверстия в горных склонах. Перекрой их — и все внутри задохнутся.

— Они могут выбраться на площадь по железнодорожному туннелю, — говорит Бити.

— Не смогут, если мы его взорвем, — резким тоном возражает Гейл.

Только теперь я понимаю, что замыслил Гейл. Не силок, чтобы поймать добычу живьем. Смертельный капкан.

15

Некоторое время все молча переваривают предложение Гейла. На лицах отражаются самые разные эмоции: радость, страх, оторопь, восхищение.

— Большинство рабочих — жители Второго, — безучастно замечает Бити.

— И что? — отзывается Гейл. — Мы никогда не сможем им полностью доверять.

— По крайней мере, им нужно дать возможность сдаться, — говорит Лайм.

— Когда бомбили Двенадцатый, нам такой возможности не предоставили, но у вас-то с Капитолием более теплые отношения.

У Лайм выражение лица такое, будто она сейчас застрелит Гейла или как минимум хорошенько ему врежет. Пожалуй, она бы с ним справилась, при ее подготовке. Однако гнев Лайм только больше распаляет Гейла.

— Мы видели, как заживо горят дети, и ничего не могли сделать!

Воспоминания пронзают мой мозг, и мне на минуту приходится закрыть глаза. Гейл умеет убеждать. Теперь я тоже хочу, чтобы все в той горе погибли. Я открываю рот, чтобы сказать это и... не могу. Я всего лишь девчонка из Двенадцатого дистрикта. Не президент Сноу. Я не умею обрекать на смерть с такой легкостью, как он.

— Гейл. — Я беру его за руку и стараюсь говорить спокойно. — Орешек ведь заброшенные копи. Вспомни аварии на угольных шахтах.

Без сомнения, этих слов достаточно, чтобы любой, кто вырос в Двенадцатом дистрикте, крепко задумался.

— Я очень хорошо помню. Эти люди в Орешке умрут не так быстро, как наши отцы. Успеют осознать, что умирают, а не сразу разлетятся на куски? Это всех волнует?

Раньше, когда мы детьми охотились в лесу, Гейл, случалось, говорил что-то и похуже. Но тогда это были просто слова. Сейчас у них есть шанс обратиться в поступки, которые уже не исправить.

— Ты даже не знаешь, как рабочие из Второго попали в Орешек, — продолжаю я. — Возможно, их заставили. Держат там против воли. И среди них наши разведчики. Ты готов убить и их?

— Да, я готов пожертвовать несколькими, чтобы спасти многих. Будь я сам разведчиком, сказал бы: «Чего же вы ждете! Спускайте лавины!»

Это правда. Гейл способен пожертвовать собой ради дела. Пожалуй, мы все поступили бы так же, если бы перед нами встал такой выбор. Но какое у нас право решать за других? Это бессердечно по отношению к ним и тем, кто их любит.

— Ты сказал, есть два варианта, — напоминает Боггс. — Либо запереть внутри, либо выкурить наружу. Я предлагаю устроить обвал, но железнодорожный туннель оставить свободным. Люди смогут выбраться на площадь, где их будем ждать мы.

— Хорошо вооруженные, я надеюсь, — говорит Гейл. — У них-то оружия хватает.

— С оружием, — соглашается Боггс. — Мы возьмем их в плен.

— Нужно сообщить о нашем плане в Тринадцатый, — говорит Бити. — Что скажет президент Койн?..

— Прикажет заблокировать туннель, — с убежденностью говорит Гейл.

— Да, скорее всего, — соглашается Бити. — Но знаешь, Гейл, в одном Пит был прав. Когда говорил, что мы можем сами себя уничтожить. Я тут прикинул... посчитал убитых, раненых и... В общем, думаю этот вопрос заслуживает особого обсуждения.

К обсуждению приглашают только избранных. Нас с Гейлом отпускают. Я беру его с собой на охоту — в надежде, что он немного выпустит пар и поостынет, но он почти все время молчит. Наверное, злится, что я выступила против него.

План утвержден. Вечером я облачаюсь в костюм Сойки-пересмешницы, вешаю лук на плечо и вставляю в ухо наушник, связывающий меня с Хеймитчем в Тринадцатом дистрикте, — на случай, если представится возможность для агитролика.

Мы стоим на крыше Дома правосудия, откуда наша цель видна как на ладони.

Вначале на наши планолеты не обращают внимания — в прошлом они доставляли обитателям Орешка не больше беспокойства, чем мухи, жужжащие вокруг горшка с медом. Только после того, как бомбы дважды падают на самую вершину горы, нас принимают всерьез. Однако к тому времени, когда зенитные установки Капитолия открывают огонь, уже слишком поздно.

Успех превосходит все ожидания. Бити был прав — когда лавины приходят в движение, их уже не остановить. Горные склоны здесь сами по себе нестабильны, от взрывов же они становятся текучими. Мы — маленькие и ничтожные — затаив дыхание наблюдаем, как волны камней с грохотом несутся вниз, заваливая выходы штолен тоннами горной породы, превращая Орешек в могилу.

Я представляю себе кромешный ад, царящий внутри. Вой сирен. Свет мигает, потом гаснет. От пыли нечем дышать. Люди кричат и мечутся в поисках выхода. Но его нет — все штольни, стартовые шахты ракет, вентиляционные отверстия забиты землей и породой. Болтаются электрические провода, вспыхивают пожары. Груды камней превращают знакомые места в непроходимые лабиринты.

— Китнисс! — раздается в наушнике голос Хеймитча. Я пытаюсь ответить и обнаруживаю, что обе мои руки плотно прижаты ко рту. — Китнисс!

В день, когда погиб мой отец, сирены сработали во время школьного обеда. Никто не ждал разрешения уйти с уроков. Это подразумевалось само собой. Авария на шахте важнее любых предписаний. Я побежала в класс Прим. До сих пор помню ее, маленькую для своих семи лет, очень бледную. Сидела и ждала меня, чинно сложив руки на парте. Я обещала, что приду за ней, если завоют сирены. Она вскочила, схватила меня за рукав пальто, и мы влились в поток людей, текущий к главному входу на рудники. Мы нашли маму. Она стояла, вцепившись руками в ленту, натянутую вокруг места аварии. Мне следовало уже тогда понять, что с мамой творится неладное. Потому что это она должна была нас искать, а не наоборот.

Клети поднимались, извергали на божий свет покрытых копотью шахтеров и, скрипя тросами, снова уносились вниз. Каждый раз в толпе раздавались радостные крики, родственники подныривали под веревку, торопясь встретить своих мужей, жен, детей, родителей, братьев и сестер. Мы стояли на ледяном ветру, под затянутым тучами небом, с которого сыпался легкий снег. Клети двигались все медленнее и выпускали все меньше людей. Я встала на колени, зарылась руками в шлак, словно хотела вытащить отца из-под земли. Не знаю, можно ли чувствовать себя более беспомощной. Раненые. Трупы. Ожидание длиною в ночь. Незнакомые люди набрасывают нам одеяла на плечи. Суют в руки кружку с чем-то горячим. Я не могу пить. И наконец, под утро — скорбное выражение на лице начальника шахты, которое могло означать лишь одно.

Что мы натворили!

— Китнисс! Ты меня слышишь? — Хеймитч, должно быть, уже мысленно примеряет мне на голову железный обруч с наушниками.

Я опускаю руки.

— Да.

— Скорее в укрытие. Капитолий вот-вот может нанести ответный удар.

— Хорошо.

Все, кроме солдат у пулеметов, спускаются вниз. Идя по лестнице, провожу пальцем по безупречно белой мраморной стене. Холодной, прекрасной. Даже в Капитолии я не видела ничего, что могло бы сравниться с великолепием этого старого здания. Мрамор впитывает тепло моих рук, оставаясь таким же холодным и неподатливым. Камень всегда побеждает человека.

Я сижу, прислонившись к гигантской колонне в вестибюле. Через открытые двери видны мраморные ступени, ведущие к площади. Там мы с Питом принимали поздравления с победой в Играх. Измотанные туром, не сумевшие утихомирить дистрикты, с образами Мирты и Катона перед глазами и особенно страшной медленной смерти Катона в когтях переродков.

Рядом садится Боггс, в тени его кожа кажется бледной.

— Мы не стали минировать туннель. Возможно, кто-нибудь из них сможет выкарабкаться.

— Как только они покажутся, мы их расстреляем? — спрашиваю я.

— Только если нас вынудят.

— Мы могли бы послать туда поезда. Помочь вывозить раненых.

— Нет. Решено предоставить туннель им самим. Чтобы все колеи оставались свободными. К тому же нам нужно время, чтобы стянуть на площадь остальные войска.

Всего несколько часов назад площадь была нейтральной территорией, линией фронта между повстанцами и миротворцами. После того как Койн одобрила план Гейла, повстанцы предприняли ожесточенную атаку и оттеснили войска Капитолия на несколько кварталов, чтобы в случае успеха операции железнодорожная станция была в наших руках. И вот операция удалась. Орешек пал. Снова строчит пулемет. Очевидно, миротворцы пытаются прорваться на помощь товарищам.

— Ты замерзла, — говорит Боггс. — Пойду поищу одеяло.

Он уходит прежде, чем я успеваю возразить. Я не хочу укрываться. Пусть мрамор дальше высасывает тепло из моего тела.

— Китнисс, — говорит Хеймитч мне в ухо.

— Слушаю.

— Есть интересная новость о Пите. Я подумал, ты захочешь узнать.

Интересная не значит хорошая. Ему не лучше. Но мне ничего не остается, кроме как выслушать Хеймитча.

— Мы прокрутили ему ролик, где ты поешь «Дерево висельника». Ролик еще не был в эфире, поэтому Капитолий не мог его использовать, когда обрабатывал Пита. Пит сказал, что узнал песню.

У меня замирает сердце. Потом я понимаю, что это просто путаница у него в голове. Из-за яда ос-убийц.

— Он не мог ее узнать, Хеймитч. Я никогда не пела эту песню при нем.

— Не ты. Твой отец. Когда приезжал в пекарню. Питу было лет шесть или семь, но он хорошо запомнил этот случай, потому что хотел проверить, правду ли говорят, будто птицы умолкают, когда поет твой отец. Оказалось, правду.

Шесть или семь лет. Видимо, до того, как мама запретила нам эту песню. Может быть, я как раз разучивала ее.

— А я там была?

— Вряд ли. Во всяком случае, про тебя Пит не говорил. Но это первое воспоминание, связанное с тобой, которое не спровоцировало у него нервный срыв! Уже что-то.

Мой отец. Сегодня он во всем. Гибнет в шахте. Успокаивает спутанное сознание Пита... А вот промелькнул во взгляде Боггса, заботливо накидывающего одеяло мне на плечи. Мне так его не хватает!

Стрельба на улице усиливается. Гейл с отрядом повстанцев спешит на подмогу. Я не прошусь с ними. Дело даже не в том, что это бесполезно. Я не чувствую решимости, огня в крови. Если бы тут был Пит — прежний Пит, — он бы сумел объяснить, почему это неправильно — стрелять друг в друга, пока другие люди, неважно какие, пытаются спастись из недр горы. Или на меня слишком повлияли воспоминания? Разве мы не на войне? Чем этот способ уничтожения врагов хуже других?

Приходит ночь. Площадь залита светом огромных прожекторов. Все фонари на станции горят на полную мощность. Узкое, длинное строение со стеклянным фасадом просвечивается насквозь, и даже я со своего места увижу, если прибудет поезд или из туннеля выйдет хотя бы один человек. Проходят часы, и никто не появляется. С каждой минутой надежды, что в Орешке кто-то выжил, становится все меньше. Уже далеко за полночь, появляется Крессида и цепляет мне на одежду микрофон.

— Зачем это? — спрашиваю я.

— Знаю, тебе это не понравится, но нам нужно, чтобы ты выступила с речью, — объясняет голос Хеймитча в наушнике.

— С речью? — переспрашиваю я, мгновенно ощущая дурноту.

— Я все продиктую, строчку за строчкой, — успокаивает Хеймитч. — Тебе нужно будет только повторять. Видишь, Орешек не подает признаков жизни. Победа за нами, но миротворцы еще оказывают сопротивление. Мы подумали, если ты выйдешь на ступени Дома правосудия и выложишь все, как есть, — что Орешек уничтожен и с Капитолием во Втором дистрикте покончено, — то, возможно, остатки их войск сдадутся.

Вглядываюсь в темноту за краем площади.

— Я даже не могу разглядеть эти войска.

— Вот потому тебе нужен микрофон. Твой голос будет транслироваться по системе аварийного оповещения, а изображение — на экраны.

Да, на площади установлено несколько огромных экранов. Я видела их во время тура победителей. Возможно, из этого бы что-то получилось, будь я подходящей кандидатурой для таких экспериментов. Но я не подхожу. Мне уже пытались диктовать для агитроликов, и что толку?

— Ты могла бы спасти жизнь многим людям, — говорит Хеймитч.

— Хорошо. Я постараюсь.

Странное чувство — стою в свете прожекторов наверху лестницы, при полном параде, а вокруг — никого. Будто я собираюсь выступать для луны.

— Давай сделаем это по-быстрому, — говорит Хеймитч. — Место слишком открытое.

Телевизионщики подают знак — все готово. Я говорю Хеймитчу, что можно начинать, включаю микрофон и внимательно слушаю первую строчку речи. Едва я начинаю говорить, на одном из огромных экранов загорается мое изображение.

— Жители Второго дистрикта! Я, Китнисс Эвердин, обращаюсь к вам со ступеней Дома правосудия, где...

Визжа тормозами, на станцию по соседним путям одновременно влетают два поезда. Двери раскрываются, и наружу, в облаке дыма, привезенного из Орешка, высыпают люди. Они явно готовились к любым неожиданностям, потому что большинство сразу падают на землю, и лампы внутри вокзала мигом гаснут под градом пуль. Да, они прибыли вооруженными, как предсказывал Гейл, но среди них много раненых. В наступившей тишине слышны их стоны.

Кто-то выключает освещение на лестнице, оставляя меня под защитой темноты. Внутри вокзала вспыхивает пламя — очевидно, загорелся один из поездов — в окнах клубится черный дым. Не имея другого выбора, люди выбегают на площадь, задыхаясь, но воинственно размахивая оружием. Мой взгляд скользит по крышам зданий, окружающих площадь. На каждой из них сидят пулеметчики. Лунный свет блестит на смазанных стволах.

Со стороны вокзала, шатаясь, идет молодой парень, прижимая одной рукой окровавленный кусок ткани к щеке, другой волоча ружье. Когда он спотыкается и падает лицом вниз, я вижу, что рубашка у него сзади прогорела и спина обожжена. Для меня он просто пострадавший в пожаре на шахте. Ноги сами несут меня вниз по лестнице.

— Стойте! — кричу я. — Не стреляйте! — Слова, усиленные громкоговорителями, эхом разносятся над площадью и за ее пределами. — Не стреляйте!

Я приближаюсь к парню, наклоняюсь, чтобы помочь, и тут он поднимается на колени и направляет ружье мне в голову. Я инстинктивно отступаю на несколько шагов и поднимаю лук над головой, показывая, что не хочу причинить ему вреда. Теперь, когда он обеими руками держит ружье, я вижу рваную рану на его щеке. От него пахнет гарью. В глазах — ужас и боль.

— Замри, — шепчет мне в ухо Хеймитч.

Я следую его приказу, и внезапно осознаю, что эту сцену сейчас видит весь Второй дистрикт, а может, и весь Панем. Сойка-пересмешница во власти человека, которому нечего терять.

— Ты считаешь, что имеешь право жить? — с трудом разбираю я его слова. — Отвечай!

Весь остальной мир отступает на задний план. Есть только я и этот несчастный с безумными глазами, требующий ответа. Конечно, найдется тысяча причин и доказательств моего права на жизнь. Однако с моих губ срываются только два коротких слова:

— Не знаю.

Сейчас он спустит курок. Однако парень явно сбит с толку. Такого ответа он не ожидал. Я сама не ожидала от себя такого. Благородный порыв, погнавший меня через площадь, сменяется отчаянием, когда я осознаю, что сказанное мной — абсолютная правда.

— Не знаю. В этом вся проблема, верно? — Я опускаю лук. — Мы взорвали вашу гору. Вы сожгли дотла мой дистрикт. У нас есть все причины убивать друг друга. Давай же.

Доставь удовольствие хозяевам. Я устала убивать для Капитолия его рабов.

Я бросаю лук на землю и отталкиваю его носком ботинка. Лук скользит по мостовой и останавливается у колен парня.

— Я не раб.

— Зато я — раб, — говорю я. — Поэтому я убила Катона... а он убил Цепа... а Цеп — Мирту... а она пыталась убить меня. Одно тянет за собой другое, а кто в итоге побеждает? Не мы. Не дистрикты. Всегда Капитолий. Я устала быть пешкой в его Играх.

Пит. Он понимал все это еще до того, как мы ступили на арену. Надеюсь, он видит меня сейчас и вспомнит ту ночь на крыше Тренировочного центра. Может быть, он простит меня, когда я умру.

— Продолжай говорить, — настаивает Хеймитч. — Расскажи про обвал.

— Когда я увидела, как рушится гора, то подумала — все повторяется. Они снова заставили меня убивать вас — жителей дистриктов. Почему? Между Двенадцатым и Вторым никогда не было вражды, кроме той, что навязал нам Капитолий.

Парень растерянно хлопает глазами.

Я опускаюсь перед ним на колени, мой голос звучит глухо и взволнованно.

— А почему вы сражаетесь с повстанцами? С Лайм, которая была вашим победителем? С людьми, которые были вашими соседями, может быть, даже родственниками?

— Не знаю, — отвечает парень. Ружье все еще направлено на меня.

Я встаю и медленно поворачиваюсь, обращаясь к повстанцам на крышах.

— А вы, там наверху? Я родом из шахтерского города. С каких пор шахтеры обрекают на смерть других шахтеров, а потом добивают тех, кто сумел выбраться из-под обломков?

— Кто враг? — шепчет Хеймитч.

— Эти люди, — я показываю на израненные тела на площади, — не враги вам. — Разворачиваюсь в сторону вокзала. — Повстанцы — не враги вам! У всех один враг — Капитолий! Сейчас у нас есть шанс положить конец его власти, но это можно сделать только всем вместе!

Камеры снимают меня крупным планом, когда я протягиваю руки к парню, к раненым, к людям во всем Панеме.

— Жители дистриктов, я призываю вас к единению! Вместе мы победим!

Мои слова повисают в воздухе. Я смотрю на экран в надежде увидеть, как некая волна примирения пробегает между всеми нами.

Вместо этого я вижу, как в меня стреляют.

16

«Всегда».

Я слышу голос Пита, одно это тихое слово, и иду его искать. В этом мире, окрашенном в фиалковые тона, нет четких линий и острых углов, но вдоволь укромных мест, где можно спрятаться. Я шагаю сквозь пушистые облака, бреду по едва различимым тропинкам. Запах корицы и укропа. Чувствую на щеке ладонь Пита, пытаюсь удержать ее, но она ускользает из моих пальцев, как туман.

Постепенно вокруг прорисовываются стены стерильной палаты, и я вспоминаю...

Мама дает мне чай с успокоительным сиропом. Я ушибла пятку, когда спрыгивала с ветки над электрическим забором, чтобы попасть обратно в Двенадцатый. Пит укладывает меня в кровать, и я прошу его остаться со мной. Он что-то шепчет, но я уже не слышу. Однако какая-то часть моего мозга уловила одно-единственное слово и теперь в наркотическом сне, будто в насмешку, выпустила снова.

«Всегда».

Морфлинг притупляет все чувства, поэтому вместо укола боли я ощущаю лишь пустоту. Сухие колючки там, где раньше цвели цветы. К сожалению, в моей крови недостаточно наркотика, чтобы заглушить боль в левом боку. Куда попала пуля. Я ощупываю толстую повязку, обхватывающую мои ребра, и думаю, почему я еще здесь.

Курок спустил не он. Не тот парень, стоявший на коленях посреди площади. Кто-то другой. Я не почувствовала, как в меня вошла пуля. Ощущения больше напоминали удар кувалдой. Дальше ничего не помню, только выстрелы.

Я пытаюсь сесть на кровати, но у меня получается только застонать.

Белая занавеска, отделяющая мою кровать от соседней, отодвигается, и надо мной появляется лицо Джоанны Мэйсон. Первая моя реакция — испуг, потому что она напала на меня на арене. Приходится напомнить себе, что она спасала мне жизнь. Таков был план мятежников. Правда, это еще не значит, что она меня не презирает. Может, это было притворством, для Капитолия?

— Я жива, — говорю я сипло.

— Да ну.

Джоанна плюхается на мою кровать, и мою грудь пронзает боль. Увидев мою гримасу, Джоанна только улыбается. Что ж, видимо, объятий и поцелуев не будет.

— Все еще побаливает?

Ловким движением она вытаскивает иглу от капельницы с морфлингом из моей вены и вставляет в катетер на своей руке.

— Мне урезали дозу. Боятся, как бы я не стала вроде тех чудиков из Шестого. Вот приходится одалживаться у тебя. Ты ведь не против?

Против? Как я могу быть против, зная, что Сноу едва не замучил ее до смерти? У меня нет права быть против, и ей это известно.

Джоанна с довольным видом переводит дух, когда морфлинг попадает ей в кровь.

— Пожалуй, они там, в Шестом, были не так уж глупы. Ширнутся и ну себя разрисовывать. Чем не жизнь? По крайней мере, они были счастливее, чем остальные.

За те недели, что меня не было в Тринадцатом, Джоанна набрала немного веса. На бритой голове появился мягкий пушок, и шрамы уже не так заметны. Но видно, ей еще приходится туго, раз она подключается к моей капельнице.

— Ко мне каждый день приходит этот их доктор по мозгам. Типа помогает мне прийти в себя. Как будто тип, всю жизнь проторчавший в этой кроличьей норе, может меня починить. Полный идиот. Все твердит, что я в полной безопасности. Двадцать раз на дню.

Я улыбаюсь. Действительно, глупо говорить такое, особенно тому, кто победил в Играх. Словно кто-то может быть в безопасности, где бы то ни было.

— Как ты, Сойка? Чувствовала себя когда-нибудь в полной безопасности?

— Еще бы! Пока меня не подстрелили.

— Да брось. Пуля тебя даже не коснулась. Скажи спасибо Цинне.

Я вспоминаю про защитную броню в моем костюме. Но почему тогда так больно?

— Сломаны ребра?

— Тоже нет. Сильный ушиб — это есть. От удара у тебя порвалась селезенка. Пришлось удалить. — Джоанна небрежно взмахивает рукой. — Не переживай, без нее можно обойтись. Была б нужна, тебе б пришили чужую, верно? Спасать твою жизнь — главная задача всех и каждого!

— Поэтому ты меня ненавидишь? — спрашиваю я. — Ты мне завидуешь?

— Отчасти. Но зависть не главное. Просто я тебя не перевариваю. Эта слащавая любовь, речи в защиту слабых и обездоленных. И самое противное — ты ведь даже не притворяешься, все на полном серьезе. Можешь считать это личным оскорблением.

— Это тебе надо было стать Пересмешницей. Ты уж за словом в карман не полезешь.

— Что верно, то верно. Только меня никто терпеть не может.

— Однако они тебе доверились. Чтобы меня вытащить, — напоминаю я. — И они тебя боятся.

— Здесь — возможно. Зато в Капитолии боятся тебя.

В дверях появляется Гейл, Джоанна сразу вытаскивает иглу и снова подключает меня к капельнице.

— Твой кузен меня не боится, — заговорщически сообщает Джоанна. Спрыгивает с моей постели и, подходя к двери, слегка задевает ногу Гейла своим бедром. — Правда, красавчик?

В коридоре слышен ее смех.

Глядя на Гейла, сердито хмурюсь.

— Ой, боюсь, боюсь, — тихо говорит он.

Я начинаю смеяться, но тут же морщусь от боли.

— Осторожнее. — Он гладит меня по лицу; боль утихает. — Может, хватит уже попадать в передряги?

— Я стараюсь. Но кому-то пришло в голову взорвать гору.

Гейл наклоняется ближе, глядя мне в лицо.

— Ты считаешь меня жестоким.

— Я знаю, ты не такой. И все равно это как-то неправильно.

— Китнисс, какая в сущности разница — взорвать врага в шахте или подбить в небе стрелой Бити? Результат — один и тот же.

— Не знаю. В Восьмом мы защищались. Они атаковали госпиталь.

— Да, и те планолеты были из Второго дистрикта. Уничтожив их, мы предотвратили другие бомбардировки.

— Если так рассуждать... можно найти оправдание чему угодно, любому убийству. Детей на Голодные игры тоже посылали, чтобы предотвратить бунт дистриктов.

— Не вижу связи.

— Зато я вижу. Наверное, для этого нужно там побывать.

— Отлично. У нас здорово получается ругаться друг с другом. Может, это и к лучшему. Между прочим, Второй дистрикт теперь наш.

— Правда?

На миг во мне вспыхивает ликование. Затем я вспоминаю о людях на площади.

— Что было после того, как в меня выстрелили?

— Ничего особенного. Работники Орешка кинулись на капитолийских солдат. Повстанцы просто сидели в сторонке и наблюдали. Вся страна сидела и наблюдала.

— Это у нас получается лучше всего.

Казалось бы, после потери важного органа мне должны были дать отлежаться несколько недель в постели, но врачи почему-то настаивают, чтобы я как можно скорее встала на ноги и начала двигаться. В первые дни внутри меня все разрывается от боли даже под морфлингом; со временем становится лучше. Только ребра еще, видимо, долго будут болеть. Я злюсь на Джоанну, что она отбирает у меня морфлинг, однако по-прежнему не могу ей отказать.

По Панему гуляют слухи о моей смерти, и ко мне в палату присылают съемочную группу. Я демонстрирую швы и кровоподтеки, поздравляю дистрикты с успешным объединением и предупреждаю Капитолий, что скоро мы доберемся до него.

Для моего быстрейшего выздоровления каждый день мне позволяют небольшие прогулки на поверхности. Как-то раз Плутарх присоединяется ко мне, чтобы поделиться последними новостями. Теперь, когда Второй дистрикт стал нашим союзником, повстанцы устроили небольшую передышку от войны. Перегруппировать силы, обеспечить пути снабжения, оказать помощь раненым, сформировать войска. Подобно Тринадцатому в Темные Времена, Капитолий полностью отрезан от внешнего мира и угрожает нам ядерным оружием. Однако в отличие от Тринадцатого Капитолий не в состоянии перестроиться на автономное существование.

— Какое-то время они еще протянут, — говорит Плутарх. — Безусловно, у них есть неприкосновенный запас. Но самое существенное различие между Тринадцатым и Капитолием — люди. Жители Тринадцатого привыкли к тяготам и лишениям, а в Капитолии не знают ничего, кроме «panem et circenses».

— Что это?

Я разобрала только слово «Панем».

— Есть такое древнее выражение. Сказано тысячи лет назад на латыни — был такой язык — о городе под названием Рим, — объясняет Плутарх. — «Panem et circenses» переводится как «хлеба и зрелищ». Автор хотел сказать, что люди Рима думают только о развлечениях и о том, как набить брюхо, ради этого забыли о своих политических обязанностях. И, как следствие, потеряли власть.

Что ж, похоже на Капитолий. Изобилие еды. И ни с чем не сравнимое развлечение — Голодные игры.

— Для этого и нужны дистрикты. Снабжать Капитолий хлебом и зрелищами.

— Да. И до тех пор, пока Капитолий их получал, он полностью контролировал свою маленькую империю. Сейчас он не может дать людям ничего — во всяком случае, дает гораздо меньше, чем они привыкли. Зато у нас еда есть, и за зрелищами дело не станет. Я как раз организую одно развлекательное мероприятие. Думаю, успех ему обеспечен. Все любят свадьбы.

Я замираю, будто громом пораженная, не веря своим ушам. Плутарх собирается инсценировать нашу с Питом свадьбу?! С моего возвращения я так и не решилась больше подойти к тому одностороннему стеклу, только попросила Хеймитча держать меня в курсе. Он мало что мне рассказывает. Чем дальше, тем меньше шансов. И теперь они хотят ради развлекательной программы устроить нам свадьбу?

Плутарх спешит меня успокоить.

— Нет-нет, Китнисс. Не твоя свадьба. Финник и Энни женятся. От тебя требуется только прийти и сделать вид, будто ты страшно за них рада.

— На этот раз мне не придется «делать вид», Плутарх.

Следующие несколько дней проходят в суматохе и радостном возбуждении. Разница между Капитолием и Тринадцатым проявляет себя и тут. Когда Койн говорит «свадьба», она имеет в виду, что двое людей подписывают листок бумаги и получают новое жилье. В понимании Плутарха свадьба — сотни разодетых в пух и прах гостей и пир на три дня. Забавно смотреть, как они пререкаются из-за каждой мелочи. Плутарх сражается за каждого гостя, каждую музыкальную ноту.

— Какой смысл снимать развлекательную программу, когда нет никакого веселья! — кричит он в отчаянии, после того как Койн поочередно накладывает вето на праздничный ужин, развлечения и алкоголь.

Главный распорядитель Игр не привык к экономии. Кое-как они приходят к компромиссу. Даже скромное празднество вызывает ажиотаж в Тринадцатом, где, кажется, совсем не знают, что такое праздники. Когда объявляется набор детей из Четвертого дистрикта для исполнения брачной песни, приходят чуть ли не все. Нет отбоя и от добровольцев, желающих помочь с декорациями. В столовой люди воодушевленно обсуждают предстоящее событие.

Это нечто большее, чем просто свадьба. Мы все так изголодались по чему-нибудь хорошему, что непременно хотим в этом участвовать. Плутарх чуть с ума не сходит, не зная, где раздобыть платье для невесты, и я вызываюсь отвезти Энни в мой дом в Двенадцатом, где осталось несколько вечерних платьев, сшитых для меня Цинной. Те, что я надевала во время тура победителей. Поначалу я осторожничаю с Энни. Мне известно о ней только то, что Финник ее любит, а все остальные считают чокнутой. Пока мы летим в планолете, я понимаю, что она не столько чокнутая, сколько рассеянная. То смеется невпопад, то замолкает посреди фразы. Зеленые глаза сосредоточенно смотрят в какую-нибудь точку так, что невольно пытаешься разглядеть, что же она там видит. Иногда Энни ни с того ни с сего зажимает уши руками, будто от неприятного звука. Конечно, она странная, но Финник ее любит, и мне этого достаточно.

Нам разрешили взять с собой мою группу подготовки — насчет моды и стиля пусть решают они. Едва я открываю шкаф, воцаряется тишина — настолько сильно там ощущается дух Цинны. Октавия падает на колени, прижимает к щеке край платья и заливается слезами.

— Как давно я не видела ничего прекрасного.

Койн считает свадьбу излишне дорогой, Плутарх слишком блеклой. Триста избранных гостей из Тринадцатого и множество беженцев одеты в повседневную одежду. Украшения для зала — из осенних листьев, музыка — детский хор в сопровождении единственного скрипача, которому удалось выбраться из Двенадцатого со своим инструментом. По капитолийским меркам — более чем скромно. Но все это неважно, потому что сами виновники торжества выглядят потрясающе. И дело не в нарядах, какими бы красивыми они ни были, — на Энни зеленое шелковое платье, которое я надевала в Пятом, на Финнике перешитый костюм Пита. Кто может равнодушно смотреть на сияющие лица влюбленных, которые еще недавно даже не мечтали об этом дне?

Церемонией руководит Далтон, скотовод из Десятого, потому что свадебные обычаи в Десятом и Четвертом дистриктах похожи. Но есть и особенности, свойственные только Четвертому. Сеть из длинных стеблей травы, которой накрывают пару во время клятвы. Соленая вода, которой жених с невестой смачивают друг другу губы. И старинная свадебная песня, в которой супружество сравнивается с путешествием по морю.

Нет, мне не приходится притворяться, что я счастлива за них.

После скрепляющего союз поцелуя, поздравлений и тостов (гости пьют яблочный сидр), скрипач проводит смычком по струнам, и все, кто родом из Двенадцатого, как по команде поворачивают головы. Может, мы и были самым маленьким и бедным дистриктом Панема, но танцевать мы умеем. Официально сейчас в программе ничего нет, но Плутарх, руководящий съемками в операторской, должен быть доволен. Сальная Сэй хватает Гейла за руку и тащит в центр зала, где они становятся друг против друга. Другие спешат присоединиться к ним, образуя два длинных ряда. И танцы начинаются.

Я стою в стороне, прихлопывая в такт музыке, как вдруг чья-то тощая рука хватает меня за локоть.

— Ты не хочешь показать Сноу, как танцуешь? — сердито спрашивает меня Джоанна.

Она права. Что может выразить победу ярче, чем счастливая Пересмешница, кружащаяся под музыку? Я нахожу в толпе Прим. За долгие зимние вечера мы с ней стали отличными партнерами. Включаемся в общий танец. Бок порядком болит, но это ничто по сравнению с удовольствием от того, что Сноу увидит меня отплясывающей вместе с моей младшей сестрой.

Танец преображает нас. Мы объясняем шаги гостям из Тринадцатого. Тянем танцевать жениха с невестой. Беремся за руки и образуем огромный хоровод, где каждый показывает, на что способны его ноги. Никогда еще эти стены не видели столько радости, веселья и дурачеств. Это могло бы продолжаться всю ночь, если бы не еще один пункт программы. Плутарх запланировал его в качестве сюрприза.

Четыре человека вкатывают в зал огромный свадебный торт. Гости расступаются, освобождая дорогу этому чуду, этому умопомрачительному произведению искусства. Целое сине-зеленое море, украшенное белыми барашками волн, с рыбами и парусными лодками, тюленями и морскими анемонами. Я пробираюсь сквозь толпу, спеша убедиться в том, что поняла с первого взгляда, — всю эту красоту создал Пит. Это так же очевидно, как то, что вышивка на платье Энни сделана руками Цинны.

Казалось бы, мелочь, но как много она значит! Хеймитч рассказывал мне далеко не все. Тот парень, которого я видела в последний раз, заходящийся в истошном крике, пытающийся порвать ремни, никогда бы не смог сотворить такое. Сосредоточиться, усмирить трясущиеся руки, придумать нечто столь совершенное. Будто предчувствуя мою реакцию, рядом со мной оказывается Хеймитч.

— Хочешь поговорить? — предлагает он.

В коридоре, где на нас не смотрят объективы камер, я спрашиваю:

— Что с ним происходит?

Хеймитч качает головой:

— Я не знаю. Никто не знает. Иногда он ведет себя вполне разумно, а потом вдруг ни с того ни с сего опять срывается. Торт — тоже своего рода терапия. Пит трудился несколько дней. И тогда казалось, что он снова стал прежним.

— Значит, ему теперь разрешают ходить где угодно? — спрашиваю я. От этой мысли мне становится не по себе.

— Нет. Он работал под строгим присмотром. Его все еще запирают в палате. Но я разговаривал с ним.

— Наедине? И у него не начался приступ?

— Нет. Он, правда, очень злился на меня, но по вполне разумным причинам. За то, что я не рассказал ему о заговоре повстанцев и все такое. — Хеймитч замолкает, будто что-то решая. — Он говорит, что хотел бы увидеться с тобой.

Я в паруснике из глазури посреди бушующего сине-зеленого моря. Палуба уходит у меня из-под ног. Упираюсь ладонями в стену, чтобы не упасть. Это нечестно. Я списала Пита со счетов, пока была во Втором. Все, что я хотела, — отправиться в Капитолий, убить Сноу и погибнуть самой. Ранение — лишь временная отсрочка. Я не должна была услышать этих слов: «Он говорит, что хотел бы увидеться с тобой». Но теперь, когда я их услышала, пути к отступлению нет.

В полночь я стою перед дверью его камеры. Больничной палаты. Нам пришлось ждать, пока Плутарх закончит съемку свадьбы, которой остался доволен, несмотря на недостаток того, что он называет гламуром.

— Нам повезло, что Капитолий все эти годы практически игнорировал Двенадцатый. Вы не утратили способность действовать стихийно. Как в тот раз, когда Пит объявил, что влюблен в тебя, или твоя выходка с ягодами. Вот это я называю качественным шоу.

Жаль, что нельзя встретиться с Питом наедине. За односторонним стеклом уже собрались врачи с планшетами и ручками наготове. Когда Хеймитч подает мне сигнал, я медленно открываю дверь.

Голубые глаза мгновенно впиваются в меня пристальным взглядом. Каждая рука Пита пристегнута тремя ремнями, в вену воткнута игла с трубкой — если он потеряет над собой контроль, ему впрыснут транквилизатор. Пит не пытается освободиться, только настороженно наблюдает за мной, будто сомневается — человек я или переродок. Я останавливаюсь в ярде от его кровати. Не зная, куда деть руки, скрещиваю их на груди:

— Привет.

— Привет, — отвечает он.

Да, это его голос, почти его, только в нем появились какие-то незнакомые нотки. Нотки подозрения и упрека.

— Хеймитч сказал, ты хочешь поговорить со мной.

— Хотя бы посмотреть для начала.

Такое чувство, будто он так и ждет, что я на его глазах превращусь в оборотня с пеной у рта. Мне становится не по себе от его взгляда, и я начинаю украдкой посматривать в сторону комнаты с наблюдателями, надеясь на какие-нибудь указания от Хеймитча, но наушник молчит.

— А ты не такая уж высокая. И не особо красивая.

Я знаю, он прошел через все муки ада, и все же это замечание меня задевает.

— Ну, раньше ты тоже выглядел получше.

Совет Хеймитча не лезть в бутылку заглушается смехом Пита.

— А уж какая деликатная! Сказать такое, после всего, что я пережил!

— Мы все много чего пережили. А деликатностью из нас двоих всегда отличался ты.

Я говорю все не то. Зачем я начинаю с ним пререкаться. Его пытали! Ему охморили мозги. Что же это со мной? Внезапно я понимаю, что хочу накричать на него — сама не знаю почему. Пожалуй, мне лучше уйти.

— Слушай, я неважно себя чувствую. Давай загляну к тебе завтра, идет?

Я уже подхожу к двери, когда он произносит:

— Китнисс, я помню про хлеб.

Хлеб. Единственное, что связывало нас до Голодных игр.

— Тебе показали запись, где я рассказываю об этом?

— Нет. А есть такая запись? Странно, что капитолийцы ее не использовали.

— Мы сняли ее в тот день, когда тебя спасли, — поясняю я. Боль сжимает мне ребра точно тиски. Зря я все-таки танцевала.

— Что ты помнишь?

— Тебя, — тихо произносит Пит. — Как ты копалась в наших мусорных баках под дождем. Как я нарочно подпалил хлеб. Мама меня ударила и сказала, чтоб я вынес хлеб свинье, но вместо этого я отдал его тебе.

— Да. Все так и было, — говорю я. — На следующий день, после школы, я хотела поблагодарить тебя. Но не знала как.

— После уроков на школьном дворе я пытался поймать твой взгляд. Но ты отвернулась. А потом... кажется, сорвала одуванчик.

Я киваю. Пит помнит. Я никогда никому об этом не рассказывала.

— Должно быть, я очень тебя любил.

— Да, — мой голос срывается, и я притворяюсь, будто кашляю.

— А ты любила меня?

Я опускаю глаза в кафельный пол.

— Весь Панем так говорит. Все это знают, потому Сноу и пытал тебя. Чтобы доставить боль мне.

— Это не ответ, — произносит он. — Когда я смотрю записи, не знаю, что и думать. Тогда, на первых Играх, все выглядело так, будто ты хотела прикончить меня с помощью ос-убийц.

— Я хотела убить вас всех. Вы загнали меня на дерево.

— Потом эти поцелуи... С твоей стороны они смотрятся не очень-то искренними. Тебе нравилось целоваться со мной?

— Иногда, — признаюсь я. — Ты знаешь, что за нами сейчас наблюдают?

— Знаю. А с Гейлом?

Во мне опять закипает злость. Терапия терапией, но я не собираюсь обсуждать это перед посторонними.

— Тоже неплохо, — резко бросаю я.

— И нас это устраивало? Что ты целуешься с обоими?

— Нет. Вас это не устраивало. Только я у вас и не спрашивалась.

Пит испускает презрительный смешок.

— Ты, я смотрю, порядочная стерва!

Хеймитч не останавливает меня, когда я выскакиваю из палаты. Бегу по коридору. По лабиринту отсеков. Забиваюсь в угол прачечной за теплую трубу. Проходит немало времени, прежде чем я понимаю, что именно меня так задело, а когда понимаю, стыжусь признаться. Еще недавно я принимала как должное, что Пит меня обожает. Теперь с этим покончено. Наконец он видит меня такой, какая я есть. Грубая. Недоверчивая. Эгоистичная. Смертельно опасная.

И я ненавижу его за это.

17

«Это подло!» — вот первая мысль, полоснувшая меня после рассказа Хеймитча. Выбегаю из палаты, лечу вниз по лестнице в Штаб и врываюсь прямо на военный совет.

— Что значит, я не лечу в Капитолий? Я должна! Я — Пересмешница! — кричу я.

Койн едва поднимает взгляд от экрана.

— Вот именно. И твоя основная цель как Сойки-пересмешницы — объединить дистрикты в борьбе против Капитолия — достигнута. Не волнуйся, если все пройдет хорошо, мы пригласим тебя на церемонию капитуляции.

Капитуляции?!

— Мне не нужна церемония! Я хочу драться. И я вам нужна — кто из вас стреляет лучше меня?!

Не люблю хвастаться, но сейчас случай особый.

— Вы ведь берете Гейла!

— Гейл ежедневно участвовал в тренировках, если только не был занят другими обязанностями. Мы уверены, что можем на него положиться, — говорит Койн. — А сколько занятий посетила ты?

Ни одного. Вот сколько.

— Я охотилась... и тренировалась с Бити в отделе спецвооружения.

— Это не то же самое, Китнисс, — говорит Боггс. — Мы знаем, что ты ловкая, и смелая, и отлично стреляешь. Но в бою нам нужны солдаты. Ты понятия не имеешь об исполнении приказов. К тому же ты сейчас не в лучшей форме.

— В Восьмом вас это не заботило. Да и во Втором, если на то пошло, — парирую я.

— В обоих случаях твое участие официально не было предусмотрено, — говорит Плутарх, буравя меня взглядом, чтоб я не сболтнула лишнего.

Он прав. Ни сбивать планолеты в Восьмом, ни выбегать к раненым во Втором мне определенно никто не приказывал. Это получилось стихийно.

— Причем оба раза ты была ранена, — добавляет Боггс.

Внезапно я вижу себя его глазами. Семнадцатилетняя малявка. Взъерошенная. Недисциплинированная. Не оправившаяся до конца. Не солдат, а наказание.

— Но мне нужно быть там, — упрямо настаиваю я.

— Почему? — интересуется Койн.

Почему? Потому что я жажду отомстить Сноу. Потому что мне невыносима мысль находиться в Тринадцатом вместе с теперешним Питом, пока Гейл сражается на поле боя. Я не могу сказать Койн об этом, но у меня есть вдоволь других причин.

— Из-за Двенадцатого. Они уничтожили мой дистрикт.

Президент на секунду задумывается. Смотрит на меня оценивающим взглядом.

— Хорошо. У тебя есть три недели. Этого мало, но ты можешь хотя бы начать тренироваться. Если комиссия сочтет тебя годной, возможно, мы пересмотрим наше решение.

Точка. Это большее, на что я могу надеяться. Что ж, сама виновата. Из расписания выбирала только то, что мне по вкусу. Беготня с автоматом по полю меня не привлекала. Теперь вот расплачиваюсь.

Джоанна в госпитале рвет и мечет. Ее тоже не берут. Я говорю ей, что решила Койн.

— Может, тебе тоже разрешат тренироваться.

— Ладно. Я буду ходить на тренировки. Но я полечу в чертов Капитолий, даже если мне придется захватить планолет и убить экипаж.

— Думаю, на занятиях тебе лучше про это не распространяться, — говорю я. — Но я рада, что будет кому меня подбросить.

Джоанна ухмыляется. Похоже, наши отношения начинают налаживаться. Не уверена, что нас можно назвать подругами, но слово «союзники», пожалуй, сгодится. Это хорошо. Союзник мне скоро понадобится.

На следующее утро, когда мы в 7.30 являемся на тренировку, действительность дает мне пощечину. Нас определяют в отряд новичков, четырнадцати-пятнадцатилетних подростков. Это кажется несколько оскорбительным, пока не становится ясно, что и до них нам далеко. Гейл и остальные бойцы, выбранные для отправки в Капитолий, тренируются по ускоренной программе. После растяжки (больно!) часа два выполняем силовые упражнения (очень больно!), потом на очереди бег на пять миль (боль дикая!). Сколько ни обзывает меня Джоанна дохляком, неженкой и всякими другими словами, я выдерживаю только одну милю.

— Ребра, — объясняю я инструктору, суровой женщине средних лет, к которой нам следует обращаться «солдат Йорк». — Все еще болят.

— Ясно дело: так они еще месяц болеть будут.

Я качаю головой.

— У меня нет месяца.

Она окидывает меня взглядом.

— Врачи не предлагали тебе никакого лечения?

— А оно есть? — спрашиваю я. — Мне сказали, само заживет.

— Они всегда так говорят. Но они могут ускорить процесс, если я попрошу. Предупреждаю — будет несладко.

— Пожалуйста. Я должна попасть в Капитолий.

Солдат Йорк молча делает пометку в блокноте и сразу отсылает меня обратно в госпиталь.

— После обеда я вернусь, — обещаю, помедлив. Мне больше не хочется пропускать тренировки.

Инструктор поджимает губы.

Двадцать четыре укола в грудную клетку. Лежу распластанная на кровати, скрипя зубами, чтобы не просить капельницу с морфлингом. Еще утром она на всякий случай стояла у кровати. В последнее время я ею не пользовалась, но держала ради Джоанны. Сегодня мне сделали анализ на следы наркотика в крови — лекарство имеет в сочетании с морфлингом опасные побочные эффекты. Врачи не скрывали, что пару дней придется туго, но меня это не остановило.

Ночка в нашей палате — врагу не пожелаешь. О сне не может быть и речи. Мне кажется, я прямо-таки чувствую запах горелого мяса от своей груди. Джоанна страдает от ломки. Сначала, когда я извиняюсь, что больше не смогу снабжать ее морфлингом, она машет рукой — рано или поздно это должно было случиться. К трем ночи осыпает меня самой изощренной бранью, какая есть в Седьмом дистрикте. На рассвете поднимается и вытаскивает меня из постели, чтобы идти на тренировку.

— Кажется, я не смогу, — признаюсь я.

— Сможешь. Мы победители, или ты забыла? Мы выживаем вопреки всему! — рычит Джоанна, а сама вся зеленая и дрожит как осиновый лист.

Я одеваюсь.

Нам нужно быть победителями, чтобы пережить это утро. Когда мы видим, что снаружи льет как из ведра, мне кажется, Джоанна сейчас грохнется в обморок. Лицо ее становится пепельным, и она будто перестает дышать.

— Всего лишь вода. Это не смертельно, — говорю я.

Она сжимает зубы и выходит на раскисшее поле. Дождь не прекращается ни на минуту, пока мы разминаемся, делаем упражнения, потом шлепаем по беговой дорожке. Я снова останавливаюсь через милю и борюсь с искушением сорвать рубашку, чтобы холодный дождь остудил горящие ребра. Давясь, запихиваю в себя полевой паек — пропитанную водой рыбу и тушеную свеклу. Джоанна съедает половину, затем ее тошнит.

После обеда нас учат собирать и разбирать автоматы. У меня получается, у Джоанны слишком дрожат руки. Я ей помогаю, когда Йорк отворачивается. Потом, несмотря на непрекращающийся дождь, меня ждет приятный сюрприз — мы идем на стрельбище. Наконец что-то, что я хорошо умею. Автомат, конечно, не то же самое, что лук, но к концу дня у меня лучший результат в группе.

Едва мы возвращаемся в госпиталь, Джоанна говорит:

— Мне это уже осточертело. Жить в госпитале. Все смотрят на нас как на пациентов.

Для меня это не проблема: я могу переехать в отсек к своей семье. У Джоанны своего жилья нет. Однако, когда она просит выписать ее, врачи не соглашаются, чтобы она жила одна, даже если ежедневно будет встречаться с психологом. Думаю, они раскумекали насчет морфлинга.

— Она будет не одна. Я стану жить с ней, — заявляю я.

Некоторые возражают, но Хеймитч становится на нашу сторону, и к вечеру мы получаем отсек напротив Прим и мамы, которая соглашается приглядывать за нами.

После того как я принимаю душ, а Джоанна обтирается мокрым полотенцем, она осматривает комнату. Увидев в ящике комода мои скудные пожитки, быстро его закрывает.

— Прости.

В ящике Джоанны только казенная одежда. Вообще, у нее нет ничего, что бы она могла назвать своим.

— Все в порядке. Можешь посмотреть, если хочешь.

Джоанна открывает мой медальон, разглядывает фотографии Гейла, Прим и моей матери. Вытаскивает из серебряного парашюта трубку для живицы. Надевает ее себе на мизинец.

— От одного вида хочется пить.

Потом она натыкается на жемчужину, которую мне подарил Пит.

— Это та самая?..

— Да, — говорю я. — Уцелела как-то.

Не хочется говорить о Пите. Одно из преимуществ тренировок — мне о нем некогда думать.

— Хеймитч говорит, он поправляется, — говорит Джоанна.

— Может быть. Но он изменился.

— Ты тоже. И я. И Финник, и Хеймитч, и Бити. Не говоря уже об Энни Кресту. Арена нас всех порядком искалечила — тебе не кажется? Или ты до сих пор чувствуешь себя той девочкой, которая вызвалась добровольцем вместо сестры?

— Нет, не чувствую.

— В одном мой мозговед прав. Пути назад нет. Нужно жить дальше.

Джоанна аккуратно складывает все обратно в ящик и забирается на кровать напротив моей. Тут же гасят свет.

— Не боишься, что я тебя прикончу во сне?

— А ты? — спрашиваю я в ответ.

Мы смеемся, хотя обе настолько выжаты, что будет чудом, если мы сможем назавтра подняться.

Но мы поднимаемся. Каждое утро. Снова и снова. К концу недели мои ребра как новые, а Джоанна собирает автомат без посторонней помощи.

Солдат Йорк одобрительно кивает.

— Отлично потрудились, солдаты.

— В Играх и то легче победить, — бурчит Джоанна, стоит нам отойти, но по лицу видно, что она довольна.

В столовую, где меня ждет Гейл, мы входим, можно сказать, в отличном настроении. Огромная порция рагу из говядины также способствует поднятию духа.

— Сегодня утром прибыла первая партия продовольствия, — рассказывает Сальная Сэй. — Из Десятого дистрикта. Настоящая говядина. Не то что ваши собаки.

— Что-то не припомню, чтобы ты ими брезговала, — парирует Гейл.

Мы подсаживаемся за стол к Делли, Энни и Финнику. После женитьбы Финника будто подменили. Прежний томный сердцеед, виденный мной в Капитолии, загадочный союзник на арене, сломленный горем парень, помогший не сломаться мне, превратился в человека, излучающего радость. Ненавязчивый юмор и легкий характер — вот в чем его истинное обаяние. Финник ни на секунду не отпускает руку возлюбленной — ни когда они идут, ни когда едят. Энни словно окутана облаком счастья. Бывают мгновения, когда что-то вторгается в ее разум и точно отгораживает от нас, но два слова из уст Финника тотчас возвращают ее обратно.

Делли, которую я знала с детства, но никогда особенно не принимала в расчет, выросла в моих глазах. Она слышала, что Пит сказал мне в ночь после свадьбы, но не разболтала. Хеймитч говорит, она мой лучший защитник перед Питом, когда тот снова начинает кричать про меня гадости. Пит верит Делли больше, чем остальным, потому что ее он знает. Я благодарна Делли, пусть она даже и преувеличивает мои достоинства. Честно говоря, немного приукрашивания мне не повредит.

Я умираю с голоду, а рагу такое аппетитное — говядина, картошка, репа и лук в густой подливе. Приходится сдерживать себя, чтобы не проглотить все разом. В столовой царит радостное оживление. Как благотворно действует на людей просто хорошая еда! Насколько она делает их добрее, веселее и жизнерадостнее. Лучше любого лекарства. Чтобы продлить удовольствие, макаю хлеб в подливу и понемногу его откусываю. Прислушиваюсь к разговору. Финник рассказывает забавную историю о морской черепашке, стащившей его шляпу. Я смеюсь, прежде чем осознаю, что здесь — *он*. Через стол от меня, рядом с Джоанной. Смотрит в мою сторону. Хлеб застревает у меня в горле, и я начинаю кашлять.

— Пит! — восклицает Делли. — Как хорошо, что ты пришел... и здоров.

За спиной Пита двое огромных охранников. Он неловко держит поднос кончиками пальцев, потому что его запястья соединены короткой цепочкой.

— А что это за миленькие браслетики? — интересуется Джоанна.

— Мне еще не доверяют, — говорит Пит. — Я даже не могу присесть здесь без вашего разрешения. — Он машет головой на охранников.

— Конечно, пусть садится. — Джоанна хлопает по свободному стулу рядом с собой. — Мы же старые друзья.

Охранники кивают, и Пит садится.

— В Капитолии у нас с ним были соседние камеры. Он хорошо знает мои крики, а я его.

Энни, сидящая с другой стороны от Джоанны, зажимает уши руками и принимает отрешенный вид. Финник обнимает ее, бросая сердитый взгляд на Джоанну.

— А что такого? — удивляется Джоанна. — Врач говорит, я должна прямо высказывать что думаю. Это нужно для лечения.

Веселье разом испарилось. Финник что-то шепчет Энни, пока та наконец не убирает руки от ушей. Потом следует длительное молчание — все притворяются, будто заняты едой.

— Энни, — непринужденным тоном говорит Делли, — а ты знаешь, что ваш свадебный торт украшал Пит? В Двенадцатом у его родителей была пекарня, и он всегда все глазировал.

Энни с опаской смотрит мимо Джоанны на Пита.

— Спасибо, Пит. Очень красивый торт.

— Пожалуйста, Энни. — В голосе Пита звучат прежние ласковые нотки, которые, я думала, исчезли навсегда. Пусть они относятся не ко мне, но все же.

— Если мы еще хотим выбраться на прогулку, нам лучше поторопиться, — предупреждает Финник. Складывает оба подноса вместе, чтобы нести в одной руке, другой крепко держит Энни. — Приятно было повидаться, Пит.

— Будь с ней поласковее, Финник. А то возьму да и отобью ее у тебя.

Сошло бы за шутку, если бы не этот ледяной тон. Совсем неуместный. Выражающий недоверие Финнику, подразумевающий, будто он, Пит, не прочь приударить за Энни, будто Энни может бросить Финника, будто меня и вовсе не существует.

— Смотри, Пит, а то пожалею, что откачал тебя тогда, — беспечно говорит Финник и, бросив на меня обеспокоенный взгляд, уводит Энни.

— Он спас тебе жизнь, Пит, — укоризненно произносит Делли. — И не раз.

— Ради нее. — Пит коротко кивает в мою сторону. — Ради восстания. Не ради меня самого. Я ему ничем не обязан.

Не следовало бы попадаться на удочку, но я не сдерживаюсь:

— Может, и так. Но Мэгз больше нет, а ты жив. Или, по-твоему, это ничего не значит?

— Много чего должно что-то значить, Китнисс, но почему-то не значит. У меня есть парочка воспоминаний, в которых я не могу разобраться, хотя не думаю, что Капитолий в них вмешивался. Те ночи в поезде, например.

Снова намеки. Будто в поезде произошло больше, чем на самом деле. Будто то, что было на самом деле — ночи, когда я сумела остаться в здравом уме лишь благодаря тому, что меня обнимали его руки, — больше ничего не значит. Будто я все время только притворялась, чтобы использовать его.

Пит показывает ложкой на меня с Гейлом.

— А вы как — уже официальная пара? Или они все талдычат про несчастных влюбленных?

— Все талдычат, — говорит Джоанна.

Пит судорожно сжимает и разжимает пальцы. Ему так сильно хочется вцепиться мне в шею? Чувствую, как напрягся Гейл рядом со мной. Еще только драки не хватало. Но Гейл просто говорит:

— Никогда бы не поверил, если бы не видел своими глазами.

— Ты о чем? — интересуется Пит.

— О тебе.

— Нельзя ли поточнее? Что со мной не так?

— Что тебя превратили в злобного переродка, — выпаливает Джоанна.

Гейл допивает молоко.

— Ты все?

Я поднимаюсь, и мы относим наши подносы. У дверей меня останавливает старик — я до сих пор сжимаю в руке хлеб с подливой. Что-то в моем лице, видно, смягчает блюстителя порядка, к тому же я не пыталась спрятать еду, — он разрешает мне запихнуть хлеб в рот и идти дальше.

— Такого я не ожидал, — произносит Гейл, когда мы почти доходим до моего отсека.

— Я же говорила, он меня ненавидит.

— Все дело в том, *как* он тебя ненавидит. Мне это... очень знакомо. Раньше я тоже испытывал нечто подобное, — признается Гейл. — Когда я видел по телевизору, как ты его целуешь. Только я понимал, что не вполне справедлив к тебе. А он этого не понимает.

— Может быть, он просто видит меня такой, какая я на самом деле... — Мы останавливаемся у моей двери. — Мне надо поспать.

Гейл ловит меня за руку:

— Ты правда так думаешь?

Я пожимаю плечами.

— Китнисс, поверь мне, как своему самому старому другу. Он не видит, какая ты на самом деле.

Гейл целует меня в щеку и уходит.

Я сижу на кровати с учебником по военной тактике, но в голову ничего не лезет. Отвлекают мысли о Пите. О ночах в поезде. Минут через двадцать приходит Джоанна и плюхается ко мне на кровать.

— Ты пропустила самое интересное. Делли накинулась на Пита из-за того, как он себя с тобой вел. У нее такой писклявый голосок. Будто кто-то вилкой в мышь тычет. Вся столовая глазела.

— А что Пит?

— Стал разговаривать с самим собой — будто два разных человека спорят. Охранникам пришлось его увести. А я под шумок слопала его мясо. Кажется, никто не заметил.

Джоанна поглаживает раздувшийся живот. Под ногтями у нее грязь. Интересно, в Седьмом когда-либо моются?

Часа два мы опрашиваем друг друга по военным терминам. Потом я ненадолго заскакиваю к маме и Прим. Возвратившись и приняв душ, ложусь в кровать.

— Джоанна, ты правда слышала, как он кричал? — спрашиваю я, глядя в темноту.

— Так было задумано, — отвечает она. — Как с сойками-говорунами на арене. Только все по-настоящему и гораздо дольше часа. Тик-так.

— Тик-так, — шепчу я в ответ.

Розы. Переродки. Трибуты. Дельфины из глазури. Друзья. Сойки-пересмешницы. Стилисты. Я сама. Сегодня в моих снах все кричат.

18

С остервенением бросаюсь в пучину тренировок. Физическая подготовка, строевая, огневая, лекции по тактике — вот все, чем я живу и дышу. Меня и еще нескольких солдат выделяют в особую группу. Это дает мне надежду — возможно, я все-таки попаду в Капитолий.

То, чем мы занимаемся, все называют просто «Кварталом», но на моей татуировке значатся буквы У.У.Б. — сокращенно от «учебный уличный бой». В центре Тринадцатого построена модель капитолийского квартала. Инструктор делит нас на отряды по восемь человек и ставит различные задачи — занять определенную позицию, уничтожить объект, обыскать дом. Все как в настоящем бою. Если что-то может пойти наперекосяк — именно так и происходит. Один неверный шаг — и ты «подрываешься» на фугасе, на крыше появляется снайпер, и у тебя заклинивает ружье.

Плач ребенка приводит в засаду. Командир — здесь это всего лишь голос программы — убит из миномета, и нам нужно обходиться без приказов. Конечно, ты понимаешь, что это понарошку и погибнуть здесь нельзя. Когда срабатывает фугас, ты слышишь звук взрыва и должен притвориться мертвым. Но много и вполне реального — вражеские солдаты в форме миротворцев, дымовые бомбы. Нас даже газом травят. Только мы с Джоанной успеваем вовремя надеть маски. Остальные из нашего отряда на десять минут засыпают. Газ якобы безвреден, но, вдохнув его всего пару раз, я зарабатываю себе головную боль на весь оставшийся день.

Крессида со своей командой снимают нас с Джоанной на стрельбище. Гейла и Финника тоже. Это для новой серии агитроликов — о том, как повстанцы готовятся к захвату Капитолия. В целом все идет неплохо.

Затем на утренних тренировках стал появляться Пит. Без наручников, но все еще с парой охранников, не отходящих от него ни на шаг. После обеда я вижу, как он тренируется с группой начинающих на другой стороне поля. О чем они думают? Если у Пита из-за перепалки с Делли ум за разум заходит, как можно подпускать его к оружию?

Когда я говорю об этом Плутарху, он уверяет меня, что это только для съемок. Весь Панем видел свадьбу Энни и то, как ловко Джоанна стреляет по мишеням, но зрителей интересует Пит. Нужно показать, что он сражается на стороне повстанцев, а не на стороне Сноу. А если бы еще снять нас вдвоем... не обязательно целующимися, хотя бы просто счастливыми...

Я тут же поворачиваюсь и ухожу. Этого уж точно не случится.

В редкие свободные минуты я с волнением наблюдаю за приготовлениями к операции. Как грузят технику и провизию, формируют дивизии. Мобилизованных бойцов легко отличить по короткой стрижке. Все обсуждают первую часть операции — захват железнодорожных туннелей, ведущих к Капитолию.

За несколько дней до отбытия первой партии войск Йорк неожиданно сообщает нам с Джоанной, что рекомендовала допустить нас к экзамену, и начинается он прямо сейчас. Экзамен состоит их четырех частей: полоса препятствий, письменный тест по тактике, огневая подготовка плюс имитация боевой ситуации в Квартале. Первые три я прохожу с налета, одно за другим, — даже разволноваться не успеваю. Однако перед уличным боем возникает заминка — какой-то технический сбой. Группа обменивается информацией. Говорят, Квартал каждый проходит в одиночку. Никто не знает, что тебя там ждет. Один парень слышал, будто испытания подбирают нарочно с учетом твоих слабых мест.

Слабые места? Эту дверь я боюсь даже приоткрывать. Однако я отхожу в сторонку и пытаюсь разобраться, в чем же мои слабости. Размер получившегося списка удручает. Недостаточная физическая сила, минимум тренировок. Да и мой особый статус Сойки-пересмешницы вряд ли преимущество, когда речь идет о создании сплоченной группы. Есть много способов выбить почву у меня из-под ног.

Вызывают Джоанну. Я ободряюще ей киваю. Жаль, что я не первая. Так только больше времени на пустые предположения. Когда меня наконец вызывают, я не имею ни малейшего понятия, какую тактику выбрать. К счастью, едва я оказываюсь в Квартале, тренировки дают о себе знать. Я имею дело с засадой. Мне нужно пробиться к условленному месту встречи нашего отряда. Я медленно продвигаюсь по улице, убивая миротворцев. Двоих на крыше слева, еще одного в дверном проеме прямо по курсу. Главное — не зевать. Я ожидала чего-нибудь потруднее. Не нравится мне это. Слишком гладко все идет. Не упускаю ли я самого важного? До цели остается каких-то два здания, когда обстановка начинает накаляться. Из-за угла выскакивают сразу шесть миротворцев. Силы явно неравные. Однако тут я коечто замечаю. В канаве валяется бочка с бензином. Вот! В этом суть задания. Понять, что нужно взорвать бочку. Только я собираюсь это сделать, как командир, от которого до сих пор не было толку, ни с того ни с сего приказывает мне лечь на землю. Все мои инстинкты кричат против этого. Осталось только спустить курок, и миротворцы взлетят на воздух. И тут я вдруг осознаю, какое у меня самое слабое место с точки зрения военных. С той первой минуты на арене, когда я побежала за оранжевым рюкзаком, до огневого боя в Восьмом и заканчивая моей сумасбродной выходкой во Втором. Я не умею подчиняться приказам.

Я падаю на землю с таким проворством и такой силой, что буду, наверное, неделю выковыривать камешки из подбородка. Бочку с бензином взрывает кто-то другой. С миротворцами покончено, и я дохожу до условленного места. На другой стороне Квартала меня ждет солдат. Поздравив, ставит мне на руку печать с номером отделения — 451 — и отсылает в Штаб. Пьяная от радости, я несусь по коридорам, скользя на поворотах, потом скачу через ступеньки, потому что лифт слишком медленный, врываюсь в зал — и только тут осознаю всю странность ситуации. Зачем я понадобилась в Штабе? По идее, мне сейчас должны состригать волосы. Люди, сидящие вокруг стола, отнюдь не новоиспеченные солдаты. Скорее те, кто отдает приказы. При виде меня Боггс улыбается:

— Дай-ка посмотреть.

Неуверенно показываю ему руку со штампом.

— Ты зачислена в мое отделение. Снайперское. Присоединяйся. — Боггс кивает на группу солдат, выстроившуюся у стены. Гейл. Финник. И еще пять человек, которых я не знаю. Мое отделение. Меня не только приняли, но моим командиром будет Боггс! И друзья со мной! Хочется прыгать от радости, но я заставляю себя идти четким военным шагом.

Похоже, к нам относятся по-особому, раз вызвали в Штаб, и Сойка-пересмешница тут решительно ни при чем. Склонившись над какой-то широкой панелью в центре стола, Плутарх рассказывает о том, с чем мы столкнемся в Капитолии. Мне как раз приходит мысль, что доклад никуда не годится, потому что, даже встав на цыпочки, на панели невозможно ничего разглядеть, как вдруг Плутарх нажимает кнопку, и в воздухе появляется голографическое изображение капитолийской улицы.

— Вот, к примеру, территория вокруг одной казармы миротворцев. Не самая значимая из целей, однако посмотрите, — Плутарх набирает на клавиатуре код, и на голограмме вспыхивают разноцветные огоньки, мигающие с разной частотой. — Каждый огонек обозначает так называемую капсулу. Капсулы — разнообразные препятствия, которые могут быть чем угодно: от мины до стаи переродков. Но что бы это ни было, цель — либо захватить вас, либо убить. Некоторые капсулы существуют с Темных Времен, другие устроены позже. Признаюсь, я сам создал немало из них. Эта программа, которую прихватил один из нас, когда мы бежали, наша самая свежая информация. В Капитолии не знают, что она у нас есть. Тем не менее за последние несколько месяцев, вероятно, были введены в строй новые ловушки. Это надо иметь в виду.

Я не осознаю, как мои ноги несут меня к столу, пока не останавливаюсь в нескольких дюймах от голограммы. Рука тянется к быстро мигающему зеленому огоньку.

Кто-то подходит сзади, я чувствую его напряжение. Финник, конечно. Только победитель способен сразу разглядеть то, что вижу я. Арена. Напичканная капсулами, которыми управляют распорядители Игр. Пальцы Финника касаются ровного красного сияния над одной из дверей в голограмме.

— Леди и джентльмены... — Голос Финника тих, зато мой разносится по всему залу:

— ...семьдесят шестые Голодные игры объявляются открытыми!

Я смеюсь. Торопливо. Прежде чем кто-то успеет понять, что скрывается за этими словами. Прежде чем взметнутся брови, посыплются возражения, одно сопоставят с другим и мне запретят даже думать о Капитолии. Кому нужен на войне обозленный, сумасбродный победитель с кучей психологических проблем?

— Стоило ли тратить время на все эти тренировки, Плутарх? — спрашиваю я.

— Мы и без того два лучших бойца, какие у вас есть, — нахально прибавляет Финник.

— Этот факт от меня не укрылся, — отвечает Плутарх и нетерпеливо машет рукой. — Вернитесь в строй, солдат Одэйр и солдат Эвердин. Мне нужно закончить доклад.

Мы встаем обратно на свои места, не обращая внимания на вопросительные взгляды остальных. Я делаю вид, будто слушаю очень внимательно — иногда киваю, перемещаюсь, чтобы лучше было видно, — а сама только и думаю, как бы скорее убежать в лес, чтобы прокричаться. Или выругаться. Или расплакаться. А может, все вместе и сразу.

Если это была проверка, мы с Финником ее выдержали. Наконец Плутарх заканчивает, в заседании объявляется перерыв. Я здорово пугаюсь, когда меня подзывают, чтобы сообщить какой-то особый приказ. Оказывается, мне просто не нужно делать военную стрижку. Сойка-пересмешница должна быть похожа на огненную девушку с арены. Для камер. Я пожимаю плечами — дескать, мне все равно, — и меня отпускают.

В коридоре нас с Финником притягивает друг к другу.

— Что я скажу Энни? — волнуется он.

— Ничего, — отвечаю я. — Я своей маме и сестре ничего не скажу.

Мало того что мы едем практически на еще одну арену с кучей ловушек, не стоит пугать еще и наших любимых.

— Если она увидит эту голограмму...

— Не увидит. Наверняка она засекречена. Военная тайна. К тому же мы все-таки будем не на Играх. Никто не обязан погибать. Мы просто слишком близко принимаем это к сердцу, потому что... ну, ты сам знаешь почему. Ты ведь не передумал, а?

— Нет, конечно. Я хочу уничтожить Сноу не меньше, чем ты.

— На сей раз все будет иначе, — твердо говорю я, стараясь убедить и себя тоже. Внезапно я осознаю всю прелесть ситуации. — На сей раз Сноу тоже будет игроком.

К нам подходит Хеймитч. Он не был на собрании, но лицо у него озабоченное.

— Джоанну опять забрали в госпиталь.

Я думала, с Джоанной все в порядке, просто ее зачислили не в снайперы. Она потрясающе метает топор, но стреляет так себе.

— Что с ней? Она ранена?

— Знаешь, там, в Квартале, экзаменаторы стараются обратить против солдат их собственные слабости. В общем, они и затопили улицу.

Все равно ничего не понимаю. Джоанна умеет плавать. Я помню, как она плавала на Квартальной бойне. Не так, как Финник, конечно, но до Финника нам всем далеко.

— И что?

— В Капитолии ее пытали. Обливали водой, потом били током, — поясняет Хеймитч. — В Квартале у нее случилось что-то вроде дежавю. Она запаниковала, не могла понять, где находится. Сейчас ее опять накачали лекарствами.

Мы с Финником стоим и молчим, будто язык проглотили. Вот почему Джоанна никогда не моется. И почему боялась тогда выйти под дождь, — будто это не дождь был, а серная кислота. А я все списала на ломку.

— Вы бы сходили к ней, — предлагает Хеймитч. — Кроме вас у нее никого нет.

Это еще хуже. Не знаю, какие отношения у Джоанны с Финником, но я-то ее едва знаю. Ни семьи. Ни друзей. Даже ни одной вещицы из Седьмого, чтобы положить в казенный комод рядом с казенной одеждой. Ничего.

— Пойду сообщу Плутарху, — продолжает Хеймитч. — Ему это не понравится. Он хотел, чтобы перед камерами в Капитолии было как можно больше победителей. Считает, это привлечет зрителей.

— А вы с Бити едете? — спрашиваю я.

— Как можно больше молодых и красивых победителей, — уточняет Хеймитч. — Так что нет. Мы останемся здесь.

Финник сразу направляется в госпиталь к Джоанне, а я еще несколько минут жду в коридоре Боггса. Теперь он мой командир, и увольнение я должна, очевидно, просить у него.

Узнав, что я хочу сделать, Боггс выписывает мне пропуск, чтобы я во время анализа дня могла пойти в лес — при условии, что буду в поле зрения охранников. Быстро бегу в свою комнату. Вначале собираюсь использовать парашют, но с ним связано слишком много неприятных воспоминаний. Вместо этого иду через коридор в комнату мамы и Прим и беру один из белых ватных бинтов, что привезла из Двенадцатого. Квадратный. Крепкий. То, что нужно.

В лесу я нахожу сосну и нарываю горсть ароматных иголок. Кладу их на бинт и крепко завязываю концы прочным стеблем. Получается шарик размером с яблоко.

У двери палаты я останавливаюсь и пару секунд смотрю на Джоанну. Вся ее свирепость напускная. Сейчас она просто хрупкая девушка, вопреки снотворному изо всех сил старающаяся не закрывать широко посаженные глаза. Страшась снов. Я подхожу к ней и протягиваю узелок.

— Что это? — хрипло спрашивает она. Влажные волосы торчат надо лбом будто шипы.

— Это тебе. Сувенир. Чтоб было что положить в ящик. Понюхай его.

Джоанна осторожно подносит узелок к носу.

— Пахнет домом. — В ее глазах стоят слезы.

— Я так и задумывала. Ты же из Седьмого... Помнишь, когда мы встретились первый раз, ты была деревом. Недолго, правда.

Она вдруг крепко хватает меня за запястье.

— Ты должна убить его, Китнисс.

— Насчет этого можешь не беспокоиться. — Я борюсь с желанием выдернуть руку.

— Поклянись. Чем-нибудь, что тебе дорого.

— Клянусь. Своей жизнью.

— Жизнью твоей семьи, — настаивает Джоанна, все еще не отпуская мою руку.

— Клянусь жизнью моей семьи.

Видимо, со стороны моя забота о собственном выживании выглядит не слишком убедительно.

Джоанна отпускает меня, и я потираю запястье.

— Зачем еще, ты думаешь, я непременно хочу туда попасть, дурочка?

Она слабо улыбается моим словам.

— Просто мне надо было это услышать.

И, прижав к носу узелок с сосновыми иглами, закрывает глаза.

Оставшиеся дни пролетают незаметно. Утром короткая разминка, потом до вечера тренировка на стрельбище. В основном с винтовками и автоматами, но один час в день отдан работе со специальным оружием. Тогда я могу попрактиковаться с моим луком Сойки-пересмешницы, а Гейл со своей навороченной махиной. Трезубец, который Бити разработал для Финника, также имеет множество удивительных функций. Самое потрясающее, что он сам возвращается в руку, стоит Финнику нажать кнопку на своем браслете.

Иногда мы стреляем по чучелам в виде миротворцев, чтобы узнать слабые места в их экипировке. Изъяны в броне. Каждое точное попадание вознаграждается фонтаном фальшивой крови. Наши чучела покрыты ею сверху донизу.

Меткость у нас всех убийственная, что обнадеживает. Кроме меня с Финником и Гейлом, в отделении пять солдат из Тринадцатого. Джексон, заместительница Боггса, женщина средних лет, с виду кажется вялой, но попадает в мишени, которые остальные из нас без оптического прицела даже разглядеть не могут. Говорит, это из-за дальнозоркости. Потом еще две сестры лет двадцати с небольшим по фамилии Лиг — мы называем их Лиг Первая и Лиг Вторая, чтобы не путаться. Сначала я их вообще не различала, потом заметила в глазах Лиг Первой странные желтые пятнышки. И наконец Митчелл и Хоумс, совсем взрослые мужчины, оба неразговорчивые, зато с пятидесяти ярдов убьют муху, севшую тебе на ботинок. Однако, судя по всему, остальные отделения от нас не отстают, и я не понимаю, почему именно наше считается особым. До тех пор, пока однажды утром не является Плутарх.

— Отделение 451, вам поручается специальная миссия, — начинает он.

Я закусываю губу в безумной надежде, что эта миссия — убить Сноу.

— У нас вдоволь стрелковых отделений, зато не хватает телевизионных. Поэтому мы специально отобрали вас восьмерых в так называемый «звездный отряд», который станет лицом нашего наступления.

Вот тебе и на. По отделению прокатывается волна разочарования, которое сменяется злостью.

— Вы хотите сказать — мы не будем участвовать в реальных боях? — резким тоном спрашивает Гейл.

— Вы будете участвовать в реальных сражениях, только, возможно, не всегда на передовой. Если в войне такого рода вообще есть передовая.

— Мы не хотим. — Гул голосов поддерживает Финника, но я молчу. — Мы будем сражаться.

— Вы будете делать то, что полезно для дела, — говорит Плутарх. — Решено, что сейчас вы больше всего полезны на экране телевизора. Посмотрите, какой эффект произвела Китнисс. Полностью перевернула ситуацию. И заметьте — она единственная из вас не жалуется. Потому что понимает силу экрана.

Вообще-то, Китнисс не жалуется потому, что собирается расстаться со «звездным отрядом» при первой возможности, только для этого ей вначале нужно добраться до Капитолия. Хотя, если совсем не жаловаться, это тоже может показаться подозрительным.

— Мы ведь не только притворяться будем, да? — спрашиваю я. — Не зря же мы столько тренировались.

— Не беспокойся. У вас будет достаточно реальных мишеней. Главное — не подставляйтесь сами. Мне некогда искать вам замену. Теперь отправляйтесь в Капитолий и сделайте отличное шоу.

Утром в день отправки я прощаюсь с семьей. Я не стала им говорить про капсулы и насколько это все напоминает арену. Достаточно того, что я ухожу на войну. Мама долго держит меня в объятиях. Ее щека мокрая от слез, как в тот раз, когда я отправлялась на Игры.

— Не волнуйся. Все будет в порядке. Я даже не настоящий солдат. Просто одна из марионеток Плутарха, — убеждаю я ее.

Прим провожает меня до дверей госпиталя.

— Как ты себя чувствуешь?

— Лучше, чем прошлый раз, — отвечаю я. — Теперь я знаю, что Сноу ничего тебе не сделает.

— Когда мы увидимся опять, он уже никому ничего не сможет сделать, — уверенно заявляет Прим и обвивает руками мою шею. — Будь осторожна.

Я думаю, не попрощаться ли с Питом, но прихожу к выводу, что от этого нам обоим будет только хуже. В карман мундира я кладу жемчужину. Подарок мальчика с хлебом.

Планолет доставляет нас в Двенадцатый. Именно там повстанцы развернули сборный пункт. На сей раз никаких роскошных поездов — обычный товарняк, до предела набитый солдатами в темно-серой форме. Спать приходится, положив голову на рюкзак. Через два дня пути мы высаживаемся в одном из горных туннелей, ведущих в Капитолий, и еще шесть часов идем пешком, стараясь ступать по светящейся зеленой линии, которой отмечен безопасный путь.

Нас размещают в военном лагере повстанцев, тянущемся на десять кварталов вглубь от вокзала, на который мы с Питом приезжали в Капитолий перед Играми. Всюду снуют солдаты. Нам выделяют место, чтобы разбить палатки.

Повстанцы отбили этот район больше недели назад, потеряв при этом сотни жизней. Миротворцы отступили и заняли позиции ближе к центру города. Нас разделяют пустые улицы. Манящие и смертельно опасные. Сплошь утыканные ловушками. Мы не сможем наступать раньше, чем их обезвредим.

Митчелл спрашивает о бомбардировках — на такой открытой местности чувствуешь себя неуютно. Боггс отвечает, что это не проблема. Бóльшая часть капитолийских воздушных сил уничтожена во Втором. Если у Капитолия и осталась какая-то авиация, он не станет ею рисковать. Возможно, чтобы у Сноу и его приспешников была возможность смыться в президентский бункер, когда запахнет жареным. Мы так же не используем авиацию. С тех пор как противовоздушная оборона Капитолия уничтожила несколько наших планолетов, остальным было приказано возвращаться на базу. Война будет происходить на улицах и, надеюсь, не потребует много жертв и разрушений. Повстанцам нужен Капитолий — точно так же, как Капитолию был нужен Тринадцатый.

Спустя три дня бóльшая часть отделения 451 готова дезертировать от скуки. Крессида со своей командой снимает, как мы стреляем. Говорят, это часть плана по дезинформации противника. Если повстанцы станут уничтожать капсулы одну за другой, Капитолий в два счета поймет, что у нас есть голограмма. Поэтому мы стреляем по всякой ерунде, чтобы отвести подозрение. В основном по разноцветной стеклянной плитке на фасадах зданий. Подозреваю, потом кадры монтируют так, будто мы уничтожаем важные объекты. Время от времени требуются добровольцы для реальных боевых заданий. Всякий раз вверх взмывают все восемь рук, но Гейла, Финника и меня никогда не выбирают.

— Ты сам виноват, — говорю я Гейлу. — Чересчур фотогеничный.

Если бы взглядом можно было убить...

Похоже, лидеры сами толком не знают, что делать с нашей троицей, особенно со мной. Костюм Сойки-пересмешницы я привезла с собой, однако пока меня снимают только в форме. Иногда просят пострелять из лука. Похоже, они не готовы совсем отказаться от Сойки-пересмешницы, но хотят низвести ее роль до рядового пехотинца. Лично меня это нисколько не волнует. Скорее забавляет. Представляю, какие споры сейчас ведутся в Тринадцатом.

Вслух я, как и все, вовсю возмущаюсь тем, что нам не дают настоящего дела, а втайне готовлюсь к осуществлению своего плана. У каждого из нас есть бумажная карта Капитолия. Территория города образует почти идеальный квадрат. Линии делят карту на квадраты поменьше, каждый из которых отмечен буквами и цифрами. Я тщательно изучаю карту, стараясь запомнить каждый перекресток и проулок, но это детская забава по сравнению с возможностями командиров. У каждого из них есть портативное устройство, так называемый голограф, которое воспроизводит такую же голограмму, как мы видели в штабе. Любой сектор можно увеличить и посмотреть, какие там есть ловушки. Голограф работает автономно — ни отправлять, ни получать информацию он не может. По сути это просто улучшенная карта, однако настоящий подарок по сравнению с моей бумажной версией.

Голограф активируется голосом командира, но, когда включен, реагирует также на голоса его подчиненных. Если Боггс, к примеру, будет убит или тяжело ранен, его прибором сможет воспользоваться кто-то другой. Стоит кому-нибудь в отделении три раза подряд повторить слово «морник», голограф взрывается, уничтожая все в радиусе пяти ярдов. Мера предосторожности на случай попадания в плен. Само собой разумеется, каждый из нас пойдет на это без колебаний.

Следовательно, мне необходимо украсть у Боггса активированный голограф и смыться прежде, чем тот заметит. Хотя думаю, легче украсть у него зубы изо рта.

На четвертый день, утром, солдат Лиг Вторая нарывается на неправильно маркированную капсулу. Вместо тучи мошек-переродков, к которым мы были готовы, капсула выстреливает металлическими дротиками. Один из них попадает Лиг в голову. Она умирает, прежде чем прибегают врачи. Плутарх обещает скорую замену.

Следующим вечером прибывает новый член нашего отделения. Без наручников. Без охраны. На плече болтается автомат. Все ошарашены и не верят своим глазам, но на руке Пита стоит свежий штамп. Номер 451. Боггс забирает у него оружие и уходит к телефону.

— Бесполезно, — говорит нам Пит. — Президент лично направила меня сюда. Она считает, это прибавит агитроликам остроты.

Пожалуй, что прибавит. Однако это значит кое-что еще. Койн считает, что от меня мертвой будет больше пользы, чем от живой.

Часть III

ПОКУШЕНИЕ

19

Никогда раньше не видела, чтобы Боггс злился. Ни когда игнорировала его приказы, ни когда меня стошнило на него, ни даже когда Гейл сломал ему нос. Однако после телефонного разговора с Койн — Боггс в ярости. Первым делом он приказывает солдату Джексон, своей заместительнице, приставить к Питу круглосуточную охрану из двух человек. Затем приглашает меня прогуляться. Мы долго идем между палаток, пока наш лагерь не остается далеко позади.

— Так или иначе, он все равно меня убьет, — говорю я. — Тем более здесь. Где столько всего напоминает ему о плохом.

— Я буду смотреть за ним в оба, — обещает мне Боггс.

— Почему Койн хочет моей смерти?

— Она это отрицает.

— Но мы же понимаем, что это так. Должны же у вас быть какие-то предположения.

Прежде чем ответить, Боггс смотрит на меня долгим внимательным взглядом.

— Я скажу, что знаю. Ты не нравишься Койн. С самого начала. Она хотела спасти с арены Пита, но никто ее не поддержал. После того как ты вынудила ее объявить амнистию другим победителям, стало еще хуже. И даже с этим она могла бы смириться, учитывая, как хорошо ты справилась со своей задачей.

— В чем же тогда дело?

— Война скоро закончится. И тогда будут назначены выборы, — говорит Боггс.

Я закатываю глаза.

— Боггс, кому придет в голову, что я стану новым президентом?

— Никому, — соглашается Боггс. — Но ты поддержишь одного из кандидатов. Кого? Президента Койн? Или кого-то другого?

— Не знаю. Никогда об этом не думала.

— Если ты задумываешься и не сразу отвечаешь «Койн», — ты представляешь угрозу. Ты — лицо освободительной войны. Ни у кого нет столько влияния, как у тебя, — поясняет Боггс. — И ты никогда особенно не скрывала своего отношения к Койн.

— Она убьет меня, чтобы закрыть мне рот. — Еще не договорив, я понимаю, что это правда.

— Ты больше не нужна ей в качестве символа. Слышала, как она сказала? Твоя главная цель — объединение дистриктов — выполнена. Агитролики теперь сгодятся и без твоего участия. Ты можешь подстегнуть повстанцев еще только одним способом.

— Умереть, — тихо говорю я.

— Да. Стать мучеником революции, во имя которого они будут сражаться. Но пока я за тобой приглядываю, этого не произойдет, солдат Эвердин. Я хочу, чтобы ты прожила долгую жизнь.

— Почему? — спрашиваю я. Очевидно, что это не принесет Боггсу ничего, кроме неприятностей. — Вы мне ничем не обязаны.

— Потому что ты это заслужила. А теперь возвращайся в отделение.

Я должна быть признательна Боггсу, но чувствую только расстройство. Как я теперь смогу украсть у него голограф и дезертировать? Обмануть доверие того, кто уже однажды спас мне жизнь?

Увидев, как виновник моей неразрешимой задачи преспокойно ставит палатку, я прихожу в бешенство.

— Когда моя очередь караулить? — спрашиваю у Джексон.

Она смотрит на меня с сомнением или, может быть, просто щурится, чтобы лучше видеть мое лицо.

— Я не ставила тебя в график.

— Почему?

— Не уверена, что ты сможешь выстрелить в Пита, если понадобится.

— Я буду стрелять не в Пита, — отвечаю я громко и четко, чтобы слышали все. — Пита больше нет. Джоанна права. Я пристрелю капитолийского переродка.

Слова легко слетают с языка. Мне хочется сказать о нем что-нибудь гадкое после всех унижений, которые я перенесла с тех пор, как он вернулся.

— Что ж, это замечание также не в твою пользу, — говорит Джексон.

— Включите ее в график, — слышу я Боггса у себя за спиной.

Джексон качает головой, но делает пометку в блокноте.

— С полуночи до четырех. В паре со мной.

Раздается сигнал к ужину, и мы с Гейлом становимся в очередь перед полевой кухней.

— Хочешь, чтобы я его убил? — без обиняков спрашивает он.

— Тогда нас точно отошлют обратно, — говорю я. Несмотря на мою ярость, жестокость Гейла меня пугает. — Я сумею с ним справиться.

— В смысле, пока не смоешься отсюда? С картой и голографом, если сумеешь раздобыть?

Значит, мои приготовления не ускользнули от Гейла. Надеюсь, для остальных они были не столь очевидны. Все-таки Гейл знает меня лучше всех.

— Ты же не сбежишь без меня, верно? — спрашивает Гейл.

Именно так я и собиралась поступить. Однако иметь с собой давнего напарника, который в случае чего прикроет тебе спину, кажется, не такая уж плохая идея.

— Как твой товарищ по оружию, настоятельно рекомендую тебе оставаться со своим отделением. Но заставить я тебя не могу, верно?

Гейл усмехается.

— Это точно. Если, конечно, не хочешь, чтобы я поставил на уши всю армию.

Получив еду, отделение 451 вместе со съемочной группой усаживается в круг ужинать. Я чувствую некоторую натянутость и сначала думаю, что причина в Пите, однако к концу ужина замечаю все больше недружелюбных взглядов, направленных в мою сторону. Удивительно быстрая перемена. Когда Пит появился, всех волновало лишь то, насколько он опасен. Прежде всего, для меня. Но лишь звонок Хеймитча открывает мне глаза.

— Чего ты добиваешься? — напускается он на меня. — Хочешь его спровоцировать?

— Чепуха. Я хочу только, чтобы он оставил меня в покое!

— Он не может оставить тебя в покое! После того, что с ним сделали в Капитолии, — говорит Хеймитч. — Возможно, Койн послала его к вам, чтобы он тебя убил, но Пит этого не знает. Он не осознает, что с ним произошло. Ты не можешь винить его...

— Я и не виню!

— Нет, ты винишь! Ты снова и снова наказываешь его за то, что ему неподвластно. Да, ты должна быть с ним настороже. День и ночь не выпускать из рук оружия. Но попробуй представить себя на его месте. Что, если бы Капитолий взял тебя в плен, охморил, а потом прислал убить Пита? Думаешь, он вел бы себя так же, как ты сейчас?

Я молчу. Нет. Ни в коем случае Пит не стал бы себя так вести. Он любой ценой пытался бы вернуть меня прежнюю. Не поставил бы на мне крест, не бросил, не стал бы меня оскорблять.

— Ты и я, мы обещали друг другу спасти его. Помнишь? — спрашивает Хеймитч и, не дождавшись моего ответа, добавляет: — Вспомни и спасай.

Затем отключает связь.

Осенняя прохлада сменяется ледяным холодом. Почти все влезают на ночь в спальные мешки. Некоторые спят под открытым небом, у печи в центре лагеря, другие забираются в палатки. Лиг Первая, держащаяся днем, теперь дает волю слезам. Сквозь брезент слышны ее приглушенные рыдания.

Я лежу в палатке и раздумываю над словами Хеймитча. Стыдно осознавать, что за мыслями о мести Сноу я совсем забыла про гораздо более сложную проблему. Вытащить Пита из темного мира, куда его вверг охмор. Я не знаю, как отыскать в этом мире настоящего Пита, не говоря уже о том, как помочь ему выбраться оттуда. Не представляю даже, с чего начать. По сравнению с этим найти Сноу, пройдя напичканную ловушками арену, и пустить ему пулю в лоб кажется детской игрой.

В полночь вылезаю из палатки и сажусь на походный стул у печи, чтобы вместе с Джексон охранять Пита. Боггс приказал ему спать здесь, где он виден всему отделению. Но он и не спит. Сидит, высунув руки из спального мешка, и неловкими пальцами вяжет узлы на обрывке веревки. Я хорошо помню эту веревку. Финник дал мне ее той ночью в убежище. Кажется, будто Финник пытается сказать мне то же, что сказал Хеймитч, — я бросила Пита. И сейчас, возможно, самое подходящее время, чтобы попытаться это исправить. Надо что-то говорить, но мне ничего не приходит в голову. Поэтому я молчу. В ночной тишине слышно лишь дыхание солдат.

Примерно через час Пит произносит:

— Последние два года тебе, видно, пришлось нелегко. Все решала, убить меня или нет. Да или нет. Нет или да.

От такой несправедливости мне хочется вначале сказать что-нибудь язвительное, затем я вспоминаю разговор с Хеймитчем и делаю первый осторожный шаг в сторону Пита.

— Я никогда не хотела убивать тебя. Кроме того случая, когда думала, что ты помогаешь профи убить меня. Потом я всегда считала нас... союзниками.

Хорошее слово. Слегка отстраненное, но безопасное.

— Союзниками, — медленно повторяет Пит, будто пробуя слово на вкус. — Подруга. Возлюбленная. Победительница. Враг. Невеста. Мишень. Перородок. Соседка. Охотник. Трибут. Союзник. Список растет. Никак не могу понять, кто же ты на самом деле. — Пальцы Пита беспрерывно перебирают веревку. — Проблема в том, что я не могу отличить, где правда, а где вымысел.

Равномерного дыхания спящих больше не слышно. Остальные либо проснулись, либо и не засыпали. Я склоняюсь ко второму.

Из тени доносится голос Финника:

— А ты спрашивай, Пит. Энни так и делает.

— Спрашивать кого? — интересуется Пит. — Кому я могу доверять?

— Ну, для начала нам. Мы твое отделение, — включается Джексон.

— Вы мои надзиратели, — поправляет ее Пит.

— Отчасти, — соглашается она. — Но ты спас множество жизней в Тринадцатом. Мы этого не забудем.

В наступившей тишине я пытаюсь представить, что, если бы я не могла отличить иллюзию от реальности. Не знала, любят ли меня Прим и мама. Действительно ли Сноу мой враг. А тот человек напротив — спас меня или предал. В одно мгновение моя жизнь превращается в кошмар. Мне вдруг отчаянно хочется рассказать Питу обо всем — кто он, кто я, как мы оказались здесь. Но я не знаю, с чего начать. Я не могу ему помочь. От меня нет никакого толку.

Незадолго до четырех Пит снова обращается ко мне:

— Твой любимый цвет... зеленый?

— Да. — Я думаю, как бы поддержать разговор. — А твой оранжевый.

— Оранжевый? — недоверчиво переспрашивает Пит.

— Не ярко-оранжевый. Нежный оттенок. Как закатное небо, — поясняю я. — По крайней мере, ты сам мне так сказал однажды.

— Хм. — Он на мгновение закрывает глаза, возможно, пытаясь представить такой закат, потом кивает. — Спасибо.

Однако следующие слова уже срываются с моих губ:

— Ты — художник. Ты — пекарь. Любишь спать с открытыми окнами. Никогда не кладешь сахар в чай. И ты всегда завязываешь шнурки двойным узлом.

Потом я бегу в свою палатку, прежде чем сделаю какую-нибудь глупость. Например, расплачусь.

Утром Гейл, Финник и я идем стрелять по стеклам домов. Для съемок. Когда мы возвращаемся, Пит сидит в кругу солдат из Тринадцатого, которые хотя и вооружены, но дружелюбно с ним беседуют. Чтобы помочь Питу, Джексон придумала игру «Правда или ложь». Пит говорит о чем-то, что, как он думает, произошло на самом деле, а остальные отвечают, так это или нет.

— Большинство жителей Двенадцатого сгорели при пожаре.

— Правда. В Тринадцатый спаслись меньше девятисот человек.

— В пожаре виноват я.

— Ложь. Президент Сноу уничтожил Двенадцатый, как в свое время Тринадцатый, чтобы устрашить повстанцев.

Поначалу это кажется удачным решением, потом я понимаю, что большую часть того, что тяготит Пита, смогу подтвердить или опровергнуть я одна. Джексон составляет график дежурства. Финника, Гейла и меня она объединяет с солдатами из Тринадцатого. Так у Пита всегда будет возможность поговорить с тем, кто давно его знает. Разговор идет с перерывами. Питу требуется много времени, чтобы переварить самые незначительные детали — например, где в нашем дистрикте люди покупали мыло. Гейл рассказывает о Двенадцатом; Финник знаток обеих Игр — на первых был ментором, а на вторых — трибутом. Труднее всего говорить о том, что связано со мной, хотя мы касаемся самых незначительных тем. Цвет моего платья в Седьмом. Сырные булочки, которые я обожаю. Имя нашего учителя математики. Каждое воспоминание обо мне требует от Пита мучительных усилий. Возможно, все это бесполезно после того, что с ним сделал Сноу. Но мы должны попытаться. Я чувствую, что так правильно.

На следующий день нам сообщают, что нужно снять сложный ролик, в котором будет задействовано все наше отделение. В одном Пит был прав: и Койн, и Плутарх недовольны тем, что «звездный отряд» произвел до сих пор. Скучно и неэффективно. А чего они хотели? Никакого настоящего дела, только дурака валяем с автоматами. Однако от нас требуются не оправдания, а результаты. Поэтому сегодня для съемок выделили целый квартал. На его территории есть даже пара активных капсул. Одна запускает пулеметный огонь, другая набрасывает на врага сеть для последующего допроса или казни, в зависимости от предпочтений ловца. Никакого стратегического значения квартал, правда, не имеет — просто жилые дома.

Для пущего эффекта телевизионщики пустят дым и включат аудиозапись стрельбы. Мы все, включая операторов, надеваем тяжелое защитное обмундирование, будто в самом деле идем в самое пекло. Кроме автоматов, разрешено взять специальное оружие. Боггс даже возвращает Питу автомат, громко предупредив, что патроны в нем холостые.

Пит только пожимает плечами.

— Все равно стрелок из меня никакой.

Между тем Пит не отрываясь наблюдает за Поллуксом — так, что это уже начинает вызывать беспокойство. Наконец, будто разрешив мучавшую его загадку, возбужденно спрашивает:

— Ты безгласый, да? Я понял по тому, как ты глотаешь. Со мной в тюрьме было двое безгласых. Дарий и Лавиния. Стражники все время называли их рыжими. Они были нашими слугами в Тренировочном центре. Их замучили до смерти. Девушке повезло больше. Ей дали слишком высокое напряжение, и сердце не выдержало. Над парнем издевались несколько дней. Били, отрезали части тела. Задавали ему вопросы, но он не мог ответить, только мычал. Жуткие звуки. Ответы им были не нужны, понимаете? Они только хотели, чтобы я это видел.

Пит оглядывает наши потрясенные лица, будто ожидая чего-то. Так и не дождавшись, спрашивает:

— Правда или ложь? — Молчание еще больше выводит его из себя. — Правда или ложь?!

— Правда, — говорит Боггс. — По крайней мере, насколько я знаю... правда.

Возбуждение Пита улетучивается.

— Я так и думал. В этом не было ничего... блестящего. — Он отходит в сторону ото всех, бормоча что-то об ушах и пальцах.

Я подхожу к Гейлу, прижимаюсь лбом к его груди, покрытой бронежилетом. Чувствую, как меня обнимает его рука. Теперь мы знаем, как звали девушку, которую Капитолий на наших глазах схватил в лесу возле Двенадцатого. Знаем судьбу нашего друга-миротворца, заступившегося за Гейла. Они погибли из-за меня. Я добавляю их в свой личный список жертв, начатый на арене. Теперь в нем многие тысячи. Но когда я смотрю в лицо Гейла, я вижу, что он воспринял все это иначе. Он готов взорвать тысячи гор и разрушить сотни городов. Его взгляд сулит смерть.

Все еще под впечатлением от страшного рассказа Пита, мы идем по улицам, усыпанным битым стеклом, к нашей цели — кварталу, который нужно занять. Реальное, хотя малозначительное задание. Собираемся вокруг Боггса, чтобы изучить голографическую проекцию улицы. Капсула с пулеметным огнем находится в первой трети улицы над навесом одного из зданий. Вероятно, можно запустить ее при помощи выстрела. Капсула с сетью установлена в дальней части квартала, почти у самого перекрестка. Здесь нужен доброволец, который приведет в действие датчик движения. Вызываются все, кроме Пита, который, кажется, не совсем понимает, что происходит. Моя кандидатура отвергнута. Меня посылают к Мессалле, который накладывает мне макияж для крупных планов.

По команде Боггса отряд занимает позиции, после чего мы ждем, пока Крессида расставит операторов. Они слева от нас — впереди Кастор, чуть сзади Поллукс — и стоят так, чтобы не попадать в кадр. Мессалла подрывает пару дымовых шашек для создания соответствующей атмосферы. Так как это и боевое задание, и съемка одновременно, я уже собираюсь спросить, кто командует операцией, и тут Крессида рявкает: «Мотор!»

Мы идем по затуманенной улице — как на учениях в Квартале. Каждому нужно взорвать хотя бы одно окно, но настоящая цель только у Гейла. Когда он подбивает капсулу, мы ныряем в подъезды или прижимаемся к розовым и оранжевым камням мостовой, пока над головами свистят пули. Спустя некоторое время Боггс дает команду выдвигаться.

Не успеваем мы встать, как нас останавливает Крессида — ей нужно сделать несколько крупных планов. Мы по очереди повторяем наши действия — падаем на землю, морщимся, прячемся за укрытиями. Все понимают, что это серьезное дело, и все-таки каждый чувствует себя слегка по-дурацки — особенно когда выясняется, что в отряде есть актеры еще и похуже меня. Значительно хуже. Мы помираем со смеху, глядя на то, как Митчелл раздувает ноздри и скрипит зубами, изображая отчаяние, и Боггсу даже приходится нас отчитать.

— Включить мозг, отряд четыреста пятьдесят один, — строго говорит Боггс, но видно, что он тоже пытается скрыть улыбку. Бросив взгляд на следующую капсулу, он размещает голограф так, чтобы освещение было оптимальным, и делает шаг назад. При этом он наступает на оранжевую плитку — приводя в действие бомбу, взрыв которой отрывает Боггсу ноги.

20

Цветной витраж реальности разбивается вдребезги, открывая ужасный мир, находившийся за ним. Смех сменяется воплями, мостовую пастельных тонов заливает кровь, а спецэффекты, использованные для телесъемки, скрывает настоящий дым.

Второй взрыв как будто раскалывает на части сам воздух. В ушах звенит, но я не могу понять, где рвануло.

Добираюсь до Боггса, пытаюсь разглядеть что-нибудь в кровавом месиве, ищу, чем можно остановить кровь. Хоумс отталкивает меня, раскрывает аптечку. Боггс хватает меня за руку. У него серое лицо — покрытое пеплом лицо умирающего. Он угасает, но продолжает командовать:

— Голограф.

Голограф. Я бешено раскапываю груду липких от крови обломков, содрогаясь, когда натыкаюсь на кусочки еще теплой плоти. Голограф, как и сапог Боггса, застрял в шахте лестницы. Я достаю устройство, вытираю его ладонями и возвращаю командиру.

На культю, в которую превратилось левое бедро Боггса, Хоумс наложил какую-то давящую повязку — но она уже промокла насквозь. Сейчас он прилаживает жгут над коленом правой. Остальные бойцы заняли оборону вокруг нас и съемочной группы. Финник пытается оживить Мессаллу, которого взрывная волна впечатала в стену. Джексон орет в рацию, требует прислать медиков из лагеря, но я знаю: врачи не помогут. Еще в детстве, наблюдая за работой матери, я заметила — если лужа крови достигает определенного размера, человека уже не спасти.

Я встаю на колени рядом с Боггсом и готовлюсь сыграть ту же роль, что когда-то с Рутой и морфлингистом из Шестого. Я буду держать Боггса за руку, пока он уходит. Но обе руки у него заняты: он работает на голографе — вводит какую-то команду, прижимает большой палец к экрану, чтобы провести идентификацию, называет пароль — последовательность букв и цифр. Экран вспыхивает зеленым, освещая лицо командира.

— Утратил способность командовать отрядом, — говорит Боггс. — Доступ ко всем секретным материалам передается солдату отряда 451 Китнисс Эвердин.

Из последних сил он поворачивает голограф в мою сторону.

— Назови свое имя.

— Китнисс Эвердин, — говорю я в поток зеленого света, и внезапно он окружает меня. Сканирует? Записывает? Ослепляет? Тут свет гаснет, и я трясу головой, чтобы прийти в себя. — Что ты сделал?

— Приготовиться к отступлению! — кричит Джексон.

Финник орет что-то в ответ, указывая туда, откуда мы пришли. Там, словно из гейзера, вылетает что-то черное и маслянистое, превращаясь в сплошную стену тьмы. Это вещество не жидкость и не газ, и оно не похоже ни на природное, ни на искусственное соединение. Ясно одно: эта штука смертельно опасна. Так что назад пути нет.

Грохот пальбы оглушает: Гейл и Лиг Первая выстрелами прокладывают дорогу. Смысл их действий до меня доходит, только когда в десяти ярдах от нас взрывается еще одна бомба: это примитивный поиск мин. Мы с Хоумсом хватаем Боггса и бежим за Гейлом. Командир кричит от боли, и я хочу остановиться, придумать что-нибудь, но тьма раздувается над нами, накатывает, словно волна.

Кто-то рывком тянет меня назад; я отпускаю Боггса и падаю. Пустые, безумные глаза: Пит. Он замахивается прикладом, чтобы размозжить мне череп. Я откатываюсь в сторону, слышу, как приклад врезается в мостовую, краем глаза замечаю, что Митчелл сбивает Пита с ног. Пит, которому безумие только придало сил, поджимает ноги и лягает Митчелла в живот, отбрасывая на несколько ярдов.

Ловушка, приведенная в действие, громко трещит. Четыре троса, закрепленные на зданиях, поднимаются над грудой обломков; тащат сеть, в которую попадает Митчелл. Внезапно его тело заливает кровь, и мы замечаем, что проволока, из которой сделана сеть, покрыта крошечными колючками. Я сразу узнаю ее — такая же проволока украшала ограждение Двенадцатого дистрикта. Я кричу, чтобы он не двигался, и вдруг на меня накатывает тошнота от плотной, невыносимой вони, похожей на запах гудрона. Волна тьмы поднялась до максимальной высоты и теперь падает на нас.

Расстреляв замок на двери ближайшего здания, Гейл и Лиг Первая открывают огонь по тросам, на которых висит сетка. Остальные держат Пита. Я бросаюсь к Боггсу, и мы с Хоумсом затаскиваем его в дом, проносим по чьей-то гостиной, обитой белым и розовым бархатом, по коридору, увешанному семейными фотографиями, и падаем без сил на мраморном полу кухни. Кастор и Поллукс заносят извивающегося Пита. Джексон удается надеть на него наручники, но от этого он приходит в еще бóльшую ярость, и нам приходится запереть его в шкафу.

Хлопает дверь гостиной, кричат люди. Топот ног в коридоре. Мимо дома проносится черная волна. Трещат и ломаются окна. Вонь заполняет каждый уголок. Финник вносит Мессаллу; за ним, спотыкаясь и кашляя, входят Лиг Первая и Крессида.

— Гейл! — кричу я.

Он захлопывает за собою дверь и, задыхаясь, выжимает из себя только одно слово:

— Газ!

Кастор с Поллуксом затыкают щели полотенцами, а Гейл блюет в ярко-желтую раковину.

— Митчелл? — спрашивает Хоумс.

Лиг Первая качает головой.

Боггс сует мне в руки голограф и что-то говорит, но ничего не слышно. Я склоняюсь к Боггсу и слышу хриплый шепот:

— Не доверяй им. Не возвращайся. Убей Пита. Сделай то, ради чего ты сюда пришла.

Я отстраняюсь, чтобы заглянуть в глаза командира.

— Что? Боггс? Боггс?

Его глаза открыты, но он уже мертв. Кровь Боггса приклеила голограф к моей ладони.

Пит колотит ногами в дверь шкафа, однако его силы явно на исходе. Темп ударов замедляется, и наконец наступает тишина. Может, Пит тоже умер?

— Его больше нет? — спрашивает Финник, глядя на Боггса.

Я киваю.

— Уходим отсюда. Немедленно. Мы только что активировали целую улицу капсул, и, наверное, нас засекли камеры наблюдений.

— Тут уж можешь быть спокоен, — отвечает Кастор. — На каждой улице есть камеры, так что волну включили, как только мы приступили к съемкам ролика.

— Радио вырубилось почти сразу — похоже, враг применил электромагнитную бомбу. Ничего, я выведу нас к лагерю. Давай голограф, — Джексон тянется к прибору, но я прижимаю его к груди.

— Нет, Боггс отдал его мне.

— Не тупи! — рявкает она. После смерти Боггса она стала старшей по званию и, естественно, считает, что устройство должно достаться ей.

— Все верно, — замечает Хоумс, — перед смертью Боггс дал Китнисс доступ ко всем секретным материалам. Я сам это видел.

— Почему он это сделал? — Джексон не верит своим ушам.

Действительно, почему? Я вспоминаю события последних пяти минут, и мое сознание не может вместить в себя все эти ужасы — искалеченного, умирающего Боггса, безумную ярость Пита, мерзкую черную волну, проглатывающую окровавленного Митчелла. Я поворачиваюсь к Боггсу; ах, как он нужен мне сейчас! Внезапно становится ясно, что он — и возможно, он один — был на моей стороне. И больше никто. Я вспоминаю его последний приказ...

«Не доверяй им. Не возвращайся. Убей Пита. Сделай то, ради чего ты сюда пришла».

Что он имел в виду? Кому не доверять — мятежникам, Койн, людям, которые смотрят на меня прямо сейчас? Я не вернусь, но он должен был знать, что я не могу всадить пулю в голову Пита. Или могу? И должна ли? Неужели Боггс догадался, что на самом деле я хочу сбежать и лично убить Сноу?

Сейчас мне некогда разбираться, поэтому я концентрирую внимание на двух первых приказах — никому не доверять и двигаться в глубь территории Капитолия. Но как это объяснить? Как сделать, чтобы голограф остался у меня?

— Потому что я выполняю особое задание президента Койн. О нем знал только Боггс.

Джексон мои слова нисколько не убеждают.

— Какое еще задание?

Может, сказать правду? Вряд ли мне удастся придумать что-то более убедительное. Но нужно сделать так, чтобы в моих словах не было даже намека на месть.

— Убить президента Сноу — до того, как наши потери лишат нас возможности вести войну.

— Я тебе не верю, — говорит Джексон. — И, как старшая по званию, приказываю передать доступ к секретным материалам мне.

— Нет, — отвечаю я. — Это будет прямым нарушением приказа президента.

Половина отряда берет на мушку меня, другая половина — Джексон. Сейчас кто-то умрет. И вдруг слово берет Крессида.

— Это правда. Именно для этого нас и прислали сюда. Плутарх считает так: если нам удастся снять, как Сойка убивает Сноу, война закончится.

Джексон на минуту задумывается. Потом наводит ствол на дверь шкафа.

— А он тогда почему здесь?

Я не могу убедительно объяснить, зачем Койн отправила на такое важное задание парня с неустойчивой психикой, который к тому же запрограммирован меня убить. Джексон пробила огромную брешь в моих аргументах. Это конец. И снова на выручку приходит Крессида.

— Два интервью с Цезарем Фликерменом сняты в личных апартаментах президента Сноу. Плутарх считает, что Пит может провести нас туда.

Мне хочется спросить у Крессиды, почему она меня прикрывает, почему убеждает всех в моей правоте. Однако сейчас не время.

— Нужно уходить отсюда! — говорит Гейл. — Я с Китнисс. Если не хотите идти с ней, возвращайтесь в лагерь — но здесь нам оставаться нельзя!

Хоумс отпирает шкаф и вскидывает на плечо потерявшего сознание Пита.

— Готово.

— Боггс? — спрашивает Лиг Первая.

— Мы не сможем его взять. Он бы нас понял. — Финник вешает на плечо оружие Боггса. — Веди нас, солдат Эвердин.

Я не знаю, как и куда нужно вести, и поэтому с надеждой смотрю на голограф. Он включен, но толку от него немного. Времени разбираться с прибором нет. Я поворачиваюсь к Джексон.

— Я не знаю, как он работает. Боггс сказал, что ты мне поможешь, что я могу рассчитывать на тебя.

Нахмурясь, Джексон выхватывает у меня голограф и вводит какую-то команду. На экране появляется перекресток. Если выйдем через черный ход, попадем в небольшой дворик, за которым находится еще один жилой комплекс. Это план четырех улиц, которые образуют этот перекресток.

Пытаясь сориентироваться, я пялюсь на экран; на нем мигает множество символов, обозначающих капсулы — причем только те, о которых знает Плутарх. Голограф ничего не сообщил ни о минах, ни о черном гейзере, ни о сетке из колючей проволоки. Кроме того, здесь могут быть миротворцы, с которыми нужно разбираться, — ведь они теперь знают, где мы. Я прикусываю губу и понимаю, что все взоры направлены на меня.

— Надевайте маски. Возвращаемся тем же путем, каким пришли.

Тут же начинаются возражения. Я повышаю голос:

— Если волна действительно оказалась мощной, то, наверное, она активировала другие капсулы на нашем маршруте.

Все задумываются. Поллукс начинает быстро жестикулировать.

— Возможно, волна вывела из строя и камеры тоже, — переводит Кастор. — Залепила объективы.

Поставив ногу на стол, Гейл смотрит на прилипшее к сапогу черное вещество, затем соскребает его кухонным ножом.

— Оно не едкое. Наверное, оно должно было отравить нас или вызвать удушье.

— Это наш шанс, — говорит Лиг Первая.

Все достают маски. Финник надевает одну из них на Пита. Крессида и Лиг Первая берут под руки Мессаллу, который едва держится на ногах.

Я жду, когда кто-нибудь пойдет вперед, потом вспоминаю, что теперь это моя работа, и распахиваю дверь кухни — противник не обнаружен. На полу в коридоре слой черного вещества толщиной в полдюйма — оно натекло из гостиной. Я осторожно тыкаю носком сапога и обнаруживаю, что оно похоже на гель. Поднимаю ногу: вещество немного растягивается, затем возвращается в исходное положение. Я делаю три шага и оглядываюсь: никаких следов. Первая хорошая новость за целый день. В центре гостиной слой геля немного толще. Я открываю входную дверь, ожидая, что на меня хлынет огромная волна вещества, но гель держит форму.

Впечатление такое, будто розово-оранжевый квартал недавно покрасили блестящей черной краской. Мостовая, здания, даже крыши — все покрыто гелем. Над улицей свисает огромная капля, в очертаниях которой угадываются два силуэта — ствол оружия и рука. Митчелл. Я смотрю на него до тех пор, пока из дома не выходит вся группа.

— Если кто-нибудь хочет вернуться, сейчас самое время, — говорю я. — Ни о чем спрашивать не буду и зла держать — тоже.

Отступать, похоже, никто не хочет; я понимаю, что времени у нас мало, и поэтому сразу беру курс на Капитолий. Слой геля здесь толще, дюймов четыре-шесть, и при каждом шаге он чавкает. Однако следов на нем все же не остается.

Волна была такой мощной, что накрыла несколько кварталов. И хотя я иду осторожно, мне кажется, что я не ошиблась насчет других капсул. Один квартал усыпан золотистыми телами ос-убийц. Видимо, они вылетели из ловушки и сразу же погибли от ядовитого газа. Чуть дальше обрушился целый жилой дом, и теперь его обломки лежат под слоем черного геля. Рядом с перекрестком я жестом приказываю всем остановиться, перебегаю на другую сторону улицы и осматриваюсь. Однако никакие повстанцы не смогли бы обезвредить капсулы так же эффективно, как это сделала волна.

На пятом перекрестке я чувствую, что здесь волна ослабела: слой геля стал меньше дюйма, и уже видны голубые крыши соседнего квартала. Солнце село, и поэтому нам нужно немедленно найти укрытие и разработать план действий. Я выбираю дом в центре квартала. Хоумс вскрывает замок. Я приказываю всем зайти внутрь, а сама еще минуту стою на улице, смотрю, как гель затягивает наши следы. Гейл осматривает окна — они, похоже, не повреждены — и снимает маску.

— Все нормально. Запах есть, но не сильный.

Дом устроен точно так же, как и первый. Окна, выходящие на улицу, покрыты черным гелем, на кухне через жалюзи пробивается свет. Дальше по коридору две спальни с ванными. Из гостиной винтовая лестница ведет в большую комнату, занимающую почти весь второй этаж. Окон наверху нет, зато горят лампы — вероятно, хозяева эвакуировались в спешке. На стене огромный телеэкран — изображения на нем нет, но он мягко светится. Мы садимся на мягкие кресла и диваны и пытаемся отдышаться.

Хоумс кладет Пита на синий диван. Пит в наручниках и все еще без сознания, однако Джексон по-прежнему держит его на мушке. Черт, что же мне с ним делать? А со съемочной группой? И, в общем, со всеми, кроме Гейла и Финника? С этими двумя охотиться на Сноу было бы гораздо проще. Впрочем, даже если мне удастся воспользоваться голографом, имею ли я право обманом вести десять человек в Капитолий? Как быть? Отправить их обратно? Или это слишком рискованно — и для них, и для меня? Надо ли было слушать Боггса? Что, если перед смертью у него помрачился рассудок? Может, признаться во всем? Но тогда командование отрядом перейдет к Джексон, и мы вернемся в лагерь — где мне придется держать ответ перед Койн.

При мысли о том, какую кашу я заварила, мозг начинает плавиться, и тут где-то вдали раздаются взрывы. Дом содрогается.

— Это далеко от нас, четыре-пять кварталов, не меньше — успокаивает нас Джексон.

— Там, где остался Боггс, — замечает Лиг Первая.

Телевизор никто не трогал, однако внезапно он оживает и принимается пронзительно пищать. Мы вскакиваем.

— Все нормально! — кричит Крессида. — Это просто сообщение, которое передается в чрезвычайных ситуациях. Все телевизоры Капитолия транслируют его автоматически.

На экране появляемся мы — сразу после того, как Боггс подорвался на мине. Голос за кадром комментирует наши действия — то, как мы пытаемся перегруппироваться, как реагируем на появление черного геля, как теряем контроль над ситуацией. Передача продолжается до тех пор, пока волна не заливает камеры. Последнее, что мы видим, — Гейл, стреляющий по тросам, которые удерживают сетку с Митчеллом.

Репортер называет нас по именам — Гейла, Финника, Боггса, Пита, Крессиду и меня.

— Мы не видим съемок с воздуха. Наверное, Боггс был прав насчет планолетов, — говорит Кастор.

Я этого даже не заметила, а вот он, телеоператор, сразу обратил внимание.

Далее репортаж ведется из дворика за домом, в котором мы укрылись. Миротворцы занимают позиции на крыше дома напротив нашего бывшего убежища. Начинается стрельба, слышны взрывы, и здание рушится, превращаясь в груду обломков.

Включается прямой эфир: журналистка стоит на крыше вместе с миротворцами. За ними горит дом, пожарные тушат пламя из брандспойтов. Нас объявляют убитыми.

— Наконец-то хоть немного повезло, — замечает Хоумс.

И он прав — ведь иначе нам пришлось бы уходить от преследования. Однако меня не оставляет мысль о том, какую реакцию этот ролик вызовет в Тринадцатом. Мама, Прим, Хейзел с ребятами, Энни, Хеймитч и многие другие решат, что мы умерли.

— Мой отец... Он недавно потерял одну дочь, а теперь... — Лиг Первая умолкает на полуслове.

Ролик повторяют снова и снова. Капитолийцы наслаждаются победой — и особенно они довольны тем, что убили меня. Затем начинается монтаж, посвященный карьере Сойки, — он такой отполированный, что, похоже, был подготовлен заранее. Опять возобновляется прямой эфир: двое журналистов обсуждают мою вполне заслуженную смерть. Позднее, говорят они, Сноу выступит с официальным заявлением. Экран гаснет.

Повстанцы не делают попыток прервать трансляцию, и я прихожу к выводу, что в достоверности информации они не сомневаются, — а значит, помощи нам ждать неоткуда.

— Ну, ладно, мы мертвы. И что теперь? — спрашивает Гейл.

— Это же очевидно. — Никто даже и не заметил, как Пит пришел в себя. Не знаю, сколько он увидел, — но, судя по гримасе боли, Пит знает, что произошло на улице. Знает, как сошел с ума, как пытался проломить мне голову, как бросил Митчелла в капсулу. Превозмогая боль, Пит садится на диване и поворачивается к Гейлу.

— Теперь мы должны... убить меня.

21

За последний час это уже второе предложение убить Пита.

— Не смеши меня, — говорит Джексон.

— Но я же убил одного из наших! — кричит Пит.

— Ты оттолкнул его. О том, что он активирует сеть именно в той точке, ты знать не мог, — успокаивает Пита Финник.

— Какая разница — он же погиб, верно? — По лицу Пита текут слезы. — Я не знал. Никогда не видел себя в таком состоянии. Китнисс права: я монстр, переродок. Я — тот, кого Сноу превратил в свое оружие!

— Это не твоя вина, Пит, — отвечает Финник.

— Мне нельзя идти с вами — рано или поздно я еще кого-нибудь убью. — Пит оглядывает нас; мы в замешательстве. — Возможно, вам кажется, что лучше меня где-нибудь бросить. Но ведь это все равно что выдать меня капитолийцам. По-вашему, вы оказываете мне услугу, отправляя обратно к Сноу?

Пит опять в руках Сноу, который будет пытать его до тех пор, пока окончательно не уничтожит.

Почему-то в моей голове начинает звучать последний куплет «Дерева висельника» — тот, где герой хочет, чтобы его возлюбленная умерла и покинула этот мир, полный зла.

В полночь, в полночь приходи
К дубу у реки.
И надень на шею ожерелье из пеньки.
Странные вещи случаются порой,
Не грусти, мы в полночь встретимся с тобой?

— Если такая угроза возникнет, я сам убью тебя, — говорит Гейл. — Даю слово.

Пит колеблется, словно прикидывает, можно ли Гейлу доверять. Затем качает головой.

— Не пойдет. А если тебя не будет рядом? Нет, мне нужна таблетка с ядом — такая, как у вас.

Морник. Одна таблетка есть в лагере, в особом кармашке моего костюма Сойки. Еще одна лежит в нагрудном кармане моей формы. Интересно, почему Питу такую таблетку не дали? Возможно, Койн решила, что он может покончить с собой раньше, чем убьет меня. Пока не ясно, хочет ли Пит убить себя сейчас или только в том случае, если капитолийцы снова возьмут его в плен. Если учесть, в каком он сейчас состоянии, то, скорее, первое. Для нас так будет лучше — не придется в него стрелять; и, естественно, можно будет не бояться, что он кого-нибудь убьет.

Не знаю, капсулы ли во всем виноваты, страх или смерть Боггса, только мне кажется, словно я на арене — более того, словно я ее и не покидала. Я снова веду борьбу не только за свою жизнь, но и за жизнь Пита. Вот бы Сноу порадовался, если бы Пита убила я — если бы эта смерть мучила меня до конца жизни, пусть и недолгой.

— Дело не в тебе, — говорю я. — У нас задание, и ты нам нужен. — Я оглядываю остальных. — Как, по-вашему, здесь можно найти еду?

Если не считать аптечки и телекамер, у нас с собой только форма и оружие.

Половина отряда остается присматривать за Питом и следить за выступлением Сноу, если оно начнется, остальные идут на поиски еды. Больше всего пользы от Мессаллы: его дом был практически точной копией этого, и поэтому все укромные места Мессалле хорошо известны. Например, он знает, что за зеркальной панелью в спальне есть ниша и что вентиляционная решетка в коридоре легко вынимается. Поэтому, хотя кухонные шкафы пусты, мы находим более тридцати банок с консервами и несколько коробок с печеньем.

Солдаты, выросшие в Тринадцатом дистрикте, взирают на обнаруженные припасы с негодованием.

— Разве это не противозаконно — копить еду? — спрашивает Лиг Первая.

— Напротив, все умные жители Капитолия только так и делают, — отвечает Мессалла. — Люди начали делать запасы продовольствия еще до Квартальной бойни.

— Пока другие голодали.

— Точно. Именно так здесь и поступают.

— К счастью для нас, иначе мы бы остались без ужина, — замечает Гейл. — Пусть каждый возьмет себе по банке.

Кое-кому не нравится эта затея, но данный метод не хуже любого другого. У меня нет никакого желания делить все на одиннадцать человек с учетом возраста, массы тела и физической нагрузки. Я копаюсь в куче банок и уже думаю взять суп из трески, как вдруг Пит протягивает мне жестянку.

— Держи.

Я беру банку, не зная, что и ожидать. На этикетке написано: «Рагу из баранины».

Я причмокиваю, вспоминая дождь, сочащийся сквозь камни, мои неуклюжие попытки флиртовать и запах моего любимого капитолийского блюда в холодном воздухе. Значит, какие-то воспоминания об этом остались и у Пита. Какими счастливыми, какими голодными мы были, когда у входа в нашу пещеру появилась корзинка для пикников. Как мы были близки!

— Спасибо. — Я открываю банку. — Здесь даже чернослив есть.

Я сгибаю крышку, превращая ее в самодельную ложку, и зачерпываю немного рагу. Теперь об арене мне напоминает и вкус.

Когда мы пускаем по кругу коробку печенья с кремом, телевизор снова начинает пищать. На экране возникает эмблема Панема; она остается там, пока играет гимн. А затем появляются изображения мертвых — так раньше показывали трибутов на арене. Сначала лица участников съемочной группы, затем Боггс, Гейл, Финник, Пит и я. Если не считать Боггса, солдат Тринадцатого дистрикта камера не показывает — либо потому, что телевизионщики их не знают, либо думают, что эти солдаты неизвестны зрителям. Затем появляется сам президент; он сидит за столом, на фоне флага, в петлице — белая роза. Видимо, в последнее время над ним еще раз поработали, ведь губы выглядят даже более пухлыми, чем обычно. И, кроме того, его стилисты явно перестарались, накладывая румяна.

Сноу поздравляет миротворцев с успешным завершением операции и благодарит за избавление страны от опасного врага по имени Сойка-пересмешница. Он пророчит, что моя смерть изменит ход войны, ведь теперь у мятежников не осталось лидера. Да и кто я, в сущности, такая? Бедная, психически неуравновешенная девочка, немного умевшая стрелять из лука. Не великий мыслитель, не стратег, а просто смазливая оборванка, которую выбрали потому, что я привлекла внимание экстравагантным поведением в ходе Игр. Однако мятежники сильно, очень сильно нуждались во мне, потому что настоящего предводителя у них нет.

Где-то в Тринадцатом дистрикте Бити нажал на кнопку: теперь на нас смотрит не президент Сноу, а президент Койн. Она представляется жителям Панема, говорит, что она — лидер повстанцев, а затем читает панегирик мне. Слава девушке, которая выжила в Шлаке и на Голодных играх, а затем превратила страну рабов в армию бойцов за свободу. «Живая или мертвая, Китнисс Эвердин остается символом восстания. Если вас охватит сомнение, вспомните Сойку-пересмешницу, и она придаст вам сил, чтобы вы смогли освободить Панем от угнетателей».

— Кто бы мог подумать, что для нее я так много значила, — говорю я. Гейл смеется. Остальные бросают на меня недоуменные взгляды.

На экране возникает мое сильно приукрашенное изображение: я, прекрасная и яростная, на фоне пламени. Никаких слов, никаких лозунгов. Теперь им нужно только мое лицо.

Бити отпускает поводья, и в эфир снова выходит Сноу — он явно с трудом держит себя в руках. У меня такое чувство, что повстанцы подключились к каналу экстренной связи, который президент считал неуязвимым, — и за это кто-то из приближенных Сноу сегодня умрет.

— Завтра утром мы извлечем тело Китнисс Эвердин из-под обломков и увидим, что Сойка — просто мертвая девушка, которая не могла спасти даже саму себя.

Эмблема Панема, гимн, конец эфира.

— Вот только вы ее не найдете, — говорит Финник, обращаясь к погасшему экрану и высказывая то, что, наверное, думаем мы все. Фора будет небольшой. Как только они разберут завал и обнаружат на одиннадцать трупов меньше запланированного, то поймут, что мы сбежали.

— По крайней мере, мы сможем немного от них оторваться, — отзываюсь я, и вдруг на меня накатывает страшная усталость. Хочется только одного — лечь на зеленый диван, стоящий неподалеку, и заснуть. Вместо этого я достаю голограф и заставляю Джексон еще раз познакомить меня с простейшими командами — которые, в общем, заключаются в наборе координат. Число капсул значительно увеличилось, а значит, мы приближаемся к стратегически важным целям. Вряд ли нам удастся идти навстречу этому созвездию мигающих точек так, чтобы нас не обнаружили. Но если мы этого не сделаем, значит, мы в ловушке, словно птицы в силке. Я решаю, что мне не стоит говорить с бойцами приказным тоном — особенно сейчас, когда мои глаза все чаще посматривают в сторону зеленого дивана. Поэтому я спрашиваю:

— Идеи есть?

— Может, будем действовать методом исключения? — спрашивает Финник. — По улице идти нельзя.

— Крыши ничем не лучше улиц, — откликается Лиг Первая.

— Возможно, мы еще можем отступить, вернуться тем же путем, каким пришли, — замечает Хоумс. — Но это значит провалить задание.

Внезапно на меня накатывает чувство вины, ведь «задание» я придумала.

— Никто не рассчитывал на то, что вы все составите мне компанию. Просто вам не повезло оказаться в одном отряде со мной.

— Ну, сделанного не воротишь, так что и обсуждать нечего, — говорит Джексон. — Ну что, сидеть здесь нельзя, идти наверх или вбок — тоже. Получается, путь один.

— Под землю, — догадывается Гейл.

Под землю. Ненавижу подземелья — шахты, туннели и Тринадцатый дистрикт. Я с ужасом думаю о том, что могу умереть там, хотя это глупо — ведь если я умру на поверхности, меня непременно закопают в землю.

Голограф показывает и те капсулы, которые находятся под землей. Когда мы спускаемся, я вижу, что четкие, надежные линии улиц переплетаются с беспорядочным, запутанным клубком туннелей. Правда, и капсул здесь меньше.

Двумя этажами ниже находится вертикальная труба, соединяющая наш дом с туннелями. Чтобы добраться до нее, придется лезть по узкой вентиляционной шахте, которая проходит по всему зданию. В шахту можно попасть через кладовую на верхнем этаже.

— Ну ладно. Давайте сделаем так, как будто нас здесь не было, — говорю я.

Мы уничтожаем следы нашего пребывания — выбрасываем в мусоропровод пустые жестянки, прячем полные в вещмешки, переворачиваем подушки диванов, залитые кровью, вытираем следы геля с пола. Замок на входной двери ремонту не подлежит, но мы запираем дверь на задвижку, чтобы она хотя бы не открылась от первого прикосновения.

Наконец остается только разобраться с Питом, который улегся на синем диване и отказывается вставать.

— Никуда я не пойду. Я либо выдам вас, либо на кого-нибудь нападу.

— Тебя найдут люди Сноу, — говорит Финник.

— Тогда оставьте мне капсулу с ядом. Я приму ее только в крайнем случае, — отвечает Пит.

— Это не вариант. Пойдешь с нами! — рявкает Джексон.

— А если нет, тогда что? Вы меня застрелите?

— Мы тебя вырубим и потащим силой, — говорит Хоумс. — А это отнимет время и сделает нас более уязвимыми.

— Хватит играть в благородство! Я не боюсь смерти! — Он умоляюще смотрит на меня. — Китнисс, прошу тебя. Неужели ты не видишь, что я не хочу в этом участвовать?

Проблема в том, что я действительно это вижу. Может, отпустить его — дать таблетку, нажать на спусковой крючок? Что сильнее — любовь к Питу или желание победить Сноу? Неужели я сделала Пита пешкой в моих личных Играх? Это отвратительно, но я не уверена, что это ниже моего достоинства. Возможно, мне следовало бы проявить милосердие и немедленно убить Пита — да только все дело в том, что мною движет не милосердие.

— Мы зря теряем время. Пойдешь добровольно или тебя нужно вырубить?

На пару секунд Пит закрывает лицо руками, затем встает.

— Снять с него наручники? — спрашивает Лиг Первая.

— Нет! — рычит Пит, прижимая их к груди.

— Нет, — эхом отзываюсь я. — Отдайте мне ключ.

Джексон без возражений передает мне ключ, и я кладу его в карман штанов. Он звякает, стукнувшись о жемчужину.

Хоумс вскрывает маленькую металлическую дверь вентиляционной шахты, и мы сталкиваемся с еще одной проблемой: для «жуков» в панцирях шахта слишком узка. Кастор и Поллукс снимают броню и отсоединяют запасные камеры, каждая из которых размером с коробку для обуви. Мессалла не может придумать, что делать с панцирями, и в конце концов мы просто бросаем их в кладовой. Мне не нравится, что за нами остается такой след, ну а что тут поделаешь?

Даже двигаясь гуськом, боком, сдвинув все наше снаряжение на одну сторону, мы все равно с трудом протискиваемся в шахте. Минуем первую квартиру и вламываемся во вторую. Здесь, в одной из спален есть дверь в подсобку. В подсобке — вход в трубу.

Увидев круглую крышку, Мессалла хмурится, на мгновение возвращаясь в прошлую жизнь.

— Вот почему никто не любит квартиры в центре дома. Целый день туда-сюда шастают рабочие, и ванная здесь только одна. Правда, квартплата значительно ниже. — Заметив удивление на лице Финника, Мессалла добавляет: — Не важно. Проехали.

Крышка снимается просто, а широкая лестница с покрытыми резиной ступеньками позволяет быстро и легко спуститься в нутро города. Мы собираемся у ее подножия, и ждем, пока наши глаза привыкнут к полумраку, который почти не рассеивают ряды тусклых лампочек. Воздух пахнет химикатами, плесенью и фекалиями.

Поллукс, бледный и потный, хватает Кастора за руку, словно готов в любой момент упасть.

— Прежде чем стать безгласым, мой брат работал здесь, — говорит Кастор.

Ну конечно. А кого еще капитолийцы отправили бы в эти затхлые, вонючие туннели, полные мин-капсул?

— Прошло пять лет, прежде чем мы накопили деньги и подкупили чиновников, чтобы его перевели на поверхность. За эти годы он ни разу не видел солнца.

В более благоприятной обстановке, в другой жизни, в которой меньше опасностей и больше отдыха, кто-нибудь непременно понял бы, что нужно сказать, мы же просто долго стоим, пытаясь подобрать подходящий ответ.

Наконец Пит поворачивается к Поллуксу.

— Значит, ты только что превратился в наше самое главное сокровище.

Кастор смеется, и даже Поллуксу удается выдавить из себя улыбку.

Мы прошли половину первого туннеля, и я вдруг понимаю, чем примечателен этот разговор: Пит снова похож на себя, на человека, который в любой момент может найти подходящие слова. Он может иронизировать, подбадривать, даже шутить — но никогда не смеется над другими людьми. Я бросаю взгляд назад: Пит, глядя в землю и сгорбившись, ковыляет вперед в окружении своих конвоиров, Гейла и Джексон. Он выглядит таким подавленным. Однако на минуту он и впрямь стал прежним.

Пит оказался прав: Поллукс ценнее десяти голографов. Под землей есть простая сеть широких туннелей, которая совпадает с планом города: туннели проходят под всеми главными улицами. Она называется Перевоз, ведь по ней грузовики перевозят товары по всему городу. Днем ее многочисленные капсулы отключены, а ночью она превращается в минное поле. Сотни дополнительных туннелей, служебных шахт, железнодорожных путей и канализационных труб образуют многоуровневый лабиринт. Новичок здесь бы долго не протянул, но Поллукс знает все — в каком коридоре нужно надеть противогазы, где протянуты провода высокого напряжения, а где водятся крысы размером с бобра. Он предупреждает нас, когда периодически по канализации текут потоки воды, угадывает время, когда меняются смены безгласых, ведет нас по затхлым, неприметным трубам, обходя стороной железнодорожные пути, по которым время от времени почти бесшумно проносятся грузовые поезда. И, что самое главное, он все знает про камеры. Здесь, если не считать Перевоза, их мало, но мы все равно стараемся держаться от них подальше.

Под предводительством Поллукса мы движемся с неплохой — нет, удивительной — скоростью, особенно если сравнить с нашими странствиями по поверхности. Примерно шесть часов спустя усталость берет верх. Сейчас три, и я решаю, что отсутствие наших трупов обнаружат лишь через несколько часов. Затем капитолийцы прочешут весь квартал — на тот случай, если мы попытались уйти по шахтам, — а потом начнется охота.

Когда я предлагаю отдохнуть, никто не возражает. Поллукс находит небольшую теплую комнату, в которой полно машин с рычагами и циферблатами, и показывает четыре пальца — через четыре часа мы должны отсюда убраться. Джексон составляет график дежурств, и, так как в первой смене меня нет, я сразу же засыпаю, устроившись между Гейлом и Лиг Первой.

Ощущение, будто прошло всего несколько минут, но Джексон уже трясет меня: подошла моя очередь. На часах шесть; через час мы должны отправиться в путь. Джексон говорит, чтобы я съела банку консервов и приглядывала за Поллуксом, который решил стоять на часах всю ночь.

— Здесь он не может заснуть.

Я привожу себя в состояние относительного бодрствования, съедаю банку тушеной картошки с фасолью и сажусь у стены, напротив двери. Поллукс не спит: наверно, он всю ночь заново проживал все пять лет своего заключения. Я достаю голограф, и мне все-таки удается ввести наши координаты и просканировать туннели. Как и следовало ожидать, по мере приближения к центру Капитолия количество капсул возрастает. Какое-то время мы с Поллуксом щелкаем по голографу, смотрим, какие ловушки нас ждут. Когда голова начинает кружиться, я отдаю прибор Поллуксу и прислоняюсь к стене. Смотрю на спящих солдат и съемочную группу и думаю, сколько из нас снова увидят солнце.

Я бросаю взгляд на Пита, лежащего у моих ног, и вижу, что он не спит. Мне хочется прочесть его мысли, войти в его сознание и распутать клубок лжи. Однако я решаю, что мечтать о несбыточном не стоит.

— Ты ел? — спрашиваю я.

Пит слегка качает головой: не ел. Я открываю банку курицы с рисом и передаю ему, оставив себе крышку, чтобы он не попытался вскрыть себе вены или еще что. Пит садится, запрокидывает голову и вливает в себя суп, даже не трудясь пережевывать содержимое. Свет индикаторов на панелях машин отражается от донышка банки, и мне снова приходит мысль, которая мучила со вчерашнего дня.

— Когда Боггс рассказал тебе о том, что стало с Дарием и Лавинией, ты ответил, что так и думал. Что это не было таким блестящим. Что ты имел в виду?

— А, не знаю, как это объяснить. Поначалу я ничего не мог понять, а теперь кое-что прояснилось, и, кажется, появилась некая система. Воспоминания, измененные с помощью яда ос-убийц, какие-то странные — слишком мощные, что ли, и нестабильные. Ты помнишь, что чувствовала, когда тебя ужалили осы?

— Деревья раскололись. Появились огромные цветные бабочки. Я упала в яму, полную оранжевых пузырьков. Блестящих оранжевых пузырьков.

— Точно. Но воспоминания про Дария и Лавинию совсем не такие. Думаю, тогда во мне еще не было яда, — говорит Пит.

— Ну, это ведь хорошо, правда? Если ты отличаешь воспоминания, то сможешь разобраться, где правда, а где ложь.

— Да. А если бы у меня выросли крылья, я бы мог летать. Только вот крыльев у людей нет. Правда или ложь?

— Правда, — отвечаю я. — Но люди могут жить и без крыльев.

— А сойки — нет. — Доев суп, Пит возвращает мне банку.

В люминесцентном свете круги под его глазами похожи на синяки.

— У нас еще есть время. Поспи.

Не возражая, он ложится, но не засыпает, а просто смотрит на стрелку, которая подергивается на какой-то шкале. Я смахиваю волосы с его лба, словно глажу раненого зверя. Пит застывает, почувствовав прикосновение, однако не отстраняется, и я продолжаю нежно гладить его по волосам. После последней арены я впервые касаюсь его по своей воле.

— Ты все еще пытаешься защитить меня. Правда или ложь? — шепчет Пит.

— Правда, — отвечаю я, хотя, думается, он ждет более развернутого ответа. — Такие уж мы с тобой — вечно защищаем друг друга.

Примерно через минуту Пит засыпает.

Около семи мы с Поллуксом будим всех остальных. Как это всегда бывает при пробуждении, люди зевают и вздыхают, однако я слышу еще и что-то другое, похожее на шипение. Возможно, это просто свист пара, вырывающегося из какой-то трубы, или звук, который издает проносящийся вдали поезд...

Я делаю всем знак замолчать. Да, я слышу шипение — но это не один непрерывный звуковой поток, а, скорее, серия выдохов, которые складываются в слова. В слово, которое эхом разносится по туннелям. Одно слово. Одно имя, которое повторяется снова и снова:

— *Китнисс.*

22

Форы у нас больше нет. Наверное, Сноу заставил капитолийцев копать всю ночь — по крайней мере, сразу после того, как погас огонь. Они нашли останки Боггса, ненадолго обрели уверенность, а затем, потратив на бесплодные поиски несколько часов, засомневались. И в какой-то момент капитолийцам стало ясно, что их обманули. А президент Сноу терпеть не может, когда его выставляют на посмешище. Не важно, нашли они наше второе убежище или сразу решили, что мы спустились под землю. Теперь они знают, что мы здесь; теперь они пустили кого-то по моему следу — вероятно, стаю переродков.

— *Китнисс.*

Звук раздается так близко, что я подпрыгиваю от неожиданности. Натянув тетиву, отчаянно ищу источник звука, ищу цель.

— *Китнисс.*

Губы Пита практически не двигаются, и все же нет сомнений, что мое имя произносит именно он. А мне-то казалось, что ему стало лучше, что он понемногу возвращается ко мне. Но вот оно, доказательство того, как глубоко проник яд Сноу.

— *Китнисс.*

Пит запрограммирован отвечать на шипение, участвовать в охоте. Он начинает шевелиться, и я понимаю, что у меня нет выбора. Я целюсь ему в голову: он почти ничего не почувствует. Внезапно Пит садится: глаза широко раскрыты от страха, он задыхается.

— Китнисс! — Он поворачивает голову в мою сторону, однако не замечает лука, не видит стрелу, готовую сорваться с тетивы. — Китнисс, уходи!

Я колеблюсь. Он встревожен, но, кажется, в своем уме.

— Почему? Кто издает этот звук?

— Я знаю одно: это существо хочет тебя убить. Беги, спасайся!

После секундного замешательства я прихожу к выводу, что убивать Пита не стоит. Ослабляю тетиву и оглядываю встревоженные лица моего отряда.

— Что бы это ни было, оно гонится за мной. Похоже, нам пора разделиться.

— Но ведь мы твоя охрана, — говорит Джексон.

— И твоя съемочная группа, — добавляет Крессида.

— Я тебя не брошу, — говорит Гейл.

Я смотрю на съемочную группу, вооруженную только камерами и планшетами. А вот у Финника два ствола и трезубец. Я предлагаю ему поделиться одной из пушек с Кастором. Затем вынимаю холостые патроны из оружия Пита и вручаю ствол Поллуксу. У нас с Гейлом есть луки, и поэтому мы отдаем наши пушки Мессалле и Крессиде. Учить их обращаться с оружием времени нет, и поэтому мы просто говорим им, как целиться и как нажимать на спусковой крючок. Теперь с пустыми руками только Пит, но человеку, который шепчет мое имя вместе с переродками, оружие все равно ни к чему.

Мы уходим из комнаты, не оставляя в ней ничего, кроме нашего запаха. Удалить его мы не в силах. Наверное, именно по нему шипящие твари выслеживают нас — ведь других следов мы практически не оставляли. Похоже, у этих переродков очень острое чутье — но мы сбили их со следа, когда прошли по трубам с водой.

Снаружи шипение становится более отчетливым, и, кроме того, теперь я лучше понимаю, где находятся переродки — они позади нас, и довольно далеко. Очевидно, Сноу выпустил их там, где капитолийцы нашли тело Боггса. Я вспоминаю волкоподобных существ на первой арене, обезьян на Квартальной бойне, монстров, которых столько лет видела по телевизору... Интересно, какую форму примут переродки на этот раз — скорее всего, ту, которая, по мнению Сноу, напугает меня больше всего.

Мы с Поллуксом уже продумали следующий этап нашего путешествия, и, так как от шипения мы удаляемся, я не вижу причин менять планы. Если будем двигаться быстро, то, возможно, доберемся до дворца Сноу раньше, чем нас догонят переродки.

Однако спешка ведет к небрежности: неудачно поставленный сапог хлюпает по луже, автомат случайно лязгает о трубу, и даже я сама отдаю приказы слишком громко.

Мы проходим еще три квартала по трубе и заброшенной железнодорожной колее, и вдруг начинаются вопли — хриплые, гортанные, отражающиеся от стен туннеля.

— Безгласые, — немедленно отзывается Пит. — Именно так кричал Дарий, когда его пытали.

— Наверное, их нашли переродки, — говорит Крессида.

— Значит, они охотятся не только на Китнисс, — замечает Лиг Первая.

— Скорее всего, они будут убивать всех, но не остановятся, пока не доберутся до нее, — говорит Гейл. Он много часов изучал переродков вместе с Бити, так что, надо думать, он прав.

Все повторяется: из-за меня снова гибнут люди. Друзья, союзники, незнакомцы умирают за Сойку.

— Оставьте меня и уходите. Голограф я отдам Джексон. Выполните задание без меня.

— Так мы не договаривались! — раздраженно восклицает Джексон.

— Мы зря теряем время! — говорит Финник.

— Послушайте, — шепчет Пит.

Вопли прекратились, и вместо них — ближе, чем раньше, — снова звучит мое имя. Теперь звук доносится снизу и сзади:

— *Китнисс.*

Я хлопаю Поллукса по плечу, и мы бросаемся бежать. Беда в том, что мы планировали спуститься на уровень ниже — теперь это невозможно. Мы добираемся до лестницы, начинаем искать на голографе обходной маршрут, и вдруг меня выворачивает наизнанку.

— Надеть маски! — командует Джексон.

В этом нет необходимости: мы все дышим одним воздухом, но тошнит только меня: я реагирую на запах, поднимающийся от лестницы и заглушающий вонь фекалий. Розы. У меня начинается дрожь.

Я отворачиваюсь от запаха и, шатаясь, выхожу на Перевоз. Гладкие, вымощенные плиткой пастельных тонов улицы, такие же, как и наверху, только окруженные не домами, а стенами из белого кирпича. Дорога, по которой могут спокойно ездить грузовики, не простаивая в капитолийских пробках. Сейчас Перевоз пуст — здесь нет никого, кроме нас. Я и всаживаю подрывную стрелу в первую капсулу, убивая сидевший в ней выводок крыс-людоедов. Затем бегу к следующему перекрестку; здесь из-за одного неверного шага можно лишиться ног, угодив в нечто под названием «Мясорубка». Крикнув остальным, чтобы держались рядом со мной, я собираюсь осторожно повернуть за угол, а затем подорвать «Мясорубку», и тут мы натыкаемся на еще одну, не помеченную капсулу. Я бы точно пропустила ее, если бы не Финник.

— Китнисс! — кричит он, хватая меня за руку.

Я резко разворачиваюсь, готовая выстрелить, но что тут можно сделать? Две стрелы Гейла уже лежат под широким золотым лучом, который протянулся от потолка до пола. Внутри луча находится Мессалла — неподвижный, словно статуя, он стоит на одной ноге, запрокинув голову. Пленник луча. Его рот широко раскрыт, хотя крика не слышно. Мы беспомощно наблюдаем за тем, как тело Мессаллы плавится, словно воск.

— Его уже не спасти! — Пит толкает людей вперед. — Не спасти!

Удивительно, но сейчас только он способен действовать, способен заставить нас двигаться. Я не понимаю, почему он командует, ведь он должен предать нас и вышибить мне мозги — правда, это может произойти в любую секунду. Рука Пита давит мне на плечо, и, повинуясь, я отворачиваюсь от того, что недавно было Мессаллой. Заставляю ноги идти вперед — быстро, так быстро, что мне едва удается затормозить у следующего перекрестка.

Начинается стрельба, и на нас обрушивается дождь из штукатурки. Я кручу головой, пытаясь найти капсулу, затем поворачиваюсь и вижу отряд миротворцев, который несется к нам по Перевозу. Наш путь преградила «Мясорубка», так что у нас один выход — отстреливаться. Миротворцев вдвое больше, зато с нами снайперы из «звездного отряда».

«Как сельди в бочке», — думаю я, когда на белых формах расцветают красные пятна, похожие на бутоны. Три четверти врагов уже убито, и тут появляются новые — из бокового туннеля, из того самого, через который я помчалась, пытаясь уйти от запаха...

Это не миротворцы.

Они белые, размером со взрослого человека, и у них четыре конечности — но на этом сходство заканчивается. Обнаженные, с длинными хвостами, как у ящериц; спины выгнуты, головы торчат вперед. Существа набрасываются на миротворцев, и живых и мертвых, вцепляются в шеи, отрывают головы в шлемах. Похоже, здесь капитолийцев любят не больше, чем в Тринадцатом. За несколько секунд твари обезглавливают всех миротворцев, затем падают на пол и ползут к нам на четвереньках.

— Сюда! — кричу я, хватаясь за стену и резко поворачивая направо, чтобы уклониться от капсулы. Когда наши меня догоняют, я стреляю по перекрестку, и «Мясорубка» включается. Огромные механические зубы прорубают улицу и превращают плитку в пыль. Это должно преградить путь переродкам, хотя точно не знаю. Переродки — волк и обезьяна, — которых я видела, оказались невероятно прыгучими.

Шипение обжигает уши, а от вони, которую издают розы, кружится голова.

Я хватаю за руку Поллукса.

— К черту задание. Где самый короткий путь наверх?

Времени изучать голограф нет. Мы идем за Поллуксом — примерно десять ярдов по Перевозу, затем через дверь. Плитка под ногами превращается в бетон; мы ползем по узкой, вонючей трубе и оказываемся на уступе примерно в фут шириной. Мы в главной канализации. В ярде под нами бурлит ядовитая смесь человеческих испражнений, мусора и химикатов. Часть поверхности покрыта языками пламени, над другой поднимаются зловещие испарения. Одного взгляда довольно, чтобы понять: если туда упадешь, то уже не выберешься. Стараясь идти как можно быстрее, мы проходим по скользкому уступу, затем по узкому мосту. На противоположной стороне, в нише, есть лестница; Поллукс бьет по ней ладонью и указывает наверх, в шахту. Вот он, путь наверх.

Быстрый взгляд на отряд: что-то не так.

— Стойте! А где Джексон и Лиг Первая?

— Они остались у «Мясорубки», чтобы задержать переродков, — говорит Хоумс.

— Что? — Я бросаюсь обратно к мосту, не желая оставлять никого из наших этим монстрам. Хоумс тащит меня назад.

— Китнисс, их смерть не должна стать напрасной. Их уже не спасти. Смотри! — Хоумс кивает, указывая на трубу: на уступ уже карабкаются переродки.

— Назад! — кричит Гейл. С помощью подрывных стрел он снимает с опор дальнюю часть моста; все остальное падает в бурлящий поток — как раз в тот миг, когда до моста добираются переродки.

Мне впервые удается как следует разглядеть их. Это гибрид человека, ящерицы и бог знает кого еще. Белая, туго натянутая шкура рептилий, запачканная кровью, руки и ноги с длинными когтями, асимметричные лица. Переродки шипят, выкрикивают мое имя, содрогаясь от ярости, бьют себя и сородичей хвостами и когтями, вырывают зубами огромные куски мяса. Пасти в пене; похоже, необходимость уничтожить меня сводит их с ума. Наверное, мой запах так же сильно действует на них, как и на меня — их вонь; и даже сильнее, ведь часть переродков уже бросилась в токсичные канализационные потоки.

Мы открываем огонь. Я стреляю всем, что попадается под руку, — обычными стрелами, огненными, разрывными. Переродки смертны, но убить их невероятно сложно: ни одно живое существо не способно идти с дюжиной пуль в теле. Кроме того, переродков слишком много; из трубы появляются все новые и без колебаний бросаются в сточные воды.

Руки трясутся — но меня пугает не число врагов.

Хороших переродков не бывает — все они так или иначе хотят причинить тебе вред. Одни, например обезьяны, убивают тебя, другие — такие, как осы-убийцы, — лишают разума. Однако самый ужас, самая страшная пытка заключается в том, чтобы одновременно причинить боль жертве и запугать ее. Волки-переродки с глазами мертвых трибутов. Сойки-говоруны, имитирующие вопли Прим. Аромат роз, который смешивается с запахом крови, пробивается даже сквозь вонь фекалий, заставляет мое сердце бешено биться, превращает кожу в лед, парализует легкие. Как будто президент Сноу дышит в лицо и говорит, что мне пора умереть.

Мне что-то кричат, но я не могу ответить. Чьи-то сильные руки подхватывают меня в ту самую секунду, когда моя стрела сносит голову переродку, оцарапавшему мне лодыжку когтями. Меня прижимают к лестнице, ставят мои ладони на ступеньки, приказывают подниматься. Мои конечности — деревянные, как у марионетки, — подчиняются. Двигаясь по лестнице, я постепенно прихожу в себя. Надо мной человек. Поллукс. Подо мной Пит и Крессида. Мы вылезаем на какую-то платформу, подходим ко второй лестнице. Ступеньки скользкие от пота и плесени. Когда мы добираемся до следующей платформы, в голове у меня уже прояснилось, и я внезапно понимаю, что произошло. Я бешено тяну людей наверх, помогаю им подняться. Пит, Крессида. Больше никого.

Что я наделала? На что обрекла всех остальных? Я лезу обратно, и тут мой сапог в кого-то врезается.

— Лезь наверх! — рычит Гейл. Я поднимаюсь, вытаскиваю его и заглядываю во мрак.

— Нет. — Гейл качает головой. Его форма порвана, на шее зияет рана. — Нет, Китнисс, они не придут. Там только переродки.

Отказываясь поверить, я хватаю со ствола Крессиды фонарик и свечу в шахту. Где-то далеко внизу Финник отбивается от трех вцепившихся в него переродков. Когда один из них запрокидывает голову, чтобы нанести последний, смертельный удар, происходит что-то странное. Я словно превращаюсь в Финника, и перед глазами проносится вся моя жизнь. Лодка, мачта, серебряный парашют. Смеющаяся Мэгз, розовое небо, трезубец Бити, Энни в подвенечном платье, волны, разбивающиеся о скалы. Потом все гаснет.

Я стаскиваю с пояса голограф и бормочу: «Морник, морник, морник», затем отпускаю прибор. Мы прижимаемся к стене. Платформа содрогается от взрыва; из трубы на нас летят куски тел людей и переродков.

Поллукс с лязгом опускает люк и фиксирует его. Поллукс, Гейл, Крессида, Пит и я. Остались только мы. Позднее ко мне вернутся человеческие чувства, а пока что у меня только одно примитивное желание — защитить остатки отряда.

— Здесь оставаться нельзя.

Кто-то вытаскивает бинт. Мы перевязываем Гейла, поднимаем его на ноги. Одна фигура все еще жмется к стене.

— Пит, — говорю я. Ответа нет. Может, он вырубился? Я сажусь на корточки перед ним, отвожу от его лица руки в наручниках. — Пит?

Его глаза похожи на черные озера; зрачки расширились настолько, что голубых радужек почти не видно. Мышцы рук словно стальные прутья.

— Оставьте меня, — шепчет Пит. — Я не могу идти дальше.

— Нет, можешь! — кричу я.

Пит качает головой.

— Я теряю контроль. Я сойду с ума, как и они.

Как переродки, как безумная тварь, которая мечтает вцепиться мне в горло, — и тогда именно здесь, именно при этих обстоятельствах мне придется его убить. И тогда Сноу победит. На меня накатывает горячая волна ненависти. Сегодня Сноу и так слишком много выиграл.

Может, это риск, может, это самоубийство, однако больше мне ничего не приходит в голову. Я наклоняюсь к Питу и целую его в губы. Все его тело содрогается, но я не отрываюсь, пока хватает воздуха. Мои руки ловят запястья Пита.

— Не дай ему разлучить нас.

Тяжело дыша, Пит сражается со своими кошмарами.

— Нет. Не хочу...

Я почти до боли стискиваю его руки.

— Будь со мной.

Зрачки Пита суживаются до размера булавочных головок, быстро расширяются, затем возвращаются к нормальному размеру.

— Всегда, — шепчет он.

Я помогаю Питу подняться.

— До улицы далеко? — спрашиваю я у Поллукса.

Он знаками показывает, что она прямо над нами. Я лезу по последней лестнице и поднимаю люк, за которым оказывается хозяйственная комната. Я уже встаю на ноги, и тут дверь в комнату открывает какая-то женщина в ярком бирюзовом шелковом халате, расшитом экзотическими птицами. Распушенные пурпурные волосы, похожие на облако, украшены позолоченными бабочками. В руке недоеденная сосиска. Похоже, женщина меня узнала. Она открывает рот, чтобы позвать на помощь.

Я без колебаний стреляю ей прямо в сердце.

23

Кого хотела позвать женщина, остается загадкой: обыскав квартиру, мы обнаруживаем, что в ней никого нет. Возможно, соседа. А может, она просто собралась завопить от страха.

Квартира весьма симпатичная, и мы бы с удовольствием в ней остались, но такой роскоши позволить себе не можем.

— Как быстро они сообразят, что кто-то из нас мог выжить? — спрашиваю я.

— Они могут нагрянуть в любую минуту, — отвечает Гейл. — Они знают, что мы шли наверх. Взрыв задержит их на пару минут, потом они начнут искать точку выхода на поверхность.

Я подхожу к окну. Выглянув из-за шторы, я вижу не миротворцев, а толпу людей, спешащих по своим делам. Пробираясь по туннелям, мы вышли за пределы эвакуированных кварталов и оказались в оживленном районе Капитолия. Эта толпа — наш шанс на спасение. Голографа больше нет, однако с нами Крессида: бросив взгляд из окна, она говорит, что знает это место, и сообщает хорошую новость: президентский дворец всего в нескольких кварталах отсюда.

Я оглядываю спутников: о скрытности можно забыть. На шее Гейла рана, которую мы даже не продезинфицировали, из нее все еще течет кровь. Пит сидит на обитом бархатом диване, вцепившись зубами в подушку, — либо борется с безумием, либо пытается не закричать. Поллукс рыдает, прислонясь к богато украшенной каминной полке. Крессида стоит рядом со мной; вид решительный, но она так бледна, что губы совсем побелели. Меня подпитывает только ненависть: когда ее энергия закончится, толку от меня будет мало.

— Посмотрим, что у нее в шкафах, — говорю я.

В одной из спален мы находим сотни женских платьев и пальто, кучу обуви, множество разноцветных париков и столько косметики, что можно покрасить целый дом. Дальше по коридору, в другой спальне обнаруживаем почти такую же огромную коллекцию мужской одежды. Возможно, эти вещи принадлежат мужу женщины. Или любовнику, которого по счастливой случайности утром не оказалось дома.

Я приказываю всем переодеться. Увидев окровавленные запястья Пита, ищу в карманах ключ от наручников, но Пит отшатывается от меня.

— Нет, — говорит он. — Они помогают мне не сорваться.

— Руки тебе понадобятся, — говорит Гейл.

— Когда я чувствую, что теряю контроль над собой, я вдавливаю их в запястья. Боль помогает мне собраться, — отвечает Пит. Я не настаиваю.

К счастью, на улице холодно, поэтому мы прячем форму и оружие под пальто и плащами. Сапоги связываем шнурками и вешаем на шею, надеваем дурацкие башмаки и туфли. Главная беда, конечно, наши лица: Крессиду и Поллукса могут узнать знакомые, Гейла люди видели в новостях и агитроликах, а нас с Питом знает каждый житель Панема. Мы торопливо накладываем друг другу толстый слой косметики, надеваем парики и солнцезащитные очки. Крессида заматывает нам с Питом лица шарфами.

Я чувствую, как тают секунды, и все же задерживаюсь, чтобы набить карманы едой и медикаментами.

— Держитесь вместе, — говорю я перед дверью.

Мы выходим на улицу. С неба падает снег. Мимо нас пробегают возбужденные люди; со своим манерным капитолийским акцентом они говорят что-то про мятежников, голод и про меня. Мы переходим через улицу, оставляем позади еще несколько домов и поворачиваем за угол. Мимо проносятся десятка три миротворцев. Мы, как и подобает законопослушным гражданам, отпрыгиваем в сторону, давая дорогу солдатам, дожидаемся, пока все стихнет, и продолжаем путь.

— Крессида, — шепчу я. — Куда бы нам зайти?

— Я пытаюсь придумать, — отвечает она.

Мы минуем еще квартал, и тут начинают выть сирены. Через окно я вижу экран: экстренный репортаж, мелькают наши лица, в том числе Кастора и Финника. Значит, миротворцы еще не идентифицировали погибших. Скоро каждый прохожий будет так же опасен для нас, как и миротворец.

— Крессида?

— Есть одно место. Оно не идеальное, но попробовать можно, — говорит она.

Мы проходим еще несколько кварталов, поворачиваем и оказываемся перед воротами, за которыми находится чье-то частное жилище. Судя по всему, Крессида просто хочет провести нас коротким путем: пройдя по ухоженному саду, мы выныриваем из других ворот в небольшой проулок, соединяющий два больших проспекта. Здесь есть несколько убогих магазинчиков — один из них торгует подержанными товарами, другой — бижутерией. Людей мало, и они не обращают на нас внимания. Крессида начинает верещать что-то про нижнее белье на меху, о том, что зимой оно просто необходимо.

— Вы еще не видели наших цен! Поверьте, они в два раза меньше тех, что вы заплатите на авеню!

Мы останавливаемся перед грязной витриной, в которой выставлены манекены в меховом белье. Магазин, видимо, закрыт, но Крессида толкает дверь, заставляя колокольчики у входа неприятно звякнуть. Темное, узкое помещение заставлено стеллажами с товаром. В нос бьет запах шкур. Кажется, торговля идет не очень бойко, ведь мы — единственные клиенты. Крессида сразу же направляется к сгорбленной фигуре в глубине зала. Я иду следом, по пути проводя пальцами по мягкой одежде на полках.

За стойкой сидит самая странная женщина, которую я когда-либо видела. Она — пример косметической операции, которая закончилась полной катастрофой. Нигде, даже в Капитолии, это лицо не назвали бы красивым. Кожа на лице женщины плотно натянута и украшена татуировкой — черными и золотыми полосами. Я уже видела кошачьи усы у жителей Капитолия, но такие длинные — никогда. Гротескная полуженщина-полукошка подозрительно прищуривается на нас.

Крессида стаскивает парик, показывая свои татуировки.

— Тигрис, нам нужна помощь.

Тигрис. Это имя вызывает какое-то давно забытое воспоминание. Когда-то она — молодая и не такая страшная — была чуть ли не знаменитостью одних из самых первых Игр, которые я помню. Кажется, она работала стилистом. Каким дистриктом она занималась, я не помню — но точно не Двенадцатым. Надо думать, она слишком увлеклась этими операциями, и в результате они ее обезобразили.

Так вот что происходит со стилистами, которые уже ни на что не годятся. Они отправляются в жалкие магазины нижнего белья, где в одиночестве ждут смерти.

Я разглядываю лицо женщины и думаю: то ли родители назвали ее Тигрис, и она в честь этого нанесла себе увечья, то ли она сама придумала свой стиль, а затем подобрала соответствующее имя.

— Плутарх сказал, что тебе можно доверять, — добавляет Крессида.

Отлично, значит, она — человек Плутарха. То есть если она сразу не выдаст нас Капитолию, то известит о нашем местонахождении Плутарха, а следовательно, и Койн. Нет, магазин Тигрис не идеальный вариант, но другого у нас нет — если, конечно, она нам поможет. Тигрис бросает взгляд то на старый телевизор на прилавке, то на нас — словно пытается понять, кто мы такие. Чтобы помочь ей, я стаскиваю шарф, снимаю парик и делаю шаг вперед, чтобы свет экрана упал на мое лицо.

Тигрис рычит басом — обычно так меня приветствует Лютик. Затем она сползает с табурета и исчезает за стеллажом с меховыми лосинами. Раздается какое-то шуршание, потом из-за стеллажа высовывается рука Тигрис и манит нас. Крессида смотрит на меня, словно спрашивая: «Ты уверена?» А что нам остается делать? Если мы вернемся на улицу, нас ждет плен или смерть. Я протискиваюсь сквозь завесу из мехов и вижу, что Тигрис сдвинула панель у основания стены. За панелью узкая каменная лестница, ведущая вниз. Тигрис делает знак, чтобы я шла туда.

Все во мне буквально кричит о том, что это ловушка. Поборов панику, я поворачиваюсь к Тигрис и смотрю в ее темно-желтые глаза. Зачем ей нам помогать? Она же не Цинна, она не из тех, кто жертвует собой ради других. Эта женщина — воплощение капитолийского тщеславия. Она была звездой Голодных игр, пока... пока не перестала ею быть. Так что же ее толкает? Злоба? Ненависть? Месть? Последняя догадка меня успокаивает: мечта о мести может жить очень, очень долго — особенно если ее подпитывает каждый взгляд, брошенный в зеркало.

— Сноу запретил тебе участвовать в Играх? — спрашиваю я. Тигрис молча смотрит на меня и раздраженно подергивает хвостом, невидимым во мраке. — Знаешь, я ведь собираюсь его убить.

Лицо Тигрис искажает гримаса, которую я решаю счесть улыбкой. Ободренная мыслью о том, что она все-таки не совсем безумна, я встаю на четвереньки и проползаю через отверстие.

Примерно на полпути я натыкаюсь на висящую цепочку, дергаю ее; убежище освещает мерцающая люминесцентная лампочка. Я в маленьком подвале, широком и неглубоком, без окон и дверей. Возможно, это просто переход между двумя настоящими подвалами, место, о котором можно не догадаться, разве что вы отлично ориентируетесь в трех измерениях. Здесь холодно и сыро; повсюду груды мехов, которые наверняка уже много лет не видели солнечного света. Если Тигрис нас не выдаст, то здесь мы будем в относительной безопасности. Когда я добираюсь до бетонного пола, мои спутники уже спускаются по ступенькам. Панель закрывает отверстие; слышно, как скрипят колесики стойки, которую ставят на место. Тигрис бредет к своему табурету. Ее магазин проглотил нас.

И очень вовремя, ведь Гейл, похоже, на грани обморока. Мы делаем из шкур ложе, снимаем с Гейла оружие и укладываем его на спину. У стены, примерно в футе от пола, находится кран, а под ним сливное отверстие. Я поворачиваю вентиль; кран долго плюется ржавчиной, но в конце концов из него начинает течь чистая вода. Мы промываем рану на шее Гейла, и тут я понимаю, что одними бинтами не обойтись — нужно накладывать швы. В аптечке есть игла и стерильная нить, однако у нас нет врача. Я думаю, не привлечь ли нам Тигрис: она же стилист и умеет обращаться с иглой. Но тогда в магазине никого не останется, а Тигрис и так достаточно для нас сделала. Приходится смириться с мыслью, что самый квалифицированный медик в отряде — я. Сжав зубы, криво зашиваю рану. Выглядит шов ужасно, зато, по крайней мере, он не разойдется. Я смазываю рану лечебной мазью, заматываю бинтами и даю Гейлу болеутоляющее.

— Мы в безопасности. Можешь отдыхать, — говорю я ему. Он выключается, словно лампочка.

Пока Крессида и Поллукс делают для нас гнездышки из мехов, я обрабатываю запястья Пита — осторожно смываю кровь, смазываю антисептиком, накладываю повязки.

— Нужно держать их в чистоте, — говорю я, — иначе инфекция распространится, и...

— Китнисс, я знаю, что такое заражение крови, — говорит Пит. — Хотя моя мать и не врач.

Меня накрывает волна воспоминаний о другой ране, о других бинтах.

— То же самое ты сказал мне во время первых Игр. Правда или ложь?

— Правда, — отвечает он. — И ты рискнула жизнью, чтобы добыть лекарство, которое меня спасло?

— Правда. — Я пожимаю плечами. — Ведь я осталась в живых только благодаря тебе.

— Правда? — Моя реплика сбивает его с толку. Кажется, какое-то блестящее воспоминание пытается завладеть вниманием Пита: тело напрягается, и наручники впиваются в перевязанные запястья, затем силы покидают его. — Китнисс, я так устал.

— Спи, — отвечаю я. Но он не закрывает глаза, пока я не приковываю его к одной из опор лестницы. Наверное, это неудобно — лежать с руками над головой, тем не менее через несколько минут Пит тоже засыпает.

Крессида и Поллукс сделали для нас постель, уложили провиант и медикаменты, а теперь спрашивают, как я хочу организовать смену часовых. Я смотрю на бледное лицо Гейла, на скованные руки Пита. Поллукс не спал уже несколько дней, а мы с Крессидой только подремали пару часов. Если сюда придет отряд миротворцев, мы окажемся в ловушке, словно крысы. Мы в полной власти дряхлой женщины-тигра, которая, я надеюсь, страстно желает убить Сноу.

— Если честно, то нам вряд ли стоит назначать часовых. Давайте просто поспим, — говорю я.

Они тупо кивают, и мы все зарываемся с головой в шкуры. Огонь внутри меня погас, а с ним ушли и все мои силы.

Я капитулирую перед мягким, душным мехом и впадаю в забытье.

Запомнила я только один сон — долгий, утомительный, в котором я пробираюсь в Двенадцатый дистрикт. Дом, который я ищу, не разрушен, а его обитатели живы. Со мной Эффи Бряк в экстравагантном розовом парике и сшитом по мерке костюме. Я пытаюсь отделаться от нее, но она необъяснимым образом снова и снова оказывается рядом. Эффи утверждает, что она как моя спутница должна следить за тем, чтобы я придерживалась расписания. Только вот расписание постоянно меняется, идет под откос, когда оказывается, что какой-то чиновник не поставил на него печать, — или сдвигается, когда Эффи ломает каблук. Мы несколько дней живем на скамейке, которая стоит на серой станции в Седьмом дистрикте, дожидаемся поезда, который так и не приходит. Проснувшись, я почему-то чувствую себя более изможденной, чем после обычных кошмаров, полных крови и ужаса.

Не спит только Крессида; она говорит мне, что сейчас вторая половина дня. Я съедаю банку тушеной говядины, запиваю ее большим количеством воды, затем прислоняюсь к стене и вспоминаю события вчерашнего дня. Перехожу от одной смерти к другой. Считаю на пальцах. Один, два — Митчелл и Боггс погибли на улице. Три — Мессалла расплавлен. Четыре, пять — Лиг Первая и Джексон пожертвовали собой у «Мясорубки». Шесть, семь, восемь — переродки-ящерицы, пахнущие розами, обезглавили Кастора, Хоумса и Финника. Восемь погибших за сутки. Я знаю, что это произошло, но не могу поверить. Кастор, конечно, спит вон под той грудой шкур, Финник через минуту спустится по лестнице, а Боггс расскажет мне про план нашего спасения.

Если я хочу поверить в их смерть, то нужно согласиться, что их убила я. Ну, может, всех, кроме Митчелла и Боггса — они отдали жизнь, выполняя задание. Все другие погибли, защищая меня в ходе задания, которое я выдумала. Теперь, когда я мерзну в этом подвале, подсчитываю наши потери и перебираю кисточки на серебряных сапогах, украденных из дома той женщины, мой план покушения на Сноу кажется таким глупым. Ах да, ту женщину тоже убила я. Значит, я уже начинаю уничтожать безоружных граждан.

Видимо, пришло время сдаваться.

Когда все, наконец, просыпаются, я признаюсь, что солгала насчет задания и поставила на карту жизнь людей ради мести. Когда я умолкаю, возникает долгая пауза. Потом Гейл говорит:

— Китнисс, все мы знали, что ты солгала про Койн и покушение на Сноу.

— Может, ты догадывался об этом, но солдаты из Тринадцатого ничего не знали, — отвечаю я.

— Думаешь, Джексон поверила в то, что ты действуешь по приказу Койн? — спрашивает Крессида. — Конечно, нет. Но она доверяла Боггсу, а он, несомненно, хотел, чтобы ты шла дальше.

— Я ничего не говорила Боггсу о своих планах, — говорю я.

— Ты рассказала о них всему Штабу! — восклицает Гейл. — Когда ты согласилась стать Сойкой, одним из твоих условий было «Я убью Сноу».

Я не вижу связи. Переговоры с Койн о праве казнить Сноу после войны — одно, а несанкционированная пробежка по Капитолию — совсем другое.

— Но это совсем не то! — протестую я. — Это же катастрофа!

— Напротив, можно считать, что операция прошла весьма успешно, — говорит Гейл. — Мы проникли во вражеский лагерь, продемонстрировали, что система безопасности Капитолия уязвима. Нас показали в новостях Капитолия. В городе хаос — и все потому, что власти ищут нас.

— Поверь мне, Плутарх вне себя от восторга, — добавляет Крессида.

— Плутарху наплевать на смерть других людей, — говорю я. — Лишь бы его Игры были успешными.

Крессида и Гейл пытаются убедить меня, Поллукс согласно кивает. Только Пит не высказывает своего мнения.

— А ты что думаешь, Пит? — наконец спрашиваю я.

— Я думаю... что ты до сих пор не поняла, каким влиянием обладаешь. — Пит поднимает руки и садится. — Эти люди не идиоты. Они знали, что делали. Они пошли за тобой, так как верили, что ты действительно можешь убить Сноу.

Не знаю, почему голос Пита так на меня действует. Но если Пит прав, а мне кажется, что это так, то я в долгу перед погибшими — и вернуть долг можно только одним способом. Я вытаскиваю из кармана карту и решительно расстилаю ее на полу.

— Где мы, Крессида?

Магазин Тигрис находится примерно в пяти кварталах от Круглой площади и дворца Сноу. До зоны, где капсулы отключены ради безопасности жителей, легко дойти пешком. У нас есть костюмы, которые, если немного украсить их мехами из запасов Тигрис, помогут нам туда добраться. Но что мы будем делать потом? Дворец наверняка хорошо охраняется, за ним круглые сутки наблюдают камеры слежения, и в нем полно капсул, которые можно активировать одним нажатием на переключатель.

— Сноу нужно выманить, — говорит Гейл. — А затем кто-нибудь из нас его застрелит.

— Разве он все еще появляется на публике? — спрашивает Пит.

— Не думаю, — отвечает Крессида. — Все речи, которые я видела, он произносил в своем дворце, даже до того, как здесь появились повстанцы. Полагаю, он стал еще более осторожным после того, как Финник заявил о его преступлениях.

Точно. Сейчас Сноу ненавидят не только Тигрисы Капитолия, но и множество людей, которые знают, что президент сделал с их родными и друзьями. Чтобы выманить его, понадобится чудо. Что-нибудь вроде...

— Он почти наверняка выйдет ради меня, — говорю я. — Если бы меня поймали, он бы растрезвонил об этом на весь свет. Он бы захотел казнить меня у главного входа во дворец. — Я делаю паузу, чтобы эта мысль дошла до остальных. — И тогда Гейл мог бы смешаться с толпой и застрелить его.

— Нет. — Пит качает головой. — У этого плана слишком много альтернативных финалов. Сноу может оставить тебя в живых и пытать, чтобы получить информацию. Или он казнит тебя публично, а сам на казнь не придет. Или убьет тебя во дворце, потом выставит напоказ твой труп.

— Гейл? — спрашиваю я.

— Решение слишком радикальное, — говорит он. — Оставим его на самый крайний случай. Давайте подумаем еще.

В наступившей тишине мы слышим тихие шаги наверху. Наверное, магазин уже закрывается, и Тигрис запирает дверь или опускает шторы. Несколько минут спустя панель наверху отодвигается.

— Выходите, — говорит хриплый голос. — Я принесла вам еду.

Первые слова, которые она произнесла после нашего прибытия. Не знаю, само у нее это получается или она долго тренировалась, но речь Тигрис очень напоминает урчание кошки.

— Ты связалась с Плутархом? — спрашивает Крессида, пока мы поднимаемся по лестнице.

— Это невозможно. — Тигрис пожимает плечами. — Не волнуйся, он поймет, что вы в безопасности.

Не волнуйся? Я чувствую огромное облегчение от одной мысли, что не буду получать — и, соответственно, игнорировать — приказы из Тринадцатого, а также придумывать правдоподобные объяснения решений, которые приняла за последние несколько дней.

Поднявшись в магазин, мы обнаруживаем на прилавке несколько кусков черствого хлеба, немного заплесневелого сыра и полбутылки горчицы. Я вспоминаю, что в наши дни не каждый житель Капитолия ест досыта, и сообщаю Тигрис о наших запасах, но она только отмахивается.

— Я ем очень мало — и только сырое мясо, — говорит она.

По-моему, она слишком вжилась в роль, но вопросов я не задаю, а только соскребаю плесень с сыра и делю провизию на всех.

Мы едим и смотрим капитолийский выпуск новостей. Власти вычислили, что из отряда повстанцев в живых остались только мы пятеро. За сведения, которые приведут к нашей поимке, назначена огромная награда. Показывают нашу перестрелку с миротворцами, но сцены, где переродки откусывают им головы, удалены. Потом начинается трагический ролик, посвященный женщине, которую я убила: она лежит там, где мы ее оставили, с моей стрелой в сердце. Кто-то заново наложил женщине макияж, чтобы она лучше выглядела в кадре.

Повстанцы выпуск новостей не прерывают.

— Сегодня мятежники делали заявление? — спрашиваю я. Тигрис качает головой. — Теперь Койн знает, что я жива, и не понимает, что со мной делать.

Тигрис гортанно смеется.

— Никто не знает, что с тобой делать, девочка.

Она заставляет меня взять пару меховых лосин. Заплатить мне нечем, так что приходится принять их в подарок. Все равно в этом подвале жуткий холод.

После ужина мы спускаемся вниз и продолжаем лихорадочно разрабатывать план. Ничего хорошего в голову не приходит, но мы решаем, что дальше идти вместе нельзя, и, прежде чем я сдамся в плен, нам нужно проникнуть в президентский дворец. Я не возражаю против второго пункта, чтобы избежать дальнейших споров. Ведь если я решу сдаться, чье-то разрешение или помощь мне не потребуются.

Мы заново перевязываем раны, приковываем Пита к лестнице и ложимся спать. Несколько часов спустя я просыпаюсь и слышу чей-то тихий разговор. Пит и Гейл.

— Спасибо за воду, — говорит Пит.

— Не за что, — отвечает Гейл. — Все равно я просыпаюсь раз десять за ночь.

— Чтобы проверить, здесь ли Китнисс?

— Вроде того.

— Забавную штуку сказала эта Тигрис, — замечает Пит после долгой паузы. — Никто не знает, что делать с Китнисс.

— Ну, уж мы-то — точно, — отвечает Гейл.

Они смеются. Это так странно — они разговаривают, словно друзья, хотя никогда ими не были. Правда, они и не враги.

— Знаешь, она ведь любит тебя, — говорит Пит. — Она практически призналась мне в этом, когда тебя высекли.

— Не верю, — отвечает Гейл. — Во время Квартальной бойни она тебя так поцеловала... Меня она так не целует.

— Это было просто для шоу, — замечает Пит, однако в его голосе я слышу нотку сомнения.

— Нет, ты ее покорил. Пожертвовал всем ради нее. Может, это единственный способ доказать ей свою любовь. — Гейл надолго умолкает. — Нужно было вызваться самому и занять твое место на первых Играх. Тогда бы ее защитил я.

— Ты не мог, — возражает Пит. — Ты должен был позаботиться о ее родных, а они ей дороже жизни. Она бы никогда тебя не простила.

— Ну, теперь это не важно. Вряд ли мы все доживем до конца войны. А если и доживем, то это уже проблема Китнисс — кого из нас выбрать. — Гейл зевает. — Нам нужно поспать.

— Да. — Я слышу, как скользят по опоре наручники Пита, пока он устраивается поудобнее. — Интересно, кого она выберет?

— О, я знаю. — Меха заглушают голос Гейла, и я почти не слышу его. — Китнисс выберет того, кто, по ее мнению, поможет ей выжить.

24

По телу пробегает дрожь. Неужели я настолько холодная и расчетливая? Гейл не сказал: «Китнисс выберет того, кто разбил ей сердце», или даже «того, без кого она не сможет жить». Тогда бы подразумевалось, что в своих действиях я руководствуюсь какой-то страстью. Но мои лучшие друзья предполагают, что я выберу того, кто «поможет мне выжить». Ни малейшего намека на то, что на мое решение повлияет любовь, желание или даже сходство характеров. Нет, я беспристрастно произведу оценку того, что могут мне предложить потенциальные партнеры, и не более того. Как будто в конце концов все сведется к одному вопросу: кто максимально продлит мою жизнь — охотник или пекарь? Ужасно, что Гейл так сказал, а Пит не попытался ему возразить. Особенно если учесть, что на моих чувствах играли и Капитолий, и повстанцы. Сейчас мой выбор прост: я прекрасно обойдусь без обоих.

Утром у меня нет ни времени, ни сил обижаться. Мы встаем до рассвета, завтракаем паштетом и печеньем с финиками, а затем собираемся у телевизора, чтобы посмотреть на очередной ролик Бити. В ходе войны новый поворот. После того как по городу прокатилась черная волна, кому-то из повстанческих командиров пришла в голову блестящая мысль: он конфискует брошенные автомобили и пускает их, без водителей, по улицам. Машины активируют не все, но большинство капсул. Примерно в четыре часа утра повстанцы начали прокладывать три пути — в ролике их называют просто линии «А», «Б» и «В» — к центру Капитолия. В результате они захватывают квартал за кварталом практически без потерь.

— Это ненадолго, — говорит Гейл. — Более того, удивительно, что повстанцев сразу не остановили. Капитолийцы изменят тактику: отключат определенные капсулы, а затем активируют их вручную, когда противник подойдет поближе.

Через несколько минут мы видим, как это происходит. Какой-то отряд посылает по улице машину. Четыре капсулы активируются, и с виду все нормально. За машиной идут три разведчика; они без приключений добираются до конца улицы. Но когда за ними следует группа из двадцати солдат, розовые кусты перед цветочным магазином взрываются, разнося повстанцев в клочья.

— Плутарх дорого бы дал, чтобы оказаться за пультом управления капсулами, — замечает Пит.

Бити позволяет Капитолию продолжить трансляцию; на экране появляется мрачный репортер, перечисляющий кварталы, жителям которых приказано эвакуироваться. В свете зари я вижу странное зрелище. Из занятых повстанцами кварталов к центру Капитолия течет поток беженцев. Те, кто перепугался больше всего, одеты только в ночные сорочки и шлепанцы; более подготовленные закутаны в несколько слоев одежды. Люди несут собачек, шкатулки с драгоценностями, цветы в горшках. Мужчина в пушистом халате держит в руке переспелый банан. Сонные, ничего не понимающие дети молча ковыляют за родителями — они так потрясены, что даже не плачут. Я вижу их — огромные карие глаза, ручонка, сжимающая любимую куклу, босые ноги, посиневшие от холода, шлепающие по неровной мостовой. Я вспоминаю детей Двенадцатого, погибших во время бомбежки, и отхожу от окна.

Тигрис — единственная среди нас, за чью голову не назначена награда, — предлагает свои услуги в качестве разведчика. Спрятав нас в подвале, она идет в Капитолий, чтобы добыть какие-нибудь полезные сведения.

В подвале я начинаю ходить взад и вперед, и это бесит остальных. Что-то мне подсказывает: мы должны слиться с потоком беженцев. Лучшей маскировки не придумаешь, верно? С другой стороны, каждый беженец — еще одна пара глаз, которая выслеживает пятерых беглецов-мятежников. И все же, что мы теряем? Сейчас мы просто сидим в подвале, подъедаем наши скромные запасы и ждем... чего? Что повстанцы возьмут Капитолий? Штурм может продлиться несколько недель, и, кроме того, я не знаю, что делать в этом случае. Выбегать на улицы и приветствовать освободителей я не собираюсь. Ведь не успею я сказать: «Морник, морник, морник», как люди Койн отправят меня обратно в Тринадцатый. Не для того я проделала такой путь и потеряла столько людей, чтобы сдаться на милость этой женщины. *«Я убью Сноу».* Кроме того, за последние дни произошло много такого, чего я не смогу объяснить. И если эти события всплывут, соглашению об амнистии для победителей, скорее всего, крышка. А кое-кому из них эта амнистия очень бы пригодилась — Питу, например, который, как ни крути, бросил Митчелла в сеть, и это снято на пленку. Представляю себе, что сделает с записью трибунал, организованный Койн.

Вечереет, а Тигрис все нет, и мы начинаем нервничать. Обсуждаем возможные варианты: быть может, Тигрис арестовали, и она нас выдала, или же она пострадала, попав в толпу беженцев. Примерно в шесть часов Тигрис возвращается. Сверху доносится какое-то шуршание, затем Тигрис отодвигает панель. В воздухе распространяется чудесный запах жареного мяса: Тигрис приготовила жаркое из свинины с картошкой. Мы уже несколько дней не ели горячей пищи, и, пока Тигрис раскладывает еду по тарелкам, у меня текут слюнки.

Я ем и пытаюсь слушать рассказ Тигрис о том, как она добыла продукты, а в голове остается только то, что меховое белье внезапно стало очень ценным товаром — особенно для тех, кому пришлось в спешке покинуть свои дома. Многие из этих людей все еще бродят по улицам, пытаясь найти себе кров. Жители роскошных квартир в центре города, не распахнули двери перед беженцами — напротив, они заперли двери на все замки, опустили жалюзи и притворились, будто их нет дома. Город заполнили беженцы, и миротворцы силой вламываются в чужие дома, чтобы разместить тех, кто остался без крова.

По телевизору немногословный главный миротворец объясняет, сколько беженцев будет размещено в квартире той или иной площади. Он напоминает жителям Капитолия, что ночью будут сильные заморозки, и предупреждает, что все должны не просто принять у себя беженцев, но и активно им помогать. Затем нам показывают плохо отрепетированные сцены: граждане оказывают теплый прием благодарным беженцам. По словам главного миротворца, сам президент приказал подготовить часть своего дворца для размещения пострадавших. Миротворец добавляет, что владельцы магазинов также должны быть готовы принять у себя беженцев.

— Тигрис, а ведь это и к тебе относится, — говорит Пит, и я понимаю, что он прав, — если число беженцев возрастет, их могут разместить даже в этом магазине, более похожем на коридор. И тогда подвал действительно превратится в ловушку, где мы будем сидеть в постоянном страхе, что нас обнаружат. Сколько у нас дней — один, два?

Главный миротворец продолжает инструктировать население. Вечером произошел прискорбный инцидент: толпа забила до смерти юношу, похожего на Пита. Отныне люди, увидевшие мятежников, должны немедленно сообщить об этом властям, которые займутся установлением личности и арестом подозреваемых. На экране появляется фотография погибшего. Если не считать высветленных локонов, юноша похож на Пита не больше, чем я.

— Люди сошли с ума, — бормочет Крессида.

В коротком ролике повстанцы сообщают, что сегодня захватили еще несколько кварталов. Я запоминаю адреса захваченных домов и нахожу их на карте.

— Линия «В» всего в четырех кварталах отсюда, — объявляю я.

Почему-то это беспокоит меня больше, чем мысль о том, что сюда могут явиться миротворцы. Чтобы справиться с волнением, я развиваю бурную деятельность.

— Давайте, я вымою посуду.

— Я тебе помогу. — Гейл собирает тарелки.

Мы выходим из комнаты, и я чувствую, что Пит провожает нас взглядом. В задней части магазина находится крохотная кухонька. Я наполняю раковину горячей водой и выливаю в нее мыльный раствор.

— Думаешь, Сноу действительно пустит беженцев во дворец? — спрашиваю я.

— Ему придется это сделать — хотя бы для того, чтобы показать по телевидению.

— Утром я уйду, — говорю я.

— Я с тобой, — отвечает Гейл. — А с остальными что будем делать?

— Поллукс и Крессида могут пригодиться, они хорошие проводники. Если честно, то Поллукс с Крессидой меня не беспокоят. А вот Пит слишком...

— Непредсказуем, — заканчивает за меня Гейл. — Потвоему, он все еще хочет, чтобы мы его бросили?

— Скажем ему, что он представляет для нас опасность. Если убедим его, он, возможно, останется здесь.

Пит относится к нашему предложению довольно прагматично и сразу соглашается, что оставлять его с нами — слишком большой риск. Я уже с облегчением думаю, что у нас все получится, что он просто посидит в подвале у Тигрис, как вдруг Пит объявляет, что дальше пойдет один.

— И что ты собираешься делать? — спрашивает Крессида.

— Пока не знаю. Возможно, мне удастся отвлечь от вас внимание. Вы же видели, что стало с тем парнем, похожим на меня, — говорит Пит.

— А что, если ты... утратишь контроль над собой? — спрашиваю я.

— То есть... превращусь в переродка? Ну, если я почувствую, что это происходит, то попытаюсь вернуться сюда, — уверяет он.

— А если Сноу снова тебя схватит? — спрашивает Гейл. — У тебя даже ствола нет.

— Придется рискнуть — как и всем вам, — отвечает Пит. Они с Гейлом переглядываются, затем Гейл достает из нагрудного кармана капсулу с морником и отдает Питу.

— А ты? — Пит держит капсулу на ладони, не принимая и не отвергая ее.

— Не волнуйся, Бити научил меня взрывать подрывные стрелы вручную. Если это не сработает, у меня есть нож, а также Китнисс, — улыбается Гейл. — Она не позволит миротворцам взять меня живым.

В моей голове возникает картинка — миротворцы утаскивают Гейла, и снова звучит та песня...

«В полночь, в полночь приходи...»

— Бери ее, Пит, — выдавливаю я, беру его руку и заставляю сжать капсулу в кулаке. — Случись что, тебя никто не выручит.

Спим мы тревожно, нам снятся кошмары, и время от времени кто-нибудь будит всех остальных криками. На уме только одно — завтрашние планы, и в пять утра я чувствую облегчение от того, что уже можно действовать. Мы подъедаем остатки продовольствия — консервированные персики, печенье, улиток, и оставляем банку лосося для Тигрис, жалкий знак благодарности за все, что она для нас сделала. Похоже, этот жест ее растрогал; она корчит какую-то странную гримасу и с жаром берется за дело. За час Тигрис полностью изменяет наш облик. Она прячет форму под слоями другой одежды, под плащами и пальто, а наши армейские ботинки — под какими-то пушистыми тапочками. Закрепляет заколками парики на головах. Стирает наложенную второпях косметику и снова делает нам грим. Прячет оружие в складках верхней одежды. Дает нам в руки сумочки и другие безделушки. В конце концов нас уже не отличить от беженцев.

— Не стоит недооценивать способности гениального стилиста, — замечает Пит, и эти слова вгоняют Тигрис в краску.

По телевизору не сообщают ничего стоящего, но переулок забит беженцами ничуть не меньше, чем вчера. Наш план — разбиться на три группы и смешаться с толпой. Сначала пойдут Крессида и Поллукс, они станут нашими проводниками. Затем выйдем мы с Гейлом и присоединимся к беженцам, которых сегодня поведут в президентский дворец. За нами пойдет Пит, который, в случае необходимости, отвлечет внимание на себя.

Тигрис следит за тем, что происходит на улице, из-за шторы. Выбрав подходящий момент, она отпирает дверь и кивает Крессиде с Поллуксом.

— Береги себя, — говорит Крессида, и они с Поллуксом уходят.

Через минуту за ними последуем мы. Я достаю ключ, освобождаю Пита от наручников и кладу их в карман. Пит потирает и разминает запястья. На меня накатывает волна отчаяния — как в тот раз, на Квартальной бойне, когда Бити дал нам с Джоанной проволоку.

— Только без глупостей, ладно? — говорю я.

— Нет. Только в крайнем случае. Абсолютно, — отвечает Пит.

Я обнимаю его за шею. Секунду он колеблется, потом тоже обнимает меня. Его руки не такие крепкие, как раньше, и все равно теплые и сильные. На меня обрушивается поток воспоминаний, таких сладких воспоминаний. Тысячи моментов, и в каждом из них его объятия были моим единственным убежищем. Тогда я этого не ценила. А сейчас я Пита потеряла.

— Ну ладно. — Я отпускаю его.

— Пора, — говорит Тигрис.

Я целую ее в щеку, застегиваю красный плащ с капюшоном, натягиваю на лицо шарф и выхожу на мороз вслед за Гейлом.

Колючие снежинки кусают меня за щеки. Заря безуспешно пытается пробиться сквозь мрак. В темноте можно разглядеть только тех, кто совсем рядом. Это прекрасно, но беда в том, что я не вижу Крессиду и Поллукса. Опустив голову, мы с Гейлом ковыляем вместе с беженцами. Вокруг плач, стоны, затрудненное дыхание — а где-то неподалеку слышна стрельба.

— Дядя, куда мы идем? — спрашивает мальчик, дрожащий от холода.

— В президентский дворец, там нам дадут новое жилье, — пыхтит мужчина, пригибающийся к земле под тяжестью небольшого сейфа.

Мы выходим на одну из главных улиц города.

— Держись правой стороны! — командует кто-то.

В толпе стоят миротворцы, управляющие потоком людей. Из-за стеклянных витрин на нас глядят испуганные лица; магазины уже битком набиты беженцами. Если так пойдет и дальше, то уже к полудню у Тигрис появятся новые гости. Похоже, мы оказали услугу не только ей, уйдя оттуда.

Снегопад усиливается, но солнце светит ярче, и поэтому видимость улучшилась. Я замечаю Крессиду и Поллукса, они бредут в толпе ярдах в тридцати от нас. Я оборачиваюсь и пытаюсь найти Пита. Его я не вижу, однако замечаю девочку в лимонно-желтом пальто, которая с любопытством разглядывает нас. Я толкаю Гейла локтем и замедляю шаг, чтобы пропустить ее вперед.

— Возможно, нам нужно разделиться, — говорю я вполголоса. — Вон та девочка...

Грохочут выстрелы, и несколько людей рядом со мной валятся на землю. Вопли сливаются с треском второй очереди, которая срезает группу людей позади нас. Мы с Гейлом падаем на мостовую, проползаем десять ярдов и прячемся за стеллажом с сапогами, выставленным перед обувным магазином.

— Кто стреляет? Ты его видишь? — спрашивает Гейл, пытаясь разглядеть хоть что-нибудь из-за рядов украшенной перьями обуви.

Через щель между лиловыми и светло-зелеными кожаными сапогами видна только улица, заваленная телами. Девочка, наблюдавшая за мной, стоит на коленях рядом с лежащей неподвижно женщиной, рыдает и пытается ее разбудить. Вдруг желтое пальто становится красным, и девочка падает: еще одна очередь попала ей в грудь. Я смотрю на крошечное тельце и на мгновение теряю дар речи. Гейл толкает меня локтем.

— Китнисс?

— Они над нами, на крыше, — отвечаю я. Снова раздаются выстрелы, и на заснеженную мостовую падают люди в белой форме. — Пытаются уничтожать миротворцев, но с меткостью у них не очень. Наверно, это повстанцы.

Мои союзники прорвали оборону противника, однако никакой радости я не испытываю. У меня из головы не идет лимонно-желтое пальто.

— Если начнем стрелять, нам конец. Весь мир поймет, что это мы, — говорит Гейл.

Он прав. У нас есть только наши знаменитые луки; выпустить хоть одну стрелу — значит, известить обе стороны о том, что мы здесь.

— Мы должны подобраться к Сноу! — яростно выпаливаю я.

— Тогда пошли, пока эти ребята не взорвали весь квартал, — говорит Гейл.

Мы продолжаем путь, держась вдоль стен. Только вот стены — это, в основном, витрины, за которыми видны прижатые к ним потные ладони и изумленные лица. Я поднимаю шарф повыше, и мы бежим от одного магазина к другому. За стеллажом с фотографиями Сноу в рамках мы обнаруживаем раненого миротворца, прислонившегося к кирпичной стене. Он просит о помощи. Гейл бьет его коленом по голове и забирает у него оружие. На перекрестке Гейл убивает второго миротворца, так что теперь у нас есть огнестрельное оружие.

— Так кто мы теперь? — спрашиваю я.

— Отчаявшиеся жители Капитолия, — отвечает Гейл. — Миротворцы решат, что мы на их стороне, а повстанцы, надеюсь, найдут себе более интересные цели.

Я не уверена в правильности такого решения, но когда мы добираемся до следующего квартала, кто мы — и кто все остальные, — уже не важно. На лица никто не смотрит. Да, повстанцы здесь, это точно — они выбегают на улицу, прячутся в подъездах и за машинами, стреляют, выкрикивают команды хриплыми голосами. Повстанцы готовятся встретить армию миротворцев, которая уже идет сюда. Беженцы — безоружные, сбитые с толку, раненые — оказались меж двух огней.

Впереди активируется капсула, выпуская поток пара, который варит заживо всех, кто попал в его облако. Жертвы выглядят неестественно розовыми. Затем начинается полный хаос. Остатки пара смешиваются со снегом, все окутывает густой туман; я вижу не дальше ствола своего оружия. Миротворцы, повстанцы, мирные жители — кто их разберет? Каждый, кто движется, — цель. Люди стреляют почти машинально, и я не исключение. Сердце колотится в груди, в крови горит адреналин, и вокруг враги — все, кроме Гейла, моего напарника, человека, который всегда меня прикроет. Мы можем только идти вперед, убивая всех, кто оказался на нашем пути. Везде кричат люди, везде раненые и мертвые. Мы добираемся до перекрестка, и тут квартал впереди озаряет яркая фиолетовая вспышка. Мы даем задний ход, укрываемся за лестницей и закрываем глаза. С людьми, которых осветила эта вспышка, что-то происходит. Их что-то атакует... но что — звук, волна, лазер? Люди роняют оружие, закрывают лицо руками; из глаз, ушей, ртов и носов течет кровь. За минуту все умирают, и свет гаснет. Сжав зубы, я бросаюсь вперед, перепрыгиваю через трупы, едва сохраняю равновесие, наступая на скользкие внутренности. Меня ослепляет поземка, однако даже завывания ветра не могут заглушить все усиливающийся топот сапог.

— Ложись! — шепчу я Гейлу.

Мы падаем на мостовую. Мое лицо оказывается в луже еще теплой крови, но я притворяюсь мертвой и не двигаюсь, пока по нам проходят сапоги. Кое-кто обходит трупы, другие наступают мне на руки и на спину, случайно бьют ногами по голове, проходя мимо. Когда звук шагов стихает, я открываю глаза и киваю Гейлу.

На следующем перекрестке мы снова натыкаемся на перепуганных беженцев, хотя солдат здесь уже меньше. Как только я думаю, что нам повезло, раздается треск — усиленный в тысячу раз звук яйца, разбиваемого о край миски. Мы останавливаемся, ищем глазами капсулу. Ничего. Внезапно я ощущаю ступнями, что улица едва заметно наклонилась.

— Беги! — кричу я Гейлу.

На объяснения нет времени, но скоро принцип работы капсулы становится ясен. В центре квартала появляется дыра; две половины мостовой отгибаются вниз, словно клапаны, и люди падают в образовавшееся отверстие.

Я не могу решить — то ли бежать к следующему перекрестку, то ли попытаться проникнуть в одно из зданий. В результате я двигаюсь не параллельно улице, а под небольшим углом, и, пока «клапаны» продолжают опускаться, моим ногам все труднее находить опору на скользких плитах мостовой.

Это похоже на бег по ледяной горе, которая с каждым шагом становится все круче. До обеих целей — перекрестка и зданий — остается несколько футов, и внезапно «клапан» уходит из-под ног. Я прыгаю в направлении перекрестка и, вцепившись в край мостовой, понимаю, что «клапаны» полностью опустились. Ноги болтаются в воздухе, и поставить их не на что. Снизу поднимается волна смрада, какую могла бы издавать гора трупов в летнюю жару. На дне, футах в пятидесяти, возникают черные фигуры, заставляющие умолкнуть тех, кто выжил после падения.

Из моей глотки вырывается сдавленный вопль. Мне никто не поможет. Пальцы скользят по ледяной поверхности. По счастью, до угла капсулы всего футов шесть. Медленно двигаюсь вдоль края, пытаясь не слушать ужасные вопли внизу. Когда ладони обхватывают угол капсулы, я заношу правую ногу, упираюсь ею во что-то и осторожно выбираюсь на поверхность. Выползаю на улицу и хватаюсь за фонарный столб, хотя поверхность здесь и так абсолютно ровная. Меня бьет дрожь, дышать тяжело.

— Гейл? — Я всматриваюсь в яму, уже не беспокоясь о том, что меня узнают. — Гейл?

— Сюда!

Я изумленно смотрю налево. «Клапан» поднял все к самому основанию здания, и теперь десяток людей держится за все, что смогли найти, — за ручки, дверные молотки, почтовые ящики. Гейл, через три двери от меня, вцепился в железную декоративную решетку и колотит ногами в дверь. Будь дверь открыта, он мог бы легко войти в дом, но на стук никто не открывает.

— В укрытие! — Я поднимаю оружие. Гейл отворачивается, а я стреляю по замку до тех пор, пока дверь не улетает внутрь дома. На секунду у меня возникает эйфория от того, что я спасла Гейла, и тут его хватают руки в белых перчатках.

Гейл ловит мой взгляд и что-то говорит. Я ничего не слышу и не знаю, что делать. Бросить его я не могу, добраться до него — тоже. Гейл снова шевелит губами. Я трясу головой: «Не понимаю». Миротворцы, которые уже втаскивают его в дом, могут в любую секунду сообразить, кого они поймали.

— Уходи! — кричит Гейл.

Я поворачиваюсь и бегу прочь от капсулы. Теперь я одна. Гейл в плену, Крессида с Поллуксом десять раз могли погибнуть. А Пит? Я не видела его с тех пор, как мы ушли от Тигрис. Я цепляюсь за мысль о том, что он, быть может, вернулся в магазин. Почувствовал, что начинается приступ, и отступил обратно в подвал, пока не утратил контроль над собой. Понял, что отвлекать внимание не нужно — ведь Капитолий сам делает все для этого необходимое. Не нужно становиться приманкой, не нужно принимать морник... Морник! У Гейла нет капсулы! Даже если он умеет взрывать стрелы руками, такого шанса у него не будет — ведь миротворцы сразу же отнимут у Гейла оружие.

Я залетаю в подъезд; глаза щиплет от слез. «Застрели меня» — вот что он пытался сказать. Я должна была его застрелить! Это мой долг, невысказанное обещание, которое все мы дали друг другу. А теперь миротворцы убьют его, запытают, вколют яд ос-убийц или... Сознание раскалывается на множество частей. У меня осталась только одна надежда, — надежда на то, что Капитолий падет и миротворцы сдадутся, прежде чем причинят вред Гейлу. Однако пока жив Сноу, этого не произойдет.

Мимо пробегают двое миротворцев; на плачущую жительницу Капитолия, которая прячется в подъезде, они даже не обращают внимания. Я подавляю рыдания, смахиваю слезы, пока они не замерзли, и успокаиваюсь. Так, я по-прежнему безымянная беженка. Или миротворцы, схватившие Гейла, сумели меня разглядеть? Снимаю плащ, выворачиваю его наизнанку; из красного он становится черным. Закрываю лицо капюшоном и, прижав оружие к груди, осматриваю квартал. Здесь только с десяток потрясенных беженцев. Я иду за двумя стариками, которые меня не замечают. Мы доходим до следующего перекрестка; беженцы останавливаются, и я едва не налетаю на них. Мы на огромной Круглой площади, окруженной величественными зданиями, прямо напротив президентского дворца.

На площади полно народу: люди бродят туда-сюда, плачут или просто сидят, постепенно превращаясь в снежные сугробы. Здесь никто меня не найдет. Я начинаю кружными путями подбираться к дворцу, спотыкаясь о чьи-то брошенные сокровища и обледенелые ноги. Примерно на полпути натыкаюсь на бетонную баррикаду высотой около четырех футов. Она образует прямоугольник, в центре которого находится дворец Сноу. Казалось бы, здесь никого не должно быть, однако на баррикаде полно беженцев. Может, это та самая группа, которую разместят во дворце? Впрочем, подойдя ближе, я замечаю, что на баррикаде нет ни одного взрослого, только дети — малыши и подростки, замерзшие, напуганные. Одни сбились в кучу, другие сидят на земле и раскачиваются.

Никто не собирается вести их во дворец. Они сидят в загоне; со всех сторон их окружают миротворцы, которые здесь явно не для того, чтобы защищать детей. Если бы Капитолий хотел спасти ребят, то отправил бы их в какой-нибудь бункер. Нет, дети защищают Сноу, они — его «живой щит».

Начинается какой-то шум, и толпа бросается влево, увлекая меня в сторону, сбивая с намеченного курса. Слышны крики: «Мятежники! Мятежники!» Судя по всему, повстанцы ворвались в город. Людская волна прижимает меня к фонарному столбу; я вцепляюсь в привязанную к нему веревку, поднимаюсь над толпой. Теперь я вижу, как повстанцы выбегают на площадь, оттесняя беженцев в переулки. Вот-вот начнут рваться капсулы. Однако взрыва не происходит. Происходит вот что.

Прямо над баррикадой возникает планолет с эмблемой Капитолия; из него сыплются десятки серебряных парашютов. Даже в этом хаосе дети понимают, что на парашютах еда, лекарства и подарки. Дети хватают их, неуклюже пытаются развязать веревки замерзшими пальцами. Планолет исчезает, и через пять секунд примерно двадцать парашютов одновременно взрываются.

Толпа воет. Снег залит кровью, повсюду части детских тел. Многие дети погибли мгновенно, другие корчатся на земле. Кое-кто из них ковыляет, уставившись на парашюты в своих руках, словно внутри все-таки находится нечто ценное. Миротворцы разбирают баррикады, прокладывая путь к детям, — судя по всему, солдаты сами не ожидали того, что произошло. В брешь устремляется еще одна группа людей в белой форме, но это не миротворцы — это врачи, врачи повстанцев. Их форму ни с чем не спутаешь. Медики с аптечками в руках бросаются к детям.

Сперва я замечаю длинную светлую косу. Затем, когда девушка снимает пальто, укрывая им плачущего ребенка, я вижу, что полы рубашки выбились сзади, словно утиный хвостик. Я реагирую точно так же, как и в тот день, когда Эффи Бряк назвала ее имя. Видимо, я теряю сознание, поскольку внезапно понимаю, что сижу у основания столба и что воспоминаний о нескольких секундах у меня нет. В следующий миг я протискиваюсь сквозь толпу, выкрикивая имя девушки. Я почти у цели, почти у самой баррикады, и, кажется, девушка меня слышит — ее губы произносят мое имя.

И тут взрываются остальные парашюты.

25

Правда или ложь? Я горю. Огненные шары, вырвавшиеся из парашютов, пролетели сквозь поземку, над баррикадами и врезались в толпу. Один из них задел меня, когда я отворачивалась, провел языком по спине и превратил в новое существо, потушить которое так же сложно, как и солнце.

Огненному перerodку знакомо только одно чувство — невыносимая боль. У него нет ни зрения, ни слуха — ничего, кроме ощущения вечно горящей плоти. Возможно, время от времени переродок теряет сознание, но какая мне разница, если даже в эти мгновения я не могу обрести покой? Я — птица Цинны, пылающая, бешено устремившаяся к чему-то неизбежному. Огненные перья растут из моего тела. Удары крыльев лишь раздувают пламя. Я сжигаю саму себя, но бесцельно.

Наконец мои крылья слабеют. Я теряю высоту, и сила тяжести погружает меня в пенистое море такого же цвета, что и глаза Финника. Я плыву на спине; она горит и под водой, но невыносимая боль стихает, превращаясь в просто боль. И сейчас, когда я дрейфую и не могу управлять своим телом, появляются они. Мертвецы.

Те, кого я любила, пролетают надо мной, словно птицы, кружат в небе, взмывают, зовут меня. Так хочется присоединиться к ним, но морская вода наполнила легкие и не дает подняться на поверхность. Те, кого я ненавидела, оказались в воде — ужасные чешуйчатые твари, они кусают снова и снова, рвут мою соленую плоть зубами-иголками, увлекают меня на дно.

Белая, с капелькой розового птичка камнем падает вниз и пытается удержать меня на поверхности, вцепившись когтями в грудь.

— Нет, Китнисс! Нет! Не уходи!

Однако те, кого я ненавидела, побеждают, и если птица не отпустит меня, то погибнет.

— Прим, отпусти!

И в конце концов она меня отпускает.

Я под водой, и все меня бросили. Я слышу только свое дыхание — с огромным усилием втягиваю воду в легкие и выталкиваю обратно. Я хочу остановиться, задержать дыхание, но море снова входит в меня против моей воли. «Дай мне умереть, дай уйти вслед за остальными», — умоляю я то, что удерживает меня здесь. Ответа нет.

Я провожу в этой ловушке дни, годы, а может, и столетия. Я мертва, но умереть мне не дозволено. Жива, но фактически мертва — и так одинока, что любое существо, пусть даже самое мерзкое, я встретила бы с распростертыми объятиями. Однако когда ко мне наконец приходит гость, это так приятно. Морфлинг. Он течет по венам, снимает боль, делает тело таким невесомым, что оно вновь поднимается на поверхность, к слою пены.

Пена. Я и впрямь дрейфую в слое пены, чувствую ее под пальцами; она облепила мое обнаженное тело. Мне очень больно, и все-таки я чувствую, что нахожусь в реальном мире — горло першит, в воздухе витает запах средства от ожогов, я слышу голос матери. Это меня пугает, и я пытаюсь вернуться в морские глубины и там во всем разобраться. Однако назад дороги нет, и постепенно меня вынуждают с этим смириться. Я — сильно обожженная девушка без крыльев. Без огня. И без сестры.

В невероятно белой больнице Капитолия надо мной колдуют врачи — завертывают в новые слои кожи, уговаривают клетки стать частью меня, крутят и растягивают руки-ноги, чтобы они встали точно на место. Все наперебой говорят, как мне повезло: глаза целы, лицо почти не пострадало, легкие хорошо реагируют на лечение. Я буду как новенькая.

Когда моя нежная кожа загрубела настолько, что может выдержать давление простыней, ко мне пускают посетителей. Морфлинг открывает двери всем — и живым, и мертвым. Хмурый, желтолицый Хеймитч, Цинна, шьющий свадебное платье, Делли, щебечущая о том, какие все добрые.

Отец поет мне все четыре куплета «Дерева висельника» и предупреждает, чтобы я не рассказывала об этом матери, которая между сменами спит в кресле у моей кровати.

Проснувшись однажды, я узнаю, что вечно жить в стране грез мне не позволят. Я должна есть ртом. Разрабатывать мышцы. Ходить в туалет. Краткий визит президента Койн окончательно решает вопрос.

— Не беспокойся, — говорит она. — Я приберегла его для тебя.

Врачи все больше удивляются тому, что я не могу говорить. Я прохожу множество тестов, и хотя у меня обнаруживают повреждение связок, немота вызвана не им. Наконец главный врач, доктор Аврелий, выдвигает теорию, в соответствии с которой моя безгласость вызвана не физическими повреждениями, а эмоциональной травмой. Врачи предлагают сотни методов лечения, но Аврелий требует, чтобы меня оставили в покое. Я никого ни о чем не спрашиваю, и тем не менее поток информации не иссякает. О войне: Капитолий пал в тот же день, когда с неба слетели парашюты, Панемом правит президент Койн, повстанцы уничтожают последние очаги сопротивления. О президенте Сноу: он в плену, его ждет суд и почти наверняка — казнь. О моем отряде: Крессиду с Поллуксом отправили в дистрикты снимать репортаж о разрушениях, вызванных войной. Гейл, который получил две пули при попытке к бегству, зачищает Второй от миротворцев. Пит все еще в ожоговом отделении. Он все-таки добрался до Круглой площади. О моей семье: мать ищет утешения в работе.

У меня работы нет, и поэтому горе накрывает меня с головой. Силы поддерживает только обещание Койн. Я смогу убить Сноу. Потом у меня не останется ничего.

В конце концов меня выписывают из больницы и поселяют вместе с матерью в одной из комнат президентского дворца. Мама почти не появляется — она ест и спит на работе. Ухаживать за мной — следить за тем, чтобы я ела и принимала лекарства, — приходится Хеймитчу. Работа эта нелегкая, ведь я снова веду себя, как в Тринадцатом, — гуляю без разрешения по дворцу, захожу в спальни, кабинеты, залы, ванные комнаты, ищу укромные местечки. Шкаф, полный мехов. Шкафчик в библиотеке. Давно забытая ванна в комнате, забитой старой мебелью. В моих тайниках темно, так что найти меня здесь невозможно. Я сворачиваюсь клубочком, сжимаюсь, пытаюсь совсем исчезнуть. Затем, в полной тишине, я снова и снова кручу на запястье браслет с надписью: «Психически нездорова».

Меня зовут Китнисс Эвердин. Мне семнадцать лет. Мой дом — Двенадцатый дистрикт. Двенадцатого дистрикта нет. Я — Сойка-пересмешница. Я уничтожила Капитолий. Президент Сноу меня ненавидит. Он убил мою сестру. А теперь я убью его, и тогда Голодным играм придет конец...

Время от времени я вновь обнаруживаю себя в своей комнате — не знаю, то ли меня отлавливает Хеймитч, то ли приводит обратно стремление получить дозу морфлинга. Пересаженная кожа до сих пор розовая, как у младенца. Старая, которую признали поврежденной, но поддающейся лечению, выглядит красной, горячей, а местами — расплавленной. Островки непострадавшей кожи кажутся бледными, почти белыми. Я похожа на жуткое лоскутное кожаное одеяло. Часть волос сгорела до самых корней, остальные неровно подстрижены. Китнисс Эвердин, Огненная Китнисс. Мне, в общем, все равно, но при виде своего тела я вспоминаю о боли — и о том, почему я ее испытывала, и о том, что произошло до боли, и о том, как моя сестренка превратилась в живой факел.

Я закрываю глаза, но это не помогает. Во тьме огонь горит еще ярче.

Иногда приходит доктор Аврелий. Он мне нравится — ведь он не говорит глупостей вроде «здесь ты в полной безопасности» или «сейчас ты этого не понимаешь, но когда-нибудь ты снова будешь счастлива» и даже «теперь жизнь в Панеме станет лучше». Аврелий только спрашивает, не хочу ли я поговорить, и, не получив ответа, засыпает в кресле. Думается, он заходит ко мне с одной целью — вздремнуть. Такое положение вещей устраивает нас обоих.

Подходит назначенный срок, хотя сколько часов и минут прошло, я сказать не могу. Президента Сноу судили, признали виновным и приговорили к смертной казни. Об этом мне сказал Хеймитч, об этом в коридорах болтают охранники. В моей комнате появляется костюм Сойки и лук, ничуть не поврежденный, но ни одной стрелы — либо они сломаны, либо мне не разрешено владеть оружием. Я рассеянно думаю, должна ли я как-то подготовиться к грядущему событию, однако на ум ничего не приходит.

Однажды в конце дня, после долгого сидения в кресле у окна за раскрашенной ширмой, я выхожу из комнаты и поворачиваю не направо, как обычно, а налево, забредаю в незнакомую часть дворца и немедленно понимаю, что заблудилась. Спросить дорогу не у кого, но мне это нравится. Жаль, что я не зашла сюда раньше. Здесь так тихо: толстые ковры и тяжелые гобелены поглощают звуки. Свет мягкий. Приглушенные цвета. Вокруг все спокойно — и вдруг я чувствую аромат роз. Я ныряю за какую-то занавеску и жду появления переродков: от потрясения нет даже сил бежать. Наконец становится ясно, что они не придут. Так откуда взялся этот запах? Что это — настоящие розы? Может, рядом сад, в котором растут злые создания?

Я крадусь по коридору; запах становится невыносимым. Он не такой сильный, как у переродков, но более отчетливый — ведь к нему не примешивается запах взрывчатки и вонь отбросов. Повернув за угол, я натыкаюсь на двух изумленных охранников. Нет, конечно, это не миротворцы — миротворцев больше нет, — однако и не подтянутые солдаты Тринадцатого дистрикта в серой форме. Эти двое — мужчина и женщина — одеты в какие-то лохмотья. Настоящие повстанцы. Худые, в бинтах, они охраняют дверь, за которой находятся розы. Я пытаюсь пройти. Они скрещивают передо мной автоматы.

— Мисс, вам туда нельзя, — говорит мужчина.

— Солдат, — поправляет женщина. — Солдат Эвердин, вход запрещен. Приказ президента.

Я терпеливо жду, когда они опустят оружие и поймут — без слов, — что за дверью находится то, что мне нужно. Просто роза. Хотя бы один бутон. Чтобы я могла вставить цветок в петлицу Сноу, прежде чем его застрелить. Охранники явно нервничают. Они уже собираются звонить Хеймитчу, как вдруг женский голос у меня за спиной произносит:

— Пропустите ее.

Голос мне знаком, но я не могу вспомнить, где именно его слышала — не в Шлаке, не в Тринадцатом и точно не в Капитолии. Обернувшись, я оказываюсь лицом к лицу с Пэйлор, командующей из Восьмого. Сейчас она выглядит даже хуже, чем тогда, в больнице; впрочем, нам всем пришлось несладко.

— Под мою ответственность. Все, что находится за дверью, принадлежит ей, — говорит Пэйлор. Это ее солдаты, а не Койн, и поэтому они без вопросов опускают оружие и пропускают меня.

Пройдя по короткому коридору, я распахиваю стеклянные двери и захожу внутрь. Здесь аромат роз настолько мощный, что обоняние притупляется, и он уже делается терпимым. Прохладный влажный воздух ласкает разгоряченную кожу. А розы великолепны — целые ряды роскошных красных, оранжевых и даже голубых бутонов. Я хожу между рядами аккуратно подстриженных кустов, смотрю, но не трогаю — то, насколько опасны эти красавицы, я выучила на горьком опыте. Наконец я нахожу то, что мне нужно: изящный кустик, и на нем великолепный белый бутон, едва начинающий раскрываться. Натянув рукав на левую ладонь, чтобы не уколоться, беру садовые ножницы и подношу их к розе.

— Красивая, — внезапно говорит Сноу.

У меня дергается рука.

— Остальные, конечно, тоже хороши, но цвет совершенства — белый.

Я все еще не вижу Сноу. Голос доносится от соседней клумбы, на которой растут красные розы. Аккуратно приколов стебель на рукав, медленно захожу за угол: Сноу сидит на табурете, прислонившись к стене. Как всегда, он ухожен и безупречно одет, однако отягощен наручниками, кандалами и устройствами слежения. В руке у него платок, на котором видны свежие пятна крови, но даже сейчас, когда он в таком состоянии, его холодные змеиные глаза ярко сверкают.

— Я надеялся, что ты найдешь дорогу в мои покои.

Его покои. Я пробралась в его дом — так же, как год назад Сноу проскользнул в мой, шипя и источая аромат роз. Эта теплица — одна из его комнат, возможно любимая; кто знает, может, в лучшие времена он лично ухаживал за цветами. Теперь это часть его тюрьмы; вот почему охранники меня остановили, и вот почему Пэйлор позволила мне войти.

Я полагала, что его посадят в самое глубокое подземелье Капитолия, а не позволят наслаждаться роскошью. Однако Койн оставила его здесь — видимо, для того, чтобы создать прецедент. Тогда, если влияние утратит она сама, все будут знать, что президенты — даже самые отвратительные — заслуживают особого обращения. В конце концов, кто знает, когда она лишится власти?

— Нам столько нужно обсудить! Впрочем, мне кажется, твой визит будет кратким. Поэтому сначала о главном. — Сноу кашляет, и платок, который он прижимает к губам, становится еще более красным. — Приношу соболезнования по поводу смерти твоей сестры.

Лекарства притупили мои чувства, но даже в этом состоянии онемения я чувствую боль, вызванную словами Сноу. Они напоминают мне, что его жестокость беспредельна и что он до самой смерти не оставит попыток меня уничтожить.

— Такая бессмысленная смерть. В ту минуту всем было ясно, что игра окончена. Более того, когда они сбросили парашюты, я как раз собирался официально объявить о капитуляции.

Не мигая, он неотрывно смотрит на меня, словно не хочет упустить ни малейшей реакции. Однако в его словах нет смысла. «Когда они сбросили парашюты?»

— Ну, ты же не думаешь, что приказ отдал я? Будь в моем распоряжении работающий планолет, я бы бежал на нем. Это очевидно. И в любом случае, вопрос остается открытым: чего бы я добился? Мы оба знаем, что я готов убивать детей, но не люблю тратить ресурсы зря. Если я отнимаю у кого-нибудь жизнь, то не без причины, — а причин уничтожать целый загон капитолийских детей у меня не было.

Он снова заходится в кашле. Что это — трюк, чтобы дать его словам время проникнуть в мое сознание? Сноу лжет — конечно, лжет, — но за ложью есть какая-то правда, и она силится выйти наружу.

— Должен признать, Койн действовала блестяще. Даже самые преданные люди отвернулись от меня, когда увидели, что я бомбил наших собственных беззащитных детей. Всякое сопротивление прекратилось. Ты знаешь, что все показывали в прямом эфире? Здесь видна рука Плутарха, и в затее с парашютами — тоже. Ну, таких идей и ждешь от руководителя Игр, верно? — Сноу промакивает рот платком. — Уверен, уничтожать твою сестру он не собирался, но в таких делах всякое бывает.

Сноу уже далеко; я в лаборатории, в Тринадцатом, вместе с Гейлом и Бити; мы смотрим на модели, созданные по принципу ловушек Гейла. Первая бомба убила жертв, вторая — спасателей. Я вспоминаю слова Гейла:

«Правила есть. Мы с Бити следуем тем, которые использовал президент Сноу, когда промывал мозги Питу».

— Моя ошибка, — говорит Сноу, — заключалась в том, что я слишком поздно раскусил замысел Койн: Тринадцатый позволяет Капитолию и дистриктам ослабить друг друга, а затем практически без потерь подчиняет их себе. Пойми, она с самого начала собиралась занять мое место. Ведь именно жители Тринадцатого подняли мятеж, который привел к Темным Временам, а затем бросили жителей остальных дистриктов в беде, когда удача от них отвернулась. Но я следил не за Койн, а за тобой, Сойка, — а ты следила за мной. Боюсь, что нас обоих одурачили.

Я отказываюсь верить. Такого не вынести даже мне. Я произношу первые слова после смерти сестры:

— Не верю.

Сноу качает головой, притворяясь разочарованным.

— О, дорогая мисс Эвердин, мы же договаривались не лгать друг другу.

26

Выйдя в коридор, я вижу, что Пэйлор не сдвинулась с места.

— Нашла, что искала? — спрашивает она.

В ответ я поднимаю белый бутон и молча ковыляю дальше. Наверное, до комнаты я добралась, потому что помню, как набирала воду в стакан и ставила в него розу. Я встаю на колени, на холодный кафель, и прищуриваюсь — в ярком люминесцентном свете сложно разглядеть белую розу. Палец попадает под браслет, поворачивает его, царапая запястье. Может быть, боль поможет мне, как и Питу, сохранить связь с реальностью. Надо держаться, надо узнать правду.

Вариантов всего два. Первый, общепризнанный: Капитолий отправил планолет и приказал сбросить парашюты, прекрасно понимая, что повстанцы кинутся спасать детей. Доказательства — эмблема Капитолия на планолете, тот факт, что его даже не пытались сбить, а также привычка капитолийцев использовать детей в борьбе с другими дистриктами. Но есть еще версия Сноу: в соответствии с ней, управляли планолетом и бомбили детей повстанцы, которые хотели быстрейшего окончания войны. Если это так, почему капитолийцы не стреляли по планолету? Может, действия повстанцев застали их врасплох? Может, мятежники вывели из строя противовоздушную оборону? Неужели противовоздушная оборона Капитолия была полностью уничтожена? Жители Тринадцатого всегда считали детей самой большой ценностью — по крайней мере, мне так казалось. Возможно, я ошибалась. Например, когда я перестала приносить пользу, от меня решили избавиться. Правда, я уже давно не ребенок. Но зачем бы они стали убивать детей? Ведь ясно было, что их собственные врачи бросятся на помощь и погибнут при втором взрыве. Повстанцы бы так не поступили. Не могли так поступить. Сноу лжет и, как обычно, манипулирует мною, надеясь, что я перейду на его сторону и уничтожу повстанцев. Да. Конечно.

Если это так, то что не дает мне покоя? Прежде всего, дважды взрывающиеся бомбы. Конечно, Капитолий мог изобрести подобное оружие, но я уверена, что его придумали повстанцы. Эти бомбы — творение Бити и Гейла. Затем тот факт, что Сноу не пытался бежать, — а я знаю, что он борется до последнего. Я почти уверена, что где-то находится его убежище, какой-нибудь бункер, до отказа забитый провизией, где президент мог бы провести остаток дней. И, наконец, его оценка Койн. Он точно описал ее действия: она позволила Капитолию и дистриктам уничтожить друг друга, а затем легко захватила власть. Впрочем, отсюда не следует, что парашюты сбросила она. Победа уже была у нее в руках. Все было в ее руках.

Все, кроме меня.

Я вспоминаю тот разговор с Боггсом, когда речь зашла о преемнике Сноу. «Если ты задумываешься и не сразу отвечаешь «Койн», — ты представляешь угрозу. Ты — лицо освободительной войны. Ни у кого нет столько влияния, как у тебя. И ты никогда особенно не скрывала своего отношения к Койн».

Внезапно я вспоминаю Прим: ей еще и четырнадцати не исполнилось, она даже звания солдата не получила, но почему-то оказалась на передовой. Как это могло произойти? Что моя сестра рвалась в бой, я не сомневаюсь. Что у нее больше способностей, чем у детей старше ее, — очевидно. И тем не менее отправить тринадцатилетнюю девочку в бой могло только вышестоящее начальство. Может, это сделала Койн, надеясь окончательно свести меня с ума? Или, по крайней мере, окончательно заручиться моей поддержкой? Мне бы даже не пришлось видеть это вживую — за событиями на Круглой площади следили десятки камер, они бы запечатлели исторический момент.

Нет, я схожу с ума, у меня начинается паранойя. О задании знало слишком много людей, правда выплыла бы наружу. Или нет? Кто знал о нем, кроме Койн, Плутарха и небольшой команды преданных помощников, от которых при случае можно легко избавиться?

Мне так хочется, чтобы кто-нибудь помог мне разобраться, но все, кому я доверяла, — Цинна, Боггс, Финник, Прим — мертвы. Правда, есть Пит, но он, скорее всего, способен лишь высказать пару догадок — и, кроме того, неизвестно, в каком он сейчас состоянии. Остается только Гейл. Он далеко, и даже если бы он оказался рядом, можно ли ему довериться? Что сказать, какие слова выбрать, чтобы Гейл не решил, будто Прим убила одна из его бомб? Именно невероятное неправдоподобие этой теории убеждает меня в том, что Сноу солгал.

Есть лишь один человек, который мог знать, что произошло, и который, возможно, все еще на моей стороне. Да, говорить на эту тему с Хеймитчем рискованно, ведь он, не колеблясь, рискнул моей жизнью на арене, однако я не думаю, что он выдаст меня Койн. Наши разногласия мы предпочитаем улаживать лично.

Я встаю и иду в его комнату. На стук никто не отвечает; я толкаю дверь и захожу. Фу. Удивительно, как быстро ему удалось загадить помещение. Повсюду валяются тарелки с объедками, разбитые бутылки и обломки мебели — похоже, Хеймитч крушил все в пьяном угаре. Он, грязный и растрепанный, лежит на кровати, запутавшись в простынях. Отрубился.

— Хеймитч!

Я трясу его за ногу. Этого, конечно, недостаточно, но я делаю еще несколько попыток — и только затем выливаю ему на голову кувшин воды. Ахнув, Хеймитч приходит в себя и вслепую тычет перед собой ножом. Похоже, его кошмары не прекратились даже после свержения Сноу.

— А, это ты, — говорит Хеймитч, и по голосу я понимаю, что он еще не протрезвел.

— Хеймитч... — начинаю я.

— Вы только послушайте, Сойка обрела голос! Плутарх будет счастлив! — Хеймитч смеется и отхлебывает из бутылки. — Но почему я промок до нитки?

Я бросаю кувшин за спину, в кучу грязной одежды.

— Мне нужна твоя помощь, — говорю я.

Хеймитч рыгает, и воздух наполняется перегаром.

— А в чем дело, солнышко? Опять проблемы с мальчиками? — Не знаю почему, но на сей раз слова Хеймитча ранят меня гораздо сильнее обычного. Взглянув на мое лицо, он, хотя и пьяный, понимает, что допустил ошибку, и пытается взять свои слова назад. — Ладно, шутка вышла не смешной.

Я уже у двери.

— Я пошутил! Вернись!

Судя по грохоту, с каким его тело падает на пол, Хеймитч пытался меня догнать.

Я петляю по коридорам дворца и в конце концов исчезаю в гардеробе, набитом шелковой одеждой. Я срываю вещи с вешалок, сваливаю их в кучу и зарываюсь в нее. В кармане завалялась таблетка морфлинга, и я проглатываю ее, борясь с накатывающей истерикой. Однако ситуацию это не исправляет. Где-то вдалеке Хеймитч зовет меня, но в теперешнем состоянии он меня не найдет — тем более здесь, в ворохе шелковых одежд. Я чувствую себя куколкой в коконе, готовой превратиться в бабочку. В своих убежищах я всегда успокаивалась, а сейчас мне все больше кажется, что я попала в ловушку, что гладкие узы душат меня, что я не смогу выбраться, пока не превращусь во что-то красивое. Я извиваюсь, хочу избавиться от разрушенного тела и отрастить безупречные крылья — и все же, несмотря на огромные усилия, остаюсь чудовищем, появившемся на свет в результате взрыва бомбы.

После разговора со Сноу ко мне возвращаются старые кошмары. Это похоже на действие яда ос-убийц: меня накрывает волна ужасных образов, за ней следует короткая передышка, которую я принимаю за бодрствование, пока не накатывает новая волна. Когда меня наконец находит охрана, я сижу в шкафу, завернутая в шелк, и ору во всю глотку. Сначала я отбиваюсь, потом они убеждают меня в своих добрых намерениях, избавляют от душащих шелковых одежд и ведут обратно в комнату. Мы проходим мимо окна, и я вижу, что над Капитолием поднимается серая, снежная заря.

В комнате ждет страдающий от жестокого похмелья Хеймитч с пригоршней таблеток и подносом с едой. Есть никому из нас не хочется. Хеймитч делает жалкие попытки завязать разговор, но видя, что это бесполезно, отправляет меня в ванну, которую кто-то уже наполнил. Ванна глубокая; к бортику приделана лестница из трех ступенек. Я залезаю в теплую воду и сижу по шею в мыльной пене, надеясь, что лекарства скоро подействуют. И тут замечаю розу, которая за ночь уже распустилась, наполнив влажный воздух сильным ароматом. Я встаю и уже тянусь к полотенцу, чтобы набросить на розу, когда кто-то неуверенно стучит в дверь. Она распахивается, и я вижу три знакомых лица. Они пытаются улыбаться, но даже Вения не может скрыть шок при виде моего обезображенного тела, тела переродка.

— Сюрприз! — пищит Октавия и заливается слезами. Постепенно до меня доходит, что сегодня, наверное, день казни. Они пришли, чтобы подготовить меня к съемке. Вернуть к состоянию «базис-ноль». Неудивительно, что Октавия рыдает, ведь это невыполнимая задача.

Они не осмеливаются прикоснуться к моей коже, боясь причинить боль, и поэтому я сама смываю с себя мыльную пену и вытираюсь. Я говорю, что почти не чувствую боли, но Флавий все равно морщится, надевая на меня халат. В спальне ждет еще один сюрприз. Сидящий в кресле. Изысканный. В золотом парике и кожаных сапогах. С планшетом в руках. Если не считать безучастного выражения лица, она совсем не изменилась.

— Эффи.

— Привет, Китнисс. — Она встает и целует меня в щеку, словно со времени нашей последней встречи в ночь перед Квартальной бойней ничего не произошло. — Похоже, нас ждет еще один большой, большой, большой день. Давай начинай, а я пойду и проверю, как идет подготовка.

— Ладно, — говорю я ей в спину.

— По слухам, Плутарху с Хеймитчем еле удалось ее спасти, — вполголоса замечает Вения. — Когда ты сбежала, ее посадили в тюрьму.

Назвать Эффи Бряк врагом Капитолия можно лишь с большой натяжкой. Но я не хочу, чтобы Койн убила ее, и поэтому заранее готовлюсь представить Эффи как мятежницу.

— Значит, Плутарх не зря вас похитил.

— Мы — последняя команда стилистов, участвовавшая в Квартальной бойне. Все остальные погибли, — говорит Вения, не уточняя, кто именно их убил, но мне кажется, что это уже не важно.

— Какие будем делать ногти, красные или черные? — спрашивает Вения, осматривая мои израненные руки.

Флавий тем временем сотворил чудо с моими волосами: не только подровнял их, но и уложил так, чтобы они закрыли проплешины на затылке. Лицо не пострадало, поэтому работы с ним относительно немного. Когда я облачаюсь в костюм Сойки-пересмешницы, созданный Цинной, видны только шрамы на шее, предплечьях и кистях. Октавия прикалывает мне на грудь брошь с сойкой-пересмешницей, и мы все смотрим на меня в зеркало. Невероятно: я опустошена, но им удалось вернуть мне нормальный облик.

Раздается стук в дверь, и в комнату заходит Гейл.

— Можно тебя на минутку? — спрашивает он.

Я смотрю в зеркало на стилистов: они не знают, куда им деться, и, натыкаясь друг на друга, скрываются в ванной. Гейл встает у меня за спиной, и мы разглядываем друг друга в зеркало. Я пытаюсь найти то, что напомнило бы мне о мальчике и девочке, которые пять лет назад случайно встретились в лесу. Думаю о том, что бы произошло, если бы девочку не отправили на Голодные игры, если бы она влюбилась в мальчика и даже вышла за него замуж, а в будущем, когда братья и сестры подросли, убежала бы с ним в лес и навсегда покинула Двенадцатый. Была бы она счастлива с ним там, в глуши, или же тьма и печаль разделили бы их и без помощи Капитолия?

— Я принес тебе вот это. — Гейл вытаскивает колчан с одной стрелой. — Это символ. Ты сделаешь последний выстрел в этой войне.

— А если я промахнусь? — спрашиваю я. — Что тогда? Койн принесет мне стрелу обратно или сама застрелит Сноу?

— Не промахнешься. — Гейл поправляет колчан на моем плече.

Мы стоим лицом к лицу, но не смотрим друг другу в глаза.

— Ты не навестил меня в больнице. — Он молчит, и в конце концов я не выдерживаю: — Бомбу сделал ты?

— Не знаю. И Бити тоже не знает, — отвечает Гейл. — Какая разница? Все равно ты всегда будешь об этом думать.

Он ждет, что я начну возражать, и я хотела бы возразить, да не могу. Даже сейчас я вижу вспышку, которая подожгла Прим, чувствую жар. Для меня этот миг навечно связан с Гейлом. Мое молчание — мой ответ.

— Это был мой единственный плюс — то, что я заботился о твоей семье. Не промахнись, ладно?

Гейл легонько гладит меня по щеке и уходит. Я хочу позвать его, сказать, что я ошибалась, что я вспомню, при каких обстоятельствах Гейл создал бомбу, не забуду и про свои собственные преступления. Я хочу выяснить, кто сбросил парашюты, доказать, что виноваты не повстанцы, хочу простить его. Но я не могу принять то, что произошло, и поэтому мне придется жить с этой болью.

Возвращается Эффи: нам нужно идти на какое-то совещание. Я беру лук и в последнюю секунду вспоминаю про белоснежную розу, которая стоит в стакане с водой. Открываю дверь в ванную — стилисты, ссутулившись, сидят на бортике ванны, и вид у них подавленный. Я не единственный человек, чей мир уничтожила война.

— Идемте, — говорю я. — Зрители ждут.

Я думала, что мы придем на съемочную площадку и Плутарх укажет, где я должна встать и когда застрелить Сноу. Вместо этого мы оказываемся в комнате, в которой за столом сидят шестеро — Пит, Джоанна, Бити, Хеймитч, Энни и Энорабия. Все одеты в серую форму Тринадцатого дистрикта, и вид у всех довольно бледный.

— Что происходит? — спрашиваю я.

— Точно не знаем, — отвечает Хеймитч. — Кажется, встреча оставшихся в живых победителей.

— Выжили только мы?

— Такова цена славы, — замечает Бити. — Нас ненавидели обе стороны. Капитолийцы убивали победителей, которых подозревали в сотрудничестве с мятежниками. Повстанцы уничтожали тех, кого считали союзниками Капитолия.

— А она что здесь делает? — рычит Джоанна, глядя на Энорабию.

— *Она* получила неприкосновенность по условиям так называемого Договора Сойки, — отвечает Койн, входя в комнату вслед за мной. — Китнисс Эвердин согласилась поддержать повстанцев в обмен на гарантии безопасности для пленных победителей. Она выполнила свою часть соглашения, и мы поступим так же.

Энорабия презрительно улыбается, глядя на Джоанну.

— Смейся, смейся, — бурчит Джоанна. — Мы все равно тебя убьем.

— Китнисс, садись, пожалуйста, — говорит Койн, закрывая дверь. Осторожно положив розу на стол, я сажусь между Энни и Бити. Как обычно, Койн сразу переходит к сути дела. — Я пригласила вас сюда, чтобы уладить один вопрос. Сегодня мы казним Сноу. За последние недели сотни подручных Сноу, угнетавших население Панема, также предстали перед судом и теперь ждут казни. Однако жители дистриктов считают, что это слишком малая плата за их страдания. Более того, многие требуют уничтожить всех граждан Капитолия — но мы не можем на такое пойти, ведь подобная мера поставит под угрозу выживание нас как вида.

Я смотрю на руки Пита сквозь стакан с водой. Следы ожогов. Теперь мы оба огненные переродки. Языки пламени лизнули его лоб и спалили брови, но чудом не тронули глаза, — те самые глаза, которые украдкой глядели на меня в школе. Так же, как глядят на меня сейчас.

— Мы предложили альтернативный вариант, но, не сумев прийти к единому решению, согласились, что это должны сделать победители. План утверждается большинством из четырех голосов, воздержаться от голосования нельзя. Предложение заключается в следующем: вместо того, чтобы уничтожить все население Капитолия, мы устроим последние, символические Голодные игры, в которых будут участвовать люди, напрямую связанные с бывшими властителями.

Мы все поворачиваемся к ней.

— Что? — спрашивает Джоанна.

— Мы устроим еще одни Голодные игры, в которых примут участие дети Капитолия, — отвечает Койн.

— Вы шутите? — восклицает Пит.

— Нет. И если мы в самом деле проведем Игры, все будут знать, что это сделано с вашего одобрения, однако результаты голосования мы сохраним в тайне — ради вашей же безопасности, — говорит Койн.

— Это придумал Плутарх? — спрашивает Хеймитч.

— Нет, это моя идея, — отвечает Койн. — Нам нужно уравновесить жажду мести и число жертв. Можете приступать к голосованию.

— Нет! — восклицает Пит. — Я, конечно, против! Нельзя устраивать еще одни Игры!

— Почему бы и нет? — парирует Джоанна. — Так будет справедливо. У Сноу даже внучка есть. Я голосую «за».

— И я тоже — говорит Энорабия почти безучастно. — Пусть узнают, каково пришлось нам.

— Именно из-за этого мы и подняли восстание! Помните? — Пит обводит нас взглядом. — Энни?

— Я, как и Пит, голосую «против», — говорит она. — И если бы Финник был здесь, он поступил бы так же.

— Но его здесь нет. Его убили переродки Сноу, — напоминает Джоанна.

— Нет, — говорит Бити. — Это создаст плохой прецедент. Нельзя считать всех остальных врагами; сейчас главное — единство, иначе нам не выжить. Я против.

— Остались Китнисс и Хеймитч, — напоминает Койн.

Интересно, а как это произошло семьдесят пять лет назад? Другая группа людей тоже сидела и голосовала за и против Голодных игр? Единогласно ли они приняли решение? Может, кто-то взывал к милосердию, но его заглушили вопли тех, кто требовал смерти детей? Аромат розы проникает из носа в горло, и оно сжимается от отчаяния. Все, кого я любила, умерли, а мы обсуждаем следующие Голодные игры, чтобы предотвратить дальнейшие жертвы. Ничего не изменилось. И ничего не изменится.

Я тщательно взвешиваю возможности, обдумываю все варианты.

— Я голосую «за»... ради Прим, — говорю я, не отводя глаз от розы.

— Хеймитч, твой голос решающий, — напоминает ему Койн.

Пит в ярости. Он произносит целую речь, призывая Хеймитча не становиться соучастником преступления. Хеймитч наблюдает за мной. Настал решительный момент. Сейчас мы узнаем, насколько мы похожи и действительно ли Хеймитч меня понимает.

— Я поддерживаю Сойку, — говорит Хеймитч.

— Отлично. Решение принято, — резюмирует Койн. — А теперь нам пора. Казнь состоится совсем скоро.

Она проходит мимо меня, и я протягиваю ей стакан с розой.

— Вы не могли бы распорядиться, чтобы над сердцем ему прикололи вот это?

Койн улыбается.

— Конечно. Кроме того, я позабочусь о том, чтобы он узнал о новых Играх.

— Спасибо, — говорю я.

Люди забегают в комнату, окружают меня, еще раз напудривают, передают распоряжения Плутарха, ведут к главному входу. Круглая площадь переполнена, но по улицам к ней все еще стекаются люди. Все встают по местам — стражники, чиновники, лидеры повстанцев, победители. Слышны приветственные крики: это Койн вышла на балкон. Эффи похлопывает меня по плечу, и я выхожу в холодные лучи зимнего солнца и становлюсь на свое место. Меня сопровождает оглушительный рев толпы. В соответствии с инструкциями я поворачиваюсь так, чтобы меня видели в профиль, и жду. Когда выводят Сноу, зрители приходят в неистовство. Охрана приковывает его к столбу, однако это ни к чему — Сноу не сбежит. Бежать некуда. Здесь не просторная площадка рядом с Тренировочным центром, а узкая улочка перед президентским дворцом. Неудивительно, что никто не гонял меня на стрельбы. Ведь Сноу же в десяти ярдах от меня.

Лук урчит в моей руке. Я достаю стрелу из колчана, кладу на тетиву, прицеливаюсь в розу и смотрю в лицо Сноу. Он облизывает пухлые губы, кашляет; по подбородку бежит кровавый ручеек. Я пытаюсь прочитать в глазах бывшего президента хоть что-нибудь — страх, раскаяние, гнев, — но, как и во время нашей прошлой встречи, вижу лишь изумление. Сноу словно повторяет свою последнюю фразу: «О, дорогая мисс Эвердин, мы же договаривались не лгать друг другу».

Он прав. Мы договаривались.

Наконечник стрелы идет вверх, я отпускаю тетиву, и президент Койн падает с балкона на землю. Она мертва.

27

Все потрясенно умолкают. В тишине слышен только один звук — ужасный, булькающий смех Сноу. Он сгибается в три погибели, начинает кашлять, изо рта у него льется пенящийся поток крови. Бывшего президента окружают охранники, и он исчезает из моего поля зрения.

Ко мне идут люди в серой форме. Я думаю о том, что ждет меня, убийцу нового президента Панема, — допрос, возможно, пытки и, разумеется, публичная казнь. Думаю, что снова не попрощалась с горсткой людей, которые мне все еще дороги. Затем понимаю, что пришлось бы встретиться с матерью, у которой теперь никого не осталось, и это решает дело.

— Спокойной ночи, — шепчу я луку и чувствую, как он замирает. Я поднимаю левую руку и наклоняю голову, чтобы сорвать зубами капсулу с ядом, пришитую к рукаву. Но зубы впиваются не в ткань, а в живую плоть. Я разжимаю челюсти, поднимаю голову и вижу перед собой глаза Пита — и на сей раз он не отводит взгляд. На руке, которой Пит сжал капсулу с морником, следы моих зубов.

— Отпусти! — рычу я, пытаясь высвободиться.

— Не могу, — отвечает он.

Его оттаскивают от меня, отрывая карманчик «с мясом»; фиолетовая капсула падает на землю, и ее давит сапог солдата. Толпа наседает, и я превращаюсь в дикого зверя — лягаюсь, царапаюсь, кусаюсь, делаю все, чтобы вырваться. Стражники поднимают меня и несут на руках, над толпой. Я кричу, зову Гейла. В толпе его не видно, но он поймет, что мне нужно, — один точный выстрел, чтобы со всем покончить. Но выстрела нет. Может, Гейл меня не видит? Нет. Над Круглой площадью висят огромные экраны, которые показывают все, что происходит. Он видит, он знает, и все же ничего не делает — как и я, когда в плен попал он. Жалкие отговорки и для охотников, и для друзей — для нас обоих.

Помочь мне некому.

Меня приводят в особняк, заковывают в наручники, надевают на глаза повязку и то ли несут, то ли волокут по длинным коридорам, везут вверх и вниз на лифте. Затем кладут на ковер и снимают наручники. За спиной хлопает дверь. Я стаскиваю повязку: меня привели в мою старую комнату в Тренировочном центре. Здесь я провела несколько дней перед первыми Голодными играми и Квартальной бойней. На кровати только матрас, дверцы пустого шкафа распахнуты, но эту комнату я узнаю с одного взгляда.

Я с трудом поднимаюсь на ноги и стаскиваю костюм Сойки. Тело в синяках, возможно, сломана пара пальцев, но больше всего во время борьбы с охранниками пострадала моя кожа. Розовая кожа, созданная из клонированных в лаборатории клеток, порвана в клочья, словно бумажная салфетка, и сквозь нее сочится кровь. Впрочем, лечить меня явно не собираются, а мне уже все равно. Я заползаю на матрас, предполагая, что умру от потери крови.

Ничего подобного. К вечеру кровь сворачивается; все тело липкое, оно одеревенело и болит, но я жива. Дохромав до ванной, включаю самую щадящую программу, которую помню, без мыла и шампуня, и сижу на корточках под струей теплой воды, обхватив голову руками.

«Меня зовут Китнисс Эвердин. Почему я не умерла? Я должна умереть. Так будет лучше для всех...»

Я выхожу из душа, встаю на коврик, и горячий воздух досуха поджаривает мою поврежденную кожу. Чистой одежды нет, нет даже полотенца, чтобы завернуться. Вернувшись в комнату, я вижу, что костюм Сойки исчез, вместо него — бумажный халат. Из какой-то таинственной кухни прибыл поднос с едой, а на десерт — мои лекарства. Я съедаю пищу, принимаю лекарства, мажу кожу бальзамом. Мне нужно выбрать, как покончить с собой.

Я сворачиваюсь клубочком на матрасе, покрытом пятнами крови; мне не холодно, но сейчас, когда нежную кожу прикрывает только слой бумаги, я чувствую себя совсем обнаженной. Выпрыгнуть из окна не получится — стекло, наверное, в фут толщиной. Можно сделать отличную петлю, да только зацепить ее не за что. Можно накопить таблеток, а затем принять смертельную дозу, но я уверена, что за мной следят круглые сутки. В эту минуту Сойку показывают в прямом эфире, а комментаторы обсуждают причины, заставившие ее убить Койн. Почти любая попытка самоубийства обречена на провал. Моя жизнь в руках Капитолия. Снова.

Выход один — сдаться. Я решаю, что буду лежать на постели — не есть, не пить и не принимать лекарства. Я бы могла это сделать — просто умереть, — если бы не ломки. Уменьшать дозу морфлинга придется не постепенно, как в больнице, а сразу. Наверное, его количество было довольно большим: желание принять новую дозу сопровождается такой сильной дрожью, приступами боли и невероятным ознобом, что моя решимость разлетается на мелкие кусочки, словно яичная скорлупа. Стоя на коленях, я прочесываю ковер ногтями, пытаясь найти выброшенные ранее драгоценные таблетки. План самоубийства приходится модифицировать: теперь меня ждет медленная смерть от морфлинга. Я превращусь в мешок с костями, обтянутый желтой кожей. Два дня все идет по плану, затем происходит нечто непредвиденное.

Я начинаю петь — у окна, в душе, во сне, часами вывожу баллады, песенки о любви, народные песни. Все их я узнала от отца, ведь после его смерти музыки в моей жизни было очень мало. Удивительно, что я так хорошо все помню — и мелодии, и тексты. Мой голос, сначала хриплый, не вытягивающий высокие ноты, постепенно разогревается, превращается в нечто прекрасное. Услышав такой голос, все сойки умолкнут, а затем наперебой бросятся повторять мелодию. Проходят дни, недели. Я слежу за тем, как на карниз за окном падает снег. И все время слышу только собственный голос.

Что они там вообще делают? Чем вызвана задержка? Неужели так сложно организовать казнь одной девушки-убийцы? Я продолжаю уничтожать себя. Мое тело невероятно исхудало, а битва с голодом идет так яростно, что иногда животная часть меня поддается искушению и съедает хлеб с маслом или кусок жареного мяса. И все равно, в этой войне я побеждаю. В течение нескольких дней самочувствие довольно скверное, и мне кажется, я наконец прощаюсь с жизнью, но внезапно замечаю, что число таблеток морфлинга уменьшается. Меня пытаются постепенно избавить от зависимости. Зачем? Сойку, накачанную наркотиками, будет гораздо проще публично казнить. В голову приходит ужасная мысль: а что, если казни не будет? Что, если они планируют переделать меня, переучить и снова использовать?

Я не поддамся. Если мне не удастся покончить с собой в этой комнате, я воспользуюсь первой возможностью, когда выйду на свободу. Меня могут откормить, отполировать мое тело до блеска, одеть, снова сделать красивой. Могут изобрести невероятные виды оружия, которое оживает в руках, но меня больше никогда не заставят прикоснуться к нему. Я больше не чувствую себя связанной клятвой верности этим чудовищам, которых называют людьми, пусть даже сама я — одна из них. Возможно, Пит прав: мы уничтожаем друг друга, чтобы наше место занял другой, более достойный вид. Ведь с существами, которые улаживают разногласия, жертвуя своими детьми, что-то явно не в порядке. Можно придумывать какие угодно объяснения, но они ничего не изменят. Сноу считал Голодные игры эффективным методом контроля. Койн думала, что парашюты приблизят победу в войне. А в конце концов кому все это принесло выгоду? Никому. Никому не выгодно жить в мире, где творится такое.

После двух дней, в течение которых я не ем, не пью и даже не принимаю морфлинг, дверь в комнату открывается. Кто-то садится на постель и попадает в поле моего зрения. Хеймитч.

— Твой суд завершен. Собирайся, мы едем домой.

Домой? О чем он говорит? Моего дома больше нет — и даже если бы это воображаемое место действительно существовало, я слишком слаба, чтобы двигаться. Появляются незнакомые люди; меня кормят, поят, моют и одевают. Кто-то поднимает меня, словно тряпичную куклу, несет на крышу, сажает в планолет и пристегивает ремнем безопасности. Напротив сидят Хеймитч и Плутарх. Через несколько секунд мы взлетаем.

Никогда еще не видела Плутарха в таком хорошем настроении. Он буквально сияет.

— Наверно, у тебя миллион вопросов!

Я молчу, но он все равно на них отвечает.

После того как я застрелила Койн, начался хаос. Когда шум стих, нашли труп Сноу, все еще привязанный к столбу, — то ли он задохнулся, смеясь, то ли его задавила толпа. Это, на самом деле, никого не интересует. Кое-как организовали экстренные выборы, и в результате президентом избрали Пэйлор. Она назначила Плутарха министром связи, а значит, он контролирует телеэфир. Первым крупным событием, которое показали по телевизору, стал судебный процесс надо мной, в котором Плутарх сыграл роль одного из главных свидетелей. Хотя основная заслуга в том, что меня оправдали, принадлежит доктору Аврелию, который отработал свои часы сна, представив Китнисс Эвердин как безнадежную, контуженную душевнобольную. Меня освободили при одном условии: что я буду находиться под его присмотром — хотя надзор и придется осуществлять по телефону, так как доктор Аврелий никогда не станет жить в такой дыре, как Двенадцатый дистрикт, куда меня ссылают вплоть до особого распоряжения. Честно говоря, теперь, когда война окончилась, никто не знает, что со мной делать. Правда, Плутарх уверен, что в случае возникновения нового конфликта мне найдут применение. Завершив свою речь, Плутарх расхохотался. То, что его шутки другим не понятны, Плутарха не беспокоит.

— Готовишься к очередной войне? — спрашиваю я.

— О нет. Сейчас тот самый замечательный период, когда все согласны, что недавние ужасы не должны повториться, — отвечает Плутарх. — Но обычно общественное согласие недолговечно. Мы — непостоянные, тупые твари со слабой памятью и талантом к самоуничтожению. Хотя... кто знает? Может, на сей раз все получится.

— Что?

— Возможно, мы стали свидетелями того, как человечество эволюционирует. Подумай об этом.

Затем он спрашивает, не хочу ли я принять участие в музыкальной программе, съемки которой начнутся через несколько недель. Мне стоит выбрать какую-нибудь веселую песню. Он пришлет съемочную группу в мой дом.

Мы ненадолго приземляемся в Третьем дистрикте, чтобы высадить Плутарха. Он встречается с Бити, чтобы обновить трансляционное оборудование. На прощание Плутарх говорит:

— Не пропадай.

Когда мы снова взмываем к облакам, я смотрю на Хеймитча.

— Так почему ты возвращаешься в Двенадцатый?

— Для меня в Капитолии места тоже не нашлось.

Сначала я принимаю его слова за чистую монету, потом в душу закрадываются сомнения. Хеймитч никого не убил. Он мог бы отправиться куда угодно — и если он возвращается в Двенадцатый, значит, он действует по приказу.

— Ты должен присматривать за мной? Стать моим наставником?

Он пожимает плечами, и внезапно я все понимаю.

— Моя мать не вернется.

— Нет. — Хеймитч вытаскивает конверт из кармана пиджака и протягивает мне. Изящный, аккуратный почерк.

— Она помогает создать больницу в Четвертом дистрикте. Хочет, чтобы ты позвонила ей, как только мы приедем.

Я обвожу пальцем буквы.

— Знаешь, почему она не может приехать?

Да, знаю: потому что после смерти отца и Прим маме будет больно находиться здесь. А мне, очевидно, нет.

— Хочешь знать, кто еще туда не приедет?

— Нет. Пусть это станет для меня сюрпризом, — отвечаю я.

Хеймитч, как хороший наставник, заставляет меня съесть сэндвич, а затем притворяется, что верит, будто остаток пути я сплю. Он заглядывает в каждый ящик в салоне планолета, находит выпивку и укладывает бутылки в свою сумку. В Деревню победителей мы прилетаем уже ночью. В половине домов, включая дом Хеймитча и мой, но не дом Пита, горит свет. В кухне кто-то развел огонь. Я сажусь в кресло-качалку у очага, сжимая в руках письмо матери.

— Ну, до завтра, — говорит Хеймитч.

—Что-то не верится, — шепчу я, когда лязг бутылок в его сумке стихает.

Я не в силах подняться с кресла. Дом нависает надо мной, пустой, темный и холодный. Я закутываюсь в старую шаль и сажусь у огня. Наверное, я засыпаю, ведь стоит мне открыть глаза, на дворе уже утро, и Сальная Сэй гремит на кухне сковородками. Она приносит яичницу с поджаренным хлебом и сидит рядом, пока я не съедаю все. Мы почти не разговариваем. Ее внучка — та, которая живет в своем собственном мире, — берет из корзины моей матери клубок ярко-синей шерсти. Сэй приказывает внучке вернуть клубок на место, но я говорю, что девочка можете оставить его себе. В этом доме все равно никто не умеет вязать. После завтрака Сальная Сэй моет посуду и уходит, а в обед возвращается, чтобы снова меня накормить. Не знаю, то ли она считает, что выполняет свой долг, то ли правительство ей за это платит, — как бы то ни было, два раза в день Сэй появляется у меня. Она готовит, я ем и пытаюсь понять, что делать дальше. Теперь мне никто не помешает покончить с собой — однако, похоже, я чего-то жду.

Телефон все звонит и звонит, но я не беру трубку. Хеймитч не заходит. Может, он передумал и уехал из дистрикта — хотя мне почему-то кажется, что он просто в стельку пьян. Кроме Сэй и ее внучки у меня никто не бывает — правда, после нескольких месяцев одиночного заключения даже эти двое кажутся целой толпой.

— Прекрасный весенний денек, — говорит Сэй. — Тебе нужно гулять, так сходила бы на охоту.

Я еще ни разу не выбиралась из дома, и даже из кухни, если не считать походов в ванную, которая находится всего в двух шагах. На мне та же одежда, в которой я уехала из Капитолия. А мое единственное занятие заключается в том, что я сижу у огня и смотрю на стопку невскрытых писем на каминной полке.

— У меня нет лука.

— Посмотри в прихожей, — отвечает Сэй.

Когда она уходит, я думаю о том, чтобы прогуляться до прихожей, но отказываюсь от этого намерения. Правда, через несколько часов я все равно иду туда, неслышно ступая по полу в одних носках, как будто не хочу будить призраков. В кабинете, где мы с президентом Сноу пили чай, я нахожу коробку, в которой лежит отцовская охотничья куртка, наша книга с рисунками и названиями растений, свадебная фотография родителей, трубка для живицы, присланная Хеймитчем, и медальон, который Пит подарил мне на арене с циферблатом. На столе лежат два лука и колчан со стрелами, которые Гейл спас в ночь, когда сбросили зажигательные бомбы. Я надеваю куртку, а к остальному не прикасаюсь. Потом засыпаю на диване в гостиной. Мне снится кошмар: я лежу в глубокой могиле, и каждый умерший, которого я когда-то знала, бросает в могилу лопату пепла. Сон довольно длинный, особенно если учесть число моих знакомых, и чем толще слой пепла, тем труднее дышать. Я пытаюсь позвать на помощь, умоляю их прекратить, но пепел забивается в рот и в ноздри, и я не могу издать ни звука — а лопата все шуршит, снова и снова зачерпывая пепел...

Я резко просыпаюсь. Из-за штор еле-еле пробивается бледный утренний свет. Все еще не отойдя от кошмара, я выбегаю из дома, поворачиваю за угол — и теперь я уверена, что в случае необходимости смогу кричать на мертвых. Заметив его, я резко останавливаюсь. Раскрасневшись от усилий, он копает землю под окнами. В тачке лежат пять чахлых кустиков.

— Ты вернулся.

— Доктор Аврелий только вчера разрешил мне покинуть Капитолий, — отвечает Пит. — Кстати, он просил передать, что не может и дальше притворяться, будто лечит тебя. Бери трубку, когда он звонит.

Пит хорошо выглядит — да, он похудел, а его кожа, как и моя, покрыта шрамами от ожогов, но глаза прояснились, и он уже не выглядит затравленным. Слегка нахмурясь, он разглядывает меня. Я нерешительно пытаюсь откинуть волосы со лба и вдруг понимаю, что они свалялись. Я чувствую себя загнанной в угол и поэтому перехожу в наступление.

— А ты что здесь делаешь?

— Утром сходил в лес и выкопал их — для нее. Подумал, что мы могли бы посадить их рядом с домом.

Я смотрю на кустики, на корни с комьями земли, и у меня перехватывает дыхание: в голове крутится только одно слово — *«розы»*. Я уже собираюсь завопить, обругать Пита последними словами и внезапно вспоминаю полное название растений — примрозы, примулы. Цветы, в честь которых назвали мою сестру. Я киваю, бегу обратно в дом и запираю за собой дверь. Но зло не снаружи, а внутри. Дрожа от волнения и слабости, я бегу вверх по лестнице, на последней ступеньке спотыкаюсь и падаю. Запах, хотя и очень слабый, все еще витает в воздухе. Он все еще здесь. В вазе, среди других цветов, стоит белая роза, выращенная в теплице Сноу, — сморщенная, хрупкая, однако все еще сохранившая неестественные, идеальные очертания. Я хватаю вазу, ковыляю на кухню и там вытряхиваю цветы в камин. Они загораются; яркое голубое пламя охватывает розу и поглощает ее. Огонь снова одержал победу над розами. На всякий случай я разбиваю вазу об пол.

Вернувшись наверх, распахиваю настежь окна спальни, чтобы избавиться от вони Сноу, но она не исчезает, оседая на моей одежде, проникая в поры. Я срываю с себя одежду; за нее цепляются кусочки кожи размером с игральные карты. Стараясь не смотреть на себя в зеркало, я забираюсь в душ и яростно смываю аромат роз с волос, с тела, с губ. Кожа розовеет и начинает пощипывать. Я нахожу чистые вещи и трачу полчаса на то, чтобы расчесать волосы. Сальная Сэй отпирает входную дверь. Пока готовится завтрак, я сжигаю в камине старую одежду и, по совету Сэй, обрезаю ножом ногти.

— А где Гейл? — спрашиваю я Сэй, поедая яичницу.

— Во Втором дистрикте, там у него какая-то шикарная работа. Время от времени он мелькает в телевизоре, — отвечает Сэй.

Пытаюсь понять, что я чувствую — гнев, ненависть, тоску, но, на самом деле, испытываю лишь облегчение.

— Сегодня пойду на охоту, — говорю я.

— Дичь бы нам не помешала, — замечает Сэй.

Я беру лук со стрелами и выхожу из дома, намереваясь выйти из Двенадцатого через Луговину. У площади работают несколько команд: люди в масках и перчатках просеивают то, что пролежало зиму под снегом, ищут останки и укладывают их в телеги, запряженные лошадьми. Одна телега стоит перед домом мэра. Я узнаю Тома, старого товарища Гейла. Том на секунду останавливается, чтобы утереть пот со лба тряпкой. Я помню, что видела его в Тринадцатом, но он, наверное, вернулся. Том приветствует меня, и я, набравшись храбрости, спрашиваю:

— Нашли кого-нибудь?

— Всю семью и двух работников, — отвечает Том.

Мадж. Тихая, добрая и смелая девушка; именно от нее я получила брошь, давшую мне имя. Я с трудом сглатываю, задумываюсь о том, придет ли Мадж сегодня в мой кошмар, станет ли засыпать меня пеплом.

— Я думала, раз он мэр...

— Вряд ли должность мэра в Двенадцатом как-то улучшила его шансы на спасение, — говорит Том.

Я киваю и иду дальше, отводя взгляд от телеги. В других частях города и в Шлаке все то же самое. Люди собирают урожай из мертвецов. Чем ближе я подхожу к развалинам нашего старого дома, тем больше телег на дороге. Луговины больше нет; по крайней мере, она уже совсем не та, что раньше. В ней выкопали глубокую яму и теперь туда сваливают кости — она стала братской могилой для моего народа. Я огибаю ее и вхожу в лес там же, где и раньше. Это уже не важно: ограда не под напряжением, и кто-то подпер ее длинными ветками, чтобы через нее не перебрались хищники, да только старые привычки не забываются. Мне хочется пойти к озеру, но я так слаба, что едва добредаю до нашего с Гейлом места встречи. Сажусь на камень, на котором нас снимала Крессида, — без Гейла он кажется слишком широким. Несколько раз я закрываю глаза и считаю до десяти, надеясь, что Гейл бесшумно появится передо мной, как уже неоднократно проделывал раньше. Мне приходится напоминать себе о том, что у него работа во Втором дистрикте и что сейчас Гейл, наверное, целует другую девушку.

Раньше Китнисс очень любила такие дни, как этот, — ранняя весна, лес просыпается после зимней спячки. Но всплеск энергии, который возник во мне при виде примул, угасает, и к тому моменту, когда я снова оказываюсь у изгороди, мне так плохо, что Тому приходится везти меня домой на телеге, предназначенной для мертвецов. Он приводит меня в гостиную, укладывает на диван и оставляет наблюдать за тем, как в тонких лучах солнечного света кружатся пылинки.

Раздается шипение, и я поворачиваю голову. Проходит некоторое время, прежде чем я решаю, что это не призрак, а в самом деле Лютик. Как он сюда добрался? Он исполосован чьими-то когтями, поджимает заднюю лапу и совсем осунулся. Значит, он пришел сюда из самого Тринадцатого. Может, его выгнали, или же он не выдержал жизни без Прим и отправился в путь, чтобы найти ее.

— Зря пришел. Ее здесь нет, — говорю я. Лютик снова шипит. — Можешь шипеть сколько угодно, но ее здесь нет. Прим ты здесь не найдешь. — Услышав ее имя, кот настораживается, поднимает уши и с надеждой мяучит. — Убирайся! — Лютик уворачивается от брошенной в него подушки. — Прочь! Здесь тебе ничего не светит! — Я дрожу от ярости. — Она не вернется! Она никогда сюда не вернется! — Я беру еще одну подушку, встаю, чтобы точнее прицелиться, и внезапно понимаю, что по щекам текут слезы. — Она умерла. — Я хватаюсь за живот, чтобы унять боль, оседаю, обхватываю подушку, раскачиваюсь и плачу. — Она умерла, тупой кот. Умерла.

Из меня вырывается новый звук — то ли плач, то ли песня. Тело пытается дать выход отчаянию. Лютик тоже начинает выть. Что бы я ни делала, он не уйдет. Кот кружит вокруг меня, вне досягаемости, и после нескольких приступов рыданий я наконец теряю сознание. Но он все понял. Похоже, он знает, что произошло немыслимое и что дальнейшее выживание потребует от нас действий, которые прежде казались немыслимыми, — потому что несколько часов спустя, когда я прихожу в себя в своей постели, он все еще здесь, в столбе лунного света. Сжавшись в комок и настороженно сверкая желтыми глазами, он охраняет меня в ночи.

Утром Лютик стоически переносит промывание ран, а когда дело доходит до вытаскивания колючки из лапы, не выдерживает и начинает жалобно мяукать, словно котенок. В конце концов мы оба плачем, но на сей раз мы утешаем друг друга. Это придает мне сил, и я открываю письмо от матери, которое передал мне Хеймитч. Я звоню ей и плачу с ней тоже. Вместе с Сальной Сэй приходит Пит с теплым караваем. Салли готовит нам завтрак, и я скармливаю весь свой бекон Лютику.

Медленно, теряя много дней, я возвращаюсь к жизни. Я пытаюсь следовать совету доктора Аврелия — механически заниматься обычными делами, и удивляюсь, когда в конце концов они обретают смысл. Я делюсь с доктором Аврелием своей идеей насчет книги, и следующий поезд привозит из Капитолия большую коробку с пергаментом.

На эту мысль меня навела книга с описанием растений, принадлежавшая моей матери, — та самая, куда записываешь то, что не хочешь забыть. Страница начинается с изображения человека — если удается найти фотографию, то с нее, а если нет, то с наброска или рисунка, сделанного Питом. Затем я самым аккуратным почерком записываю все подробности, забыть которые было бы преступлением. Леди, лижущая Пита в щеку. Смех папы. Отец Пита с печеньем. Цвет глаз Финника. То, что мог сделать Цинна из куска шелка. Боггс, изменяющий программу голографа. Рута, которая стоит на цыпочках, слегка разведя руки, словно птица, готовая взлететь. И так далее. Мы запечатываем страницы соленой водой и обещаем жить хорошо, чтобы смерть этих людей не стала напрасной. В конце концов к нам присоединяется Хеймитч и рассказывает о двадцати трех годах, в течение которых его заставляли учить трибутов. Записи становятся короче. Кусочек прошлого, внезапно всплывший в памяти. Цветок примулы. Фрагменты чужих жизней — например, фото новорожденного сына Финника и Энни.

Мы снова учимся наполнять жизнь делами. Пит печет хлеб. Я охочусь. Хеймитч пьет, пока не заканчивается выпивка, а затем, пока не прибудет следующий поезд, ухаживает за гусями. К счастью, гуси и сами могут о себе позаботиться. Мы не одни: несколько сотен людей вернулись — ведь, что бы ни случилось, это наш дом. Шахты закрыты, так что люди перепахивают засыпанную пеплом землю, сеют хлеб, сажают овощи. Машины, привезенные из Капитолия, роют котлован для будущей фабрики, на которой мы будем делать лекарства. И хотя Луговину никто не засевает, она вновь зарастает травой.

Мы с Питом снова сближаемся. Правда, иногда он все еще замирает, стискивает спинку стула и ждет, пока схлынет поток воспоминаний. Мне время от времени снятся кошмары о переродках и пропавших детях, и я кричу во сне. Но Пит рядом, он обнимает и успокаивает меня. А потом целует. Ночью я снова чувствую тот голод, который застиг меня врасплох на берегу. Я знаю, что рано или поздно это все равно бы произошло. Знаю, что мне нужен не огонь Гейла, подпитываемый гневом и ненавистью, а весенний одуванчик — символ возрождения, обещание того, что, несмотря на все потери, жизнь продолжается. Что все снова будет хорошо. И это может дать мне только Пит.

И когда он шепчет мне:

— Ты меня любишь. Правда или ложь?

Я отвечаю:

— Правда.

ЭПИЛОГ

Они играют на Луговине. Темноволосая девочка с голубыми глазами танцует, а сероглазый малыш с белокурыми локонами пытается ее догнать. Прошло пять, десять, пятнадцать лет, прежде чем я согласилась. Пит так сильно хотел детей. Когда я почувствовала, как она зашевелилась во мне, меня охватил страх — такой сильный, что его усмирила только радость оттого, что я держу на руках дочку. Мальчика я носила легче, но не намного.

Вопросы только начинаются. Все арены уничтожили, построили мемориалы, Голодные игры больше не проводят. Но историю Игр изучают в школе, и девочка знает, что мы в них участвовали. Пройдет несколько лет, и об этом узнает и мальчик. Как я могу рассказать им о том мире, чтобы не напугать их до смерти — моих детей, которые воспринимают слова этой песни как само собой разумеющееся:

Глазки устали. Ты их закрой.
Буду хранить я твой покой.
Все беды и боли ночь унесет.
Растает туман, когда солнце взойдет.
Тут ласковый ветер. Тут травы, как пух,
И шелест ракиты ласкает твой слух.

Мой голос становится едва слышным:

Пусть снятся тебе расчудесные сны,
Пусть вестником счастья станут они.

Мои дети, которые не догадываются, что играют на кладбище.

Пит утверждает, что все будет хорошо. У нас есть семья. И книга. Мы все объясним детям так, что они станут храбрее. Но когда-нибудь мне придется рассказать им о моих кошмарах — и о том, почему страшные сны никогда не исчезнут.

Я расскажу детям о том, как я справляюсь с этим, о том, как в плохие дни меня ничто не радует — ведь я боюсь потерять все. Именно в такие дни я составляю в уме список всех добрых дел, которым стала свидетелем. Это похоже на игру. Она повторяется снова и снова. После двадцати с лишним лет она даже стала немного утомительной.

Но есть игры гораздо хуже этой.

КОНЕЦ

СОДЕРЖАНИЕ

Литературно-художественное издание

Коллинз Сьюзен

ГОЛОДНЫЕ ИГРЫ
И ВСПЫХНЕТ ПЛАМЯ
СОЙКА-ПЕРЕСМЕШНИЦА

Редакторы С. Масленникова, О. Кутуев, Е. Розенберг
Корректоры О.А. Ежова, Г.Б. Костромцова
Технический редактор О.В. Панкрашина
Компьютерная верстка: С.Б. Клещёв

Общероссийский классификатор продукции
ОК-034-2014 (КПЕС 2008); 58.11.1 — книги, брошюры печатные

Подписано в печать 06.02.2019 г. Формат 60×90[1]/[16].
Усл. печ. л. 56,0. Доп. тираж 4 000 экз. Заказ № 1006/19

Произведено в Российской Федерации
Изготовлено в 2019 году

Изготовитель: ООО «Издательство АСТ»
129085, Российская Федерация, г. Москва, Звездный бульвар, д. 21,
стр. 1, ком. 705, пом. I, 7 эт.
Наш электронный адрес: www.ast.ru
E-mail: neoclassic@ast.ru
ВКонтакте: vk.com / ast_neoclassic

«Баспа Аста» деген ООО
129085, Мәскеу қ., Звёздный бульвары, 21-үй, 1-құрылыс, 705-бөлме, I жай, 7-қабат.
Біздің электрондық мекенжайымыз: www.ast.ru

Интернет-магазин: www.book24.kz
Интернет-дүкен: www.book24.kz
Импортер в Республику Казахстан ТОО «РДЦ-Алматы».
Қазақстан Республикасындағы импорттаушы «РДЦ-Алматы» ЖШС.
Дистрибьютор и представитель по приему претензий на продукцию в республике
Казахстан:
ТОО «РДЦ-Алматы»
Қазақстан Республикасында дистрибьютор
және өнім бойынша арыз-талаптарды қабылдаушының
өкілі «РДЦ-Алматы» ЖШС, Алматы қ., Домбровский көш., 3«а», литер Б, офис 1.
Тел.: 8 (727) 2 51 59 89,90,91,92
Факс: 8 (727) 251 58 12, вн. 107; E-mail: RDC-Almaty@eksmo.kz
Өнімнің жарамдылық мерзімі шектелмеген.
Өндірген мемлекет: Ресей
Сертификация қарастырылмаған

16+

Отпечатано в соответствии с предоставленными материалами
в ООО «ИПК Парето-Принт», 170546, Тверская область,
Промышленная зона Боровлево-1, комплекс №3А, www.pareto-print.ru